Rechtsdogmatik

Rechtsdogmatik

Stand und Perspektiven

herausgegeben von

Christoph Bezemek

C.H.BECK DIKE

Wien 2023
MANZ'sche Verlags- und Universitätsbuchhandlung
Verlag C.H.BECK, München
Dike Verlag AG, Zürich

ISBN 978-3-214-02642-4 (MANZ)
ISBN 978-3-406-79835-1 (C.H.BECK)
ISBN 978-3-03891-661-1 (DIKE)

Telefon: (01) 531 61-0
E-Mail: verlag@manz.at
www.manz.at
Bildnachweis Umschlag: © Katerina Teresidi
Satzherstellung: Christian Taufer
Druck: FINIDR, s.r.o., Český Těšín

Vorwort

Ich habe vor vielen Jahren im Zivilrechtsseminar bei *Andreas Kletečka* gelernt, dass es zwei Arten guter Juristen gibt: Gute Juristen, die gute Juristen sind, weil sie gute Juristen sind. Und gute Juristen, die gute Juristen sind, weil sie gute Juristen kennen.

Dieser Einteilung folgend stehe ich bei aller gebotenen Bescheidenheit nicht an, zu betonen, dass ich nicht nur ein guter, sondern ein ganz ausgezeichneter Jurist bin, weil ich so viele ausgezeichnete Juristinnen und Juristen kenne. Und ich bin über die Maßen dankbar, dass sich diese ausgezeichneten Juristinnen und Juristen aus dem gesamten deutschsprachigen Raum, allesamt führende Vertreterinnen und Vertreter ihres Fachs, bereiterklärt haben, an einem Projekt mitzuwirken, das im Rahmen einer Tagung, die im März 2022 an der Universität Graz veranstaltet wurde, seinen Anfang genommen hat und in Gestalt des vorliegenden Buches seinen Abschluss findet: Keine Tagung ist besser als ihre Referentinnen und Referenten, kein Buch besser als seine Autorinnen und Autoren. Und damit hätte die Tagung konkret nicht besser sein können, als sie war und könnte das vorliegende Buch (sieht man von Vorwort und Einleitung ab) auch gar nicht besser sein, als es ist.

Dafür, dass alles so sein konnte, wie es war und so sein kann, wie es ist, ist freilich nicht nur den unmittelbaren Akteuren zu danken: Dank gilt insbesondere dem Verlagshaus MANZ, wie so oft in Gestalt von *Hemma Korinek*, das gemeinsam mit Beck und Dike dafür Sorge trägt, die Ergebnisse eines Vorhabens, das unter Beteiligung von Vertreterinnen und Vertretern rechtswissenschaftlicher (Sub-)Disziplinen aus dem gesamten deutschen Sprachraum realisiert wurde, auch im gesamten deutschen Sprachraum (und idealerweise darüber hinaus) zu verbreiten. Dafür, dass das zu Verbreitende nicht nur sämtlichen inhaltlichen, sondern auch allen ästhetischen Ansprüchen gerecht wird, ist verlagsseitig *Martina Jurišić* zu danken.

Die Umschlaggestaltung folgt einem Entwurf von *Katerina Teresidi*, nach meinem Dafürhalten eine der spannendsten bildenden Künstlerinnen ihrer Generation in Österreich (jene, die sich überzeugen möchten, dass diese Einschätzung akkurat ist, sind herzlich eingeladen, das unter teresidi.at zu tun). Ich danke ihr herzlich dafür, ihre Energie und ihr kreatives Potential mit diesem Projekt geteilt zu haben.

Dank für die Unterstützung der Veranstaltung gebührt neben dem Verlag MANZ auch dem Land Steiermark, der Stadt Graz, der Universität Graz und ihrer Rechtswissenschaftlichen Fakultät. Vor allem aber gebührt er einer Person: Ohne *Claudia Namesnik* wäre die Ausrichtung der Tagung unter so anspruchsvollen Bedingungen wie jenen, die im Frühjahr 2022 vorherrschten, ausgeschlossen gewesen und die Publikation des Buches mit deutlicher Verspätung erfolgt.

Zuletzt danke ich meinen großartigen und bemerkenswert talentierten Mitarbeiterinnen und Mitarbeitern *Sofia Benkirane*, *Daniel Gosch*, *Anja Krasser*, *Sofia Moder*, *Katharina Pritz*, *Raphael Trkmic* und *Raphael Ulbing* für die umfassende Unterstützung (nicht nur) dieses Projekts. Freilich: Wenn dogmatische Arbeit – wie *Teresidis* Umschlaggestaltung (auch) nahelegen soll – einem Kathedralenbau gleicht, den eine Generation nie beendet, sondern bloß fortführt, um die Arbeit in die Hände der nachfolgenden zu legen, ist es nur billig, dass meine jungen Kolleginnen und Kollegen einen Teil der Arbeit an der Dogmatik schon jetzt auf sich genommen haben.

Graz, September 2023 *Christoph Bezemek*

Inhaltsverzeichnis

Teil II
Dogmatik im Privatrecht

Teil III
Dogmatik im Öffentlichen Recht

Teil IV
Rechtsdogmatik im Querschnitt

Teil V
Rechtsdogmatik und Sozialwissenschaft
Rechtsdogmatik als Sozialwissenschaft

Teil VI
Rechtsdogmatik und (Rechts-)Praxis
Rechtsdogmatik als (Rechts-)Praxis

Teil VII
Jenseits der Rechtsdogmatik

Autorenverzeichnis

Anne van Aaken, Universität Hamburg

Carsten Bäcker, Universität Bayreuth

Christoph Bezemek, Universität Graz

Elisabeth Brameshuber, Universität Wien

Peter Bydlinski, Universität Graz/Wirtschaftsuniversität Wien

Harald Eberhard, Universität Wien

Tina Ehrke-Rabel, Universität Graz

Iris Eisenberger, Universität Wien

Mathis Fister, Universität Linz

Nikolaus Forgó, Universität Wien

Claudia Fuchs, Wirtschaftsuniversität Wien

Andreas Glaser, Universität Zürich

Maya Hertig Randall, Université de Genève

Michael Holoubek, Wirtschaftsuniversität Wien/VfGH

Elisabeth Holzleithner, Universität Wien

Anna-Bettina Kaiser, Humboldt-Universität zu Berlin

Stephan Kirste, Universität Salzburg

Georg Kodek, Wirtschaftsuniversität Wien/OGH

Joachim Lege, Universität Greifswald

Brigitta Lurger, Universität Graz

Michael Mayrhofer, Universität Linz/VfGH

Andreas Th. Müller, Universität Basel

Matthias Neumayr, Universität Linz/OGH

Bettina Nunner-Krautgasser, Universität Graz

Stefan Perner, Wirtschaftsuniversität Wien

Christian Pippan, Universität Graz

Klaus Poier, Universität Graz

Michael Potacs, Universität Wien

Erich Pürgy, Wirtschaftsuniversität Wien/VwGH

Susanne Reindl-Krauskopf, Universität Wien

Alexander Somek, Universität Wien

Martin Spitzer, Wirtschaftsuniversität Wien

Emanuel V. Towfigh, EBS Universität, Wiesbaden

Christiane Wendehorst, Universität Wien

Erika de Wet, Universität Graz

Ewald Wiederin, Universität Wien

Christoph Bezemek

Rechtsdogmatik: Wesen, Wert, Wirklichkeit

Eine Annäherung

Weltösterreich per acclamationem

Schuld an allem (oder zumindest ursächlich für alles) ist der 5. Oktober 2017: Staatsrechtslehrertagung in Saarbrücken; Aussprache nach dem Vortrag von *Uwe Kischel.*[1] *Oliver Lepsius* beendet eine – gewohnt wortgewaltige – Philippika wider die Ausführungen des Referenten mit der eindringlichen Forderung, „wir [also die Teilnehmerinnen und Teilnehmer der Tagung – stellvertretend für das Staatsrecht insgesamt][2] sollten uns stärker öffnen und nicht auf dem Respekt vor deutschen Dogmatiken bestehen, denn das ist nicht der Zukunftsweg".[3]

Daraufhin: affirmatives Beklopfen der Tischreihen bei Teilen des Publikums, dem ich mich, ganz vom weltösterreichischen Geist beseelt,[4] anschließe. Mein Sitznachbar, der sich einer ähnlichen Beifallsbekundung enthält, sieht mich an, sein Blick irgendwo zwischen konsterniert und indigniert, und fragt mich: „Was verstehst Du denn von deutscher Dogmatik?"

In solchen Momenten, in denen die eigene fachliche Kapazität ostentativ in Zweifel gezogen wird, gilt es bekanntlich schnell zu sein. Und die erste – naheliegende – Replik kam mir dann auch in Sekundenbruchteilen in Gestalt von: „Naja, jedenfalls so viel wie Du von der österreichischen."

1 *Uwe Kischel,* Fragmentierungen im Öffentlichen Recht: Diskursvergleich im internationalen und nationalen Recht, VVdStRL 77 (2017) 285.

2 Ein beinah (?) überflüssiger Zusatz.

3 *Oliver Lepsius,* Diskussionsbeitrag VVdStRL 77 (2017) 328 (329 f). Nicht, dass das inhaltlich überraschend gekommen wäre – vgl unter anderem bereits *Oliver Lepsius,* Themen einer Rechtswissenschaftstheorie, in *Jestaedt/Lepsius* (Hrsg), Rechtswissenschaftstheorie (2008) 17 ff.

4 *Bezemek/Somek,* Die Wiederentdeckung Weltösterreichs: Eine Denkschrift (2018) 135.

Möglicherweise, das gebe ich zu, keine besonders elegante, aber in jedem Fall eine durchaus effektive Erwiderung; zumal es sich bei meinem Sitznachbarn um einen österreichischen Kollegen gehandelt hat.

Die Sache ist freilich die: Ich bin rückblickend nicht sicher, ob ich das wirklich gesagt habe oder stattdessen etwas anders – Beliebigeres oder vielleicht doch etwa Gefälligeres. Nicht, dass ich mir den bissigeren Einwand nicht zutrauen würde und nicht, dass es der betreffende Kollege nicht vertragen hätte: Wir kennen einander schon lange und gut. Und er schätzt meine Zurückhaltung mindestens so sehr wie ich seine Subtilität. Ich bin mir nicht sicher, ob ich das gesagt habe, weil ich mir nicht sicher bin, ob mir (was meine fachliche Kapazität wiederum eindrucksvoll unterstreichen würde) nicht recht rasch klar war, dass die Frage nicht unberechtigt ist; wenn auch vielleicht nicht in dem Sinn, den der Kollege ihr beilegen wollte.

Immerhin gibt es, ich darf das hier ganz freimütig bekennen, vieles, das ich an deutscher Dogmatik nicht verstehe; schon, was ihr deutsches Wesen – verglichen etwa mit dem österreichischen oder schweizerischen – anlangt, an dem die Welt vielleicht nicht genesen, aber das gegenüber der Welt da draußen einen Sonderstatus genießen soll.[5] Und ich muss zugeben, die Argumente, warum das so ist, oder jedenfalls so sein soll, haben mich nie ganz überzeugt.[6]

Questiones disputatae

Das aber beweist wenig: Denn ganz grundlegend – verstehe ich vieles nicht, das mit dem Konzept der Dogmatik rechtlicher Spielart zu tun hat.[7]

5 Auch wenn dieser Sonderstatus seinerseits Gegenstand vielfach vorgetragener Kritik ist – vgl nur *Möllers/Voßkuhle,* Die deutsche Staatsrechtswissenschaft im Zusammenhang der internationalisierten Wissenschaften, Die Verwaltung 2003, 321. Dass indes auch und gerade Selbstkritik wesensgemäß um das Selbst kreist, sei an dieser Stelle nur der Vollständigkeit halber angemerkt; ebenso, dass Nämliches dementsprechend für den Fundstellennachweis in FN 4 zu gelten hat.

6 Augenfällig ist ohnehin, dass derartige Insinuationen vielfach eher vom Anhauch des Selbstverständlichen umfangen als von der Selbstverständlichkeit des umfänglichen Ausweises begleitet sind – vgl etwa *Matthias Jestaedt,* Wissenschaftliches Recht – Rechtsdogmatik als gemeinsames Kommunikationsformat von Rechtswissenschaft und Rechtspraxis, in FS Mayer (2011) 169.

7 Nicht, dass es um die theologische oder die medizin(histor)ische Variante besser bestellt wäre.

So vieles, dass – will man beim freimütigen Bekenntnis bleiben – eigentlich kein Fragewort unstrapaziert bleiben kann; beginnend beim „Wo", das ja gerade eben mit Blick auf die – vermeintliche – nationale (oder allenfalls im Konzessionsweg zugestandene regionale) Besonderheit des Gegenstandes angesprochen wurde.

Abseits dessen ist da zunächst einmal das „Was", an das ich die längste Zeit eine eher intuitive Annäherung vollzogen habe, gepaart mit einer handgestrickten Arbeitsdefinition, irgendwo in der Nähe von „anwendungsbezogene Durchdringung des geltenden Rechtsbestandes mit Systematisierungsanspruch".

Dann natürlich das „Wer", weil jenseits (mittlerweile) etablierter Stehsätze über die Funktion von Dogmatik als „Kommunikationsformat" zwischen Rechtswissenschaft und Rechtsanwendung,[8] unklar bleibt, wer denn an der Schaffung von Dogmatik (oder: „Dogmatiken" – für sich betrachtet ein interessantes Verhältnis) wie beteiligt ist. Nur die Rechtswissenschaft – auch die Praxis? Und wenn ja: ist das ein Henne-Ei Problem, bei dem nie vollständig klar wird, wer wem das Ei legt?

Sodann das „Wie": weil ja durchaus evident scheint, dass Dogmatik beansprucht, methodengeleitete Einsichten zutage zu fördern, aber das Verhältnis von Dogmatik und Methode zumindest dahingehend klärungsbedürftig ist, ob Dogmatik eine Methode sein soll oder nur das Ergebnis ihrer Anwendung zu sein beansprucht.[9]

Beim „Wann", das ja in einer notwendig engen Beziehung zum „Woher" steht, hätte ich mich *ad hoc* wahrscheinlich in besonderem Maß blamiert, so als würde die scheinbare Ubiquität der Disziplin notwendig eine disziplinäre Unzeitlichkeit implizieren; allenfalls, und mit ein wenig Glück, hätte ich verschüttetes Wissen über *Jhering* und die Frage, ob (und gegebenenfalls unter welchen Voraussetzungen) die Jurisprudenz zur Wissenschaft taugt, ausgraben und mit leicht angegrautem Zynismus von „Federstrichen" und „Grenzpfählen" abhandeln können.[10]

8 *Matthias Jestaedt* in FS Mayer (6) sowie *ders*, Die deutsche Staatsrechtslehre im europäisierten Rechtswissenschaftsdiskurs, JZ 2012, 1.

9 Instruktiv aus dem neueren Schrifttum die Diskussion bei *Jannis Lennartz*, Dogmatik als Methode (2017). Zur Positionierung mit Blick auf die aufgeworfene Frage vgl *id* 181.

10 *Rudolf von Jhering*, Ist die Jurisprudenz eine Wissenschaft? (1868/1998).

Das muss nicht verwundern: Wer Unsicherheiten beim „Was“ gegen sich gelten lassen muss, nimmt Unsicherheiten beim „Wann“ und beim „Woher“ fast schon zwangsläufig in Kauf.

Und was letztlich das „Wohin“ anlangt, so wären mir sicherlich ein paar Ideen zu einer allgemeinen Entwicklung in der schon erwähnten weltösterreichischen Absicht gekommen, die in *Lepsius'* Windschatten bekräftigt hätten, wie wenig zukunftsträchtig es akademisch ist, sich über dogmatische Arbeit in die Grenzen der Arbeit am geltenden (nationalen) Recht verweisen zu lassen, anstatt über problemorientiert vergleichende und disziplinenübergreifende Ansätze diese Grenzen zu überwinden. Freilich: Gemessen an der hier umrissenen Ignoranz, wäre der Wert meiner Einschätzung nicht wesentlich über das Beklopfen des Tisches hinausgegangen.

Unklar, umstritten, ungewiss

Nun liegt der Einwand nahe, dass jemand, der solche Ignoranz hinsichtlich der Thematik gegen sich gelten lassen muss, kaum qualifiziert ist – und sei es nur im Wege einer Einleitung – über „Wesen, Wert und Wirklichkeit“ von Rechtsdogmatik abzuhandeln, auch dann, wenn der Untertitel nicht mehr als eine „Annäherung“ verheißt...

Ein solcher Einwand scheint keineswegs unberechtigt und bringt mich zurück zum Beginn meiner kleinen Anekdote und zur Frage, ob denn nicht die (nuancierte) *tu quoque* Entgegnung meinem Kollegen gegenüber doch angezeigt gewesen wäre, freilich weniger angriffslustig, als eher hintergründig.

Immerhin ließe sich auch ein intensiveres Studium des einschlägigen Schrifttums zu Wesen, Wert und Wirklichkeit von Rechtsdogmatik, will man es kurzhalten, folgendermaßen zusammenfassen:

Das Wesen ist unklar.

Der Wert ist umstritten.

Die Wirklichkeit ist ungewiss.

Was meine ich damit?

Beginnen wir beim Wesen: Ich möchte jetzt nicht so weit gehen, zu sagen, dass die Zahl der Definitionen von „Rechtsdogmatik“ jener derer entspricht, die diese Definitionen geben.[11] Dennoch: ganz abwegig ist das nicht: *Christian Waldhoff* hat vergleichsweise rezent in einem *tour d'horizon* zum Komplex 13 Zugänge gegenübergestellt;[12] wenn auch ohne Anspruch auf Vollständigkeit...

Zugegeben: Teils sind die Abweichungen marginal, zuweilen aber substantiell. Zwischen den Zuschreibungen bei *Alexy*[13] und den Ausführungen bei *Zippelius*,[14] etwa, liegt nicht nur im Alphabet ein breiter Weg.

Und mit dem so unterbreiten Eindruck bin ich keineswegs allein. Noch auf der Staatsrechtslehrertagung 2014 in Düsseldorf beklagt *Hans Christian Röhl* die „vielfältigen unterschiedlichen Definitionen"[15] und ist damit freilich noch deutlich zurückhaltender als etwa *Franz Bydlinski*, der schon 1995 vor der Juristischen Gesellschaft zu Berlin „zahlreiche schiefe bis absurde Begriffsbestimmungen"[16] von Rechtsdogmatik ausmacht. Man mag dergleichen Verwirrung – ein Stück weit – lösen, etwa, indem man das Konzept als „multidimensional" begreift und damit die jeweiligen Ansprüche an Funktion und Funktionalität perspektivisch verortet. Aber auch das dergestalt Verortete mag seinerseits eher zur Annäherung, denn zur Abgrenzung taugen.

Diese Abgrenzung tut aber, auch wenn sich das neuere Schrifttum anschickt, dergleichen zu Gunsten einer Metaanalyse hintanzustellen,[17] aus mehreren Gründen Not. Ich nenne hier nur drei: Zum einen braucht es sie, um eine Selbstvergewisserung innerhalb der Gesamtdisziplin unternehmen zu können, zum anderen braucht es sie, um das Selbstverständ-

11 Auch wenn man das gerade im Umstand belegt finden könnte, dass zahlreiche der nachfolgenden Beiträge Arbeitsdefinitionen von (Rechts-)Dogmatik der weiteren Abhandlung voranstellen.

12 *Christian Waldhoff*, Kritik und Lob der Dogmatik, in *Kirchhof/Magen/Schneider* (Hrsg), Was weiß Dogmatik? (2012) 17 (22 ff).

13 *Robert Alexy*, Theorie der juristischen Argumentation[7] (2012) 307 ff.

14 Vgl mit Unterschieden in der Schwerpunktsetzung etwa die Ansätze bei *Reinhold Zippelius*, Das Wesen des Rechts[4] (1978) 183 ff sowie *ders*, Rechtsphilosophie[6] (2011) 203 ff.

15 *Hans Christian Röhl*, Öffnung der öffentlich-rechtlichen Methode durch Internationalität und Interdisziplinarität: Erscheinungsformen, Chancen, Grenzen, VVDStRL 2015, 8 (11 FN 14).

16 *Franz Bydlinski*, Über prinzipiell-systematische Rechtsfindung im Privatrecht (1995) 5.

17 Vgl insb *Christian Bumke*, Rechtsdogmatik (2017) 113 ff.

nis ihrer Exponenten zu schärfen und letztlich ist man darauf angewiesen, um ein Selbstbild zu zeichnen, das es erlaubt, den Anspruch der Rechtswissenschaft insgesamt in ihrer quantitativ dominanten Spielart[18] auch qualitativ zu evaluieren.

In Abwesenheit der Abgrenzung nämlich mag der Streit um den Wert des Abzugrenzenden nicht wundern; wobei schon die so gezogene Konsequenz vor dem Hintergrund des Gesagten problematisch ist – aus Falschem folgt ja bekanntlich Beliebiges.

Und so kann im Streit um den Wert vieles Platz finden. Da ist einmal Grundsätzliches, wie die Fundamentalkritik an einer Wissenschaft vom positiven Recht, die sich willfährig und ohne Not der Beliebigkeit des Zufälligen ausliefert, die Rechtsdogmatik seit jeher begleitet.[19] Dann sind da die eher zeitgenössischen Anwürfe der mangelnden Anschlussfähigkeit an „den“ internationalen Diskurs – so es ihn denn gibt – oder an fremddisziplinäre Diskurse,[20] an eigendisziplinäre Subdiskurse (zu denen die bzw: *die als* „rechtswissenschaftliche Grundlagenfächer“ im Verhältnis herabgestuft werden, ohne dass klar wird, ob und allenfalls inwieweit auf dieser Grundlage aufgebaut wird).[21] Und dann bestehen gar Zweifel, was die Anschlussfähigkeit an die Realität insgesamt anlangt (oder ob dieselbe sicherzustellen aus der Binnenperspektive des dogmatischen Projekts als wünschenswert zu erachten ist).[22]

18 Will man hier in Anteilen (und seien es überwiegende) und nicht schon dem Grunde nach in Kongruenz denken – vgl zu Letzterem insb *Karl Larenz,* Methodenlehre der Rechtswissenschaft (1960) 189 und *Ralf Dreier,* Zum Selbstverständnis der Jurisprudenz als Wissenschaft, in *Dreier* (Hrsg), Recht – Moral – Ideologie (1981) 48 (51).

19 *Locus classicus: Julius von Kirchmann,* Die Werthlosigkeit der Jurisprudenz als Wissenschaft (1847/1848); für eine Darstellung der Diskussion aus gegenwärtiger Sicht vgl nur *Tatjana Hörnle,* Stärken und Schwächen der deutschen Strafrechtswissenschaft, in *Dreier* (Hrsg), Rechtswissenschaft als Beruf (2018) 183 (187 ff).

20 Vgl neben der in FN 5 ausgewiesenen Fundstelle etwa die Umschau und Diskussion bei *Andreas von Arnauld,* Öffnung der öffentlich-rechtlichen Methode durch Internationalität und Interdisziplinarität: Erscheinungsformen, Chancen, Grenzen, VVdStRL 2015, 39 (65 ff).

21 Vgl aus dem rezenten Schrifttum etwa *Lassahn/Steenbreker,* Gedanken zur Rechtsdogmatik, JR 2015, 553 (558 f).

22 Siehe nur die Darlegung bei *Kirchhof/Magen,* Dogmatik: Notwendigkeit und Dialog, in *Kirchhof/Magen/Schneider* (Hrsg), Was weiß Dogmatik? (2012) 151 (168 ff).

Über allem schwebt schließlich der Anwurf des „Professorenrechts“,[23] das zwar denkbar kompetent erarbeitet sein mag, aber jeder denkmöglichen Kompetenz entbehrt.[24]

Deutlich – oder jedenfalls scheinbar deutlich – verschiedene Positionen also, denen allenfalls der kokette Unterton gemein ist, mit dem der Kassandraruf eines kontingenten, kontext- und kompetenzvergessenen rechtswissenschaftlichen Monadismus zuweilen vorgetragen wird.

Dem gegenüber stehen jene Ansätze, die im disziplinären Selbststand und Selbstbezug einer Rechtswissenschaft dogmatischer Spielart gerade entscheidende Vorteile erkennen: Hier steht man nicht an, diese Vorteile auch in bestimmt vorgetragener anti-synkretistischer Grundhaltung, ganz ohne Koketterie, in Richtung eines „German Exceptionalism“ zu artikulieren; ein „Exceptionalism“, der über seine Exzeptionalität Exklusivität beansprucht und es ernst meint mit der Exklusion;[25] der also *a priori* gar nicht anschlussfähig sein will an das Vorgenannte, sondern vielmehr Vorbildwirkung für wissenschaftlich geprüftes und überprüfbares Recht in Anspruch nehmen soll,[26] das die Rechtsordnung systematisch zugänglich macht;[27] erst über die Ordnung des Rechtsbestandes, weiter über seine Verdichtung und dann über die Aufbereitung des Verdichteten für die Rechtsanwendung zu diskursbewährten Bedingungen, und damit in angemessener Reflexionsbreite und -tiefe, um schließlich in einer Umkehrung des Verfahrens das System selbst anzureichern.[28] Rechtsdogmatik als in Permanenz vermittelte und vermittelnde Rationalität, wenn man so will, die aus dieser Vermittlung ihren Anspruch und über diese Vermittlung ihre Berechtigung bezieht.

Die so umrissene Strittigkeit des Werts bringt uns zur Ungewissheit der Wirklichkeit. Entgegen dem, was mit einer ersten Anmutung verbunden

23 *Christoph Schönberger,* Der „German Approach“: Die deutsche Staatsrechtslehre im Wissenschaftsvergleich (2015) 47.

24 Vgl insb *Oliver Lepsius,* Kritik der Dogmatik, in *Kirchhof/Magen/Schneider* (Hrsg), Was weiß Dogmatik? (2012) 39 (43 ff).

25 Vgl nur die Darstellung bei *Alexander Stark,* Interdisziplinarität der Rechtsdogmatik (2020) 311 ff.

26 *Locus classicus: Friedrich Carl von Savigny,* System des heutigen römischen Rechts I (1840) 45 ff.

27 Dazu etwa aus dem rezenten Schrifttum nur den Ansatz von *Rolf Stürner,* Das Zivilrecht der Moderne und die Bedeutung der Rechtsdogmatik, JZ 2012, 10.

28 *Jestaedt* in FS Mayer.

sein mag, soll damit weder die Wirklichkeit der Rechtsdogmatik noch dem Grunde nach die Bedeutung der „‚Wirklichkeit' *in der* Rechtsdogmatik"[29] in Abrede gestellt werden. Ungewissheit der Wirklichkeit soll sagen, dass es uns schwerfällt, gerade im Hauptfeld unserer Tätigkeit Einigkeit über unseren Anspruch an diese Tätigkeit zu erzielen, also über die Standards, die wir an eine Bewertung jeder Arbeit am positiven Recht anlegen, die als Wissenschaft wird auftreten können. Anders, und etwas zugespitzt formuliert: Der Verdacht liegt nahe, dass wir in Wirklichkeit oftmals unsicher sind, was den Anspruch an unser akademisches Wirken im dogmatischen Feld anlangt;[30] also plastisch gesprochen: wo die Niederungen der bloßen Rechtskunde enden und wo die (An-)Höhen der Rechtsdogmatik beginnen.[31] Und dass diese Unsicherheit im Streit um den Wert und in der Klärungsbedürftigkeit des Wesens gleichsam mitangelegt ist. Das ist ebenso bemerkens- wie bedauernswert, weil es problematische Implikationen für die Rechtswissenschaft insgesamt hat. Und es verlangt nach einer Auseinandersetzung.

Nicht, dass dergleichen nicht in regelmäßigen Abständen unternommen würde: gerade in Deutschland.[32] Dort mehren sich in der jüngeren Vergangenheit monographische Aufarbeitungen, die neben mehrere Sammelbände von außerordentlicher Qualität zum Komplex treten.[33] Woran es mangelt, so scheint es, ist zunächst eine Behandlung, die die Diskussion ganz bewusst über die Grenzen der Bundesrepublik hinaus entfaltet und im Sinn des Eingangs wiedergegebenen Einwurfs meines Sitznachbarn in Saarbrücken dazu ansetzt, die Idiosynkrasie des Gegenstandes *in* seiner und *jenseits* seiner nationalen Dimension und dann jeweils mit Blick auf die zuvor aufgeworfenen Punkte, idealerweise aus sub-, fremd-,

29 Hervorhebung durch den Autor. Dazu *Christoph Gusy*, „Wirklichkeit" in der Rechtsdogmatik, JZ 1991, 213.

30 Dazu rezent insb *Horst Dreier*, Rechtswissenschaft als Wissenschaft – Zehn Thesen, in *Dreier* (Hrsg), Rechtswissenschaft als Beruf (2018) 1 (8 ff).

31 Mit einer Binnendifferenzierung etwa *Thomas Vesting*, Rechtstheorie^2 (2015) 13.

32 Was Teil der Erklärung dafür sein mag, dass auch diese Einleitung eigentlich auf nur auf deutsches Schrifttum verweist.

33 Vgl neben den in FN 9, 17 und 25 ausgewiesenen Werken die Sammelbände von *Engel/Schön* (Hrsg), Das Proprium der Rechtswissenschaft (2007); *Krüper/Merten/Morlok* (Hrsg), An den Grenzen der Rechtsdogmatik (2010); *Rolf Stürner* (Hrsg), Die Bedeutung der Rechtsdogmatik für die Rechtsentwicklung (2010); *Kirchhof/Magen/Schneider* (Hrsg), Was weiß Dogmatik? (2012) sowie *Horst Dreier* (Hrsg), Rechtswissenschaft als Beruf (2018).

und transdisziplinärem Blickwinkel und mit Blick auf hinführende Annahmen und weiterführende Implikationen, zu beleuchten.

Dass die so formulierte Aufgabe einen Einzelnen – und sei es auch ein minder ignoranter Einzelner – überfordern müsste, scheint mir naheliegend. Das ist keineswegs ein Nachteil: Immerhin: Gerade dann, wenn man die Berechtigung der einen oder der anderen zuvor aufgeworfenen Frage konzediert, ist es angezeigt, über Wesen, Wert und Wirklichkeit von Rechtsdogmatik grenzüberschreitend gemeinsam mit anderen nachzudenken. Ebendas will das vorliegende Buch tun.

Teil I

Rechtsdogmatik und rechtswissenschaftliche Grundlagen

Alexander Somek

Beantwortung der Frage: Was ist Rechtsdogmatik?*

Die Rechtsdogmatik und ihr Jenseits

Es entbehrt nicht einer gewissen Ironie, dass der Eingangsbeitrag dieses Bandes von jemandem verfasst werden darf, dem es nie beschieden war, eine „schöne dogmatische Arbeit" zu verfassen; dies obwohl er sich verschiedentlich redlich und strebend darum bemühte. Denn was auch immer die Frucht seiner diesbezüglichen Anstrengungen gewesen sein mag, er erntete dafür bestenfalls das ein wenig verlegen artikulierte Lob, immerhin etwas „Rechtstheoretisches" vorgelegt zu haben.

Sie, geschätzte Lesende, mögen mutmaßen, dass man solch ein hartnäckiges Scheitern als kränkend oder beschämend empfinden muss. Aber lassen Sie mich Ihnen versichern, dass diese Erfahrung mich alsbald darüber belehrte, dass die Grenze zwischen „Dogmatik" und „Theorie" nicht in der Sache liegt, sondern eine soziale Qualität hat. Als Theoretiker gilt, wer de facto für die „dogmatisch" Arbeitenden als der Andere ihrer selbst gilt; als der Andere ihrer selbst, weil in der Sache der Übergang zwischen beiden nahtlos und fließend ist. Umgekehrt zeichnen sich daher für die theoretisch Disponierten die reinen Dogmatiker durch einen Habitus aus, der sie Fragestellungen beiseiteschieben lässt, die bei der Befassung mit dem positiven Recht unvermeidlich auftreten. Daraus erklärt sich immerhin, weshalb manchen, die beabsichtigen, „dogmatisch" zu arbeiten, mitunter theoretische Beiträge „passieren". Die Abwanderung ins theoretische Feld ist kein Fehltritt; im Gegenteil, transzendieren doch gerade jene Analysen, die in der Rechtswissenschaft eine generationenübergreifende und gleichsam kanonische Relevanz erlangt haben, den Horizont einer besonderen

* Ich danke *Vadim Arko, Linda Lilith Obermayr, Elisabeth Paar* und *Hannah Romano* für die kritische Lektüre von Vorentwürfen. Für den Inhalt zeichne selbstverständlich ich allein verantwortlich.

Rechtsordnung. Sie widmen sich grundbegrifflichen Fragen. Ich vermute, Dogmatiker würden meiner Diagnose sogar beipflichten, und um Beispiele muss man nicht verlegen sein. *Savignys* „Das Recht des Besitzes“[1] gehört wohl ebenso dazu wie der erste Band seines „Systems des heutigen römischen Rechts“[2] oder *James Goldschmidts* „Der Prozess als Rechtslage“[3] und *Georg Jellineks* „System der subjektiven öffentlichen Rechte“[4]. Für *Adolf Julius Merkls* „Lehre von der Rechtskraft“[5] versteht sich der Befund von selbst, und über *Kelsens* Werke[6] müssen wir ebenso wenig reden wie über *Robert Alexys* „Theorie der Grundrechte“[7]. In all diesen Werken wird der wissenschaftliche Überstieg vollzogen von – um *Paul Labands* Diktion zu bemühen – der „Beherrschung“ des Rechtsmaterials mit Begriffen zur Arbeit an diesen Begriffen selbst.[8] Auch diejenigen, die ihrem Selbstverständnis nach dogmatisch arbeiten und sich, um eine einheitliche Perspektive zu verfolgen, an einer intellektuellen Vaterfigur orientieren, zehren von den Leistungen derer, die die soziale Abgrenzung, welche die Dogmatik im Verhältnis zur Theorie vollzieht, eingeklammert haben. Daher darf es niemand als Mangelrüge empfinden, wenn ihm oder ihr beschieden wird, er oder sie betreibe eigentlich Theorie und keine eigentliche Dogmatik. Eine solche Feststellung sollte umgekehrt als – wenn auch verblümte – Anerkennung einer selten anzutreffenden Distinktion genommen werden, liegt doch auf der Hand, dass die betreffende Person bedeutenden Vorbildern nacheifert.

Vorwärts und seitwärts

Die sozial gezogene Scheidelinie zwischen Theorie und Dogmatik – also der Befund, dass diese „zu uns“ gehört, jene aber nicht – lässt sich gleichwohl relativ leicht formal rekonstruieren. Am besten eignet sich dazu der

1 *Friedrich Carl von Savigny,* Das Recht des Besitzes. Eine civilistische Abhandlung[7] (1867).

2 *Friedrich Carl von Savigny,* System des heutigen römischen Rechts I (1840).

3 *James Goldschmidt,* Der Prozess als Rechtslage: Kritik des prozessualen Denkens (1925).

4 *Georg Jellinek,* System der subjektiven öffentlichen Rechte (1892).

5 *Adolf Merkl,* Die Lehre von der Rechtskraft entwickelt aus dem Rechtsbegriff. Eine rechtstheoretische Untersuchung (1923).

6 Siehe hier bloß *Hans Kelsen,* Reine Rechtslehre; Einleitung in die rechtswissenschaftliche Problematik (1934).

7 *Robert Alexy,* Theorie der Grundrechte (1985).

8 Siehe *Paul Laband,* Das Staatsrecht des Deutschen Reiches I[7] (1976).

Unterschied zwischen dem, was man in der Scholastik als intentio recta und intentio obliqua bezeichnete.[9]

Wer intentione recta über das Recht arbeitet, will geradeaus ins positive Recht hineinsehen, um über dieses verlässlich Auskunft geben zu können. Er oder sie will sich dabei nicht zusehen. Intentione obliqua blickt man hingegen schräg auf sich und sein „Sich-Richten", also darauf, wie einem das erscheint, auf das man sich einstellt, wenn man geradeaus hinsieht. Aus diesem Unterschied erklärt sich auch, weshalb, während die Dogmatik bloß wissen will, was positives Recht ist, die Theorie gewissermaßen selbstreflexiv verfährt. Sie will wissen, wie es möglich ist, etwas über das positive Recht zu wissen, und vor allem, welche Grenzen einem solchen Wissen gezogen sind oder wie es zu verfahren hat, um sinnvoll zu sein.

Die Unterscheidung zwischen diesen beiden Formen der Intentionalität ist hilfreich. Aber sie ist auch reichlich grob. Zwar trifft zu, dass man gestandene Dogmatiker an ihrer gründlichen Kenntnis des positiven Rechts und der Wege, es zu eruieren, erkennt, aber gleichwohl darf nicht übersehen werden, dass die Dogmatik ebenfalls reflexiv verfährt. Sie ist peinlich um begriffliche Genauigkeit bemüht und daher stets damit befasst, unsaubere Differenzierungen auszumerzen oder zu korrigieren. Sie verfolgt damit einen bedeutenden Zweck. Wenn *Jhering* recht hat, und ich meine, dass dem so ist, dann ist das, was wir Dogmatik nennen, seiner Funktion nach das groß angelegte Projekt, an der Sukzession der sozialen Lebenssachverhalte ihre rechtliche Signifikanz minutiös herauszuarbeiten.[10] Deswegen verstehen die, die etwas von Dogmatik verstehen, auch die soziale Welt besser als andere. Sie sind in der Lage, *normativ* relevante Urteile darüber abzugeben, was in der Welt der Fall – oder „ein Fall" – ist.

Studierende werden in die entsprechende Kunst eingeschult, die soziale Welt juristisch lesbar zu machen[11] und damit in ihrer allgemein relevanten normativen Bedeutsamkeit zu entschlüsseln, indem sie darauf getrimmt werden, die Veränderung von Rechtslagen im Durchgang durch die Geschichte eines hypothetischen Sachverhalts nachzuvollziehen. Die intel-

9 Siehe dazu *Theodor W. Adorno,* Negative Dialektik (1966) 74; *Herbert Schnädelbach,* Reflexion und Diskurs: Fragen einer Logik der Philosophie (1977) 75.

10 Siehe dazu etwa *Rudolf von Jhering,* Der Geist des römischen Rechts auf den verschiedenen Stufen seiner Entwicklung II/2[5] (1899) 334 ff.

11 Ich muss gestehen, dass die Formulierung *Hans Blumenberg* abgeborgt ist. Siehe *Hans Blumenberg,* Die Lesbarkeit der Welt (1986).

lektuellen Mittel dazu sind ein weitestgehend hierarchisch aufgebautes System von Begriffen und die logische Sequenzierung der Analyseschritte („zuerst prüfen wir die Rechtswidrigkeit, dann das Verschulden“).[12] Die systematisch bestimmte Begrifflichkeit erfüllt die Funktion, den Gehalt von Rechtsnormen mit den relevanten Elementen der Sachverhaltsbeschreibung zu verknüpfen und damit so etwas wie die „Subsumtion“ des Lebenssachverhalts unter die Norm vorzubereiten. Um in dieser Kunst Meisterschaft zu erlangen, bedarf es des Trainings, der Erfahrung und der Urteilskraft.

Doch darin erschöpft sich die dogmatische Arbeit nicht. Wenn sie gut ausgeführt ist, vollzieht sie, mehr oder weniger implizit, einen klugen Ausgleich zwischen juristischen Konstruktionen und einem unter Gerechtigkeitsgesichtspunkten vertretbaren Ergebnis. Wenn das Zusammenspiel zwischen beiden Dimensionen – der begrifflichen und lebensklugen – geschickt miteinander verwoben wird, dann verschafft sich Dogmatik soziale Akzeptanz. Sie beeindruckt und erwirbt Respekt.[13]

Dogmen als Einbildungen der anderen

Es gibt handfeste Gründe, seine intellektuellen Energien und soziale Kompetenz auf die Perfektionierung dieser Kunst zu verwenden. Die Dogmatik ist eine Kernkompetenz von Dienstleistern, wie Anwälten und Universitätsprofessoren, oder von öffentlich Bediensteten, wie Richtern oder Verwaltungsbeamten. Das Wissen, das diese zu produzieren vermögen, muss dergestalt sein, dass man mit ihm etwas machen kann. Für das praktische Leben darf es nicht irrelevant sein. Es muss Orientierung bieten. Nur unter dieser Bedingung lässt sich mit ihm ein Ein- und Auskommen finden. Klienten interessieren sich nicht für die Theorie des subjektiven Rechts. Ob es abwägungsresistente Rechte gibt, geht sie bestenfalls etwas an, wenn ihre eigenen Interessen auf dem Spiel stehen. Auch die entscheidenden Stellen können sich nicht in Kontroversen über die Natur von Prinzipien verlieren oder sich intern über die relativen Vorzüge von *Harts* „rule of recognition“ im Verhältnis zu *Kelsens* Grundnorm zerstrei-

12 Siehe in diesem Sinne *Christian Bumke*, Rechtsdogmatik. Eine Disziplin und ihre Arbeitsweise (2017) 45 ff.

13 Siehe dazu generell *Josef Esser*, Vorverständnis und Methodenwahl in der Rechtsfindung. Rationalitätsgarantien der richterlichen Entscheidungspraxis (1970).

ten. Sie können nicht einmal die theoretischen Grundlagen der Redefreiheit entwickeln, sondern diese bestenfalls in dicta oder Judikaturformeln andeuten. Nach *Cass Sunsteins* kluger Beobachtung müssen Richtersenate auf der Grundlage von incompletely theorized agreements verfahren.[14] Auch unter Richterinnen und Richtern gilt es, Mehrheiten zu finden. Jegliche Konvergenz ist damit belastet, dass die einzelnen Mitglieder eines Richtersenats jeweils ihre eigenen Gründe der Zustimmung artikulieren würden. Diese Vielfalt kann in der Entscheidungsbegründung aber nicht weiter aufgenommen oder allenfalls in concurring opinions skizzenhaft angedeutet werden. Die Relevanz solcher opinions für die nächste Entscheidung muss indes zweifelhaft bleiben.

Mit dem Begriff der „Dogmatik" wird – auch aus historischer Sicht – eben dieses Offenlassen der Begründung von Grundlagen bezeichnet. Im juristischen Kontext gilt als „Dogma" zunächst der bewährte Grundsatz, an dem man nicht rüttelt und besser auch nicht rütteln sollte, um der Gefahr zu entgehen, sich damit aus der Argumentationsgemeinschaft auszuschließen.[15] Geschichtlich begegnen uns Dogmen in der Form des Nemo-Plus-Iuris-Prinzips oder des Grundsatzes, wonach niemand von seinem eigenen Unrecht profitieren dürfe. Im öffentlichen Recht gehen wir wie selbstverständlich davon aus, dass sich die Gesetzgebung rational verhalten müsse. In Kombination mit dem Schadensprinzip kann man sich daraus den Grundsatz der Verhältnismäßigkeit münzen.

Die Hauptproduzenten von Dogmen sind allemal die Gerichte. Nicht zufällig achtet die von der Dogmatik geprägte Tradition in der Rechtswissenschaft bei Gerichtsentscheidungen auf die Einführung und Veränderung der rationum decidendi. Sie interessiert sich für das Schicksal der Dogmen und nicht für die Konstruktion der separaten „holdings" von Präzedenzfällen durch eine Emphase auf das Verhältnis von Entscheidung und Fakten. Unser Richterrecht ist insofern wenigstens um eine Nuance vom case law des Common Law verschieden. Es ist „dogmatischer".

Wenn man die Autorität der Gerichte einklammert oder deren Dogmen aus der Perspektive eines ihrer Mitglieder betrachtet und somit das recht-

14 Siehe *Cass R. Sunstein,* Incompletely Theorized Agreements, Harvard Law Review 1995, 1733.

15 Siehe *Maximilian Herberger,* Dogmatik. Zur Geschichte von Begriff und Methode in Medizin und Jurisprudenz (1981).

liche Wissen horizontal im Verhältnis von *Peers* konstituiert sieht, erkennt man, dass es sich bei Dogmen, wie man in Anschluss an *Robert Pfaller* sagen kann, um „Einbildungen der anderen" handelt.[16] Man selbst muss nicht an sie glauben, um auf ihrer Grundlage Entscheidungen von sozialer Relevanz treffen zu können. Es genügt, davon auszugehen, dass alle anderen das tun. Wenn man die Praxis, in der jeder das Glauben an andere delegiert, verallgemeinert, erhält man ein Verfahren, das Grundlagen aufruht, für die sich niemand verantwortlich fühlt und das seine Geltungskraft aus einer wechselseitigen sozialen Bestätigung erhält. Sobald Rationalisierungsversuche unternommen werden, wird es eher schräg. Diese Schrägheit begegnet uns in den Ableitungsversuchen des Grundsatzes der Verhältnismäßigkeit oder bei der Zuschreibung von normativen Voraussetzungen an die Verfassungsgesetzgebung.

Wegen der Existenz von nach oben und unten offenen Enden ist es im Kontext der Dogmatik auch nicht weiter schändlich, wenn an entscheidenden Stellen „Bekenntnisse" abgegeben werden. Die Unterscheidung zwischen Dogmatik und Theorie fungiert in diesem Zusammenhang als etwas, das die Dogmatik gedanklich ermöglicht. An das Grundlagenfach delegiert man die Verunsicherung, die durch theoretische Kontroversen auftritt.[17] Kraft der Delegation entsteht die Freiheit, die Grundlagenfrage nach eigenem Gutdünken oder „Bekenntnis" zu beantworten. Die große Pose, mit der die Dogmatik auftritt, wenn es theoretisch wird, nimmt Zuflucht zur „Annahme", die mitunter mit einem Pathos aufgeladen wird, das an die existenzielle Selbstwahl erinnert. Deswegen mutet die „Annahme" intellektuell unschuldig und heroisch zugleich an, weil sie mangelnde Verantwortungsfähigkeit bei gleichzeitiger Verantwortungsübernahme signalisiert. Zudem wird gerade im dogmatischen Kontext augenzwinkernd unterstellt, dass alle anderen aufgrund derselben Voraussetzung verfahren. Deswegen fallen die „Annahmen" der Dogmatik nie überraschend aus (nach dem Motto: „Ich gehe davon aus, dass Normen in natürlicher Sprache formuliert werden"). Die feierliche Proklamierung einer „Annahme" ist der verschoben-verstohlene Ausdruck für die Organisation des eigenen Wissens auf der Grundlage von „Einbildungen der anderen".

16 Siehe *Robert Pfaller*, Die Illusionen der anderen. Über das Lustprinzip in der Kultur (2002).

17 Siehe dazu *Hans Castorp*, Wittgensteinsche Einleitung in das Grundlagenfach Rechtsphilosophie, ZöR 2021, 491.

Verunsicherung

Unter diesen Vorzeichen betrachtet steht der Begriff der „Dogmatik" für eine Wissensform, die sich nicht ihrer Grundlagen versichert. Das mag nach einem Makel klingen, ist aber keiner. An einen dogmatischen Diskurs kann man aus unterschiedlichen Perspektiven Anschluss gewinnen. Er ist gleichsam ein „Modul",[18] das sich in ambitioniertere wissenschaftliche oder politische Projekte integrieren lässt. Diese ihre Eigenschaft verleiht der Dogmatik eine charmante demokratische Aura.

Umgekehrt ist das rechtliche Wissen, wenn es intellektuell voll entwickelt ist, nicht von sich aus sozial anschlussfähig. Es entfernt sich von konkreten praktischen Problemen und befasst sich mit Fragen der angemessenen Konstruktion – Fragen, die *Jhering* zum Problemkreis der „juristischen Schönheit" gezählt hätte.[19] „Fehlerkalkül" oder „Alternativermächtigung" – zur praktischen Problemlösung trägt der Streit über die angemessene Konzeptualisierung von in der Rechtsordnung auftretenden „Fehlern" wohl kaum bei.[20] Deswegen gerät das Theoretisieren in Verdacht, die Jurisprudenz ihrer Eigenschaft zu berauben, als „Herrschaftswissen" zu fungieren. Das macht es bei gestandenen „Pragmatikern" unbeliebt. Die Theorie führt unnötige Verunsicherung in einen Bereich ein, in dem ausgewiesene Expertinnen und Experten gern (womöglich in maßgeschneiderten Anzügen und Schuhen) auftreten, um Orientierungssicherheit zu vermitteln.

Eine Quelle der Verunsicherung zu sein, das gilt doch auch – Hand aufs Herz – für die juristische Methodenlehre. Wer kann denn schon mit gutem Gewissen behaupten, in welche Rangordnung die Interpretationsmethoden kraft reiner Vernunft zu bringen sind? Ob es Lücken im Recht gibt oder nicht, lässt sich bis heute kontrovers diskutieren. Die Methodenlehre stiftet Verwirrung. Methode hat man, darüber spricht man nicht.

18 Damit wird im Text stillschweigend eine Analogie zum politischen Liberalismus gezogen. Siehe *John Rawls,* Political Liberalism (1991).

19 *Jhering,* Der Geist des römischen Rechts 379.

20 Siehe dazu *Rodrigo G. Cadore,* Alternativermächtigung vs. Fehlerkalkül: Wie geht das Recht mit Fehlern um? in *Jestaedt/Kammerhofer/Poscher* (Hrsg), Die Reine Rechtslehre auf dem Prüfstand (2020) 177.

Geschichtliche Rechtswissenschaft

Wenn also unter dogmatischem Vorzeichen verfertigtes Wissen ein soziales Phänomen ist, dann bedarf sein Vorkommen der historischen Aufklärung. Deswegen ist der Königsweg zur Verwissenschaftlichung der Dogmatik nicht die sie gefährdende oder immer wieder verunsichernde Theorie, sondern die Historie. Wie und ob sich Formen der Analyse oder Fortentwicklungen von Rechtsinstituten durchsetzen, lässt sich in der Rechtsgeschichte studieren.

Die historische Darstellung des Entwicklungsgangs des dogmatisch geronnenen Wissens verunsichert nicht. Sie suspendiert nicht die Geltung, sie substituiert diese vielmehr stillschweigend mit der Genesis.

Oliver Wendell Holmes, Jr, hat das zutreffend erkannt.[21] Da Denkgewohnheiten juristischer Art sich nicht auf Prinzipien a priori zurückführen lassen, lässt sich bloß ihre path dependence erhellen. Man denke bloß an das aus dem Gleichheitssatz „abgeleitete" vergleichsunabhängige Sachlichkeitsgebot.[22] Ohne die Rechtsprechungsgeschichte zu kennen, käme man nicht darauf. Auch der Anwendungsvorrang des Europarechts lässt sich nur historisch erklären. Ähnliches gilt für den prinzipiell großen Beurteilungsspielraum, den die Gesetzgebung im amerikanischen Verfassungsrecht in Gleichheitsfragen genießt, wenigstens solange keine „verdächtigen" Klassifikationen im Spiel sind oder „fundamentale Rechte" berührt werden.[23] Bloß aus geschichtlichen Begleitumständen erschließen sich in diesem Rechtsbereich ebenfalls die Umdeutung der sogenannten Bill of Rights in eine Charta von Individualrechten[24] oder der weitestgehende Bedeutungsverlust der Privileges and Immunities Clause des 14. Zusatzartikels zur US-amerikanischen Verfassung.[25]

Davon abgesehen ist die Dogmatik nicht zuletzt wegen der Theorieabstinenz der Ort, an dem seltsame metaphysische Ideen auftreten, um sich dort hartnäckig zu halten. Im Kontext der Versteinerungstheorie spricht

21 Siehe *Oliver W. Holmes,* The Path of the Law, Harvard Law Review 1997, 991 (Nachdruck; Erstpublikation 1897).

22 Siehe VfSlg 8457/1978.

23 *Gerald Gunther,* In Search of Evolving Doctrine on a Changing Court: A Model for a Newer Equal Protection, Harvard Law Review 1982, 1.

24 Siehe *Akhil Reed Amar,* The Bill of Rights: Creation and Reconstruction (1998).

25 Siehe *Michael J. Perry,* The Constitution in the Courts: Law or Politics? (1984) 124 ff.

man vom „Begriffsbild“ des Kompetenztatbestands, welcher der Versteinerung unterliege.[26] Einem Begriff ein Bild zuzuschreiben, gehört, wie wir spätestens seit *Frege* wissen, zur schlechten Metaphysik. Die Berufung auf die Grundprinzipien der österreichischen Bundesverfassung vertraut, wenn sie unter rechtspositivistischen Vorzeichen steht, auf die „Inversionsmethode“, mit der schon die Freirechtsbewegung und die Interessenjurisprudenz ihren kritischen Spaß hatten.[27] Sie zaubert aus der Zusammenfassung einzelner Bestimmungen neue Konsequenzen hervor. Das grenzt an Magie.

Das Vorwalten allerlei metaphysischer Ideen im Medium der Dogmatik macht auch begreiflich, warum die Forderung, die Rechtsphilosophie und -theorie müssen den Praktikern unmittelbar verständlich sein, sich nicht so leicht realisieren lässt. Die leichte Zugänglichkeit hätte die unkritische Bestätigung von allerlei „transzendentalem Unsinn“ zur Voraussetzung. Wenn man diesen nicht aufbietet, reagieren die Praktiker schnell mit Unmut.

Die kritische Distanzierung ändert aber nichts daran, dass sich unter Dogmatikern mit dem metaphysischen Ballast erfolgreich argumentieren lässt. Insofern geht man nicht fehl, wenn man die juristische Analyse als ein Sprachspiel versteht, weil es den sozialen Charakter des Phänomens unterstreicht. Wer teilnehmen will, muss Konventionen beachten, um Spielzüge erfolgreich vollziehen zu können.[28]

Die Abkehr

Wenn eine intellektuelle Aktivität sich als historisch gewachsenes soziales Faktum und nicht als Konsequenz erster Prinzipien des Verstandesgebrauchs darstellt, dann ist es nicht unbotmäßig, die Frage aufzuwerfen, ob sie denn auch eine Existenzberechtigung hat. Bekanntlich hält seit den Legal Realists derjenige Teil der amerikanischen Rechtswissenschaft, der sich für etwas Besseres hält, die Dogmatik („doctrine“) für intern hohl und begrifflich aufgedunsen. Sie solle aufhören, nicht zuletzt deshalb, weil sie den Blick

26 Siehe dazu schon *Heinz Schäffer*, Verfassungsinterpretation in Österreich. Eine kritische Bestandsaufnahme (1971) 96.

27 Siehe dazu *Johann Edelmann*, Die Entwicklung der Interessenjurisprudenz. Eine historisch-kritische Studie über die deutsche Rechtsmethodologie vom 18. Jahrhundert bis zur Gegenwart (1967) 31 f.

28 Siehe dazu *Müller/Christensen*, Juristische Methodik: Grundlegung für die Arbeitsmethoden der Rechtspraxis I[11] (2013).

auf die entscheidenden moralischen und sozialen Probleme verstelle.[29] Die Zukunft müsse vielmehr, nach *Holmes* rückblickend prophetisch anmutenden Worten, den Statistikern und den Ökonomen gehören.[30] Es ist, als ob er den Aufstieg der Empirical Legal Studies und von Law and Economics bereits Ende des 19. Jahrhunderts vorausgeahnt hätte.

Der Übergang zu Law and Economics lässt sich am bequemsten dann vollziehen, wenn man die Evolution des Rechts als unsichtbar von Effizienzgesichtspunkten gesteuert ausgibt. Es lässt sich dann behaupten, dass die ökonomische Analyse des Rechts bloß explizit macht, was implizit im Recht immer schon angelegt gewesen ist. Die geschichtliche Perspektive auf die Dogmatik kann solcherart auch noch den Ausstieg aus ihr vermitteln.[31]

Jedenfalls resultiert der Schwenk zur sozialwissenschaftlichen Außenbetrachtung des Rechts in dem von *Richard Posner* bereits in den 1980er Jahren beobachteten Niedergang der Rechtswissenschaft als einer eigenständigen Wissenschaft.[32] Sie wird zu einer spezialisierten Unterabteilung der Gesellschaftswissenschaften oder zum realen Experimentierfeld der praktischen Philosophie.

Rechtsdogmatik und Rechtsstaat

Doch die Emphase auf historische Zufälligkeit und geistige Hohlheit der Dogmatik übersieht, dass etwas nachdrücklich für ihre Existenz spricht. Überspitzt ausgedrückt lässt sich behaupten, dass das Recht selbst, wenn es sprechen könnte, bekennen würde, lieber von Dogmatikern als von Ökonomen oder empirischen Sozialforschern gewusst zu werden. Der Grund dafür liegt darin, dass die Dogmatik die Bedingungen der Rechtsstaatlichkeit verinnerlicht hat. In der Tat ist fraglich, ob es ohne Dogmatik so etwas wie den Rechtsstaat oder die Rule of Law überhaupt geben könnte.[33]

29 Siehe exemplarisch *Felix S. Cohen,* Transcendental Nonsense and the Functional Approach, Columbia Law Review 1935, 809.

30 Siehe *Holmes,* Harvard Law Review 1997, 991.

31 Siehe (in kritischer Auseinandersetzung mit *Posner*) *John C. Goodman,* An Economic Theory of the Evolution of the Common Law, Journal of Legal Studies 1978, 393.

32 Siehe *Richard A. Posner,* The Decline of Law as an Autonomous Discipline: 1962-1987, Harvard Law Review 1987, 761.

33 Die folgenden Überlegungen orientieren sich im Wesentlichen an *Lon L. Fuller,* The Morality of Law (1965).

Der interne Zusammenhang von Dogmatik und Rechtsstaatlichkeit tritt deutlich hervor, wenn man bedenkt, dass dank jener – der Dogmatik – das positive Recht nicht das unübersichtliche Dickicht an Normen bleibt, als welches es zunächst von der Gesetzgebung und anderen entscheidenden Instanzen erzeugt wird. Ohne dogmatische Verarbeitung wäre es wohl kaum möglich, sich am Recht zu orientieren. Aber die Dogmatik entdeckt nicht nur verlässliche Pfade durch die Irrgärten der normativen Systeme, ihr gelingt es auch, das Verzweigte und Diverse zu generalisieren. Es ist nicht abwegig, aus Präjudizien induktiv allgemeine Regeln zu entwickeln. Solcherart lässt sich die Zufälligkeit in der Abgrenzung des sachlichen Anwendungsbereichs von Präjudizien überwinden.

Das Recht sollte nach Möglichkeit vorhersehbar und leicht anwendbar sein. Allgemeine Regeln machen die Rechtsanwendung antizipierbarer als situationsspezifisch auslegbare Standards. Die Klarheit der Sprache ist indes keine hinreichende Bedingung für die Klarheit des Rechts. Um die Vorhersehbarkeit des Rechts zu optimieren, müssen potenziell anwendbare Regeln mit Blick auf potenziell relevante Sachverhalte in Relation gesetzt werden. Erst unter dieser Bedingung lässt sich bestimmen, welche Regel auf welchen Typ von Sachverhalt passt. Diese doppelte Relationierung der Regeln einerseits zueinander und andererseits im Verhältnis zu Sachverhaltstypen wird durch das bereits erwähnte System von begrifflichen Klassifikationen vermittelt. Durch ein solches System wird das, was im wirklichen Leben passiert, rechtlich entzifferbar. Diese juristische Lesbarkeit der Welt ist eine Voraussetzung für die sachliche Auswahl der passenden Norm. Erst auf ihrer Grundlage kann sich so etwas wie die Vorhersehbarkeit des Rechts einstellen.

Auch der Realisierung des Grundsatzes, dass das Recht in seiner Anwendung gleich sein soll, wird durch die Systembildung gedient. Wenn die Situationen konsistent bestimmten Normen zugeordnet werden, kann die Gleichbehandlung des Gleichen die Folge sein.

Wir wünschen uns vom Recht, auf jede Rechtsfrage im Streitfall womöglich nur eine Antwort zuzulassen, und wollen schrankenloses Ermessen ausschließen. Diesem Anspruch kann das rechtliche Wissen genügen, wenn es sich zutraut, Zweifelsfragen zu beantworten oder Lücken zu schließen, indem es auf die höhere Abstraktionsebene wechselt. Unter Rekurs auf Prinzipien lassen sich die Regeln ergänzen. Diesen Ebenenwechsel immer wieder zu vollziehen, ist zweifelsfrei ein Markenzeichen von Dogmatik.

Wir wollen nicht, dass das Recht unter den unzulässigen Einfluss der Politik gerät. Das Wissen des Rechts kann dieser Anforderung genügen, indem es ein Vokabular entwickelt, das politisch neutral ist und eine gewisse Resistenz gegenüber der Realisierung von politischen Programmen verspricht.

Indem die Dogmatik also der Realisierung der Rechtsstaatlichkeit dient, gibt es gute Gründe dafür, die Dogmatik weiterhin existieren zu lassen.

Ein soziales Faktum

In dieser ihrer Existenz bleibt die Dogmatik aber ein soziales Phänomen. Brauchbar kann sie nur sein, indem sie sich gegenüber der zunächst verunsichernden theoretischen Reflexion abgrenzt. Der ihre Brauchbarkeit befördernde Reflexionsverzicht gibt darüber den Ausschlag, ob die Dogmatik „Herrschaftswissen“ produziert.

Diese Stärke kraft Wegsehens hat eine Kehrseite. Die zahlreichen Verzichte auf Selbstrelativierung, skeptische Brechungen oder ironische Distanzierung lassen unter den neu Eintretenden, den Studierenden, Verunsicherung und das bange Gefühl entstehen, etwas, was andere wissen, nicht verstanden zu haben. Wem der intellektuell raue Habitus der Dogmatik nicht in die Wiege gelegt worden ist, der betreibt sie zunächst mit dem Gefühl, der einzig Dumme zu sein. Zum dogmatisch Wissenden wird man daher umgekehrt durch die Überwindung der Furcht, auf einem Gebiet, wo die Lösungen kontingent sind, Fehler zu machen, und zwar aus Gründen, die man vorab nicht ausmachen kann.

Es kommt also nicht von Ungefähr, dass die Dogmatik in einem angstbesetzten Umfeld erlernt wird. An juristischen Fakultäten gibt es Hierarchien und vermöge dieser auch viel Hohn und Zynismus. Zu einer oder einem rechtlich Wissenden wird man durch Abrichtung. Das juristische Studium prägt den Charakter oder bringt bei den Neulingen latent schlummernde Eigenschaften hervor. Angenehme Zeitgenossen werden rechthaberisch. Bei vormals aufgeschlossenen Menschen verengt sich der geistige Horizont auf die nationale Rechtsordnung oder gar auf die Erörterung von Rechtsfragen, was sich nicht zuletzt auch daran zeigt, dass, wenn Juristen über Opern schreiben, sie die in den Werken auftretenden Delikte klassifizieren. Die Ausbildung resultiert, wenn sie erfolgreich ist, entweder in der Einübung von Selbstvertrauen oder in der erfolgreichen Unterdrückung seines Mangels. Nicht alle sind dazu fähig, den unbeirrbaren Habitus eines juristischen Experten auszubilden oder auch nur psychisch robust genug, ihn vorzutäuschen.

Die soziale Natur der Dogmatik sollte aber unsere Aufmerksamkeit auch darauf lenken, dass das Recht, in der Form, wie es gewusst wird, das Produkt der Dogmatik ist. Denn es sind die begrifflichen Klassifikationen des Rechtsmaterials, die Zerlegung der Rechtsfrage in einzelne Analyseschritte und die Transformation des positiven Rechts in Falllösungsschemata, die dem Recht seine Anwendbarkeit garantieren. Das alles wird auf geduldigem Papier gedruckt, ist aber zugleich Ausdruck einer wirkungsvollen sozialen Praxis. Juristische Methode ist Macht.[34] Über das positive Recht sagte *Kelsen* einst, dass dem, der wissen wolle, was hinter ihm stecke und dessen Schleier lüfte, das Gorgonenhaupt der Macht entgegenblicke.[35] Für dogmatische „Annahmen" gilt dasselbe.

Als wissenschaftliches Konstrukt wird das gewusste Recht von einem sozialen Faktum getragen. Deswegen muss sich, aus rechtspositivistischer Sicht zumal, die Frage nach der Qualität der Dogmatik als Rechtsquelle stellen. Immerhin sind rechtserzeugende Fakten im Spiel.

Damit stößt man auf das, was *Merkl* als das doppelte Rechtsantlitz bezeichnet hat. Das Recht kann in der Auslegung der Höchstgerichte und in der wissenschaftlichen Literatur ein anderes Aussehen erhalten. Hinter welchen dieser Antlitze, so *Merkls* Frage, verbirgt sich denn das wahre Recht?[36]

Seine Antwort lautete, mit Blick auf den Schutz der Rechte der vom Staat malträtierten Individuen, dass die Rechtswissenschaft das Recht wahrhaft zum Sprechen bringe.

34 Siehe *Dieter Grimm,* Methode als Machtfaktor, in *Iser/Kerner* (Hrsg), Recht und Staat der bürgerlichen Gesellschaft (1987) 347.

35 Siehe *Kelsen,* Diskussionsbemerkung: Veröffentlichungen der Vereinigung deutscher Staatsrechtslehrer (1927) 54.

36 Siehe *Adolf Merkl,* Das doppelte Rechtsantlitz. Eine Betrachtung aus der Erkenntnistheorie des Rechts, in *Klecatsky/Marcic/Schambeck* (Hrsg), Die Wiener Rechtstheoretische Schule I (1968) 1091 (1098, 1108).

Aber *Merkl* hat uns nicht erklärt, was ihr die Autorität dazu verleiht, abgesehen von der vermeintlichen Wahrheit ihrer Aussagen. Wahrheit per se verleiht keine praktische Autorität. Auctoritas facit legem.

Damit wird eine theoretische Frage aufgeworfen, auf welche die Dogmatik keine Antwort geben will.

Sonnenklarer Bericht über die Rechtsdogmatik als Rechtsquelle

Die Theorie muss diese Antwort geben wollen. Also sei sie abschließend skizziert.[37]

Die Behauptung, die Rechtsdogmatik sei eine Rechtsquelle, begegnet wenigstens zwei Einwänden.

Der erste fragt lakonisch, ob man denn wirklich glaube, dass die von Professorinnen und Professoren des Rechts in gelehrten Abhandlungen oder Rechtsgutachten geäußerten Ansichten als Recht gelten. Das sei doch nicht so und könne auch nicht so sein. Denn gelten würde letztlich die gerichtliche Entscheidung. Die wissenschaftliche Glosse enthalte bestenfalls

37 Das Thema wird immer wieder weggedrückt wie ein lästiger Anruf oder eine unliebsame Nachricht. Es stellt liebgewonnene, einfach gestrickte „wissenschaftstheoretische" Rationalisierungen der Rechtsdogmatik in Frage und konfrontiert Dogmatiker mit der Forderung, eine Rechtfertigung ihrer Praxis zu entwickeln, die sie als Teil des politischen Prozesses zu erkennen gibt. Das hört man in der Zunft nicht gern, wo man vor allem nach außen hin den Eindruck erwecken will, das positive Recht zu „beschreiben" oder wie einen unbekannten Kontinent zu „erforschen" und, wenn überhaupt, dieses bestenfalls behutsam „fortzubilden". Seit dreißig Jahren unternehme ich unermüdlich und hartnäckig Versuche, die Leser zum Verstehen zu zwingen. Die Rechtsdogmatik gibt sich keine Blöße, wenn sie sich als Teil des Rechtserzeugungsprozesses versteht und das Recht auch als Subjekt seines Wissens begreift. Sie lässt sich diesfalls nämlich nicht auf inadäquate szientistische Rationalisierungen ein. Der „Szientismus" reduziert das Subjekt der Wissenschaft auf ein Objekt. Siehe *Karl-Otto Apel,* Transformation der Philosophie: Das Apriori der Kommunikationsgemeinschaft II (1973) 183. Siehe auch *Jürgen Habermas,* Dogmatismus, Vernunft und Entscheidung in *Habermas* (Hrsg), Theorie und Praxis. Sozialphilosophische Studien[2] (1978) 307. In unserem Kontext leugnet der Szientismus die Subjektivität des Rechts. Mein unerschütterliches Bemühen ist insbesondere dokumentiert in Rechtssystem und Republik: Zur politischen Funktion des systematischen Rechtsdenkens (1992); Wissen des Rechts (2018); Die Subjektivität des Rechts, JZ 2021, 1.

einen aufschlussreichen kritischen Kommentar. Dieser sei, wie jeder weiß, rechtlich nicht verbindlich.

Der zweite Einwand stellt darauf ab, dass man den Unterschied zwischen den Rechtsquellen einerseits und den Rechtserkenntnisquellen andererseits nicht verwischen dürfe.

Wer die Dogmatik zur Rechtsquelle erhebe, mache sich einer Verwechslung schuldig. Er oder sie verwechsle das Lehr- mit dem Gesetzbuch. Das Gesetzbuch habe das Erkannte zu sein, das Lehrbuch hingegen sei im günstigsten Fall die Präsentation des Erkennens des Erkannten. Zwar bemesse sich das Gewicht wissenschaftlicher Beiträge an der Reputation der beitragenden Person und es könne sich auch verschiedentlich und überraschend zum diffusen Netz der „herrschenden" Meinung[38] steigern, von einer Quelle könne aber in diesen Fällen nicht die Rede sein.

Der erste Einwand beruht auf einem engen, durchaus für den Rechtspositivismus typischen Verständnis von Rechtsquellen. Demnach begegnet einem die Rechtsquelle in einer rechtserzeugenden Entscheidung. Positives Recht ist gesetztes Recht. Die Rechtsquelle stellt auf ein soziales Faktum ab, mit dem etwas vorgeschrieben oder festgesetzt wird. Die Äußerung einer wissenschaftlichen Lehrmeinung könne nur Recht sein, wenn sie als rechtserzeugender Tatbestand anerkannt werde. Das sei bestenfalls im Art 38 Abs 1 lit d des Statuts des IGH geschehen, und auch darüber könne man sich nicht so ganz sicher sein.

Diese Konzeption der Rechtsquelle trifft schon auf das Gewohnheitsrecht nicht zu. Es beruht gerade nicht auf einer Festlegung. Der Kern des Gewohnheitsrechts besteht, wie *Puchta* herausgearbeitet hat, aus der gemeinsamen Rechtsüberzeugung, die in gelebter Praxis bloß zum Ausdruck gelangt.[39] Die Quelle des Gewohnheitsrechts ist eine sich im sozialen Verhalten äußernde gemeinsame Rechtsanschauung. Für sie entscheidet sich niemand. Sie tritt einfach auf. Wegen ihrer Kontingenz mag sie wie eine Entscheidung anmuten, aber aus dieser Perspektive wird man ihrem unwillkürlichen Charakter nicht gerecht.

Viele Rechtsquellen lassen sich als Entscheidungen verstehen. Das gilt für die Gesetzgebung ebenso wie für Gerichtsurteile. Aber das trifft weder auf

38 Siehe *Uwe Wesel*, hM in *Wesel*, Aufklärungen über Recht: Zehn Beiträge zur Entmythologisierung (1981) 14 ff.

39 Siehe *Georg Friedrich Puchta*, Das Gewohnheitsrecht I (1828), II (1837).

das Gewohnheitsrecht noch auf die Rechtswissenschaft zu. Rechtsquellen unterscheiden sich hinsichtlich der Form, die über die Qualität ihres Geltungsanspruchs den Ausschlag gibt. Das Gewohnheitsrecht hat die Form der gemeinsamen Anschauung und die Rechtswissenschaft die des besseren Arguments. Deswegen verbinden sich mit den Quellen unterschiedliche Arten der Rechtfertigung von Geltungsansprüchen. Eine Entscheidung – ein Gesetz, ein Urteil, ein Beschluss – ist gerechtfertigt, wenn die entscheidende Instanz zur Entscheidung autorisiert ist (oder über praktische Autorität verfügt). Als Gewohnheitsrecht lassen wir gelten, was eine entsprechende Konsensunterstellung ohne gröbere Einwände zu passieren vermag. Beiträge zur Wissenschaft sind durch dogmatische Argumente vermittelt. Sie gelten aus der Sicht derjenigen, die von diesen Argumenten überzeugt sind.

Rechtsquellen konstituieren, bevor etwas als gültig betrachtet wird, die Form des Geltungsanspruchs. Daraus erklärt sich, weshalb wir überhaupt einem „scheinbaren" Rechtsakt begegnen können. Der Akt präsentiert sich in der entsprechenden Form, aber es fehlt an Voraussetzungen der Geltung. Deswegen verkennt der zweite Einwand, dass die Rechtsdogmatik eben deswegen eine Rechtsquelle ist, weil sie dem Rechtsstoff eine eigentümliche Formatierung verschafft. *Jhering* sprach in diesem Zusammenhang von einem Wechsel des Aggregatzustands.[40] Dies ist ganz richtig. Zwar soll die Rechtsdogmatik als Form der Rechtswissenschaft dafür Sorge tragen, dass aus der Masse des Stoffs jene Norm zur Anwendung gelangt, die auf den Fall „passt",[41] die dafür notwendige konstruktive Leistung führt aber insofern zur „Verflüssigung" des Rechts,[42] als Rechtsansichten oftmals so, aber auch anders argumentierbar werden. Das ist mit dem Geltungsanspruch von Dogmatik ganz konsistent. Die Quelle formuliert die Bedingung, die erfüllt sein muss, damit das Recht feststehen kann. Aus rechtsdogmatischer Sicht wird diese Bedingung durch das bessere Argument erfüllt. Gleichzeitig wird im Medium der Dogmatik die Beurteilung des Einzelfalls auch kontrovers. Die Sach- und die Sozialdimension des Geltens treten damit auseinander. Aus der Sicht der Sachdimension ist die „richtige" Antwort geltendes Recht. Aus der Sicht der Sozialdimension zählen die Entscheider.

40 Siehe *Jhering*, Der Geist des römischen Rechts 28 ff.

41 Zur Leichtigkeit und Sicherheit der Anwendung: *Jhering*, Der Geist des römischen Rechts 51 ff.

42 Ohne auf *Jhering* Bezug zu nehmen, formulierte jüngst *Lepsius* ähnliche Ideen. Siehe *Oliver Lepsius*, Relationen: Plädoyer für eine bessere Rechtswissenschaft (2016).

Deswegen ist aus der Sicht der Sozialdimension die Dogmatik als Rechtsquelle insofern unvollständig, als sie, um eine womöglich aufgetretene Kontroverse beenden zu können, der Ergänzung durch eine Entscheidung bedarf. Die Spannung zwischen Sach- und Sozialdimension bleibt indes bestehen. Die Entscheidung beruht bloß auf praktischer Autorität, aber nicht auf dogmatischer Einsicht. Die Relation des Geltenlassens, die am Ursprung des Rechtsverhältnisses steht,[43] wiederholt sich hier. Das Recht wird letztlich im Medium eines Rechtsverhältnisses gewusst.

43 Siehe dazu bloß *Alexander Somek*, Rechtsphilosophie zur Einführung (2018) 32 ff.

Anna-Bettina Kaiser

Dogmatik – eine Methode im Werden*

Dogmatik als Geheimnis

Wir alle arbeiten dogmatisch. Und doch wissen wir nicht ganz genau, was wir beim dogmatischen Arbeiten tun. Unsere Methode bleibt in gewisser Weise geheimnisvoll. Sicherlich, inzwischen hat sich eine Definition von Dogmatik herauskristallisiert, die zwar nicht durchgängig konsentiert ist, an die aber immerhin regelmäßig angeschlossen wird und die auch dem vorliegenden Beitrag zugrunde liegt. Es ist die leicht aktualisierte Definition von *Winfried Brohm,* die er zuerst in seinem Staatsrechtslehrerreferat 1971 vorgestellt und danach nur geringfügig verändert hat. Danach ist Dogmatik ein „aus der Gesamtheit der Rechtsordnung zu erarbeitendes und erarbeitetes Gefüge juristischer Begriffe, Institutionen, Grundsätze und Regeln (…), die unabhängig von einer speziellen gesetzlichen Fixierung allgemein Anerkennung und Befolgung beanspruchen …“.[1]

Mehr noch, gerade in den letzten Jahren lässt sich eine Renaissance grundlegender Fragestellungen in der Rechtswissenschaft beobachten. In deren Zuge sind auch zahlreiche Arbeiten erschienen, die sich vertieft mit Begriff und Methode der Dogmatik sowie mit ihren Vorzügen und

* Die Vortragsfassung wurde beibehalten.

1 *Winfried Brohm,* Kurzlebigkeit und Langzeitwirkung der Rechtsdogmatik, in FS Maurer (2001) 1079 (1082); zuerst *Brohm,* Die Dogmatik des Verwaltungsrechts vor den Gegenwartsaufgaben der Verwaltung, VVDStRL 1972, 245 (246); zu notwendigen Modifikationen *Anna-Bettina Kaiser,* Juristische Methode, Dogmatik, System, in *Kahl/Ludwigs* (Hrsg), Handbuch des Verwaltungsrechts I (2021) § 24 Rz 19 ff. Zum Einfluss von *Brohm* auf die weitere Diskussion siehe *Kaiser/Brohm,* Dogmatik als Zukunftswissenschaft, in *Kremer* (Hrsg), Die Verwaltungsrechtswissenschaft in der frühen Bundesrepublik (1949–1977) (2017) 345 ff.

Schwächen, vielleicht sogar Abgründen, beschäftigt haben.[2] Diese Forschung war auch durchaus ergiebig.[3]

Dennoch ist zu konstatieren, dass sich mit jeder weiteren Annäherung an den Begriff der Dogmatik nur weitere offene Flanken gezeigt haben. Ein Beispiel: *Jannis Lennartz* hat in seiner historischen Untersuchung überzeugend herausgearbeitet, dass im Zentrum dogmatischen Arbeitens der lange vergessene Konstruktionsbegriff steht.[4] Allein – was tun wir exakt, wenn wir heute dogmatische Konstruktion betreiben? Oder anders gewendet: Welche Anleitungsregeln gibt es für eine solche Konstruktion und wo liegen ihre Grenzen? In den Methodenlehren werden wir regelmäßig nicht fündig; dort finden wir breite Ausführungen zu Auslegung, Rechtsfortbildung etc, aber meist nicht einmal das Stichwort „Dogmatik", geschweige denn „Konstruktion".[5]

Auch ich werde in meinem Beitrag die genannten Geheimnisse rund um den Begriff der Dogmatik nicht lüften können. Doch hoffe ich, dem Phänomen der Dogmatik dadurch näher zu kommen, dass ich der Frage nachgehe, wo der Begriff der Dogmatik das erste Mal aufgetaucht ist, was mit ihm verbunden wurde, welche Hoffnungen an ihn geknüpft wurden und wie er sich fortentwickelt hat.

Die Geburt der Dogmatik: *Jhering*

Die Dogmatik wäre nicht das große Geheimnis, von dem ich gesprochen habe, wenn nicht auch ihre Geburt und ihr Urheber umstritten wären. So könnte ich mit meiner Rekonstruktion vom Entstehen der Dogmatik

2 *Kirchhof/Magen/Schneider* (Hrsg), Was weiß Dogmatik? Was leistet und wie steuert die Dogmatik des Öffentlichen Rechts? (2012); *Christian Bumke*, Rechtsdogmatik. Eine Disziplin und ihre Arbeitsweise. Zugleich eine Studie über das rechtsdogmatische Arbeiten *Friedrich Carl von Savignys* (2017); *Jannis Lennartz*, Dogmatik als Methode (2017); *Philipp Sahm*, Elemente der Dogmatik (2019); *Kaiser* in *Kahl/Ludwigs*, HB Verwaltungsrecht. Siehe auch die Referate von *Röhl* und *von Arnauld*, Öffnung der öffentlich-rechtlichen Methode durch Internationalität und Interdisziplinarität: Erscheinungsformen, Chancen, Grenzen, VVDStRL 2015, 7 ff, 39 ff.

3 Einordnung bei *Franz Reimer*, Juristische Methodenlehre[2] (2020) Rz 14; *Christian Bumke*, Rechtsdogmatik. Überlegungen zur Entwicklung und zu den Formen einer Denk- und Arbeitsweise der deutschen Rechtswissenschaft, JZ 2014, 641.

4 *Lennartz*, Dogmatik 12 ff.

5 So findet sich bspw keine Nennung der beiden Begriffe im Sachverzeichnis von *Larenz/Canaris*, Methodenlehre der Rechtswissenschaft[3] (1995), oder von *Rolf Wank*, Juristische Methodenlehre. Eine Anleitung für Wissenschaft und Praxis (2020).

bei *Savigny* beginnen.[6] Doch möchte ich mein Hauptaugenmerk auf *Rudolf von Jhering* legen, und zwar mindestens aus drei Gründen: Erstens war er es, der den Begriff der Dogmatik ins Zentrum des wissenschaftlichen Interesses rückte.[7] Zweitens geht auf ihn der Begriff der mit der Dogmatik so eng verbundenen juristischen Methode zurück. Und drittens wechselte *Jhering* 1868 an die Universität Wien, was es mir ermöglicht, eine deutsch-österreichische Geschichte erzählen zu können.

Für *Jhering* war der Begriff der Dogmatik so zentral, dass er 1857 zusammen mit seinem Freund und Kollegen *Carl Friedrich von Gerber* das neue Periodikum „Jahrbücher für die *Dogmatik* des heutigen römischen und deutschen Privatrechts" (Hervorhebung durch die Verf) gründete. In seinem kämpferischen Eröffnungsbeitrag forderte er nichts weniger als einen methodischen Paradigmenwechsel. Unter Berufung auf *Friedrich Carl von Savignys* „Recht des Besitzes" – hier wird *Savigny* doch wieder relevant – und *Georg Friedrich Puchtas* „Lehrbuch der Pandekten" rief er eine neue Methode für die Jurisprudenz aus. Es ist interessant, dass er dieser neuen Methode gleich zwei Namen gab. Zunächst nannte er sie die „naturhistorische" Methode – die Anleihe bei den übermächtigen Naturwissenschaften ist offensichtlich.[8] Dann jedoch sprach er synonym von der „juristischen Methode".[9] Entwickelt worden sei sie im römischen Recht, nunmehr gelte es, sie erneut für die Jurisprudenz zu entdecken.

Doch wodurch zeichnet sich diese Methode laut *Jhering* aus? Der juristischen Methode folge, wer dogmatisch arbeite![10] Für dogmatisches Arbeiten aber benannte er folgende drei Charakteristika:

Dogmatik erschöpfe sich gerade nicht in der Interpretation der Gesetze. Diesen Punkt möchte ich besonders betonen, denn bis heute wird Aus-

6 So *Bumke*, Disziplin und ihre Arbeitsweise 8, 161 ff.

7 Siehe *Rudolf von Jhering*, Unsere Aufgabe, Jahrbücher für die Dogmatik des heutigen römischen und deutschen Privatrechts 1857, 1 (7): „Ich wende mich jetzt dem eigentlichen Gegenstande der vorliegenden Betrachtung zu, der Dogmatik." Siehe zu *Jherings* Vorstellungswelt statt aller *Alexander Somek*, Rechtssystem und Republik. Über die politische Funktion des systematischen Rechtsdenkens (1992) 128 ff, sowie *Ralf Seinecke*, *Rudolf von Jhering* anno 1858. Interpretation, Konstruktion und Recht der sog. „Begriffsjurisprudenz", ZRG GA 2013, 238.

8 Zum Szientismus in der Rechtswissenschaft im 19. Jahrhundert *Rainer Maria Kiesow*, Das Naturgesetz des Rechts (1997); speziell zu *Jhering* siehe *Kiesow*, Naturgesetz 15.

9 *Jhering*, Unsere Aufgabe 21.

10 *Jhering*, Unsere Aufgabe 7 ff.

legung und Dogmatik regelmäßig verwechselt.[11] Laut *Jhering* ist die Gesetzesinterpretation allerdings nur die Vorstufe zur eigentlichen Dogmatik: „Interpretation der Gesetze ist die absolut niedrigste Stufe aller wissenschaftlichen Thätigkeit, aber zugleich die nothwendige Vorstufe aller höheren."[12] Zu dieser – wohlgemerkt – Vorstufe gehören laut *Jhering* die „Darlegung des *unmittelbaren* Inhalts des Gesetzes, (…) die Erschließung des *mittelbaren*, also des Prinzips aus den im Gesetz gegebenen einzelnen Entscheidungen und umgekehrt der *Consequenzen* aus dem dort aufgestellten Prinzip …".[13]

Mancher mag sich fragen, was dann eigentlich für die Hauptstufe, die höhere Jurisprudenz, noch übrigbleibt. *Jherings* Vorschlag ist radikal: „Die juristische *Production* geht nun theils über diesen Stoff hinaus, indem sie einen absolut neuen Stoff hervorbringt (…), theils beschränkt sie sich auf ihn, operirt aber mit ihm in einer Weise, der sich das Prädikat einer neugestaltenden und mithin produktiven Thätigkeit nicht absprechen läßt."[14]

Es ist also die gestalterische, schöpferische, konstruierende Arbeit, die die Dogmatik ausmache und die höhere Jurisprudenz darstelle.[15] Dadurch erschließe der Rechtswissenschaftler eine „ideale" Rechtsschicht über „der niedern und substantiellen Welt des positiven Stoffs".[16] Nur durch sie, also die ideale Schicht, könne der Stoff geordnet und begriffen werden, werde die „Ordnung und Harmonie", „Einfachheit und Schönheit" des Rechts ersichtlich.[17] So verwundert es auch nicht, dass *Jhering* „das *juristisch-ästhetische*" Bedürfnis „eine der wichtigsten Triebfedern aller Jurisprudenz" nennt.[18]

Zusammenfassend heißt es bei *Jhering*: „Der Gegensatz der höheren zur niederen Jurisprudenz bestimmt sich durch den Gegensatz des Rechts*begriffes* zu der Rechts*regel*, und den Uebergang des Rechts aus dem niedern in den höhern Aggregatzustand vermittelt die *juristische Construction*, indem sie den gegebenen Rohstoff zu Begriffen verflüchtigt. (…)

11 So zu Recht *Lennartz*, Dogmatik 1.
12 *Jhering*, Unsere Aufgabe 7 f.
13 *Jhering*, Unsere Aufgabe 8.
14 *Jhering*, Unsere Aufgabe 8.
15 *Jhering*, Unsere Aufgabe 10.
16 *Jhering*, Unsere Aufgabe 13.
17 *Jhering*, Unsere Aufgabe 13.
18 *Jhering*, Unsere Aufgabe 12.

Allerdings ist uns das Material dazu gegeben, allein das, was wir daraus machen, ist in der That unsere eigene Schöpfung, denn wir bringen den Stoff nicht bloß in eine andere *Ordnung*, sondern wir spezificieren ihn, wir *construiren* aus ihm spezifisch *juristische Körper*".[19]

Die dritte Frage, die *Jhering* umtreibt, ist die Frage nach dem Verhältnis von Dogmatik, wie sie von der Wissenschaft betrieben wird, und der Praxis. Laut *Jhering* ist die Jurisprudenz zwar eine praktische Wissenschaft, doch bestehe lediglich ein *mittelbarer* Praxisbezug: „Das ist auch eine von den guten Lehren, die uns die römische Jurisprudenz gegeben hat, daß die Wissenschaft, *um practisch zu sein, sich nicht auf das Practische beschränken darf.*"[20] Einmal mehr vergleicht *Jhering* die Jurisprudenz mit den Naturwissenschaften: Die Entdeckungen, die man als Wissenschaftlerin macht, kämen dem Leben zugute – aber nicht unbedingt sofort, „nicht gerade in *dieser* Form". Heute würden wir von Grundlagenforschung sprechen.

Weiterentwicklung der dogmatischen Methode bei *Gerber*

Wie erwähnt gab *Jhering* die Jahrbücher zusammen mit *Gerber* heraus.[21] Doch während sich *Jhering* später wohl von der von ihm propagierten Methode partiell distanzierte,[22] war es sein Mitstreiter *Gerber*, der die von *Jhering* ausgerufene Methode ins Staatsrecht übertrug.[23] 1848/49 hatte er bereits ein „System des deutschen Privatrechts" vorgelegt und darin die neue Methode – avant la lettre – präsentiert. Diesen Ansatz übernahm er schließlich für das Staatsrecht in seiner Schrift „Ueber öffentliche Rechte" von 1852 sowie in seinem Hauptwerk „Grundzüge eines Systems des deutschen Staatsrechts" von 1865 und begründete damit eine neue Form des Staatsrechts. Obwohl *Gerber* – wie *Jhering* – der juristischen Kons-

19 *Jhering*, Unsere Aufgabe 9 ff.

20 *Jhering*, Unsere Aufgabe 18 (Hervorhebung durch die Verf).

21 Der folgende Abschnitt orientiert sich an *Kaiser* in *Kahl/Ludwigs*, HB Verwaltungsrecht Rz 4.

22 Dazu *Ralf Seinecke*, Methode und Zivilrecht beim „Begriffsjuristen" *Jhering* (1818–1892), in *Rückert/Seinecke* (Hrsg), Methodik des Zivilrechts[3] (2017) Rz 355; abl *Benjamin Lahusen*, Rechtspositivismus und juristische Methode. Betrachtungen aus dem Alltag einer Vernunftehe (2011) 176.

23 Ausführlich *Carsten Kremer*, Die Willensmacht des Staates (2008).

truktion auch ein künstlerisches Element beimaß,[24] zielte die neue Methode auf eine Verwissenschaftlichung, ja auf die Begründung des Staatsrechts als einer „juristischen Disciplin".[25] Worin lagen die Neuerungen seiner juristischen Methode?[26] Auch hier seien drei zentrale Charakteristika hervorgehoben:

Einerseits zielte *Gerber* auf die Reinigung des Staatsrechts „von allen nichtjuristischen, bloss der ethischen und politischen Betrachtung angehörenden Stoffen",[27] er bezweckte also die „Abkehr von der additiv-erzählenden und aufgabenbezogenen Stoffdarstellung in der enzyklopädisch ausgerichteten Staatswissenschaft alter Prägung".[28] Die Allgemeine Staatslehre wurde als „Vorspiel im philosophischen Himmel"[29] ridikülisiert. Diese Ausdifferenzierung kann freilich am besten mit dem Entstehen einer wissenschaftlichen Disziplin verstanden werden. Andererseits aber mit dem ersten Punkt zusammenhängend, entfielen in seinem Staatsrecht die bisher üblichen historischen und verwaltungsrechtlichen Teile. Schließlich – und das ist entscheidend – stellte *Gerber* die Konstruktion von „dogmatischen Grundbegriffe[n]" des Staatsrechts in den Mittelpunkt, die zu einem „System" verbunden werden sollten.[30] Die Darstellung des Rechtsstoffes, also des gemeinen Rechts, musste bei dieser Methode freilich zurücktreten. Das weitgehende Desinteresse am Rechtsstoff entsprach dabei der *Jhering'schen* Betonung der „idealen" Rechtsschicht.

24 *Jhering,* Unsere Aufgabe 12 f; ähnlich *Carl Friedrich von Gerber,* Grundzüge eines Systems des deutschen Staatsrechts (1865) 170, zur Tätigkeit des Richters: „Seine Thätigkeit des Rechtfindens und Rechtsprechens ist eine Operation der juristischen Kunst".

25 *Wilhelm E. von Lindgren,* Die Grundbegriffe des Staatsrechts (1869) 88.

26 Zum Folgenden *Michael Stolleis,* Geschichte des öffentlichen Rechts in Deutschland II (1992) 334 f.

27 *Carl Friedrich von Gerber,* Grundzüge des deutschen Staatsrechts[3] (1880) 237.

28 *Andreas Voßkuhle,* Neue Verwaltungsrechtswissenschaft, in *Voßkuhle/Eifert/Möllers* (Hrsg), Grundlagen des Verwaltungsrechts I[3] (2022) § 1 Rz 1; s auch *Voßkuhle,* Methode und Pragmatik im öffentlichen Recht. Vorüberlegungen zu einem differenziert-integrativen Methodenverständnis am Beispiel des Umweltrechts, in *Bauer/Czybulka/Kahl/Voßkuhle* (Hrsg), Umwelt, Wirtschaft und Recht. Wissenschaftliches Symposium aus Anlaß des 65. Geburtstages von Reiner Schmidt (2002) 171 (173).

29 *Gerber,* Grundzüge[3] 238.

30 *Gerber,* System VII f. Näher zum Systemgedanken *Kaiser* in *Kahl/Ludwigs,* HB Verwaltungsrecht § 24 Rz 49 ff.

Pfadabhängigkeiten

Weshalb ist es auch heute noch interessant, sich mit *Jhering* und *Gerber* zu befassen? Hierfür sprechen vor allem zwei Gründe:

Zum einen haben insbesondere diese beiden Wissenschaftler eine Pfadabhängigkeit für dogmatisches Arbeiten begründet, die uns auch heute noch betrifft. Ein Beispiel: Die Engführung der juristischen Methode durch *Gerber* (und später *Paul Laband* und andere), dh das zwangsweise Ausblenden jeglicher nachbarwissenschaftlicher Einsichten beim dogmatischen Arbeiten, beschäftigt uns noch heute. Und so diskutieren wir, ob Dogmatik in Zeiten von Interdisziplinarität überhaupt noch zeitgemäß ist bzw ob Dogmatik interdisziplinäres Arbeiten doch zulässt.[31]

Zum anderen finden wir bei *Jhering* Einsichten, die auch heute noch oder wieder relevant sein können. Zwei Beispiele seien genannt: In der gegenwärtigen Literatur wird regelmäßig darauf hingewiesen, Wissenschaft und Praxis träfen sich in der Dogmatik, die Dogmatik sei die gemeinsame Sprache.[32] – In der Tat ist es zutreffend, dass Dogmatik für die Verständigung zwischen Wissenschaft und Praxis sorgt und der Austausch zwischen den beiden Sphären glücklich und befruchtend ist – man denke an Länder, in denen dieser Austausch nicht funktioniert, etwa in Japan. Dennoch sollten die vorhandenen Unterschiede im Umgang mit der Dogmatik nicht nivelliert werden.[33] Herrschte tatsächlich völlige Identität vor, hätte die Wissenschaft ihr Proprium verloren. Doch macht es einen großen Unterschied, ob ein Einzelfall zu lösen ist, den sich die Richterin überdies nicht aussuchen konnte, oder ob eine Wissenschaftlerin die Freiheit hat, sich systematisierend ein ganzes Rechtsgebiet zu erschließen und dieses weiterzuentwickeln. Ich habe daher zur Unterscheidung der Vorgehensweise von Praxis auf der einen und Wissenschaft auf der anderen Seite die Begriffe der Gebrauchs- und Wissenschaftsdogmatik vorge-

31 Statt vieler *Matthias Jestaedt,* Die deutsche Staatsrechtslehre im europäisierten Rechtswissenschaftsdiskurs, JZ 2014, 1 (2 ff); *Wolfgang Kahl,* Wissenschaft, Praxis und Dogmatik im Verwaltungsrecht (2020) 130 ff; *Christoph Möllers,* Methoden, in *Voßkuhle/Eifert/Möllers* (Hrsg), Grundlagen des Verwaltungsrechts I^3 (2022) § 2 Rz 44; siehe auch den Beitrag von *Brigitta Lurger* in diesem Band.

32 *Jestaedt,* JZ 2014, 1 (6).

33 *Kaiser* in *Kahl/Ludwigs,* HB Verwaltungsrecht § 24 Rz 46.

schlagen.[34] Zurück zu *Jhering*: Auch er insistiert, und das erscheint überzeugend, auf dem Unterschied von Wissenschaft und Praxis,[35] auch wenn man ihm nicht dabei folgen muss, von niederer und höherer Jurisprudenz zu sprechen.

Zum zweiten Beispiel: Zentral scheint auch die Erinnerung *Jherings*, dass sich Dogmatik nicht in Auslegung erschöpft und wir deshalb wenig von Dogmatik verstanden haben, wenn wir ein gängiges Methodenlehrbuch zur Hand nehmen. Dieser letzte Punkt führt aber zugleich zu dem Punkt, an dem die heutige *Jhering*-Rezeption notwendig enden muss, nämlich in seinem leichthändigen Umgang mit den Gesetzen und dem Willen des Gesetzgebers. Noch einmal anders gewendet: Wie weit darf die Konstruktion der Rechtswissenschaft im demokratischen Verfassungsstaat gehen? Ganz sicher nicht so weit, wie es *Jhering* vorschwebte, aber wie weit genau? Hier mögen sich auch gewisse Unterschiede zwischen der österreichischen und der deutschen Rechtswissenschaft zeigen; mein Eindruck ist, dass die österreichische Wissenschaft vorsichtiger und behutsamer ist, möglicherweise vor dem Hintergrund ihrer positivistischen Tradition. Fest steht jedenfalls: Es lohnt sich, sich mit *Jhering* erneut zu beschäftigen, und ihn nicht allzu bequem als Begriffsjuristen abzutun und seine Schriften zur Seite zu legen.

34 *Anna-Bettina Kaiser*, Die Öffnung der öffentlich-rechtlichen Methode durch Internationalität und Interdisziplinarität, Erscheinungsformen, Chancen, Grenzen, DVBl 2014, 1102 (1105 f); *Kaiser* in *Kahl/Ludwigs*, HB Verwaltungsrecht § 24 Rz 46 ff; zuvor bereits *Rolf Stürner*, Das Zivilrecht der Moderne und die Bedeutung der Rechtsdogmatik, JZ 2012, 10 (11 f).

35 Siehe FN 19.

Michael Potacs

Rechtsdogmatik und Rechtsbegriff

Begriff

Das Wort „Dogma" wird etymologisch vom griechischen „dokei mei" abgeleitet und mit „es leuchtet mir ein" übersetzt.[1] Dementsprechend hat *Platon* im „Staat" als „Dogmata" auf Beobachtung beruhende „Weisheiten" bezeichnet, aus denen sich eine „Lehre" ableiten lässt.[2] Davon ausgehend kann man als „Rechtsdogmatik" eine Lehre von beobachteten Einsichten über das Recht verstehen. Allerdings wird vielfach darauf hingewiesen, dass sich bisher kein allgemein anerkanntes Verständnis von „Rechtsdogmatik" durchgesetzt hat.[3] Demgegenüber ist jedoch festzustellen, dass über gewisse Begriffsmerkmale von Rechtsdogmatik sehr wohl weitgehende Einigkeit herrscht.[4] Dazu zählt einmal die Aufgabe der Rechtsdogmatik, den Rechtsstoff systematisch aufzubereiten.[5] Auch die Beschränkung der Rechtsdogmatik auf eine bestimmte Rechtsordnung oder auf bestimmte Rechtsgebiete im Unterschied zur Rechtstheorie[6]

---

1 *Ulrich Meyer-Cording,* Kann der Jurist heute noch Dogmatiker sein? (1973) 7; *Alexander Stark,* Interdisziplinarität der Rechtsdogmatik (2020) 55.

2 *Maximilian Herberger,* Dogmatik (1981) 14. Zur Übersetzung der betreffenden Stelle als „Weisheiten" bzw „Lehre" siehe die Reclam Ausgabe von *Platon,* Der Staat (1980) 288.

3 ZB *Robert Alexy,* Theorie der juristischen Argumentation (1978) 307; *Matthias Jestaedt,* Wissenschaftliches Recht, in FS Mayer (2011) 169 (172); *Christian Waldhoff,* Kritik und Lob der Dogmatik, in *Kirchhof/Magen/Schneider* (Hrsg), Was weiß Dogmatik? (2012) 17 (21); *Matthias Jestaedt,* Wissenschaft im Recht, JZ 2014, 1 (4); *Lassahn/Steenbreker,* Gedanken zur Rechtsdogmatik JR 2015, 553.

4 In diesem Sinne wohl auch *Stark,* Interdisziplinarität der Rechtsdogmatik (2006) 23.

5 ZB *Alexy,* Theorie 308; *Christoph Gusy,* „Wirklichkeit" in der Rechtsdogmatik, JZ 1991, 213 (215); *Waldhoff* in *Kirchhof/Magen/Schneider,* Dogmatik 30; *Jestaedt* in FS Mayer 176; *Jestaedt,* JZ 2014, 7; *Christian Bumke,* Rechtsdogmatik, JZ 2014, 641 (642); *Lassahn/Steenbreker,* JR 2015, 553.

6 *Michael Potacs,* Rechtstheorie^2 (2019) 16.

dürfte außer Streit stehen.[7] Vor allem aber herrscht Einigkeit darüber, dass Gegenstand der Rechtsdogmatik das „geltende Recht“ bildet.[8] Als wichtiges Ziel der Rechtsdogmatik wird daher auch die Ermittlung des Inhaltes von „geltendem Recht“ angesehen.[9]

Gegenstand

Das lenkt den Blick auf die Frage, was unter „geltendem Recht“ als Gegenstand der Rechtsdogmatik zu verstehen ist. Unbestritten gehören dazu positive Rechtsvorschriften.[10] Allerdings wird auch die Ansicht vertreten, dass der Rechtsbegriff als Gegenstand der Rechtsdogmatik um zusätzliche Elemente zu erweitern ist. Nach *Franz Bydlinsky* etwa würde der Rechtsbegriff auch „Fundamentalprinzipien“ wie die Gerechtigkeit, Rechtssicherheit und Zweckmäßigkeit umfassen;[11] und für *Robert Alexy* gehört zum Rechtsbegriff ein „Anspruch auf rechtliche Richtigkeit“, der „einen Anspruch auf moralische Richtigkeit einschließt“.[12] Letztlich ist es jedoch Sache der jeweiligen (Verfassungs)Rechtsordnung, welchen Rechtsbegriff sie ihrem Normbestand zugrunde legt. In demokratischen und durch Gewaltenteilung geprägten Systemen spricht freilich viel dafür, zumindest grundsätzlich von einem positivistischen Rechtsverständnis

7 ZB *Jan Schuhr,* Rechtsdogmatik als Wissenschaft (2006) 23; *Stark,* Rechtsdogmatik, 31. Das schließt freilich nicht aus, dass sich einzelne Lehren der Rechtsdogmatik in verschiedenen Rechtsordnungen wiederfinden; dazu *Nils Jansen,* Der Gegenstand der Rechtswissenschaft, JZ 2020, 213 (221).

8 ZB *Alexy,* Theorie 308; *Gusy,* JZ 1991, 215; *Jestaedt,* JZ 2014, 6; *Lassahn/Stenbreeker,* JR 2015, 554; *Marietta Auer,* Zum Erkenntnisziel der Rechtstheorie (2018) 14; *Stark,* Rechtsdogmatik 24.

9 ZB *Jan Harenburg,* Die Rechtsdogmatik zwischen Wissenschaft und Praxis (1986) 24.

10 ZB *Alexy,* Theorie 313 f („gesatzte Normen“); *Franz Bydlinski,* Juristische Methodenlehre und Rechtsbegriff[2] (1991) 10; *Jestaedt* in FS Mayer 176; *Jestaedt,* Wissenschaftliches Recht – Rechtsdogmatik als gemeinsames Kommunikationsformat von Rechtswissenschaft und Rechtspraxis, in *Kirchhof/Magen/Schneider* (Hrsg), Was weiß Dogmatik? (2012) 117 (122); *Jestaedt,* JZ 2014, 8; *Bumke,* JZ 2014, 641; *Christian Bumke,* Rechtsdogmatik (2017) 122.

11 *Bydlinski,* Methodenlehre[2] 317.

12 *Robert Alexy,* Begriff und Geltung des Rechts (1992) 131; nach *Alexy* gehören zum „Recht“ daher nicht nur „die speziellen Regeln des juristischen Begründens, sondern auch die allgemeinen Regeln der moralischen Argumentation“; *Alexy,* Begriff 136; kritisch dazu etwa *Bumke,* JZ 2014, 641 (648).

auszugehen.[13] Denn in solchen Systemen ist die Erlassung und Änderung von Rechtsvorschriften prinzipiell Sache des Gesetzgebers und nicht der Lehre oder Vollziehung. Vor diesem Hintergrund klingt es daher überzeugend, wenn für *Matthias Jestaedt* das positive Recht das „exklusive Thema“[14] der Rechtsdogmatik bildet.

Das wirft dann aber die Frage auf, was mit „positivem Recht“ genau gemeint ist. Gewiss handelt es sich dabei um von Menschen für Menschen erlassene Anordnungen. Doch worin liegt ihr besonderer Charakter als Gegenstand der Rechtsdogmatik? Dazu ist nochmals das Ziel der Rechtsdogmatik in Erinnerung zu rufen, das in der Ermittlung des Inhaltes von geltendem Recht besteht. Eine solche Ermittlung hat notwendigerweise bei den Anhaltspunkten anzusetzen, in denen der Inhalt dieses Rechtes zum Ausdruck kommt. Dabei handelt es sich zumeist um in natürlicher Sprache verfasste Texte, die ihrer sprachlichen Bedeutung nach den Willen eines Rechtsetzers beinhalten. Dementsprechend kann davon ausgegangen werden, dass dieser „sprachliche Wille“[15] grundsätzlich auch den Gegenstand der Rechtsdogmatik bildet.

Gemäß den allgemeinen Regeln natürlicher Sprachen ist dieser „sprachliche Wille“ nach Maßgabe der auf den üblichen Wortsinn abstellenden Semantik und der den Kontext in seinen verschiedenen Erscheinungsfor-

13 Dazu zB *Michael Potacs,* Richterliche Rechtsfortbildung und Verfassungsrecht, in *Torggler* (Hrsg), Richterliche Rechtsfortbildung und ihre Grenzen (2019) 63 (65). In Art 20 Abs 3 GG ist freilich vorgesehen, dass „die vollziehende Gewalt“ und die „Rechtsprechung“ an „Gesetz und Recht“ gebunden sind. Die Gegenüberstellung von Gesetz und Recht in dieser Bestimmung deutet zwar darauf hin, dass „Gesetz und Recht“ zumindest prinzipiell auseinanderklaffen können; zB *Helmuth Schulze-Fielitz* in *Dreier* (Hrsg), Grundgesetz II^2 (2006) Art 20 Rz 94 mwN. Nach wohl herrschender Auffassung ist damit das Spannungsverhältnis zwischen positivem Recht und überpositiven Gerechtigkeitsvorstellungen gemeint; zB *Karl-Peter Sommermann,* Art 20 Abs 3, in *Starck* (Hrsg), Kommentar zum Grundgesetz II Rz 266 (2005). Da das GG jedoch zentrale Gerechtigkeitsanforderungen für das „Gesetz“ enthält, ist ein Konflikt zwischen verfassungskonformen Gesetzen und „Recht“ im Sinne von Art 20 Abs 3 GG eher unwahrscheinlich; *Michael Sachs* in *Sachs* (Hrsg), Grundgesetz^6 (2006) Art 20 Rz 104. Daher wird auch im Geltungsbereich des GG von einem prinzipiellen „Gesetzesvorrang“ (zB *Schulze-Fielitz* in *Dreier,* Grundgesetz II^2 Rz 101) und damit von einem Vorrang des positiven Rechts ausgegangen.

14 *Jestaedt,* JZ 2014, 1 (8).

15 *Potacs,* Rechtstheorie^2 52.

men (wie Textzusammenhang oder Zweck) berücksichtigenden Pragmatik zu ermitteln.[16] Entscheidend ist dabei, dass semantische und pragmatische Anhaltspunkte den „sprachlichen Willen“ mit unterschiedlicher Überzeugungskraft dokumentieren können.[17] Dies bedeutet auch, dass Semantik und Pragmatik keineswegs immer klare und eindeutige Rückschlüsse auf den „sprachlichen Willen“ des Rechtsetzers zulassen und Rechtsvorschriften damit letztlich vage und mehrdeutig bleiben. Dennoch erscheint es vor allem in Anbetracht der Zielsetzung der Rechtsdogmatik sinnvoll von der Annahme eines auf Grund von Semantik und Pragmatik in Erscheinung tretenden *objektiven* Sinngehaltes von Rechtsvorschriften auszugehen.[18] Denn nur unter dieser Annahme können Aussagen der Rechtsdogmatik über das geltende Recht als zutreffende und oder unzutreffende Wiedergabe seines Inhaltes behandelt werden.

Lassen Semantik und Pragmatik keine deutlichen Rückschlüsse auf den „sprachlichen Willen“ des Rechtsetzers zu, dann ist dieser objektive Sinngehalt eben vage oder mehrdeutig. Doch ist auch zu bedenken, dass selbst dann nach einer abwägenden Einschätzung unter Berücksichtigung semantischer und pragmatischer Anhaltspunkte ein bestimmter Sinngehalt mehr oder weniger plausibel erscheinen kann. In jedem Fall vermag ein Verständnis von positivem Recht im Sinne eines objektiven „sprachlichen Willens“ als Gegenstand der Rechtsdogmatik auch durch dessen relative Unbestimmbarkeit nicht ernsthaft in Zweifel gezogen werden.

Bilder

Damit stellt sich die weitere Frage, wie das Verhältnis zwischen Rechtsbegriff und Rechtsdogmatik zu beurteilen ist. Zur Beantwortung dieser Frage, ist der besondere Anspruch der Rechtsdogmatik vor Augen zu führen. Gewiss geht es ihr um die Auslegung des positiven Rechts,[19] doch will sie vor allem auch eine Hilfestellung für die Rechtspraxis bieten.[20] Sie

16 Eingehend *Potacs*, Rechtstheorie^2 144 ff.

17 *Potacs*, Rechtstheorie^2 48.

18 Näher *Potacs*, Rechtstheorie^2 95 ff.

19 ZB *Waldhoff* in *Kirchhof/Magen/Schneider*, Dogmatik 27.

20 ZB *Herberger*, Dogmatik 408; *Bumke*, JZ 2014, 641 (643); *Jestaedt*, JZ 2014, 1 (3); *Lassahn/Steenbreker*, JR 2015, 553 (556); *Auer*, Rechtstheorie 14; *Rolf Gröschner*, Rechtsdogmatik, in *Hilgendorf/Joergen* (Hrsg), Handbuch der Rechtsphilosophie (2017) 61 (65).

erfüllt diese Aufgabe durch eine Systematisierung, worunter man die Zusammensetzung von Teilen zu einem Ganzen versteht.[21] Dazu trifft sie allgemeine Aussagen[22] über den Inhalt des geltenden Rechts und entwickelt daraus bestimmte „Ordnungsbegriffe".[23] Diese werden etwa auch als „Institute",[24] „Modelle"[25] oder „Figuren"[26] bezeichnet und sind mit bestimmten Vorstellungen bzw „Bildern"[27] verbunden. Solche „Figuren" stellen freilich „Konstruktionen"[28] dar, bei denen sich die Juristin oder der Jurist mit den Worten *Jherings* vom „objektiven Recht, wie es tatsächlich herrscht" zu „seiner Fassung in Form von Rechtssätzen"[29] bewegt. Beispiele für derartige Konstruktionen sind im Bereich des öffentlichen Rechts etwa die Lehre vom „subjektiven öffentlichen Recht" im Sinne der „Schutznormtheorie",[30] die Ermessenslehre verbunden mit dem Bild von Ermessen als „kann"- oder „dürfen"-Bestimmungen,[31] der Verhältnismäßigkeitsgrundsatz als Grundrechten zugrundeliegende Maxime[32] sowie die Differenzierung von grundrechtlichen Gesetzesvorbehalten in Ein-

21 Siehe etwa *Apel/Ludz*, Philosophisches Wörterbuch[6] (1976) 276; *Hager/Strub*, System; Systematik; systematisch, in *Ritter/Gründer/Gabriel* (Hrsg), Historisches Wörterbuch der Philosophie (DOI: 10.24894/HWPh.5485); zum Begriff „System" in Langenscheidt Online Wörterbuch Premium <https://owb-langenscheidt-com.uaccess.univie.ac.at> (Stand 2. 5. 2022).

22 *Thomas Schlapp*, Theorienstrukturen und Rechtsdogmatik (1989) spricht von einer „Generalisierungsfunktion"; *Jestaedt*, JZ 2014, 1 (6), von „abstrahierender Dekontextualisierung"; *Gröschner* in *Hilgendorf/Joergen*, Rechtsphilosophie 64, von „allgemeinen Lehren".

23 *Jannis Lennartz*, Dogmatik als Methode (2017) 35.

24 ZB *Eberhard Schmidt-Aßmann*, Verwaltungsrechtliche Dogmatik (2013) 3; *Stark*, Rechtsdogmatik 79.

25 *Schuhr*, Rechtsdogmatik 115 ff.

26 *Jestaedt* in FS Mayer 176; *Jestaedt*, JZ 2014, 1 (6); *Bumke*, JZ 2014, 641 (645); *Stark*, Rechtsdogmatik 79; *Uwe Volkmann*, Die Dogmatisierung des Verfassungsrechts, JZ 2020, 965 (967).

27 Dazu *Uwe Volkmann*, Rechtsgewinnung aus Bildern – Beobachtungen über den Einfluss dirigierender Hintergrundvorstellungen auf die Auslegung des heutigen Verfassungsrechts, in *Krüper/Merten/Morlok* (Hrsg), An den Grenzen der Rechtsdogmatik (2010) 77 ff.

28 *Harenburg*, Rechtsdogmatik 64; *Andreas Voßkuhle*, Was leistet Rechtsdogmatik? in *Kirchhof/Magen/Schneider* (Hrsg), Was weiß Rechtsdogmatik? (2012) 111 (112); *Lennartz*, Dogmatik 32.

29 *Rudolf Jhering*, Geist des römischen Rechts I[9] (1953) 33.

30 ZB *Bernhard Raschauer*, Allgemeines Verwaltungsrecht[6] (2021) Rz 1093.

31 ZB *Raschauer*, Verwaltungsrecht[6] Rz 574.

32 ZB *Öhlinger/Eberhard*, Verfassungsrecht[13] (2022) Rz 715 ff.

griffs- und Ausgestaltungsvorbehalte mit entsprechenden Konsequenzen.[33] Diese dogmatischen Figuren dienen der Rechtspraxis als „Standardargumente“[34] und gewährleisten Rationalisierung[35] sowie Stabilisierung und Entlastung praktischer Begründungsarbeit.[36] Sie stellen damit eine Spielart der „Reduktion von Komplexität“[37] dar, die menschliches Denken im Allgemeinen auszeichnet und als evolutionäre Errungenschaft betrachtet werden darf.[38]

In diesem Sinne wird Rechtsdogmatik zutreffend als Rechtserkenntnisquelle bezeichnet.[39] Als solche steht die Rechtsdogmatik zugegebenermaßen vor einer besonderen Herausforderung, wenn der Sinngehalt von Rechtsvorschriften nach Maßgabe von Semantik und Pragmatik vage oder mehrdeutig erscheint. Dem Bedürfnis der Praxis nach „Standardargumenten“ kann sich die Rechtsdogmatik auch in Bezug auf solche rechtlichen Regelungen nur

33 ZB *Öhlinger/Eberhard*, Verfassungsrecht[13] Rz 711.

34 *Gröschner* in *Hilgendorf/Joergen* (Hrsg), Rechtsphilosophie 64.

35 *Bumke*, JZ 2014, 641.

36 ZB *Voßkuhle* in *Kirchhof/Magen/Schneider*, Rechtsdogmatik 112; *Lassahn/Steenbreker*, JR 2015, 553 (555). Hinzu kommt, dass Rechtsdogmatik auch die Gleichmäßigkeit und Voraussehbarkeit der Rechtsanwendung sichert; *Bydlinski*, Methodenlehre[2] 9. Zutreffend spricht *Harenburg*, Rechtsdogmatik 17, von einer „Problemlösungsleistung“ der Rechtsdogmatik.

37 Siehe *Niklas Luhmann*, Rechtssystem und Rechtsdogmatik (1974) 21: „Die Komplexität des Rechtssystems aber wird in seiner dogmatischen Begrifflichkeit geordnet.“.

38 Daher klingt es auch überzogen, wenn die Dogmatik als „etwas spezifisch deutsches“ angesehen wird; so *Oliver Lepsius*, Kritik der Dogmatik, in *Kirchhof/Magen/Schneider* (Hrsg), Was weiß Dogmatik? (2012) 39 (46); ähnlich *Jestaedt* in FS Mayer 171. Vielmehr ist davon auszugehen, dass jegliche Handhabung von rechtlichen Regelungen mit einer gewissen Systematisierung einhergeht. Zutreffend meint daher etwa *Rolf Stürner*, Die Entwicklung der juristischen Methodenlehre in Deutschland und der westlichen Welt – Lehren für China und Ostasien? in *Bu* (Hrsg), Juristische Methodenlehre in China und Ostasien (2016) 339 (342), „dass es keine Rechtsordnung ohne einen Mindestbestand an Dogmatik geben kann“. Dazu eingehend auch *Stark*, Rechtsdogmatik 156 ff, sowie *Martin Flohr*, Rechtsdogmatik in England (2017) insbesondere 20, 77, 295 ff. Kritisch zur Ansicht, wonach Dogmatik ein „deutscher Sonderweg“ sei, auch *Schmidt-Aßmann*, Dogmatik 5 f.

39 ZB *Waldhoff* in *Kirchhof/Magen/Schneider*, Dogmatik 27; *Stark*, Rechtsdogmatik 99.

40 *Bumke*, JZ 2014, 641 (646). Zutreffend wird daher Rechtsdogmatik mitunter als „hochgradig kreativ“ angesehen; so *Stark*, Rechtsdogmatik 134 mwN. Auf die damit verbundene Gefahr, „dass sich Dogmatik von den Vorgaben des Gesetzes lösen“ könnte, weisen etwa *Kirchhof/Magen*, Dogmatik: Rechtliche Notwendigkeit und Grundlage fächerübergreifenden Dialogs – eine systematische Übersicht, in *Kirchhof/Magen/Schneider* (Hrsg), Was weiß Dogmatik? (2012) 151 (163), hin.

schwer entziehen. Ohne Zweifel ist aber hier der Anteil an „Eigenleistung“[40] bei der Schöpfung dogmatischer Figuren verhältnismäßig hoch. Im Hinblick darauf[41] hat jüngst *Alexander Stark* im Anschluss an *Jestaedt*[42] vorgeschlagen, zwischen einer „deskriptiven“ und einer „normativen“ Rechtsdogmatik zu unterscheiden.[43] Die „deskriptive“ Rechtsdogmatik beziehe sich demnach auf der „Rechtserkenntnis“ zugängliche rechtliche Regelungen, weshalb ihre Aussagen „weder evalutiv noch normativ“[44] seien. Demgegenüber behandle die „normative“ Rechtsdogmatik „die Rechtserzeugungsanteile bei Rechtsanwendungsvorgängen“[45] und damit die durch bloße Beschreibung nicht mehr erschließbaren Regelungen. Entscheidend sei nun, dass diese „normative“ Rechtsdogmatik einen über die rechtliche Korrektheit „hinausgehenden Richtigkeitsanspruch“ verfolge, der sich „aus dem allgemeinen Rationalitätsgebot“[46] ergebe.

Zu dieser Ansicht ist zunächst einmal festzustellen, dass sich bei der Ermittlung der Bedeutung positiver Rechtsvorschriften „Rechtserkenntnis“ und „Rechtserzeugung“ vielfach nicht klar voneinander abgrenzen lässt.[47] Gerade in Bezug auf sogenannte „hard cases“[48] sind Erkenntnis und Wertung häufig untrennbar miteinander verbunden. Das kann die Frage betreffen, ob ein Sachverhalt überhaupt vom Wortsinn einer Rechtsvorschrift erfasst ist[49] und bis zu Schlussfolgerungen aus dem historischen Kontext oder Zuschreibungen des Zweckes einer Regelung[50] reichen. Die von *Jestaedt* geforderte „peinlich genaue“[51] Trennung zwischen Rechtserkenntnis und Rechtserzeugung lässt sich ganz allgemein nur schwer

41 Siehe *Stark,* Rechtsdogmatik 51, 98, 238 ff.

42 *Stark,* Rechtsdogmatik 89. Konkret handelt es sich dabei um die von *Matthias Jestaedt,* Grundrechtsentfaltung im Gesetz (1999) 320 ff, getroffene Unterscheidung zwischen „Rechtserkenntnis“ und „Rechtsgewinnung“.

43 *Stark,* Rechtsdogmatik 89.

44 *Stark,* Rechtsdogmatik 92.

45 *Stark,* Rechtsdogmatik 95.

46 *Stark,* Rechtsdogmatik 96.

47 Daher erscheint es auch fragwürdig, wenn nach *Stark,* Rechtsdogmatik 90, die für die „deskriptive“ Rechtsdogmatik maßgeblichen „Rechtserkenntnisanteile“ das „geltende Recht“ sind.

48 Dazu *Potacs,* Rechtstheorie[2] 148 mwN.

49 Zur diesbezüglichen Maßgeblichkeit der „eigenen Sprachkompetenz“ der Interpreten *Potacs,* Rechtstheorie[2] 171.

50 Zum „kreativen“ Charakter der teleologischen Interpretation siehe *Potacs,* Rechtstheorie[2] 184.

51 *Jestaedt,* Grundrechtsentfaltung 324.

durchhalten. Trotzdem sollte es einer am positiven Recht ausgerichteten Rechtsdogmatik wohl nur um die Abbildung des Sinngehaltes positiver Rechtsvorschriften gehen. Selbst wenn dieser als vage, mehrdeutig oder auch nur schwer erkennbar erscheint, hat die Rechtsdogmatik somit nach Entwicklung jener Figuren zu trachten, die zumindest am ehesten den Inhalt von positivem Recht wiedergeben. Eine Rechtsdogmatik wird daher ihrem Namen nur gerecht, wenn sie ihren Anspruch auf eine Beschreibung des geltenden Rechts nach Maßgabe einer juristischen Rationalität beschränkt. Diesem Anspruch wird auch dann entsprochen, wenn mitunter für die adäquate Abbildung der Rechtslage durch dogmatische Figuren ein erhebliches Maß an kreativer „Eigenleistung" erforderlich sein kann – zumal derartige spekulative Elemente auch in Aussagen anderer Wissenschaften anzutreffen sind,[52] ohne dass diese insoweit mit dem Attribut „normativ" versehen werden.[53]

Divergenzen

Dessen ungeachtet steigt mit dem Ausmaß an „Eigenleistung" im Ergebnis zweifellos die Möglichkeit einer Rechtsgestaltung durch Rechtsdogmatik.[54] Insoweit ist es zutreffend, wenn nach *Niklas Luhmann* die Begriffe der Rechtsdogmatik das Rechtssystem „steuern".[55] Insbesondere ist aber zu betonen, dass unter der Annahme eines objektiven Sinngehaltes von positivem Recht dogmatische Aussagen darüber wahr oder falsch sein können.[56] Das ist nicht zuletzt auch deshalb zu betonen, weil der Rechts-

52 Zur „empirischen Gleichwertigkeit" der Rechtswissenschaft mit anderen Wissenschaften allgemein *Potacs*, Rechtstheorie[2] 159.

53 Die Interpretation von Rechtsvorschriften kann freilich ergeben, dass diese tatsächlich dem Vollzugsorgan einen „Spielraum" einräumen (Stichwort: Ermessen), der nach einer allgemeinen Handlungsrationalität (Stichwort: Zweckmäßigkeit) ausgefüllt werden kann. Da es sich dabei um keine juristische Rationalität zur Ermittlung des Sinngehaltes von Rechtsvorschriften mehr handelt, sollte für vorgeschlagene „Figuren" zur Ausfüllung dieses Spielraumes die Bezeichnung (normative) Rechtsdogmatik besser vermieden werden.

54 Diese „Rechtsgestaltung" ist nach der hier vertreten Ansicht eine Folge der undeutlichen Ausdrucksweise des positiven Rechts und nicht des Umstandes, dass es kein geltendes Recht als vorgegebenen Gegenstand gäbe; so aber *Schuhr*, Rechtsdogmatik 24, 37, 104.

55 *Luhmann*, Rechtssystem 24.

56 Dazu etwa auch *Bumke*, Rechtsdogmatik 125, 155 f.

57 *Lepsius* in *Kirchhof/Magen/Schneider* (Hrsg), Dogmatik 54.

dogmatik gewisse „Wahrnehmungsdefizite“[57] und Neigungen zur „Beharrung“[58] vorgeworfen werden. Eine am positiven Recht orientierte Rechtsdogmatik hat daher auch zu konstatieren, dass es zu Divergenzen zwischen rechtsdogmatischen Figuren und dem geltenden Recht kommen kann. Diese können daraus entstehen, dass der Entwicklung einer rechtsdogmatischen Figur von vorneherein nicht ganz zutreffende Vorstellungen über die Rechtslage zugrunde liegen. Ein Beispiel dafür ist die Dogmatik einer strikten Unterscheidung zwischen Eingriffs- und Ausgestaltungsvorbehalt bei Grundrechten, die von *Karl Korinek* zu Recht relativiert wurde.[59] Vor allem aber können sich Divergenzen durch eine Änderung der Rechtslage ergeben. Zwar besteht bis zu einem gewissen Grad Grund zur Annahme, dass sich die Gesetzgebung an etablierten dogmatischen Begriffsbildern orientiert.[60] Doch muss auch ins Kalkül gezogen werden, dass Gesetze neue davon abweichende Wege beschreiten können. Nicht zuletzt können Divergenzen auch unter dem Einfluss des Unionsrechts auftreten. Ein prominentes Beispiel dafür ist das vom EuGH entwickelte Verständnis eines subjektiven Rechts, das vom in Deutschland und Österreich eingebürgerten Dogma eines subjektiv-öffentlichen Rechts im Sinne der „Schutznormtheorie“ doch merklich abweicht.[61]

Schlussbemerkung

Das bringt mich zum Ende meiner Ausführungen, die ich mit folgender Bemerkung schließen darf: Versteht man unter dem Gegenstand der Rechtsdogmatik den objektiven Sinngehalt des (meist) sprachlich zum Ausdruck gebrachten positiven Rechts, dann lassen sich daran die Aussagen der Rechtsdogmatik kritisch überprüfen. Ganz im Sinne *Platons* entwickelt Rechtsdogmatik bei diesem Verständnis auf Beobachtung

58 *Martin Eifert,* Zum Verhältnis von Dogmatik und pluralistischer Rechtswissenschaft, in *Kirchhof/Magen/Schneider* (Hrsg), Was weiß Dogmatik? (2012) 79 (86); *Frank Schorkopf,* Dogmatik und Kohärenz, in *Kirchhof/Magen/Schneider* (Hrsg), Was weiß Dogmatik? (2012) 139 (140).

59 *Karl Korinek,* Gedanken zur Lehre vom Gesetzesvorbehalt, in FS Merkl (1970) 171 (173 f, 180).

60 *Eifert* in *Kirchhof/Magen/Schneider,* Dogmatik 82; *Stark,* Rechtsdogmatik 153.

61 *Öhlinger/Potacs,* EU-Recht und staatliches Recht[7] (2020) 65 ff, 138 ff. Ein anderes Beispiel ist die Figur des „Regulierungsermessens“ nach Maßgabe unionsrechtlicher Vorgaben, die das Dogma von Ermessen als „kann-“ oder „dürfen- Vorschriften“ (siehe dazu FN 31) aufweicht; dazu zB VwGH 23. 10. 2013, 2010/03/0175.

beruhende „Weisheiten“ oder „Lehren“, die den Gegenstand ihrer Betrachtung entweder zutreffend – und damit „einleuchtend“ im Sinne der Etymologie des Wortes „Dogma“ – oder gegebenenfalls unzutreffend beschreiben. Die kritische Überprüfung von Aussagen der Rechtsdogmatik ist Aufgabe der Rechtswissenschaft, die damit im Gleichklang mit dem Streben nach der Suche der Wahrheit von Wissenschaft im Allgemeinen steht.

Peter Bydlinski

Rechtsdogmatik und juristische Methodenlehre (Schwerpunkt: richtlinienkonforme Auslegung)

Einleitung

Das mir zugedachte Thema[1] „Rechtsdogmatik und juristische Methodenlehre" hat eine gewisse Familientradition. Vor über 40 Jahren hat mein Vater „Gedanken über Rechtsdogmatik" angestellt und anschließend in einer Festschrift publiziert.[2] Seit gut 10 Jahren führe ich seine kleine Juristische Methodenlehre weiter; im Juli 2023 ist die vierte Bearbeitung erschienen.[3] Ein gewisser Bezug zum Thema ist also vorhanden.

An sich könnte ich rasch wieder zu Ende sein, wenn ich mich bloß dem Verhältnis von Rechtsdogmatik und juristischer Methodenlehre widmen würde. Zwar werden unter „Rechtsdogmatik" nicht alle das genau Gleiche verstehen. Zumindest ich halte es mit folgender Umschreibung: Rechtsdogmatik ist die Lehre vom geltenden Recht; es geht nicht zuletzt darum, Rechtsnormen zu verstehen bzw ihren Sinn zu ermitteln.[4] Pointiert wird auch von „Rechtsgewinnung durch Normkonkretisierung" gesprochen;[5]

---

1 Eine deutlich gekürzte Fassung wurde auf der Grazer Tagung „Rechtsdogmatik: Stand und Perspektiven" am 24. März 2022 vorgetragen. Da bereits die deutschsprachige Literatur zum Thema kaum überschaubar ist, sind die gebrachten Nachweise als bloß exemplarische zu verstehen.

2 *Franz Bydlinski*, Gedanken über Rechtsdogmatik, in FS Floretta (1983) 3.

3 *Peter Bydlinski*, Grundzüge der juristischen Methodenlehre[4] (2023).

4 Zum Begriff und zu den Zwecken der Rechtsdogmatik ausführlich *Franz Bydlinski*, Juristische Methodenlehre und Rechtsbegriff[2] (1991) 8 ff, insb 11 f mwN; ferner etwa *Larenz/Canaris*, Methodenlehre der Rechtswissenschaft[3] (1995) 45 ff; *Ernst Kramer*, Juristische Methodenlehre[6] (2019) 192 ff.

5 *F. Bydlinski*, Methodenlehre[2] 11, vor allem mit Hinweis auf *Philipp Heck*, Das Problem der Rechtsgewinnung (1912) 7 und auf *Friedrich Müller*, Juristische Methodik[2] (1976) 19 ff (nunmehr 6. Auflage 1995, 24 f).

Konkretisierung deshalb, weil die abstrakte Rechtsnorm in der praktischen juristischen Arbeit auf den zu beurteilenden Sachverhalt „heruntergebrochen“ werden muss. Die juristische Methodenlehre stellt dafür die – zum Teil nicht gänzlich unumstrittenen – Werkzeuge bereit.[6] Wichtiges dazu ist für Österreich in den §§ 6 und 7 ABGB sogar gesetzlich geregelt. Neben den allgemein bekannten Auslegungsmethoden bzw Auslegungsschritten, nämlich Wortauslegung, historische, systematische und teleologische Auslegung, sind das ohne Anspruch auf Vollständigkeit etwa:

- verfassungskonforme Auslegung,
- richtlinienkonforme (europarechtskonforme, unionsrechtskonforme) Auslegung bzw Rechtsfindung,
- Analogie und teleologische Reduktion,
- die Lex-lata-Grenze und das Verbot der Rechtsfindung contra legem,
- die Lex-posterior- und die Lex-specialis-Regel,
- keine Analogie, wenn vom Gesetzgeber ein Umkehrschluss beabsichtigt war und
- der Grundsatz, dass keine Rechtsnorm so verstanden werden darf, dass ihr keinerlei Anwendungsbereich verbleibt.

Im gegebenen Zusammenhang muss ich allerdings etwas mehr bieten. Ich habe mich dafür entschieden, die aktuell sehr intensiv geführte Diskussion, ob und inwieweit der zumindest innerstaatlich im Grundsatz anerkannte Methodenkanon beim Umgang mit „europäisiertem“ nationalem Recht hilfreich eingesetzt werden kann, ein wenig weiterzuführen.

Methoden der Rechtsfindung im Bereich umgesetzten Richtlinienrechts

Problemeinstieg am Beispiel *Lexitor*

Ausgangspunkt soll das Schlagwort von der richtlinienkonformen (europarechtskonformen, unionsrechtskonformen) Auslegung bzw Rechtsfindung sein. Interessant sind dabei selbstverständlich nur die heiklen Fälle; so jene, in denen bereits der Wortlaut von umzusetzender (europäischer)

6 Statt vieler *F. Bydlinski* in FS Floretta 12 f; *Müller,* Methodik[6] 266 ff; *Kramer,* Methodenlehre[6] 39 ff; *Thomas Möllers,* Juristische Methodenlehre (2017) 1 ff.

Norm und umgesetzter (nationaler) Norm Diskrepanzen enthält, aber auch solche, in denen lückenhaftes europäisches Recht vom EuGH – nicht selten viele Jahre nach dem Inkrafttreten der europäischen Vorgabe und der nationalen Umsetzung – in einer Weise ausgelegt wird, die dem Text der nationalen Norm widerspricht. Als anschauliches Beispiel dafür soll die wohl weithin bekannte *Lexitor*-Problematik dienen. Worum geht bzw ging es dabei?

Der österreichische Gesetzgeber hatte im Jahre 2010 die Verbraucherkredit-RL umgesetzt[7] und dabei für den Fall vorzeitiger Kreditrückzahlung in § 16 Abs 1 VKrG unter anderem angeordnet: „Die vom Kreditnehmer zu zahlenden Zinsen verringern sich [...] entsprechend dem verminderten Außenstand [...]; laufzeitabhängige Kosten verringern sich verhältnismäßig."

Knapp 10 Jahre später entschied der EuGH,[8] dass die Verbraucherkredit-Richtlinie[9] eine Minderung *aller* Kosten vorsehe, also auch der laufzeitunabhängigen. Als Begründung dafür verweist er vor allem auf Art 16 Abs 1 der Richtlinie. Er gesteht zwar zu, dass sich sogar anhand einer vergleichenden Prüfung der verschiedenen Sprachfassungen der genaue Umfang der darin vorgesehenen Ermäßigung der Gesamtkosten des Kredits nicht bestimmen ließe. Gewisse Sprachfassungen deuteten auf eine Ermäßigung (nur) der mit der verbleibenden Laufzeit des Vertrages zusammenhängenden Kosten hin; andere seien durch eine gewisse Zweideutigkeit gekennzeichnet. Unter Hinweis darauf, dass Richtlinienvorschriften auch nach ihrem Kontext und den verfolgten Zielen auszulegen seien – wobei das Ziel wieder einmal undifferenziert in einem hohen Verbraucherschutz gesehen wird –, gelangt der EuGH zum Ergebnis, Art 16 Abs 1 der Verbraucherkredit-RL sei dahin auszulegen, dass das Recht des Verbrauchers auf die Ermäßigung der Gesamtkosten des Kredits bei vorzeitiger Kreditrückzahlung sämtliche dem Verbraucher auferlegte Kosten umfasst.

Der österreichische Gesetzgeber hat reagiert und § 16 Abs 1 entsprechend geändert: Mit Wirkung vom 1.1.2021 wurde „laufzeitabhängige Kosten" durch „die Kosten" ersetzt.[10] Was gilt nun aber für die Zeit vor dieser

7 Darlehens- und Kreditvertragsrechts-Änderungsgesetz (DaKRÄG) BGBl I 2010/28.

8 EuGH C-383/18, *Lexitor* ZFR 2019, 509 *(Wolfbauer)* = ÖBA 2019, 860 *(P. Bydlinski)* = JZ 2019, 1099 *(Pendl)*.

9 RL 2008/48/EG des Europäischen Parlaments und des Rates vom 23. 4. 2008 über Verbraucherkreditverträge, ABl L 2008/438, 1.

10 BGBl I 2021/1.

Änderung? Ist zu differenzieren, wie das der Gesetzeswortlaut ohne jeden Zweifel getan hat; oder geht richtlinienkonforme Rechtsfindung so weit, dass bereits für Sachverhalte vor der Gesetzesänderung[11] im Sinne des EuGH-Richtlinienverständnisses zu entscheiden sind, der Kreditgeber sich also auch eine Minderung laufzeitunabhängiger Kosten gefallen lassen muss?[12]

Rechtsfindung im nationalen und im europäischen Recht

Allein mit diesem Beispiel wird bereits eines deutlich: Nur auf den ersten Blick geht es um die schlichte Auslegung nationalen Rechts. Vorgelagert ist vielmehr regelmäßig die Frage, welchen Inhalt das umzusetzende europäische Recht hat. Dieses ist nun aber leider – wie im gebrachten Beispiel – nicht selten unklar formuliert oder lückenhaft. Daher ist es (zunächst) seinerseits auszulegen, damit man überhaupt weiß, wie das nationale Recht aussehen sollte. Dabei begibt man sich aber häufig auf unsicheres Terrain, da dem EuGH insoweit ein „Auslegungsmonopol" zukommt, wobei dieser oft erst Jahre später und immer wieder überraschend entscheidet. Gibt es für die zu klärende Frage noch kein Urteil des EuGH, ist der Rechtsunterworfene, der disponieren will, von vornherein arm dran. Woran soll er sich halten?

Weitgehend anerkannt ist zumindest, dass auch für die Auslegung (iwS) europäischen Rechts grundsätzlich die üblichen Methoden wie grammatische, historische, systematische und teleologische Interpretation heranzuziehen sind sowie Lückenfüllung notwendig sein kann. Ein solcher Umgang mit Rechtsnormen ist ja von konkreten Rechtsordnungen weitge-

11 Übrigens bezieht § 29 Abs 12 VKrG in ausgesprochen bedenklicher Weise sogar Sachverhalte vor dem 1.1.2021, nämlich auch solche, in denen der Kreditvertrag nach dem 11. 9. 2019 (= ab dem EuGH-Urteil) geschlossen und die vorzeitige Rückzahlung nach dem 31. 12. 2020 geleistet wurde, in den Anwendungsbereich der Novellierung ein. Ich kann mir nicht vorstellen, dass das verfassungsrechtlich haltbar ist, sofern man sich in Bezug auf § 16 Abs 1 aF VKrG gegen eine richtlinienkonforme Rechtsfindung entscheidet. Dann hätte das Urteil ja bloß die Richtlinienwidrigkeit der österreichischen Umsetzung aufgezeigt, die aber erst zum 1. 1. 2021 behoben wurde.

12 Ausführlich dazu *Peter Bydlinski*, Die Auslegung des § 16 Abs 1 aF VKrG im Lichte der EuGH-Entscheidung *Lexitor*, ZFR 2021, 212 (insb gegen *Markus Beham*, Richtlinienkonforme Auslegung und nationaler Auslegungsprotektionismus: Vermeidungsstrategien in der Umsetzung des *Lexitor*-Urteils in der Anwendung des Verbraucherkreditgesetzes/Hypothekar- und Immobilienkreditgesetzes, ZFR 2021, 116).

hend unabhängig; er ergibt sich, weil notwendig, quasi aus der Natur der Sache.[13] Pointiert wird etwa gesagt, die unionsrechtliche Methodenlehre sei ein „Unterfall" der allgemeinen juristischen Methodenlehre und bilde zu den nationalen Methodenlehren kein aliud.[14] Mehr ist dazu hier und heute nicht zu sagen.

Diskrepanzen zwischen europäischer Vorgabe und nationaler Umsetzungsnorm

Weitgehend unbestrittene Prämissen

Unterstellen wir nun aber einmal, dass der Inhalt des umzusetzenden Rechts – wie etwa durch das EuGH-Urteil in der Rs *Lexitor* – in hinreichender Weise geklärt erscheint. Und gehen wir ferner davon aus, dass der Wortlaut des nationalen Gesetzes dem nicht (vollständig) entspricht. Was ist nun zu tun? Anders gefragt: Führt die grundsätzlich anerkannte Pflicht des Rechtsanwenders zu richtlinienkonformer Auslegung generell dazu, dass das nationale Recht mit dem Inhalt der unionsrechtlichen Vorgabe gilt? Oder gibt es Grenzen und wo wären sie zu ziehen? Diese Thematik wird seit Jahren heiß und umfassend diskutiert. Diese Diskussion kann hier weder im Einzelnen nachgewiesen noch gar nachgezeichnet werden. Als auch vom EuGH anerkannte und von mir geteilte Prämissen lege ich im Folgenden zugrunde, dass die richtlinienkonforme Rechtsfindung im Methodenkanon zwar eine herausgehobene Stellung einnimmt, sie aber – da es um die Auslegung nationalen Rechts geht –

---

13 Dazu aus dem deutschen Sprachraum insb *Pechstein/Drechsler,* Die Auslegung und Fortbildung des Primärrechts, in *Riesenhuber* (Hrsg), Europäische Methodenlehre[4] (2021) 181 Rz 9 f. Die Autoren weisen in Bezug auf die Auslegung von Primärrecht darauf hin, dass aufgrund der Besonderheiten der Unionsrechtsordnung ein alleiniges Abstellen auf nationale Methodengrundsätze nicht ausreichend sei; vielmehr bedürfe es einer Kombination nationaler und völkerrechtlicher Grundsätze, damit das Unionsrecht allen Rechtskreisen (anglo-amerikanisch, romanisch und mitteleuropäisch) gerecht werden könne Zur Auslegung des sekundären Unionsrechts etwa *Karl Riesenhuber,* Die Auslegung, in *Riesenhuber* (Hrsg), Europäische Methodenlehre[4] (2021) 285 Rz 12 ff, wonach sich auch der Europäische Gerichtshof der in vielen Ländern üblichen Einteilung der vier Auslegungskriterien (grammatische, historische, systematische und teleologische) bediene. So etwa EuGH C-397/01 bis C-403/01, *Pfeifer;* vgl dazu auch Ris-Justiz RS0114158 [T8].

14 *Jörg Neuner,* Die Rechtsfortbildung, in *Riesenhuber* (Hrsg), Europäische Methodenlehre[4] (2021) 351 Rz 1.

ihre Grenze an dem im betreffenden Staat methodisch (noch) Zulässigen findet.[15] Anerkannt ist in Österreich nun insbesondere – wenn auch nicht zwingend mit diesem Begriff – die sog Lex-lata-Grenze: Gehen Wortlaut und nachweisbare gesetzgeberische Absicht (historische Interpretation) in ein und dieselbe Richtung, darf der Norm kein anderer Inhalt beigelegt werden.[16]

Weitestgehend anerkannt wird überdies, dass die Pflicht zu richtlinienkonformer Auslegung (bzw Rechtsfindung) als *Vorrang- bzw* Auswahlregel zu verstehen ist; sie greift ein, wenn nach nationalem Recht mehrere Möglichkeiten in Frage kommen.[17] Wie gezeigt, ist das jenseits der Lex-lata-Grenze nicht der Fall.[18] Prägnant wird formuliert: „Steht die nationale Auslegung […] einer richtlinienkonformen Interpretation im Weg, gibt es keine richtlinienkonforme Auslegung".[19] Abgesehen davon ist fraglich, ob es über die Auslegung ieS hinaus wirklich Fälle gibt, in denen neben echten Auslegungsvarianten auch die Reduktion bzw die Analogie einer Norm als in concreto ebenfalls begründbares Rechtsfindungsergebnis wahlweise zur Verfügung steht. Wortlautübersteigende Rechtsfindung ist nämlich bloß unter sehr engen Voraussetzungen, nämlich zur Vermeidung offensichtlich ungewollter massiver Wertungswidersprüche innerhalb der Rechtsordnung,[20] zulässig,[21]

15 Statt vieler EuGH C-105/03, *Pupino;* EuGH C-109/09, *Lufthansa/Kumpan uva;* ebenso mwN *Stefan Perner,* EU-Richtlinien und Privatrecht (2012) 78 ff. Zum Thema etwa auch *Friedemann Kainer,* Zu den Grenzen richtlinienkonformer Auslegung und horizontalen Richtlinienwirkungen, GPR 2016, 262.

16 Siehe nur die Nachweise bei *Peter Bydlinski* in *Bydlinski/Perner/Spitzer* (Hrsg), ABGB^7 (2023) ABGB § 7 Rz 2 sowie bei *Kerschner/Kehrer* in *Fenyves/Kerschner/Vonkilch* (Hrsg), Klang^3 (2014) ABGB § 7 Rz 139.

17 Grundlegend bereits *Claus-Wilhelm Canaris,* Die richtlinienkonforme Auslegung und Rechtsfindung im System der juristischen Methodenlehre, in FS F. Bydlinski (2002) 47 (67 ff); ferner etwa *Perner,* EU-Richtlinien 97 ff; *Perner/Spitzer,* Rücktritt von der Lebensversicherung (2020) 28 f mwN der Diskussion.

18 Zu diesem Ergebnis gelangt wohl auch jener Ansatz, der das Gebot richtlinienkonformer Auslegung als Zielvorgabe versteht. IdS etwa *Anne Christin Wietfeld,* Die richtlinienkonforme Auslegung – Auslegungsmethode oder Zielvorgabe? JZ 2020, 485 (491).

19 *Perner/Spitzer,* Rücktritt von der Lebensversicherung 28 f.

20 Ris-Justiz RS0008979; Ris-Justiz RS0008757; *Peter Bydlinski,* Richtlinienkonforme Rechtsfindung: Die Lex-lata-Grenze und die Kernfunktion von Gesetzesrecht, ZfRV 2019, 172 (175); *P. Bydlinski,* ZFR 2021, 212 (215) ua.

21 Siehe dazu nur die Nachweise und Beispiele bei *Peter Bydlinski* in *Bydlinski/Perner/Spitzer* (Hrsg), ABGB^7 (2023) § 7 Rz 2 ff.

dann aber auch geboten.[22] Dieser Aspekt kann hier jedoch nicht vertieft werden.

Vertrauensschutz der Rechtsunterworfenen und die Funktion gesetzlicher Vorschriften

Von den bis heute kontrovers gebliebenen Punkten konzentriere ich mich nunmehr auf einen mir besonders wichtig erscheinenden Aspekt, der vor allem dann von Bedeutung ist, wenn der Gesetzgeber – wie nahezu immer – seinen Willen zur „Generalumsetzung" einer europarechtlichen Vorgabe deklariert hat, zugleich aber eine konkrete Norm erlassen hat, die er genau so wollte wie formuliert, sich dieser eindeutige Norminhalt aber im Nachhinein als europarechtswidrig erweist. Die Kernfrage lautet: Wie ist es um den Vertrauensschutz der Rechtsunterworfenen auf den Inhalt dieser konkreten nationalen Norm bestellt? Bei dieser Frage geht es nicht bloß um einen Randaspekt, sondern um eine Kernfrage des Rechts überhaupt, nämlich um die zentrale Funktion von Rechtsnormen. Obwohl ich diese mE zentrale Frage gerade im vorliegenden Zusammenhang schon mehrfach zur Sprache gebracht habe,[23] wird auf das aus den Zwecken von Rechtsnormen nahezu zwingend folgende Argument in der anschließenden Diskussion von jenen kaum einmal eingegangen, die tendenziell den „Generalumsetzungswillen" des Gesetzgebers als Begründung einer extrem weit reichenden richtlinienkonformen Rechtsfindung ausreichen lassen wollen.

Wohl nicht nur meiner Einschätzung nach ist die Funktion gesetzlicher Vorschriften im Grundsatz gar nicht umstritten. Primär sollen sie den Rechtsunterworfenen Orientierung geben. Pointiert wird etwa formuliert: „Gesetze sind aber zunächst dazu da, den Rechtsgenossen zu sagen, wie sie sich verhal-

22 Obwohl diese Konsequenz nahe liegt, wird die methodische Verpflichtung zu Analogie oder Reduktion nur selten ausdrücklich formuliert. IdS, wenn auch bloß knapp, etwa *F. Bydlinski*, Methodenlehre[2] 477 (Analogie und nicht Umkehrschluss geboten); *Kerschner/Kehrer* in *Fenyves/Kerschner/Vonkilch*, Klang[3] ABGB § 7 Rz 50 (Analogie wegen Wertungsähnlichkeit geboten); *P. Bydlinski*, Grundzüge[4] 97 (teleologische Reduktion geboten). Siehe schließlich auch *Larenz/Canaris*, Methodenlehre der Rechtswissenschaft[3] (1995) 193 (Richter ist zur Lückenfüllung legitimiert und verpflichtet; ähnlich 188).

23 *Peter Bydlinski*, Richtlinienkonforme „gesetzesübersteigende" Rechtsfindung und ihre Grenzen – eine methodische Vergewisserung anlässlich 20 Jahre EU-Mitgliedschaft, JBl 2015, 2 (9 f); *P. Bydlinski*, ZfRV 2019, 172 (174 f), speziell gegen OGH 21.2.2017, 4 Ob 62/16w.

ten sollen oder wie sie sich, um bestimmte von ihnen gewünschte Ziele zu erreichen, verhalten müssen."[24] Oder (bereits zur Hauptaufgabe der Jurisprudenz): „Sie hat praktische Bedürfnisse zu erfüllen, nämlich der Rechtsgemeinschaft und ihren Mitgliedern Orientierung über Rechtliches zu geben."[25] Wer die im jeweiligen Zusammenhang relevanten Rechtsnormen (und deren zutreffendes Verständnis) kennt, wird sein Verhalten darauf einstellen. Hält er sich an die Vorgaben, darf er darauf vertrauen, korrekt zu handeln; und ebenso darauf, damit bestimmte Rechtsfolgen auszulösen. In zweiter Linie dient das Gesetzesrecht dazu, in einem Konfliktfall Prozesschancen auszuloten, um sich danach für oder gegen einen Rechtsstreit zu entscheiden. Um es ganz deutlich zu sagen: Jedenfalls für das Privatrecht geht es nicht allein darum, eine abstrakte Methodenfrage zu entscheiden. Vielmehr schlägt diese Entscheidung immer unmittelbar auf das Verhältnis jener Personen durch, die auf Basis der jeweils aktuellen Gesetzeslage agiert haben.

Die beiden eben dargestellten Funktionen von Gesetzesrecht haben sich durch den Beitritt Österreichs zur Europäischen Union nicht geändert; vermutlich nicht einmal graduell. Jedenfalls dort, wo das nationale Recht klare und inhaltlich unbedenkliche[26] Regelungen bereithält, gibt es keinen Grund, die Rechtsunterworfenen nicht in ihrem Vertrauen auf diese Gesetzesvorgaben zu schützen. Das gilt auch für Normen, die (vermutlich) aufgrund europäischer Vorgaben entstanden sind. Nicht zuletzt mit Blick auf die Flut nationaler Gesetze kann von niemandem verlangt werden, sich zuerst mit Details europäischer Vorschriften auseinanderzusetzen, bevor er Dispositionen trifft. Daraus folgt mE nahezu zwingend, dass die nationalen Normen für die Beteiligten auch in dem Sinn anzuwenden sind, wie sie von ihnen verstanden werden durften.[27] Mit diesem Verstehendürfen ist zugleich die Lex-lata-Grenze angesprochen, die dort gezogen wird, wo der

24 *F. Bydlinski,* Methodenlehre² 633; zur Rechtssicherheit iSv Erkennbarkeit und Vorhersehbarkeit *Franz Bydlinski,* Der Begriff des Rechts (2015) 173 ff.

25 *P. Bydlinski,* Grundzüge⁴ 17 (Hervorhebung im Original).

26 Diese Einschränkungen formuliere ich hier deshalb, weil etwa Analogieschlüsse und teleologische Reduktionen anerkannt sind; das jedoch nur unter engen Voraussetzungen, nämlich um massiv wertungswidersprüchliche und vom Gesetzgeber daher (vermutlich) ungewollte Ergebnisse zu vermeiden. Dazu etwa *P. Bydlinski,* ZfRV 2019, 172 (175) mwN und hier in den FN 20 f.

27 *Boris Schinkels,* Unbegrenzte richtlinienkonforme Rechtsfortbildung als Haftung Privater für Legislativunrecht? Für ein subjektives Recht auf Transparenz, JZ 2011, 394, will einen Generalumsetzungswillen ebenfalls nicht genügen lassen; vielmehr müsse der Gesetzgeber konkret bezogen auf den richtlinienwidrigen Gehalt einer

Wortlaut und der gesetzgeberische Wille[28] in Bezug auf die in Frage stehende Norm deckungsgleich sind.[29] Hinter dieser Grenze beginnt die (unzulässige) Rechtsfindung bzw Rechtsanwendung contra legem.[30]

Konkret noch zur Differenzierung in § 16 Abs 1 aF VKrG: Sie selbst ist bzw war für sich in keiner Weise inhaltlich problematisch.[31] Im Vergleich mit allgemeinen Regeln durchbricht die begünstigte vorzeitige Rückzahlungsmöglichkeit zugunsten des Verbrauchers ohnehin bereits das vertragsrechtliche Grundprinzip des pacta sunt servanda. Es ist daher gut nachvollziehbar, dass die Ermäßigung gewisse Kosten, nämlich die laufzeitunabhängigen, nicht auch noch erfassen soll. Daraus folgt, dass für keinen Beteiligten Anlass zu grundsätzlichen Zweifeln über den Gesetzesinhalt gegeben war.[32]

Norm dessen Richtlinienkonformität gewollt haben (396). Doch sogar dann, wenn die Voraussetzungen richtlinienkonformer Rechtsfindung vorliegen, will er das (frustrierte) Vertrauen in den Wortlaut der nationalen Norm (durch Staatshaftung) schützen (399).

28 Der mit einer Regelung unzweifelhaft verbundene Wille wird leider auch in der erst im Februar 2022 ergangenen E OGH 16.2.2022, 7 Ob 185/21p vollkommen vernachlässigt. Dazu *Peter Bydlinski,* Nationales versus europäisches Recht? JBl 2022, 337.

29 Für das konkrete Beispiel wurde präzise nachgewiesen, dass der Gesetzgeber die – in § 16 Abs 1 VKrG nicht ausdrücklich erwähnten – laufzeitunabhängigen Kosten unmittelbar bedacht hat und gerade nicht parallel mit den laufzeitabhängigen regeln wollte (wofür ja bereits der Wortlaut spricht): *Matthias Pendl,* Das *Lexitor*-Urteil und der Wille des österreichischen Gesetzgebers, ÖBA 2021, 331 (332).

30 Ganz in diesem Sinn *Jörg Neuner,* Vertrauensschutz durch die Rechtsprechung, in FS Canaris (2017) 205 (212 f) mit Hinweis auf die „legitimen Kontinuitätserwartungen der Normadressaten" aufgrund des Wortlauts der Gesetzesnorm sowie der vom Gesetzgeber dazu kundgetanen Intentionen, woran die Richtlinienkonformität anzweifelnde Stimmen der Rechtswissenschaft nichts änderten. Dem ist ebenso zuzustimmen wie der Ablehnung des Generalumsetzungswillen-Arguments, das *Neuner* prägnant als „Freizeichnungsversuch" bezeichnet. Für (eindeutige) nationale Gesetze als Basis für Vertrauensschutz und damit zugleich als Grenze richtlinienkonformer Rechtsfindung etwa auch *Frank Rosenkranz,* Kein mitgliedstaatlicher Schutz von Vertrauen in eine richtlinienwidrige Rechtslage. Besprechung von EuGH v. 23.4.2020 – C-401/18, *Herst,* GPR 2020, 275 (277).

31 ME sprechen teleologische Gesichtspunkte sogar für die Differenzierung: *P. Bydlinski,* ZFR 2021, 212 (214).

32 Im Detail wäre allerdings – ganz unabhängig von der methodischen Zentralfrage – darüber nachzudenken, was alles zu den laufzeitunabhängigen Kosten gezählt werden darf. Darüber müssen objektive Kriterien entscheiden, damit es der Kreditgeber nicht in der Hand hat, einzelne Posten nach seinem Belieben der einen oder der anderen Gruppe zuzuweisen. Siehe dazu statt aller *Matthias Pendl* in *Schwimann/Kodek* (Hrsg), ABGB-Praxiskommentar IX^{5} (2021) § 16 VKrG Rz 10 ff; *Liebel/Perner* in *Schwimann/Kodek,* ABGB VI^{5} (2021) § 988 ABGB Rz 35.

Der „Umsetzungsirrtum" des Gesetzgebers als Rechtfertigung richtlinienkonformer Rechtsfortbildung?

Nun gibt es aber auch jene, die ebenfalls den Willen des nationalen Gesetzgebers heranziehen; allerdings um zu begründen, dass richtlinienkonforme Rechtsfindung dann und deshalb weitestgehend zulässig (oder gar geboten) sei, weil und wenn der – über die europäische Vorgabe irrende – Gesetzgeber den Willen hatte, die betreffende europäische Richtlinie korrekt umzusetzen. Abgesehen davon, dass das nahezu immer der Fall sein wird, kommt bei dieser Sicht die eben betonte Funktion von Gesetzesrecht unzweifelhaft zu kurz.

Damit noch etwas genauer zu diesem Zentralaspekt sowie zum damit untrennbar zusammenhängenden Gedanken des Vertrauens auf den Inhalt innerstaatlicher Normen. Wenn *Perner* (bereits 2012) an etwas versteckter Stelle[33] meint, das Vertrauen des durch die Rechtsfortbildung Belasteten sei in aller Regel nicht geschützt, da er bei korrekter Umsetzung ja nicht anders stünde, so ist daraus kein Argument für eine nahezu schrankenlose richtlinienkonforme Rechtsfortbildung anhand des „Generalumsetzungswillens" zu gewinnen. Die Gleichsetzung mit einer von vornherein europarechtskonform gefassten Gesetzesbestimmung passt nicht: Wäre korrekt umgesetzt worden, hätte sich der Betroffene an einer deutlich anders formulierten nationalen Gesetzesregel orientieren können und sich daher nicht selten auch anders verhalten; zB als Kreditgeber einen Vertrag mit anderem Inhalt (zB höheren Zinsen) abgeschlossen oder einen Prozess nicht riskiert.

Wulf-Henning Roth und *Christian Jopen* gehen in der 4. Auflage der Europäischen Methodenlehre erstmals etwas näher auf den Schutz des Vertrauens der Rechtsunterworfenen ein.[34] Sie befürworten weiterhin den

33 *Perner*, EU-Richtlinien und Privatrecht 104 FN 559.

34 *Roth/Jopen*, Die richtlinienkonforme Auslegung, in *Riesenhuber* (Hrsg), Europäische Methodenlehre[4] (2021) 377 (449 ff) Rz 73 ff, wobei erstaunlicherweise mit der Frage begonnen wird, ob die gesetzeskorrigierende Rechtsfortbildung ex tunc oder ex nunc vorgenommen werden soll, wobei als Bezugszeitpunkt das Urteil des EuGH herangezogen wird, mit dem die einschlägige europäische Vorgabe ausgelegt wird. Ausführlich zur Frage, ob, wann und wie die Wirkung von EuGH-Urteilen zeitlich zu beschränken sei, *Frank Rosenkranz*, Die zeitliche Wirkung der EuGH-Rechtsprechung, in *Riesenhuber* (Hrsg), Europäische Methodenlehre[4] 521 (522 ff), der dieses Thema als „Dauerbrenner" bezeichnet. ME sollte kein Zweifel daran bestehen, dass Rechtsnormen immer derselbe Inhalt beigelegt werden muss; unabhängig davon, ob und wann der EuGH den Gehalt einer Richtlinienvorschrift

Vorrang des Generalumsetzungswillens, was nach ihnen sogar „bis hin zur Derogation der Norm" führen kann,[35] lassen einen Irrtum des nationalen Gesetzgebers über die europäische Richtlinienvorgabe also inter partes zu Lasten desjenigen wirken, der auf die einschlägige (und klare) nationale Vorschrift vertraut hat. Gerechtfertigt wird das zunächst mit der Verwirklichung des gesetzgeberischen Programms. Ergebnis: Das nationale Recht wird so „gelesen" und angewendet, als wäre die Richtlinienvorgabe korrekt umgesetzt worden.[36] Das wesentliche Argument dagegen wurde eben bereits gebracht: Es macht einen eklatanten Unterschied, ob man auf A vertraut, weil A im Gesetz steht, oder ob man nach B behandelt wird, obwohl A im Gesetz steht.

Überraschenderweise erst anschließend, also nach ihrem Bekenntnis zu weitest gehender gesetzeskorrigierender Rechtsfortbildung, stellen sich die Autoren die Frage, ob der nationale Gesetzgeber durch die Ausgestaltung der Umsetzung einer Richtlinienvorgabe bei den Rechtsunterworfenen ein berechtigtes Vertrauen in die nationale Rechtslage erzeugen kann, das einem den Richtlinienvorgaben entsprechenden Auslegungsergebnis entgegensteht. Unter Hinweis auf das Rechtsstaatsprinzip, das ein Mindestmaß an Rechtssicherheit gewährleisten müsse, wollen sie daraus in engen Grenzen ein „Verbot" richtlinienkonformer Gesetzeskorrektur ableiten. Vertrauensschutz in diesem Sinn könne aber dann nicht geltend gemacht werden, „wenn und soweit sich eine richtlinienkonforme Auslegung im Rahmen der anerkannten Rechtsfindungsmethoden hält". Dies sei insbesondere dann der Fall, wenn die Richtlinienkonformität einer nationalen Vorschrift bereits vorher[37] (mit guten Gründen) in Zweifel gezogen worden oder eine entsprechende Judikatur des EuGH vorhersehbar gewesen sei.[38]

(konkretisierend) geklärt hat (bereits ganz deutlich idS etwa *Frank Rosenkranz*, Die Beschränkung der Rückwirkung von Entscheidungen des Europäischen Gerichtshofs [2015] 48 ff. Mehr kann an dieser Stelle dazu nicht ausgeführt werden.

35 *Roth/Jopen* in *Riesenhuber*, Methodenlehre[4] 443 f Rz 66.

36 *Roth/Jopen* in *Riesenhuber*, Methodenlehre[4] 449 ff Rz 73 ff.

37 Worauf sich „vorher" bezieht, ist nicht eindeutig. Sinnvollerweise kann damit nur die Zeit vor der Handlung eines Rechtsunterworfenen gemeint sein, für die die Norm (mit zumindest einem der denkbaren Rechtsfindungsergebnisse) rechtliche Bedeutung hat.

38 *Roth/Jopen* in *Riesenhuber*, Methodenlehre[4] 450 f Rz 74 f, wobei die Autoren unter anderem einen Vergleich mit Rechtsprechungsänderungen bringen, die ebenfalls das Vertrauen enttäuschen können, sowie die praktische Wirksamkeit des Unionsrechts betonen.

Gegen diese Position ist manches vorzubringen. Abgesehen davon, dass die genannten Kriterien wenig greifbar sind (Wer muss die Richtlinienkonformität mit welchen Gründen in Zweifel gezogen haben? Für wen und mit welcher Wahrscheinlichkeit muss eine Entscheidung des EuGH mit einem bestimmten Inhalt vorhersehbar gewesen sein?): Wieso sollte sich die Auslegung einer von ihrem Wortlaut her richtlinienwidrigen Regelung dadurch ändern können, dass begründete Zweifel an ihrer europarechtlichen Zulässigkeit aufgekommen sind? Diese sprechen doch allenfalls gerade dafür, dass die Regelung *richtlinienwidrig ist*, aber keinesfalls dafür, sie (nunmehr) mit einem richtlinienkonformen Inhalt zu versehen und so anzuwenden. Abgesehen davon ist sehr fraglich, ob und inwieweit sich ein „normaler" Rechtsunterworfener – also kein Spezialist des Zivilrechts, des europäischen Rechts und der Methodenlehre – bei der Vornahme von Rechtsgeschäften über die Berücksichtigung klarer einschlägiger Rechtsnormen hinaus mit von wem immer geäußerten Zweifeln über die unionsrechtliche Konformität befassen muss. Schließlich führt das bereits zitierte Kriterium „wenn und soweit sich eine richtlinienkonforme Auslegung im Rahmen der anerkannten Rechtsfindungsmethoden hält" mE bloß zur Ausgangsfrage zurück. Es ist aber eben gerade klärungsbedürftig, welche Bedeutung das Argument des (abstrakten oder konkreten) Vertrauens auf klar formulierte innerstaatliche Rechtsnormen für die Grenze zwischen Rechtsanwendung (oder Rechtsdogmatik!) und Rechtspolitik und damit zugleich für die Grenze des methodisch Erlaubten (oder gar Gebotenen) hat.

Differenzierung nach dem Bestehen mehrerer Umsetzungsoptionen?

Jüngst hat *Stefan Perner*, ursprünglich wohl strikter Anhänger der These vom Vorrang des Generalumsetzungswillens und seiner „richtlinienfreundlichen" Rechtsfindungskonsequenzen,[39] gerade zum *Lexitor*-Problem einen etwas differenzierenden Ansatz vertreten.[40] Trotz klar gegenteiliger Regelung im nationalen Recht will er nach wie vor dann bei einem richtlinienkonformen Rechtsfindungsergebnis bleiben, wenn bloß ein korrekter Umsetzungsweg existiert. Anderes soll nur – aber immerhin – dann gelten, wenn dem nationalen Gesetzgeber mehrere korrekte Regelungsoptionen zur Verfügung standen, weshalb nicht klar ist, wofür

39 Siehe *Perner*, EU-Richtlinien 104 f mwN.

40 *Stefan Perner*, Laufzeitunabhängige Kosten bei vorzeitiger Kreditrückzahlung, ÖBA 2021, 844.

sich der Gesetzgeber ohne Irrtum entschieden hätte.[41] Seine Argumentation, von der eben genannten Ausnahme abgesehen, in aller Kürze: Ein klarer bzw eindeutiger gesetzgeberischer Wille liege nicht vor, da ja die Richtlinie zur Gänze korrekt umgesetzt werden sollte. Zwar habe der Gesetzgeber zugleich bewusst zwischen laufzeitabhängigen und laufzeitunabhängigen Kosten differenziert: aber eben nur aufgrund eines Irrtums. Das sei ein nicht gewolltes Manko und führe zu einer Planwidrigkeit des nationalen Rechts und damit zu einer Regelungslücke, die mit Hilfe der anerkannten Lückenschließungsmethoden zu füllen sei.

Planwidrigkeit der Umsetzung und Lückenbegriff

Eine Planwidrigkeit (der Umsetzung) wird man nicht leugnen können. Eine Lücke oder Unvollständigkeit ist allerdings nicht zu sehen.[42] In § 16 Abs 1 VKrG werden bzw wurden vielmehr alle denkbaren Kosten mit klaren Rechtsfolgen belegt.[43] Aus einem Irrtum des Gesetzgebers folgt keine Lücke, sondern allenfalls eine missglückte Regelung,[44] die er nach Erkennen seines Irrtums aufheben oder ändern sollte (was hier auch geschehen ist); allerdings mit bloßer ex-nunc-Wirkung. In concreto ist eine sog teleologische Lücke[45] ebenfalls abzulehnen, da die getroffene Regelung, wie gezeigt, keinesfalls sach- oder interessenwidrig ist. Auch überzeugt es nicht, eine Lücke anzunehmen, diese aber nur unter bestimmten Voraussetzungen zu schließen; nicht nämlich dann, wenn es Regelungsoptionen gibt und es damit für den Rechtsanwender offen bleibt, für welche Variante sich der Gesetzgeber ohne Irrtum entschlossen hätte. Man gelangte für diese Konstellation ja offenbar zu einer „Lücke“, die dazu führt, dass die

41 Das ist nach ihm im Zusammenhang mit der vorzeitigen Rückzahlung der Fall, weil die Vorfälligkeitsentschädigung Teil eines Gesamtkonzepts sei, aus dem man – nun in meinen eigenen Worten – nicht einfach einen Baustein herausbrechen dürfe (Details dazu *Perner,* ÖBA 2021, 844 [847 f]).

42 IdS bereits *Neuner* in FS Canaris (2017) 205 (212 f); *P. Bydlinski,* ZfRV 2019, 172 (175 f); *P. Bydlinski,* ZFR 2021, 212 (215).

43 Das sieht auch *Perner,* ÖBA 2021, 844 (846) so.

44 Die (hier kritisierte) Gleichsetzung von Planwidrigkeit und Lücke – statt von planwidriger *Unvollständigkeit* und Lücke – findet sich auch bei *Perner/Spitzer,* Rücktritt 29 ff, insb 30.

45 Zu diesem methodischen Begriff, der im Zusammenhang mit der Rechtfertigung ergänzender (wortlautübersteigender) Rechtsfortbildung verwendet wird, etwa *Claus-Wilhelm Canaris,* Die Feststellung von Lücken im Gesetz[2] (1983) 139 ff; *F. Bydlinski,* Methodenlehre[2] 474 jeweils mwN.

Gesetzesbestimmung wie formuliert anzuwenden ist. Wo sich dann aber eine Lücke auftut, ist nur schwer zu sehen. Der Begriff scheint im gegebenen Zusammenhang schlicht nicht zu passen.

Resümee

Zum Abschluss und nochmals: Auch die zuletzt behandelte, um eine gewisse Differenzierung bemühte Position lässt nicht erkennen, warum eine „komplette" Norm (im Beispiel: die Regelung der Folgen vorzeitiger Kreditrückzahlung) zulasten desjenigen, der sich auf ihren Inhalt verlassen konnte, in deutlich abweichender Weise verstanden werden sollte. Es ist weder Selbstzweck noch Aufgabe der Rechtsanwender, Richtlinienwidrigkeiten im Wege von Rechtsfindungsbemühungen „auf Teufel komm raus" zu vermeiden, wenn der Gesetzgeber Fehler[46] gemacht hat. Keinesfalls darf dies ohne Blick auf die beteiligten Personen geschehen. Und es sollte wohl kein Zweifel daran bestehen, dass die Normadressaten ihren Handlungen eher das einschlägige und eindeutige nationale Gesetz zugrunde gelegt haben als irgendetwas anderes; schon gar nicht eine – nicht unmittelbar wirkende – Richtlinienregelung, die der EuGH selbst Jahre später als sprachlich unklar und zweideutig qualifiziert.

Ein Nachtrag aus dem Sommer 2022

Relativ kurz nach Abschluss dieses Manuskripts hat sich der OGH ausführlich zum Problem geäußert.[47] Er ist der hier vertretenen Grundposition in pointierter Weise gefolgt und hat dem Vorrang des „Generalumsetzungswillens" (unter ausdrücklicher Ablehnung von 4 Ob 62/16w) eine deutliche Absage erteilt. Dem hat sich bald darauf ein weiterer Senat angeschlossen.[48] Eine sehr erfreuliche Entwicklung!

---

46 „Fehler" ist hier rein objektiv und überdies im Sinne einer ex-post-Betrachtung gemeint; tatsächlich sind vom EuGH zu einer Richtlinie erzielte Auslegungsergebnisse ja für viele Interessierte (und Informierte) immer wieder überraschend.

47 OGH 3 Ob 216/21t ÖBA 2022, 758 (zust *Pendl*); abl (wie nicht anders zu erwarten) *Markus Beham,* Keine Relevanz des Lexitor-Urteils für laufzeitunabhängige Kosten in Altfällen, VbR 2022, 127.

48 OGH 1. 6. 2022, 5 Ob 197/21p.

Carsten Bäcker

Rechtsdogmatik und Gerechtigkeit

Das Verhältnis von Rechtsdogmatik und Gerechtigkeit ist dunkel. Diese Dunkelheit beruht nicht nur auf der den verknüpften Begriffen eigenen Dunkelheit, sondern wesentlich auch darauf, dass die Verknüpfung von Rechtsdogmatik und Gerechtigkeit eine Ausprägung des seit jeher dunklen Verhältnisses von Recht und Gerechtigkeit ist. Aus der Aufhellung dieses grundlegenderen Verhältnisses lassen sich daher Erhellungen für das Verhältnis von Rechtsdogmatik und Gerechtigkeit erwarten. Anders formuliert: Das Verhältnis von Rechtsdogmatik und Gerechtigkeit hängt davon ab, in welchem Verhältnis das Recht zur Gerechtigkeit steht.

Die folgenden Überlegungen setzen deswegen an einer Betrachtung möglicher Verhältnisse von Recht und Gerechtigkeit an, wie sie in der Positivismusdebatte vertreten werden. Zu zeigen ist, dass sich im Kern nicht etwa nur zwei, drei oder sogar fünf Positionen zum Verhältnis von Recht und Gerechtigkeit kategorial unterscheiden lassen, wie es in der bisherigen Diskussion den Anschein hat, sondern genau vier. Im zweiten Teil werden die diesen vier Positionen korrespondierenden vier Verständnisse des Verhältnisses von Rechtsdogmatik und Gerechtigkeit skizziert. Dabei wird herauszustellen sein, dass der Blick auf das Verhältnis von Recht und Gerechtigkeit im Positivismusstreit eine Perspektive einnimmt, aus der gleichsam nur eine Seite der Medaille des Verhältnisses von Recht und Gerechtigkeit erkannt werden kann. Denn mit der Gretchenfrage im Positivismusstreit,[1] ob ungerechtes Recht rechtlich gilt, ist allein das in den Blick genommen, was als rechtsdestruktiver Aspekt der Gerechtigkeit bezeichnet werden soll. Dieser Fokus auf die Grenze der Geltung ungerechten Rechts kann den Blick auf die rechtskonstruktive Seite der Gerechtig-

1 Vgl *Rolf Gröschner*, Gerechtigkeit, in *Hilgendorf/Joerden* (Hrsg), Handbuch Rechtsphilosophie (2017) 418; hier allerdings bezogen auf die Konzeption der Gerechtigkeit, nicht ihre geltungsvernichtende Kraft.

keit verstellen.[2] Dabei ist diese zweite Seite der Medaille für die Rechtsdogmatik des Alltags von weit größerer Bedeutung. Auch sie wird, anhand der vier Grundverständnisse des Verhältnisses von Recht und Gerechtigkeit, vier unterschiedlichen Grenzziehungen für die Rechtsdogmatik zuzuordnen sein.

Recht und Gerechtigkeit

Jeder Versuch der Aufhellung des Verhältnisses von Recht und Gerechtigkeit trifft auf die Dunkelheit des Gerechtigkeitsbegriffs.[3] Kaum weniger dunkel ist der Begriff des Rechts, eine Einigkeit über ihn ist schon unter Juristen kaum zu erzielen. Mit *Ralf Dreier* ist sogar anzunehmen, dass jeder Jurist seinen eigenen, dunklen Begriff vom Recht hat,[4] und vielleicht gilt dies in noch dunklerer Weise für den Begriff des Juristen von der Gerechtigkeit. Gleichwohl verknüpfen nicht wenige Rechtsphilosophen beide Begriffe, wie etwa *Gustav Radbruch* in dem ebenso strahlenden wie rätselhaften Satz, dass das Recht die Wirklichkeit sei, die den Sinn habe, der Gerechtigkeit zu dienen.[5] Hier soll es genügen, die Gerechtigkeit, angelehnt an *Radbruch*, als funktionales Ideal allgemeiner praktischer Rich-

2 Dies gilt zumindest für den Autor der vorliegenden Zeilen und dessen These der Gerechtigkeitsexklusion; vgl *Carsten Bäcker*, Gerechtigkeit im Rechtsstaat. Das Bundesverfassungsgericht an der Grenze der Verfassungsinterpretation (2015) 315: „Jenseits der Ausprägungen von Gerechtigkeitsvorstellungen im geschriebenen Recht ist die Gerechtigkeit als rechtliches Argument […] exkludiert"; siehe auch die These der Gerechtigkeitssubstitution in *Carsten Bäcker*, Vom Positivismusstreit zur These der Gerechtigkeitssubstitution, in *Franz Reimer* (Hrsg), Gerechtigkeit als Methodenfrage (2020) 45 (67 ff); mit einem jeweils zu einseitigen Blick auf die Gefahren der Gerechtigkeit als geltungsdestruktiven Maßstab im Recht.

3 Für einen formalen Zielbegriff, der Gerechtigkeit mit Richtigkeit identifiziert, vgl *Robert Alexy*, Giustizia come correttezza, Ragion pratica 1997, 103 (105): „La giustizia è correttezza (Richtigkeit) nella distribuzione e nella compensazione"; Gerechtigkeit ist Richtigkeit in Bezug auf Verteilung und Ausgleich; für einen Überblick zu Gerechtigkeitstheorien als prozeduralen Theorien vgl *Axel Tschentscher*, Prozedurale Theorien der Gerechtigkeit (2000); für allgemeinere Begriffsklärungen siehe etwa *Elisabeth Holzleithner*, Gerechtigkeit (2009).

4 Vgl *Ralf Dreier*, Der Begriff des Rechts, NJW 1986, 890 (890): „Alle Juristen haben, in der Regel dunkel, einen Begriff des Rechts, der ihrem beruflichen Selbstverständnis zugrunde liegt".

5 Vgl *Gustav Radbruch*, Rechtsphilosophie[3] (1932) 29 f: „Recht ist die Wirklichkeit, die den Sinn hat, dem Rechtswerte, der Rechtsidee zu dienen. […] Die Idee des Rechts kann nun keine andere sein als die Gerechtigkeit".

tigkeit zu begreifen, und damit auch als funktionales Ideal des Rechts als Sollensordnung.

Die folgenden Überlegungen beruhen auf begrifflichen Entgegensetzungen, für die es unterbleiben kann, Recht oder Gerechtigkeit materiell zu definieren. Sie beschränken sich darauf, eine Kategorisierung der vertretbaren Positionen zum Verhältnis von Recht und seinem Gerechtigkeitsideal zu finden. Eine ideengeschichtlich inspirierte Gegenüberstellung von zwei Lagern prägt die Diskussion bis heute. Sie ist als Dualismus angelegt und umfasst den Rechtspositivismus auf der einen und das Naturrecht auf der anderen Seite.[6] Dieser Dualismus beschriebe das Feld vertretbarer Definitionen umfassend, im Sinne einer begrifflichen Dualität, wenn es keine Position zu Recht und Gerechtigkeit gäbe, die nicht entweder rechtspositivistisch oder naturrechtlich wäre. Doch sind vernunftrechtliche Positionen wohl weder als rechtspositivistisch noch ohne weiteres als naturrechtlich einzustufen. Ähnliche Probleme ergeben sich für *Radbruchs* Position des Glaubens an kulturell-konsensuell begründete Menschenrechte, die eine relativistisch-überpositive Grenze für das positive Recht bilden sollen;[7] auch wenn er sie selbst als naturrechtlich einordnet.[8] Auch *Robert Alexys* diskurstheoretisch grundierter Versuch, die Radbruchsche Formel zu verteidigen und den Rechtspositivismus zurückzuweisen, ist mit naturrechtlich nicht adäquat bezeichnet.[9]

6 Hinterfragend schon *Herbert L.A. Hart,* The Concept of Law[2] (1994) 185: „a question which may still be illuminatingly described as the issue between Natural Law and Legal Positivism"; siehe auch *Horst Dreier,* Naturrecht und Rechtspositivismus, in *Härle/Vogel* (Hrsg), „Vom Rechte, das mit uns geboren ist". Aktuelle Probleme des Naturrechts (2007) 127 (127 ff).

7 Vgl nur *Gustav Radbruch,* 5 Minuten Rechtsphilosophie, Rhein-Neckar-Zeitung 1945, 3: „Es gibt also Rechtsgrundsätze, die stärker sind als jede rechtliche Satzung, so daß ein Gesetz, das ihnen widerspricht, der Geltung bar ist. Man nennt diese Grundsätze das Naturrecht oder Vernunftrecht. Gewiß sind sie im Einzelnen von manchem Zweifel umgeben, aber die Arbeit der Jahrhunderte hat doch einen festen Bestand herausgearbeitet, und in den sogenannten Erklärungen der Menschen- und Bürgerrechte mit so weitreichender Übereinstimmung gesammelt, daß in Hinsicht auf manche von ihnen nur noch gewollte Skepsis den Zweifel aufrechterhalten kann".

8 Zu *Radbruchs* zwischen Relativismus und Idealismus oszillierendem Naturrechtsverständnis und dem Verhältnis zu seinem Rückgriff auf die Menschenrechte näher *Bäcker,* Gerechtigkeit 71 ff.

9 Vgl nur *Robert Alexy,* Zur Verteidigung eines nichtpositivistischen Rechtsbegriffs, in FS Garzón Valdés (1992) 85; zur diskurs- bzw argumentationstheoretischen Grundierung siehe insb das Richtigkeitsargument sowie die Richtigkeitsthese in

Der Dualismus von Rechtspositivismus und Naturrecht ist daher nicht zuletzt durch *Alexy* zu dem von Positivismus und Nichtpositivismus umgestaltet worden.[10] Diese Gegenüberstellung ist zwar, da begriffslogisch kontradiktorisch, dualistisch, sie bleibt aber zugleich unpräzise. Auf das Recht zugeschnitten geht es um eine begriffliche Dualität von Rechtspositivismus und Rechtsnichtpositivismus, die mit dem obigen Begriffspaar freilich gemeint gewesen sein dürfte. Doch auch dieses, auf das Recht bezogene, kontradiktorische Begriffspaar hat noch einen strukturellen Nachteil: Die Menge der unter den einen Begriff fallenden Phänomene hängt negativ von der Menge der unter den anderen Begriff fallenden Phänomene ab. Mit anderen Worten: Die vorbenannte begriffliche Kontradiktion ist in etwa so griffig, wie die Welt der Farben (oder die der Politik) in grün und nicht-grün zu unterteilen.

In der angloamerikanischen Diskussion hat sich, für den dort paradigmatischen Rechtspositivismus, eine präzisierende Zweiteilung etabliert, mit der aus dem Begriffspaar eine Begriffstrias wird: der inklusive Rechtspositivismus wird vom exklusiven Rechtspositivismus unterschieden, und beide werden dem Rechtsnichtpositivismus (bzw den natural law theories)[11] gegenübergestellt. Der exklusive Rechtspositivismus nimmt an, dass das Recht notwendig von der Gerechtigkeit getrennt (Trennungsthese) oder zumindest zu trennen ist. Diese Position lässt sich, bei allen Unterschieden, *Herbert Hart*[12] oder auch *Joseph Raz*[13] zu-

Robert Alexy, Begriff und Geltung des Rechts (1992) 64 ff und 129 ff, sowie die Verteidigung der Radbruchschen Formel im Rahmen des Unrechtsarguments 70 ff; zusammenfassend *Robert Alexy,* A Defence of Radbruch's Formula, in *Dyzenhaus* (Hrsg), Recrafting the Rule of Law: The Limits of Legal Order (1999) 15 – Zur Kritik an *Alexys* Argumenten vgl etwa *Carsten Bäcker,* Begründen und Entscheiden² (2012) 234; für eine diskurstheoretische Alternative *Bäcker,* Begründen² 250 ff.

10 Vgl *Alexy,* Begriff 39 ff.

11 Vgl nur *Kenneth E. Himma,* Natural Law Theory, IEP <https://iep.utm.edu/natlaw/> (Stand: 30.6.2022).

12 Vgl *Herbert L.A. Hart,* The Concept of Law² (1994) 185 f: „Here we shall take Legal positivism to mean the simple contention that it is in no sense a necessary truth that laws reproduce or satisfy certain demands of morality, though in fact they have often done so".

13 Vgl *Joseph Raz,* Legal Positivism and the Sources of Law, in *Raz* (Hrsg), The Authority of Law² (2009) 37 (47): „law […] can be determined without using moral arguments (but allowing for arguments about people's moral views and intentions, which are necessary for interpretation, for example)". *Raz* selbst hält die Kategorie des Rechtspositivismus für unterkomplex bzw überholt. Zu sprechen sei allenfalls von einer rechtspositivistischen Tradition; vgl *Joseph Raz,* Das Gerechtigkeitsargument, in *Borowski/Paulson/Sieckmann* (Hrsg), Rechtsphilosophie und Grundrechtstheorie (2017) 9 (9, 14).

schreiben,[14] *Hans Kelsen*[15] und *Norbert Hoerster*[16] ließen sich hinzufügen. Der inklusive Rechtspositivismus ist mit *Will Waluchow*,[17] (dem späteren) *Herbert Hart*[18] oder *Jules Coleman*[19] verbunden: Nach dieser Auffassung ist Recht zwar begrifflich von Gerechtigkeit getrennt, das Recht kann aber die Gerechtigkeit qua moralischer Maßstäbe in das Recht inkorporieren, was auch regelmäßig der Fall sei – ohne, dass diese moralischen Maßstäbe dadurch ihre Natur verlören und schlicht zu rechtlichen Maßstäben würden.[20] Kennzeichnend für diese Position ist die Verbindbarkeitsthese.

Die Unterscheidung zwischen exklusiven und inklusiven Varianten ist nicht auf den Rechtspositivismus beschränkt geblieben. *Alexy* hat, an der Unterscheidung innerhalb des Positivismus anknüpfend, einen exklusiven von einem inklusiven Rechtsnichtpositivismus unterschieden, womit auch die vornehmlich kontinentale Lesart des Rechts in der natur- oder vernunftrechtlichen Tradition diverser betrachtet werden kann. Diesen beiden Positionen sei noch, als dritte,[21] ein superinklusiver Rechtsnichtpositivismus an die Seite zu stellen.[22] Damit ist die Unterscheidung von

14 Vgl für *Raz* als exklusiven Rechtspositivisten etwa *Kenneth E. Himma*, Legal Positivism, IEP <https://iep.utm.edu/legalpos/#SH2a> (Stand: 30.6.2022).

15 *Hans Kelsen*, Reine Rechtslehre² (1960) 201: „Daher kann jeder beliebige Inhalt Recht sein".

16 *Norbert Hoerster*, Was ist Recht? (2006) 70: „Der Begriff des Rechts ist inhaltlich neutral zu definieren".

17 *Wilfrid J. Waluchow*, Inclusive Legal Positivism (1994).

18 Vgl *Hart*, Concept² 250 (Postscript): „[...] the rule of recognition may incorporate as criteria of legal validity conformity with moral principles or substantive values [...] such as the Sixteenth or Nineteenth Amendments to the United States Constitution respecting the establishment of religion or abridgements of the right to vote"; „so my doctrine is what has been called 'soft positivism'".

19 Vgl *Jules L. Coleman*, The Practice of Principle. In Defence of a Pragmatist Approach to Legal Theory (2003) 108: „Inclusive legal positivism is the claim that positivism allows or permits substantive or moral tests of legality; it is not the view that positivism requires such tests. A legal system with only pedigree criteria of legality is surely a legal system, and inclusive legal positivists have no reason to think otherwise".

20 Eingehend zum inklusiven Rechtspositivismus *Lilja Székessy*, Gerechtigkeit und inklusiver Rechtspositivismus (2003).

21 Zur strukturell auffälligen Asymmetrie einer zweifachen Unterscheidung innerhalb der rechtspositivistischen und der dreifachen für die rechtsnichtpositivistischen Positionen sowie dem darauf beruhenden Fortgang zu einer doppeldualen Unterscheidung vgl *Bäcker*, Gerechtigkeit 267 f.

22 Vgl *Robert Alexy*, Law, Morality, and the Existence of Human Rights, Ratio Juris 2012, 2 (4 ff).

zwei über drei zu fünf Kategorien vorgedrungen. Den drei rechtsnichtpositivistischen Positionen sei gemein, dass sie, im Gegensatz zu beiden Varianten des Rechtspositivismus, eine notwendige Verbindung von Recht und Gerechtigkeit annähmen (Verbindungsthese).

Die Position des exklusiven Rechtsnichtpositivismus nehme darüber hinaus an, dass jeder moralische Defekt des Rechts zum Verlust von Rechtscharakter und Rechtsgeltung führe.[23] Diese Position kann als denkbar extremer Rechtsnichtpositivismus[24] oder auch als strikter Rechtsmoralismus bezeichnet werden. Der inklusive Rechtsnichtpositivist lasse dagegen erst dann den Rechtscharakter bzw die Rechtsgeltung[25] aufgrund eines moralischen Defekts bzw eines Gerechtigkeitsdefizits entfallen, wenn eine bestimmte Schwelle des Unrechts bzw der Ungerechtigkeit überschritten sei. Paradigmatisch ist diese Position in der Radbruchschen Formel[26] festgehalten; prägnant in *Alexys* (zu kurzer)[27] Kurzfassung: „Extremes Unrecht ist kein Recht".[28] Der superinklusive Rechtsnichtpositivismus schließlich lasse keinen auch noch so gewichtigen moralischen Defekt genügen, um die Rechtsgeltung entfallen zu lassen, auch wenn es sich damit notwendig um defizitäres Recht handele. Diese Position wird von *Radbruch* vor 1933 ein-

23 Vgl *Alexy,* Ratio Juris 2012, 2 (5): „every moral defect, every injustice, yields legal invalidity".

24 Vgl *Alexy,* Ratio Juris 2012, 2 (5): „the most radical version of non-positivism".

25 Bei *Radbruch* sind die Kriterien des Verlusts des Rechtscharakters und der Rechtsgeltung unterschieden, bei *Alexy* hingegen nivelliert; vgl *Carsten Bäcker,* Rechtssicherheit oder Gerechtigkeit. Von der Radbruchschen Formel zurück zum Primat der Rechtssicherheit, in *Schuhr* (Hrsg), Rechtssicherheit durch Rechtswissenschaft (2014) 33 (35 ff).

26 Vgl *Gustav Radbruch,* Gesetzliches Unrecht und übergesetzliches Recht, SJZ 1946, 105 (106): „Der Konflikt zwischen der Gerechtigkeit und der Rechtssicherheit dürfte dahin zu lösen sein, daß das positive, durch Satzung und Macht gesicherte Recht auch dann den Vorrang hat, wenn es inhaltlich ungerecht [...] ist, es sei denn, daß der Widerspruch des positiven Gesetzes zur Gerechtigkeit ein so unerträgliches Maß erreicht, daß das Gesetz als ‚unrichtiges Recht' der Gerechtigkeit zu weichen hat". Dieser Unerträglichkeitsformel hat *Radbruch* die sog Verleugnungsformel an die Seite gestellt, die beschreibt, wann ein positives Gesetz jedenfalls zu ungerecht ist: „wo die Gleichheit, die den Sinn der Gerechtigkeit ausmacht, bei der Setzung positiven Rechts bewußt verleugnet wurde" (107). Näher zur Radbruchschen Formel und ihren Interpretationsoffenheiten sowie Widersprüchen *Bäcker,* Gerechtigkeit 27 ff.

27 Siehe FN 25.

28 *Robert Alexy,* Mauerschützen. Zum Verhältnis von Recht, Moral und Strafbarkeit (1993) 4.

genommen[29] und heute von einer relativistischen Lesart der Diskurstheorie verfochten.[30]

Bei näherem Hinsehen zeigt sich, dass diese fünf Positionen nur vier Kategorien zuzuordnen sind, die in einem quadralen Modell einander analytisch gegenübergestellt werden können. Diese quadrale Unterscheidung nimmt ihren Ausgangspunkt in der Feststellung, dass es unter den genannten fünf Positionen zwei zunächst irritierende Standpunkte gibt. So soll es nach dem inklusiven oder weichen Rechtspositivismus möglich sein, dass etwas aus moralischen Gründen rechtlich nicht gelten könne, obwohl der Rechtsbegriff mit der Trennungsthese unabhängig von der Moral zu definieren sei. Andererseits soll, nach dem superinklusiven Rechtsnichtpositivismus, ein Rechtssatz rechtlich gelten können, obwohl er aus moralischen Gründen nach der Verbindungsthese begrifflich kein Recht sei. Sinnvoll sind diese Positionen nur, wenn begriffliche Zusammenhänge zwischen Recht und Gerechtigkeit von geltungsbezogenen Zusammenhängen unterschieden werden können.

29 Vgl nur *Radbruch,* Rechtsphilosophie[3] 82 f: „Aber wie ungerecht das Recht seinem Inhalt nach sich gestalten möge – es hat sich gezeigt, daß es einen Zweck stets, schon durch sein Dasein, erfüllt, den der Rechtssicherheit. Der Richter, indem er sich dem Gesetze ohne Rücksicht auf seine Gerechtigkeit dienstbar macht, wird also trotzdem nicht bloß zufälligen Zwecken der Willkür dienstbar. Auch wenn er, weil das Gesetz es so will, aufhört, Diener der Gerechtigkeit zu sein, bleibt er immer noch Diener der Rechtsicherheit“. Näher zu *Radbruchs* Position vor 1933 *Bäcker,* Gerechtigkeit 38 ff.

30 Vgl *Bäcker,* Gerechtigkeit 308. – Inzwischen habe ich allerdings eine gewisse Aufweichung dieser Position vorgenommen. Das Recht unterliegt dem (nicht-rechtlichen) Gebot der Abänderung, wenn und soweit es nach den Maßstäben des allgemeinen praktischen Diskurses diskursiv unmöglich ist. Weil es immer möglich ist, dass sich Recht als diskursiv unmöglich erweist, muss Recht immer abänderbar sein. Wenn das Recht diese Anforderung nicht erfüllt, weil es rechtlich oder faktisch unmöglich ist, das Recht abzuändern, und es im Widerspruch zu den diskursiven Notwendigkeiten des allgemeinen praktischen Diskurses steht, muss das Recht abzuändern sein. In einem derartigen diskursiven Notstand muss es strukturell dazu befähigten Instanzen im Recht zustehen, namentlich der Verfassungsgerichtsbarkeit, den Rechtszustand außerordentlich zu wandeln; vgl *Carsten Bäcker,* Begrenzter Wandel. Das Gewollte als Grenze des Verfassungswandels am Beispiel des Art 6 I GG, AöR 2018 339 (365 ff). Damit ist allerdings kein materieller Geltungszusammenhang zwischen Recht und Gerechtigkeit anerkannt, wie er den inklusiven Rechtsnichtpositivismus kennzeichnet, sondern nur eine, freilich materiell induzierte, formell eng begrenzte, notwendige Notstandskompetenz.

Auf der Grundlage der Möglichkeit einer analytischen Trennung von Begriff und Geltung des Rechts[31] lassen sich je zwei grundsätzliche Positionen zum Begriffsverhältnis und zur Rechtsgeltung annehmen: Es kann entweder ein begrifflicher Zusammenhang (BZ) oder eine begriffliche Trennung (BT) zwischen Recht und Gerechtigkeit behauptet werden. Die erste Position ist rechtsnichtpositivistisch, die zweite rechtspositivistisch. Weiter kann entweder ein rechtsgeltungsbezogener Zusammenhang (GZ) oder eine rechtsgeltungsbezogene Trennung (GT) von Recht und Gerechtigkeit behauptet werden; hierbei wäre wiederum die erste Position rechtsnichtpositivistisch, die zweite rechtspositivistisch.[32]

Wenn die Möglichkeit einer Trennbarkeit von begrifflichen und geltungsorientierten Relationen akzeptiert wird, wie vom Inkorporationismus und dem superinklusiven Rechtsnichtpositivismus vorausgesetzt, lassen sich diese begriffsbezogenen und die geltungsbezogenen Positionen beliebig miteinander kombinieren. Dadurch entstehen, neben zwei konvergent rechtspositivistischen bzw rechtsnichtpositivistischen Positionen, auch zwei divergente Positionen, die sowohl rechtspositivistische als auch rechtsnichtpositivistische Aussagen enthalten. Es ergeben sich vier mögliche Kombinationen: BT und GT (konvergenter Rechtspositivismus), BT und GZ (divergenter Rechtspositivismus), BZ und GZ (konvergenter Rechtsnichtpositivismus) und BZ und GT (divergenter Rechtsnichtpositivismus). Dies führt zu einem quadralen Modell des Rechts:

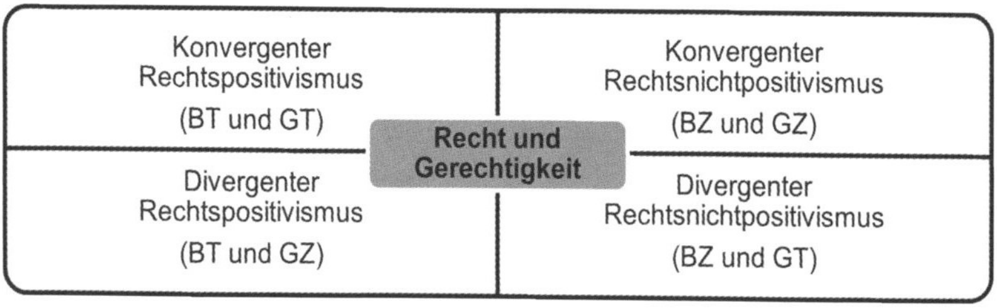

31 Auch *Alexy*, Begriff 44 ff, räumt diese Trennbarkeit ein, entscheidet sich dann aber für „einen Begriff des Rechts [...], der den der Geltung einschließt" (45).

32 Denkbar wäre es, darüber hinaus noch jeweils die Position der Indifferenz anzuerkennen (BI/GI). Eine derartige Position ist aber an dieser Stelle nicht interessant, da sie das Verhältnis von Recht und Gerechtigkeit gerade nicht beschreibt.

Aus den fünf Positionen sind damit vier geworden. Im Vergleich zu *Alexys* pentagonischer Unterscheidung[33] müssen also, im quadralen Modell, zwei Positionen in einer Kategorie enthalten sein.[34] Diese Kategorie ist der Quadrant des konvergenten Rechtsnichtpositivismus: Er umfasst die Position des exklusiven und des inklusiven Rechtsnichtpositivismus, da beide sowohl einen Begriffs- als auch einen Geltungszusammenhang zwischen Recht und Gerechtigkeit annehmen. Der Unterschied zwischen diesen Positionen besteht in der Extremklausel, die den geltungsbezogenen Zusammenhang von Recht und Gerechtigkeit abmildert. Dieser Unterschied ist aber nicht kategorial, sondern bloß graduell, da der geltungsbezogene Zusammenhang bestehen bleibt.[35]

Mit dem quadralen Modell lässt sich erklären, warum die Zuordnung mancher Positionen zum Positivismus oder Nichtpositivismus bis heute umstritten geblieben ist. Die Zuordnung der divergenten Positionen zum Rechtspositivismus oder Rechtsnichtpositivismus wandelt sich je nach Augenmerk auf den Begriffs- oder Geltungszusammenhang: Die Position BT und GZ ist begriffsbezogen ein Rechtspositivismus, geltungsbezogen aber ein Rechtsnichtpositivismus. Bei der Position BZ und GT verhält es sich gerade umgekehrt: Sie beschreibt begriffsbezogen einen Rechtsnichtpositivismus, geltungsbezogen aber einen Rechtspositivismus. Ein Beispiel ist die Diskussion um die (vermeintliche) Konversion *Radbruchs* nach 1933: Er war vor 1933, begriffsbezogen, ein (divergenter) Rechtsnichtpositivist, geltungsbezogen aber ein (divergenter) Rechtspositivist. Mit der Radbruchschen Formel wandelte er seine Position zu einem konvergenten Rechtsnichtpositivismus, indem er den Geltungszusammenhang anerkannte.[36]

Das oben abgebildete Modell ordnet die divergenten Positionen dem Rechtspositivismus oder dem Rechtsnichtpositivismus nach den angenommenen Begriffszusammenhängen zu (Begriffsparadigma). Wird dagegen die Aussage zur Geltung als relevant für die Zuordnung der Positionen zum Rechtspositivismus oder Rechtsnichtpositivismus begriffen, so

33 Die nicht zu verwechseln ist mit *Alexys* Pentagon der idealen Dimension des Rechts, welches um den Anspruch auf Richtigkeit gruppiert ist; vgl dazu *Robert Alexy*, The Ideal Dimension of Law, in *Duke/George* (Hrsg), The Cambridge Companion to Natural Law Jurisprudence (2017) 314 (329).

34 Grafische Gegenüberstellung in *Bäcker*, Gerechtigkeit 276 f.

35 Näher *Bäcker*, Gerechtigkeit 270 FN 105.

36 Eingehend zur Diskussion um *Radbruchs* Konversion *Bäcker*, Gerechtigkeit 35 (insb 66 ff).

ist der Inkorporationismus als Nichtpositivismus, der superinklusive Rechtsnichtpositivismus dagegen als Positivismus zu begreifen. Damit nimmt das quadrale Modell, im Geltungsparadigma, folgende Form an:

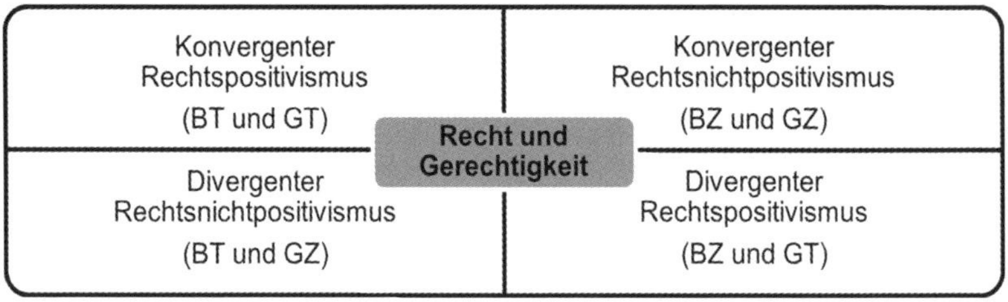

Rechtsdogmatik und Gerechtigkeit

Vor dem Hintergrund dieser vier Kategorien des Verständnisses des Verhältnisses von Recht und Gerechtigkeit kann das Verhältnis von Rechtsdogmatik und Gerechtigkeit klarer in den Blick genommen werden. Es ergibt sich von vornherein, dass ein einzig richtiges Verständnis dieses Verhältnisses nicht bestimmt werden kann, solange nicht ein einzig richtiges Verhältnis von Recht und Gerechtigkeit bestimmt worden ist. Das Verständnis des Verhältnisses von Rechtsdogmatik und Gerechtigkeit ist daher relativ, und zwar relativ auf das Verständnis des Verhältnisses von Recht und Gerechtigkeit – welches rechtlich nicht festgelegt werden kann, sondern als Vorverständnis dem Recht unterliegt oder auf das Recht übertragen wird, und als solches Vorverständnis in der Rechtsdogmatik zu reflektieren ist.[37]

Auf der Grundlage des quadralen Modells ist zu erwarten, dass sich genau vier kategoriale Positionen zum Verhältnis von Rechtsdogmatik und Gerechtigkeit unterscheiden lassen.[38] Bevor diese Positionen dargestellt werden können, ist aber zunächst der Begriff der Rechtsdogmatik näher

37 Zur eigentlichen Frage wird daher, welches bzw wessen Vorverständnis entscheidend ist; vgl *Carsten Bäcker*, Verfassungsanalogien. Das Bundesverfassungsgericht an der Grenze der Verfassungsinterpretation, Der Staat 2021, 7 (38).

38 Das zeigt sich auch für das Verständnis von Menschenrechten, insbesondere des Verhältnisses von Menschenrechten zum gesetzten Recht, wozu sich anknüpfend an das quadrale Modell ebenfalls vier kategoriale Positionen unterscheiden lassen; vgl *Carsten Bäcker*, Menschenrechte zwischen Recht und Richtigkeit, in *Borowski/Paulson/Sieckmann* (Hrsg), Rechtsphilosophie und Grundrechtstheorie. *Robert Alexys* System (2017) 185 (202 f).

zu bestimmen. Da eine Ausleuchtung dieses Begriffs in all seinen Kontexten das Ziel der in diesem Band dokumentierten Tagung war, kann auf die Ergebnisse dieser Untersuchungen für weitere Begriffsklärungen verwiesen werden. Hier soll es genügen, einen Begriff der Rechtsdogmatik herauszugreifen – ohne damit behaupten zu müssen, dass gerade dieser Begriff der richtige oder gar der einzig richtige der Rechtsdogmatik sei. *Robert Alexy* meint: Rechtsdogmatik ist, was Juristen im engeren und eigentlichen Sinne tatsächlich als Rechtswissenschaft betreiben.[39]

Weil dieser Begriff erkennbare definitorische Schwächen hat und daher nur wenig weiterführt, hat *Alexy* genauer beschrieben, was unter der Rechtswissenschaft der Juristen in diesem engeren und eigentlichen Sinne zu verstehen sei. Sie sei „ein Gemenge von mindestens drei Tätigkeiten: (1) der Beschreibung des geltenden Rechts, (2) seiner begrifflich-systematischen Durchdringung sowie (3) der Erarbeitung von Vorschlägen zur Lösung problematischer Rechtsfälle."[40]

Diesen drei ineinander verwobenen Tätigkeiten ließen sich, so *Alexy*, drei Dimensionen der Rechtsdogmatik zuordnen: „eine deskriptiv-empirische, eine logisch-analytische und eine normativ-praktische".[41] Ihn interessiert in der Theorie der juristischen Argumentation, aus der diese Zitate stammen, vor allem die zweite Dimension, die der logisch-analytischen Dogmatik als Kernstück der begrifflich-systematischen Rechtsdogmatik.[42] Für

39 Vgl *Robert Alexy*, Theorie der juristischen Argumentation. Die Theorie des rationalen Diskurses als Theorie der juristischen Begründung (1978) 307.

40 *Alexy*, Argumentation 308.

41 *Alexy*, Argumentation 308.

42 Diese Tätigkeit der Rechtsdogmatik kennzeichnet *Alexy*, Argumentation durch drei Aufgaben näher: „(1) die logische Analyse der juristischen Begriffe, (2) die Zusammenfassung dieser Analyse zu einem System und (3) die Verwendung der Ergebnisse dieser Analyse zur Begründung juristischer Entscheidungen" (311). Er gesteht zu, dass mit diesen logisch-analytischen Aufgaben allein nicht die Rechtsdogmatik insgesamt beschrieben sei. Es müssten noch andere, materiale Argumente hinzukommen: „Es ist vielmehr durchaus denkbar, daß die Verwendung begrifflich-systematischer Argumente neben der anderer, insbesondere allgemeiner praktischer Argumente erforderlich und vernünftig ist" (312). Dies führt ihn zu einem fünfteiligen Begriff der Rechtsdogmatik, der einen Mittelweg zwischen dem weiteren, dreifaltigen und dem engeren, logisch-analytischen Verständnis bezeichnen soll: „Eine Rechtsdogmatik ist (1) eine Klasse von Sätzen, die (2) auf die gesatzten Normen und die Rechtsprechung bezogen, aber nicht mit ihrer Beschreibung identisch sind, (3) untereinander in einem Zusammenhang stehen, (4) im Rahmen einer institutionell betriebenen Rechtswissenschaft aufgestellt und diskutiert werden und (5) normativen Gehalt haben" (314).

die hier vorgetragenen Überlegungen ist diese Dimension allerdings von eher geringerem Interesse, da sie die begrifflich-dogmatische Durchdringung des Rechtsstoffes und sohin die Binnenverhältnisse von Rechtsdogmatik bzw der ihr zugrundeliegenden Rechtsordnung betrifft. Zwar mag es durchaus sein, dass die (mögliche) Aufnahme von Gerechtigkeitsmaßstäben in das positive Recht aufgrund ihrer begrifflichen Offenheit eine Systematisierung der gegebenen Rechtssätze erschwert; aber gegen die Aufnahme von Gerechtigkeitskriterien durch das Recht in das Recht wendet sich keine der vorbenannten Positionen.[43]

Der Hinweis auf die beiden anderen der drei genannten rechtsdogmatischen Tätigkeiten, die sich als detektive, als systematisierende und als kreative Rechtsdogmatik unterscheiden lassen, führt den hier entscheidenden Punkt dagegen klar vor Augen: Die Funktionen von Rechtsdogmatik sind offenbar nur zu einem geringen Teil mit den Zusammenhängen des Verhältnisses von Recht und Gerechtigkeit erfasst, die im Positivismusstreit zentral sind. Denn die im quadralen Modell benannten vier Positionen zum Verhältnis von Recht und Gerechtigkeit unterscheiden sich wesentlich durch die jeweils angenommenen Effekte moralischer Defekte, auf den Rechtsbegriff und auf die Rechtsgeltung. Im Zentrum der Aufmerksamkeit steht die Frage, wie es um die Rechtsgeltung ungerechter Rechtssätze steht.

Dieser Fokus auf die rechtliche Geltung ungerechten Rechts ist für die detektive Tätigkeit der Rechtsdogmatik, die der Bestimmung des geltenden Rechts, durchaus wesentlich. Hier kommt es auf die Gerechtigkeit und ihr Verhältnis zur Rechtsgeltung an; hier wird die Rechtsdogmatik im Lichte der Gerechtigkeit – relativ auf den rechtstheoretischen Standpunkt innerhalb des quadralen Modells – Aussagen zur (Nicht-)Geltung von einzelnen Rechtssätzen treffen können. Wenn die detektive Rechtsdogmatik die für den zur Entscheidung anstehenden Fall bedeutsamen Rechtssätze bestimmt, kommt dem Kriterium der Gerechtigkeit, je nach Vorverständnis im quadralen Modell, entweder eine neutrale (GT) oder eine

43 Allerdings unterliegt den geltungstrennenden Positionen eine gerechtigkeitskritische Grundhaltung, die sich gerade aus der Unbestimmtheit der Gerechtigkeit ergibt. Dies kann sich im Gebot der Externalität (bzw Externalisierung) der Gerechtigkeit niederschlagen. Mit geltungsverbindenden Positionen kann dagegen, ganz im Gegenteil, das Gebot einer Internalisierung (bzw Internalität) der Gerechtigkeit verbunden sein.

negative bzw destruktive Funktion (GZ) zu.[44] Ein Beispiel ist die im Ausbürgerungsfall zentrale Frage, ob die 11. Verordnung zum Reichsbürgergesetz vom 25.11.1941, die in § 2 den Verlust der deutschen Staatsbürgerschaft für Juden regelte, jemals geltendes Recht war.[45] Ein anderes Beispiel ist die in den Mauerschützen-Fällen entscheidende rechtsdogmatische Frage, ob der Rechtfertigungsgrund des § 27 II DDR-GrenzG, der die Anwendung der Schusswaffe bei Republikflucht rechtfertigte, zu den beachtlichen Rechtssätzen zur Lösung der Frage der Strafbarkeit zählt.[46] Für derartige Fragen ist die Verordnung im quadralen Modell entscheidend: Wenn eine Trennung für die Frage der Rechtsgeltung angenommen wird (GT), bleibt die Geltung von einer (extremen) Ungerechtigkeit dieser Rechtssätze unberührt. Wenn dagegen ein Geltungszusammenhang angenommen wird (GZ), kann die Geltung entfallen bzw sogar als ex tunc und dann regelmäßig kontrafaktisch als nie gegeben angesehen werden.[47] Das gilt zumindest für den konvergenten Rechtsnichtpositivismus in seiner herrschenden Lesart.[48] Für den divergenten Rechtspositivismus (im Begriffsparadigma) wäre dagegen zunächst zu ergründen, welche Gerechtigkeitsmaßstäbe das Recht des NS-Staates bzw der DDR inkorporiert hatte, und sodann, ob ein Verstoß gegen diese Maßstäbe vorlag.

44 Nur diese destruktive Funktion hält, allerdings für den Bereich des Strafrechts hinsichtlich des nulla-poena-Grundsatzes betrachtet, *Hans-Martin Pawlowski*, Gerechtigkeit durch Richter? in FS Krawietz (1993) 703 (717 f), für den Richter als richtungsweisend, da er sich ansonsten als Medium der „öffentlichen Moral" geriere.

45 Vgl BVerfGE 23, 98, 106.

46 Vgl BVerfGE 95, 96, 130 ff.

47 Die Radbruchsche Formel wird, wie in den genannten Beispielen, in der Rechtsprechung regelmäßig zur rückwirkenden Feststellung eines nicht-geltenden Rechtssatzes herangezogen. Es lässt sich allerdings belegen, dass *Radbruch* seine Formel vorwärtsgewandt verstanden wissen wollte: Es ging ihm um die Wehrhaftigkeit der Juristen gegen gesetzliches Unrecht im Unrechtsregime. Eine rückwirkende Erkennung von Nicht-Recht, die alle Probleme rückwirkender Rechtsfeststellungen mit sich bringt, dürfte Radbruchs Intention eher entgegenstehen; näher *Bäcker*, Gerechtigkeit 61 f.

48 Neben den genannten Entscheidungen des BVerfG insb auch *Alexy*, Mauerschützen 33: „Es wird mit der Anwendung der Radbruchschen Formel [...] nicht rückwirkend die Rechtslage geändert, sondern nur festgestellt, wie im Zeitpunkt der Tat die Rechtslage war. Natürlich bedeutet dies unter dem Gesichtspunkt der Faktizität eine Änderung. Das aber ist gerade der Witz der Radbruchschen Formel. Sie identifiziert das Recht nicht mit der Faktizität des ordnungsgemäß Gesetzten und sozial Wirksamen, sondern setzt dieser Faktizität an der Schwelle zum extremen Unrecht eine Grenze, indem sie dort den Rechtscharakter und die Rechtsgeltung entfallen läßt".

Für die dritte Tätigkeit, die der Erarbeitung von Lösungen für (hypothetisch oder tatsächlich) zur Entscheidung anstehende Rechtsfälle dient, spielt die Gerechtigkeit eine nicht weniger bedeutsame Rolle:[49] Hier geht es nicht um die destruktive, sondern um die konstruktive Funktion der Gerechtigkeit. Diese konstruktive Funktion der Gerechtigkeit als Zielmarke kreativer Rechtsdogmatik kommt in der eingangs betrachteten Kategorisierung des Verhältnisses von Recht und Gerechtigkeit, die auf die Effekte moralischer Defekte abzielt, zu kurz. Tatsächlich scheint das quadrale Modell dazu wenig aussagekräftig zu sein, da es grundsätzlich mit allen dort verzeichneten Positionen vereinbar sein dürfte, dem Recht das Ziel der Gerechtigkeit normativ voranzustellen: Das Recht soll gerecht sein.[50] Dieses Gerechtigkeitsgebot ist allerdings, je nach Vorverständnis, auch für den Bereich kreativer Rechtsdogmatik sehr unterschiedlich zu begreifen.

Für den konvergenten Rechtspositivisten ist der Anspruch des Rechts, gerecht zu sein, dem Recht extern – und es bleibt daher auch anhand eines rechtsexternen Maßstabs zu beurteilen, ob das Recht gerecht ist. Das Recht kann diesem Maßstab mehr oder weniger genügen; für das Recht und seine Anwendung als Recht ändert dies im Grundsatz nichts. Zugleich wird der konvergente Rechtspositivist keine Einwände dagegen erheben, dass die Gerechtigkeit die Rechtsfindung leitet, soweit dabei der durch das positive Recht vorgegebene rechtliche Rahmen beachtet wird.[51] Freilich ist diese Rechtsfindung innerhalb des rechtlichen Rahmens erst

49 Dazu in jüngerer Zeit etwa *Franz Reimer*, Gerechtigkeit als Methodenfrage (2020), der in der Gerechtigkeit im Recht heute zwar ein „schamhaft selten gebrauchtes, geradezu verschwiegenes Argument“ (2) erblickt, welches aber als „omnipräsente Frage und Wahrnehmungshilfe“ (42) aus dem Recht nicht wegzudenken sei, vielmehr subsidiär von Bedeutung bleibe, „überall dort nämlich, wo das geltende Recht Freiräume lässt“.

50 Auch wenn niemand ernsthaft bestreiten wird, dass das Recht gerecht sein soll, wird darüber zu streiten sein, wann das Recht gerecht oder zumindest gerechter ist. Dieser Streit ist ohne eine materiale Bestimmung der Anforderungen der Gerechtigkeit an das Recht nicht sinnvoll zu führen. Dieses rechtsethische Fundamentalproblem muss hier ungelöst bleiben.

51 Paradigmatisch *Hans Kelsen*, Reine Rechtslehre. Einleitung in die rechtswissenschaftliche Problematik (1934) 95: „Daß ein richterliches Urteil im Gesetz begründet ist, bedeutet in Wahrheit nichts anderes, als daß es sich innerhalb des Rahmens hält, den das Gesetz darstellt, bedeutet nicht, daß es die, sondern nur, daß es eine der individuellen Normen ist, die innerhalb des Rahmens der generellen Norm möglich sind“.

ex post als Rechtsfindung zu begreifen; zuvor ist die Gerechtigkeit schlicht eine Entscheidungshilfe – die rechtlich betrachtet grundsätzlich gleichrangig neben anderen außerrechtlichen Maßstäben steht, wie etwa den Geboten ökonomischer Kosteneffizienz, nachhaltiger Bodenbewirtschaftung oder umfassender Erforschung des Weltalls.[52]

Für den konvergenten Rechtsnichtpositivisten ist die Gerechtigkeit eine Forderung an das Recht, die sich im Recht als wesensbestimmende Forderung auswirkt. Dies kann, wie bei *Ronald Dworkin,* zu dem Gedanken der einzig richtigen Antwort auf jede rechtliche Frage führen (eine Antwort, die zwar das Recht kennt, nicht aber der reale Rechtsanwender),[53] oder es kann, wie bei *Robert Alexy,* als regulatives Ideal verstanden werden, welches zwar nicht erreichbar, aber doch stets anzustreben ist.[54] Das Recht kennt freilich auch im konvergenten Rechtsnichtpositivismus weitere, konkurrierende regulative Ideale – namentlich die Rechtssicherheit und die Übereinstimmung mit dem Willen des Gesetzgebers[55] – die mit dem Streben nach Gerechtigkeit in Einklang zu bringen sind. Dies führt dazu, dass – je nach Gewicht des Rechtssicherheits-, des Willens- und des Gerechtigkeitsarguments – der rechtliche Rahmen bisweilen strikt einzu-

52 Vgl wiederum *Kelsen,* Reine Rechtslehre 98 f: „Sofern bei der Gesetzesanwendung über die dabei nötige Feststellung des Rahmens, innerhalb dessen sich der zu setzende Akt zu halten hat, hinaus noch eine Erkenntnistätigkeit Platz greifen kann, ist es nicht eine Erkenntnis des positiven Rechts, sondern anderer Normen, die hier in den Prozeß der Rechtserzeugung einmünden können; Normen der Moral, der Gerechtigkeit, soziale Werturteile, die man mit den Schlagworten Volkswohl, Staatsinteresse, Fortschritt usw. zu bezeichnen pflegt [...]: es sind Bestimmungen, die nicht vom positiven Recht selbst ausgehen".

53 Vgl *Ronald Dworkin,* Taking Rights Seriously (1977) 81 ff; *Ronald Dworkin,* No Right Answer? in *Hacker/Raz* (Hrsg), Law, Morality, and Society. Essays in Honour of *H.L.A. Hart* (1977) 58.

54 Vgl etwa *Robert Alexy,* Nachwort, in *Alexy* (Hrsg), Theorie der juristischen Argumentation (1991) 399 (429 ff).

55 Anders wohl *Michael Potacs,* Kommentar, in *Reimer* (Hrsg), Gerechtigkeit 73, der die Gerechtigkeit als Ziel des Gesetzgebers dem Willen des Gesetzgebers unterstellt (bzw als „verfestigte Wertvorstellungen einer Gesellschaft" zusinnt), weswegen das Ziel der Auslegung sein muss, die Gerechtigkeit, die der Gesetzgeber naturgemäß (zumindest auch) erreichen wollte, zu realisieren. Mit diesem Zusinnen scheint mir die Grenze zwischen objektiver und subjektiver teleologischer Auslegung in bedenklicher Weise verwischt, die als Grenze zwischen Rechtsfortbildung und Rechtsanwendung betrachtet werden kann, vgl *Bäcker,* Der Staat 2021, 7 (27 f). *Potacs* würde diese Grenze allerdings wohl in der Zusinnbarkeit ziehen; vgl *Michael Potacs,* Rechtstheorie^2 (2019) 202.

halten,[56] bisweilen aber auch durch reduktorische Rechtsfortbildung durch die dazu befähigten Instanzen zu verändern ist. Letztlich bestimmt hier eine Metaabwägung zwischen dem Gesagten, dem Gewollten und dem Gesollten die Grenzen der Rechtsdogmatik im Einzelfall.[57]

Für den divergenten Rechtspositivisten hängt alles davon ab, ob und inwieweit das Recht die Gerechtigkeit inkorporiert hat. Regelmäßig wird das Recht nicht die Gerechtigkeit insgesamt als abstrakten Maßstab inkorporieren, sondern nur in bestimmten Anteilen oder Aspekten. So hat das Grundgesetz die Gerechtigkeit zumindest teilweise inkorporiert, etwa durch den allgemeinen und auch die besonderen Gleichheitssätze wie in Art 3, 33 GG, oder sogar durch ausdrückliche Bezüge auf die Gerechtigkeit, wie in Art 1 Abs 2, Art 14 Abs 3 Satz 3 und Art 56 GG, denen aber allesamt eher geringe normative Wirkung zuerkannt wird. Für derartige partielle Inkorporationen der Gerechtigkeit ist genauer herauszuarbeiten, inwieweit damit die Gerechtigkeit als Ideal praktischer Richtigkeit zu einem rechtlichen Maßstab, zu einem Maßstab im Recht geworden ist. Dies lässt sich freilich auch für das Grundgesetz ganz unterschiedlich interpretieren.[58] Ein inklusiver Rechtspositivist dürfte aber dazu neigen, mit der Inkorporation von einigen Elementen der Gerechtigkeit einen Rekurs auf die Gerechtigkeit überhaupt zuzulassen.[59] Einzelne Bezüge zur Gerechtigkeit erweisen sich damit, skeptisch formuliert, als trojanisches Pferd der Moral oder der Ethik im Hofe des Rechts.[60] Im Ergebnis wäre die Gerech-

56 Ein Beispiel für den strikten Vorrang des Rechtssicherheitsarguments wäre im deutschen Verfassungsrecht Art 103 Abs 2 GG. Ein derartiger strikter oder abwägungsfester Vorrang ist in diesem Paradigma der Abwägungsfähigkeit und -bedürftigkeit der drei zentralen Rechtsideale (die, normtheoretisch treffender, als essentielle Rechtsprinzipien bezeichnet werden könnten) eine kaum zu rechtfertigende Ausnahme; weswegen die Existenz derartiger abwägungsfester Rechtspositionen ein Argument gegen die strukturell unbegrenzte Einbeziehung des Gerechtigkeitsarguments hergibt.

57 Zu diesen Kategorien der Bindung der Auslegung näher *Bäcker,* Der Staat 2021, 7 (26 ff).

58 Zu den genannten ausdrücklichen Bezügen auf die Gerechtigkeit im Grundgesetz vgl *Bäcker,* Gerechtigkeit 115 ff.

59 So etwa das BVerfG, wenn es das grundgesetzliche Rechtsstaatsprinzip als übersummativ begreift und das Element der Gerechtigkeit neben dem der Rechtssicherheit anerkennt; vgl etwa BVerfGE 7, 89, 92: „Zur Rechtsstaatlichkeit gehört nicht nur die Voraussehbarkeit, sondern auch die Rechtssicherheit und die materiale Richtigkeit oder Gerechtigkeit". – Kritisch zum übersummativen oder transzendenten Verständnis des Rechtsstaatsprinzips *Bäcker,* Gerechtigkeit 186 ff.

60 Mit diesem Bild schon *Detlef Merten,* Rechtsstaat und Gewaltmonopol (1975) 19: „Materielle Kriterien können zum Trojanischen Pferd für den Rechtsstaat werden".

tigkeit im Recht von formell eingezäunter, materiell aber gleicher rechtsdogmatischer Bedeutung wie im konvergenten Rechtsnichtpositivismus.

Mit dem divergenten Rechtsnichtpositivismus ist ein begrifflicher Zusammenhang des Rechts mit der Gerechtigkeit anerkannt, dem aber zugleich eine rechtsgeltungsdestruktive Kraft versagt wird. Die Gerechtigkeit ist daher nicht in der Lage, ein rechtsrahmenveränderndes, negatorisches Argument herzugeben. Sie ist aber in der Lage, innerhalb des jenseits von überpositiven Gerechtigkeitserwägungen zu bestimmenden rechtlichen Rahmens die Entscheidungen der rechtlichen Akteure und Institutionen anzuleiten.[61] Damit bietet die Gerechtigkeit ein Kriterium an, mit dem zwischen mehreren rechtlich vertretbaren Entscheidungen ausgewählt werden kann. Der divergente Rechtsnichtpositivismus unterscheidet sich dabei vom konvergenten Rechtspositivismus darin, dass das Gerechtigkeitsargument im Rahmen des Rechts – genauer: im durch mehrere, nach dem positiven Recht gleichermaßen vertretbare Entscheidungen gekennzeichneten Vertretbarkeitsraum[62] – nicht nur ein mögliches Argument von vielen, nicht-

61 In diesem Sinne *Reimer*, Gerechtigkeit 12: „Soweit der Verfassunggeber (oder verfassungsändernde Gesetzgeber) Festlegungen getroffen hat, sind diese bindend und genießen Vorrang; Gerechtigkeit darf nicht gegen das positive Verfassungsrecht ausgespielt werden. Soweit der Verfassunggeber keine Festlegungen getroffen hat, sind Legislative und, soweit diese ihrerseits keine Festlegungen getroffen hat, sind Exekutive und Judikative frei, und zwar frei auch in der Wahl konkreter Gerechtigkeitskriterien".

62 Näher zum Vertretbarkeitsraum *Carsten Bäcker*, Anspruch und Wirklichkeit des richterlichen Entscheidens; *Ulfrid Neumann* und die Illusion der einzig richtigen Antwort, in FS Neumann (2017) 43; mit der These der Reduktion des richterlichen Anspruchs auf Richtigkeit auf den Anspruch rechtlicher Vertretbarkeit. Anders *Alexy* in *Alexy*, Theorie 433: „Eine gerichtliche Entscheidung, die ein unvernünftiges Gesetz oder ungerechtes Gesetz korrekt anwendet, erfüllt deshalb den mit ihr erhobenen Anspruch auf Richtigkeit nicht in jeder Hinsicht". – Tatsächlich liegt die Position des divergenten Rechtsnichtpositivismus in der Mitte: *Alexy* ist zuzustimmen, dass der richterliche Anspruch auf Richtigkeit sich nicht in der Feststellung der positiv-rechtlichen Vertretbarkeit seiner Entscheidung erschöpft. Er muss vielmehr beanspruchen, dass seine Entscheidung für eine der vertretbaren Alternativen – sofern mehrere Entscheidungsalternativen nach dem positiven Recht gleichermaßen vertretbar sind – die gerechteste Lösung darstellt. Dies ist der zweite, subsidiäre Aspekt des Anspruchs auf Richtigkeit juristischer Entscheidungen. Der Richtigkeitsmaßstab dieser zweiten Komponente einer gerechten Auswahl unter den positivrechtlichen Entscheidungsalternativen übersteigt, nach der Diskurstheorie des Rechts, den juristischen Diskurs ieS, und führt zurück in den allgemeinen praktischen Diskurs. Die richterliche Kompetenz reicht aber nicht so weit, den Vertretbarkeitsrahmen unter Rückgriff auf das Gerechtigkeitsargument zu verändern; wie es der konvergente Rechtsnichtpositivismus zumindest im Extremfall erlauben will.

rechtlichen Argumenten ist, sondern ein dem Recht inhärentes Argument, welches allen anderen nicht-rechtlichen zielgebenden Erwägungen wesensgemäß vorgeht. Vom divergenten Rechtspositivismus unterscheidet sich der divergente Rechtsnichtpositivismus darin, dass das Recht das Gerechtigkeitsargument nicht erst inkorporieren muss, sondern dass es immer schon vollständig bzw abstrakt als Maßstab des Rechts auch ein Maßstab im Recht ist – ohne den Vertretbarkeitsraum abändern zu können. Und er unterscheidet sich vom konvergenten Rechtsnichtpositivismus darin, dass die überpositive Gerechtigkeit in der Rechtsanwendung nicht einen der Rechtssicherheit und dem gesetzgeberischen Willen gegenüber gleichberechtigten Abwägungstopos im Einzelfall darstellt, sondern einen grundsätzlich nachrangigen.[63] Das Ergebnis der methodologischen Metaabwägung des Gesagten oder Gewollten mit dem Gesollten ist mithin im divergenten Rechtsnichtpositivismus abwägungsfest[64] festgelegt.

Das quadrale Modell des Verhältnisses von Recht und Gerechtigkeit kann auf diese Weise verdeutlichen, dass sich die Bedeutung der Gerechtigkeit für die Rechtsdogmatik nicht nur daran bemisst, was mit den Begriffen von Gerechtigkeit und Rechtsdogmatik genau gemeint ist, sondern vor allem daran, welchem Vorverständnis des Verhältnisses von Recht und Gerechtigkeit als dessen Ideal praktischer Richtigkeit gefolgt wird. Über das eigene Vorverständnis dieses Verhältnisses sollte sich jeder Rechtsakteur, jeder Rechtsanwender, kurz: jeder Rechtsdogmatiker, der an den Möglichkeiten und Grenzen seiner Tätigkeit interessiert ist, bewusst sein – wozu ein Mindestmaß an rechtstheoretischer Vermittlungsleistung in der juristischen Ausbildung erforderlich ist. Doch damit ist ein anderes Feld beschritten.

63 Es sei denn, das Recht inkorporiert bestimmte Aspekte der Gerechtigkeit. Dann aber läge ggf ein regulärer Konflikt von Rechtssätzen vor, der nach den üblichen Kollisionsregeln des jeweiligen Rechtssystems aufzulösen wäre, nicht aber ein Konflikt von positiven Rechtssätzen mit überpositiven Gerechtigkeitsanforderungen. Insoweit orientiert sich der divergente Rechtsnichtpositivismus an *Kelsen*, Rechtslehre 99: „[…] es wäre denn, daß das positive Recht selbst irgendwelche metarechtliche Norm wie Moral, Gerechtigkeit usw. delegiert. Aber dadurch würden diese zu positivrechtlichen Normen umgestaltet“.

64 Abwägungsfeste Abwägungsergebnisse sind im Recht außergewöhnlich, aber möglich. Ein Beispiel ist die Abwägungsfestigkeit der Menschenwürdegarantie des Art 1 Abs 1 Satz 1 GG, die auch mit der Prinzipientheorie des Rechts vereinbar ist; dazu *Carsten Bäcker*, Begrenzte Abwägung. Das Menschenwürdeprinzip und die Unantastbarkeit, Der Staat 2016, 433.

Elisabeth Holzleithner

Einheit und Vielheit. Rechtsdogmatik und Diversität

Im Titel meines Textes[1] stecken zwei Themen, die allerdings ineinander verschlungen sind. Das erste Thema, „Einheit und Vielheit", benennt eine klassische Herausforderung der Rechtstheorie: Wie soll aus der Vielheit von Rechtsnormen und in deren Licht entschiedenen Fällen so etwas wie eine Einheit der Rechtsordnung herausdestilliert werden? Bisweilen wird die Rechtsordnung als widerspruchsfreies System vorgestellt, in das sich angemessen entschiedene Fälle harmonisch einfügen. „Ordnung und Harmonie, Einfachheit und Schönheit des Rechts" – *Anna Bettina Kaiser* hat uns dieses Ideal *Jherings* dargebracht.[2] Doch es bedarf einer erheblichen Kunstfertigkeit, um aus der Vielheit dessen, was Recht ist, Linien zu generieren, die in Richtung Einheit der Rechtsordnung weisen.

Die Einheit der Rechtsordnung dient als regulatives Ideal, das dem Gleichheitsgebot verbunden ist. Das Recht verheißt Gleichheit vor dem Gesetz; ein Versprechen, das auch die Erwartungen der Rechtssuchenden prägt, die sich mit ihren Fällen an das Recht wenden. Diese Erwartungen sind in ihren juristischen Argumentationen aufgehoben. Ihr Streben nach Gleichheit vor dem Gesetz arbeitet sich an der aristotelischen Herausforderung ab: Gleiches soll gleich, Ungleiches ungleich behandelt werden.

Dies prägt nicht zuletzt das juristische Argumentieren mit Präjudizien: Wer ein für das eigene rechtliche Interesse passendes Präjudiz angewendet wissen will, wird zeigen, dass der gegenwärtige Fall im Kern, wenn auch in anderer Verkleidung, bereits Gegenstand rechtlicher Betrachtung war.[3]

---

1 Ich danke *Christian Demmelbauer* und ganz besonders *Elisabeth Brameshuber* für Lektüre und wichtige Anregungen, die mich, zumal in den Abschnitten über die Königskette und das rosa Haarband, vor einigen Ungenauigkeiten bewahrt haben.

2 Vgl den Beitrag von *Anna Bettina Kaiser* in diesem Band.

3 Zur „sozialen Autorität" von Präjudizien siehe *Birgit Feldner,* Entschiedenes Entscheiden. Über die normative Relevanz von Präjudizien, in *Feldner/Forgó* (Hrsg), Norm und Entscheidung. Prolegomena zu einer Theorie des Falls (2000) 224.

Deshalb soll der Fall genau so entschieden werden, wie ein bestimmtes Präjudiz dies vorgibt.[4] Bei dessen Auswahl geht juristische Expertise selbstverständlich selektiv vor. Diese Selektion referiert auf die Einheit der Rechtsordnung, um der eigenen Causa zu nützen. Sie nimmt ein Ideal in Anspruch, um partikulare Interessen voranzutreiben.

Schon angesichts der Vielheit der Fälle wie der anzuwendenden Normen ist die Einheit der Rechtsordnung ein Ideal, dem man sich bestenfalls annähern kann. Ich versuche, die obigen Überlegungen mit Begriffen auf den Punkt zu bringen: Rechtliches Argumentieren, das Anlegen der Rechtsdogmatik an einen Fall, ist belastet – durch (notwendiges) Selektieren und dessen (notwendige) Perspektivität. Ans Recht wendet sich ja, wer vom Recht etwas will. Das ist nichts Unanständiges, sondern entspricht dem Wesen des Rechts als Instrument der Ordnung und Konfliktbeilegung.

Die Einheit der Rechtsordnung ist somit ein höchst prekäres Ideal. Dabei lassen sich zwei Bürden ausmachen. Da sind zum einen die von *John Rawls* ins Spiel gebrachten „Bürden des Urteilens".[5] *Rawls* benennt damit die notwendige Perspektivität eines jeden normativen Urteils, mit der sich vernünftige Auffassungsunterschiede erklären lassen. Nicht jede Person, deren Urteil nicht mit unserem eigenen übereinstimmt, ist borniert oder uninformiert. Nicht jede! Diese Perspektivität prägt auch die jeweilige Rekonstruktion der Vielheit des Rechts im Licht des einzelnen Falls.

Aber die Herausforderungen liegen nicht nur auf der Ebene der Rekonstruktion des geltenden Rechts, das als heterogene, vielschichtige Gemengelage vorliegt. Das Recht hat es mit Fällen zu tun, und diese liegen nicht wie magisch von selbst vor. So können auf Ebene der Sachverhaltskonstruktion zusätzlich die „Bürden der Narration" ausgemacht werden; ein Begriff, der von *Rawls*' Bürden des Urteilens inspiriert ist. Auch die Bürden der Narration sollen potenziell vernünftige Unterschiede markieren. Sie bringen auf den Punkt, dass Fallerzählungen zwar perspektivisch und selektiv sind, dass sie sich in ihrer Vielheit und bisweilen auch Widersprüchlichkeit aber nicht notwendigerweise bösen Absichten verdanken, auch wenn es den Kontrahenten eines Rechtsfalls mitunter so scheinen mag.

4 Zur legitimatorischen Funktion des Zitierens von Prinzipien siehe *Holzleithner/ Mayer-Schönberger*, Das Zitat als grundloser Grund rechtlicher Legitimität, in *Feldner/ Forgó* (Hrsg), Norm und Entscheidung. Prolegomena einer Theorie des Falls (2000) 318.

5 *John Rawls*, Gerechtigkeit als Fairness. Ein Neuentwurf (2003) 68 ff.

Freilich ist nicht jede Vielheit im Urteilen und in der Wahrnehmung vernünftig. Wo jeweils der Kipppunkt ins Unvernünftige liegt, ist selbst wieder eine Frage der Perspektive. Die Tiefendimensionen dieses Problems können im Weiteren nicht ausgelotet werden. Es soll hier bloß der Punkt der nicht notwendigerweise unvernünftigen Vielheit von Perspektiven im Raum stehen: mit Blick auf die Erinnerungen und sonstigen Beweisstücke, aus welchen der Sachverhalt im Licht möglicherweise anzuwendender Rechtsnormen und Präjudizien destilliert wird, wie auch auf das darauf bauende juristische Urteil. Diese Vielheit macht die Rechtsordnung aus. Alle im Recht Involvierten bringen ihre jeweiligen Perspektiven ein. Die Rechtsdogmatik will hier Ordnung schaffen und kanalisieren.

Die Vielheit, die in der Vielzahl der Personen liegt, die Recht schaffen, ist ernst zu nehmen. Den mythischen Richter *Herkules* gibt es nicht. Richter *Herkules* wurde von *Ronald Dworkin* mit einer perspektivenübergreifenden Allwissenheit ausgestattet, sodass er in jedem Fall zum einzig möglichen, rechtlich richtigen Urteil kommen würde.[6] Es kann ihn nicht geben, und er scheint mir auch das falsche Ideal zu sein: Seine Konzeption ist der Vielheit, die das Recht ausmacht, nicht angemessen. Er unterschlägt die Vielstimmigkeit des rechtlichen Chors. Diese sollte nicht im Ideal einer einzigen mythischen Richterperson aufgelöst werden. Dass Richter *Herkules* männlich ist und qua Benennung an einen blutrünstigen, höchst maskulinen Helden der griechischen Antike andockt, sei hinzugefügt, um etwaige Erwartungen an meine Person nicht zu enttäuschen. Der vielstimmige rechtliche Chor führt wohl im individuellen Fall zu einem Urteil, dieses ist auch nachvollziehbar zu begründen,[7] es kann aber nicht das „einzig mögliche" sein.

Damit komme ich zum zweiten Thema: „Rechtsdogmatik und Diversität". Diversität ist ein Schlagwort aus dem Orbit der Gleichstellung. Sie verheißt individuelle Entfaltung in Anerkennung der eigenen Individualität, ohne Diskriminierung, Herabsetzung und Entwürdigung. Diversität hat allerdings keinen uneingeschränkt guten Ruf in der „Szene", weil sie ein Begriff ist, der gerne in der Wirtschaft gebraucht wird und der Anerkennung unter die Bedingung der Nützlichkeit stellt: „Wir nehmen Dich an, wie Du bist und wie Du sein willst, wenn und insofern Du bestens funk-

6 *Ronald Dworkin,* Bürgerrechte ernstgenommen (1990) 182.

7 *Holzleithner/Mayer-Schönberger* in *Feldner/Forgó,* Norm 326 f.

tionierst. Wir wollen keiner wertvollen Ressourcen verlustig gehen." So wird der Begriff jedenfalls in großen Unternehmen wie auch der Universität gebraucht, die dem Cocktailglas ihrer Personalpolitik ein wenig Zuckerguss verleihen wollen.

Es wäre aber unfair, den Begriff der Diversität auf seinen Gebrauch im Diversity Management zu reduzieren.[8] Ich möchte ihn daher im Folgenden in seiner breiteren Bedeutung verwenden, im Kontrast zur Einförmigkeit des Üblichen, der Konvention.[9] Wer Diversität befördern möchte, auch mit den Mitteln des Rechts, will Menschen vor Benachteiligung schützen, die Konventionen überschreiten, die nicht „dazu passen", weil sie sich nicht anpassen wollen. Manche können sich auch gar nicht anpassen, weil sie nicht jene Charakteristika aufweisen, die notwendig sind, um dazu zu gehören – etwa, weil sie nicht als (weiße) Männer gelesen werden, die im Einklang mit herrschenden Konventionen der Genderperformance stehen.

In diesem Zusammenhang spielen Stereotypen eine immer noch beachtlich einengende Rolle.[10] Konventionen von Männlichkeit und Weiblichkeit beeinflussen unsere Wahrnehmung dessen, was erlaubt ist, was als zuträglich angesehen wird – und was nicht. Was bei einem Mann gut ankommt, etwa ein selbstbewusstes, forsches Auftreten, mag bei einer Frau als unannehmbar angesehen werden. Aber auch Männer, die Konventionen überschreiten, sind gefährdet. Bisweilen hat dann auch das Recht damit zu tun: Es wird angerufen zu beurteilen, ob benachteiligende Reaktionen auf unkonventionelles Verhalten erlaubt sind oder nicht, ob sie als unzulässige Einschränkung persönlicher Entfaltung gelten und vielleicht auch als Diskriminierung.

Zwei solche Fälle, die vor den Obersten Gerichtshof getragen wurden, sollen im Folgenden dargelegt und analysiert werden. Sie zeigen den bisweilen etwas gequälten Umgang mit Diversität im Arbeitsleben – also mit Abweichungen von erwartetem, in beiden Fällen: männlichem Verhalten.

8 So sieht etwa *Silvia Ulrich* im EU-Recht ein „menschenrechtlich abgesichertes Diversitätskonzept" verankert; *Silvia Ulrich,* Diversity Management und Antidiskriminierungsrecht, in *Genkova/Ringeisen* (Hrsg), Handbuch Diversity Kompetenz: Perspektiven und Anwendungsfelder I (2016) 251 (255).

9 Siehe dazu, mit Fokus auf das Problem des Rassismus, *Grünberger/Mangold/Markard/Payandeh/Towfigh,* Diversität in Rechtswissenschaft und Praxis: Ein Essay (2021).

10 Siehe dazu ausführlich *Elisabeth Holzleithner,* Gerechtigkeit und Geschlechterrollen, RPhZ 2016, 133.

Und sie machen deutlich, wie in der Vielheit möglicher Herausforderungen um die Einheit der Rechtsordnung gerungen wird – dies im Zusammenspiel von Normen, Präjudizien und dem Wandel der Zeit, der so manche Perspektiven ändert.

Der erste Fall wurde vom OGH im Jahr 1999 entschieden.[11] Er betraf einen Bankangestellten. Dieser trug im Andenken an seinen verstorbenen Bruder eine von ihm geerbte Königskette aus Gold über seinem offenen Hemd sichtbar um den Hals. Die Kette war 65 Zentimeter lang und einen Zentimeter dick, also durchaus ein Kaliber, das einem Hip-Hopper zur Ehre gereichen würde. Man denke nur an *Bruno Mars*, der mit 24K Magic im Jahr 2017 einen Welthit gelandet hat, und dessen Vorliebe für Königsketten im Video weidlich ausgestellt wird.[12]

Ein Jahr lang trug der Bankangestellte ohne Anstände die Kette über seinem offenen Hemd: Die Kundenumsätze entwickelten sich nicht negativ, und es gab bloß eine einzige Kundenbeschwerde. Der Bankangestellte war also weiterhin eine wertvolle Ressource. Im Zuge eskalierender Konflikte um andere Angelegenheiten wurde die Kette dann aber zum Thema, gleichsam zum Gold des Anstoßes. Sie mutierte schließlich zum Hauptgrund für eine Entlassung. Denn der Arbeitnehmer weigerte sich, einer Weisung nachzukommen, der zufolge er die Kette nicht sichtbar tragen sollte. Der OGH kam zum Ergebnis, dass diese Weisung gerechtfertigt und die Entlassung somit rechtens war: Denn eine derartige Kette sichtbar über dem Hemd zu tragen, würde, so die zentrale Aussage „massiv dem Verständnis der Bevölkerung vom Erscheinungsbild eines männlichen Bankbeamten“ widersprechen. Die Falle der Konventionen war zugeschnappt.[13]

An dieser Stelle wären einige Fragen zu stellen: Was ist am Tragen einer Königskette aus Gold eigentlich unmännlich? Solche Accessoires werden gerade von Männern getragen, die hyperviril erscheinen wollen – siehe das Beispiel der Hip-Hopper. Gewiss ist es für das Verständnis der Entscheidung erforderlich, den Fokus auf den männlichen *Bankbeamten* zu

11 OGH 8 ObA 195/98d DRdA 2000/13 *(Firlei)*.

12 <www.youtube.com/watch?v=UqyT8IEBkvY> (Stand 24. 3. 2022).

13 Freilich war dies nicht das letzte Wort: Die Rechtssache wurde noch einmal zurückverwiesen, um zu klären, ob der Bankangestellte sich nicht doch „in einem entschuldbaren Irrtum hinsichtlich der Endgültigkeit des Verbotes befand“, also ob er unter den besonderen Umständen des Falles berechtigterweise annehmen durfte, dass „das letzte Wort noch nicht gesprochen war.“

legen: Er soll Seriosität verkörpern. Die Königskette untergräbt sie. Weiter assoziierend mag das Gericht den Schmuck als solchen mit Weiblichkeit identifiziert haben – und damit mit dem Überschreiten der Geschlechtergrenzen. Auch das trägt bei Männern nicht zur Seriosität bei, und auf die kommt es im Bankgeschäft an.

Ich selbst sah mich im Zuge eigener Bemühungen um einen Kredit vor etlichen Jahren an das Judikat erinnert: Der mir von der Bank zugewiesene Sachbearbeiter erwies sich als massiger Mann mit Vokuhila-Frisur – vorne kurz, hinten lang, gewiss ein Relikt aus den 1980er Jahren. Er trug weiters einen eng sitzenden Anzug in extravaganter Farbe – ich glaube, mich an ein glänzend schimmerndes Türkis zu erinnern; ich selbst bin aber mangels Wahrnehmungs- und Erinnerungsfähigkeit leider eine schlechte Zeugin. Zum vereinbarten Termin rollte er in einem rosafarbenen Cadillac an. Ich fand ihn spontan wenig vertrauenserweckend, so wenig imponierend mir meine Reaktion schon damals erscheinen wollte. Aber auch die dekonstruktionsgeübte Geschlechterforscherin findet sich bisweilen im Korsett der Konventionen wieder. Dass die Verhandlungen keinen erfolgreichen Abschluss fanden, hatte aber weniger mit seiner Performance zu tun als damit, dass sein Angebot im Vergleich zu wenig attraktiv war.

Wie ist es dem Goldkettenjudikat im Weiteren ergangen? Hat es „gehalten", wurde es also zum weiteren Anknüpfungspunkt, um scheinbar sich unbotmäßig gebende Männer in die Schranken zu weisen? Die Einheit der Rechtsordnung würde dies wohl gebieten. Sie dient nicht zuletzt als Bremse für judizielle Extravaganzen. Allerdings war angesichts des Verbots der Geschlechterdiskriminierung schon im Jahr 1999 fraglich, ob der Fall „richtig" entschieden wurde. Überdies gab es in den vergangenen gut zwanzig Jahren, die seit 1999 ins Land gezogen sind, doch einigen Wandel in Geschlechterfragen, in der Gesellschaft wie im Recht. Man ist „offener" geworden, das Recht schützt umfänglicher vor Diskriminierung. Sollte sich das nicht niederschlagen? Aber mit welcher Begründung?

Hier kommt der Rechtsdogmatik die Tatsache entgegen, dass gleiche Fälle nicht idente Fälle sind, sondern bloß Fälle, die in relevanten Hinsichten gleich sind – oder auch nicht. Die Vielheit bietet so die Chance, neue Fälle durch Aufweisen von rechtserheblichen Unterschieden, nicht zuletzt angesichts einer veränderten rechtlichen Landschaft, anders zu entscheiden. So mag der neue Fall, vielleicht auch unter der Hand, zum Anknüpfungspunkt einer neuen Einheit werden, die in eine andere Richtung weist. Mit

Blick auf die gegenständliche Herausforderung – Männer, die sich im Arbeitsleben unkonventionell geben – ist dies geschehen.

Wieder ging es um einen Mann mit einem auffälligen Accessoire: Der Linzer Busfahrer *Ali Köse* – sein Name ist bekannt, weil der Fall in den Medien[14] berichtet wurde – erhielt eine Kündigung. Ihm war zum Verhängnis geworden, dass er seine üppige Haartracht mit einem rosafarbenen Haarband zügelte. Für die Dienstgeberin war das rosafarbene Haarband nicht hinreichend „unauffällig und dezent"[15]. Ein schwarzes Haarband hätte sie akzeptiert. Da *Köse* zu dieser Zeit in Elternteilzeit war und daher vom besonderen Kündigungsschutz profitierte, musste die Dienstgeberin die gerichtliche Zustimmung dazu einholen. *Ali Köse* wurde in der Zwischenzeit vom Dienst suspendiert.

Das Landesgericht Linz als Arbeits- und Sozialgericht wie auch das OLG Linz sahen die Kündigung als unproblematisch an. Es gebe „ein gerechtfertigtes betriebliches Interesse der Klägerin, dass ihre in regelmäßigem Kundenkontakt stehenden Mitarbeiter den Kunden in einer einheitlichen Uniform und nicht mit einem auffälligen, dem einheitlichen Erscheinungsbild der Uniform entgegenstehenden Haarband gegenübertreten."[16] Ziel der Uniformierung sei die Vermittlung eines höheren Maßes an Autorität, was insbesondere „in Gefahrensituationen förderlich" sei. Das OLG bemühte das Vertrauen der „Fahrgäste in die Professionalität und Seriosität der von ihr zur verantwortungsvollen Tätigkeit der Personenbeförderung eingesetzten Buslenker" – dieses solle „nicht durch auffällige Kleidungsstücke bzw. Accessoires gestört werde[n], die dem Verständnis der Bevölkerung vom Erscheinungsbild von Buslenkern im öffentlichen Linienverkehr massiv widersprächen".[17] Hier ist es wieder, „das Verständnis der Bevölkerung vom Erscheinungsbild", nun von Buslenkern. Das OLG betonte nicht, dass es sich um männliche Buslenker handelt, deren „Seriosität und Professionalität" hier auf dem Spiel steht, aber das geschlechtstypische Erscheinungsbild spielte wohl mit, selbst wenn es sich um eine geschlechtsneutral gedachte Verwendung des männlichen Plurals handeln sollte.

14 <https://kurier.at/chronik/oberoesterreich/oeffi-buslenker-wegen-rosa-haarband-gekuendigt/137.101.985>; <https://kurier.at/chronik/oberoesterreich/nach-ogh-urteil-haarband-rebell-kaempft-weiter/160.133.938>.

15 OGH 24. 9. 2015, 9 ObA 82/15x, 10.

16 Zitiert nach OGH 24. 9. 2015, 9 ObA 82/15x, 4.

17 Zitiert nach OGH 24. 9. 2015, 9 ObA 82/15x, 5.

Der OGH war von dieser Argumentation nicht überzeugt und verweigerte die Zustimmung zur Kündigung. Für deren Zulässigkeit müssten Gründe im Verhalten eines Arbeitnehmers oder einer Arbeitnehmerin liegen, „die betriebliche Interessen so weit nachteilig berühren, dass sie bei objektiver Betrachtungsweise einen verständigen Betriebsinhaber zur Kündigung veranlassen würden und die Kündigung als gerechte, dem Sachverhalt adäquate Maßnahme erscheinen lassen (subjektiv betriebsbedingte Gründe).“[18] Da sich *Ali Köse* zur Zeit seiner Kündigung in Elternteilzeit befand, hätte seine Weiterbeschäftigung für die Arbeitgeberin gar „unzumutbar“[19] sein müssen; der OGH interpretierte dies so, dass die Kündigung ohne „sinnvolle Alternative“ sein müsste.[20] Das konnte der OGH nicht ausmachen.

Entscheidend war, dass der OGH die Weisung, das Haarband nicht mehr zu tragen, als Eingriff in die Persönlichkeitsrechte nach § 16 ABGB und Art 8 EMRK qualifizierte. Vor diesem Hintergrund trat er dann auch nicht mehr in eine Betrachtung der Frage ein, ob in dem Verbot gegenüber einem männlichen Busfahrer, gerade ein rosafarbenes Haarband zu tragen, eine Diskriminierung aufgrund des Geschlechts lag. Vielmehr konnte der OGH dies dahingestellt lassen, da die gerichtliche Zustimmung zur Kündigung nicht erteilt wurde.

Hätte sich der OGH mit der Frage der Geschlechterdiskriminierung zu befassen gehabt, dann hätte auch zum Thema werden müssen, dass eine Berufung auf bloß subjektive Kundenwünsche eine Diskriminierung aufgrund des Geschlechts nicht rechtfertigt – ein Prinzip, das der Europäische Gerichtshof in seinen Entscheidungen zum religiös motivierten Kopftuchtragen im Arbeitsleben aufgestellt hat.[21] Kurz gesprochen: Selbstverständlich dürfen Unternehmen im Rahmen ihrer unternehmerischen Freiheit (Art 16 GRC) Kundenwünsche berücksichtigen – andernfalls würden sie ja unternehmerisch unverantwortlich handeln –, aber sie dürfen dies nicht auf diskriminierende Art und Weise tun. Eine Schneise hat der EuGH nur insofern in dieses Prinzip geschlagen, als die unternehmerische Freiheit nach Art 16 GRC auch die Möglichkeit umfasst, im

18 In Interpretation von § 105 Abs 3 Z 2 lit a ArbVG; OGH 24. 9. 2015, 9 ObA 82/15x, 7.

19 ISd § 10 Abs 4 MSchG.

20 OGH 24. 9. 2015, 9 ObA 82/15x, 7, mit Verweis auf 9 ObA 91/12s.

21 EuGH C-188/15, *Bougnaoui*, Rn 40; dazu *Elisabeth Holzleithner*, Intersektionale (mehrdimensionale) Diskriminierung, in *Mangold/Payandeh* (Hrsg), Handbuch Antidiskriminierungsrecht (2022) Rz 77, 79 (zu verallgemeinerten Kundenwünschen).

Unternehmen eine Politik religiöser und weltanschaulicher Neutralität zu etablieren. Der EuGH sieht sie dann als gerechtfertigt, wenn sie einem wirklichen unternehmerischen Bedürfnis entspricht, indem dadurch etwa nachteilige Konsequenzen vermieden werden können, und wenn sie verhältnismäßig ist.[22] Auch davon konnte im Fall *Köse* keine Rede sein.

Auf Persönlichkeitsrechte abstellende Normen gestützt kommt Vielfalt – Diversität – auch ins Berufsleben, und auch dorthin, wo Bekleidungsvorschriften regieren. Legitimierende Gründe für den Eingriff der Arbeitgeberin in die Persönlichkeitsrechte von *Ali Köse* konnte der OGH nicht erkennen. Er verstand nicht, warum „Fahrgäste an der Professionalität und Seriosität eines im öffentlichen Verkehr tätigen Buslenkers zweifeln sollten, nur weil dieser ein farblich auffallendes Haarband trägt".[23] Einheitliches äußeres Erscheinungsbild wie auch Sicherheitsaspekt seien durch das Tragen der Dienstkleidung gewährleistet. Im Übrigen würden die gesellschaftlichen Vorstellungen hinsichtlich einer „‚angemessenen Bekleidung' […] naturgemäß dem Wandel der Zeit" unterliegen. Sie seien „selbst zu einem bestimmten Zeitpunkt nicht in allen Bevölkerungsschichten gleich. Allgemein gültige Aussagen, die über den Einzelfall hinaus von Bedeutung sind, sind daher kaum möglich."

Im vorliegenden Einzelfall konnte der OGH im rosafarbenen Haarband des Buslenkers nichts Unangemessenes erkennen; dies im Lichte der extensiv interpretierten rechtlichen Vorgaben, die persönliche Individualität hochhalten. So könnten wir mit Blick auf Diversität sagen, dass die Einheit der Rechtsordnung darin besteht, die Vielheit des individuellen Ausdrucks hochzuhalten. Je weniger die Diversität individueller Performances beschränkt wird, desto geringer ist auch die Gefahr, sich, wie *Firlei* dies formuliert hat, im „fast unentwirrbare[n] Gestrüpp an hochgradig wertungsabhängigen Überlegungen und Begründungen"[24] zu verlieren.

Allerdings sind wir hier nur im Bereich der „gutartigen" Performances. Für sie wird Platz geschaffen, indem das Recht Einschränkungen weniger

22 EuGH C-804/18 und C-341/19, *WABE*, Rn 70. Zur Problematik dieser Judikatur ua an der Schnittstelle unmittelbare/mittelbare Diskriminierung und angesichts des vom EuGH nicht angemessen wahrgenommen Zusammenwirkens mehrerer Diskriminierungskategorien siehe *Holzleithner* in *Mangold/Payandeh*, Antidiskriminierungsrecht Rz 76 ff.

23 OGH 24. 9. 2015, 9 ObA 82/15x, 11.

24 *Klaus Firlei*, Verstoß gegen branchenübliche Bekleidung, DRdA 2000, 142 (146).

duldet. Diversität wird vom Recht aber nur gepflegt, insoweit sie andere Personen nicht verletzt, indem ihnen Schaden zugefügt oder sie in ihrer Freiheit eingeschränkt werden. Damit ist nicht zuletzt das weite Land des Antidiskriminierungsrechts angesprochen. Es verbietet diskriminierende Handlungen, um die Freiheit und unbeschwerte Individualität der Diskriminierten zu bewahren. Die Vielheit wird zum einheitsstiftenden Prinzip. Auch hier findet man sich im Gestrüpp von subjektiven Wahrnehmungen, wertungsabhängigen Überlegungen und Begründungen wieder, um deren Plausibilität und Vernünftigkeit gerungen wird, um Fälle angemessen zu entscheiden. Ob das gelingen kann, ist eine Frage der Einschätzung – und Thema für einen anderen Aufsatz.

Maya Hertig Randall

Rechtsdogmatik und Rechtsvergleichung

Einführung

Das Verhältnis von Rechtsdogmatik und Rechtsvergleichung wird seit Jahrzehnten kontrovers diskutiert. Exemplarisch für diese Debatte war ein im Jahr 1969 publizierter Beitrag des renommierten Rechtsvergleichers *Konrad Zweigert*,[1] wonach die Rechtsdogmatik, verstanden als eine auf Einpassung in vorfindliche Dogmen ausgerichteter Denkprozess, in einem Spannungsverhältnis zur „funktionalen und undogmatischen Methode" der Rechtsvergleichung stehe. Ein Jahr später begegnete *Hans Dölle* dieser scharfen Kritik am „Schreckensgespenst" der Rechtsdogmatik.[2] Zwei Jahrzehnte danach befand *Hein Kötz*, die heftige Attacke seines Lehrers sei einer „gewissen behutsamen Präzisierung nicht ganz unzugänglich",[3] ohne jedoch auf eine kritische Würdigung der Dogmatik zu verzichten. Die Debatte ist bis heute nicht verstummt,[4] wie es die mir zugeteilte Thematik nahelegt: Das Verhältnis von Rechtsdogmatik und Rechtsvergleichung wurde mit der Frage der Anschlussfähigkeit verknüpft, was auf eine antagonistische Beziehung schließen lässt. Es wird argumentiert, Rechtsdogmatik behindere, oder laufe zumindest die Gefahr, die Anschlussfähigkeit an Prozesse der Rechtsvergleichung zu behindern,[5] die für die Weiterentwicklung des nationalen und für die Herausbildung

---

1 *Konrad Zweigert*, Rechtsvergleichung, System und Dogmatik, in FS Bötticher (1969) 443.

2 *Hans Dölle*, Rechtsdogmatik und Rechtsvergleichung, RabelsZ 1979, 403.

3 *Hein Kötz*, Rechtsvergleichung und Rechtsdogmatik, RabelsZ 1990, 203; auch abgedruckt in *Hein Kötz*, Undogmatisches (2005) 74.

4 Für weitere Beiträge, die sich mit dem Verhältnis von Rechtsdogmatik und Rechtsvergleichung befassen, siehe zB *Ulrich Becker*, Rechtsdogmatik und Rechtsvergleich im Sozialrecht, in *Becker* (Hrsg), Rechtsdogmatik und Rechtsvergleich im Sozialrecht I (2010) 11; *Christian Starck*, Die Bedeutung der Rechtsdogmatik für die Rechtsvergleichung, in *Schorkopf/Starck* (Hrsg), Rechtsvergleichung – Sprache – Rechtsdogmatik (2019) 11.

5 Hierzu ausführlicher unten.

überstaatlichen (europäischen, internationalen, transnationalen) Rechts prägend sind. Der Fokus wird in diesem Zusammenhang auf die angewandte Rechtsvergleichung und die funktionale Methode gelegt, die sich trotz nicht unerheblicher Kritik als dominanter Ansatz durchgesetzt hat.[6] Sie schließt es nicht aus, den Blickwinkel jeweils über „Law in Books“ auf „Law in Action“ und den außerrechtlichen Kontext auszuweiten.[7]

Bevor wir uns dem Themenkreis der Anschlussfähigkeit der Rechtsdogmatik im Zusammenhang mit der Rechtsvergleichung zuwenden, stellt sich eine Vorfrage: Welches Verständnis von Rechtsdogmatik legen wir zugrunde oder – gerade bei rechtsvergleichenden Fragen immer eine wichtige Frage –, welches Vorverständnis von Rechtsdogmatik bringen wir mit? Dabei ist es nicht auszuschließen, dass das Vorverständnis der Autorin, einer deutschsprachigen schweizerischen Juristin, deren Ausbildung und berufliche Tätigkeit sich weitgehend auf die französischsprachige Schweiz konzentriert, mit demjenigen der deutschen oder österreichischen Rechtswissenschafterinnen und Rechtswissenschafter nicht deckungsgleich ist.

(Vor-)verständnisse des Konzepts „Rechtsdogmatik“

Rechtsdogmatik ist bekanntlich ein schillerndes Konzept.[8] Die Schwierigkeiten, diesen Begriff näher zu fassen, potenzieren sich beim Versuch einer Annäherung in einer vergleichenden Perspektive. Dabei fällt zu-

6 Zur funktionalen Methode und ihrer Kritik, siehe zB *Ralf Michaels,* The Functional Method of Comparative Law, in *Reimann/Zimmermann* (Hrsg), The Oxford Handbook of Comparative Law^2 (2019) 346 (346), der prägnant festhält: „For its proponents it is the most, perhaps the only, fruitful method. For its opponents, it represents everything bad about mainstream comparative law.“.

7 Für einen Ansatz, der über die bloße Anreicherung der funktionalen Methode hinausgeht, siehe *Michelle Cottier,* Interdisziplinäre Rechtsvergleichung. Elemente einer rechtssoziologisch fundierten Rechtsvergleichung am Beispiel des Familien- und Erbrechts, in *Boulanger/Rosenstock/Singelnstein* (Hrsg), Interdisziplinäre Rechtsforschung. Eine Einführung in die geistes- und sozialwissenschaftliche Befassung mit dem Recht und seiner Praxis (2019) 109.

8 Für eine Übersicht über verschiedene Definitionen in der deutschen Lehre, siehe zB *Christian Waldhoff,* Kritik und Lob der Dogmatik: Rechtsdogmatik im Spannungsfeld von Gesetzesbindung und Funktionsorientierung, in *Kirchhof/Magen/Schneider* (Hrsg), Was weiß Dogmatik? (2012) 17 (22 ff). Für eine ausführliche Auseinandersetzung mit der Dogmatik, siehe zB *Christian Bumke,* Rechtsdogmatik. Eine Disziplin und ihre Arbeitsweise. Zugleich eine Studie über das rechtsdogmatische Arbeiten *Friedrich Carl von Savignys* (2017).

nächst einmal auf, dass „Dogmatik“ zum Beispiel im französischen Sprachraum keine Konjunktur hat. Viel geläufiger als „dogmatique juridique“ ist der Begriff der „doctrine“, wobei die Doktrin jedoch generell die Lehre (im Unterschied zur Rechtsprechung oder Gesetzgebung) bezeichnet.[9] Anstatt von Teilrechtsdogmatiken (zB Grundrechtsdogmatik) ist von einer „théorie générale“ (zB Théorie générale des droits fondamentaux) die Rede. Auch im englischen Sprachraum erfreut sich „legal dogmatics“ keiner großen Beliebtheit und ist eher negativ besetzt.[10] Wie in französischen Sprachgebieten wird eher von „doctrine“ gesprochen oder manchmal auch von „jurisprudence“[11], im Sinne der „study, knowledge, or science of law“[12], wobei sich dieser Begriff jedoch in den USA in der Regel auf die Rechtsphilosophie bezieht.

Ein vergleichender Ansatz hat über diese unterschiedlichen Begrifflichkeiten hinauszugehen und seinen Blick auszuweiten, um nach funktionalen Äquivalenten zu suchen. Dies wirft die Frage auf, welche Anforderungen an die Dogmatik gestellt werden. Trotz unterschiedlicher Definitionen kristallisieren sich in der deutschen Lehre mehrere grundlegende Funktionen der Rechtsdogmatik heraus. Hierzu gehören etwa das Streben nach Vorhersehbarkeit, Rechtssicherheit und Kohärenz, das Anliegen, die Komplexität des Rechtsstoffes zu reduzieren und die Fähigkeit, praktische

9 Hierzu bezeichnend Art 1 des Schweizerischen Zivilgesetzbuches (Hervorhebung durch die Autorin):
(1) La *loi* régit toutes les matières auxquelles se rapportent la lettre ou l'esprit de l'une de ses dispositions.
(2) À défaut d'une disposition légale applicable, le juge prononce selon le droit coutumier et, à défaut d'une coutume, selon les règles qu'il établirait s'il avait à faire acte de législateur.
(3) Il s'inspire des solutions consacrées par la *doctrine* et la *jurisprudence*.
(1) Das *Gesetz* findet auf alle Rechtsfragen Anwendung, für die es nach Wortlaut oder Auslegung eine Bestimmung enthält.
(2) Kann dem Gesetz keine Vorschrift entnommen werden, so soll das Gericht nach Gewohnheitsrecht und, wo auch ein solches fehlt, nach der Regel entscheiden, die es als Gesetzgeber aufstellen würde.
(3) Es folgt dabei bewährter *Lehre* und *Überlieferung*.

10 *Waldhoff* in *Kirchhof/Magen/Schneider*, Dogmatik 17 (36 f).

11 Nicht zu verwechseln mit dem französischen Begriff „jurisprudence“, welcher die Rechtsprechung bezeichnet (siehe Art 1 des Schweizerischen Zivilgesetzbuches, supra, FN 9).

12 Siehe den Eintrag unter <https://www.law.cornell.edu/wex/jurisprudence> (Stand 22. 6. 2022).

„Handlungs- und Entscheidungsanleitungen“[13] zu liefern, wodurch der Begründungsaufwand reduziert wird (Entlastungsfunktion).

Aus einer rechtssoziologischen Perspektive betrachtet kann Rechtsdogmatik als ein von der jeweiligen Community geteiltes Verständnis und allgemein akzeptierten Praxis bezeichnet werden, wodurch sich die Gemeinschaft der Juristen gegen außen abgrenzt und gewisse Argumente als „juristisch“, beziehungsweise „nicht juristisch“ (und zB als moralisch, philosophisch, politisch) taxiert werden.[14]

„Rechtsdogmatik“ als ein rechtssystemübergreifendes Konzept

Ausgehend von den erwähnten Funktionen lässt sich ein sehr weites, rechtssystemübergreifendes Verständnis von Rechtsdogmatik zugrunde legen,[15] mit der Begründung, dass jede moderne Rechtsordnung ein Mindestmaß der Systematisierung, Prinzipienbildung und Rationalisierung bedarf, um die Komplexität der Materie zu reduzieren, Widersprüche zu vermeiden und das Recht lern- und lehrbar zu machen, sei es in der Form von Gesetzeskommentaren, Case Books, oder der in Frankreich verbreiteten „commentaires d’arrêts“. Moderne Rechtsordnungen kommen nicht ohne juristische „Grundbegriffe, Ordnungsvorstellungen und Deutungsmuster“ aus, die für eine Argumentation im juristischen Sinne unerlässlich sind.[16]

13 *Gerhard Robbers,* Zur Verteidigung einer Wertorientierung in der Rechtsdogmatik, in *Dreier* (Hrsg), Rechtspositivismus und Wertbezug des Rechts (1990) 162 (164); zitiert in *Becker,* Rechtsdogmatik I 14.

14 Siehe hierzu *Christian Boulanger,* The Comparative Sociology of Legal Doctrine: Thoughts on a Research Program, German Law Journal 2020, 1362 (1363), der Dogmatik definiert als „an institutionally legitimized practice of making statements on the law“. Wie es *Alexander Somek* in diesem Band hervorhebt, ist es nicht erforderlich, dass das einzelne Mitglied der juristischen Gemeinschaft selbst an diese Unterscheidungen glaubt. Wesentlich ist, dass sie oder er davon ausgehen, sie seien aus der Sicht der anderen Mitglieder relevant (siehe dazu den Beitrag von *Alexander Somek*).

15 Für ein rechtssystemübergreifendes Verständnis, siehe zB *Kötz,* Rechtsvergleichung 205; *Dölle,* Rechtsdogmatik 404; *Kirchhof/Magen,* Dogmatik: Notwendigkeit und Dialog, in *Kirchhof/Magen/Schneider* (Hrsg), Was weiß Dogmatik? (2012) 151 (158).

16 *Nils Jansen,* Rechtsdogmatik im Zivilrecht, Enzyklopädie für Rechtsphilosophie, zugänglich unter <http://www.enzyklopaedie-rechtsphilosophie.net> (Stand 31. 3. 2022).

Ein Mindestmaß an Dogmatik ist demnach für ein eigentliches Rechtsverständnis unverzichtbar.[17] Ein Ausblenden jeglicher Dogmatik ist auch für die Rechtsvergleichung schwer vorstellbar, wenn man das Attribut „Recht" ernst nimmt. Dies gilt ebenfalls für die als „undogmatisch" bezeichnete funktionale Methode. Zwar geht es bei einem funktionalen Ansatz darum, eine von juristischen Begrifflichkeiten „gereinigte" Ausgangsfrage zu formulieren, um zu verhindern, dass Lösungsansätze in anderen Rechtsordnungen verkannt werden, weil sie auf anderen Begrifflichkeiten oder Institutionen beruhen oder anders eingeordnet werden als im eigenen Recht.[18] Zum Verständnis der in anderen Rechtsordnungen vorgefundenen rechtlichen Lösungen ist jedoch in der Folge eine Einordnung in den breiteren rechtlichen Kontext vonnöten, zu dem auch die Dogmatik gehört. Geht es zum Beispiel um die Frage, ob Angehörigen von Passagieren, die in einem Flugzeugabsturz ums Leben gekommen sind, einen Anspruch auf eine finanzielle Entschädigung für das verursachte Leiden zusteht,[19] scheint es schwierig, sich mit der Antwort zu begnügen, eine andere Rechtsordnung kenne ein Angehörigenschmerzengeld, ohne dieses genauer einzuordnen. So könnte es zB relevant sein, ob die untersuchte Rechtsordnung eine Unterscheidung trifft zwischen Kausalhaftung und Verschuldenshaftung, oder zwischen Delikts- oder Vertragshaftung. Je nach Ergebnis kann es notwendig sein, die Ausgangsfrage genauer zu formulieren. Anders gesagt: Rechtsdogmatik in einem weiten Sinne bildet einen Untersuchungsgegenstand der Rechtsvergleichung und steht nicht in einem antagonistischen Verhältnis zu ihr. Richtig ist, dass sich fundierte rechtsvergleichende Studien nicht auf rechtliche und dogmatische Fragen beschränken, sondern sich je nach der untersuchten Frage mehr oder weniger vertieft mit dem außerrechtlichen Kontext auseinandersetzen sollten.

„Rechtsdogmatik" als ein auf den deutschsprachigen Raum begrenztes Konzept

Wie dies häufig bei einem vergleichenden Ansatz der Fall ist, finden sich nicht nur Positionen, welche die Gemeinsamkeiten zwischen den ver-

17 *Dölle,* Rechtsdogmatik 407.

18 Siehe *Zweigert/Kötz,* Einführung in die Rechtsvergleichung[3] (1996) 33 f.

19 Hierzu zB *Thomas Kadner Graziano,* Angehörigen- oder Trauerschmerzensgeld – Die Würfel fallen, RIW 2015, 549; *Anita Maria Stiegler,* Schmerzensgeld für Schock- und Trauerschäden. Rechtsvergleichende Analyse des Angehörigenbegriffes und der Mitverschuldensanrechnung (2009).

schiedenen Rechtsordnungen hervorheben und auf dieser Grundlage ein weites Dogmatikverständnis befürworten, sondern auch solche, welche das Augenmerk auf die Unterschiede legen und für ein enges Dogmatikkonzept plädieren.[20] Letztere kommen auf dieser Grundlage zum Schluss, die oben hervorgehobene deutsche Begriffsprägung sei kein Zufall sondern bezeichnend dafür, dass Rechtsdogmatik ein spezifisch deutsches, an konkrete historische Voraussetzungen gebundenes Phänomen darstellt.[21] Zu anderen Rechtsordnungen und Rechtskreisen, insbesondere zum angloamerikanischen Recht, bestünden unüberbrückbare Unterschiede.[22]

Die Frage, ob sich aufgrund der Besonderheiten der deutschen Rechtsdogmatik eine enge Begrifflichkeit aufdrängt, oder ob gestützt auf die oben skizzierten Grundfunktionen ein weites Dogmatikverständnis gerechtfertigt ist, und treffender von verschiedenen Ausprägungen oder Besonderheiten einer nationalen Dogmatik auszugehen ist,[23] scheint mir nicht zielführend. Von Interesse sind jedoch die Elemente, die als Spezifika der deutschen Rechtsdogmatik hervorgehoben werden. Zu ihnen gehören die überragende Bedeutung, oder gar die verdrängende Präsenz der Dogmatik,[24] sowie die äußerst enge Verknüpfung von Rechtspraxis und Rechtswissenschaft.[25] Die starke Anwendungsorientierung der rechtswissenschaftlichen Forschung,

---

20 Siehe hierzu im Hinblick auf die Rechtsvergleichung *Gerhard Dannemann*, Comparative Law: Study of Similarities or Differences? in *Reimann/Zimmermann* (Hrsg), The Oxford Handbook of Comparative Law[2] (2019) 391.

21 Siehe zB *Waldhoff* in *Kirchhof/Magen/Schneider*, Dogmatik 17 (36 f); siehe auch kritisch *Oliver Lepsius*, Kritik der Dogmatik, in *Kirchhof/Magen/Schneider* (Hrsg), Was weiß Dogmatik? (2012) 39 (46).

22 *Lepsius* in *Kirchhof/Magen/Schneider*, Dogmatik 39.

23 Diesem Ansatz folgend könnte zwischen den Essentialia und den Akzidentalia des Dogmatikbegriffs unterschieden werden, wobei sich die ersteren auf wenige unverzichtbare Elemente beschränken und die letzteren die kontingenten, je nach Rechtsordnung verschiedenen Elemente beschreiben. Für einen solchen Ansatz im Zusammenhang mit dem Begriff der Verfassung, siehe *Diggelmann/Hertig Randall/Schindler*, Verfassung, in *Diggelmann/Hertig Randall/Schindler* (Hrsg), Verfassungsrecht der Schweiz I (2020) 3 ff.

24 *Matthias Jestaedt*, Die deutsche Staatsrechtslehre im europäisierten Rechtswissenschaftsdiskurs, JZ 2012, 1 (2), bezugnehmend auf *Winfried Brohm*, Kurzlebigkeit und Langzeitwirkung der Rechtsdogmatik, in FS Maurer (2001) 1079 (1079).

25 Siehe zB *Waldhoff* in *Kirchhof/Magen/Schneider*, Dogmatik 17 (31); *Lassahn/Steenbreker*, Gedanken zur Rechtsdogmatik, JR 2015, 553 (555); *Matthias Jestaedt*, Wissenschaftliches Recht – Rechtsdogmatik als gemeinsames Kommunikationsformat von Rechtswissenschaft und Rechtspraxis, in *Kirchhof/Magen/Schneider* (Hrsg), Was weiß Dogmatik? (2012) 117 (119, 121 f); *Andreas Voßkuhle*, Was leistet Dogmatik?

einerseits, und das Bestreben der Gerichte, ihre Urteile an die Rechtswissenschaft rückzukoppeln, andererseits, führen zu einem Prozess der Co-Kreation dogmatischer Figuren, der in diesem Ausmaß in anderen Rechtsordnungen fehlt.[26] In Frankreich zum Beispiel steht der dezisionistische, begründungsknappe Stil der Urteile einer derart starken Verzahnung entgegen. Deshalb erstaunt es wenig, dass sich der Begriff „doctrine" in erster Linie auf die akademische Lehre bezieht, und nicht auf ein durch symbiotisches Zusammenwirken der Rechtswissenschaft und Praxis geschaffenes Juristenrecht. Zu weiteren Besonderheiten zählen nach der deutschen Literatur der Konstruktivismus und die Feinsystematik der deutschen Rechtskultur,[27] sowie ein hoher Grad der Verdichtung, die eine Art Zwischenschicht zwischen dem Einzelfall und den Grundprinzipien oder den Rechtsnormen bilde.[28] Dieses Charakteristikum sei ua im französischen Recht weniger ausgeprägt. Auch die für deutsche Rechtsdogmatik charakteristische starke Ausdifferenzierung in Bereichsdogmatiken und die starke Ausrichtung auf Systembildung sei anderen Rechtsordnungen unbekannt.[29]

Die erwähnten Charakteristika der deutschen Dogmatik geben nicht nur Anhaltspunkte zum beschriebenen Objekt sondern auch zum Selbstverständnis und zur Selbstwahrnehmung der deutschen Rechtswissenschaft. Ähnlich positive Beschreibungen und Selbstwahrnehmungen sind ebenfalls in Frankreich zu finden, auch wenn sie nicht explizit mit dem Begriff „Dogmatik" verknüpft werden. In einer Studie zum Einfluss des französischen Rechts des französischen Conseil d'Etat (Staatsrat), wird zB „die Dichte und die konzeptuelle Klarheit der französischen Sprache (la densité et la clarté conceptuelles de la langue juridique française)"[30] als eine

Zusammenführung und Ausblick in 12 Thesen, in *Kirchhof/Magen/Schneider* (Hrsg), Was weiß Dogmatik? (2012) 111 (113), der das Zusammenwirken von Rechtspraxis und Rechtswissenschaft nicht nur positiv wertet sondern auch Schattenseiten identifiziert, namentlich „die Marginalisierung nicht anwendungsbezogener Grundlagenforschung und die Abkoppelung vom internationalen Rechtsdiskurs"; grundlegend kritisch *Lepsius* in *Kirchhof/Magen/Schneider,* Dogmatik 39 (42 ff).

26 ZB *Waldhoff* in *Kirchhof/Magen/Schneider,* Dogmatik 17 (31).

27 *Peter A. Windel,* OMG – German Legal Dogmatics! (2020) 40; *Rolf Stürner,* Das Zivilrecht der Moderne und die Bedeutung der Rechtsdogmatik, JZ 2012, 10 (13 ff).

28 *Windel,* OMG 40.

29 Zur Systembildung als Charakteristika der Rechtsdogmatik, siehe *Kirchhof/Magen* in *Kirchhof/Magen/Schneider,* Dogmatik 153 ff.

30 Conseil d'Etat, L'influence internationale du droit français. Etude adoptée par l'Assemblée générale du Conseil d'Etat le 19 juin 2001 (2001) 69.

Stärke des französischen Rechts gepriesen. Auffällig ist der Bezug auf die Sprache, doch mit der gelobten Dichte und Klarheit der Begrifflichkeiten bestehen durchaus Überlappungen mit den Charakteristika der deutschen Dogmatik.

„Rechtsdogmatik" als ein auf die romanisch-germanischen Rechtsordnungen beschränktes Konzept

Zwischen den beiden Polen eines weiten, rechtssystemübergreifenden und eines engen, auf die deutsche Rechtsordnung beschränkten Dogmatikbegriffs lassen sich Positionen verorten, die eine mittlere Abstraktionshöhe einnehmen und die grundlegenden Differenzen zwischen den romanisch-germanischen Rechtsordnungen einerseits und der angelsächsischen Tradition andererseits betonen. Tatsächlich steht bei den an Kodifikation orientierten Rechtsordnungen der romanisch-germanischen Tradition das Gesetzesrecht im Vordergrund, welches den Ausgangspunkt für die dogmatischen Arbeiten bildet.[31] Bezeichnend sind auch der kartesianische Einfluss, sowie ein begrifflich-logischer, deduktiver, auf Systematisierung ausgerichteter Ansatz.[32] Letzterer kontrastiere mit einem für das „common law" kennzeichnenden, induktiven, problemorientierten, auf den Sachverhalt fokussierten Vorgehen, das vor starken Generalisierungen und Systembildung zurückschrecke.[33] Dieses Rechtsverständnis sei eingebettet in eine Rechtskultur, die weniger die Autonomie der Rechtswissenschaften gegenüber anderen Wissenschaften betone als im „civil law" und tendenziell gegenüber sozialwissenschaftlichem Wissen offener sei.[34]

31 Siehe *Winfried Hassemer*, Dogmatik zwischen Wissenschaft und richterlicher Pragmatik, in *Kirchhof/Magen/Schneider* (Hrsg), Was weiß Dogmatik? (2012) 3 (7).

32 Zum deduktiven Ansatz, siehe zB *Waldhoff* in *Kirchhof/Magen/Schneider*, Dogmatik 26: „Dogmatik ist auf Anwendungsbezug ausgerichtete methodisch konsentierte Aufbereitung der geltenden generell-abstrakten *Normen* für Einzelfallentscheidungen".

33 Siehe *Hoecke/Warrington*, Legal Cultures, Legal Paradigms and Legal Doctrine: Towards a New Model for Comparative Law, ICLQ, 1998, 495 (531). Für eine vertiefte Auseinandersetzung mit der Rechtsdogmatik in England aus seiner deutschen Perspektive, siehe *Martin Flohr*, Rechtsdogmatik in England (2017); für weitere Studien, welche die Gegensätze zwischen den beiden Rechtskreisen betonen, auch Conseil d'Etat, L'influence 28.

34 Siehe *Thomas Lundmark*, Charting the Divide Between Common and Civil Law (2012) 103 ff, 131 ff, bezugnehmend auf Deutschland (103 ff), die USA (106 f) sowie England und Wales (109 f).

Die Eigenheiten der romanisch-germanischen und der angelsächsischen Tradition haben rechtsvergleichend arbeitende Juristen seit langem fasziniert und einen kritischen Blick auf die eigene Rechtsordnung und -wissenschaft befördert. So pries zum Beispiel der englische Rechtsphilosoph *John Austin* die deutsche Rechtswissenschaft als „escape from the empire of chaos and darkness, to a world which seems by comparison, the region of order and light."[35] Für den französischen Juristen *René David* war wiederum das Studium des „common law" eine sehr prägende Erfahrung, die seinen Zugang zum (französischen) Recht grundlegend veränderte:

„Nachdem ich zwei Jahre lang englisches Recht studiert hatte (…), betrachtete ich das Recht selbst in Frankreich nie mehr mit denselben Augen wie früher. Ich wollte Rechtsfragen nicht mehr unter dem Blickwinkel einer unerbittlichen Logik sehen. Das Gesetz, die von den Juristen aufgestellten Regeln erschienen mir nicht mehr als heilig; ich war mehr als früher und wohl mehr als viele französische Juristen bereit, die Dinge von einem praktischeren Standpunkt aus zu sehen, indem ich mich weniger um die Reinheit der Begriffe kümmerte, empirische Erwägungen stärker berücksichtigte und der Gerechtigkeit Vorrang vor dem Recht einräumte".[36]

Ähnlich kritisch hat sich *Hein Kötz* mit der deutschen Rechtsdogmatik auseinandergesetzt, in einem Beitrag, der in einem Band mit dem bezeichnenden Titel „Undogmatisches" erneut veröffentlicht wurde.[37] *Kötz* relativiert dort zwar, wie eingangs erwähnt, die fundamentale Kritik *Zweigerts* an der Rechtsdogmatik, hält jedoch fest, andere Länder seien fähig, gleiche Lebensprobleme „mit einem viel bescheideneren Aufwand an begrifflichem Scharfsinn auf befriedigende Weise" zu lösen und „ohne die

35 *John Austin,* Lectures on Jurisprudence or The Philosophy of Positive Law I[5] (1911) 58.

36 Im Original: „Ayant étudié le droit anglais pendant deux années (…) je n'ai plus jamais considéré du même œil qu'autrefois, même en France, le droit. Je n'ai plus voulu voir les questions de droit sous l'angle d'une logique implacable. La loi, les règles posées par les juristes ne me sont plus apparues comme ayant un caractère sacré; j'ai été, plus que par le passé, et plus sans doute que beaucoup de juristes français, disposé à voir les choses d'un point de vue plus pratique en me souciant moins de la pureté des concepts, en tenant davantage compte de considérations empiriques, et en donnant priorité à la justice sur le droit" (*René David,* Les avatars d'un comparatiste [1982] 47).

37 *Kötz,* Rechtsvergleichung 203 ff.

barocke Begrifflichkeit mancher neuen Systembildung".[38] In Deutschland bestünde ein gewisser Hang zum Durchleiden theoretischer Kontroversen, einhergehend mit der Gefahr, die dienende Funktion der Dogmatik aus den Augen zu verlieren.[39]

Die Auseinandersetzung mit anderen Rechtsordnungen fördert einen kritischen Blick auf das eigene Recht, und nährt Zweifel an der Anschlussfähigkeit der Rechtsdogmatik. Letztere richten sich auf die nationale Dogmatik, nicht auf die Dogmatik verstanden in einem weiten, systemübergreifenden Sinne. Als praxisorientierte, auf die Anwendung des positiven Rechts bezogene Wissenschaft, legt die nationale Rechtsdogmatik tendenziell den Fokus auf eine Rechtsordnung und beschränkt sich auf eine nationale Juristengemeinschaft.[40] Sie tritt damit in einen Gegensatz zur naturgemäß rechtsordnungsübergreifenden Rechtsvergleichung. Die Gefahr einer nationalstaatlichen Introversion unterstrich bereits *von Jhering.* Eine Jurisprudenz, deren wissenschaftliche und politische Grenzen zusammenfielen, stelle eine degradierte „Landesjurisprudenz" dar, eine „demütigende, unwürdige Form für eine Wissenschaft".[4] Rechtsdogmatisches Arbeiten und eine kritische Auseinandersetzung mit dem positiven Recht bedürfe deshalb eines Blicks von außen, wie ihn die Rechtsgeschichte und die Rechtsvergleichung befördern könnten.[42]

38 *Kötz,* Rechtsvergleichung 204 und *id,* Undogmatisches 67.

39 *Kötz,* Rechtsvergleichung 67.

40 Vgl *Anne Peters,* Die Zukunft der Völkerrechtswissenschaft: Wider den epistemischen Nationalismus, ZaöRV 2007, 721 (767).

41 *Rudolf von Jhering,* Geist des römischen Rechts auf den verschiedenen Stufen seiner Entwicklung I^{6} (1907) 15; siehe auch *Rudolf von Jhering,* Ist die Jurisprudenz eine Wissenschaft? Jherings Wiener Antrittsvorlesung vom 16. Oktober 1868 (1998) 48 ff: „Welche Wissenschaft, die an die Gränzpfähle gebunden, welche uns im Stich lässt, wenn wir über die Gränze gegangen sind oder ein neues Gesetzbuch eingeführt wird (...). Welch kümmerliche Wissenschaft, die sich ängstlich innerhalb der Gränzpfähle halten muss, die keinen Werth mehr hat, wenn man die Gränze hinter sich hat: eine österreichische, preussische, bairische Rechtswissenschaft!". Für eine kontemporäre Kritik der Introversion der Rechtswissenschaft, siehe *Möllers/Voßkuhle,* Die deutsche Staatsrechtswissenschaft im Zusammenhang der internationalisierten Wissenschaften. Beobachtungen, Vermutungen, Thesen, Die Verwaltung 2003, 321 (331).

42 *Tim Philipp Holler,* „Ist die Jurisprudenz eine Wissenschaft?" Zum 150-jährigen Jubiläum von Jherings Wiener Antrittsvorlesung am 16. Oktober 2018, ZJS 2018, 503 (503 f).

Auch heute beklagen kritische Stimmen, sowohl im deutschen als auch im französischen Sprachraum, die nationale Introvertiertheit der Rechtswissenschaft und der Dogmatik.[43] Sie führe zu Versteinerung und Abschottungstendenzen, die für eine Teilnahme an transnationalen, wissenschaftlichen und/oder richterlichen Dialogen hinderlich sei.[44] Dabei geht es nicht nur um eine Teilnahme an diesen dialogischen Prozessen, sondern auch um die Fähigkeit, sich maßgebend einzubringen, sie zu prägen und sich für Impulse für eine Weiterentwicklung des eigenen Rechts zu öffnen.

Die Zweifel an einer genügenden Anschlussfähigkeit stehen in einem Zusammenhang zur Globalisierung und der mit ihr verbundenen Internationalisierung, Europäisierung, Transnationalisierung und Pluralisierung des Rechts. In Foren, wo Akteure aus unterschiedlichen Rechtsordnungen und -kulturen aufeinanderstoßen, stellt die Rechtsvergleichung eine bedeutende Methode zur Erarbeitung inter- oder transnationaler Regeln und Prinzipien dar, die in irgendeiner Form wieder auf die nationalen Rechtsordnungen rückwirken.

Rechtsdogmatik im Wettbewerb der Rechtsordnungen

Das Risiko des Bedeutungsverlustes des eigenen Rechts wird heute ua in Deutschland und Frankreich unter dem Paradigma des „Wettbewerbs der Rechtsordnungen" diskutiert.[45] Die Konkurrenz zwischen verschiedenen

43 Zum Risiko der Abschottung und Introversion, siehe zB *Bernd Grzeszick,* Steuert die Dogmatik? Inwiefern steuert die Dogmatik des öffentlichen Rechts? Gibt es eine rechtliche Steuerungswissenschaft jenseits der Rechtsdogmatik? in *Kirchhof/Magen/Schneider* (Hrsg), Was weiß Dogmatik? (2012) 97 (106); *Jestaedt* in *Kirchhof/Magen/Schneider,* Dogmatik 117 (131 f).

44 *Lepsius* in *Kirchhof/Magen/Schneider,* Dogmatik 39 (46 ff, 56, 60 f); zur Gefahr der Versteinerung, siehe auch *Kötz,* Rechtsvergleichung 210; *Starck,* Bedeutung 13: „Dogmatik kann verbaut, verkompliziert und verkrustet sein und den neuen Herausforderungen an das Recht nicht mehr gewachsen sein." Contra: *Waldhoff* in *Kirchhof/Magen/Schneider,* Dogmatik 17 (21, 28), welcher die Dogmatik als dynamisch, beweglich, und sich verändernd beschreibt.

45 Siehe zu Frankreich, Conseil d'Etat, L'influence; *Enguerrand Serrurier,* Déclin, résistance et perspectives du droit français dans la compétition juridique mondiale, Journal du droit international, 2015, 1131; zu Deutschland: *Thomas Giegerich,* Wettbewerb von Rechtsordnungen, VVDStRL 2010, 59; *Gralf-Peter Calliess,* Die Rolle der Rechtsvergleichung im Kontext des Wettbewerbs der Rechtsordnungen, in *Zimmermann* (Hrsg), Zukunftsperspektiven der Rechtsvergleichung (2016) 167; kritischer zum Wettbewerbsparadigma: *Anne Peters,* Wettbewerb von Rechtsordnungen, VVDStRL 2010, 7.

nationalen Rechtsinstituten und -prinzipien, Regulierungsmodellen, oder materiellen Regelungen verfolgt dabei wirtschaftliche sowie politisch-ideologische oder kulturelle Ziele. Die ökonomische Zielsetzung steht im Vordergrund, wenn zB eine nationale Rechtsordnung als Standortvorteil für internationale Unternehmen gepriesen oder bei Schieds-, Gerichtsstands- und Rechtswahlvereinbarungen empfohlen wird. Politisch-ideologische oder kulturelle Gesichtspunkte sind zB bedeutsam, wenn es um die Einflussnahme des nationalen Rechts auf überstaatliche Regulierungsprozesse oder die Rechtsprechung internationaler Instanzen geht, oder wenn das eigene Recht als Modell für Kodifikationsarbeiten, einschließlich Verfassungsreformen, in anderen Staaten propagiert wird. Der Austausch und Wettstreit zwischen den verschiedenen Rechtsordnungen kann letztlich auch ideellen Interessen dienen, indem die dialogischen Prozesse neue, innovative Lösungen generieren oder sie den Argumentationshorizont richterlicher Instanzen erweitern, was der Überzeugungskraft („persuasive authority") der Entscheide zuträglich ist.[46]

Eine lern- und entwicklungsfähige Rechtsordnung hat größere Chancen, sich in diese dialogischen Prozesse einzubringen als eine Rechtsordnung, die sich von außerstaatlichen Entwicklungstendenzen abschottet. „Export-" und „Importfähigkeit" sind deshalb eng miteinander verbunden.[47]

Im Folgenden wird der Frage nachgegangen, inwiefern die nationale Rechtsdogmatik eine Export- und Importschranke darstellt, oder, umgekehrt, sowohl Export- als auch Rezeptionsfähigkeit steigert.

Rechtsdogmatik als Exportchance oder Exportschranke?

Die Meinungen gehen auseinander, ob die nationale Rechtsdogmatik dem Export des heimischen Rechts eher förderlich oder hinderlich ist. In der deutschen Lehre wird einerseits argumentiert, die deutsche Rechtsdogmatik führe „nicht in einem „deutschen Sonderweg" in die Isolation, sondern ermöglich[e] den Dialog mit anderen Rechtsordnungen und Disziplinen"[48] und sei wegen ihrer Ausdifferenzierung für andere Rechtsord-

46 Zur „persuasive authority", siehe zB *Anne-Marie Slaughter,* A global Community of Courts, Harvard International Law Journal 2003, 191 (199 f); *Chad W. Flanders,* Toward a Theory of Persuasive Authority, Oklahoma Law Review 2009, 55.

47 Siehe *Giegerich,* VVDStRL 2010, 69; *Jacobo Ríos Rodríguez,* L'influence internationale du droit français (2008) 97, 112.

48 *Kirchhof/Magen* in *Kirchhof/Magen/Schneider,* Dogmatik 151 (171).

nungen attraktiv.[49] Gute – nicht übertriebene – Rechtsdogmatik sei ein verkanntes deutsches Markenzeichen und Voraussetzung eines grenzüberschreitenden Dialogs.[50] Peter Windel verficht diese These, indem er den Beitrag der deutschen Rechtsdogmatik zum internationalen Rechtsdialog anhand konkreter Beispiele zu belegen sucht, um die im Titel seines Werks provokativ formulierte Gegenthese (OMG [Oh My God] – German Legal Dogmatics!) zu dementieren.[51] So wird ua die mit der Rechtsdogmatik im deutschsprachigen Raum untrennbar verwobene Kommentarkultur als ein Vorbild für China gepriesen.[52]

Auch in Frankreich finden sich Stimmen, welche die Attraktivität des französischen Rechts für andere Staaten preisen. Sie sehen die Vorteile in einem kartesianischen Wertesystem und einer spezifischen juristischen Methode „deren Stringenz (*rigueur*) keines weiteren Beweises mehr bedürfe".[53]

Sowohl in Deutschland als auch in Frankreich werden zudem gewisse Vorzüge der romanisch-germanischen Rechtstradition gegenüber dem angelsächsischen Rechtskreis hervorgehoben. Genannt werden insbesondere die Übersichtlichkeit und Zugänglichkeit des kodifizierten Rechts, die im deutschsprachigen Raum durch die Kommentare verstärkt wird. Diese Errungenschaften ermöglichen im Unterschied zur angelsächsischen Tradition konzisere, von allgemeinen Regeln und Begriffsbestimmungen entlastete Verträge, was für die Wirtschaftsakteure aufgrund tieferer Kosten und geringerer Abhängigkeit von der Anwaltschaft attraktiv sei.[54]

Wettbewerbsvorteile werden jedoch auch aus der Warte des „common law" ins Feld geführt. Das angelsächsische Recht biete tendenziell mehr

49 *Windel,* OMG 15 f; *Windel,* Ist das rechtsdogmatische Zeitalter vorbei? AnwBl Online 2019, 447 (450). Zur Ausdifferenzierung als positives Element der Attraktivität einer Rechtsordnung, siehe auch *Giegerich,* VVDStRL 2010, 59 (69).

50 Vgl *Kirchhof/Magen* in *Kirchhof/Magen/Schneider,* Dogmatik 151 (172); in diese Richtung auch *Winfried Hassemer,* Dogmatik zwischen Wissenschaft und richterlicher Pragmatik, in *Kirchhof/Magen/Schneider* (Hrsg), Was weiß Dogmatik? (2012) 3 (14).

51 *Windel,* OMG.

52 Siehe den Beitrag Deutsche Kommentarkultur – ein Beispiel für China? in *Windel,* OMG 31 ff.

53 *Barthélemy Mercadal,* Mélanges Oppetit de la culture juridique civiliste, zugänglich auf der Webseite des Institut international de Droit d'Expression et d'inspiration Françaises (<www.institut-idef.org/MELANGES-OPPETIT-DE-LA-CULTURE.html>, Stand 19. 5. 2022).

54 Siehe *Peters,* VVDStRL 2010, 7 (10).

Flexibilität als die Kodifikationswerke der kontinentalen Tradition.[55] Kritische Stimmen unterstreichen zudem den Bedeutungsverlust einer gesetzeszentrierten Dogmatik im Zeitalter der Gesetzesinflation und der Zunahme des Richterrechts.[56] In diesem Kontext ist der Dialog zwischen höchsten Gerichten ein wesentlicher Vektor des „Rechtsexports“ und „-imports“.[57] Gerichte, deren Urteile transparent und überzeugend begründet sind, haben dabei eine größere Chance, sich in diesen Dialog wirksam einbringen zu können. Diese Einsicht hat in Frankreich dazu geführt, dass die extrem konzise, für Außenstehende schwer nachvollziehbare Begründung der Urteile zunehmend als Exportschranke wahrgenommen wird.[58] Das Ideal der „imperatoria brevitas“ verliert langsam an Boden,[59] was langfristig eine Annäherung an den Urteilsstil anderer höchster Gerichte und eine verstärkte Zusammenarbeit mit der Lehre bewirken könnte,[60] wie sie für die deutsche Rechtsdogmatik charakteristisch ist. Die Entwicklung in Frankreich legt den Schluss nahe, dass das symbiotische Zusammenwirken zwischen Rechtswissenschaft und Rechtsprechung durchaus eine „Exportchance“ darstellen kann.

Exportschranken werden jedoch auch in einigen Charakteristika der deutschen Rechtsdogmatik verortet. Es wird unter anderem befürchtet, der Hang zur Überdifferenzierung sei der Ausstrahlung der deutschen Rechtsdogmatik abträglich.[61] Dies sei insbesondere der Fall, wenn die dogmatischen Subtilitäten in einer kaum übersetzbaren Sprache daher-

55 *Peters,* VVDStRL 2010, 7 (10) bezugnehmend auf eine Werbebroschüre der Society of England and Wales.

56 Vgl Conseil d'Etat, L'influence 70; *Rodríguez,* L'influence 93; *Oliver Lepsius,* Kontextualisierung als Aufgabe der Rechtswissenschaft, JZ 2019, 793 (796).

57 Zum Dialog der Gerichte, siehe zB *Slaughter,* Harvard International Law Journal 2003, 191; *Maya Hertig Randall,* Der grundrechtliche Dialog der Gerichte in Europa, EuGRZ 2014, 5.

58 Siehe *Peters,* ZaöRV 2007, 721 (771).

59 Siehe *Christophe Alonso,* La motivation didactique des décisions juridictionnelles du Conseil d'État, in *Raimbault/Hecquard-Théron* (Hrsg), La pédagogie au service du droit (2011) 165 (167 ff). Eine ausführlichere Begründung der Urteile wird in einer Studie des Staatsrats empfohlen, siehe *Conseil d'Etat,* Groupe de travail sur la rédaction des décisions de la juridiction administrative: rapport final (2012) 10 f.

60 Vgl *Alonso* in *Raimbault/Hecquard-Théron* 165 (169); welcher die „professorale Ausrichtung der Begründung bestimmter Entscheidungen“ („tournure professorale que prend la motivation de certaines décisions“) erwähnt.

61 *Thomas Marschler,* Dogmatik: Theologisch in Staatslexikon online <www.staatslexikon-online.de/Lexikon/Dogmatik> (Stand 18. 5. 2022).

kämen.[62] Eine Exportbarriere bilden auch Auffassungen, wonach die nationale Dogmatik so stark mit der deutschen Sprache verbunden sei, dass von Übersetzungen in andere Sprachen, namentlich ins Englische, grundsätzlich abzuraten sei.[63] Auf die Spitze getrieben betonen solche Positionen die kulturell-historische Bedingtheit und Einzigartigkeit jeder Rechtsordnung und negieren die Legitimität sowie den praktischen Nutzen der Rechtsvergleichung.[64]

Der Befund, dass allzu komplexe dogmatische Konstrukte jenseits der nationalen Grenzen schwer vermittelbar sind, ist nicht auf das deutsche Recht oder auf die romanisch-germanischen Rechtsordnungen beschränkt. Dies sei hier anhand eines Gegenbeispiels aus dem angelsächsischen Rechtskreis kurz veranschaulicht. Europäische Juristen staunen regelmäßig über die stark ausdifferenzierte Rechtsprechung des US Supreme Court zur Meinungsäußerungsfreiheit.[65] Sie zeichnet sich nicht nur durch eine hohe Komplexität sondern auch durch ein starkes Abweichen von der europäischen und internationalen Grundrechtsdogmatik aus. Letztere hat für die Prüfung von Eingriffen in die Freiheitsrechte eine Reihe von gemeinsamen Grundsätzen („Schrankendogmatik") herausgearbeitet, die weitgehend auch auf die Meinungsäußerungsfreiheit Anwendung finden. Demgegenüber hat das fallweise Herangehen des US Supreme Courts zur Herausbildung von verschiedenen Prüfungsschemas („tests") geführt, die auf unterschiedliche Fallgruppen von Meinungsäußerungen anwendbar sind.[66] Kann auf keinen spezifischen „test" zurückgegriffen werden,

62 *Waldhoff* in *Kirchhof/Magen/Schneider,* Dogmatik 37; *Joachim Vogel,* Strafrecht und Strafrechtswissenschaft im internationalen und europäischen Rechtsraum, JZ 2012, 25 (27) mit Beispielen (30): „Gefahrenverwirklichungszusammenhang, extensiver Putativnotwehrexzess, korrigierter Rücktrittshorizont".

63 In diese Richtung *Windel,* OMG 7, der zwar Übersetzungen ins Englische nicht grundlegend ablehnt, doch auf Darstellungen des deutschen Rechts in der englischen Sprache bewusst verzichtet mit der Begründung, die Rechtsterminologie der englischen Sprache sei mit der deutschen Systematik nicht kompatibel, und „[j]e mehr man angloamerikanische Rechtsterminologie verinnerlich[e] desto weiter entfern[e] man sich vom deutschen Recht (…)"; kritisch *Vogel,* JZ 2012, 25 (28).

64 Für eine eingehende Auseinandersetzung und Kritik, siehe *Peters/Schwenke,* Comparative Law Beyond Post-Modernism, ICLQ 2000, 800 (811 ff).

65 Für eine Darstellung der Meinungsäußerungsfreiheit in den USA, siehe zB *Stone/Seidman/Sunstein,* The First Amendment I[6] (2020).

66 Subversive Äußerungen werden zB im Lichte des sogenannten „clear and present danger test" beurteilt, dessen Definition im Laufe der Zeit mehrmals angepasst wurde (siehe US Supreme Court, *Brandenburg v Ohio,* 395 U.S. 444 [1969].

kommt ein ausdifferenziertes System von Kategorisierungen zur Anwendung, beruhend einerseits auf der „Werthaftigkeit" der in Rede stehenden Äußerung („high" vs „low value speech"[67] sowie dazwischenliegende Kategorien), und andererseits auf der Rechtsnatur der einschränkenden Maßnahme (inhaltsbezogene vs inhaltsneutrale Massnahmen: „content based vs content neutral measures"). Komplex ist auch das Verhältnis der beiden Kategorisierungen, nachdem der Supreme Court die Annahme relativierte, „low value speech" genieße keinen verfassungsrechtlichen Schutz. Dies hat zur Folge, dass auch Einschränkungen von als minderwertig eingestuften Äußerungsformen grundsätzlich suspekt sind, wenn sie inhaltsbezogen sind.[68] Der hohe Komplexitätsgrad sowie die starke Divergenz zu einfacheren, im nationalen Verfassungsrecht oder im internationalen Menschenrechtsschutz verbreiteten Ansätzen dürften dazu beitragen, dass die amerikanische Rechtsprechung zur Meinungsäußerungsfreiheit im Ausland zwar mit Interesse wahrgenommen wird aber nur punktuell Impulse geliefert hat.[69] Für den amerikanischen Sonderweg

Besondere Maßstäbe gelten zB auch für diffamierende Äußerungen [„sog New York Times Privilege"], siehe US Supreme Court, *United States v Sullivan,* 376 U.S. 254 [1964]), oder kommerzielle Äußerungen („Central Hudson Test", siehe US Supreme Court, *Central Hudson Gas & Electric Corp v Public Service Commission,* 447 U.S. 557 [1980]).

67 Siehe United States Supreme Court, *Chaplinsky v New Hampshire,* 315 US 568 (1942).

68 Diese Regel wird wiederum relativiert: inhaltsbezogene Maßnahmen sind zulässig, insofern sie auf der gleichen Begründung beruhen, welche die Einstufung als „low value speech" gerechtfertigt hat. So ist es zB zulässig, nur „besonders einschüchternde" fighting words anstatt alle „fighting words" zu verbieten, weil bei der Einstufung von „fighting words" als „low value" der einschüchternde Effekt dieser Art von Äußerungen ein wichtiger Faktor war. Ein Gesetz, welches das öffentliche Verbrennen eines Kreuzes zwecks Einschüchterung von Personen verbietet, erfüllt diese Anforderungen. Verfassungswidrig ist demgegenüber eine Regelung, welche das Zurschaustellen von Symbolen unter Strafe stellt, die andere aufgrund ihrer Rasse, Hautfarbe, Religion oder Geschlecht einschüchtern. Indem sie bestimmte Personengruppen schützt, stellt sie auf unzulässige Weise auf den Inhalt, oder noch spezifischer, auf den ideologischen Gesichtspunkt der sich äußernden Person ab. Siehe die Urteile *RAV v City of St. Paul,* 505 U.S. 377 (1992) und *Virginia v Black,* 538 U.S. 343 (2003).

69 Insbesondere der kanadische Supreme Court setzt sich regelmäßig mit der amerikanischen Rechtsprechung auseinander, um sich dann von ihr zu distanzieren. Siehe zB Supreme Court of Canada, *Hill v Church of Scientology of Toronto,* (1995) 2 SCR 1130 zu diffamierenden Äußerungen und *R v Keegstra,* (1990) 3 SCR 697 zu Hassrede.

sind nebst historischen und soziologischen Faktoren[70] auch die „introvertierte“, gegenüber rechtsvergleichenden Bezügen wenig offenen Rechtsprechung verantwortlich, was den oben erwähnten Zusammenhang zwischen „Rezeptions- und Exportfähigkeit“ verdeutlicht.[71]

Das Beispiel der amerikanischen „free speech“-Dogmatik zeigt auf, dass die holzschnitzartige Unterscheidung zwischen „dogmatischen“, stark ausdifferenzierten Rechtsordnungen der „civil law“ mit Deutschland an der Spitze und „undogmatischen“, praxisnahen, flexiblen Rechtsordnungen der „common law“ der Realität nicht gerecht wird. Auch im angelsächsischen Rechtskreis werden je nach Rechtsgebiet komplexe intellektuelle Gebilde geschaffen, die als hoch ausdifferenzierte – oder überdifferenzierte, nach außen schwer vermittelbare – „Bereichsdogmatiken“ qualifiziert werden können.

Abschließend sei bemerkt, dass die Grenze zwischen guter, ausdifferenzierter Dogmatik und überdifferenzierter, verkomplizierter Dogmatik, die nicht mehr vermittelbar ist, nicht leicht zu ziehen ist. Inwiefern nationale Lösungen und Institute exportfähig sind, lässt sich zudem nur sehr schwer aus einer Binnenperspektive bestimmen. Es handelt sich letztlich um eine empirische Frage, die jedoch kaum systematisch untersucht wird. Dies hat zur Folge, dass die Einschätzungen je nach den persönlichen Erfahrungen und Wahrnehmungen divergieren.[72]

Rechtsdogmatik als Rezeptionschance oder Rezeptionsschranke?

Die Frage, ob Rechtsdogmatik eher eine Rezeptionschance oder eine Rezeptionsbarriere darstellt, lässt sich nicht mit einem einfachen „Ja“ oder

70 Relevant sind ua das historische Erbe massiver Einschränkungen der Meinungsäußerungsfreiheit unter der MacCarthy-Ära, die in den USA große Skepsis gegenüber staatlicher Regulierung, und eine Privilegierung der individuellen Freiheit gegenüber Anliegen des Schutzes der Menschenwürde, die sich vor dem Hintergrund des Naziregimes insbesondere in Deutschland, und unter deutschem Einfluss auch in anderen Rechtsordnungen als zentraler Wert etabliert hat.

71 *Giegerich,* VVDStRL, 2010, 59 (69), stellt die Einbuße an Einfluss des amerikanischen Verfassungsrechts im internationalen Diskurs in Zusammenhang mit der Introvertiertheit der amerikanischen Rechtsprechung.

72 Siehe die unterschiedlichen Würdigungen des Einflusses des deutschen Strafrechts bei *Waldhoff* in *Kirchhof/Magen/Schneider,* Dogmatik 17 (37) (wonach die Ausdifferenzierung des deutschen Strafrechts nachweislich das wissenschaftliche Interesse am deutschen Strafrecht im Ausland fördert), und die deutlich pessimistischere Einschätzung von *Vogel,* JZ 2012, 25 (25 f).

„Nein" beantworten. Sie hängt maßgeblich von der Wahrnehmung der nationalen Dogmatik, und der Rolle, die ihr zugebilligt wird, ab. Etwas verkürzt könnte man zwischen einer „rezeptionsfreundlichen" und einer „rezeptionsskeptischen" Handhabung der Dogmatik sprechen.

Bei einem „rezeptionsfreundlichen" Ansatz steht die dienende und die kreative Funktion der Dogmatik im Vordergrund. Sollen rechtsvergleichende Erkenntnisse für die Weiterentwicklung des nationalen Rechts fruchtbar gemacht werden, stellt sich die Frage, wie sie in die heimische Rechtsordnung eingespeist werden können. Eine kreative Rechtsdogmatik kann diesbezüglich Lösungsansätze aufzeigen, die auf den nationalen Kontext zugeschnitten sind und die auf dem Weg der Synthese mit dem nationalen Recht auch neue Lösungen generieren können.

Rechtsdogmatik wird hingegen zur Rezeptionsschranke, wenn die dienende Funktion aus den Augen verloren geht und aufgrund diesen Verselbständigungstendenzen die Stabilisierungsfunktion der Dogmatik in übertriebene Beharrungstendenzen umschlägt.[73] *Joachim Vogel* zB kritisiert die Tendenz der deutschen Strafrechtswissenschaft, „internationale oder europäische Regelungen häufig in der Terminologie der deutschen Strafrechtsdogmatik" zu analysieren und „bei Übereinstimmung positiv, bei Abweichung negativ" zu kritisieren.[74] Dieser Zugang zum außerstaatlichen Recht unterstreicht die Schwierigkeit, die gedanklich gefestigten Bahnen der nationalen Dogmatik zu verlassen, sich in ein neues Gedankengebäude hineinzudenken und unvertrauten Lösungsansätzen möglichst unvoreingenommen zu begegnen. Rechtsvergleichend arbeitende Juristen sind sich bewusst, dass sie das Ideal einer objektiven Außenperspektive nie erreichen können, doch dass sie sich darum bemühen müssen, sich einer solchen Perspektive anzunähern, was eine Auseinandersetzung mit den eigenen Vorverständnissen, Vorurteilen, und Status Quo Denken voraussetzt.

Die Wahrnehmung der Überlegenheit der eigenen Dogmatik kann die erwähnten Abwehrreflexe gegenüber „fremden", uns unvertrauten und des-

73 Zur Verselbstständigung der Dogmatik, siehe *Martin Eifert*, Zum Verhältnis von Dogmatik und pluralisierter Rechtswissenschaft, in *Kirchhof/Magen/Schneider* (Hrsg), Was weiß Dogmatik? (2012) 79 ff, 86; *Jestaedt* in *Kirchhof/Magen/Schneider*, Dogmatik 117 (134, 137). Zu den Beharrungskräften der Dogmatik, siehe *Frank Schorpkopf*, Dogmatik und Kohärenz, in *Kirchhof/Magen/Schneider* (Hrsg), Was weiß Dogmatik? (2012) 117 (140 f, 146); *Eifert* in *Kirchhof/Magen/Schneider*, Dogmatik 79 (79 ff, 86).

74 *Vogel*, JZ 2012, 25.

halb nicht unmittelbar erschließbaren Lösungen verstärken. Das „fremde" Recht wird dann reflexhaft negativ bewertet, wie dies *Vogels* Zitat unterstreicht. Sieht die Juristengemeinschaft wie in Deutschland im hohen Grad in der Ausdifferenzierung der nationalen Dogmatik ein besonderes Markenzeichen, ist es nicht offensichtlich, sich mit einem geringeren Dogmatisierungs- und Systematisierungsgrad anzufreunden, wie wir ihn auf europäischer oder internationaler Ebene in der Regel vorfinden.[75] So schreibt zB *Stürner* aus der Warte der deutschen Zivilrechtsdogmatik, Rechtsharmonisierung auf europäischer und globaler Ebene führe zu einer „Sprengung" der für die deutsche Rechtsdogmatik charakteristischen „Feinsystematik".[76] Als Kompromiss und Synthese verschiedener Rechtssysteme und Rechtskulturen begnügen sich solche Regelwerke im Zivilrecht häufig mit einer Bildung von sachverhaltsorientierten Fallgruppen, die von mehr oder weniger generellen Grundregeln oder bloßen Grundprinzipien eingerahmt sind. Mit europäischem Zivilrecht tut sich jedoch auch ein Teil der Lehre in Frankreich schwer. So werden europäische Regelwerke als „espéranto juridique" zurückgewiesen, und von ausländischen Rechtsordnungen inspirierte Revisionsbestrebungen des Zivilrechtsbuches als Denaturierung des französischen Rechts kritisiert.[77]

Rezeptionsbarrieren können besonders hoch sein, wenn die Logik verschiedener Teilrechtsdogmatiken aufeinanderprallen. Dies ist zB der Fall, wenn Zivilrechts- oder Strafrechtsdogmatik einerseits und Grundrechtsdogmatik andererseits miteinander kollidieren. Solche Kollisionen existieren auf innerstaatlicher Ebene, und sind unter anderem auch eine Folge der „expansiven Kraft" der Grundrechtsdogmatik, die am Selbstverständnis der Privatrechter als Vertreter der „Königsdisziplin" gerüttelt hat.[78] Sie

75 Hinzu kommt, dass bei einer starken Ausdifferenzierung die mit Änderungen verbundenen Wechselkosten hoch sind, weil sie die im Interesse der Rechtssicherheit geleistete Arbeit entwerten (hierzu *Eifert* in *Kirchhof/Magen/Schneider,* Dogmatik 86).

76 *Rolf Stürner,* Die Zivilrechtswissenschaft und ihre Methodik – zu rechtsanwendungsbezogen und zu wenig grundlagenorientiert? AcP 2014, 7 (22 f).

77 Siehe die Hinweise in *Serrurier,* Journal du droit international 2015, 1131.

78 *Andreas Kley,* Der wissenschaftliche Streit um die Drittwirkung der Grundrechte 1987-1989, in *Zufferey/Dubey/Previtali* (Hrsg), Mélanges en l'honneur de Marco Borghi à l'occasion de son 65e anniversaire, L'homme et son droit (2011) 227 (240). Der von Hans Huber stammende Begriff „expansive Kraft" des öffentlichen Rechts hat Eingang in die Rechtsprechung des schweizerischen Bundesgerichts gefunden, siehe zB BGE 132 III 49, 51, E. 2.2. Zur hervorragenden Stellung, welche das Zivilgesetzbuch in Frankreich einnahm, siehe *Rodríguez,* L'influence 71.

werden noch verstärkt, wenn die nationale Teilrechtsdogmatik auf europäische oder internationale Menschenrechtsregime trifft, die aus einer Vielzahl verschiedener nationaler Rechtsordnungen gespiesen werden. Illustrativ für diese Konstellation ist der Einfluss der Rechtsprechung des Europäischen Gerichtshofs für Menschenrechte (EGMR) auf nationales Straf- und Zivilrecht.

Im Strafrecht hat zB die europäische Rechtsprechung zur Sicherheitsverwahrung die eine für die deutsche Strafrechtsdogmatik fundamentale Unterscheidung zwischen Strafen und Maßregeln in Frage gestellt, oder zumindest stark relativiert.[79] Eine schonende Einpassung dieser Rechtsprechung ins deutsche Recht erfolgte erst nach einer intensiven Auseinandersetzung zwischen Straßburg und Karlsruhe.[80]

Zum Zivilrecht fehlt es auch nicht an Beispielen, welche das Irritationspotenzial der europäischen Menschenrechtsprechung für die Zivilrechtsdogmatik veranschaulichen. In der Schweiz löste ua die Rechtsprechung des EGMR zum Recht auf Zugang zu Gericht von Asbestopfern Widerstand aus.[81] Der EGMR hatte wenig Verständnis für die im schweizerischen Verjährungsrecht etablierte Unterscheidung zwischen dem schädigenden Ereignis, welches die Verjährungsfrist auslöst, einerseits, und dem Schadenseintritt, andererseits. Bei Spätschäden wie Asbesterkrankungen hatte diese Unterscheidung zur Folge, dass Schadenersatzforderungen regelmäßig vor jeglicher Erkrankung verjährt waren. Diesen Umstand wertete der EGMR als eine unverhältnismäßige Beschränkung des Rechts auf Zugang zu einem Gericht nach Art 6 EMRK. Der andere Blickwinkel eines Menschenrechtsgerichts sowie die Distanz zum nationalen Kontext und zur nationalen Zivilrechtsdogmatik waren wahrscheinlich einer kritischen Würdigung des schweizerischen Verjährungsrechts zuträglich. Hinzu kam wohl auch der Umstand, dass andere Rechtsordnungen durchaus praktikable Lösungen für Spätschäden gefunden hatten, was dem Europäi-

79 Kritische Erwähnung bei *Giegerich*, VVDStRL 2010, 63; *Vogel*, JZ 2012, 25 (25 f).

80 Für eine Übersicht über die Entwicklung der Rechtsprechung, siehe *Jens Peglau*, Die Sicherungsverwahrung im »Dialog« zwischen EGMR und BVerfG, Juristische Rundschau 2016, 491; für die jüngere Rechtsprechung, siehe EGMR 4.12.2018 (GK), 10211/12 und 27505/14, *Ilnseher/Deutschland*.

81 EGMR, 11. 3. 2014, 52067/10 und 41072/11, *Howald Moor ua/Schweiz;* für eine kritische Würdigung aus der Warte des schweizerischen Zivilrechts, siehe *Sylvain Marchand*, Les droits de l'homme s'invitent dans la réforme suisse du droit de la prescription, Plaidoyer 2014, 27.

schen Gerichtshof nicht unbekannt gewesen sein dürfte. Eine zufriedenstellende Lösung wurde in der Schweiz dennoch bis heute nicht gefunden. Dies lässt sich nicht ausschließlich, doch zumindest teilweise, auf den Widerstand von Seiten der Zivilrechtslehre zurückführen. Sie neigt dazu, die menschenrechtlich geforderte Verhältnismäßigkeitsprüfung zivilrechtlicher Regeln als ein trojanisches Pferd in den Mauern der Zivilrechtsdogmatik abzulehnen.[82] Das Erfordernis der Güterabwägung gefährde die Leistung der zivilrechtlichen Dogmatik, die Rechtsanwender zu einem eindeutigen Ergebnis hinzuführen mithilfe eines ausdifferenzierten Systems begrifflich-logischer Unterscheidungen (Verjährung vs Verwirkung; absolute vs relative Verjährungsfrist; schädigendes Ereignis vs Schadenseintritt).

Ähnliche Bedenken äußert auch ein Teil der Zivilrechtslehre in Frankreich.[83] Das Zivilrecht baue auf Institutionen und Konzepten mit langer Tradition auf, die im Laufe der Zeit fortwährend verfeinert wurden und sich bewährt hätten.[84] Die vom Europäischen Gerichtshof geforderte Güterabwägung im Einzelfall drohe, das Fundament des Zivilrechts zu untergraben.

Die erwähnten Beispiele zeigen auf, dass Konflikte zwischen Teilrechtsdogmatiken zu einer Rezeptionsbarriere gegenüber Impulsen von außen führen können. Dieser Befund bedarf jedoch einer Relativierung: Die Rechtsdogmatik stellt einen unter einer Vielzahl von anderen Faktoren dar, die nichts mit Rechtsdogmatik zu tun haben. Dies illustriert zum Beispiel die Opposition aus dem Vereinigten Königreich gegenüber der EMRK, die weitgehend Argumente der parlamentarischen Souveränität oder der nationalen Sicherheit ins Feld führt.

82 Siehe zB *Jean-François Perrin,* Démocratie directe et/ou pouvoir des juges? (2018) 163 ff, 172 ff; nuancierend ist zu ergänzen, dass diese Kritik über die Zivilrechtslehre hinausgeht. Für ein Beispiel aus der Verfassungsrechtslehre, *Hansjörg Seiler,* Einfluss des europäischen Rechts und der europäischen Rechtsprechung auf die schweizerische Rechtspflege, ZbJV 2014, 265 (354 ff).

83 Siehe *Xavier Dupré de Boulois,* La critique doctrinale des droits de l'homme, Revue des droits et libertés fondamentaux 2020 chronique n° 38, <www.revuedlf.com> (Stand 14. 4. 2022).

84 Hierzu *de Boulois,* Revue des droits et libertés fondamentaux 2020.

Schlussfolgerung

Diskussionen über die Anschlussfähigkeit der Rechtsdogmatik gehen über Deutschland hinaus. Sie lassen auf einen Bedeutungsverlust der romanisch-germanischen Rechtstradition und der in ihrem Rahmen entwickelten gesetzeszentrierten Dogmatik schließen, oder zumindest auf Befürchtungen eines solchen Verlusts. Im Wettbewerb der Rechtsordnungen scheinen das deutsche und französische Recht zugunsten der angelsächsischen Tradition zumindest im Wirtschaftsrecht an Boden zu verlieren. Rechtsvergleichung wird in diesem Kontext häufig als ein Mittel propagiert, um die Anpassungsfähigkeit, Weiterentwicklung und Attraktivität des nationalen Rechts zu stärken.[85]

Nationale Dogmatik bezieht sich auf das innerstaatliche Recht und ist in diesem Sinne introvertiert. Damit kann sich ein Spannungsfeld zur Rechtsvergleichung ergeben. Es ist mE jedoch nicht in erster Linie die Dogmatik an und für sich, sondern eher das Selbstverständnis der nationalen Rechtswissenschafter und ihr Umgang mit der Dogmatik,[86] welche die Anschlussfähigkeit der eigenen Rechtsordnung gefährden können. In diesem Sinn warnt *Joachim Vogel* zu Recht vor Überschätzungs-, Beharrungs- und Verweigerungstendenzen gegenüber internationalen und europäischen Impulsen.[87] Ihm ist beizustimmen, wenn er schreibt: „[K]ein Strafrechtswissenschaftlicher ist darauf festgelegt, sich als Gralshüter deutscher Strafrechtsdogmatik, als Angehöriger der aristocrazia penale im Sinne von *Donini* oder als Priester einer Glaubensgemeinschaft im Sinne von *Fletcher* zu verstehen."[88] Die gleiche Stoßrichtung hat *Armin von Bogdandys* Plädoyer einer Pluralisierung „rigider Primäridentitäten",[89] für

85 Siehe zB *Rodríguez*, L'influence 98 ff.

86 In diese Richtung *Jestaedt* in *Kirchhof/Magen/Schneider*, Dogmatik 117 (131), der vor einer „Überschätzung oder durch Überdehnung der Leistungsfähigkeit und einer Übersteigerung des Selbstbewusstseins der Dogmatik" warnt.

87 *Vogel*, JZ 2012, 25.

88 *Vogel*, JZ 2012, 25 (29), bezugnehmend auf *Massimo Donini*, Strafrechtstheorie und Strafrechtsreform: Beiträge zum Strafrecht und zur Strafrechtspolitik in Italien und Europa (Strafrechtswissenschaft und Strafrechtspolitik) (2006) 3 ff; *George P. Fletcher*, Die deutsche Strafrechtswissenschaft im Spiegel der Rechtsvergleichung, in *Eser/Hassemer/Burkhardt* (Hrsg), Die deutsche Strafrechtswissenschaft vor der Jahrtausendwende: Rückblick und Ausblick (2000) 235 ff, das Verharren in „selbstbewusster Provinzialität" der Strafrechtswissenschaft kritisierend.

89 *Armin von Bogdandy*, Deutsche Rechtswissenschaft im europäischen Rechtsraum, JZ 2011, 1 (5 f).

welche die Zugehörigkeit zu einer Rechtsordnung und einer Rechtsdisziplin sowie der entsprechenden Teildogmatik konstituierend sind.

Für die deutsche Rechtswissenschaft, für welche Rechtsdogmatik in einem hohen Maße identitätsstiftend ist,[90] heißt dies nicht ein „Abschied von der Dogmatik"[91] sondern eine Akzentverschiebung und Weiterentwicklung. In einem pluralistischen Kontext, wo sich nationale und überstaatliche Normenkomplexe sowie funktional definierte Regimes überlappen, steht die Aufgabe im Vordergrund, die verschiedenen Normen aufeinander abzustimmen. Bei dieser Ordnungsfunktion darf die Systembildung nicht überspannt werden.[92] Es gilt zu akzeptieren, dass das heutige Recht eine soziale Konstruktion ist, an der eine Vielzahl von Architekten aus unterschiedlichen Rechtsordnungen und Regimen beteiligt sind.[93] Es folgt nicht einem klaren Bauplan, wie ein klassizistisches Gebäude, sondern ähnelt eher der unfertigen, verschiedene Baustile vereinigenden Sagrada Familia. Ein solches Gebäude ist weniger übersichtlich, doch dafür umso spannender.

90 In diesem Sinn bezeichnet *Jestaedt* die Rechtsdogmatik als „liebstes Kind" der deutschen Rechtswissenschaft (*Jestaedt* in *Kirchhof/Magen/Schneider,* Dogmatik 117 [118]).

91 *Bernhard Schlink,* Abschied von der Dogmatik. Verfassungsrechtsprechung und Verfassungswissenschaft im Wandel, JZ 2007, 158.

92 Vgl *Andreas von Arnauld,* Die Öffnung der öffentlich-rechtlichen Methode durch Internationalität und Interdisziplinarität, VVDStRL 2015, 39 (61 ff). Für einen maßvollen Anspruch der Systembildung, siehe auch *Kirchhof/Magen* in *Kirchhof/Magen/Schneider,* Dogmatik 151 (153, 156) mwH.; *Jestaedt,* JZ 2012, 1 (9).

93 *Von Arnauld,* VVDStRL 2015, 39 (67).

Brigitta Lurger

Rechtsdogmatik und Interdisziplinarität

Ausgangslage: Eigenschaften der Rechtsdogmatik

Eingangsfrage: Was macht die Rechtswissenschaft aus?

Ist Rechtswissenschaft gleich Rechtsdogmatik? Oder braucht es für echte „Wissenschaftlichkeit" der Rechtswissenschaft(en) der Bemühung mehrerer Wissenschaftsdisziplinen, also der Interdisziplinarität?

Laut *Brandt*[1] existiert ein dialektisches Verhältnis zwischen „Disziplinarität" und Interdisziplinarität: Die eine ist, was die andere nicht ist und umgekehrt. Das erscheint mir eine gute Beobachtung zu sein. Es gilt zu beachten, dass Interdisziplinarität für sich keine Wissenschaft ist und sie ist auch keine feststehende Basisgröße. Und Interdisziplinarität ist natürlich auch nicht aus sich heraus gut.

Ich werde zunächst in drei Punkten einen Weg nachzeichnen, den wir bereits gehen: Ausgehend von einer sehr eng verstandenen Disziplin, die Rechtswissenschaft als Rechtsdogmatik sieht (Teil 1), beschreibe ich die unvermeidliche „Koppelung" zwischen Rechtsdogmatik und gesellschaftlicher Realität (Teil 2). In den letzten 20 Jahren wurden erste, nicht mehr umkehrbare Öffnungsschritte in der Rechtswissenschaft gesetzt, die eng mit dem Einfluss des EU-Rechts und der Entwicklung der Gesellschaft zusammenhängen und die in Richtung Interdisziplinarität weisen (Teil 3). Im Hauptteil werde ich umreißen, wie die interdisziplinäre Rechtswissenschaft der Zukunft aussehen könnte und wo ihre Grenzen liegen (Teil 4).

1 *Edmund Brandt*, Rechtswissenschaftliche Forschung im Spannungsfeld zwischen Disziplinarität und Interdisziplinarität, in *Brandt/Deppe* (Hrsg), Interdisziplinarität (2019) 68 (74).

Eigenschaften der Rechtsdogmatik

Die Ausgangslage bildet eine in der Literatur teilweise stark kritisierte „enge Rechtswissenschaft", die sich ausschließlich der sog „Rechtsdogmatik" widmet. Der Gegenstand der Kritik, die „Rechtsdogmatik", ist aber schwer fassbar, weil eher selten explizit über deren Charakteristika, Methoden und Grenzen nachgedacht wird. Sie wurde deswegen auch schon als „eine Black-Box, über deren Inhalt im Wesentlichen nur implizites Wissen existiert" bezeichnet.[2] Die folgenden Zeilen sollen nur Schlaglichter auf einige zentrale Charakteristika und Kritikpunkte der dogmatischen Rechtswissenschaft werfen, ohne in eine genauere Analyse oder Argumentation hierzu einzutreten.

Das Selbstverständnis der Rechtsdogmatik ist oft eng mit der behaupteten Trennung von Recht und Politik verbunden. Rechtswissenschaft sei nicht politisch, sondern nehme ausschließlich eine rechtliche Perspektive ein.[3] Diese Annahme lässt sich im Falle des *Privatrechts*, in dem diese besonders hartnäckig vertreten wird,[4] gut historisch erklären. Das in der liberalen Revolution zu Mitte des 19. Jahrhunderts nicht erfolgreiche Bürgertum erhielt im Austausch gegen die verweigerten politischen Rechte im Zivilrecht einen Freiraum, in dem es sich entfalten durfte.[5] Daraus erklärt sich die Übersteigerung der Bedeutung der sog „Privatautonomie" in manchen europäischen Zivilrechtskodifikationen durch die privatrechtliche Literatur.[6] Diese dauert zum Teil noch bis heute an. So wird

2 *Christian Bumke*, Rechtsdogmatik (2017) 2.

3 *Wolfgang Ernst*, Gelehrtes Recht, in *Engel/Schön* (Hrsg), Das Proprium der Rechtswissenschaft (2007) 3 (15); *Thomas Lobinger*, Perspektiven der Privatrechtsdogmatik am Beispiel des allgemeinen Gleichbehandlungsrechts, AcP 2016, 28 (79).

4 Laut *Oliver Lepsius* gilt dies auch für das öffentliche Recht (Der Privatrechtsdiskurs der Moderne aus der Sicht des öffentlichen Rechts, in *Grünberger/Jansen* [Hrsg], Privatrechtstheorie heute [2017] 82 [88]).

5 *Lepsius* in *Grünberger/Jansen*, Privatrechtstheorie 82 (83 ff).

6 Siehe beispielsweise: *Franz Bydlinski*, Privatautonomie und objektive Grundlagen des verpflichtenden Rechtsgeschäfts (1967); *Karl Riesenhuber*, Privatrechtsgesellschaft: Leistungsfähigkeit und Wirkkraft im deutschen und Europäischen Recht, in *Riesenhuber* (Hrsg) Privatrechtsgesellschaft (2007/2009) 1; *Lobinger*, AcP 2016, 28; *Wolfgang Zöllner*, Privatrecht und Gesellschaft, in *Riesenhuber* (Hrsg) Privatrechtsgesellschaft (2007/2009) 53 (64); *Wolfgang Zöllner*, Zivilrechtswissenschaft und Zivilrecht im ausgehenden 20. Jahrhundert, AcP 1988, 85 (98); *Claus-Wilhelm Canaris*, Grundrechte und Privatrecht, AcP 1984, 201, AcP 1985, 9; *Claus-Wilhelm Canaris*, Grundrechte und Privatrecht (1999).

etwa vertreten, das Privatrecht folge nur der „kommutativen" Gerechtigkeit, habe – anders als das öffentliche Recht – aber keinen Bezug zur distributiven Gerechtigkeit.[7] In Österreich werden sogar (angeblich) politisch stärker aufgeladene Bereiche des Privatrechts, wie zB das Wettbewerbsrecht sowie das Verbraucher- und Arbeitsrecht, aus dem ABGB konsequent herausgehalten. Im ABGB gibt es daher nur freie und gleiche Bürgerinnen, jedoch keine Konsumentinnen oder Unternehmerinnen.[8]

Die Privatautonomie ist jedoch nicht mehr das Meta-Prinzip des Zivilrechts, als das es viele frühere Privatrechtslehrer[9] sehen wollten, sondern wurde schon längst von anderen (politischen) Zielen, die ebenfalls im Privatrecht verwirklicht werden, eingeholt und eingeschränkt. Es steht jetzt sozusagen gleichberechtigt neben anderen Prinzipien wie beispielsweise Rücksichtnahme und Fairness, Schutz der Schwächeren, funktionierender Wettbewerb,[10] Grundrechte. Diese sind nicht mehr oder weniger politisch als die Privatautonomie selbst.[11] *Katharina Pistor*[12] hat in ihrem berühmten Buch „The Code of Capital" plausibel nachgewiesen, dass die – bisweilen erschreckenden – Ergebnisse unseres globalen Wirtschaftssystems

7 *Claus-Wilhelm Canaris,* Die Bedeutung der iustitia distributiva im deutschen Vertragsrecht (1997) 11 ff; dagegen wendet sich zu Recht *Stefan Arnold,* Vertrag und Verteilung (2014) 99, 263 ff.

8 Für die Bezeichnung von Gruppen, denen Personen verschiedenen Geschlechts angehören, verwende ich das „generische Femininum", das inhaltlich – wie meist auch buchstäblich – die männlichen und anderen Mitglieder der Gruppe – bzw die männliche Geschlechtsendung – mitumfasst. Erstaunlicherweise verwenden mW alle österreichischen und alle EU-Rechtsakte bei derartigen Gruppen ausschließlich männliche Geschlechtsendungen, ohne dies zu erklären oder zu rechtfertigen.

9 Diese sind bzw waren tatsächlich überwiegend männlichen Geschlechts: siehe FN 6

10 *Jochen Mohr,* Sicherung der Vertragsfreiheit durch Wettbewerbs- und Regulierungsrecht (2015) 129 ff.

11 *Brigitta Lurger,* Grundfragen der Vereinheitlichung des Vertragsrechts in der Europäischen Union (2002) 367 ff; *Brigitta Lurger,* The ‚Social' Side of Contract Law and the New Principle of Regard and Fairness, in *Hartkamp/Hesselink ua* (Hrsg), Towards a European Civil Code[4] (2011) 353 (363 ff); *Brigitta Lurger,* Old and New Insights for the Protection of Consumers in European Private Law in the Wake of the Global Economic Crisis, in *Brownsword/Micklitz/Niglia/Weatherill* (Hrsg), The Foundations of European Private Law (2009) 89 (107 f); *Brigitta Lurger,* Verbraucherschutz und Sozialschutz, in *Joerges/Pinkel* (Hrsg), Europäisches Verfassungsdenken ohne Privatrecht – Europäisches Privatrecht ohne Demokratie? (2011) 89 (99 f).

12 *Katharina Pistor,* The Code of Capital – how the law creates wealth and inequality (2019); *Katharina Pistor,* Die Codierung von Kapital, eine rechtliche Analyse der Ursachen wirtschaftlicher Ungleichheit, Juridikum 2021, 75.

im Wesentlichen auf die „guiding hand“[13] von fünf Rechtsgebieten zurückzuführen sind: Eigentumsrecht, Kreditsicherungsrecht, Vertragsrecht, Gesellschaftsrecht (einschließlich Trustrecht) und Insolvenzrecht.[14] Ein politisch sehr stark aufgeladener Bereich im Kern des Zivilrechts ist selbstverständlich auch das Familienrecht.[15]

Mit *Rosa Luxemburg* gilt daher noch immer, und noch immer auch für die Rechtswissenschaftlerinnen und Privatrechtlerinnen: „Unpolitisch sein heißt politisch sein, ohne es zu merken.“

Kennzeichnend für die eng und dogmatisch verstandene Rechtswissenschaft ist folglich deren strikte „Mono-Disziplinarität“. Die oben bereits erwähnte rein rechtliche Betrachtungsweise führt zu einer „Dekontextualisierung“.[16] Kritiker dieses Ansatzes benutzen sehr drastische Umschreibungen dieser Dekontextualisierung und freiwilligen Selbstisolation: Die Dogmatik habe eine „Aversion gegenüber den letztlich politischen Zeitumständen, in denen das Recht wirkt und gilt“. Die Dogmatik sei daher die „unpolitische, kontextlose und interessenblinde Normauslegung, die meint, richtige Lösungen durch Textinterpretation zu finden“.[17] Das Privatrecht sei „ein artifiziell gereinigter Bereich individueller Interessenverfolgung“.[18] Verbunden mit dieser berechtigten Kritik ist selbstverständlich die Botschaft, dass Rechtswissenschaftlerinnen das Recht nur in seinem historischen, gesellschaftlichen und politischen Kontext angemessen verstehen könnten.

Ein weiterer Kritikpunkt ist die „Praxisverstrickung“ der sich als Rechtsdogmatik verstehenden Rechtswissenschaft:[19] Rechtsdogmatik ist zugleich Rechtsmethode und Rechtsquelle.[20] Die Produktion von Lehrsätzen (Dogmen) findet in den Gerichten und in der dogmatischen Lehre

13 *Pistor,* Code 6.

14 *Pistor,* Juridikum 2021, 75.

15 *Lepsius* in *Grünberger/Jansen,* Privatrechtstheorie 82 (87).

16 *Michael Grünberger,* Verträge über digitale Güter, AcP 2018, 213 (240); *Arnold,* Vertrag und Verteilung 155.

17 *Lepsius* in *Grünberger/Jansen,* Privatrechtstheorie 82 (88).

18 *Lepsius* in *Grünberger/Jansen,* Privatrechtstheorie 82 (91).

19 *Oliver Lepsius,* Die deutsche Staatsrechtslehre im europäischen Rechtswissenschaftlichkeitsdiskurs, JZ 2012, 1 (2 ff) in Bezug auf das öffentliche Recht; *Oliver Lepsius,* Kritik der Dogmatik, in *Kirchhof/Magen/Schneider* (Hrsg), Was weiß Dogmatik? Was leistet und wie steuert die Dogmatik des öffentlichen Rechts? (2012) 39 (42 ff).

20 *Lepsius* in *Kirchhof/Magen/Schneider,* Dogmatik 39 (42).

gleichermaßen statt. Beide kommunizieren miteinander über diese Dogmen, ohne die Kompetenz der Gerichte zur Rechtsanwendung, Rechtsschöpfung und -entwicklung sauber von den davon verschiedenen Aufgaben der Rechtswissenschaftlerinnen zu trennen.[21] Ein gutes Beispiel ist der Diskurs über die Methoden der Gerichte und der Rechtsdogmatik: Die gesetzlich verankerten Auslegungsregeln, die von den Gerichten anzuwenden sind, können nicht gleichzeitig auch die Methoden der Rechtswissenschaft sein. Erstere können bloß Gegenstand wissenschaftlicher Betrachtung nach hiervon verschiedenen Methoden der Rechtswissenschaft sein. Genau wie Rechtswissenschaftlerinnen selbstverständlich keine Gesetzgeberinnen sind, so sind sie auch nicht in der Position einer Richterin oder eines Gerichts.

Freilich hat auch die Zulieferung von Informationen, oder gar Analysen und Ideen der Rechtsdogmatik an die gerichtliche Praxis ihre Berechtigung und Bedeutung. Sie ist Arbeitsteilung im System. Die Rechtsanwenderinnen (zB die Gerichte, Behörden und Anwältinnen) haben nicht die Zeit und Mittel, diese Denkarbeit selbst zu erledigen. Daher wird sie von der (meist staatlich finanzierten) Rechtswissenschaft übernommen. Dabei trägt die Rechtswissenschaft dazu bei, dass die (staatliche und überstaatliche) Gerichtsbarkeit besser funktioniert.

Bedauerlich ist mE insbesondere die mangelnde Zukunftsorientierung einer nur dogmatisch verstandenen Rechtswissenschaft. Ihr Hauptaugenmerk liegt auf dem, was uns die Gesetzgeberin in der Vergangenheit hinterlassen hat. Die Hauptaufgabe der Rechtsdogmatik besteht ja in der Ermittlung des Inhalts von geltendem (positiven) Recht, mit der sie die Gerichte und andere professionellen Rechtsanwenderinnen unterstützt. Die ausschließliche Beschäftigung mit dem geltenden Recht verdrängt jedoch die wissenschaftliche Auseinandersetzung mit der Frage, welches Recht wir in der Zukunft benötigen, um unsere Gesellschaft anders zu gestalten und warum? Diese Auseinandersetzung mit der Zukunftsfrage ist ohne das Bemühen von anderen Wissenschaftsdisziplinen jedoch nicht möglich. Es bedürfte also der Interdisziplinarität.

21 *Matthias Jestaedt,* Methoden(r)einheit und Disziplinenvielfalt. Das unvollendete Verwissenschaftlichungskonzept der Reinen Rechtslehre, in GedS Walter (2013) 219 (231).

Geografische Orientierung

Bei der Dominanz der Rechtsdogmatik in Lehre und Forschung handelt es sich um eine Eigenheit, die man besonders in Deutschland, Österreich und in der Schweiz beobachten kann. Dass man es auch anders machen kann, zeigen beispielsweise die USA und Israel. Beispiele aus den USA sind der Legal Realism, die Critical Legal Studies, Law and Political Economy, die „Law and"-Forschung (also die konkrete Kontextualisierung), die ökonomische Analyse des Rechts, zuletzt auch die starke Anbindung an die empirische Forschung verschiedener Disziplinen,[22] wie sie in Behavioral Law and Economics, der Governance-Forschung, in der Rechtssoziologie und weiteren sozialwissenschaftlichen Außenbetrachtungen des Rechts stattfindet.

Einige dieser Forschungsansätze wurden mit größerer Zeitverschiebung auch in Europa übernommen, allerdings waren die Europäerinnen bei der Übernahme selektiv und unterschiedlich erfolgreich: Die (nicht empirische) ökonomische Analyse des Rechts ist sehr anerkannt, die empirischen Forschungsrichtungen sind aber in vielen europäischen Ländern, so auch in Deutschland und Österreich, nur kleine Randerscheinungen, ebenso die politischeren Richtungen (wie die Critical Legal Studies sowie Law and Political Economy).

ME hat die Selektivität der Übernahme multidisziplinärer Forschung in Europa allerdings nichts mit deren mangelnder Qualität zu tun. Im Gegenteil scheinen die US-Forscherinnen im Allgemeinen eher Vorreiterinnen und Vordenkerinnen in der rechtswissenschaftlichen Forschung zu sein, deren Arbeitsqualität in Europa nicht in Zweifel gezogen wird.

Als Fazit dieses ersten Abschnitts bleibt festzuhalten, dass Rechtsdogmatik und Interdisziplinarität ganz offensichtlich keine Synonyme, sondern eher Gegensätze sind. In der klassischen Rechtsdogmatik scheinen andere Wissenschaftsdisziplinen keinen Platz zu haben. Dies ist jedenfalls für den deutschsprachigen Raum zutreffend. Die Beispiele anderer Länder – insbesondere der USA – zeigen aber, dass diese Isolation von Rechtsdogmatik – ist gleichbedeutend mit Rechtswissenschaft – von anderen Wissenschaften keineswegs zwingend erforderlich ist.

22 Für die Geschichte der empirischen Rechtsforschung in den USA siehe *Herbert M. Kritzer*, Advanced Introduction to Empirical Legal Research (2021) 6 ff.

Außerrechtliche Bezüge und Rechtsdogmatik

Auf der Grundlage der Systemtheorie von *Luhmann*[23] erscheint es mir wichtig zu erkennen, dass das Recht als autonomes System teilweise dekontextualisiert verstanden werden kann und verstanden werden muss,[24] dass es aber stets sog „strukturelle Koppelungen" aufweist, in denen es bestimmte Eigenschaften seiner Umwelt voraussetzen muss, um funktionieren zu können.[25] Diese werden dann in sein normatives System „übersetzt". Beispiele sind die normativen Menschenmodelle des Rechts wie etwa die „informierte Durchschnittsverbraucherin" des EU-Rechts, die verkehrsübliche oder berufliche Sorgfalt als Maßstab im Haftungsrecht, das Verständnis und die Auslegung von Erklärungen der anderen Partei und die objektiv erwartbaren Eigenschaften im Gewährleistungsrecht.[26] Hier braucht das Recht Informationen über die Realität, die von ihm dann selektiert und normativ umgeformt werden. Empirische Wissenschaften, wie etwa die Soziologie, können (repräsentativ) erheben, wie sich die durchschnittliche österreichische Verbraucherin verhält, oder was Angehörige einer bestimmten Gruppe bzw die gesamte Bevölkerung eines Landes in einem bestimmten Punkt erwarten. Diese wissenschaftlich präzisierte Evidenz wird von den Juristinnen oft nicht eingeholt. Wenn sie vorhanden wäre, würde sie nur die Grundsubstanz des später überformten und veränderten normativen Begriffs bilden, der eben „koppelt", aber die Wirklichkeit nicht empirisch abbildet.

Hier gilt es zwei Punkte besonders hervorzuheben:

- Erstens, die Normativität dieser Koppelung mit der Realität.
  - *Beispiel A*: Selbst wenn empirisch erhoben und belegt wäre, dass die Mehrheit der Verbraucherinnen einen gewissen Sicherheitsstandard bei der Software X erwartet, könnte das Recht diesen nicht zwingend – etwa als vertragliche Gewährleistung – vorschreiben wollen, weil es der Software-Industrie mehr Raum für die Software-Entwicklung einräumen möchte.[27]

23 *Niklas Luhmann,* Soziale Systeme. Grundriss einer allgemeinen Theorie (1984); *Niklas Luhmann,* Das Recht der Gesellschaft (1993) 538 ff; *Gunther Teubner,* Recht als autopoetisches System (1989).

24 *Luhmann,* Gesellschaft 50: „Nur das Recht selbst kann sagen, was Recht ist."

25 *Michael Grünberger,* Responsive Rechtsdogmatik. Eine Skizze, AcP 2019, 924 (929) unter Berufung auf *Luhmann,* Gesellschaft 440 ff.

26 Zu Letzteren siehe: *Grünberger,* AcP 2018, 213 (243 ff).

27 *Grünberger,* AcP 2018, 213 (251 ff) spricht von einer „Selektion normativer Erwartungen" durch das (Vertrags-)Recht.

- *Beispiel B* (Verbrauchermodell): Mehrheitlich als vorherrschend erhobene Verhaltensstandards bei Verbraucherinnen (zB Unaufmerksamkeit, Nicht-Information) könnten von der Gesetzgeberin trotzdem als Maßstab der rechtlichen Schutzmaßnahmen abgelehnt werden, weil er entweder mehr Aufmerksamkeit belohnen oder Unternehmerinnen vor extremer Rücksichtnahme auf nachlässige Verbraucherinnen verschonen möchte.
- *Beispiel C*: Ein Arbeitnehmer wird von seinem Chef gekündigt oder entlassen, weil er im Kundenverkehr entgegen mehrmaliger Abmahnung Kleidung trägt, die von den Kundinnen mit der – seiner – Eigenschaft der gleichgeschlechtlichen Orientierung in Verbindung gebracht wird. Selbst wenn empirisch erhoben worden wäre, dass einschlägige Kundinnen diese Art der Kleidung bzw der geschlechtlichen Orientierung mehrheitlich ablehnen und deswegen zum Konkurrenzunternehmen wechseln, würde das Recht es ablehnen, diesem empirischen Befund zu folgen, da eine solche Kündigungsmöglichkeit eine unerwünschte und rechtlich verbotene Diskriminierung gegen gleichgeschlechtlich orientierte Personen darstellen würde.

• Zweitens, den erforderlichen Realitätsbezug: Auf der anderen Seite darf die normative Selektion sich auch nicht zu weit von der Realität fortbewegen.

  - *Beispiel*: Wenn das normative Verbrauchermodell unrealistisch hohe normative Verhaltenserwartungen an die Verbraucherinnen verwirklicht, läuft es Gefahr, zu wenig Schutz für Verbraucherinnen anzubieten und damit den verfassungsrechtlichen Schutzauftrag des Staates zu verletzen. Wenn das normative Verbrauchermodell dagegen unrealistisch niedrige Erwartungen an die Verbraucherinnen hat, läuft es ebenfalls Gefahr gegen das Verfassungsrecht zu verstoßen, nämlich gegen das Grundrecht der Erwerbsfreiheit der Unternehmerinnen. Dh Realitätsnähe innerhalb einer gewissen Marge der normativen Selektion ist erforderlich, um die äußeren Schranken der rechtlichen Grundordnung nicht zu verletzen.

Trotz dieser Koppelungen zur Realität, die auch eine gewisse Realitätsnähe erforderlich machen, holt die von den umliegenden wissenschaftlichen Disziplinen isolierte Rechtsdogmatik ihre Informationen ungern durch Beauftragung wissenschaftlicher empirischer Studien ein, da dies eben einen Rückgriff auf andere Disziplinen bedeuten würde (empirische

Ökonomie, empirische Soziologie, empirische Psychologie etc). Stattdessen bemüht die rechtsdogmatische Forscherin – bzw in der Rechtspraxis eben auch die Richterin – ihren Hausverstand, ihre Lebenserfahrung und ihre Weltsicht, um das als Grundstoff für die normative Überformung benötigte Wissen über die gesellschaftliche Realität herzustellen. Diese Vorgangsweise kann in vielen Fällen durchaus ihre Berechtigung haben, weil empirische Studien meist äußerst zeit- und geldaufwändig sind, und daher in manchen Fällen unter Abwägung aller Umstände die Hausverstandsannäherung ausreichend erscheint. Manchmal sind empirische Studien allerdings auch ihren hohen Aufwand durchaus wert bzw auch rechtlich wie wissenschaftlich geboten, wie im Folgenden noch näher erklärt werden wird.

Das gleiche trifft im Prinzip auch auf die Gesetzgeberinnen und Verfasserinnen von Gesetzesentwürfen zu. An dieser Stelle muss freilich ergänzt werden, dass in der EU-Gesetzgebung und auch in der nationalen Legislative sog Impact Assessments, also Wirkungsabschätzungen konkreter Gesetzgebungsvorhaben, zwingend anzufertigen sind. Diese bewegen sich mehr oder weniger auf empirisch wissenschaftlichem Boden. Erfreulicherweise stützen die zuständigen Regierungsstellen in manchen Rechtsbereichen ihre Gesetzesvorschläge immer häufiger bereits in der Vorbereitungsphase auf empirische Evaluierungsstudien (zB durch Soziologinnen), die die gegenwärtige Situation erheben und analysieren (zB im Familienrecht).

Insgesamt kann also festgehalten werden, dass die regelmäßig notwendigen außerrechtlichen Bezüge der Rechtsdogmatik nicht mit interdisziplinärer Forschung gleichgesetzt werden können. Nur in Ausnahmefällen bilden sie Anlass zu Rückgriffen auf einschlägige (meist erst anzufertigende) empirische Studien.

Jüngere Entwicklungen und Multidisziplinarität

Es gibt einige jüngere Entwicklungen in der Rechtswissenschaft, die deutlich über die Rechtsdogmatik hinausweisen und die den Weg für echte Interdisziplinarität bereiten:

Die unter dem Einfluss des EU-Rechts stehende Entdeckung des „Regulierungsprivatrechts“: Hierbei wird das Privatrecht primär als Instrument zur Steuerung des Verhaltens der Marktakteurinnen und der sonstigen privaten Parteien verstanden.[28]

Die im 19. Jahrhundert aus den damaligen politischen Verhältnissen entstandene Trennung zwischen öffentlichem und privatem Recht, zwischen öffentlicher und privater Sphäre wird zu Recht immer mehr aufgegeben. Die Forscherinnen erkennen, dass selbst sog „kernprivatrechtliche" Regeln, wie zB das Vertragsrecht, (auch) öffentlichen Interessen dienen.[29]

In der Welt des Internets beruhen die Rechtsregeln ohnedies in erster Linie auf „private ordering", also auf vertraglich begründeter „privater Rechtssetzung" durch die sog „big players" wie Amazon, Facebook, Google und Co. Niemand wird jedoch leugnen, dass das, was auf diesen Plattformen passiert, von großer allgemeiner und öffentlicher Bedeutung ist.

Letztlich stehen wir gegenwärtig vor ganz großen gesellschaftlichen Herausforderungen, deren Bewältigung zu einem gewissen Teil von der Änderung oder Neuschaffung von Recht abhängt: Klimakrise, Covid-Pandemie, Ukraine-Krieg, Migration, die sich immer mehr öffnende Schere zwischen Arm und Reich usw.

Denn aus der Vergangenheit wissen wir: Das Recht kann vieles bewirken, wenn es klug eingesetzt wird und auf die Unterstützung der Bürgerinnen trifft. Wer hätte sich davor auszumalen vermocht, was durch schnelle Rechtsänderungen mit dem Ziel des Gesundheitsschutzes in der Covid-19-Pandemie weltweit plötzlich alles möglich wurde? Das öffentliche wie private Recht, der Forschungsgegenstand der Rechtswissenschaften, ist also ein wirkmächtiges gesellschaftliches Instrument.[30] *Dyevre, Wijtvliet* und *Lampach* sprechen treffend von „law as product and instrument of

28 *Alexander Hellgardt,* Regulierung und Privatrecht (2016) 13 ff; *Grünberger,* AcP 2018, 213 (241 ff); *Grünberger,* AcP 2019, 924 (925 ff); *Hans W. Micklitz,* The Visible Hand of European Regulatory Private Law – The Transformation of European Private Law from Autonomy to Functionalism in Competition and Regulation, Yearbook of European Law 2009, 3; *Micklitz/Svetiev/Comparato,* European Regulatory Private Law- The Paradigms Tested, EUI Working Papers Law 2014; *Brigitta Lurger,* Verhaltenssteuerung im EU-Privatrecht, in *Peter* Bydlinski (Hrsg), Prävention und Strafsanktion im Privatrecht (2016) 135; *Brigitta Lurger,* Die Dominanz zwingenden Rechts – die vermeintlichen und tatsächlichen Schattenseiten des EU-Verbraucherschutzrechts, ZEuP 2018, 788 (796 ff).

29 *Lurger,* ZEuP 2018, 788 (801 ff).

30 *Dyevre/Wijtvliet/Lampach,* The future of European legal scholarship: Empirical Jurisprudence, MJ 2019, 348 (356).

social planning". Eingriff und Leitung durch staatliches Recht sind heute gefragt wie noch nie.

Fazit: Für die Rechtswissenschaft stellt sich daher aktuell die Frage, wie das Recht – geleitet von der Rechtswissenschaft – am besten auf die Herausforderungen reagiert, die aus der Außenwelt, der Gesellschaft, an das Recht herangetragen werden, also aus Bereichen und Systemen, von denen sie – die Rechtswissenschaft in Form der Rechtsdogmatik – erst einmal *nichts* versteht.

Der Weg aus der Isolation

Albert Einstein wird das Zitat zugeschrieben: „Probleme kann man niemals mit derselben Denkweise lösen, durch die sie entstanden sind". Der Satz deutet eine allgemeine Erfahrung des (wissenschaftlichen) Denkens an: Erst wenn man aus seiner Disziplin oder Denkwelt nach außen tritt und von dort eine neue Perspektive auf das Problem gewinnt, findet man eine vertretbare Lösung. Wenn Probleme in unserer Gesellschaft also besonders groß sind, sollte man vielleicht – auch in der Rechtswissenschaft – aufblicken, das Gesamte betrachten und eine neue Perspektive entdecken, aus der sich eine Lösung entwickeln lässt. Manche nennen das auch schnöde „über den Tellerrand blicken" oder „Thinking out of the box".

Das bedeutet für uns „Interdisziplinarität" (oder auch „Transdisziplinarität")[31]. Aber wie kommen wir dorthin? Und was hat das Forschen in anderen Disziplinen überhaupt mit der oder den Rechtswissenschaften zu tun?

Im althergebrachten System der Organisation rechtswissenschaftlicher Fakultäten in Österreich haben wir es mit zwei Fällen der Isolation zu tun:

Im geltenden Recht isoliert sich die Rechtsdogmatik von ihrem Kontext und von der Forschung in anderen Wissenschaftsdisziplinen.

Zugleich werden auch die sog „rechtswissenschaftlichen Grundlagenfächer" teilweise isoliert vom geltenden Recht betrieben: also zB das römische Recht, die Rechtsgeschichte, Rechtsphilosophie und Rechtssoziologie.

31 Im deutschen Sprachgebrauch ist „Transdisziplinarität" eine Form integrativer Forschung, deren Methodik das Verbinden von wissenschaftlichem Wissen und praktischen Wissen umfasst: *Bergmann/Schramm* (Hrsg), Transdisziplinäre Forschung. Integrative Forschungsprozesse verstehen und bewerten (2008).

Theorie, Ablauf und Vorteile interdisziplinärer Rechtsforschung

Aus anderen Wissenschaften wissen wir, dass ein Forschungsgegenstand aus der Perspektive verschiedener Disziplinen untersucht werden kann, ohne dass die mit dem Forschungsgegenstand (ursprünglich) am engsten verbundene Wissenschaft dabei Schaden nimmt. Das gilt zB für die Psychologie als Geistes-, Natur- und Biowissenschaft, aber auch für die Klimaforschung, die verschiedenen Lebenswissenschaften – life sciences – und die Archäologie. Im Grunde scheint das Modell sogar sehr häufig zu sein, nach dem sich Wissenschaftlerinnen dem Untersuchungsgegenstand aus der Perspektive verschiedener Disziplinen bzw mit multidisziplinären Methoden nähern.

Wenn man Philosophie als eine Art Grund- oder Meta-Wissenschaft betrachtet, ist sie auch Basis oder „Herkunftswissenschaft multidisziplinären Fragens".[32] Jedoch gibt es eine alles umklammernde Wissenschaftsphilosophie oder Wissenschaftstheorie, die immer eine gemeinsame Basis herstellen könnte, mW nicht.[33]

Die Rechtstheorie muss daher die Frage klären, wie das Recht als eigenes Denksystem (das teilweise autonom und autopoietisch ist)[34] mit den Denksystemen anderer Wissenschaften ertragreich kommunizieren kann: also zB mit der Sprachwissenschaft, Kommunikationswissenschaft, Systemtheorie, der analytischen Ökonomie, der Soziologie, Psychologie, der Medizin oder Technik.

Zunächst sprechen die verschiedenen Wissenschaften, also etwa Recht und Ökonomie, Recht und Soziologie zwei verschiedene Sprachen, deren inhaltliche Grundfragen und methodische Grundlagen von den beteiligten Forscherinnen jeweils – dh wechselseitig – verstanden werden müssen. Spezialkenntnisse in der jeweils anderen Disziplin sind auf keiner Seite erforderlich. Es geht um Arbeitsteilung und Forschung in multidisziplinären Teams.

Dann muss das Erkenntnisinteresse definiert werden: Beispielsweise will man wissen, ob und wie sich konkrete Regeln auf das Verhalten von Men-

32 *Marietta Auer*, Zum Erkenntnisziel der Rechtstheorie. Philosophische Grundlagen multidisziplinärer Rechtswissenschaft (2018) 74.

33 Ebenso *Brandt* in *Brandt/Deppe*, Interdisziplinarität 68 (77).

34 *Luhmann*, Soziale Systeme; *Luhmann*, Recht 538 ff; *Gunther Teubner*, Recht als autopoetisches System (1989).

schen oder auf wirtschaftliche Parameter auswirken. Oder man fragt: Wie kann das Recht technische Entwicklungen im Sinne konkreter rechtspolitischer Ziele im Voraus leiten und prägen, anstatt ihnen bloß nachträglich hinterherzulaufen.

Da das Erkenntnisinteresse bzw die Forschungsfrage(n) in dieser Konzeption interdisziplinärer Forschung immer mit Bezug zum Recht und unter der Führung der Rechtswissenschaftlerinnen formuliert werden, handelt es sich genau genommen um rechtswissenschaftliche Forschung, die auf fremde wissenschaftliche Perspektiven bzw auf andere Wissenschaftsdisziplinen zurückgreift. Das hier Umschriebene stellt also „multidisziplinäre Rechtswissenschaft"[35] dar: Rechtswissenschaft, die aus der Perspektive anderer Disziplinen und auch mit deren Methoden rechtswissenschaftliche Forschung betreibt.[36] Da solche Forschung (neben der rein rechtsdogmatischen Forschung) in verschiedenen Konstellationen, dh mit verschiedenen anderen Disziplinen, möglich ist, erscheint es auch möglich und angemessen, von „Rechtswissenschaften" im Plural zu sprechen.[37] Multidisziplinäre Rechtswissenschaft/en ist bzw sind eine Form von interdisziplinärer Forschung iwS.

Das Schöne an interdisziplinärer Forschung ist immer, dass man die Stärken der eigenen Disziplin Recht, aber auch deren Grenzen viel besser sehen lernt. Was bewirkt das Recht tatsächlich in der Gesellschaft: ZB wie wird Verhalten (nicht) beeinflusst? Welche Narrative oder Überzeugungen der Menschen werden erzeugt oder verstärkt? Wie verändert das Recht die Art und Weise, wie wir mit Lebensbereichen oder menschlichen Beziehungen umgehen? Was kann das Recht nicht schaffen? In welchen Lebensbereichen wäre „Verrechtlichung" oder auch die mit Verrechtlichung bisweilen einhergehende „Kommerzialisierung" unangemessen oder sogar schädlich? Zugleich lernen die interdisziplinär arbeitenden Rechtswissenschaftlerinnen aber auch die Stärken und Grenzen der fremden Disziplin kennen (siehe dazu gleich unten).

Im Ablauf interdisziplinärer Forschung ist daher immer die Erzeugung neuer Erkenntnisse für die beteiligten Forscherinnen integriert, die ohne

35 Und nicht interdisziplinäre Forschung unter gleichgeordneter oder gleichrangiger Beteiligung zweier oder mehrerer Disziplinen dar.

36 Von „multidisziplinärer Rechtswissenschaft" spricht auch *Auer*, Erkenntnisziel 43.

37 *Jestaedt* in GedS Walter 219 (232 ff).

die interdisziplinäre Zusammenarbeit nicht möglich gewesen wären: nämlich von Erkenntnissen über die Stärken und Grenzen der beteiligten Disziplinen aus einer Außenbetrachtung, und über sich daraus ergebende neue Denk- und Lösungspotentiale. Das bedeutet, dass interdisziplinäre Arbeit regelmäßig Kreativität ermöglicht und erzeugt, die ohne diese Form der Zusammenarbeit nicht hervorgekommen wäre.

Die juristische Forscherin verbindet die für das Erkenntnisinteresse zentralen Punkte aus der Außenwelt mit dem eigenen System: Beispielsweise verfehlen bestimmte Rechtsregeln in der Rechtswirklichkeit ihr Ziel oder unerwünschte gesellschaftliche Zustände sollen durch das Recht beeinflusst werden. Sie fragt: Um welche Regeln geht es? Und welche realen Zustände geht es? Wie können genau jene Befunde über die Realität eingeholt werden, die für die Bewertung dieser Regeln relevant sind? Wie und von wem sind die einschlägigen Regeln modifizierbar (Gericht, Gesetzgebung, andere Akteure)? Welche Alternativen sind denkbar? Welche Alternativen erscheinen nach rechtlichen und empirischen Kriterien erfolgversprechend? Wie kann über diese erfolgversprechenden Alternativen weiteres empirisches Wissen eingeholt werden, das zur Lösung des Problems beiträgt? Es muss beispielsweise untersucht werden, wie neue Regeln in der Rechtsrealität, dh in der Gesellschaft aufgenommen werden. In Abhängigkeit vom Ergebnis der Untersuchung müssen weitere rechtliche Alternativen gewählt und ebenfalls solcherart empirisch überprüft werden. Dieses Vorgehen kann man mit *Grünberger* in dessen Umschreibung der „responsiven Rechtswissenschaft" als „Übersetzung" bezeichnen.[38] Dabei findet ein ständiger Wechsel der Perspektive statt, bei dem die Perspektiven sinnvoll und auf das Forschungsziel bezogen ineinandergreifen sollen.

Beispiele interdisziplinärer Rechtsforschung

Beispiele für multidisziplinäre oder interdisziplinäre Forschung in den Rechtswissenschaften sind die folgenden:

Verbraucherrecht: In dem von mir geleiteten interdisziplinären Forschungsteam CLP (Contract Decisions of Consumers between Law and Psychology) fragen wir beispielsweise, wie man Konsumentinnen mit rechtlichen Regeln für den Abschluss komplizierter Verträge besser wapp-

38 *Grünberger*, AcP 2019, 924 (929).

nen kann oder welche rechtlichen Regeln Konsumentinnen den aktiven Umstieg auf erneuerbare Energien (durch Eigenkonsum oder die Gründung einer Energiegemeinschaft) erleichtern.[39]

Im Ehescheidungsrecht kann man fragen: Welche rechtlichen Arrangements im Verfahren und im materiellen Scheidungsrecht verhindern Streit, Leiden (der beteiligten Partnerinnen und insbesondere ihrer Kinder) und einseitige Aufteilungen zuungunsten einer schwächeren Partei.

Im Finanzrecht wird beispielsweise untersucht, welche Änderung im Steuerrecht dem Staat welche Einnahmen bringt oder kostet und mit welchen rechtlichen Regeln man die Compliance der Steuerschuldnerinnen erhöhen kann.

Auch rechtliche Institutionen und deren Akteure können zum Gegenstand interdisziplinärer Forschungen gemacht werden.[40] Es existieren zB zahlreiche empirische Untersuchungen zur Gerichtsorganisation und dem Entscheidungsverhalten von Richterinnen, Anwältinnen aber auch von Abgeordneten in den Parlamenten.

Im Gesetzgebungsprozess spielen wissenschaftliche Studien und wissenschaftliche Beratung erfreulicherweise eine zunehmende Rolle: Gesetzgebungsentwürfe werden in den zuständigen Ministerien der nationalen Regierungen und in der EU-Kommission immer häufiger von empirischen Untersuchungen des Status Quo, sog Evaluationsstudien, vorbereitet. Die Auswirkungen konkret vorgeschlagener Maßnahmen werden in einem in die Zukunft gerichteten Impact Assessment untersucht, wofür bisweilen auch nicht-juristische Expertinnen oder Wissenschaftlerinnen herangezogen werden. Auch in die Arbeitsgruppen oder Expertengruppen zur

39 *Brigitta Lurger,* Psychology meets Law: In Search for New Tools of Consumer Self-Protection, TvC 2017, 248; *Brigitta Lurger,* Die hohe Informationslast beim Abschluss von Verträgen, in *Nessel/Tröger/Fridrich/Hübner* (Hrsg), Multiperspektivische Verbraucherforschung. Ansätze und Perspektiven (2018) 113; *Vogrincic-Haselbacher/Lurger/Krueger/Dinslaken/Anslinger/Caks/Florack/Athenstaedt,* Not Too Much and Not Too Little: Information Processing for a Good Purchase Decision, Frontiers of Psychology 2021, 1; *Brigitta Lurger,* Personalization Matters, in *Leyens/Eisenberger/Niemann* (Hrsg), Smart Regulation (2021) 57; Homepage CLP Project: Contract Decisions of Consumers between Law and Psychology (<https://consumer-law-and-psychology.uni-graz.at/de/>); Homepage EC2 Project (Energy Citizenship and Energy Communities): EC^2: Energy Citizenship and Energy Communities for a Clean-Energy Transition (<https://ec2project.eu/>).

40 *Kritzer,* Introduction 80 ff.

Vorbereitung von Gesetzesentwürfen werden häufig Wissenschaftlerinnen aus den Rechtswissenschaften und anderen Disziplinen integriert.[41]

Erhebliches Erkenntnispotential hat in allen soeben erwähnten Fragestellungen auch der Vergleich der Rechtssysteme verschiedener Staaten, also die sog Rechtsvergleichung. Bisweilen gilt dies auch für die Rechtsgeschichte, in der eine Art vertikaler Rechtsvergleich im Zeitablauf durchgeführt werden kann.

Grenzen und Risiken interdisziplinärer Rechtsforschung

Im Folgenden sollen einige ausgewählte Grenzen und Risiken interdisziplinärer Rechtsforschung skizziert werden:[42]

Die Methoden anderer Wissenschaften, zB empirische oder analytische Methoden, sind oft viel eingeschränkter in ihren Möglichkeiten, als man es sich als Außenstehende denkt. Empirische Studien können zB wenig repräsentativ oder verallgemeinerungsfähig sein; oder ihre Ergebnisse müssen repliziert, dh die experimentelle Studie muss wiederholt werden.

Studien, vor allem empirische, sind oft sehr aufwändig: Sie benötigen längere Zeiträume, erfordern viel Personal, sodass für die auf längere Zeit angelegte Arbeit größerer Teams auch hohe Kosten entstehen. Man muss also Überlegungen zu deren Rechtfertigung anstellen, die je nach der rechtspolitischen oder wissenschaftlichen Bedeutung der Erkenntnisziele gegenüber den zu erwartenden Kosten unterschiedlich ausfallen werden. Man muss oft sehr in die Tiefe einer Disziplin gehen, was natürlich auch wieder spannend ist, um zu erkennen, welche Studien sich aus der Sicht der beteiligten Wissenschaften und der Rechtspolitik überhaupt lohnen, dh einen ausreichend hohen Erkenntniswert haben.[43] Dabei betreten die beteiligten Juristinnen nicht nur Neuland in der jeweils fremden Disziplin, sondern lernen oft auch neue Seiten des Rechts kennen.

Das Risiko des Scheiterns interdisziplinärer Projekte ist viel höher als jenes von rein rechtsdogmatischer oder mono-disziplinärer Forschung. Bei

41 Weniger häufig werden deren Ratschläge allerdings auch befolgt.

42 Siehe dazu auch *Brigitta Lurger*, Empiricism and Private Law: Behavioral Research as Part of a Legal-Empirical Governance Analysis and a Form of Legal Realism, ALJ 2014, 20 (35 f).

43 *Brandt* in *Brandt/Deppe*, Interdisziplinarität 68 (76).

interdisziplinären Forschungsanträgen und Publikationen tun sich die Gutachterinnen, die selbst aus der einen oder anderen Disziplin kommen, oft schwer. Die Ablehnungsquote ist sehr hoch. Die meisten ausschließlich positiven, oft sogar enthusiastischen Gutachten stammen – nach den Erfahrungen meiner Teams – immer noch von den rechtswissenschaftlichen Gutachterinnen, die sich für interdisziplinäre Forschung erfolgreich begeistern lassen, selbst wenn sie diese nicht selbst betreiben.

Auch die Wahl der Methoden muss hinterfragt werden: Es besteht nicht unbedingt Ergebnisneutralität bei der Wahl der Methode oder Disziplin, mit der man forschen möchte. So kann beispielsweise die Wahl der Psychologie eine individualistische Sichtweise einer (rechtlichen oder rechtspolitischen) Problematik befördern. Dagegen impliziert Soziologie immer eine gemeinschaftsbezogene Perspektive. Dieser Schlagseite muss man sich bewusst sein. Man sollte sie gut rechtfertigen und mit entgegen gerichteten Maßnahmen abfedern, dh sie aktiv in die Konzeption des Forschungsprojekts integrieren.[44]

Schlussbemerkungen

In meiner Schlussbemerkung gehe ich auf die Ausgangsfragen dieser Untersuchung zurück: Was macht die „Rechtswissenschaft" aus: Rechtsdogmatik? Interdisziplinarität? Oder welche Mischung von beiden?[45]

Rechtsdogmatik ist natürlich nicht obsolet, sondern im Gegenteil. Nur von einem tiefen Verständnis der eigenen Disziplin aus, kann man auch gute interdisziplinäre Forschung starten.[46]

Die Rechtsdogmatik muss als einer von zahlreichen Bausteinen des Gebäudes einer „multidisziplinären" Rechtswissenschaft verstanden werden.

44 Einige etablierte interdisziplinäre Forschungsrichtungen haben eine (der Sache nach nicht erforderliche) spezifische normative Ausrichtung entwickelt, die transparent gemacht werden muss: Dies gilt für die normative Ausrichtung der (klassischen) ökomischen Analyse des Rechts, ebenso wie für den *Libertarian Paternalism* der *Behavioral Law and Economics.* Siehe dazu auch: *Lurger,* ALJ 2014, 20 (28 ff).

45 Nach *Dyevre/Wijtvliet/Lampach* hat die europäische Rechtsforschung heute die Wahl zwischen der „splendid isoloation", also der Mono-Disziplinarität der Rechtsdogmatik, und der „reinvention", das ist die Neuerfindung als multidisziplinäre Wissenschaft, als „Empirical Jurisprudence" (*Dyevre/Wijtvliet/Lampach,* The future of European legal scholarship: Empirical Jurisprudence, MJ 2019, 348 [371]).

46 *Brandt* in *Brandt/Deppe,* Interdisziplinarität 68 (76).

In diesem Sinne könnte man auch von „den Rechtswissenschaften“ im Plural sprechen.[47]

Diese multidisziplinäre Rechtswissenschaft – bzw die Rechtswissenschaften – gewinnt bzw gewinnen ihre Erkenntnisse über das Recht ua auch unter Rückgriff auf andere Wissenschaften.

Dabei gibt sie – die (multidisziplinäre) Rechtswissenschaft – das konkrete Erkenntnisinteresse, dh die Forschungsfragen vor.

Zwischen dem Recht als Denksystem und der jeweiligen anderen Wissenschaft finden wechselseitige Übersetzungsprozesse statt.

Diese sollten rechtstheoretisch unterlegt und begleitet sein. Auch vor philosophischen und ideengeschichtlichen Einordnungen des jeweiligen Projekts sollte man nicht zurückschrecken.

Methodenfragen sind zentraler Bestandteil der jeweiligen Forschungen und sollten daher auch so behandelt werden.

Der interdisziplinäre Forschungsansatz zum Recht erlaubt es nicht nur, komplexe Probleme besser zu lösen, sondern führt uns die Stärken und Grenzen der eigenen und der fremden Disziplin vor Augen, lässt uns also kreativer, hilfreicher, realistischer und klüger werden.

47 *Jestaedt* in GedS Walter 219 (232 ff).

Teil II
Dogmatik im Privatrecht

Christiane Wendehorst

Dogmatik im Privatrecht – Versuch einer thematischen Grundlegung

Einführung

Es gibt im Rahmen dieses Bandes einfachere Aufgaben und schwierigere, und dann gibt es noch solche, die nahezu unmöglich zu lösen sind. Zu den letzteren Aufgaben gehört es, nach extrem tiefgreifenden Untersuchungen, welche sich dem Thema „Rechtsdogmatik“ bereits aus scheinbar allen Perspektiven gewidmet haben, noch eine „thematische Grundlegung“ zur Dogmatik im Privatrecht zu leisten. Was unter einer derartigen „thematischen Grundlegung“ zu verstehen ist, stellt mindestens ein Auslegungsproblem dar, wenn nicht gar selbst ein dogmatisches Problem. Sucht man in den ausführlichen Materialien zur Vorbereitung der Tagung nach, welche diesem Band zugrunde liegt, wird deutlich, dass mein Beitrag im Jahr 2020 zunächst noch als „Einführung“ zu den eigentlichen Hauptreferaten bezeichnet war und erst langsam und in mehreren Schritten seine Bezeichnung änderte. Ob damit auch ein geänderter Wille des Normgebers und Spiritus Rector des ganzen Unterfangens, *Christoph Bezemek*, verbunden war, ließ sich zunächst nicht eruieren. Das verzweifelte Ansuchen um eine authentische Interpretation – es erreichte den Normgeber während eines Spaziergangs mit seinem Hund – ergab in etwa das Signal: „Narrenfreiheit“. Und so wäre es denn in keiner Weise blamabel, sondern im Gegenteil Ausdruck höchst gewissenhafter Erfüllung der gestellten Aufgabe, sich mit dem Versuch einer thematischen Grundlegung zum Narren zu machen.

Privatrechtsdogmatik auf dem „perspektivischen Kompass“

Als in Österreich und Deutschland sozialisierte Privatrechtswissenschaftlerin über die Rolle der Dogmatik im Privatrecht sprechen zu sollen, ist auch noch aus einem anderen Grund herausfordernd. Es ist in etwa so –

man möge mir den in vieler Hinsicht unpassenden Vergleich verzeihen – als würde man die Wiener Philharmoniker fragen, welche Rolle sie eigentlich der Musik beimäßen. Man vertritt in Österreich und Deutschland eben, um eine gängige, aber zuletzt immer stärker kritisierte[1] Begrifflichkeit zu bemühen, entweder ein sog „dogmatisches Fach" oder ein sog „Grundlagenfach".[2] Und das Privatrecht als solches (anders als seine Geschichte oder die ihm zugrundeliegende Theorie oder Philosophie) gehört dabei zu den dogmatischen Fächern.

Der perspektivische Kompass

Über das Wesen dessen, was in Österreich oder Deutschland gemeinhin als Dogmatik bezeichnet wird, wurde bereits viel geschrieben,[3] einschließlich von viel berufeneren Personen, und einschließlich in diesem Band. Die Diskussion über Rechtsdogmatik ist dabei häufig untrennbar mit der Diskussion über das Wesen und die Aufgabe von Rechtswissenschaft verbunden.[4] Es ist das Privileg jedes einzelnen Autors, die Dogmatik aus seiner eigenen rechts(wissenschafts)theoretischen Brille heraus zu be-

1 Dazu nur *Marietta Auer,* Zum Erkenntnisziel der Rechtstheorie: Philosophische Grundlagen multidisziplinärer Rechtswissenschaft (2018) 16 ff mwN.

2 Statt aller *Susanne Lepsius,* Stellung und Bedeutung der Grundlagenfächer im juristischen Studium in Deutschland, ZDRW 2016, 206 (211).

3 Aus der schier unüberschaubaren Literatur aus jüngerer Zeit vgl nur etwa *Oliver Lepsius,* Themen einer Rechtswissenschaftstheorie, in *Jestaedt/O. Lepsius* (Hrsg), Rechtswissenschaftstheorie (2008) 2 ff; *Christian Waldhoff,* Kritik und Lob der Dogmatik, in *Kirchhof/Magen/Schneider* (Hrsg), Was weiß Dogmatik? (2012) 21 ff; *Matthias Jestaedt,* Wissenschaft im Recht – Rechtsdogmatik im Wissenschaftsvergleich, JZ 2014, 1; *Thomas Lobinger,* Perspektiven der Privatrechtsdogmatik am Beispiel des allgemeinen Gleichbehandlungsrechts, AcP 2016, 28 (79); *Christian Bumke,* Rechtsdogmatik (2017) 44 ff; *Jannis Lennartz,* Dogmatik als Methode (2017) 111 ff; *Gerhard Wagner,* Zivilrechtswissenschaft heute: Zwischen Orakeldeutung und Maschinenraum, in *Dreier* (Hrsg), Rechtswissenschaft als Beruf (2018) 69 ff; *Auer,* Rechtstheorie 13 ff; *Thilo Kuntz,* Recht als Gegenstand der Rechtswissenschaft und performative Rechtserzeugung, AcP 2019, 254 ff; *Karl Riesenhuber,* Neue Methode und Dogmatik eines Rechts der Digitalisierung? AcP 2019, 892; *Michael Grünberger,* Responsive Rechtsdogmatik – Eine Skizze AcP 2019, 925; *Wolfgang Kahl,* Dogmatik im EU-Recht, AöR 2019, 159.

4 Für Österreich vgl *Christoph Bezemek,* Anspruch und Wirklichkeit der Rechtswissenschaften: 21 Thesen zum Studium der Rechtswissenschaften im 21. Jahrhundert, in FS Joseph Marko (2022) 41. Für Deutschland vgl aus der jüngeren Literatur nur die Beiträge in *Engel/Schön* (Hrsg), Das Proprium der Rechtswissenschaft (2007); *Jestaedt/O. Lepsius* (Hrsg), Rechtswissenschaftstheorie (2008); *Hilgendorf/*

trachten, und auch die Verfasserin möchte dieses Privileg kurz für sich in Anspruch nehmen.

Die vier Grundperspektiven juristischen Arbeitens

Zu diesem Zweck wird die Verfasserin auf den „perspektivischen Kompass" rekurrieren, den sie selbst vor längerer Zeit in anderem Kontext entwickelt hat.[5]

Die vier Perspektiven als idealtypische Haltungen

Danach zeichnet sich juristisches Arbeiten dadurch aus, dass es normalerweise eine von vier Grundperspektiven auf Rechtsnormen einnimmt, oder auch eine spezifische Mischung oder Kombination der vier Grundperspektiven.[6] Diese vier Grundperspektiven sind: die interne Perspektive („Arbeiten im Recht"), die externe Perspektive („Arbeiten über Recht"), die souveräne Perspektive („Arbeiten am Recht") und schließlich die untergebene Perspektive („Arbeiten unter dem Recht").[7] An anderer Stelle hat die Verfasserin herausgearbeitet, dass jede dieser vier Grundperspektiven jeweils ihre eigene Methodenlehre hat und dass dasjenige, was in Lehrbüchern gerne als juristische Methodenlehre beschrieben wird (etwa die sog Kanones der grammatikalischen, systematischen, historischen und teleologischen Auslegung oder die Regeln über die richterliche Rechtsfortbildung) in Wahrheit auf die interne Perspektive beschränkt ist.[8]

Schulze-Fielitz (Hrsg), Selbstreflexion der Rechtswissenschaft (2015); *H. Dreier* (Hrsg), Rechtswissenschaft als Beruf (2019). Vgl auch die Stellungnahme des Wissenschaftsrats, Perspektiven der Rechtswissenschaft in Deutschland. Situation, Analysen, Empfehlungen (2012).

5 *Christiane Wendehorst,* The State as a Foundation of Private Law Reasoning, Am J Comp Law 2008, 567 (568 ff).

6 *Wendehorst,* Am J Comp Law, 2008, 567 (568 ff); *Christiane Wendehorst,* Perspectives of the law and legal disembedding, Int J Const Law 2018, 1258.

7 Meine Begriffe der internen und der externen Perpektive stimmen am ehesten mit den Vorstellungen von „Teilnehmerperspektive" und „Beobachterperspektive" überein, wie sie von *Alexy* formuliert wurden, vgl *Robert Alexy,* Begriff und Geltung des Rechts (1992) 47 f; sehr ähnlich, aber etwas anders die Begriffe von internal point of view und „xternal point of view bei *Herbert L. A. Hart,* The Concept of Law[2] (1994) 88 ff. Möglicherweise ist die externe Perspektive der „heuristischen Perspektive" bei *Hart* noch näher, vgl *ders,* Essays in Jurisprudence and Philosophy (1983) 14.

8 *Wendehorst,* Am J Comp Law 2008, 567 (574 ff); *Wendehorst,* Int J Const Law 2018, 1258 (1260 ff).

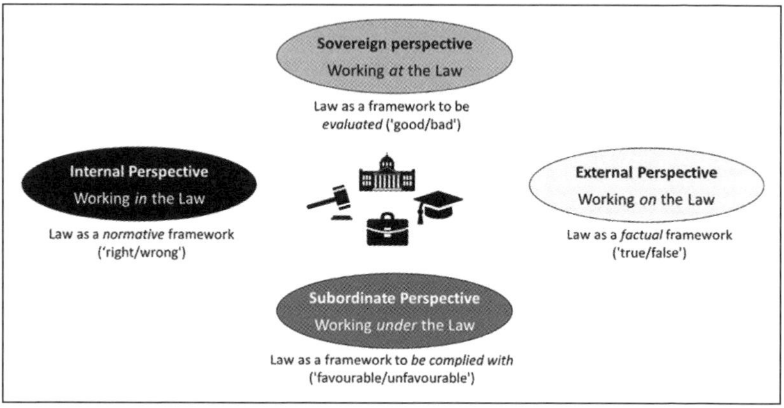

Abbildung: Perspectival Compass (*Wendehorst* 1998, 2018)

Die beiden „neutralen" Perspektiven

Die interne Perspektive und die externe Perspektive sind jeweils dem Ergebnis gegenüber möglichst neutral, dh sie vermeiden, soweit möglich, subjektive Eigenwertungen. Sie fragen vielmehr danach, was das Recht *ist* – wobei die interne Perspektive dies aus der Sicht einer Person tut, die sich bei ihrem juristischen Arbeiten den Normbefehl selbst zu eigen macht, indem sie seine Normativität anerkennt, ohne dabei im Regelfall selbst Normadressat zu sein. Wer aus der internen Perspektive heraus eine Norm wie § 1313a ABGB betrachtet, betrachtet die Anordnung, Sorgfaltsverstöße eines Erfüllungsgehilfen dem Geschäftsherrn wie eigene zuzurechnen, als normativ bindende. Wer dagegen aus der externen Perspektive auf § 1313a ABGB blickt, beschreibt etwa die Art und Weise, wie diese Norm von Teilnehmern am österreichischen Rechtssystem verstanden oder angewendet wird.

Um sich einen Normbefehl zu eigen zu machen, muss man einen Normbefehl nicht aus rechtspolitischer Sicht begrüßen, sondern kann ihn auch für falsch oder unvollständig halten, solange man sich ihm noch prinzipiell beugt. Der Normbefehl muss auch nicht eindeutig sein. Nehmen wir als beliebiges Beispiel einmal die Frage der sog Assistenzhaftung für künstliche Intelligenz,[9] also die Frage, ob Fehlfunktionen künstlicher

9 Vgl zB *Herbert Zech*, Entscheidungen digitaler autonomer Systeme: Empfehlen sich Regelungen zu Verantwortung und Haftung? in Gutachten zum 73. Deutschen Juristentag I, A77 ff; *Gerald Spindler* in *Gsell/Krüger/Lorenz/Reymann* (Hrsg), BGB Großkommentar (2022) § 823 Rz 781 f.

Intelligenz derjenigen Person, welche die künstliche Intelligenz zum Einsatz bringt, ähnlich nach § 1313a ABB zuzurechnen sind wie Fehlleistungen eines menschlichen Gehilfen. Dies ist unter dogmatisch arbeitenden Juristen umstritten.[10] Sowohl die Bejahung dieser Frage („Fehlfunktionen zur Erfüllung eingesetzter künstlicher Intelligenz sind im Ergebnis analog § 1313a ABGB zuzurechnen.") als ihre Verneinung („Eine Zurechnung der Fehlfunktionen zur Erfüllung eingesetzter künstlicher Intelligenz analog § 1313a ABGB scheidet im Ergebnis aus.") sind jedoch gleichermaßen aus der internen Perspektive heraus formuliert. Dagegen beobachtet die externe Perspektive nur gleichsam von außen, was bestimmte Akteure im Rechtssystem als Rechtsnorm behandeln („In Österreich wird teilweise vertreten, dass Fehlfunktionen künstlicher Intelligenz analog § 1313a ABGB zuzurechnen sind.").

Die beiden wertenden Perspektiven

Die souveräne Perspektive und die untergebene Perspektive sind dagegen schon von Vornherein nicht neutral, sondern streben nach einer guten bzw für sie günstigen Rechtsnorm. Die souveräne Perspektive tut dies beispielsweise deswegen, weil sie eine für gut befundene Rechtsnorm als verbindlich vorschlagen möchte („§ 1313a ABGB sollte auf Fehlfunktionen zur Erfüllung eingesetzter künstlicher Intelligenz erstreckt werden."). Die untergebene Perspektive stuft eine Rechtsnorm als für sich mehr oder weniger vorteilhaft ein und versucht daher meist, Andere von der Geltung einer für sie vorteilhafteren Rechtsnorm zu überzeugen („Die Fehlfunktion der künstlichen Intelligenz sollte dem Beklagten analog § 1313a ABG zugerechnet werden.").

10 Vgl zum Meinungsstreit in Ö zB *Ernst Karner* in *Bydlinski/Perner/Spitzer* (Hrsg), ABGB Kurzkommentar[7] (2023) § 1313a Rz 6; *Christiane Wendehorst,* Verbraucherschutz und neue Technologien, in *Raiffenstein/Blaschek* (Hrsg), Konsumentenpolitisches Jahrbuch 2019 (2019) 31 (45 f); *Christoph Kronthaler,* Analoge Anwendung von § 1313a ABGB auf „technische Hilfsmittel"? ÖJZ 2019, 945; *Helmut Koziol,* Haftpflichtrecht II[3] (2018) Rz D/5/3 ff, der die Rechtsanalogie neben § 1313a ABGB auch auf § 89e GOG stützt; *Christoph Freudenthaler,* Haftung für „technische Hilfsmittel" wie für Erfüllungsgehilfen? ÖJZ 2011, 801; in D zB *Günter Schaub* in *Gsell/Krüger/Lorenz/Reymann* (Hrsg), BGB Großkommentar (2022) § 278 Rz 17; *Stefan Grundmann* in *Säcker/Rixecker/Oetker/Limperg* (Hrsg), Münchener Kommentar zum BGB II (2022) § 278 Rz 46; *Wulf/Burgenmeister,* Industrie 4.0 in der Logistik – Rechtliche Hürden beim Einsatz neuer Vernetzungs-Technologien, CR 2015, 404 (407).

Weitere Einteilungen

Nur angemerkt sei an dieser Stelle, dass sich die Perspektiven nicht nur danach einteilen lassen, ob sie Normen möglichst „neutral" oder nicht neutral betrachten, sondern auch nach anderen Kriterien. So stellen sich beispielsweise die interne Perspektive und die souveräne Perspektive als von den anderen Perspektiven unabhängig dar. Die externe und die untergebene Perspektive sind dagegen von den anderen beiden Perspektiven abhängig: Arbeit, die aus der externen Perspektive erfolgt, kann nur dann als Arbeit über *Recht* (in Abgrenzung von Arbeit über Gesellschaft, über ein Naturphänomen odgl) angesehen werden, wenn sie dasjenige von außen beobachtet, was etwa Teilnehmer aus der internen Perspektive als Recht betrachten. Auch Arbeit unter dem Recht versucht, zu prognostizieren, was etwa ein Gericht aus der internen Perspektive wohl urteilen würde.

Makroebene und Mikroebene

Auf einer Makroebene betrachtet und auf bestimmte Rollen bezogen entspricht die interne Perspektive derjenigen des Richters,[11] die externe Perspektive derjenigen außenstehender Analysten, die souveräne Perspektive derjenigen des Gesetzgebers und die untergebene Perspektive derjenigen der rechtsberatenden Berufe (bzw der von ihnen vertretenen Mandanten als unmittelbar Rechtsunterworfene). Die Rechtswissenschaft ist kraft der Freiheit der Wissenschaft an sich frei, auf der Makroebene jede der vier Perspektiven und auch jede Zwischenform einzunehmen, wobei die untergebene Perspektive meist als am wenigsten attraktiv und der Wissenschaft am wenigsten würdig angesehen wird.

Auf einer Mikroebene betrachtet ist juristisches Arbeiten tatsächlich aber sehr häufig durch einen raschen Wechsel (switching) zwischen den vier Grundperspektiven gekennzeichnet und erklärt dieser rasche Wechsel beispielsweise, wie eine Rechtserzeugung ohne Staat funktionieren kann.[12] Die Möglichkeit raschen Wechsels lässt sich hervorragend anhand des oben herangezogenen Beispiels mit § 1313a ABGB und der Zurechnung von Fehlfunktionen künstlicher Intelligenz illustrieren, da die jeweils einer bestimmten Perspektive zugeordneten Aussagen im Verlauf einer

11 *Alexy*, Begriff^2 47.

12 *Wendehorst*, Am J Comp Law 2008, 567 (593 ff).

juristischen Argumentation miteinander kombiniert werden können. So ist es nicht unüblich, dass in ein und demselben juristischen Text nach der Feststellung, dass teilweise eine analoge Anwendung von § 1313a ABGB vertreten werde (und vermutlich einer ausführlichen Darstellung des Meinungsstands) irgendwo auch die Schlussfolgerung steht, dass im Ergebnis eine analoge Anwendung von § 1313a ABGB geboten sei. Zwischen der Darstellung des aus externer Perspektive referierten Meinungsstands und der aus interner Perspektive formulierten Schlussfolgerung zum Geltungsgehalt einer Rechtsnorm sollte allerdings noch eine längere und gleichfalls aus interner Perspektive erfolgende Argumentation stehen, welche die Schlussfolgerung trägt. Diese Argumentation, gemeinsam mit der Schlussfolgerung zum Geltungsgehalt der Rechtsnorm, stellt die eigentliche dogmatische Arbeit dar.

Dogmatik auf dem perspektivischen Kompass

Damit sind aber auch die Grundsteine gelegt für eine Einordnung dogmatischen Arbeitens auf dem perspektivischen Kompass. Auf diesem sind Dogmatik und interne Perspektive untrennbar miteinander verknüpft. Dogmatisches Arbeiten ist Arbeit *im* Recht und steht auf dem Kompass somit grundsätzlich auf Position „West“.

Dogmatisches Arbeiten und interne Perspektive

Auf der Makroebene ist Dogmatik diejenige Form des juristischen Arbeitens, welche grosso modo auf die methodengeleitete Ermittlung des geltenden Rechts abzielt[13] und daher im Großen und Ganzen eine interne Perspektive einnimmt, mögen auch auf der Mikroebene einzelne Elemente – wie etwa die Darstellung eines Meinungsstands – aus einer eher externen Perspektive erfolgen. Sie geht dabei von der entscheidenden Prämisse aus, dass der Rechtsanwender die zur Beantwortung der aufgeworfenen Rechtsfrage erforderliche Regel nicht erst zu schaffen hat, sondern dass diese Regel einem außerhalb des Anwenders bestehenden, diesem verbindlich vorgegebenen Ordnungssystem zu entnehmen ist.[14] Damit verbunden ist häufig die weitere Prämisse, dass theoretisch jeder Jurist und

13 So zB *Clemens Höpfner*, Die systemkonforme Auslegung (2008) 110 ff; *Thomas Lobinger*, Perspektiven der Privatrechtsdogmatik, AcP 2016, 28 (36).

14 *Lobinger*, AcP 2016, 28 (37) mwN.

jede Juristin unabhängig von institutionellen Befugnissen zur Rechtsanwendung und -auslegung befähigt und berufen ist.[15]

Auf der Mikroebene ist dogmatische Arbeit im engeren Sinne nur eine solche, welche ausschließlich mit Normen im Sinne von Sollens-Anordnungen (einschließlich Meta-Normen, wie Interpretationsnormen oder Rechtserzeugungsnormen) und damit aus einem strictly legal point of view heraus argumentiert.[16]

Einbindung anderer Perspektiven in dogmatische Arbeit

Eine juristische Arbeit, die auf der Makroebene als dogmatische einzuordnen ist, kann sich – wie ebenfalls gezeigt – auf der Mikroebene im Wege des switching durchaus anderer Perspektiven bedienen.[17] Das betrifft insbesondere die aus externer Perspektive formulierte Darstellung eines Meinungsstands, der Absichten des historischen Gesetzgebers, der Normgeschichte usw, einschließlich damit verbundener Systematisierungsleistungen.[18] Diese Einschübe aus externer Perspektive stellen oft volumenmäßig einen großen Teil rechtsdogmatischer Arbeit dar.

Während eine Einbindung der externen Perspektive auf der Mikroebene weithin akzeptiert ist und sogar als besonders „wissenschaftlich" erachtet wird, ist die Einbindung der nicht neutralen, sondern wertenden, souveränen Perspektive umstritten. Die souveräne, rechtspolitische Perspektive steht oft unter Generalverdacht, dogmatische Arbeit durch dem Juristen nicht zustehende eigene Wertungen zu verzerren, womit sich der Jurist zum Politiker, Soziologen udgl aufschwingt.[19] Ein mithilfe dogmatischer Arbeit erzieltes Ergebnis aus rechtspolitischer Sicht zu kritisieren und aus souveräner Perspektive eine bessere Regelung de lege ferenda anzuregen,

15 Dies müssen diejenigen bestreiten, welche nur die Gerichtsbarkeit zur echten „Auslegung" des Rechts berufen sehen, vgl dazu *Thilo Kuntz,* Recht als Gegenstand der Rechtswissenschaft und performative Rechtserzeugung: Zugleich ein Beitrag zur Möglichkeit von Dogmatik, AcP 2016, 866 (903 ff) mwN.

16 Zu diesem etwa *Wolfgang Ernst,* Gelehrtes Recht, in *Engel/Schön* (Hrsg), Das Proprium der Rechtswissenschaft (2007) 3 (15); *Lobinger,* AcP 2016, 28 (79).

17 Dies ist letztlich auch, was *Robert Alexy,* Theorie der juristischen Argumentation[10] (2022) 307 ff, als die deskriptiv-empirische, logisch-analytische und normativ-praktische Dimension der Dogmatik beschreibt.

18 Zur ganz eigenen Methode der externen Perspektive *Wendehorst,* Am J Comp Law 2008, 567 (585 ff); *Wendehorst,* Int J Const Law 2018, 1258 (1260 ff).

19 Dazu nur *Ernst* in *Engel/Schön,* Proprium 3 (17).

ist jedenfalls dann kein methodischer Bruch, wenn die Aussagen klar getrennt und gekennzeichnet sind. Davon zu unterscheiden ist jedoch die Debatte, ob in der (Privat-)Rechtswissenschaft künftig Verhaltenssteuerung und Folgenberücksichtigung zum maßgeblichen Operator werden[20] und die (Privat-)Rechtswissenschaft daher zur „Regulierungswissenschaft" werden soll[21] (dazu sogleich).

Die untergebene Perspektive wird innerhalb „echter" dogmatischer Arbeit eher selten eingenommen. Sie kommt aber immerhin beispielsweise dann vor, wenn es darum geht, Möglichkeiten auszuloten, einen bestimmten Rechtsakt auf vorhandene Kompetenznormen zu stützen, oder abzuschätzen, ob etwas vor dem EuGH „noch halten wird".

Regulatorische bzw responsive Rechtsdogmatik?

In den letzten Jahren ist ein Streit entbrannt über die Rolle regulatorischer bzw rechtspolitischer Elemente in der dogmatischen Arbeit und darüber, inwieweit bereits auf der Makroebene dogmatische Arbeit das, was hier als interne Perspektive bezeichnet wird, verlassen sollte. *Hellgardt* etwa spricht explizit von „regulatorischer Rechtsdogmatik".[22] Diese fragt, „welche tatsächlichen Wirkungen eintreten *würden*, wenn eine Rechtsnorm einen bestimmten Inhalt *hätte*, um auf dieser Grundlage entscheiden zu können, ob sie einen solchen oder einen alternativen Inhalt haben *soll*"[23] (siehe auch unten). *Grünberger* spricht lieber, in Anlehnung an *Teubner*,[24] von „responsiver Rechtsdogmatik".[25] Letztere übernimmt eine „Übersetzung" sozialwissenschaftlicher Erkenntnisse in Dogmatik, welche sich nach *Grünberger* als anspruchsvoller Vorgang auf fünf Ebenen darstellt: Rechtsdogmatik müsse die von den Sozialtheorien gelieferten Beschreibungen ihrer Umwelt als Irritationen behandeln, sie dann rechtsintern mit eigenständiger Begriffsbildung rekonstruieren und darauf mit autonomer Normbildung und Normkonkretisierung reagieren, einschätzen, wie die rechtliche Normänderung in der sozialen Welt aufgenommen

20 *Wagner* in *Dreier*, Rechtswissenschaft 69 (161 ff).

21 *Alexander Hellgardt*, Regulierung und Privatrecht (2016) 325.

22 *Hellgardt*, Regulierung 398.

23 *Hellgardt*, Regulierung 409.

24 *Gunther Teubner*, Rechtswissenschaft und -praxis im Kontext der Sozialtheorie, in *Grundmann/Thiessen* (Hrsg), Recht und Sozialtheorie im Rechtsvergleich (2015) 145 (158 ff).

25 *Michael Grünberger*, Verträge über digitale Güter, AcP 2018, 213 (243 f).

werden wird und Mittel zur Korrektur etwaiger Fehleinschätzungen bereithalten.[26]

Bei dieser Debatte geht es aber in den Augen der Verfasserin letztlich nicht um die Rolle der Dogmatik, sondern um die Rolle der Rechtswissenschaft und der Rechtsprechung und darum, welche Kombination aus Perspektiven auf dem perspektivischen Kompass die Rechtswissenschaft und die Rechtsprechung auf der Makroebene bevorzugt einnehmen sollen. Jedenfalls *Grünberger* plädiert hier offenbar für eine Position „West-Nordwest". Dafür, diese Position „West-Nordwest" nun als neue Position der „Dogmatik" festzulegen und die bislang von der Dogmatik okkupierte Position „West" dem „strictly legal point of view" zuzuweisen, sehe ich keine durchschlagenden Gründe. Letztlich geht es hier aber um eine Frage der Darstellung.

Dogmatik im Rahmen nicht-dogmatischer juristischer Arbeit

Ungleich weniger diskutiert ist die umgekehrte Frage, welche Rolle dogmatische (aus interner Perspektive erfolgende) Elemente im Rahmen solcher juristischer Arbeit spielen können und sollen, welche primär – dh auf der Makroebene betrachtet – aus einer anderen Perspektive heraus erfolgen. Wenn das Privatrecht hier als dogmatisches Fach beschrieben wird, so ist doch juristische Arbeit, die gemeinhin dem „Privatrecht" zugeordnet wird, zuweilen selbst auf der Makroebene keine dogmatische. Gemeint sind privatrechtsvergleichende und privatrechtshistorische Betrachtungen, aber auch Arbeiten zur privatrechtlich orientierten Rechtstheorie (in Abgrenzung zur privatrechtlichen Methodenlehre, welche ohnehin der internen Perspektive zuzuordnen ist) oder Arbeiten in Vorbereitung eines Gesetzgebungsvorhabens.

Dogmatik in Arbeiten über *Privatrecht?*

Die externe Perspektive steht der internen Perspektive insofern diametral gegenüber, als sie sich mit einem Sein befasst, etwa den in einer Rechtsordnung vertretenen Meinungen oder der historischen Entwicklung einer Norm im Sinne eines empirisch nachprüfbaren Befundes. Im Rahmen einer juristischen Arbeit, welche auf der Makroebene ganz der externen Perspektive zuzuordnen ist, aus der internen Perspektive heraus zu argu-

26 *Grünberger*, AcP 2018, 213 (244).

mentieren, stellt daher meist einen methodischen Fehler dar. Ein Beispiel dafür wäre es, wenn der Verfasser einer rein rechtsvergleichenden wissenschaftlichen Arbeit nicht darstellt, wie das französische Recht in Frankreich tatsächlich verstanden wird, sondern stattdessen, wie es nach der dogmatischen Meinung des Verfassers „richtigerweise" verstanden werden sollte.[27] Vielmehr muss der Verfasser bei Zweifeln hinsichtlich des Inhalts französischen Rechts Unklarheiten und Lücken mit dem ganz eigenen methodischen Instrumentarium der externen Perspektive begegnen.[28] Geringfügig anders stellt sich dies natürlich für ein Gericht dar, welches in einem Sachverhalt vom IPR des Forums berufenen ausländisches Recht anzuwenden hat und aufgrund des Rechtsverweigerungsverbots eine Entscheidung nicht unter Berufung auf die Unklarheit oder Lückenhaftigkeit des Rechts verweigern kann. Die Anwendung und ggf Fortbildung ausländischen Rechts durch ein inländisches Gericht ist indessen ein eigenes Thema, das den Rahmen dieses Beitrags eindeutig sprengen würde.[29]

Dogmatik und Arbeit am *Recht oder* unter dem *Recht*

Die souveräne und die untergebene Perspektive stehen der internen Perspektive auf dem perspektivischen Kompass weit näher als die externe Perspektive, was zugleich signalisiert, dass sie sich in erheblichem Umfang dogmatischer Überlegungen bedienen müssen.

Dies gilt einmal offenkundig für juristische Arbeit de lege ferenda. Wer etwa eine neue Norm vorschlagen will, muss zunächst auch prüfen, wie sich diese hypothetische Norm in das vorhandene Normengefüge einpassen würde, etwa betreffend Widerspruchsfreiheit der Rechtsordnung und Vereinbarkeit mit höherrangigem Recht. Diese Prüfung wiederum ist ohne dogmatische Arbeit in Bezug auf den existierenden und den hypothetischen Normbestand nicht zu leisten.

Auch die untergebene Perspektive kommt nicht ohne Dogmatik aus. Sie muss, um Handlungsoptionen auszuloten, mögliche gerichtliche Entschei-

27 *Christiane Wendehorst,* Von der Arbeit im Recht, am Recht und über Recht, in FS Canaris (2007) 1403.

28 Dazu *Wendehorst,* Am J Comp Law 2008, 567 (585 ff); *dies,* Int J Const Law 2018, 1260 ff.

29 Vgl zur Übersicht der Diskussion und für eine normative Argumentation anstatt rein deskriptiver Mittel *Jansen/Michaels,* Die Auslegung und Fortbildung ausländischen Rechts, ZZP 2003, 3 (8 ff, 39 ff).

dungen prognostizieren. Diese Prognose gelingt nur, wenn – zusammen mit anderen Faktoren – dogmatische Überlegungen gleichsam simuliert werden. Ähnlich muss diejenige Partei, welche das Gericht von der Geltung einer für sie günstigen Rechtsnorm (bzw Auslegung) überzeugen möchte, dartun, dass sich diese Rechtsnorm (bzw Auslegung) harmonischer in den geltenden Normenbestand einfügen würde als andere denkbare Rechtsnormen (bzw Auslegungen). Diese Überzeugung wird umso erfolgreicher sein, je eher die eigenen Ausführungen die Form „echter" Dogmatik annehmen.

Die spezifische Situation in Österreich

Soll die Verfasserin in ihrer thematischen Grundlegung nun Charakteristika der Dogmatik speziell im österreichischen Privatrecht näher beschreiben, so scheinen es vor allem drei Punkte zu sein, die wert sind, hervorgehoben zu werden: erstens die implizite Annahme der Perspektive eines (hypothetischen) nationalen Gerichts, zweitens die im 19. Jahrhundert vollzogene Abkoppelung der Dogmatik von der Kodifikation in zentralen Bereichen, und drittens der bis heute fortdauernde Import von Dogmatik aus dem benachbarten Deutschland.

Dogmatik und die Rolle der Gerichtsbarkeit

Besteht nach dem oben Gesagten ein untrennbarer Zusammenhang zwischen Dogmatik und interner Perspektive und ist zugleich die interne Perspektive – wiederum auf einer Makroebene betrachtet – idealtypisch die Perspektive des Richters, stellt sich die Frage nach dem Zusammenhang zwischen Dogmatik und der Rolle der Gerichtsbarkeit im Rechtssystem.

Dogmatische Arbeit als hypothetische Rechtsprechung

Ohne auf die „ewige" Frage eingehen zu wollen, ob Kernelement des materiellen Rechts primär der Fall oder primär die Rechtsnorm ist,[30] bleibt

30 Siehe zB *Hermann Isay,* Rechtsnorm und Entscheidung (1929) 4 ff; *Josef Esser,* Grundsatz und Norm in der richterlichen Fortbildung des Privatrechts[4] (1990) 2; *Franz Bydlinski,* Juristische Methodenlehre und Rechtsbegriff[2] (1991) 179 ff; *Karl Larenz,* Methodenlehre der Rechtswissenschaft[6] (1991) 137 ff; Teile des neueren deutschen Schrifttums vertreten, dass eine Rechtsnorm nur dann Rechtsnorm sei, wenn sie als Rechtsnorm gebraucht werde, vgl nur *Sabine Müller-Mall,* Performative Rechtserzeugung: eine theoretische Annäherung (2012) 257 ff.

zu konstatieren, dass Rechtsdogmatik im österreichischen und deutschen Privatrecht – so sie nicht ohnehin im Rahmen einer gerichtlichen Entscheidung erfolgt – die Perspektive eines hypothetischen Gerichts einnimmt.[31] Jenseits der Begründung tatsächlicher Entscheidungen erfolgt Rechtsdogmatik typischerweise mit dem vorrangigen Ziel, künftige Entscheidungen zu prognostizieren und/oder zu beeinflussen und versucht, dieses Ziel dadurch zu erreichen, dass bereits die Argumentation selbst sich möglichst nah der Argumentation eines Gerichts annähert. Dies ist auch wesentliches Element der vielfach beschriebenen „hybriden" Natur von Rechtsdogmatik zwischen Theorie und Praxis.[32] Begünstigt wird diese enge Verknüpfung zwischen Dogmatik und Gerichtsbarkeit durch den Grundsatz iura novit curia, die ausführliche und geradezu „wissenschaftliche" (dh sich intensiv mit existierender Judikatur und Literatur auseinandersetzende) Begründungskultur und schließlich durch das Fehlen einer Bindungswirkung von Präjudizien im Sinne einer Doktrin des stare decisis. Die für den deutschen Rechtskreis charakteristische Gewohnheit, Studierende im Privatrecht primär auf das Lösen von Rechtsfällen aus richterlicher Perspektive vorzubereiten und Prüfungen primär als Falllösungen zu konzipieren, ist Indiz für die Richtigkeit dieser Behauptung.

Damit stellt sich natürlich die Frage, inwieweit sich die Rechtsdogmatik im Privatrecht, wie sie für den deutschen Rechtskreis kennzeichnend ist, auch methodische, kompetenzielle und prozessuale Anweisungen zu eigen macht, die sich eigentlich an die Gerichte wenden.[33]

Verschränkungen und ihre Grenzen

Der mögliche Zusammenhang soll anhand von drei Beispielen illustriert werden: dem Verbot der Rechtsverweigerung, dem beschränkten Auslegungsmonopol des EuGH in Bezug auf Unionsrecht sowie den Grundsätzen von Vertrauensschutz und Gleichbehandlung.

---

31 Vgl nur *Alexy,* Begriff² 47. Zur Ansicht, wonach allein gerichtliche Entscheidungen Recht seien, etwa *Müller-Mall,* Rechtserzeugung 91 ff, 241, 255 ff; zur Rechtswissenschaft als bloße Imitation der Rechtserzeugung siehe *Kuntz,* AcP 2016, 866 (903 ff).

32 ZB *Matthias Jestaedt,* Wissenschaftliches Recht – Rechtsdogmatik als gemeinsames Kommunikationsformat von Rechtswissenschaft und Rechtspraxis, in FS Mayer (2011) 169 (186); siehe zu Begriff und Merkmalen der Rechtsdogmatik auch *Kahl,* AöR 2019, 159 (164 ff); zu Aufgabe und Abgrenzung der Rechtsdogmatik *Bydlinski,* Methodenlehre² 8 ff.

33 Vgl dazu *Hellgardt,* Regulierung 389 ff; *Grünberger,* AcP 2019, 924 (941).

Verbot der Rechtsverweigerung

Das Verbot der Rechtsverweigerung ist ein Verbot, das sich nur an ein Gericht wendet. Bei Unklarheit oder Lückenhaftigkeit des Gesetzes darf ein zuständiges Gericht, das in einem Rechtsstreit zulässigerweise angerufen wird, die Parteien nicht mit Hinweis auf diese Unklarheit oder Lückenhaftigkeit abweisen, sondern muss in der Sache entscheiden.[34] Das Verbot der Rechtsverweigerung ist daher eine überzeugende Begründung für die Zulässigkeit und Gebotenheit richterlicher Rechtsfortbildung.[35] Beides – das Verbot, eine Rechtsfrage (hinter der sich oft hypothetische Rechtsfälle verbergen) unbeantwortet zu lassen, ebenso wie den Auftrag zur Rechtsfortbildung – macht sich die Rechtsdogmatik in Österreich und Deutschland traditionell zu eigen. So ist es im Rahmen dogmatischer Arbeit nicht üblich und tendenziell auch nicht akzeptiert, eine Entscheidung unter Verweis auf eine unklare oder lückenhafte Rechtslage schlicht offen zu lassen. Dementsprechend besteht ein nicht unerheblicher Teil dogmatischer Arbeit darin, verbleibende Unklarheiten des Gesetzes im Wege der Auslegung zu beseitigen bzw verbleibende Lücken des Gesetzes im Wege der Rechtsfortbildung zu schließen.[36]

Auslegungsmonopol des EuGH

Eine Ausnahme ist interessanterweise vielfach zu beobachten, wenn es um die Unklarheit oder Lückenhaftigkeit von Unionsrecht geht. Sobald etwa eine dem österreichischen Recht zugrundeliegende Richtlinienbestimmung in ihrer Bedeutung unklar ist, findet sich nicht selten die Aussage, die Frage sei offen und müsse erst durch den EuGH entschieden werden. Erklären lässt sich diese plötzliche Zurückhaltung am plausibelsten durch die – eigentlich nur für letztinstanzliche Gerichte verbindliche – Vorlagepflicht an den EuGH,[37] dem in Bezug auf das Unionsrecht ein gewisses

34 *Sebastian Martens*, Methodenlehre des Unionsrechts (2013) 70 f; EuGH C-7/56, *Alegra ua v. Seemblée commune;* aus einem schweizerischen Blickwinkel: *Marie Theres Fögen*, Schrittmacher des Rechts – Anmerkungen zum Justiz- und Rechtsverweigerungsverbot, in FS Kramer (2004) 3.

35 Grundlegend hierzu etwa *Wilhelm Canaris*, Die Feststellung von Lücken im Gesetz^2 (1983) 59 ff.

36 *Canaris*, Feststellung^2; *Bydlinski*, Methodenlehre^2 472 ff mwN; *Ernst* in *Engel/Schön*, Proprium 28 f; *Lobinger*, AcP 2016, 28 (36).

37 Vgl Art 267 AEUV.

Auslegungsmonopol zukommt.[38] Die Verfasser dogmatischer Untersuchungen scheinen sich also unwillkürlich in die Position eines nationalen Gerichts zu begeben, indem eine nur dem (va letztinstanzlichen) nationalen Gericht vorgeschriebene Vorlage an den EuGH im Rahmen der dogmatischen Argumentation nachvollzogen wird.

Während für das öffentliche Recht der Verfassungsgerichtshof immer schon eine ernst zu nehmende Autorität darstellte, konnte die Privatrechtsdogmatik nur deswegen zu solcher Blüte und solcher Bedeutung aufsteigen, weil im österreichischen Rechtssystem eine Bindung an Präjudizien selbst des OGH nicht besteht.[39] Die Rechtsprechung des OGH ist zwar redlicherweise kaum ganz zu ignorieren,[40] sie stellt aber gleichsam nur eine Meinung unter vielen dar. Wer die Erfahrung machen musste, dass ihm der OGH in einer dogmatischen Frage nicht gefolgt ist, der kann unbeirrt auf seiner Meinung beharren und weiterhin behaupten, dass seine Lösung die eigentlich richtige sei und das geltende Recht besser wiedergebe. Eben dieser wunderbaren Freiheit hat das (beschränkte) Auslegungsmonopol des EuGH, das immer mehr Rechtsfragen betrifft, ein jähes Ende bereitet. Hat der EuGH eine Rechtsfrage betreffend EU-Recht in die eine oder andere Richtung entschieden, gibt es kein Entrinnen mehr: Wer sich nicht bestätigt sieht, der kann allenfalls noch ein rechtspolitisches Plädoyer an den EU-Gesetzgeber richten, das Recht wieder zu ändern, aber die dogmatische Diskussion ist beendet: Luxemburg locuta, causa finita. Für einen österreichischen Privatrechtswissenschaftler eine geradezu alptraumartige Erkenntnis.

38 Siehe dazu *Thomas Riehm,* Umsetzungsspielräume der Mitgliedstaaten bei vollharmonisierenden Richtlinien, in *Gsell/Herresthal* (Hrsg), Vollharmonisierung im Privatrecht: die Konzeption der Richtlinie am Scheideweg? (2009) 83 (85), der im Gegenstandsbereichs vollharmonisierender Richtlinien eine Degradierung des BGH zu einem bloßen „Subsumtionsautomaten" beklagt; *Beate Gsell,* Zivilrechtsanwendung im Europäischen Mehrebenensystem, AcP 2014, 99 (129 f); *Rüdiger Stotz,* Die Rechtsprechung des EuGH, in *Riesenhuber* (Hrsg), Europäische Methodenlehre (2021) 653 (679 ff); *Johanna Schmidt-Räntsch,* Die Rechtsprechung der obersten Gerichtshöfe des Bundes (OGB) in *Riesenhuber* (Hrsg), Europäische Methodenlehre (2021) 699 (704 ff).

39 Siehe schon *Karl Wolff* in *Klang/Gschnitzer* (Hrsg), ABGB I/1 (1964) 119 ff; *Martin Schauer* in *Kletečka/Schauer* (Hrsg), ABGB-ON[1.01] § 12; *Willibald Posch* in *Schwimann/Verschraegen* (Hrsg), ABGB Praxiskommentar[3] § 12; *Georg Kodek* in *Rummel/Lukas* (Hrsg), ABGB[4] § 12 Rz 25.

40 Vgl *Bydlinski,* Methodenlehre[2] 501 ff mwN; *Hansjörg Sailer,* 200 Jahre § 12 ABGB: Rechtssicherheit ohne stabile Entscheidungspraxis? in *Fenyves/Kerschner/Vonkilch* (Hrsg), 200 Jahre ABGB – Evolution einer Kodifikation (2012) 175.

Schon das Bewusstsein, dass der EuGH später eine bindende Auslegung vornehmen könnte, wirkt auf die Privatrechtsdogmatik seltsam paralysierend.[41] Weshalb Verfasser dogmatischer Arbeiten sich nicht ebenso virtuos, wie sie sich gedanklich in die Schuhe des OGH begeben, auch in die Schuhe des EuGH begeben, ist eine interessante Frage. Mögliche Erklärungsansätze beginnen bei der Notwendigkeit, die Methodik zu ändern, denn wer sich in die Schuhe des EuGH begibt, muss auch dessen Methodik anwenden. Hinzu kommt die viel stärkere Identifikation mit dem nationalen Gericht und das viel stärker ausgeprägte Gefühl, mit der eigenen rechtsdogmatischen Arbeit nationale Gerichte beeinflussen zu können. Auch könnte es als weniger anmaßend empfunden werden, sich gedanklich in die Rolle eines beliebigen Gerichts zu begeben, als in die Rolle eines ganz bestimmten Gerichts.

Vertrauensschutz und Gleichbehandlung

Interessant ist schließlich die Rolle, welche den Grundsätzen des Vertrauensschutzes und der Gleichbehandlung zukommt. Während sich der materielle Gehalt von Rechtsnormen an sich nicht ändert, ganz gleich, ob die Norm zum ersten oder zum tausendsten Mal angewendet wird, verschiebt sich für ein Gericht oder eine Behörde die Argumentationslast deutlich, je gefestigter eine bestimmte Judikatur ist und je mehr daher die Grundsätze des Vertrauensschutzes und der Gleichbehandlung als wichtige rechtsstaatliche Prinzipien für eine Beibehaltung der Judikatur in die Waagschale fallen.[42] An dieser Stelle nun scheint der Verfasserin ein signifikanter Unterschied zwischen der Situation in Österreich und in Deutschland zu bestehen. Ohne dass die Verfasserin in der Lage wäre, diese Beobachtung im Rahmen des vorliegenden Beitrags umfassend zu belegen, scheint ihr die Neigung, sich aus Gründen des Vertrauensschutzes im Zweifel einer gefestigten Judikatur anzuschließen, in Österreich relativ stark ausgeprägt zu sein,[43] in Deutschland dagegen gänzlich zu fehlen. Ganz im Gegenteil

41 Vgl hierzu auch *Wagner* in *Dreier*, Rechtswissenschaft 69 (96).

42 *Arthur Meier-Hayoz*, Der Richter als Gesetzgeber (1951); *Oscar Adolf German*, Probleme und Methoden der Rechtsfindung (1967); *Bydlinski*, Methodenlehre² 501 ff mwN; *Jörg Neuner*, Vertrauensschutz durch die Rechtsprechung, in FS Canaris (2017) 203 (214 ff).

43 *Sailer* in *Fenyves/Kerschner/Vonkilch*, 200 Jahre 175; *Kodek* in *Rummel/Lukas*, ABGB⁴ § 12 Rz 25; vgl etwa auch *Raphael Thunhart*, Auslegung und Vertrauensschutz, ÖJZ 2010, 706 (710).

scheint es für deutsche Juristen und Juristinnen in vielen dogmatischen Streitfragen geradezu „Ehrensache“ zu sein, der Stimme der Literatur zu folgen bzw sich für eine der existierenden Literaturstimmen zu entscheiden oder – noch besser – eine ganz eigene Theorie zu entwickeln, sich aber jedenfalls nicht der Meinung der Rechtsprechung anzuschließen.

Abkoppelung der Dogmatik von der Kodifikation

Neben der Fokussierung auf die Perspektive eines (hypothetischen) Gerichts erscheint prägend für das österreichische Privatrecht die weitgehende Abkoppelung der Dogmatik von der Kodifikation – auch dies übrigens ein signifikanter Unterschied zu Deutschland. Als das österreichische ABGB von 1811 seinen hundertsten, und ebenso als es seinen zweihundertsten Geburtstag feierte, überboten sich die Festredner darin, die „Lebenskraft“ zu beschwören, welche die zweitälteste noch in Kraft befindliche Kodifikation in Europa auszeichne.[44] Darauf, worin diese neben der formalen Fortgeltung denn eigentlich konkret bestehe, ging man normalerweise nicht näher ein.[45] Eine besondere Prägungskraft für die Dogmatik kann dem ABGB jedenfalls seit rund eineinhalb Jahrhunderten nicht mehr attestiert werden. Klammert man das Familienrecht und das Erbrecht einmal aus, hat sich die österreichische Zivilrechtsdogmatik in einem Maße vom ABGB emanzipiert, dass dessen Vorschriften oft wenig mehr als eine grobe Vermutung hinsichtlich der tatsächlichen Rechtslage begründen.

Historischer Hintergrund im 19. Jahrhundert

Dieses Phänomen ist nicht neu, sondern hatte seinen Ausgangspunkt im 19. Jahrhundert im Konflikt zwischen naturrechtlich inspiriertem Revolutionsgeist und Neoabsolutismus ebenso wie zwischen sog exegetischer Schule (einem Kampfbegriff ihrer Gegner!) und historischer Rechtsschule. Was war geschehen?

44 *Franz Klein*, Die Lebenskraft des allgemeinen bürgerlichen Gesetzbuches, in FS zur Jahrhundertfeier des ABGB I (1911) 1; *Theo Mayer-Maly*, Die Lebenskraft des ABGB, NZ 1986, 265; *Martin Schauer*, 200 Jahre und immer noch weise? – Von der Lebenskraft des ABGB heute, JBL 2012, 23; *Rudolf Welser*, Das ABGB als kodifikatorisches Meisterwerk, in *Welser* (Hrsg), Vom ABGB zum Europäischen Privatrecht – 200 Jahre Allgemeines bürgerliches Gesetzbuch in Europa (2012) 85 (89 f).

45 *Christiane Wendehorst*, Ist der Kodifikationsstreit entschieden? in *Fenyves/Kerschner/Vonkilch* (Hrsg), 200 Jahre ABGB – Evolution einer Kodifikation (2012) 9 (33 f).

Die Revolution von 1848/49 im Kaisertum Österreich war blutig niedergeschlagen, und es wurde nach Garantien gesucht, dass sich Vergleichbares nicht wiederhole. Das ABGB von 1811, in dem sich punktuell Aussagen fanden, wie dass jeder Mensch angeborene, schon durch die Vernunft einleuchtende Rechte habe,[46] geriet rasch in den Verdacht, bei den Studenten Revolutionsgeist zu schüren, und stand daher nicht hoch im Kurs.[47] Auch das Bestreben der Väter des ABGB, Rechtsnormen in volksnaher, einfacher Sprache zu formulieren, war typisch vernunftrechtlich und passte so gar nicht mehr in die neue Zeit.[48] Unterrichtsminister *Leo Graf Thun-Hohenstein*[49] trat 1849 sein Amt an und versuchte, mit seiner Universitätsreform[50] bestimmte liberale Neuerungen, die längst im Plan ausgearbeitet waren, unter dem Vorzeichen des anbrechenden Neoabsolutismus politisch umzusetzen und damit wenigstens die Grundgedanken der Reformpläne zu retten. Zu den von ihm ergriffenen, durchaus ambivalenten Maßnahmen gehörte auch ein Richtungswechsel hin zur historischen Rechtsschule, die sowohl eine „Verwissenschaftlichung" des Rechts als auch eine Abwendung vom Naturrecht bedeutete.[51] Die 1855

46 *Franz v. Zeiller,* Commentar I (1811) § 16.

47 *Werner Ogris,* Der Entwicklungsgang der österreichischen Privatrechtswissenschaft im 19. Jahrhundert (1968) 9.

48 Vgl hier die Erwägungen bei *Franz v. Zeiller* in *Ofner* (Hrsg), Ur-Entwurf I (1889) 8; *Oswald Kastner,* Zur Gesetzestechnik des allgemeinen bürgerlichen Gesetzbuches, in FS ABGB I 533 (538 ff); *Georg Kodek,* 200 Jahre Allgemeines Bürgerliches Gesetzbuch – das ABGB im Wandel der Zeit, ÖJZ 2011, 492. Kritisch zur heute nicht mehr zeitgemäßen Sprache *Peter Bydlinski,* Legistik, Methode, Systematik und Sprache des ABGB, in *Fischer-Czermak/Hopf/Kathrein/Schauer* (Hrsg), ABGB 2011. Chancen und Möglichkeiten einer Zivilrechtsreform (2008) 19 (26 f).

49 *Hans Lentze,* Leo Graf Thun-Hohenstein, in Neue Österreichische Biographie ab 1815. Große Österreicher XV (1963) 74.

50 *Hans Lentze,* Die Universitätsreform des Ministers Graf Leo Thun-Hohenstein (1962) (= Sitzungsberichte der phil-hist Kl der Österr Akademie der Wissenschaften 239/2).

51 *Hans Lentze,* Graf Thun und die voraussetzungslose Wissenschaft, in FS Eder (1969); *ders,* Die Eingliederung der österreichischen Zivilrechtswissenschaft in die deutsche Pandektenwissenschaft, in *Csizmadia/Kovacs* (Hrsg), Die Entwicklung des Zivilrechts in Mitteleuropa (1848–1944) (1970) 59; *ders,* Naturrecht und historische Rechtsschule in der österreichischen Rechtswissenschaft, Wissenschaft und Weltbild, 1970, 38; *Werner Ogris,* Die Wissenschaft des gemeinen römischen Rechts und das österreichische Allgemeine bürgerliche Gesetzbuch, in *Coing/Wilhelm* (Hrsg), Wissenschaft und Kodifikation des Privatrechts im 19. Jahrhundert (1974) 153 (161 ff).

von *Thun-Hohenstein* durchgeführte Reform des juristischen Studiums rückte daher die Bedeutung des ABGB in den Hintergrund.[52] Bei der völligen Umgestaltung der österreichischen Rechtswissenschaft im Sinne der Pandektistik war ihm vor allem *Joseph Unger* behilflich,[53] den *Thun-Hohenstein* zunächst in Prag und sodann in Wien als Professor installierte und mit dessen Hilfe ein fast vollständiger Austausch der Professorenschaft durch Vertreter der neuen Richtung[54] glückte.

Die historische Rechtsschule war von *Carl Friedrich von Savigny* begründet worden und betonte eher die Geschichtsgebundenheit des Rechts, die sich über lange Zeiträume hinweg organisch als Emanation eines „Volksgeistes“[55] entwickeln müsse.[56] Dabei ging es aber keineswegs um Volksnähe der Gedanken und der Sprache. Vielmehr ging es um eine Rückwärtswendung hin zu den römischen Quellen und darum, dass das Volk durch die Juristen repräsentiert werde. Danach war es die dogmatisch arbeitende Rechtswissenschaft, die allein zur Erkennung des Volksgeistes und zur Auffindung und weiteren Verfeinerung des Rechtsstoffs berufen sei.[57] Ein staatlicher Gesetzgeber hätte diesen Prozess nur stören können, was im berühmten Kodifikationsstreit des Jahres 1814 zwischen *Thibaut*

52 *Werner Ogris,* Die historische Schule der österreichischen Zivilistik, in FS Lentze (1969) 449 (454 ff); *ders,* 200 Jahre Rechtswissenschaft an der Universität Wien, in Ausstellungskatalog „200 Jahre Rechtsleben in Wien. Advokaten, Richter, Rechtsgelehrte“ (1986) 221 (224 ff).

53 *Hans Lentze, Josef Unger* – Leben und Werk, in FS Arnold (1963) 219; *Wilhelm Brauneder,* Josef Unger, in *Brauneder* (Hrsg), Juristen in Österreich 1200–1980 (1987) 177; *Hugo Sinzheimer,* Jüdische Klassiker der deutschen Rechtswissenschaft (1953) 83 ff; *Strohal,* Joseph Unger (Gedenkrede), JherJB 64 (1914) 1.

54 Weitere namhafte Vertreter des neuen Ansatzes waren etwa *Adolf Exner, Anton von Randa, Leopold Pfaff* und *Franz Hofmann, Moritz Stubenrauch* oder *Viktor Hasenöhrl.*

55 *Friedrich Carl v. Savigny,* System des heutigen Römischen Rechts Bd I (1840) 20; vgl dazu auch *Hermann Kantorowicz,* Volksgeist und historische Rechtsschule, Historische Zeitschrift 1912, 295.

56 *Friedrich Carl v. Savigny,* Vom Beruf unsrer Zeit für Gesetzgebung und Rechtswissenschaft (1814) 8 ff.

57 ZB *Savigny,* System I 263; noch deutlicher sodann *Georg Friedrich Puchta,* Cursus der Institutionen 1 (1853) 36 f. Vgl auch *Franz Wieacker,* Privatrechtsgeschichte der Neuzeit: unter besonderer Berücksichtigung der deutschen Entwicklung[2] (1967) 392 ff; *Ernst Forsthoff,* Zur Rechtsfindungslehre im 19. Jahrhundert (1936) 53. Kritisch deshalb als einer der Ersten *Georg Beseler,* Volksrecht und Juristenrecht (1843) 109 ff, 117 ff, wonach das gewöhnliche Volk viel eher im Stande sein müsse, Recht als solches zu erkennen.

und *Savigny*[58] zum Ausdruck kam. Die historische Rechtsschule entwickelte in ganz Europa eine enorme Ausstrahlungskraft,[59] weshalb auch die Faszination, die sie auf Österreich ausübte, nicht ungewöhnlich war.

Bei dem Verhältnis zwischen einer auf das ABGB fokussierten Rechtswissenschaft und der historischen Rechtsschule ging es um nichts weniger als um den Geltungsanspruch und die Geltungsgrundlage von Recht schlechthin.[60] Die historische Rechtsschule sah im Privatrecht zwar ein Produkt menschlichen Wirkens und verneinte die Existenz naturgegebener Rechtssätze, war also insofern im Ansatz positivistisch. Auf der anderen Seite aber verneinte die historische Rechtsschule weitgehend die Fähigkeit des staatlichen Gesetzgebers, in größerem Umfang Privatrecht zu schaffen, und vertraute lieber auf einen „Volksgeist" oder ähnliche Legitimationsmuster für eine weitgehend durch die Rechtswissenschaft erfolgende Rechtsschöpfung. Insoweit wird gerne von „wissenschaftlichem Positivismus" gesprochen.[61] Erst mit Erlass des Bürgerlichen Gesetzbuchs von 1900 wurde dieser Entwicklung Einhalt geboten.

In Österreich hatte der Siegeszug der historischen Rechtsschule eine Entkoppelung von staatlichem Gesetz und Dogmatik bewirkt, die im ausgehenden 19. Jahrhundert nur noch wenig gemeinsam hatten. Dies wurde zwar auch von *Unger* durchaus als Problem erkannt[62] und mündete in Bemühungen um eine Revision des ABGB, die dann aber über die berühm-

58 *Anton F. J. Thibaut,* Über die Notwendigkeit eines allgemeinen bürgerlichen Rechts für Deutschland (1814); *Savigny,* Beruf. Vgl zum Kodifikationsstreit etwa *Hans Hattenhauer,* Thibaut und Savigny: Ihre programmatischen Schriften² (2002); *Hans Kiefner,* Thibaut und Savigny – Bemerkungen zum Kodifikationsstreit, in FS Gmür (1983) 53.

59 *Christiane Wendehorst,* Zum Einfluss pandektistischer Dogmatik auf das ABGB, in FS 200 Jahre ABGB (2011) 75 (81 f) mwN.

60 *Wendehorst* in FS 200 Jahre ABGB 75 (84) mwN.

61 *Wieacker,* Privatrechtsgeschichte² 430 ff; *Dietrich Tripp,* Der Einfluß des naturwissenschaftlichen, philosophischen und historischen Positivismus auf die deutsche Rechtslehre im 19. Jahrhundert (1983) 212 ff; *Gerhard Dilcher,* Der Rechtswissenschaftliche Positivismus – Wissenschaftliche Methode und politische Entscheidung, in Ankara Üniversitesi Hukuk Fakültesi Dergisi XXXI (1974) 447.

62 *Josef Unger,* Zur Revision des allgemeinen bürgerlichen Gesetzbuches, GrünhutsZ 1904, 389. Vgl zuvor schon *dens,* Ueber die wissenschaftliche Behandlung des österreichischen gemeinen Privatrechts: Eine Antrittsrede, gehalten an der Prager Hochschule (8. October 1853); sowie *dens,* Über den Entwicklungsgang der österreichischen Civiljurisprudenz seit der Einführung des allgemeinen bürgerlichen Gesetzbuches, SchlettersJB 1855, 358.

ten drei Teilnovellen von 1914 bis 1916 nicht hinauskamen. Bei dem Bemühen, den Text der Kodifikation dem tatsächlich gelebten und tatsächlich „geltenden" Recht anzupassen, blieb man bestenfalls auf halbem Weg stehen. So sind weite Teile des ABGB bis heute in einzigartiger Weise durch eine vom Gesetz abweichende Dogmatik überformt.

Beispiele für die Abkoppelung

Es wäre ein ganz eigener Vortrag dies näher auszuführen.[63] An dieser Stelle seien nur drei Aspekte kurz genannt: die Grobgliederung des Rechtsstoffs anhand des Pandektensystems, die Systematisierung ganzer Anspruchsgruppen und einzelne Rechtsinstitute und Rechtsbegriffe.

Grobgliederung des Rechtsstoffs

Schon die Grobgliederung des Rechtsstoffs im österreichischen Privatrecht signalisiert eine Entfremdung von Dogmatik und Kodifikation. Spiegelt das ABGB bekanntlich ein modifiziertes Institutionensystem wider,[64] gliedern gängige österreichische Zivilrechtslehrbücher,[65] ebenso wie die zivilrechtlichen Vorlesungen der meisten österreichischen Rechtsfakultäten,[66] den privatrechtlichen Rechtsstoff nach dem sog Pandektensystem, das im Wesentlichen auf *Georg Arnold Heises* „Grundriß eines Systems des gemeinen Zivilrechts zum Behuf von Pandekten-Vorlesungen (1807)" zurückgeht.[67]

---

63 Dazu bereits *Wendehorst* in FS 200 Jahre ABGB 75 (85 ff); *dies* in 200 Jahre ABGB 9 (25 ff).

64 *Gaius* unterteilt das *ius civile* in seinem Lehrbuch „Insitutiones" in die Abschnitte „personae", „res" und „actiones". Siehe dazu *Willibald Posch*, Grundzüge fremder Privatrechtssysteme: ein Studienbuch (1995) 5. Allgemeiner zu dem *Gaius*'schen Institutionensystem zB *Christina Vano*, Der Gaius der Historischen Rechtsschule: eine Geschichte der historischen Rechtsschule (Savignyana 7, 2008); *Hein L. W. Nelson*, Überlieferung, Aufbau und Stil von Gai Institutiones (1981); auch bereits *Wendehorst* in FS 200 Jahre ABGB 75 (77 f).

65 Vgl nur *Welser/Kletečka*, Grundriss des bürgerlichen Rechts I^{15} (2018) bzw *Welser/Zöchling-Jud*, Grundriss des bürgerlichen Rechts II^{14} (2015); *Wolfgang Zankl*, Bürgerliches Recht^{5} (2010); *Heinz Krejci*, Privatrecht^{8} (2010); sowie die von *Peter Apathy* bzw *P. Bydlinski/Kerschner* herausgegebene und entsprechend den Pandekten in einzelne Bände gegliederte Lehrbuchreihe des Springer-Verlags.

66 Dies gilt etwa für den Aufbau der Hauptvorlesung zum Bürgerlichen Recht an der Juridischen Fakultät der Universität Wien.

67 *Georg A. Heise*, Grundriss eines Systems des Gemeinen Civilrechts: zum Behuf von Pandecten-Vorlesungen (1807).

Systematisierungen

Für die Pandektistik charakteristische Systematisierungen des Rechtsstoffs lassen sich im heutigen österreichischen Recht auch unterhalb der Einteilung nach dem Institutionen- oder Pandektensystem beobachten.

Eines von vielen Beispielen stellt die klare Differenzierung zwischen Innen- und Außenverhältnis dar, welches in den einheitlich dem „Bevollmächtigungsvertrag" gewidmeten §§ 1002 ff ABGB noch nicht getroffen wurde,[68] in Anlehnung an die pandektistische Dogmatik aber seit langer Zeit getroffen wird.[69]

Ein anderes prominentes Beispiel bildet die Schaffung eines einheitlichen Bereicherungsrechts. Zwar mögen Ansätze eines einheitlichen Bereicherungsrechts schon früh diskutiert worden sein,[70] doch wurde bei der Redaktion des ABGB eindeutig ein anderes Konzept verfolgt. Die condictio indebiti und die condictio ob causam finitam wurden mit §§ 1431 und 1435 in den natürlichen Zusammenhang derjenigen Rechtsnormen gestellt, zu denen sie funktionell gehören, nämlich den Vorschriften über die Erfüllung und Schuldtilgung.[71] Bei § 877 handelt es sich dagegen um eine gesonderte Kondiktionsbestimmung zu den Rechtsfolgen der Vertragsnichtigkeit, die systematisch im Vertragsrecht verortet und gerade nicht, wie später unter der deutschen Pandektistik,[72] vom Vertragsrecht weitgehend losgelöst gedeutet wurde.[73] Der Verwendungsanspruch des § 1041

68 *Franz v. Zeiller*, Commentar III (1812) § 1002 ff.

69 *Gustav Stanzl* in *Klang/Gschnitzer*, ABGB IV/1 (1968) 767 ff mwN; *Baumgartner/Torggler* in *Fenyves/Kerschner/Vonkilch* (Hrsg), Großkommentar zum ABGB – Klang-Kommentar³ (2019) § 1002 ABGB Rz 16 mwN.

70 So *Margarethe Beck-Managetta*, Überlegungen zur Geschichte des österreichischen Bereicherungsrechts, in FS Wesener (1992) 47.

71 *Christiane Wendehorst*, ERA Forum 2006, 262; *dies*, No Headaches Over Unjust Enrichment. A Response to Daniel Friedmann, in *Siehr/Zimmermann* (Hrsg), The Draft Civil Code for Israel in Comparative Perspective (2008) 113 (129 f); *dies*, Ungerechtfertigte Bereicherung, in *von Bar/Schulte-Nölke/Schulze* (Hrsg), Der akademische Entwurf für einen Gemeinsamen Referenzrahmen – Kontroversen und Perspektiven (2008) 215 (258).

72 *Friedrich Carl v. Savigny*, System des heutigen römischen Rechts V 507 ff; *Bernhard Windscheid*, Lehrbuch des Pandektenrechts II⁶ (1887) 620 ff; vgl zur Entwicklung auch *Michael Martinek* in *Staudinger*, Eckpfeiler (2011) Rz 9 ff.

73 Vgl zB *Oskar Pisko* in *Klang*, ABGB II/2 (1934) 159; *Peter Rummel*, Kondiktion bei verbotenen und sittenwidrigen Rechtsgeschäften, ÖJZ 1978, 253; *Apathy/Riedler* in *Schwimann*, ABGB³ § 877 Rz 2; *Franz Gschnitzer* in *Klang/Gschnitzer*, ABGB IV/1² 155.

als eine auf zweipersonale Konstellationen erweiterte Fortentwicklung der actio de in rem verso,[74] wird in die Nähe der Geschäftsführung gestellt. Vorteilsorientierte Anspruchsgrundlagen werden also vom ABGB jeweils in den natürlichen Zusammenhang desjenigen Vorgangs gestellt, der den Vorteil herbeigeführt hat. Historische Darstellungen des Bereicherungsrechts seit der zweiten Hälfte des 19. Jahrhunderts[75] ebenso wie zeitgenössische Darstellungen[76] weichen davon in eklatanter Weise ab.

Rechtsinstitute und Rechtsbegriffe

Die Systematisierungsleistungen der Pandektistik sind kaum scharf zu trennen von ihrem Verständnis zentraler Rechtsinstitute und Rechtsbegriffe. Als eines von mehreren Beispielen, wie die pandektistische Auffassung von einem bestimmten Rechtsinstitut bzw Rechtsbegriff die ursprüngliche Konzeption des ABGB gänzlich untergraben und überformt hat, sei an dieser Stelle der Sachbegriff angeführt und, auf ihm aufbauend, der Besitz- und Eigentumsbegriff. Während das ABGB bekanntlich in § 285 den weiten, naturrechtlichen Sachbegriff zugrunde legt,[77] hat sich später der enge, pandektistische Sachbegriff,[78] welcher im Wesentlichen auf körperliche Sachen beschränkt ist, in vielen Zusammenhängen durchgesetzt.

Weiteres prominentes Beispiel wäre die Abweichung vom Grundsatz ipso iure compensatur bei der Aufrechnung. Nach dem klaren Wortlaut des § 1438 ABGB heben sich Forderungen, die richtig, gleichartig, und so beschaffen sind, dass sie einander gegenüberstehen, automatisch gegenseitig

74 Dazu *Moriz Wellspacher,* Versio in rem: Eine Studie zu den Problemen der Rechtsentwicklung und Gesetzesinterpretation auf Grundlage des österreichischen Rechts (1900); *Armin Ehrenzweig,* System des österreichischen allgemeinen Privatrechts II/1^2 (1937) 721 ff; *Peter Apathy,* Verwendungsanspruch (1988) 20 ff.

75 So schon *Krainz/Pfaff,* System des österreichischen allgemeinen Privatrechts I (1885) 280 ff; *Maximilian Schuster v. Bonnott,* Grundriss des Obligationenrechts (1899) 81 ff; *Robert Mayr,* Lehrbuch des Bürgerlichen Rechts II (1923) 843 ff.

76 *Welser/Zöchling-Jud,* Grundriss II 272 ff; *Apathy/Riedler,* Bürgerliches Recht III: Schuldrecht Besonderer Teil^4 (2010) 229 ff.

77 Vgl zB bereits *Karl Anton Martini,* Lehrbegriff des Naturrechts (1799) § 149; *Wesener* in FS Bydlinski 472 (476 f) mwN; *Heinrich Klang* in *Klang/Gschnitzer,* ABGB II^2 (1950) 1 ff; auch *Johannes Stabentheiner* in *Fenyves/Kerschner/Vonkilch,* ABGB Sachenrecht I^3 § 285 Rz 1 ff.

78 Vgl zB *Peter Bydlinski,* Der Sachbegriff im elektronischen Zeitalter: zeitlos oder anpassungsbedürftig? AcP 1998, 287 (290 f) mwN.

auf, ohne dass es dafür irgendwelcher Erklärungen bedürfte. Dies entsprach auch dem Willen der Redaktoren.[79] Dagegen wird nach heute ganz herrschender Ansicht – in Anlehnung an die pandektistische Dogmatik – eine Aufrechnungserklärung des Aufrechnungsberechtigten vorausgesetzt.[80]

Rechtsimport aus Deutschland bis in die Gegenwart

Die historische Entwicklung der österreichischen Privatrechtsdogmatik hat tiefe Spuren hinterlassen in der Art und Weise, wie heute dogmatische Arbeit in Österreich betrieben wird. Insbesondere besteht eine einzigartige Offenheit österreichischer Privatrechtswissenschaftler gegenüber dogmatischen Importen aus dem deutschen Recht. In nahezu allen klassischen Rechtsbereichen des Privatrechts hat man sich in der zweiten Hälfte des 20. Jahrhunderts, die immer noch besonders prägend wirkt, großzügig in den Lehrbüchern und in der Judikatur des deutschen Nachbarn bedient. Deutsche Quellen werden in Fußnoten zitiert, als wäre dies eine blanke Selbstverständlichkeit, und auch auf ein entschuldigendes „Vgl zum deutschen Recht …" odgl wird meist verzichtet. Dabei lassen sich vor allem drei verschiedene Typen der Übernahme unterscheiden.

Deutsches Recht als Inspirationsquelle

Die löblichste Form nutzt das deutsche Recht und die deutsche Dogmatik – wie in der Rechtsvergleichung nicht unüblich[81] – als Inspirationsquelle, entwickelt aus den gewonnenen Anregungen, dann aber etwas spezifisch Neues, das die Qualität der ursprünglichen Inspirationsquelle oft übertrifft.

Als Beispiel dafür möge die deliktische Verschuldenshaftung nach § 1295 Abs 1 ABGB herhalten. Weshalb die Frage, ob ein sogenanntes „absolut geschütztes Rechtsgut" verletzt worden ist[82] (und wie man überhaupt absolut geschützte Rechtsgüter von anderen Rechtsgütern unterscheidet)[83]

79 *Franz v. Zeiller,* Commentar IV (1813) 167.

80 So schon *Franz Gschnitzer* in *Klang/Gschnitzer,* ABGB VI (1951) 494 ff mwN; weiters zB *Silvia Dullinger* in *Rummel/Lukas,* ABGB[3] § 1438 Rz 11 f mwN.

81 *Zweigert/Kötz,* Einführung in die Rechtsvergleichung[3] (1996) 33 ff; *Uwe Kischel,* Rechtsvergleichung (2015) 92 ff.

82 *Helmut Koziol,* Haftpflichtrecht I[4] (2020) 29 ff; *Ernst Karner* in *Bydlinski/Perner/Spitzer* (Hrsg), Kurzkommentar zum ABGB[7] (2023) § 1295 Rz 1.

83 *Koziol,* Haftpflichtrecht II[3] 9 f; *Georg Kodek* in *Kletečka/Schauer,* ABGB-ON[1.03] § 1294 Rz 8.

für die Verschuldenshaftung eine so zentrale Bedeutung einnimmt, lässt sich natürlich primär mit § 823 Abs 1 BGB erklären.[84] Dort wird die Verletzung eines derartigen Rechtsguts zur Bedingung dafür erhoben, dass sich der Geschädigte auf diese wichtigste der drei sog „kleinen Generalklauseln" des deutschen Deliktsrechts[85] berufen kann. Dem Normtext nach verfügt das österreichische Recht in § 1295 Abs 1 ABGB allerdings immer noch über eine „große Generalklausel" und könnte daher theoretisch auch im deliktischen Bereich den Ersatz bloßer Vermögensschäden mühelos anordnen.[86] Diese im Vergleich zum deutschen Recht größere Freiheit hat die österreichische Dogmatik geschickt dazu genutzt, ein weitaus flexibleres, mit einer Interessensabwägung[87] arbeitendes Prüfschema zu entwickeln, das deutlich eleganter und mit weniger Systembrüchen zu befriedigenden Ergebnissen kommt.[88]

Direkter Rechtsimport

Die zweite Form importiert schlicht deutsches Recht und deutsche Dogmatik, ohne dabei eine Anpassung vorzunehmen, wobei die deutsche Lösung theoretisch auch ins österreichische Recht passen würde und theoretisch auch in Österreich hätte entwickelt werden können – nur, dass es in Österreich für diese Lösung keinerlei irgendwie überzeugende Anhaltspunkte in der Kodifikation gibt. Beispiele gibt es insbesondere im allgemeinen Schuldrecht zuhauf.

84 Vgl bereits *Helmut Koziol,* Generalnorm und Einzeltatbestände als Systeme der Verschuldenshaftung: Unterschiede und Angleichungsmöglichkeiten, ZEuP 1995, 359.

85 *Gerhard Wagner* in *Säcker/Rixecker/Oetker/Limperg,* MüKo[9] § 823 Rz 188 ff; *Rüdiger Wilhelmi* in *Westermann/Grunewald/Maier-Reimer* (Hrsg), Bürgerliches Gesetzbuch[16] (2020) § 823 Rz 1, 12.

86 *Karner* in *Bydlinski/Perner/Spitzer,* ABGB[7] § 1295 Rz 1; *Hans Wittwer* in *Schwimann/Neumayr* (Hrsg), ABGB Taschenkommentar[5] (2020) § 1295 Rz 1, 3 ff; *Georg Kodek* in *Kletečka/Schauer,* ABGB-ON[1.03] § 1295 Rz 1; *Kodek* in *Kletečka/Schauer,* ABGB-ON[1.03] § 1294 Rz 11.

87 OGH 5. 11. 1975, 8 Ob 219/75; *Koziol,* Haftpflichtrecht I[4] 36; *Kodek* in *Kletečka/Schauer,* ABGB-ON[1.03] § 1294 Rz 10; *Karner* in *Bydlinski/Perner/Spitzer,* ABGB[7] § 1295 ABGB Rz 4.

88 Vgl zur Auslegung im deutschen System *Gottfried Schiemann,* Das sonstige Recht – abschreckendes oder gutes Beispiel für ein europäisches Deliktsrecht? in FS Deutsch (2009) 898; *Helmut Koziol,* Glanz und Elend der deutschen Zivilrechtsdogmatik, AcP 2012, 1 (12 f, 48 f); zur Illustrierung siehe etwa hierzu die Überlegungen zur Beeinträchtigung des Eigentümers ohne Beschädigung oder Entziehung der Sache von *Koziol,* Haftpflichtrecht II[3] Rz 131 ff.

So spricht an sich nichts speziell dagegen, unter die „widrigen Folgen", welche nach § 1419 ABGB den Gläubiger im Annahmeverzug treffen, just auch eine Eingrenzung der Haftung des Schuldners auf Vorsatz und grobe Fahrlässigkeit zu fassen.[89] Wirklich verstehen, wie man auf diese Idee kommt, kann man allerdings nur bei einem Blick in § 300 Abs 1 des deutschen BGB, der genau diese Rechtsfolge explizit anordnet.[90]

Ähnliches gilt etwa für die Ausgestaltung des Schadenersatzes bei nachträglicher Unmöglichkeit und insbesondere die Wahl zwischen Austauschanspruch und Differenzanspruch bzw Surrogationsmethode und Differenzmethode.[91] Da das österreichische Recht eine Kombination von Rücktritt und Schadenersatz schon viel länger ausdrücklich gestattete als das deutsche Recht,[92] hätte es dieser – dem deutschen Recht entlehnten[93] – Terminologie eigentlich gar nicht bedurft, sondern wäre es näherliegend gewesen, einfach zwischen Schadenersatz nach erfolgtem Rücktritt und Schadenersatz bei aufrechtem Vertragsverhältnis zu unterscheiden. Es schadet freilich auch nicht, die möglichen Vorgehensweisen des Gläubigers mit den gleichen Begriffen zu kennzeichnen, wie sie sich zum deutschen Recht herausgebildet hatten.

89 *Franz Bydlinski* in *Klang/Gschnitzer,* ABGB IV/2[2] 348; *Welser/Zöchling-Jud,* Grundriss II[14] 67; *Claudia Rudolf* in *Fenyves/Kerschner/Vonkilch,* ABGB[3] (2019) § 1419 Rz 36 ff; *Koziol/Spitzer* in *Bydlinski/Perner/Spitzer* (Hrsg), Kurzkommentar zum ABGB[7] (2023) § 1419 Rz 5.

90 *Sebastian Dötterl* in *Gsell/Krüger/Lorenz/Reymann* (Hrsg), BGB Großkommentar § 300 BGB Rz 3; *Rhona Ernst* in *Säcker/Rixecker/Oetker/Limperg,* MüKo[8] § 300 BGB Rz 2; *Cornelia Feldmann* in *Staudinger* (Hrsg), Kommentar zum BGB (2019) § 300 BGB Rz 2.

91 § 920 ABGB; *Welser/Zöchling-Jud,* Grundriss II[14] 52; *Peter Bydlinski* in *Bydlinski/Perner/Spitzer* (Hrsg), Kurzkommentar zum ABGB[7] § 920 ABGB Rz 6. Zu Deutschland siehe § 281 BGB; ua *Volker Emmerich* in *Säcker/Rixecker/Oetker/Limperg,* MüKo[9] § 281 BGB Rz 12 f, 14 ff; *Stephan Lorenz* in *Gsell/Krüger/Lorenz/Reymann* (Hrsg), BGB Großkommentar § 281 BGB Rz 37 f.

92 In Ö wurde die Kombination von Rücktritt und Schadenersatz mit der dritten Teilnovelle des ABGB eingeführt; siehe §§ 920 und 921 idF RGBl 1916/69. In Deutschland wurde die Alternativität zwischen Rücktritt und Schadensersatz erst mit dem Gesetz zur Modernisierung des Schuldrechts aufgehoben; siehe § 325 BGB idF BGBl I S 3138; dazu *Ernst* in *Säcker/Rixecker/Oetker/Limperg,* MüKo[9] § 325 BGB Rz 1; *Hubert Schmidt* in *Hau/Poseck* (Hrsg), BeckOK BGB[64] (2022) § 325 BGB Rz 1.

93 *Robert v. Mayr,* Worin besteht der Schadensersatz wegen Nichterfüllung eines gegenseitigen Vertrages? in Verhandlungen des 27. DJT II (1904) 467; *W. Schöller,* Der Schadensersatz wegen Nichterfüllung bei gegenseitigen Verträgen nach dem BGB in Gruchots Beiträge XLIV (1900) 603 (630).

Schließlich erscheint es absolut frappierend, aus einer Rechtsanalogie aus den §§ 7, 1041, 1447 Satz 3 ABGB[94] einen Anspruch auf das sog stellvertretende commodum abzuleiten. Dieser Anspruch mag sich aus § 285 (früher § 281)[95] BGB und der dieser zugrunde liegenden pandektistischen Dogmatik ergeben,[96] aber sicher weder aus den natürlichen Rechtsgrundsätzen[97] noch aus dem Zuweisungsgehalt absolut geschützter Rechtspositionen[98] noch aus dem allgemeinen Grundsatz, wonach aus einem unerwünschten Ereignis keine Partei zulasten der anderen Partei einen Vorteil ziehen soll.[99] Übersteigt etwa die Versicherungssumme den Wert der untergegangenen Leistung, würde es eher in der Logik dieser Bestimmungen liegen, dass sich Schuldner und Gläubiger den Gewinn teilen als dass der Gläubiger diesen einseitig an sich ziehen dürfte, obgleich der Schuldner die Versicherung abgeschlossen hat.[100]

Unreflektierter Rechtsimport

Die dritte Form schließlich – und diese ist wohl am problematischsten – importiert vollkommen gedankenlos deutsche Dogmatik auch dort, wo diese angesichts fundamental unterschiedlicher gesetzlicher Ausgangslagen ins österreichische Recht schlichtweg nicht passt.

Ein Beispiel hierfür wären etwa der Import der Unterscheidung zwischen „Besitzdiener" und „Besitzmittler",[101] der vor dem Hintergrund des objektiven Besitzbegriffs[102] des deutschen Rechts absolut fundamental er-

94 *Welser/Zöchling-Jud,* Grundriss II[15] 54 f.

95 Zur Entstehungsgeschichte siehe *Tim Dornis* in *Gsell/Krüger/Lorenz/Reymann* (Hrsg), BGB Großkommentar § 285 BGB Rz 48.

96 *Stephan Lorenz* in *Hau/Poseck* (Hrsg), BeckOK BGB[64] (2022) § 285 BGB Rz 1; *Christian Grüneberg* in *Grüneberg* (Hrsg), BGB[81] (2022) § 285 BGB Rz 2.

97 *Pisko/Gschnitzer* in *Klang,* ABGB VI[2] 551.

98 *Raimund Bollenberger,* Das stellvertretende Commodum: Die Ersatzherausgabe im österreichischen und deutschen Schuldrecht unter Berücksichtigung weiterer Rechtsordnungen (1999) 139, 145 f.

99 *Ehrenzweig,* System II/1[3] 400.

100 *Christiane Wendehorst,* Anspruch und Ausgleich (1999) 476 ff.

101 Zu dieser Unterscheidung siehe *Fabian Klinck,* Stellvertretung im Besitzerwerb, AcP 2005, 487 (508 ff); *Isabell Götz* in *Gsell/Krüger/Lorenz/Reymann* (Hrsg), BGB Großkommentar § 855 BGB Rz 2 ff.

102 BGH VIII ZR 48/70 NJW 1972, 43; *Jürgen Schäfer* in *Säcker/Rixecker/Oetker/Limperg,* MüKo[9] § 854 BGB Rz 5 ff; *Jörg Fritzsche* in *Hau/Poseck* (Hrsg), BeckOK BGB[64] § 854 BGB Rz 3; *Isabell Götz* in *Gsell/Krüger/Lorenz/Reymann* (Hrsg), BGB Großkommentar § 854 BGB Rz 52, 54.

scheint, vor dem Hintergrund des subjektiven Besitzbegriffs[103] des ABGB dagegen nicht: der deutsche Besitzmittler – anders als der deutsche Besitzdiener – ist nämlich unmittelbarer Sachbesitzer,[104] sein angebliches österreichisches Pendant dagegen gerade nicht.[105]

Ein weiteres Beispiel wäre der Import der Begriffe „Zweikonditionentheorie" und „Saldotheorie" bei der bereicherungsrechtlichen Rückabwicklung gegenseitiger Verträge.[106] Die Begrifflichkeit ist ausschließlich vor dem Hintergrund von § 818 Abs 3 BGB als einer Zentralvorschrift des deutschen Bereicherungsrechts zu verstehen, wonach der redliche Bereicherungsschuldner nie auf mehr haften darf, als ihm tatsächlich noch an Bereicherung verbleibt.[107] Dies muss dann auch etwa für den Käufer gelten, bei dem die Kaufsache durch Zufall untergeht, bevor der Vertrag rückabgewickelt wird. Schon eine dem § 818 Abs 3 BGB entsprechende Vorschrift kennt das österreichische Recht allerdings gar nicht. Um die deutsche Lösung importieren zu können, muss das österreichische Privatrecht also zunächst das deutsche Problem importieren, worum man sich dann natürlich auch redlich bemüht hat.[108] Angemerkt sei an dieser Stelle, dass natürlich auch das deutsche Abstraktionsprinzip bei der Rückabwicklung gegenseitiger Verträge zu gänzlich anderen Konsequenzen führt.[109]

Jüngere Tendenzen

Abschließend gilt es, den Blick in die Zukunft zu richten, dh darauf, welche Entwicklung die privatrechtliche Dogmatik in der Zukunft neh-

103 *Anton Randa,* Der Besitz nach österreichischem Recht (1895) 1 ff, 95; zum Besitzbegriff und den deutschrechtlichen Einfluss darauf siehe *Schey/Klang* in *Klang/Gschnitzer,* ABGB II² 55.

104 *Sebastian Herrler* in *Grüneberg,* BGB⁸¹ § 855 BGB, Rz 4; *Götz* in *Gsell/Krüger/Lorenz/Reymann,* BGB § 854 BGB Rz 118.

105 *Welser/Kletečka,* Grundriss I¹⁵ Rz 813;

106 Eingehend hierzu *Christiane Wendehorst,* Leistungskondiktion und Rückabwicklung von Verträgen, in FS Koziol (2010) 425 (452); *Christiane Wendehorst* in FS 200 Jahre ABGB 75 (95).

107 *Dieter Schwab* in *Säcker/Rixecker/Oetker/Limperg,* MüKo⁸ § 818 BGB Rz 127–131; *Christiane Wendehorst* in *Hau/Poseck* (Hrsg), BeckOK BGB⁶⁴ § 818 BGB Rz 34, 35.

108 Vgl *Hans Wieling,* Das Abstraktionsprinzip für Europa! ZEuP 2001, 301.

109 *Franco Ferrari,* Vom Abstraktionsprinzip und Konsensualprinzip zum Traditionsprinzip, ZEuP 1993, 65; *Astrid Stadler,* Gestaltungsfreiheit und Verkehrsschutz durch Abstraktion (1996) 27; siehe zu den Unterschieden des deutschen Abstraktionsprinzip und des österreichischen Kausalitätsprinzip *Koziol,* AcP 2012, 1 (16 ff).

men könnte. Dabei möchte die Verfasserin zwei Aspekte hervorheben, nämlich einerseits das Schicksal der Dogmatik im Angesicht der durch das EU-Recht bewirkten Akzentverschiebung zugunsten des Regulierungsprivatrechts und andererseits die Rolle der Dogmatik bei der Bewältigung von Phänomenen wie der Digitalisierung

Herausforderungen des EU-Regulierungsprivatrechts

Die zunehmende Überformung des klassischen Privatrechts durch Regulierungsprivatrecht[110] setzt die Privatrechtsdogmatik massiv unter Druck. Dies betrifft vor allem das Verbraucherprivatrecht, aber zunehmend auch eine Reihe weiterer Rechtsbereiche.

Herausforderungen für die Rechtsdogmatik

Regulierungsprivatrecht ist – im Gegensatz zu klassischem Privatrecht – durch eine klare politische Zielsetzung, einen vertikalen bzw sektoralen Regelungsansatz und einen technisch-kasuistischen Regelungsstil gekennzeichnet. Außerdem folgt die Rechtsfindung im Regulierungsprivatrecht ganz anderen Gesetzmäßigkeiten als im allgemeinen Privatrecht.[111]

Privatrechtsfremde Elemente juristischer Argumentation

Was zunächst die Auslegung des Gesetzes betrifft, ist eine Orientierung an Elementen zu beobachten, die der Privatrechtsdogmatik bislang vollkommen fremd sind. Ein Beispiel dafür sind Aspekte effektiver Rechtsdurchsetzung, die für die Auslegung des Regulierungsprivatrechts eine zentrale Rolle spielen, während sich das klassische Privatrecht ihnen gegenüber immer schon relativ blind zeigte. Zahllose Entscheidungen des EuGH –

110 *Hans-W. Micklitz,* Europäisches Regulierungsprivatrecht: Plädoyer für ein neues Denken, Teil I, GPR 2009, 254, sowie Teil II, GPR 2010, 2; *Christiane Wendehorst,* Regulierungsprivatrecht. Verhaltenssteuerung durch Privatrecht am Beispiel des europäischen Verbrauchervertragsrechts, in *Schumann* (Hrsg), Das erziehende Gesetz (2014) 113; *Hellgardt,* Regulierung 139 ff; *Grünberger,* AcP 2018, 213 (241); kritisch zur Differenzierung allerdings auch *ders,* AcP 2019, 924 (928).

111 *Hellgardt,* Regulierung 50 ff, 404 ff; *Christiane Wendehorst,* Privatrechtsdogmatik und Verbraucherschutzrecht, in FS Canaris (2017) 681 (686 ff); *Grünberger,* AcP 2018, 213 (239); *Köndgen/Mörsdorf,* Die Rechtsquellen des Europäischen Privatrechts, in *Riesenhuber* (Hrsg), Europäische Methodenlehre[4] (2021) 131 (140); siehe zur Debatte im öffentlichen Recht über Rechtswissenschaft als Regelungswissenschaft *Gunnar Schuppert,* Governance und Rechtsetzung – Grundfragen einer modernen Regelungswissenschaft (2011) 133 ff.

vom AGB-Recht[112] über das Gewährleistungsrecht[113] bis hin zu den Rechtsfolgen des Verbraucherrücktritts[114] – beruhen entweder auf dem Argument, dass der Verbraucher, hätte er bestimmte Kosten oder Risiken zu tragen, von der Geltendmachung seiner Rechte abgeschreckt werden könnte, oder aber auf dem Argument, dass der Unternehmer, werde er nach allgemeinem Privatrecht behandelt, keine zivilrechtliche Sanktion für sein Verhalten zu fürchten habe.[115]

Ein noch deutlicheres Beispiel für ein dem klassischen Privatrecht fremdes Element ist das regulierte Marktsegment. Gemäß Art 3 Abs 2 der alten Fernabsatzrichtlinie[116] bestand kein Rücktrittsrecht für „Verträge über die Erbringung von Dienstleistungen in den Bereichen Unterbringung, Beförderung, Lieferung von Speisen und Getränken sowie Freizeitgestaltung, wenn sich der Lieferer bei Vertragsabschluss verpflichtet, die Dienstleistungen zu einem bestimmten Zeitpunkt oder innerhalb eines genau angegebenen Zeitraums zu erbringen". Wie der EuGH in der Entscheidung *easyCar (UK)*[117] erläutert hat, war diese Liste in sektoralem Sinn zu verstehen. Das bedeutete, dass etwa ein Mietwagenvertrag unter „Beförderung" zu fassen ist, weil der Unternehmer im Beförderungssektor tätig ist, obgleich es sich bei der vertraglich geschuldeten Leistung um Gebrauchs-

112 Siehe zur Unwirksamkeit von Vertragsklauseln in Verbraucherkreditverträgen etwa EuGH C-26/13, *Kásler*, ECLI:EU:C:2014:282; EuGH C-118/17, *Dunai*, ECLI:EU:C:2019:207; EuGH C-125/18, *Gómez del Moral Guasch*, ECLI:EU:C:2020:138; EuGH C-269/19, *Banca B*, ECLI: EU:C:2020:954; EuGH C-229/19, *Dexia Netherlands*, ECLI:EU:C:2021:68; zu den Wirkungen neuerer EuGH-Urteile auch *Wendehorst/Graf von Westphalen*, Auswirkungen neuer EuGH-Urteile auf § 306 II BGB – mehr neue Vorlagefragen als Antworten, EuZW 2021, 229.

113 EuGH C-404/06, *Quelle AG v. Bundesverband der Verbraucherzentralen*, ECLI:EU:C:2008:231; EuGH C-65/09 und C-87/09, *Gebr Weber und Putz*, ECLI:EU:C:2011:396.

114 EuGH C-489/07, *Messner v Krüger*, ECLI:EU:C:2009:502.

115 EuGH C-404/06, *Quelle AG v Bundesverband der Verbraucherzentralen*, ECLI:EU:C:2008:231 Rz 34; EuGH C-489/07, *Messner v Krüger*, ECLI:EU:C:2009:502 Rz 19; eingehend zu zivilrechtlichen Sanktionen siehe auch *Christiane Wendehorst*, Rechtsdurchsetzung im Verbraucherrecht – materiellrechtliche Aspekte, 21. ÖJT II/1 60 ff; *Christiane Wendehorst*, Zivilrechtliche Sanktionen im Verbraucherrecht und die Verhältnismäßigkeit, NJW 2023, 2155 (2157); *Christiane Wendehorst*, Insolvenz dank Verbraucherrecht? Zu zivilrechtlichen Sanktionen im FAGG, in FS Elisabeth Lovrek (im Erscheinen).

116 RL 97/7/EG des Europäischen Parlaments und des Rates vom 20.5.1997 über den Verbraucherschutz bei Vertragsabschlüssen im Fernabsatz *(Fernabsatzrichtlinie)*, ABl L 1997/144, 19.

117 EuGH C-336/03, *easyCar (UK) Ltd v Office of Fair Trading*, ECLI:EU:C:2005:150.

überlassung handelt.[118] Inzwischen hat der europäische Gesetzgeber in Art 16 lit l der Verbraucherrechterichtlinie[119] Mietwagenverträge ausdrücklich vom Widerrufsrecht ausgenommen.

Verzicht auf Feinsteuerung

Dieses Beispiel weist noch auf eine weitere Besonderheit des Regulierungsprivatrechts hin: ein extrem eingeschränktes Ausmaß, in dem auf Wertungskonsistenz geachtet wird und dementsprechend mit den Mitteln der Methodenlehre versucht werden kann, durch eine Feinsteuerung eine möglichst in sich stimmige und widerspruchsfreie Rechtslage zu erreichen.[120] Aus dem Blickwinkel des klassischen Privatrechts betrachtet scheint die zugrunde liegende Wertung des soeben erwähnten Ausschlusses des Widerrufsrechts diejenige zu sein, dass dem Schuldner in Fällen, in denen er seine begrenzten Leistungskapazitäten für den konkreten Gläubiger reserviert und andere Interessenten potenziell abgewiesen hat, das Risiko einer Frustration der reservierten Kapazitäten nicht zuzumuten ist.[121] So gesehen kann es – klassisch privatrechtlich gedacht – keinen Unterschied machen, ob eine Hoteldienstleistung oder eine Reparaturdienstleistung bestellt wurde: auch der Installateur, der einen Vormittag für die Wartung einer Heizthermenanlage reserviert hat, steht im Falle des Verbraucherwiderrufs vor dem Problem, für den selben Vormittag keinen anderen Kunden mehr zu finden. Aus der Sicht des Regulierungsprivatrechts ist eine derartige Inkonsistenz der Wertungen dagegen hinzunehmen. Es fehlt schon an der Vergleichbarkeit der Fälle, gehört doch der Hotelier einer Branche an, die im Gesetzgebungsverfahren eine sektorale Ausnahme erwirkt hat, während dies auf den Installateur nicht zutrifft.

118 *Wendehorst* in *Schumann*, Gesetz 113 (139).

119 RL 2011/83/EU des Europäischen Parlaments und des Rates vom 25. 10. 2011 über die Rechte der Verbraucher, zur Abänderung der Richtlinie 93/13/EWG des Rates und der Richtlinie 1999/44/EG des Europäischen Parlaments und des Rates sowie zur Aufhebung der Richtlinie 85/577/EWG des Rates und der Richtlinie 97/7/EG des Europäischen Parlaments und des Rates *(Verbraucherrechterichtlinie)*, ABl L 2011/304, 64.

120 *Claus-Wilhelm Canaris*, Systemdenken und Systembegriff in der Jurisprudenz[2] (1983) 13 ff; zur programmatischen Wertungseinheit des Privatrechts insbesondere *Franz Bydlinski*, System und Prinzipien des Privatrechts (1996) 51 ff; siehe auch *Höpfner*, Die systemkonforme Auslegung. Zur Auflösung einfachgesetzlicher, verfassungsrechtlicher und europarechtlicher Widersprüche im Recht (2008) 12 ff; *Rolf Stürner*, Das Zivilrecht der Moderne und die Bedeutung der Rechtsdogmatik, JZ 2012, 10 (14); *ders*, Die Zivilrechtswissenschaft und ihre Methodik – zu rechtsanwendungsbezogen und zu wenig grundlagenorientiert? AcP 2014, 7 (22 f); *Wendehorst* in FS Canaris 681 (701).

121 *Wendehorst* in *Schumann*, Gesetz 113 (139).

Probleme im Mehrebenen-System des Unionsrechts

Das soeben genannte Beispiel macht auch noch ein weiteres Problem für die Privatrechtsdogmatik deutlich: Da die Dogmatik – wie oben ausgeführt – tendenziell die Perspektive eines (nationalen) Gerichts einnimmt, verbleibt ihr nicht mehr Spielraum, als einem (nationalen) Gericht verbleibt.[122] Dieser Spielraum wird indessen durch eine immer detailliertere, immer kasuistischere und mit immer höherer Frequenz erfolgende Unionsgesetzgebung, die auch bei Richtlinien nun meist dem Prinzip der Vollharmonisierung folgt,[123] laufend stärker eingeengt. Eine analoge Anwendung des Ausnahmetatbestands auf den Fall des Installateurs, der einen Vormittag fix für einen bestimmten Verbraucher reserviert hat und dem der Verbraucher auf der Türschwelle den Rücktritt erklärt, scheitert ja bereits an der durch die Verbraucherrechterichtlinie bewirkten Harmonisierung nationaler Rechtsordnungen. Weder der nationale Gesetzgeber noch ein nationales Gericht darf von der Richtlinie abweichen – bei Vollharmonisierung übrigens nicht einmal zugunsten des Verbrauchers. Bliebe als einziger Ausweg der EuGH, der aber Analogien ohnehin nur extrem selten bemüht,[124] schon gar nicht zulasten eines Verbrauchers, und in dessen Rolle die nationale Privatrechtsdogmatik ohnehin nicht so recht schlüpfen will (siehe dazu schon oben).

---

122 Zu Methoden im Mehrebenen-System vgl etwa *Karl Riesenhuber,* System und Prinzipien des europäischen Privatrechts (2003); *Sebastian Martens,* Methodenlehre des Unionsrechts (2013) 329 ff.

123 *Konndgen/Monrsdorf* in *Riesenhuber,* Methodenlehre 131 (161 ff); vgl zu den Implikationen der Vollharmonisierung *Anne-Christin Mittwoch,* Vollharmonisierung und Europäisches Privatrecht (2013) und *Gsell/Herresthal* (Hrsg), Vollharmonisierung im Privatrecht: die Konzeption der Richtlinie am Scheideweg? (2009); siehe mwN zur Konkretisierungsverantwortung des EuGH für das Unionsrecht und vertikalen Eingrenzung der mitgliedstaatlichen Regelungs- und Konkretisierungsspielräume *Beate Gsell,* Zivilrechtsanwendung im Europäischen Mehrebenensystem, AcP 2014, 99 (114 ff); zur Rechtsanwendungsgleichheit siehe *Wolfram Cremer,* Rechtsanwendungsgleichheit in Mehrebenensystemen, VVDStRL 2019, 117 (151 ff).

124 So aber in EuGH C-402/07 und C-432/07, *Sturgeon,* ECLI:EU:C:2009:716 Rz 41 ff; *Konrad Walter,* Rechtsfortbildung durch den EuGH (2009) 76 ff, 161; *Wolfgang Schön,* Die Analogie im Europäischen (Privat-)Recht, in FS Canaris (2017) 147; *Wendehorst* in FS Canaris 681 (701); vgl auch *Jörg Neuner,* Die Rechtsfortbildung, in *Riesenhuber* (Hrsg), Europäische Methodenlehre (2021) 351 (367); zum Analogieverbot bei Ausnahmevorschriften siehe auch die Ausführungen von GA *Juliane Kokott,* Schlussanträge vom 30. 6. 2016, C-443/15, *Parris,* Rn 130.

Regulatorische Rechtsdogmatik

Hellgardt hat für regulatorisches Privatrecht – das er allerdings in einem sehr viel weiteren Sinne versteht – eine „regulatorische Dogmatik" entwickelt. Dabei sieht er vor allem fünf Unterschiede zur klassischen Dogmatik: Regulatorische Rechtsdogmatik müsse die Lage des Rechtsuntergebenen zu einer „typischen Situation" erweitern und damit von den konkreten Parteien des Privatrechtsverhältnisses abstrahieren, in Alternativen denken, in Bezug auf Anreizwirkungen für die Rechtsunterworfenen und auch sonst Folgenabschätzung betreiben, sich mit der Eigenrationalität des zu regulierenden Funktionssystems beschäftigen und sich schließlich selbst regelmäßig evaluieren.[125] Damit dürfte *Hellgardt* durchaus Recht haben. Ob es sich freilich um eine ganz neue und eigene Form der Dogmatik handelt, oder ob durch die aufgezeigten Schritte nicht vielmehr im Rahmen der klassischen Auslegungsmethoden, insbesondere der teleologischen Auslegung, der Regulierungszweck Berücksichtigung findet, muss mit einem Fragezeichen versehen werden.

Die neue Rolle der Dogmatik bei der Bewältigung aktueller Phänomene

Anzusprechen wären zuletzt noch die Herausforderungen, welche aktuelle Phänomene, von der Digitalisierung über den Klimawandel bis hin zum Ukraine-Krieg, für die Privatrechtsdogmatik mit sich bringen.

Das Beispiel der Digitalisierung

Von all diesen Phänomenen ist die Digitalisierung für die Dogmatik besonders gravierend, weil sie so gut wie alle Lebensbereiche erfasst und weil sie die Gegenstände, mit denen sich das Privatrecht zu befassen hat, fundamental verändert: Daten lassen sich eben weder mit Äpfeln noch mit Wasser oder elektrischem Strom vergleichen.[126] Eine verkaufte Ware, die für ihr Funktionieren auf eine ständige Versorgung mit Datenflüssen angewiesen ist, ist eben doch anders zu betrachten als eine Ware, die nur mit Strom

125 *Hellgardt,* Regulierung 405 ff.

126 *Cohen/Wendehorst,* ALI-ELI Principles for a Data Economy – Data Transactions and Data Rights (ALI/ELI 2021) 6; vgl Europäischer Datenschutzbeauftragter, Stellungnahme 4/2017 zu dem Vorschlag für eine Richtlinie über bestimmte vertragsrechtliche Aspekte der Bereitstellung digitaler Inhalte, <https://edps.europa.eu/sites/edp/files/publication/17-03-14_opinion_digital_content_de.pdf> (abgerufen am 28. 2. 2023) wo für den „Markt für personenbezogene Daten" sogar ein Vergleich mit dem Organhandel angestrengt wurde.

oder Benzin funktioniert.[127] Und der obligatorische Hinweis auf die Sklaven betreffenden Grundsätze des römischen Rechts[128] hat bislang auch relativ wenig zur Lösung der zahlreichen Rechtsfragen beigetragen, welche die massenhafte Ausrollung Künstlicher Intelligenz mit sich bringt.[129]

Reaktionen der Rechtsdogmatik

Ihr Gefühl der Hilflosigkeit angesichts der digitalen Revolution hat die österreichische Privatrechtsdogmatik lange Zeit durch eine störrische Abwehrhaltung verarbeitet und Kollegen und Kolleginnen, die sich hier engagierten, bestenfalls argwöhnisch beäugt. Erst seit sehr kurzer Zeit scheint der Bann gebrochen und die Befassung mit digitalen Themen in den dogmatischen Mainstream vorzudringen – und es tut sich für die Rechtsdogmatik ein riesiges neues Betätigungsfeld auf.[130] Dabei lassen sich die Bemühungen in zwei Hauptrichtungen einteilen.

127 *Christiane Wendehorst,* Consumer Contracts and the Internet of Things, in *Schulze/Staudenmayer* (Hrsg), Digital Revolution: Challenges for Contract Law in Practice (2016) 189 (190 ff); *dies,* Hybride Produkte und hybrider Vertrieb, in *Wendehorst/Zöchling-Jud* (Hrsg), Ein neues Vertragsrecht für den digitalen Binnenmarkt? (2016) 45 (48); *dies,* Verbraucherrelevante Problemstellungen zu Besitz- und Eigentumsverhältnissen beim Internet der Dinge, Gutachten im Auftrag des Sachverständigenrats für Verbraucherfragen (2016) 1; *dies,* Besitz- und Eigentum im Internet der Dinge, in *Micklitz/Reisch/Joost/Zander-Hayat* (Hrsg), Verbraucherrecht 2.0 (2017) 367.

128 Siehe mwN zum Begriff der Noxalhaftung für Sklaven im römischen Recht *Bernhard Alexander Koch,* Liability for Emerging Digital Technologies: An Overview, JETL 2020, 115 (FN 45).

129 Zu den besonderen Herausforderungen für das bestehende Haftungsrecht durch neue digitale Technologien *Expert Group on Liability and New Technologies – New Technologies Formation (EG-NTF) of the European Commission,* Report on Liability for Artificial Intelligence and other emerging digital technologies (2019); Gutachten der deutschen Datenethikkommission (2019) 159 ff; *Wendehorst/Hirtenlehner,* Outlook on the future regulatory requirements for AI in Europe (2022).

130 So vertritt zB *Michael Grünberger,* dass das Recht der Digitalisierung, wie etwa die Digitale Inhalte RL, eine neue Methode und Dogmatik erfordere. Er schlägt dafür das Modell der „responsiven Rechtsdogmatik“ vor und versteht darunter positives Recht, das Bezug zu einer oder mehrerer (seiner) Umwelten nimmt. Rechtsdogmatik sollte in einem engen Dialog mit anderen Geistes- und Sozialwissenschaften stehen und soziale Entwicklungen und Veränderungen, wie beispielsweise gesellschaftliche Werte, wirtschaftliche Entwicklungen, technologische Fortschritte oder kulturelle Veränderungen, berücksichtigen. Siehe *Grünberger,* AcP 2018, 213; *ders,* AcP 2019, 925. Kritisch *Riesenhuber,* AcP 2019, 892, welcher in der responsiven Rechtsdogmatik die Gefahr sieht, dass sie dazu verwendet werden könnte, Eigenwertungen und Wünsche einer Interessengruppe in geltendes Recht umzusetzen.

Einordnung neuer Phänomene in bekannte Strukturen

Die erste Hauptrichtung zielt ganz klassisch auf die Einordnung digitaler Phänomene in existierende dogmatische Strukturen ab, ohne letztere ernsthaft infrage zu stellen. Sie vollzieht sozusagen eine dogmatische Standardübung, indem ein (neuer) Sachverhalt unter existierende Normen subsumiert wird. Meist kommen solche Untersuchungen zu dem Schluss: Nichts wesentlich Neues unter der Sonne, irgendwie kann man die Dinge schon einordnen, egal mit welchen Verrenkungen.[131] Tatsächlich ist dieser Hauptrichtung darin zuzustimmen, dass man das Recht nicht dauernd neu denken kann, sobald ein bislang unbekanntes reales Phänomen auftaucht. Auch jenseits der großen Veränderungen, wie der digitalen Transformation, ist die Rechtsanwendung täglich mit neuen Konstellationen konfrontiert, von denen viele, hätte man sie vorher bedacht, eine andere Fassung des Gesetzes nahegelegt hätten. Auf der anderen Seite vermögen derartige dogmatische Standardübungen bei wirklich disruptiven Änderungen der Lebenswelt oft nicht zu befriedigen.

Kreative Rechtsdogmatik

Die zweite Hauptrichtung akzeptiert Friktionen nur bis zu einem gewissen Grad. Wird das Spannungsverhältnis zwischen den Phänomenen der Lebenswelt und den praktischen Bedürfnissen des Rechtsverkehrs einerseits und den vorhandenen dogmatischen Strukturen andererseits zu groß, gilt es, durch Wechsel auf die teils externe und teils souveräne Perspektive (siehe dazu oben) neue dogmatische Strukturen zu schaffen. Gelingt dies noch im Rahmen des geltenden Rechts, handelt es sich um „juristische Entdeckungen" und damit um genuin dogmatische Arbeit *im* Recht.[132] Würde es das geltende Recht übersteigen, handelt es sich auf der Makroebene um Arbeit *am* Recht, die aber gleichfalls nicht ohne dogmatische Überlegungen auskommt (dazu ebenfalls bereits oben). In beiden Fällen gelingt der Dogmatik der Sprung von der wissenschaftlichen Durchdringung des Bestehenden zur wissenschaftlichen Durchdringung des möglicherweise zu Schaffenden, und sie wird damit zugleich selbst zur Schaffenden.[133] Denn nichts von der aktuellen EU-Gesetzgebung im Bereich der

131 Zu diesem Phänomen *Grünberger,* AcP 2018, 213 (238 ff).

132 *Lobinger,* AcP 2016, 28 (40).

133 *Nils Jansen,* Rechtswissenschaft und Rechtssystem (2018) 58 ff; *Grünberger,* AcP 2019, 925 (941).

Digitalisierung wäre ohne Dogmatik dieser Art entstanden. So ist etwa – Segen oder Fluch – das heutige Datenschutzrecht mittelbar weitgehend ein Produkt deutscher Dogmatik.[134] So gut wie alle Komponenten des neuen, digitalisierten Warenkaufrechts und der neuen Gewährleistungsregelungen für digitale Leistungen und digitale Elemente sind in den Köpfen von Privatrechtsdogmatikern aus Deutschland und Österreich entstanden, angefangen vom neuen Mangelbegriff[135] bis hin zum Fünf-Komponenten-Modell eines IoT-Produkts, mit Hardware, eingebetteter Software, verbundener Software, verbundenen digitalen Dienstleistungen und Aktualisierungen.[136] Der neue Entwurf eines EU-Datengesetzes geht wesentlich auf in Österreich geleistete Arbeit zu einer Konzeptionalisierung von Datenzugang und Datenrechten zurück,[137] und die neue EU-Produkthaftungsrichtlinie orientiert sich gleichfalls stark an Entwürfen, die von österreichischen

134 *Jan Philipp Albrecht* in *Simitis/Hornung/Spiecker* (Hrsg), Datenschutzrecht DSGVO mit BDSG (2019) Einl Rz 197; die Zäsur für eine Neudefinition der Bedingungen zur Verarbeitung personenbezogener Daten bildete das Volkszählungsurteil des deutschen BVerfG vom 15. 12. 1983 zum VZG 83, siehe dazu *Simitis/Hornung/Spiecker* in *Simitis/Hornung/Spiecker* (Hrsg), Datenschutzrecht DSGVO mit BDSG (2019) Einl Rz 28 ff; *Schneider/Forgó/Helfrich,* Teil I Kap 1 Vom Volkszählungsurteil zur Datenschutz-Grundverordnung, in *Forgó/Helfrich/Schneider* (Hrsg), Betrieblicher Datenschutz: Rechtshandbuch² (2017) 1.

135 Vgl dazu schon Art IV.A. – 2:302 DCFR *von Bar/Clive/Schulte-Nölke,* Principles, Definitions and Model Rules of European Private Law: Draft Common Frame of Reference DCFR (2009).

136 *Wendehorst,* Verbraucherrelevante Problemstellungen 2; *dies,* Sale of goods and supply of digital content – two worlds apart? Directorate-General for Internal Policies, Policy Department C, Citizen's Rights and Constitutional Affairs (2016) 6, <www.europarl.europa.eu/cmsdata/98774/pe%20556%20928%20EN_final.pdf> (abgerufen am 1. 3. 2023); *dies* in *Micklitz/Reisch/Joost/Zander-Hayat,* Verbraucherrecht 367 (369); *dies,* Die neuen Regelungen zu Sachen mit digitalen Elementen – überfällig, aber doch nur ein erster Schritt, JZ 2021, 974; *dies,* The update obligation – how to make it work in the relationship between seller, producer, digital content or service provider and consumer, in *Lohsse/Schulze/Staudenmayer* (Hrsg), Smart Products – A Focal Point for Legal Developments in the Digital Economy (2022) 63 (64).

137 Vgl zum „co-generated data approach", entwickelt von *Cohen/Wendehorst,* ALI-ELI Principles for a Data Economy – Data Transactions and Data Rights (ALI/ELI 2021); Kurzzusammenfassung bei *Thomas/Wendehorst/Duller/Schwamberger,* Response of the European Law Institute – Public Consultation on the Data Act (2021). Aufgegriffen wurde das Konzept ua von *Datenethikkommission,* Gutachten der Datenethikkommission (2019) 85; *Global Partnership of AI,* A Framework Paper for GPAI's Work on Data Governance (2020) 23; *UNCITRAL,* Legal Issues Related to the Digital Economy – Data Transactions (2020) 11.

Juristinnen und Juristen entwickelt wurden.[138] Es bleibt also Hoffnung, auch für die Dogmatik, und auch im Bereich des Privatrechts.

Thesen

Ich schließe meine Einführung mit fünf, bewusst etwas provokant formulierten Thesen:

- Auf dem „perspektivischen Kompass" nimmt Privatrechtsdogmatik österreichischer oder deutscher Prägung traditionell die interne Perspektive ein, welche zugleich – jedenfalls auf einer Makroebene betrachtet – die Perspektive eines über einen Rechtsfall urteilenden Gerichts darstellt. Zwischen wissenschaftlicher Durchdringung des geltenden Rechts und Rechtsprechung bestehen in Österreich und Deutschland zahlreiche Querverbindungen. Sie äußern sich einerseits in einer tendenziell „wissenschaftlich" arbeitenden Gerichtsbarkeit und andererseits in der Übernahme von Handlungsanweisungen, die eigentlich an Gerichte adressiert sind, durch die dogmatisch arbeitende Privatrechtswissenschaft.
- Bei der Privatrechtsdogmatik in Österreich ging es historisch gesehen mitnichten (nur) um das, was die Rechtsdogmatik so gerne als ihre Aufgabe ausgibt, nämlich die wissenschaftliche Durchdringung des geltenden Rechts, wie es von einem staatlichen Normgeber erlassen wurde. Vielmehr ging es um nichts weniger als um die Frage nach der primären Rechtsquelle. Den postkodifikatorischen österreichischen Kodifikationsstreit hat die Rechtsdogmatik für sich entschieden, und in zentralen Bereichen des Privatrechts existiert bis heute – allen Lippenbekenntnissen zum Trotz – ein Rechtspluralismus, der manches mit der Situation in der Frühen Neuzeit gemeinsam hat.
- Die österreichische Privatrechtsdogmatik ist gekennzeichnet durch oft exzessiv betriebenen Import aus dem deutschen Recht. Dabei gibt es eine Reihe von Erfolgsgeschichten, wo das deutsche Recht als Inspirationsquelle diente, dann aber durch Kombination mit kodifikatorischen

138 Siehe dazu etwa bereits *Geistfeld/Karner/Koch/Wendehorst* (Hrsg), Civil Liability for Artificial Intelligence (2023); *Borghetti/Machnikowski/Pichonnaz/Rodríguez de las Heras Ballell/Twigg-Flesner/Wendehorst*, European Commission's Public Consultation on Civil Liability – Adapting Liability Rules to the Digital. Age and Artificial Intelligence (2022).

Vorentscheidungen und rationaler Analyse zu oft besseren und zukunftstauglicheren Lösungen weiterentwickelt wurde. Am anderen Ende des Spektrums liegen eine Reihe von Skurrilitäten, bei denen gedankenlos Begrifflichkeiten und Theoriestreitigkeiten übernommen wurden, die nur in ihrer deutschen Ursprungsumgebung verständlich sind.

- Der Siegeszug des Regulierungsprivatrechts, das zunächst vor allem das Verbraucherrecht betraf, nun aber immer mehr Teile des als „privatrechtlich" zu verstehenden Normbestands erfasst, hat tendenziell zu einem Bedeutungsverlust der Privatrechtsdogmatik geführt. Dies lag einerseits an neuen und noch nicht ganz bewältigten methodischen Herausforderungen, andererseits an einem Bedeutungsgewinn von Gerichtsentscheidungen, insbesondere des EuGH. Ob eine teilweise geforderte, neue „regulatorische Rechtsdogmatik" den Bedeutungsverlust wettmachen kann, erscheint zweifelhaft.
- Die Digitalisierung stellt infolge ihrer Tendenz, so gut wie alle Lebensbereiche zu durchdringen, und infolge der durch sie ausgelösten enormen Beschleunigung gesetzgeberischer Aktivitäten auf europäischer Ebene eine weitere Belastungsprobe für die Privatrechtsdogmatik dar, und Ähnliches gilt natürlich auch für andere wichtige Herausforderungen unserer Zeit. Sie erweist sich allerdings auch als Chance, dass sich Denk- und Arbeitsweisen der Dogmatik für die kreative Gestaltung unserer gemeinsamen digitalen Zukunft fruchtbar machen lassen. Konstruktiv-kreative Dogmatik vermag die Brücke zu schlagen zwischen abstrakten Prinzipien und rechtspolitischen Zielsetzungen einerseits und praktischer Handhabbarkeit im Rechtssystem andererseits, weshalb Rechtsdogmatik auch in Zukunft eine tragende Rolle spielen dürfte.

Stefan Perner/Martin Spitzer

Dogmatik des Bürgerlichen Rechts

Einleitung

Der Auftrag an die Verfasser lautete, gemeinsam einen Beitrag[1] zu „Stand und Perspektiven" der „Dogmatik des Bürgerlichen Rechts" vorzulegen. Dafür braucht es eine Eingrenzung, die Bezugspunkte setzt. Als solche könnten faktische Entwicklungen dienen, was zu einer neuerlichen Abhandlung über die Fitness des ABGB in Zeiten der Digitalisierung und KI einlädt, mit dem mittlerweile prognostizierbaren Ergebnis, dass das Zivilrecht auch smarte Kühlschränke und autonome Autos bewältigt.

Auch ein horizontaler Rechtsvergleich wäre denkbar: Wie macht sich Österreich im Vergleich zu anderen Staaten? Diese Gattung gilt indes als gefährlich, seit *Helmut Koziol* sich dazu unter dem Titel „Glanz und Elend der deutschen Zivilrechtsdogmatik" zu Wort gemeldet hat.[2]

Hier soll stattdessen der Versuch unternommen werden, Entwicklungslinien in chronologischer wie thematischer Hinsicht zu verfolgen, um so Aufschluss über den Status quo der Zivilrechtsdogmatik zu gewinnen. Die Kernaussagen sind krass vergröbernd, weil man sich andernfalls in der vorgegebenen Kürze auf Belangloses und Gemeinplätze beschränken müsste. Die Auswahl ist außerdem streng subjektiv und damit schon das erste Gegenbeispiel guter Dogmatik.

Historische Entwicklung

Wenn man dem Stand der Dogmatik heute nachspüren will, bietet sich im Zivilrecht eine Besinnung auf gestern und sogar vorgestern an. Nicht

1 Die Vortragsform wurde in diesem Beitrag weitgehend beibehalten, der Anmerkungsapparat ist sparsam und soll als Grundlage für weitere Vertiefung dienen.

2 *Helmut Koziol*, Glanz und Elend der deutschen Zivilrechtsdogmatik. Das deutsche Zivilrecht als Vorbild für Europa? AcP 2012, 1.

als historisierende Folklore, sondern als Erinnerung an Umwälzungen und Zäsuren, die dabei hilft, Muster zu erkennen.

Die Geschichte des Zivilrechts ist vom beständigen Ringen um ein besseres Recht geprägt. Das würde wohl jedes Rechtsgebiet für sich in Anspruch nehmen, aber das Zivilrecht ist dabei in besonderer Weise Produkt der Rechtsdogmatik, weil seine Entwicklung über Jahrhunderte stark juristengetrieben war, während die Rolle des Gesetzgebers vergleichsweise bescheiden ausfiel.

In der Draufsicht lassen sich mehrere Entwicklungszyklen ausmachen, die erstaunlich ähnliche Züge tragen und deren Stadien bei der Charakterisierung des Status quo helfen könnten: Auf einen Aufschwung folgt der Zenit, auf den Zenit folgt Stagnation, irgendwann beginnt das Spiel von neuem. Die Rolle der Juristen in diesen Zyklen ist augenfällig.

Das römische Recht in Rom

Das moderne Zivilrecht hatte bekanntlich den großen Startvorteil, sich aus einer Rechtsordnung mit einer „unübertrefflich scharfen Ausarbeitung aller wesentlichen Rechtsbeziehungen" bedienen zu können, wie immerhin *Friedrich Engels* gemeint hat, für den diese Fundgrube, das römische Recht, das „erste Weltrecht einer Waren produzierenden Gesellschaft" war.[3]

Wenn vom römischen Recht die Rede ist, ist aber zu bedenken, dass Rom nach der auch historisch ungefähr richtigen Überlieferung 753 v Chr gegründet wurde und allein bis zur Reichsteilung in Westrom und Ostrom 395 n Chr somit über ein Jahrtausend liegt.

Die Anfänge des Rechts waren – einer kleinen Stadt durchaus angemessen – freilich sehr bescheiden. Die ersten drei Jahrhunderte nach der Gründung kannten nur rudimentäre Gesetze, wie etwa die Regel, dass für die fahrlässige Tötung eines Menschen für dessen Verwandte ein Widder zu opfern war.[4] Die Gesellschaft war, statt durch eigens beschlossene Gesetze, viel

3 *Friedrich Engels,* Ludwig Feuerbach und der Ausgang der klassischen deutschen Philosophie, MEW 1962, 259 (301).

4 *Philipp Scheibelreiter,* Pharmakos, aries und talio. Rechtsvergleichende Überlegungen zum frühen römischen und griechischen Strafrecht, in *Rollinger/Lang/Barta* (Hrsg), Strafe und Strafrecht in den antiken Welten (2012) 23 (26 f).

stärker durch Sitten und Gebräuche, den mos maiorum, bestimmt und basierte somit auf nicht gesondert aufgezeichnetem Gewohnheitsrecht.[5]

Auch nach der Kodifikation dieses rudimentären ius civile in den 12-Tafeln 450 v Chr war wenig gesetzgeberische Aktivität zu bemerken.[6] Das Recht war statisch, die Auslegung erfolgte durch Priester und deren Pontifikaljurisprudenz war nicht für besondere Kreativität bekannt.[7] So gab es den italischen Brauch des ver sacrum, des heiligen Frühlings, bei dem man in Zeiten der Not gelobte, alle animalia, die im Frühling geboren wurden, den Göttern zu opfern. Gedacht hatte man bei den animalia an Tiere, die Priester erklärten aber überraschend, dass darunter alle Lebewesen, also auch Kinder zu verstehen seien.[8]

Die Bindung an einen – wenn auch weit verstandenen – Wortlaut war somit nicht immer zumutbar, weshalb man Auswege suchte. Die trickreichen Römer entwickelten daher ebenso trickreiche Rechtsfiguren, Vorläufer einer Methodik. Von alters her war es etwa Brauch, jedes Jahr zwei Griechen als Opfer in den Tiber zu werfen. Dieser Brauch erfreute sich unter den Griechen keiner großen Beliebtheit, sodass man sich schließlich entschied, statt ihrer zwei Strohfiguren zu opfern. Das rechtfertigte man durch den Satz „in sacris simulata pro vero accipiuntur“: Bei Opferritualen gilt das Vorgetäuschte als wahr.[9] Dass etwas als etwas Anderes gilt (Strohmann als Grieche), kennt auch das moderne Recht, es ist die Figur der Fiktion.[10]

Das römische Recht schleppte sich die längste Zeit daher eher mühsam dahin. Obwohl Rom sich in der Zeit der Republik von einem lokalen Stadtstaat zur Weltmacht entwickelte, konnte von dem von *Engels* angesprochenen „Weltrecht“ noch nicht die Rede sein. Das ius civile entwickelte sich kaum fort. Es bestand nach wie vor aus den 12 Tafeln, die alt waren und deren Anwendung engherzig war, privatrechtliche Gesetzgebung war kaum vorhanden.[11] Wie konnte die Privatrechtsordnung dann

5 *Hausmaninger/Selb,* Römisches Privatrecht[9] (2001) 28.
6 *Max Kaser,* Das römische Privatrecht I[2] (1971) 30 f.
7 *Kaser,* Privatrecht I[2] 27 f.
8 *Heinrich Honsell,* Römisches Recht[8] (2015) 11.
9 *Honsell,* Recht[8] 13.
10 Vgl *Josef Esser,* Wert und Bedeutung der Rechtsfiktionen[2] (1969) und die Rezension durch *Franz Wieacker,* Rechtsbegriff und juristische Fiktion, ZgS 1941, 176.
11 *Kaser,* Privatrecht I[2] 31.

funktionieren und woher kommt die Vorbildwirkung des römischen Rechts?

Hier beginnt der Aufschwung:

Ab etwa 300 v Chr übernahm die Rechtspraxis die Führungsrolle und überholte den Gesetzgeber durch Schaffung eines ganz eigenen Normenkomplexes, des ius honorarium, der vom Prätor als Gerichtsbeamten neben das ius civile gestellt wurde.[12]

Parallel zum sperrigen ius civile, das noch dazu nur für römische Bürger galt, entstand so das prätorische Recht, das das ius civile bald vielfach ablöste. Der Prätor gewährte römischen Bürgern und Nichtbürgern gleichermaßen Rechtsschutz durch actiones und zwar überall dort, wo er es für zweckmäßig und gerecht hielt.[13]

Nun bedurfte es der Verfeinerung und Weiterentwicklung des an sich Vorhandenen. Dafür konnte man nicht auf den Prätor zählen, der Politiker und kein Jurist war. Es erwies sich – aus dieser Perspektive – als glücklich, dass der Aufschwung des ius honorarium mit der Eroberung Griechenlands durch Rom zusammenfiel, deren Endpunkt die Zerstörung von Korinth 146 v Chr war. So fand ein Import hellenistischer Philosophie statt. Systematik und Methode verdankten die Römer den Griechen, ebenso die Abwendung vom Formalismus und die Hinwendung zu einer Suche nach gerechten Lösungen.[14]

In dieser Zeit begann die Konjunktur der Juristen, meist reiche Adelige, die an Privatleute und Gerichte gleichermaßen unentgeltlich und anlassbezogen Rechtsauskünfte (responsa) auf konkrete Fragestellungen erteilten. Diese Art der Rechtsentwicklung erreichte in der klassischen Periode der römischen Rechtswissenschaft, die mit Kaiser *Augustus* begann (* 63 v Chr) und etwa 3 Jahrhunderte dauerte, ihren Höhepunkt.[15]

Die Autorität der Juristen war zwar schon früher groß gewesen, *Augustus* verlieh nun aber besonders prominenten Juristen das Recht, ihre Responsen ex auctoritate principi zu erteilen, also mit kaiserlicher Autorität ausgestattete Rechtsgutachten abzugeben. Übereinstimmende Gutachten von

12 Vgl *Max Kaser,* ‚Ius honorarium' und ‚ius civile', SZ 1984, 1 ff.

13 *Hausmaninger/Selb,* Privatrecht[9] 23 f.

14 *Kaser/Knütel/Lohsse,* Römisches Privatrecht[22] (2021) § 1 Rz 11.

15 *Hausmaninger/Selb,* Privatrecht[9] 28 f, 34 ff.

Juristen mit einem solchen ius respondendi hatten dieselbe Kraft wie Gesetze.[16]

Im 3. Jahrhundert n Chr waren die Probleme des Privatrechts weitgehend gelöst, unsichere Zeiten lenkten den Blick auf andere Fragen, bis unter *Justinian* 533 n Chr der Wust an Juristenschriften aufgearbeitet, systematisiert und bereinigt werden sollte.

Der Auftrag dazu erging an *Tribonianus*, der zum Zweck der Anpassung an die damaligen Gegebenheiten auch berechtigt wurde, die Texte zu modifizieren. Aus annähernd 2.000 Büchern an Juristenschriften wurde von *Tribonianus* und seinen Helfern nur ein kleiner Teil von etwa 5% übernommen, der Rest verworfen.[17] Das Ergebnis dieser – nur dreijährigen – Arbeit trat 533 n Chr in Kraft: es sind die „Digesten" oder „Pandekten".

Dass *Tribonianus* als letzter großer Rechtsgelehrter der Antike gehandelt wird, passt zum Zyklus.[18] Sein Corpus Iuris Civilis stellt die Summe des römischen Rechtsverstandes dar.

Von da an ging es bergab. Während in Konstantinopel das Corpus Iuris Civilis bis zu seinem Untergang 1453 angewendet wurde, brach in Zentraleuropa das Mittelalter an, das nicht umsonst meist als „dunkel" charakterisiert wird. Die römischrechtliche Wissenschaft und die alten Quellen gingen verloren, an die Stelle der einstigen „Weltrechtsordnung" traten einzelne Partikularrechte von sehr verschiedener Qualität.[19]

Das römische Recht als gemeines Recht in Europa

Wie gut das römische Recht war, zeigt dessen weitere Geschichte, die die spätere Bedeutung des römischen Rechts erklärt.

Nach der *Lotharischen* Legende hat Kaiser *Lothar* 1135 das Römische Recht bei der Eroberung von Amalfi entdeckt und mit Hoheitsakt wieder zu geltendem Recht erklärt. An der – sichtlich um eine translatio imperii

16 *Kaser*, Privatrecht I² 210.

17 *Richard Gamauf*, Basics des römischen Rechts, JAP 2020/2021, 132 (134); zur Arbeitsweise der Kommission rund um *Tribonianus* siehe etwa *Johannes M. Rainer*, Das Römische Recht in Europa (2012) 13 ff.

18 Zum Leben *Tribonianus* vgl etwa *Rainer*, Recht 11 f.

19 Vgl den geschichtlichen Abriss bei *Rainer*, Recht 40 ff.

bemühten – Legende stimmen nur der Zeitraum der Wiederentdeckung des römischen Rechts und wohl der Bezug zu Amalfi.[20]

Die Wiederentdeckung ist allerdings nicht *Lothar,* sondern den oberitalienischen Universitäten zu verdanken, die einen neuen Entwicklungszyklus beginnen und einen neuen Aufschwung des römischen Rechts lostreten.[21]

Dort bearbeiten Glossatoren nämlich wissenschaftlich die Digesten, ihre Arbeit mündet im 13. Jahrhundert in die umfassende Glossa Ordinaria von *Accursius* mit ca 97.000 Anmerkungen.[22] Dadurch und durch die darauffolgende Arbeit der Kommentatoren,[23] von denen besonders *Baldus* und *Bartolus* zu nennen sind, erhält das römischen Recht einen modernen Schliff, der zum Standard für Jahrhunderte wird.[24]

Auf diesen Zenit der Rezeption folgt zwar rechtsdogmatische Stagnation, aber rechtspraktisch die Durchdringung der europäischen Rechte mit römischen Quellen, also der Siegeszug vom römischen zum gemeinen Recht.

Neuzeitliche Rezeption

Ausgangspunkt

Auf diesem Stand befanden sich Österreich und Deutschland am Ende des 18. und Beginn des 19. Jahrhunderts, wobei sich nun zwei Strömungen auseinanderentwickeln. Auf der einen Seite standen die Befürworter einer umfassenden eigenständigen und modernen Kodifikation des Privatrechts rund um *Thibaut;*[25] auf der anderen deren Kritiker, deren bekanntester Vertreter *Friedrich Carl von Savigny* die Zeit noch nicht für reif für eine Kodifikation hielt.[26]

20 *Franz Wieacker,* Privatrechtsgeschichte der Neuzeit^3 (2016) 140 f, 145.

21 *Rainer,* Recht 74 ff.

22 *Rainer,* Recht 83.

23 *Wieacker,* Privatrechtsgeschichte^3 80 ff.

24 Zur Rezeption des römischen Rechts in Deutschland siehe *Wieacker,* Privatrechtsgeschichte^3 97 ff.

25 *Anton F. J. Thibaut,* Ueber die Nothwendigkeit eines allgemeinen bürgerlichen Rechts für Deutschland (1814).

26 *Friedrich Carl von Savigny,* Vom Beruf unserer Zeit für Gesetzgebung und Rechtswissenschaft (1814) 45 ff, 108; zum sogenannten Kodifikationsstreit vgl auch *Hans Kiefner,* Thibaut und Savigny – Bemerkungen zum Kodifikationsstreit, in FS Gmür (1983) 53 ff; *Wieacker,* Privatrechtsgeschichte^3 390 ff.

Entlang dieser Linien entwickelt sich die Geschichte in Deutschland und Österreich verschieden, wobei sich zeigen wird, dass sich die Wege wieder kreuzen werden, sodass die deutsche Entwicklung nicht aus den Augen verloren werden soll.

Deutschland

In Deutschland setzte sich die historische Rechtsschule der Pandektisten durch, die sich weitere 100 Jahre intensiv mit dem gemeinen Recht beschäftigte und dessen Erforschung ohne Zweifel auf ein unerreichtes Niveau hob, wie die Werke von *Savigny, Puchta* und *Windscheid* zeigen.[27] Bewundernswert ist nicht nur die Akribie, sondern auch die investierte Energie. *Windscheid* hat die vierte Auflage seines Pandektenlehrbuchs bekanntlich und ausweislich des Vorwortes „am Weihnachtsabend 1874" abgeschlossen und die Sechste zu „Neujahr 1887" folgen lassen.[28] Mit solchen Höhepunkten war aber auch der Absturz vorprogrammiert. Danach blieb nicht mehr viel als literarische Nachlassverwaltung, die Pandektistik hatte sich totgelaufen.

Sie war außerdem nicht nur für den rechtsdogmatischen Höhepunkt verantwortlich, sondern hat auch den Keim für ihren Niedergang in sich getragen.

Unterwegs ad fontes wurde nämlich zu sehr versucht, die reinste Form des römischen Rechts zu ermitteln und Fehlvorstellungen, die sich durch die Rezeption eingeschlichen hatten, zu korrigieren. Die mit der Pandektistik einhergehende, sehr akribische Konzentration auf die antiken Quellen führte daher auch zu einem formalistischen, dem Privatrecht unangemessen positivistischen und letztlich mühsamen Zugang zum Recht: der Begriffsjurisprudenz, die von der Hoffnung getragen war, Rechtsprobleme streng nach logischen Regeln, fast wie in der Mathematik, zu lösen.[29]

Aus dieser Sackgasse führte erst die Schaffung des BGB wieder heraus. Mit dem neuen Gesetz hatten die Juristen im 20. Jahrhundert schlicht und ergreifend neuen Stoff zum Nachdenken und juristisches Nachdenken war nach *Jherings* Hinwendung zur Interessenjurisprudenz ganz anders als zuvor.[30]

27 Zur historischen Rechtsschule siehe *Wieacker,* Privatrechtsgeschichte[3] 348 ff.
28 *Bernhard Windscheid,* Lehrbuch des Pandektenrechts I[6] (1887) VII f.
29 Siehe *Wieacker,* Privatrechtsgeschichte[3] 433 ff.
30 *Wieacker,* Privatrechtsgeschichte[3] 574 ff.

Während in Deutschland daher das BGB als Befreiungsschlag notwendig war, hatte Österreich sich im Kodifikationsstreit nicht auf die Seite *Savignys* gestellt, sondern – in vielen Punkten auf der Basis des römischen Rechts, aber gleichermaßen inspiriert durch modernes Naturrecht – das ABGB geschaffen.[31]

Österreich

Solche naturrechtlichen Einflüsse machen sich zB beim Sachbegriff bemerkbar. Während in Deutschland die Übertragung einer Forderung noch einem Akt schwarzer Magie glich,[32] war in Österreich die Zession ganz unprätentiöser Urbestand des ABGB.

Österreich griff damit und mit anderen Ideen naturrechtliche Strömungen auf, für die überragende Proponenten wie etwa *Hugo Grotius* oder *Samuel Pufendorf* die geistesgeschichtlichen Grundlagen gelegt hatten.[33] Dies entspricht dem Gedanken der Aufklärung, der ein reines Gelehrtenrecht wie das Römische Recht verdächtig sein musste. Angestrebt wurde stattdessen ein leicht zugängliches kodifiziertes Recht, das von den Bürgern oder ihren Repräsentanten beschlossen und verstanden werden konnte.[34] Die Rechtserzeugung ging somit auf den Staat über, wodurch aber gleichzeitig das gemeine Recht, das – wenn auch in verschiedenen Prägungen – überall in Europa Geltung hatte, in nationalstaatliche Kodifikationen zersplittert wurde.

Während in Deutschland in der historischen Rechtsschule zu der Zeit noch Rechtspositivismus und übertriebene Begrifflichkeiten vorherrschten, bemühte sich das ABGB um naturrechtlich fundierte, gerechte

31 Siehe zB *Wilhelm Brauneder,* Österreichs Allgemeines Bürgerliches Gesetzbuch I (2014) 66 ff, 93 ff.

32 Siehe *Klaus Luig,* Zur Geschichte der Zessionslehre (1966) 32 ff, 47 ff.

33 Erstes Resultat der Kodifikationsbemühungen in Europa war das preußische Allgemeine Landrecht (ALR) von 1794, welches über 19.000 Paragraphen umfasste und sich auch dem Verwaltungs-, Straf- und Kirchenrecht widmete. Dieses Gesetz war aufgrund des immensen Umfangs noch äußerst unübersichtlich. Die Pandektisten waren keine Freunde des ALR und *Savigny* sprach davon – ungerecht hart – als „Sudelei" und „Mist der vergangenen Jahre". Der Durchbruch gelang etwas später: Nachdem in Frankreich 1804 der Code Civil verabschiedet wurde, legte Österreich 1811 mit dem Allgemeinen Bürgerlichen Gesetzbuch nach. In beiden Ländern wurde das gemeine Recht somit abgelöst.

34 *Brauneder,* ABGB I 144 ff.

Lösungen von Interessenkonflikten. Dabei wurde das römischrechtliche Fundament nicht etwa preisgegeben, vielmehr führte die Konfrontation und Kombination mit dem Naturrecht die Rechtswissenschaft zu einem „vorzüglichen Gesetzbuch".[35] Wie geht es weiter?[36]

Was auffällt ist, dass das ABGB nicht recht vom Fleck kam.[37] Der Geist der Aufklärung war in Österreich bald wieder erloschen,[38] die Rechtswissenschaft blieb hinter den Möglichkeiten des Gesetzesbuches zurück. In strikter Beschränkung auf den Wortlaut – unter gleichzeitig inkonsequenter Ausblendung des § 6 und insbesondere des § 7 ABGB – versäumte sie es, das Potential des nach wie vor jungen Gesetzbuches auszuschöpfen. *Wieacker* bemerkt, die „volle wissenschaftliche Erfüllung blieb leider auch diesem naturrechtlichen Gesetzbuch versagt".[39]

Gegen solchen „Buchstabendienst geistloser Exegese"[40] wetterte vor allem *Joseph Unger,*[41] der sich gemeinsam mit *Randa, Exner, Pfaff, Hofmann* und *Stubenrauch* der deutschen Pandektistik zuwandte,[42] nachdem ursprünglich die „österreichische Rechtswissenschaft am Aufschwung der historischen Rechtsschule noch geringen Anteil" hatte.[43]

Indes: Der pandektistische Hut passte nicht so nahtlos auf den Kopf des ABGB, was zu einer Entkoppelung von staatlichem Gesetz und Dogmatik führte, die – worauf *Wendehorst* hinweist – bis heute nicht wieder zusammengeführt worden ist.[44]

Sie stellt pointiert fest: „Die Auslegung des ABGB anhand der in §§ 6 und 7 genannten Kriterien begründet seitdem wenig mehr als eine widerleg-

35 *Wieacker,* Privatrechtsgeschichte[3] 338.

36 *Franz Gschnitzer* (Nachruf auf *Josef Schey,* JBl 1938, 69) hat die nächsten Entwicklungsschritte in fünf Perioden eingeteilt, die für die Zwecke dieser Überlegungen aber nicht erforderlich sind.

37 *Gschnitzers* „traurige zweite Periode" (1828–1858), JBl 1938, 69; siehe auch *Werner Ogris,* Die historische Schule der österreichischen Zivilistik, in FS Lentze (1969) 449 (450 ff).

38 *Wieacker,* Privatrechtsgeschichte[3] 339.

39 *Wieacker,* Privatrechtsgeschichte[3] 339.

40 Zitiert nach *Gschnitzer,* JBl 1938, 69; vgl auch *Ogris* in FS Lentze 449 (467 f).

41 *Unger* war der bekannteste Vertreter *Gschnitzers* dritter Periode der Jahre 1858–1888. Siehe dazu *Max Leitner,* Zu Joseph Ungers 100. Todestag, ÖJZ 2013, 640.

42 Zum Kreis rund um *Unger* siehe *Ogris* in FS Lentze 449 (459 ff).

43 *Wieacker,* Privatrechtsgeschichte[3] 339; siehe auch *Ogris* in FS Lentze 449 ff.

44 *Christiane Wendehorst,* Zum Einfluss pandektistischer Dogmatik auf das ABGB, in FS 200 Jahre ABGB (2011) (75) 98; vgl auch *Ogris* in FS Lentze 449.

liche Vermutung für eine bestimmte Rechtslage, wobei der Gegenbeweis jederzeit durch einen entsprechend überzeugenden wissenschaftlichen Standpunkt angetreten werden kann".[45]

So ist auch verständlich, dass der Gesetzgeber schon zu Beginn des 20. Jahrhunderts versucht hat, Gesetz und Dogmatik einander wieder anzunähern. Mit den drei Teilnovellen, die bereits unter dem Eindruck des 1. Weltkriegs beschlossen wurden, und an denen *Josef Schey* maßgebenden Anteil hatte, war es dann soweit.

Der erste Aufschwung durch die Schaffung des ABGB wurde durch *Unger* und sein Umfeld auf ein neues Niveau gehoben, für das der Preis eine gewisse Nonchalance im Umgang mit dem Gesetzestext war.[46] Auf diesem Stand verharrte die Rechtsdogmatik während der Weltkriege und danach.

Der Höhepunkt der Zivilrechtsdogmatik war damit aber noch nicht erreicht. So gut das Zivilrecht geworden ist, so wenig war die Pandektistik des 19. Jahrhunderts für die moderne Gesellschaft der Wirtschaftswunderjahre vorbereitet:

Das Eherecht des ABGB war es etwa gewohnt, dass der Mann der Frau Unterhalt zu leisten hatte. Dass die Frau selbst verdiente, war nicht eingeplant. Tat sie das doch und steuerte sie zum gemeinsamen Auskommen Geld aus ihrem Einkommen bei, deutete der OGH dies als stillschweigenden Unterhaltsverzicht und zwar auch pro futuro.[47] Dass es dafür weder den Willen noch den Anschein gab, weil bei Überlegung aller Umstände natürlich Grund bestand, am Verzichtswillen zu zweifeln, wurde dabei nicht als störend empfunden.

Überhaupt waren die Gerichte mit konkludenten Verzichten schnell zur Hand. Einem Vermieter, der vier Jahre lang gegen die widerrechtliche Benützung seiner Wohnung durch eine Person protestiert hatte, die der Vormieter in die Wohnung aufgenommen hatte, wurde die Räumungsklage versagt, weil trotz des andauernden Protests ein Mietvertrag entstanden sei.[48]

45 *Wendehorst* in FS 200 Jahre ABGB 75 (98).
46 *Ogris* in FS Lentze 449 (468, 481 ff, 492 f).
47 OGH 7 Ob 353/63 RZ 1964, 75; OGH 2 Ob 126/65 JBl 1966, 89.
48 OGH 7 Ob 83/56 JBl 1956, 471.

Auch im Schadenersatzrecht lag noch vieles im Argen:

So entschied der OGH in Jahr 1957 einen Fall, in dem das Verhalten von Angestellten eines Geschäfts „in besonderem Maße die Gefahr einer Vereisung“ der ins Geschäft führenden Stufen begünstigt hatte. Dazu hatte feuchtes Wischen der Stufen im Februar bei –5° und Schneelage geführt. Der OGH erkannte die Gefährlichkeit des Verhaltens der Bediensteten, eine Haftung des Geschäftsherrn musste er jedoch ausschließen: Sie sei abzulehnen, weil jemand, der erst am Weg ins Geschäft hinein war, vieles sein konnte, „es sei in diesem Zusammenhang nur an die Schaulustigen in einem Warenhaus oder an Personen erinnert, die ein Geschäft betreten, um eine Auskunft zu erlangen“.[49] Denn die „vertragliche Nebenverpflichtung des Verkäufers [das körperliche Wohlbefinden des Vertragspartners nicht zu verletzen] darf […] nicht so weit verstanden werden, daß eine vertragliche Haftung des Verkäufers für die verkehrssichere Beschaffenheit der Ladenräume gegenüber den den Verkaufsladen in Kaufabsicht betretenden oder den Raum nach Kaufabschluß verlassenden Personen anzunehmen wäre“.[50]

Hier setzt die letzte historisch abgeschlossene Periode des österreichischen Zivilrechts ein, die in Anbetracht solcher Beispiele ein reichhaltiges Betätigungsfeld fand. *Walter Wilburg* hat mit dem beweglichen System[51] ein Konzept vorgelegt, das nicht nur Lehre und Rechtsprechung, sondern auch den Gesetzgeber selbst beeinflusst hat.[52] Dieses bewegliche System löst sich von starren Tatbeständen und durch sie ausgelösten Rechtsfolgen. Versucht wird stattdessen, die für eine Rechtsfolge maßgebenden Kriterien zu ermitteln, aus deren Zusammenspiel die Rechtsfolge abgeleitet wird.[53]

49 EvBl 1958/19; vgl auch SZ 28/135 und noch EvBl 1974/109 (wo die Zurechnung aber auf Grund des vertraglichen Pflichtenprogramms differenziert betrachtet werden könnte).

50 OGH 18. 5. 1955, 2 Ob 260/55.

51 *Walter Wilburg,* Entwicklung eines beweglichen Systems im bürgerlichen Recht (1950); *Walter Wilburg,* Zusammenspiel der Kräfte im Aufbau des Schuldrechts, AcP 1964, 346.

52 Vgl nur § 25d KSchG, der ein Musterbeispiel für das bewegliche System ist (Erlassung oder Mäßigung der Haftung des Interzedenten; Anordnung von Kriterien, die zu berücksichtigen sind).

53 Kritisiert wurde am beweglichen System bekanntlich vor allem, dass es mangels klarer rechtlicher Schranken mitunter zu unvorhersehbaren Ergebnissen führe. Andererseits lassen sich durch die Herausarbeitung der maßgebenden rechtlichen Kriterien reine Billigkeitsentscheidungen vermeiden. Zu alldem *Franz Bydlinski,* Juristische Methodenlehre und Rechtsbegriff^2 (1991) 529 ff; *Franz Bydlinski,* Das bewegliche System und die Notwendigkeit einer Makrodogmatik, JBl 1996, 683; *Helmut Koziol,* Das bewegliche System. Die goldene Mitte für Gesetzgebung und Dogmatik, ALJ 2017, 160 (164 ff).

Vor allem hat *Wilburg* einen Stein ins Rollen gebracht, der die moderne österreichische Zivilrechtswissenschaft der 2. Hälfte des 20. Jahrhunderts maßgebend begründet hat, deren besonders hervorragender Vertreter *Franz Bydlinski* bei *Wilburg* gelernt hat.

Diese moderne Zivilrechtsdogmatik findet zwar nicht den Weg zurück zu einer engeren Bindung an den Wortlaut des Gesetzes, aber sie bringt das System zur Vollendung. Die Vertragshaftung wird durch das vorvertragliche Schuldverhältnis in die Länge und durch den Vertrag mit Schutzwirkungen zugunsten Dritter in die Breite gedehnt und damit ein Zwischenbereich zwischen Vertrag und Delikt anerkannt. Heute selbstverständliche Rechtsinstitute wie der drittfinanzierte Kauf, die Sicherungszession im Besonderen und die Treuhand im Allgemeinen, aber auch der Eigentumsvorbehalt, erhalten ihre heutige Gestalt. Die Beispiele ließen sich beliebig fortsetzen: mit der Anscheinsvollmacht, dem kaufmännischen Bestätigungsschreiben, der dreipersonalen Garantie und modernen Vertragsarten wie dem Leasing. Das Zivilrecht wird modern, wozu auch der Gesetzgeber etwa durch das KSchG 1979 oder das PHG 1988 beiträgt.

In den großen Fachzeitschriften erscheinen damals jedes Jahr grundlegende Beiträge führender Fachvertreter, durch die das Zivilrechtssystem seit den 70er Jahren in einem fruchtbaren Wechselspiel zwischen Lehre und Rsp immer weiter ausdifferenziert und perfektioniert wird.

Zwischenbilanz

Die Entwicklung muss zwangsläufig wieder zu einer Stagnation führen, denn es kann nicht ewig besser werden, wenn man immer über dieselben Fragen spricht: Der Gegenstand der Zivilrechtsdogmatik ist das geltende Zivilrecht – je mehr es durchdrungen ist und je weniger es sich ändert, desto kleiner werden die Betätigungsfelder.

Während man sich in den 70er-Jahren mit einer Arbeit zur Vertretung ohne Vollmacht auf 292 Seiten habilitieren konnte, wurden in diesem Jahrhundert schon mehrere umfangreichere Arbeiten zu viel spezielleren Fragen des Vertretungsrechts verfasst.

Das spricht weder gegen die Qualität der damaligen noch gegen die der heutigen Arbeiten. Es ist nur ein Zeichen dafür, dass jeder Dogmatik irgendwann der Stoff ausgeht, wenn sich ihr Gegenstand nicht ändert.

Doch auch wo es noch Rechtsdogmatik gibt, ist mittlerweile viel Vergewisserung über Gewissheiten oder eben rechtsdogmatische Feinstmechanik im Spiel. Im Zivilrecht wird gegenwärtig über die Frage diskutiert, wann eine Verkürzung über die Hälfte vorliegt.[54] Dass das der Fall ist, wenn die empfangene Gegenleistung weniger als die Hälfte wert ist als die eigene Leistung, ist klar. Die Diskussion dreht sich um die Frage, ob es beim Wert der empfangenen Gegenleistung um den Wert der geschuldeten Sache im mangelfreien Zustand oder um den Wert der gelieferten Sache im mangelhaften Zustand geht.

Die Frage ist „dogmatisch" im besten Sinn, sie ist anspruchsvoll, sie kann auch fallentscheidend sein, aber sie ist nicht systementscheidend. Es wirkt, als wäre es Aufgabe genug, den aktuellen Stand der Zivilrechtsdogmatik zu halten.

Dazu kommt eine Entwicklung, die zugleich Fluch und Segen ist: Während es im vorigen Jahrhundert eine Handvoll Zeitschriften gab und die Schriftleitungen eine strenge Auswahl treffen konnten, gibt es seit einigen Jahren eine immer stärkere Ausdifferenzierung. Kein Teilrechtsgebiet ohne eigene Zeitschrift, die dann von einem anderen Verlag konkurrenziert wird. Damit hat sich das Angebot-Nachfrage-Verhältnis aber gedreht: Zeitschriften müssen gefüllt werden und daher gibt es kaum mehr einen Beitrag, der nicht irgendwo veröffentlicht werden kann. Segen für potenzielle Autoren, Fluch für die Leser, Bärendienst für die Dogmatik. Dass das der insgesamten Qualität nicht guttut, ist klar. Wieder ist das keine Kritik an konkreten Beiträgen, sondern schlicht eine Beschreibung des Status quo.

Gleiches gilt für die Kommentare. Am Beginn des Höhenflugs der zweiten Hälfte des 20. Jahrhunderts gab es in Österreich einen ABGB-Kommentar. Heute sind es sechs. Bei einem Gesetz, dessen letzter Paragraph die Nummer 1503 trägt, stellt sich – sehr überspitzt formuliert – die Frage, wer das alles schreiben soll, was jeder schon weiß.

54 Siehe jüngst *Severin Kietaibl*, Zur Konkurrenz von laesio enormis und Gewährleistung, ÖJZ 2022, 553 mit ausführlichen Nw zur Diskussion in Lehre und Rsp.

Europa

Bruch

Auch an dieser Stelle kann – wie davor in der Geschichte des Zivilrechts – die Stagnation nur durch eine Zäsur durchbrochen werden, die neue Betätigungsfelder schafft. Sie erfasst zwar nicht das gesamte Fach und hat erst in den letzten Jahren so richtig an Fahrt aufgenommen, jetzt ist der Bruch aber da: Das Europarecht hat mittlerweile auch die Zivilrechtsdogmatik fest im Griff.

Der Einfluss kommt aus zwei Richtungen: Sowohl der Europäische Gesetzgeber als auch der EuGH mengen sich ein. Während das im vorigen Jahrhundert für das Fach ein bereicherndes Wechselspiel war und der Bruch nach Stagnation nichts Schlechtes, sieht es nun anders aus.

Es soll dabei in diesem Beitrag nicht primär um den Europäischen Gesetzgeber gehen. Dass schon allein der Detailgrad von Richtlinien, deren Texte mittlerweile ganze Bücher füllen, zum Bruch mit dem bisherigen Zivilrecht führt, ist ohnehin bekannt. Dass der punktuelle europäische Regelungsansatz, wo es keine allgemeine Rechtssetzungskompetenz im Zivilrecht gibt, zu Systembrüchen führen kann, wissen wir auch.

Zwar fällt auf, dass der nationale Gesetzgeber das Bemühen um systemkonformes Einpassen der Regeln mittlerweile oft aufgegeben hat. Ein verbraucherrechtliches Sondergesetz, das die Richtlinie abschreibt, reiht sich an das nächste. Jüngstes Beispiel ist das Verbrauchergewährleistungsgesetz (VGG), das neben die ABGB-Gewährleistung tritt, sodass es nun verschiedene Regelungsregime für die eine und eigentlich ganz allgemeine Frage gibt, was passiert, wenn der Schuldner schlecht erfüllt.

Aber das ist nicht das Thema des Beitrags. Zivilrechtsdogmatik ist ja gerade da, um solche Brüche zu heilen oder zumindest zu erklären. Sie schwingt sich dazu auf zu erklären, wieso der Bruch eigentlich gar keiner ist, wieso man also etwa zwei Gewährleistungsrechte geradezu unbedingt braucht! Das ist das Geschäft und Betätigungsfeld der Vertreterinnen und Vertreter des Fachs, da hilft es auch, dass den Zivilrechtlern der Wortlaut manchmal weniger im Weg steht als im Öffentlichen Recht. Und wie erwähnt – Zeitschriften müssen gefüllt werden und insofern macht der Gesetzgeber uns ja Freude.

EuGH

Der Gesetzgeber ist deshalb nicht primär gemeint, wenn wir über die negativen Auswirkungen des Bruchs sprechen, der durch das Europarecht verursacht wird: Kopfzerbrechen bereitet der Europäische Gerichtshof, der weniger mit der feinen zivilrechtlichen Klinge arbeitet als mehr mit dem verbraucherrechtlichen Breitschwert. Vor allem, wenn man die Entscheidungen mit den herkömmlichen dem Fach bekannten Begründungsmustern vergleicht. Aber auch die Zivilrechtsdogmatik selbst ist nicht unbeteiligt.

Das zeigt sich an vielen Beispielen, von denen an dieser Stelle nur eines herausgegriffen werden soll. Das ist der vorgegebenen Kürze geschuldet und darf nicht darüber hinwegtäuschen, dass man die Liste verlängern könnte.

Das Beispiel ist die Rechtssache *Lexitor,*[55] die zwar mittlerweile über zwei Jahre alt ist, aber insofern brandaktuell, als eine ähnliche Frage zur parallelen Wohnimmobilienkredit-RL jüngst entschieden wurde.[56]

Wie an anderer Stelle eingehend erörtert,[57] kann der Verbraucher bei einer vorzeitigen Rückzahlung seines Kredits eine angemessene Gesamtermäßigung der Kosten verlangen, also zB eine Reduktion der Zinsen. Während man bis *Lexitor* dachte, dass die Reduktion nur die von der Laufzeit abhängigen Kosten betrifft, aber nicht die Einmalkosten, entscheidet der EuGH anders.[58] Alle Kosten sind zu mäßigen, also etwa auch eine einmalige Bearbeitungsgebühr, die unabhängig von der Dauer bei Kreditierung jedenfalls angefallen wäre.

Das irritierende Argumentationsmuster

Das Ergebnis von *Lexitor* war starker Tobak für die Banken, aber vertretbar. Problematisch ist nur das Argumentationsmuster. Wie begründet der EuGH seine Auffassung nämlich (auch in anderen Entscheidungen)? Ent-

55 EuGH 11. 9. 2019, C-383/18, *Lexitor.*

56 OGH 19. 8. 2021, 5 Ob 66/21y; EuGH 9. 2. 2023, C-555/21, *UniCredit Bank Austria;* dazu *Isabelle Vonkilch,* ÖJZ 2023, 577.

57 Siehe den Beitrag von *Peter Bydlinski* in diesem Buch.

58 Zur Diskussion mwN *Stefan Perner,* Laufzeitunabhängige Kosten bei vorzeitiger Kreditrückzahlung, ÖBA 2021, 844.

scheidend ist neben der Wortauslegung das „hohe Niveau des Verbraucherschutzes", das durch die RL gewährleistet werde.[59]

Das ist die Wurzel des Problems. Mit dem hohen Niveau des Verbraucherschutzes kann man alles und damit nichts begründen. Und es ist nun meist nicht der Gerichtshof, der alles begründet, sondern ausgerechnet die Zivilrechtsdogmatik. Man hätte die Entscheidung ursprünglich durchaus so verstehen können, dass ihr eigentliches Anliegen ist, Umgehungen zu verhindern.[60] Also etwa ein künstliches Aufblähen der Bearbeitungsgebühr und Niedrighalten der Zinsen durch die Bank, um die Rückzahlposten zu verringern.

Die Chance ist vertan und daran ist der EuGH nur teilschuld. Meist wird dem EuGH in der Diskussion nämlich entnommen, was er so nie gesagt hat, ein Rechtssatz verallgemeinert, der nur einen Einzelfall betroffen hat. Das ist bedauerlich, weil die Zivilrechtsdogmatik ihr Ziel damit eigentlich zu verfehlen beginnt. Man hat den Eindruck, es geht gar nicht mehr darum, eine Entscheidung ins System einzupassen. Das wird als bieder empfunden. Gehör findet, wer das Judikat in grellsten Tönen überzeichnet und erklärt, wie absurd nicht alles ist.

Es überrascht aber auch nicht, der EuGH bereitet den Boden geradezu auf. Wenn ein Höchstgericht so argumentiert („Verbraucherschutz"), ist das nicht nur für den Fall vorbildhaft, sondern beeinflusst die gesamte Diskussion, deren Niveau insgesamt sinkt.

Wir müssten anders mit der europarechtlichen Judikatur umgehen. Sie ist anders als im nationalen Bezugsrahmen immer eine Antwort auf eine konkrete Vorlagefrage. Doch auch hier: Den Zivilrechtler sollte bei der alleinigen Berufung auf den Verbraucherschutz bereits irritieren, dass auf die beiderseitige Rechtfertigung – wir erinnern an *Franz Bydlinski* – vergessen wird.[61] Das ist es doch gerade, was unser Fach ausmacht: Feine Abwägungen, bei denen nie darauf vergessen wird, dass man dem einen nie-

59 Kritisch zu diesem Argumentationsmuster bereits *Peter Bydlinski,* Das hohe Verbraucherschutzniveau und die Zweifelsregel des § 344 UGB: legitime Auslegungsmittel bei Streitigkeiten aus Verbraucher- und Dual-Use-Geschäften? RdW 2017, 13 (13 f).

60 Vgl zu diesem Gedanken etwa bereits *Matthias Pendl* in *Schwimann/Kodek,* ABGB Praxiskommentar[4] (2015) § 16 VKrG Rz 10; *Christiane Wendehorst* in *Wendehorst/Zöchling-Jud,* Verbraucherkreditrecht (2010) § 16 VKrG Rz 16.

61 Siehe nur *Franz Bydlinski,* Die Maxime beiderseitiger Rechtfertigung im Privatrecht, in FS Koziol (2010) 1355.

mals geben kann, was man dem anderen nicht wegnimmt. Der EuGH kann sich hier nicht aus der Verantwortung ziehen und wir können ihn nicht aus der Verantwortung lassen.

Wenn man auf die beiderseitige Rechtfertigung vergisst, wird das argumentum ad absurdum plötzlich zum Bumerang. Gegen *Lexitor* wurde etwa argumentiert: „Aber mit dem Verbraucherschutz könnte man ja auch dazu kommen, dass die Eintragungskosten für eine Hypothek zu mäßigen sind", obwohl die Kosten ja an den Staat fließen und es daher absurd erscheint, dass die Bank sie anteilig erstatten müsste. Genau das war der Inhalt der Stellungnahme der Kommission im Parallelverfahren zur Wohnimmobilienkredit-RL. Der hohe Verbraucherschutz müsse auch hier zu einer Mäßigung führen. Der EuGH hat den Ball nicht aufgenommen, was im konkreten Fall tröstlich ist, aber leider kein genereller Befund.

Ruf nach der Verfassung

Wenn ein Höchstgericht so judiziert und die Lehre dabei auch noch sekundiert, darf man sich nicht wundern, dass solche vereinfachenden Argumentationsmuster auch in die nationale Diskussion überschwappen. Ein aktuelles Beispiel ist das vom Gesetzgeber angeordnete Corona-Kreditmoratorium. Bei Covid-bedingten Cashflow-Engpässen sollten Kreditnehmer Luft zum Atmen bekommen und 10 Monate lang ein Zahlungsmoratorium für Kreditraten in Anspruch nehmen können (§ 2 Abs 1 2. COVID-19-JuBG).

Verbraucherschützern war das nicht genug, noch besser wäre es, wenn für diese Zeit auch keine Zinsen verrechnet würden, der Kredit also 10 Monate lang gratis gewährt würde. Die erste und zweite Instanz in einem Verbandsverfahren sind davon ausgegangen, dass der Gesetzgeber „offenkundig die Stundung und nicht den Entfall der Ansprüche des Kreditgebers" angeordnet hat. Dieses Ergebnis hat die Gerichte auch historisch und teleologisch überzeugt.[62] There is no such thing as a free lunch.

Der OGH hat all das ausgeblendet.[63] Es liege auf der Hand, dass entweder der Kreditnehmer für die Verlängerung seiner Kreditlaufzeit weiter Zin-

62 OLG Wien 19. 8. 2021, 3 R 22/21h.

63 OGH 22. 12. 2021, 3 Ob 189/21x. Siehe dazu bereits *Martin Spitzer,* Kreditmoratorium und Zinsenbefreiung. Anmerkung zu 3 Ob 189/21x, Zak 2022, 44 (45 ff) und *Bernhard Koch,* Sind während des Moratoriums nach § 2 2. COVID-19-JuBG Zinsen angefallen? ÖBA 2022, 179.

sen zahlen muss oder dass der Kreditnehmer für die Zeit nichts bekommt. Das stimmt. Dass das Gesetz „zu einer Verpflichtung des Kreditnehmers zur Leistung von Sollzinsen nichts aussagt, spricht in Wahrheit nicht für, sondern gegen die Auffassung der Vorinstanzen".

Welche Konsequenz hat das? There is such a thing as a free lunch. Kreditnehmer sollen für 10 Monate gar keine Zinsen zahlen müssen, ob sich das zweiseitig rechtfertigen lässt, hat den OGH nicht interessiert. Die Kritik betrifft hier nicht nur das Ergebnis, sondern gerade auch die Begründung.

Wenn der Herr eine Tür schließt, öffnet er angeblich ein Fenster. In der Irritation der Literatur zu dieser Entscheidung[64] ist auf der Suche nach diesem Fenster zu lesen, dass die zivilrechtliche Frage nach der zweiseitigen Rechtfertigung im Stufenbau auf eine höhere Ebene führen könnte.

Daher ist es keine Überraschung, dass die österreichische Bankwirtschaft mit dem Kreditmoratorium den Verfassungsgerichtshof befasst hat. Über 400 Banken wendeten sich gemeinsam an den VfGH,[65] was insofern nicht verwundert, als grundrechtliche Tangenten vom Gleichheitssatz bis zur Eigentumsgarantie auf der Hand liegen.

Dass mittlerweile ausgerechnet die Zivilrechtler ihr Heil in der Verfassung suchen, muss alle amüsieren, die sich an die selbstbewussten Diskussionen über die Einführung einer Gesetzesbeschwerde erinnern. Jedenfalls zeigt es, wie groß der Leidensdruck ist, auch wenn der VfGH die Banken von diesem leider nicht erlöst hat.

Bilanz

Was bleibt unterm Strich? Die Geschichte der Zivilrechtsdogmatik präsentiert sich in Zyklen von Aufschwung, Zenit und Stagnation.

Uns jetzt im Aufschwung oder gar am Zenit zu vermuten, würde viel Optimismus verlangen, vielleicht auch ein bisschen Realitätsverweigerung. Eher besteht die Sorge, dass die von *Claus-Wilhelm Canaris* befürchtete Verzwergung der Zivilrechtswissenschaft in Gang kommt.[66] Und

64 Nw bei *Elisabeth Kaban*, COVID-19-Kreditmoratorium: Sollzinsen oder keine Sollzinsen, das ist hier die Frage! ZFR 2022, 212.

65 VfGH 13. 12. 2022, G 174/2022, dazu *Martin Spitzer*, Nachlese zum Kreditmoratorium, ÖZW 2023, 28.

66 *Larenz/Canaris*, Lehrbuch des Schuldrechts II/2[13] (1994) VI.

während das BGB die deutschen Pandektisten 1900 aus ihrer Sackgasse geführt hat, ist ein derartiger Ausweg heute nicht in Sicht.

Das Europarecht hätte ein solcher Umbruch sein können, es ist dazu aber in seiner Gesetzgebung und insbesondere in seiner Anwendung durch den EuGH nicht gut genug und damit innerstaatlich eher Anlass zur Schadensbegrenzung als Grund zur Freude. Die Gefahr eines Überschwappens eindimensionaler und methodenvergessener Argumentationsmuster in nationales Recht ist groß.

Die Schlagkraft der Dogmatik nimmt dagegen aber ab: Die steigende Quantität der Publikationen würde einen neuen *Tribonianus* brauchen, der aussortiert, was nicht weiterführt.

Wem dieser Befund allzu trist wirkt, der sei an das Ergebnis unserer historischen Revue erinnert: Die Entwicklung des Zivilrechts vollzieht sich in Zyklen. So wie nach dem Aufschwung der Zenit und nach dem Zenit die Stagnation kommt, folgt auf die Stagnation irgendwann auch wieder der Aufschwung. Wir harren der Dinge.

Elisabeth Brameshuber

Dogmatik des Arbeitsrechts

Einleitung

Die Dogmatik hat es im Arbeitsrecht nicht leicht; zu oft scheint es, dass über Streitfragen gewissermaßen der „Mantel des sozialen Schutzprinzips" gelegt wird – das Arbeitsrecht als Hl *Martin* der Arbeitnehmer? Es verwundert daher auch nicht, wenn darauf hingewiesen wird, dass es „keine allgemeingültige Dogmatik des Arbeitsrechts"[1] gebe. Dennoch soll hier der Versuch unternommen werden, die Arbeitsrechtsordnung „vernünftig zu erklären"[2].

Qualifiziert man das Arbeitsrecht als Sonderprivatrecht[3], so handelt es sich um ein „rechtssystematisches Ärgernis"[4]. Das Arbeitsrecht lässt sich jedoch nur schwer an der klassischen Einteilung des Rechts in öffentliches und privates, in überindividuelles und individuelles Recht messen.[5] Die Einbettung dieses Beitrags in die Privatrechtssektion zeigt auch eine grundsätzliche Problematik auf, die *Mayer-Maly* wie folgt schilderte: „Verfechter einer Emanzipation des Arbeitsrechts sehen sich oft dem Vorwurf ausgesetzt, sie wollten unbequemen Maximen der allgemeinen Privatrechtsordnung entkommen. [...] Wer dagegen allgemein-privatrechtlichen Lösungsentwürfen gegenüber arbeitsrechtlichen den Vorzug gibt, muß sich oft sagen lassen, er verschließe vor den Besonderheiten des Arbeitslebens die Augen und behindere die sozialen Aufgaben der Rechtsprechung durch dogmatische Vorurteile."[6]

---

1 *Gerhard Schnorr,* Dogmatik und Methode des österreichischen und des deutschen Arbeitsrechts, RdA 1965, 41 (48).

2 *Theo Mayer-Maly,* Anm zu OGH 4 Ob 36/78, DRdA 1979, 197 (200).

3 *Franz Bydlinski,* System und Prinzipien des Privatrechts (1996) 415 ff; *Martin Schauer* in *Kletečka/Schauer,* ABGB-ON[1.02] § 1 Rz 3 (Stand 1. 3. 2017, rdb.at); *Georg Kodek* in *Rummel/Lukas,* ABGB[4] § 1 Rz 47 f (2015).

4 *F. Bydlinski,* System 419.

5 *Schnorr,* RdA 1965, 41 (48).

6 *Mayer-Maly,* DRdA 1979, 197 (200).

Worin bestehen aber diese Besonderheiten des Arbeitsrechts, und wie können dennoch dogmatisch überzeugende Lösungen gefunden werden? Den Kern des Arbeitsrechts als „Sonderrecht“ macht die besondere Beziehung des Arbeitnehmers zum Arbeitgeber aus, der sich diesem gegenüber zur Leistung unselbständiger, abhängiger Arbeit verpflichtet.[7] Wenngleich dieses Vertragsverhältnis aus privatrechtlicher Perspektive von den Grundsätzen der Vertragsfreiheit und der Privatautonomie geprägt ist, so resultiert aus dem typischen Machtungleichgewicht zwischen den Vertragsparteien ein solches „Machtgefälle“, wie wir es als Spezifikum für das öffentliche Recht kennen.[8]

An dieser Schnittstelle ist es besonders herausfordernd, ein „überzeugenderes Verhältnis von positivem Recht und Gerechtigkeitsanforderungen herzustellen“[9]; dies auch deshalb, weil es scheint, dass im Sinne der von *Mayer-Maly* beschriebenen „sozialen Aufgabe der Rechtsprechung“ dort, wo Spannungen[10] existieren, oftmals „das“ soziale Schutzprinzip durchschlägt bzw eine „soziale Rechtsanwendung“ stattfindet. So, wie von *Perner* und *Spitzer* „der“ Verbraucherschutz in Frage gestellt wird,[11] soll hier „das“ soziale Schutzprinzip hinterfragt werden.

Für den Versuch also, die Arbeitsrechtsordnung „vernünftig zu erklären“[12], sollen drei Aspekte näher beleuchtet werden: Eine der Grundfesten des Arbeitsrechts als „Sonderrecht“ ist die einseitig zwingende Wirkung arbeitsrechtlicher Normen als Abweichung von der grundsätzlichen Dispositivität im Zivilrecht, gepaart mit dem Günstigkeitsprinzip. Die Erosion dieser Grundfesten des modernen Arbeitsrechts, die jedenfalls rechtsvergleichend zu gewärtigen ist, führt zu Verwerfungen.

Vor allem im Hinblick auf die Frage, ab wann Parität vorliegt bzw wodurch Parität geschaffen wird, ist (nach wie vor) zwischen Individual- und Kollektivarbeitsrecht zu differenzieren. Diese Differenzierung vermag zudem zu erklären, wie Recht im Arbeitsrecht zustande kommt und auf welcher Ebene der Interessenausgleich stattfindet – Stichwort kollektive Vertragsgestaltung.

---

7 *Marhold/Brameshuber/Friedrich*, Österreichisches Arbeitsrecht[4] (2021) 1 mwN.

8 Siehe dazu die Ausführungen von *Wiederin* in diesem Band.

9 *Josef Esser*, Dogmatik zwischen Theorie und Praxis, in FS Raiser (1974) 517 (522).

10 Vgl *Robert Rebhahn*, Zu den Rahmenbedingungen von Rechtsdogmatik, in FS Koziol (2010) 1461 (1464).

11 Siehe dazu die Ausführungen von *Perner* und *Spitzer* in diesem Band.

12 *Mayer-Maly*, DRdA 1979, 197 (200).

In jüngerer Zeit – Stichwort Plattformökonomie – stellt sich schließlich vermehrt die Frage, wie weit sich der Schutz des Arbeitsrechts auf das Wirtschaftsleben überhaupt ausdehnen soll. Mit anderen Worten, wie weit reicht der persönliche Anwendungsbereich „des Arbeitsrechts"? Eine Ausdehnung ist nicht immer von systematisch-teleologischen Überlegungen getragen; dies zeigt ein Blick über den österreichischen Tellerrand.

All dem vorauszuschicken ist für ein besseres Verständnis des österreichischen Arbeitsrechts, dass gesetzliche Regelungen in Österreich nicht selten Sozialpartnerkompromisse sind.[13] Ein rezentes Beispiel dafür ist die per 1. 10. 2021 vollzogene Angleichung der Kündigungsfristen der Arbeiter an jene der Angestellten.[14] Kenner der Materie werden sich wundern, warum die Arbeitgeberseite dem zugestimmt haben könnte, immerhin bedeuten längere Kündigungsfristen idR größere finanzielle Verpflichtungen. Erhellende Gesetzesmaterialien fehlen, die Regelungen wurden ja auch erst kurz vor den Wahlen zum Nationalrat verabschiedet.[15] Die Arbeitgeberseite zum Zustimmen hat wohl jener Passus bewogen, wonach eine Ausnahme durch kollektivvertragliche Regelung für „Branchen, in denen Saisonbetriebe überwiegen", möglich ist. Wenig überraschend ist, dass es nun Kollektivverträge gibt, in denen festgehalten wird, dass es sich bei den von ihnen erfassten Tätigkeiten um solche mit Saisonbetrieben handelt. Damit können gesetzeskonform weiterhin für den Arbeitgeber günstigere – also kürzere – Kündigungsfristen beibehalten werden.[16] Dass die Arbeitnehmerseite dem zugestimmt hat, kann wiederum nur durch einen Blick auf die jeweiligen Kollektivverträge erklärt werden –

13 Vgl zum gesamten DHG *Ferdinand Kerschner,* DHG³ (2019) Einl.

14 Letztlich BGBl I 2021/121; vgl *Manuel Mayr,* Angleichung der Kündigungsbestimmungen von Arbeitern und Angestellten, wbl 2021, 561; *Wolfram Hitz,* Angleichung der Kündigungsbestimmungen. Zusammenspiel mit kollektivvertraglichen und dienstvertraglichen Regelungen, ASoK 2021, 418.

15 *Matthias Walch,* Kündigung des freien Dienstvertrags nach neuem Recht, RdW 2021, 613.

16 Siehe etwa § 13 des KollV Hafner, Platten-, Fliesenleger und Keramiker idF 1. 5. 2021. Wann nun tatsächlich „Saisonbetriebe überwiegen" bzw wie dies festzustellen ist, ist jedoch nach wie vor offen. Siehe zur umstrittenen Regelung im Kollektivvertrag für Arbeiter im Hotel- und Gastgewerbe OGH 9 ObA 116/21f, ASoK 2022, 291 *(Korenjak)* = DRdA 2022/50 *(Schneller/Pfleger)* = JAS 2023, 145 *(Reissner)* = ZAS 2022/35 *(Wiesinger).* Umstritten ist auch die Frage der Beweislast in einem konkreten Kündigungsverfahren (dazu *Alexander Noga,* Die gerichtliche Inhaltskontrolle abweichender kollektivvertraglicher Kündigungsfristen und -termine, ASoK 2022, 281; *Christoph Radlingmayr,* Zur Beweislast bei der Kündigungsfrist für Arbeiter im Hotel- und Gastgewerbe, ecolex 2023/320).

im Gegenzug für kürzere Kündigungsfristen werden sich dort andere, die Arbeitnehmerseite begünstigende Bestimmungen finden.

Zwei Vorbemerkungen: Einfluss des Europa- und des Verfassungsrechts

Vor allem im europäischen Vergleich ist diese starke Einbeziehung der Sozialpartner auch auf legislativer Ebene, und nicht nur deren Macht im Bereich der kollektiven Rechtsgestaltung, eine Besonderheit. Das Stichwort „Europa" leitet auch die erste Vorbemerkung ein: Das Arbeitsrecht ist so stark wie wohl keine andere Materie des Privatrechts vom Unionsrecht beeinflusst. Möchte man das österreichische Arbeitsrecht verstehen, bedarf es in der gebotenen Kürze daher auch eines Blickes auf die unionsrechtliche Ebene. Dreierlei scheint idZ erwähnenswert: Die eingeschränkte Regelungskompetenz der Union, die Tatsache, dass RL oft mehrere Zwecke und nicht nur jenen des Arbeitnehmerschutzes verfolgen, und die Bedeutung der Grundrechte.

Beim EU-Arbeitsrecht handelt es sich um ein Menü „à la carte". Insbesondere die eingeschränkte Regelungskompetenz (s Art 153 AEUV) gepaart mit Einstimmigkeitserfordernissen im Rat in manchen Materien selbst dort, wo grundsätzlich eine Regelungsbefugnis besteht, führen dazu, dass es keinen umfassenden „Corpus" oder eben kein fertig zusammengestelltes Menü gibt, vielmehr regelt der Unionsgesetzgeber nur manche Aspekte des Arbeitslebens. Zentrale Bereiche des Arbeitsrechts, etwa Kündigungsschutz[17], Entgeltfortzahlung, Haftungsrecht oder Tarifvertragsrecht, werden nicht durch das Unionsrecht tangiert.[18] Viele sind aber insofern unionsrechtlich determiniert, als es entsprechende Grundrechtsverbriefungen in der GRC gibt, so etwa den Schutz bei ungerechtfertigter Entlassung gem Art 30 leg cit.[19]

17 Zumindest nicht umfassend, siehe aber zu Teilaspekten die Richtlinie 98/59/EG des Rates vom 20. 7. 1998 zur Angleichung der Rechtsvorschriften der Mitgliedstaaten über Massenentlassungen, ABl L 1998/225, 16.

18 Vgl auch *Rebhahn/Franzen*, Europäisches Arbeitsrecht, in *Riesenhuber* (Hrsg), Europäische Methodenlehre[4] (2021) 557 Rz 11.

19 Schwierigkeiten bei der Eruierung des Anwendungsbereiches vieler Grundrechte, die unter dem Titel „Solidarität" (Art 27 ff GRC) firmieren, bereitet jedoch vor allem der Verweis auf die mitgliedstaatlichen Rechtsvorschriften und Gepflogenheiten. Zum Recht auf kollektive Maßnahmen, einschließlich Streiks, etwa *Elisabeth Kohlbacher,* Streikrecht und Europarecht (2014); zu Art 30 GRC ausführlich *Erika Kovács,* Ein europäisches Grundrecht auf Kündigungsschutz (2022).

Der Schutz des Arbeitnehmers bzw die Verbesserung der Arbeitsbedingungen steht jedoch selbst dort, wo Regelungen existieren, nicht immer solitär im Vordergrund. Mit vielen RL werden unterschiedliche Zwecke verfolgt.[20] (Zumindest) drei andere Zwecke können eruiert werden: ökonomische Ziele wie Effizienz, Wettbewerb und hohe Beschäftigung, (zum Wettbewerb siehe etwa die Entsende-RL 96/71/EG[21]), und das Ziel der Integration, vor allem, um Wettbewerbsstörungen zu vermeiden.[22]

Dieses Spannungsverhältnis zwischen wirtschaftlichen und sozialen Rechten spiegelt sich auch in den Grundrechtsverbriefungen der GRC wider. Auf die in Art 16 GRC garantierte unternehmerische Freiheit rekurrierte der EuGH etwa in Sachverhaltskonstellationen zum Betriebsübergang[23] oder zum Antidiskriminierungsrecht[24]. Die Europäische Säule sozialer Rechte stellt wiederum einen Schritt in Richtung „Sozialunion" dar.[25] Die nicht unumstrittene Bedeutung der Grundrechte für das nationale Arbeitsrecht sei exemplarisch am Recht auf bezahlten Jahresurlaub (Art 31 Abs 2 GRC) umrissen, einem nach Ansicht des EuGH „besonders bedeutsamen Grundsatz des Sozialrechts der Union". Diesem Recht kommt „zwingende(r) Charakter" zu,[26] allerdings im Ergebnis nur im Ausmaß von vier Wochen. Der Kampf österreichischer Arbeitnehmer um eine sechste Urlaubswoche nach 25 Dienstjahren für alle wurde daher

20 Vgl auch *Rebhahn/Franzen* in *Riesenhuber,* Methodenlehre[4] Rz 19: Einen Auslegungsgrundsatz, dass „im Zweifel zugunsten des Arbeitnehmers" auszulegen ist (also favor laboris) gibt es nicht; der EuGH hat bislang nicht judiziert, dass Mindestvorschriften im Zweifel zugunsten der Arbeitnehmer auszulegen seien. Gerade im Bereich der Binnenmarktregelungen gibt es daher auch tendenziell „unternehmensfreundlichere" Judikate. Daran ändern auch vereinzelte Aussagen des EuGH zum „favor laboratoris" nichts (s etwa EuGH C-29/10, *Koelzsch,* Rn 46), denn diese sind stets im Kontext der konkreten Bestimmung zu sehen.

21 Richtlinie 96/71/EG des Europäischen Parlaments und des Rates vom 16. 12. 1996 über die Entsendung von Arbeitnehmern im Rahmen der Erbringung von Dienstleistungen, ABl L 1997/18, 1; vgl auch die Nachweise bei *Rebhahn/Franzen* in *Riesenhuber,* Methodenlehre[4] Rz 53 ff.

22 *Rebhahn/Franzen* in *Riesenhuber,* Methodenlehre[4] Rz 15.

23 Etwa EuGH C-426/11, *Alemo-Herron ua;* EuGH C-680/15, *Asklepios Kliniken.*

24 EuGH C-157/15, *G4S Secure Solutions*; EuGH C-188/15, *Bougnaoui und ADDH.*

25 *Elisabeth Brameshuber,* Die Europäische Säule Sozialer Rechte. Zur Konstitutionalisierung von Sozialen Rechten, in FS Pfeil (2022) 307; *Brameshuber,* The European Pillar of Social Rights, in *Garben/Gormley* (Hrsg), The Oxford Encyclopedia of EU Law (2023).

26 Etwa EuGH C-684/16, *Max-Planck-Gesellschaft,* Rn 70, 72; sowie bereits EuGH C 131/04, C-257/04, *Robinson Steele ua,* Rn 48, 68.

zwar vor dem EuGH verloren;[27] die Urlaubsersatzleistung muss nun jedoch auch bei unberechtigtem vorzeitigem Austritt des Arbeitnehmers im Ausmaß von maximal vier Wochen ausbezahlt werden.[28]

Die Bedeutung der Grundrechte soll schließlich auch kurz zum Anlass genommen werden, das Arbeitsrecht mit der Verfassung in Bezug zu setzen. *Mayer-Malys* Befund aus dem Jahr 1964, nur wenige Partien des österreichischen Arbeits- und Sozialrechts würden von der Verfassung determiniert,[29] muss angesichts der an Bedeutung gewinnenden Grundrechte für das Arbeitsrecht revidiert werden.[30] Exemplarisch sei bloß auf den Paradigmenwechsel im Arbeitskampfrecht hingewiesen: Die ganz hA ging jahrzehntelang davon aus, dass aufgrund der sog Trennungstheorie jede Streikteilnahme einen Entlassungsgrund darstellt. Vor allem die EGMR-Judikatur seit 2008[31] führte jedoch zu einem Umdenken, sodass nunmehr zumindest im Kern vertreten werden kann, dass durch die Teilnahme an einem kollektivrechtlich zulässigen Streik die Hauptleistungspflichten suspendiert werden und sohin kein Entlassungsgrund gesetzt wird.[32]

Auf europäischer und internationaler Ebene gewinnen grund- und menschenrechtsbasierte Ansätze jedoch (auch) aufgrund gewisser Flexibilisierungstendenzen gepaart mit einem Rückgang der „Macht" der nunmehr vielleicht nicht mehr kollektiven „Mächte" des Arbeitsrechts, also der Tarifparteien, an Bedeutung.[33] In Österreich hingegen kann nach wie vor

27 EuGH C-437/17, *EurothermenResort Bad Schallerbach,* – dort wurde die Argumentation jedoch vor allem auf eine Beschränkung der AN-Freizügigkeit gestützt, die der EuGH zu Recht verneinte.

28 EuGH C-233/20, *job-medium;* bei der unionsrechtswidrigen Vorschrift handelt es sich um § 10 Abs 2 UrlG idF BGBl I 2013/3. Bestätigt durch OGH 9 ObA 150/21f ASoK 2022, 190 *(Shubshizky).*

29 *Theo Mayer-Maly,* Arbeitsrecht und Gesellschaftsordnung, DRdA 1964, 70 (71).

30 Vgl zum Erfordernis, Methodenlehre „insgesamt mehr in den Kontext des öffentlichen Rechts" zu rücken, *Christiane Wendehorst,* Methodenlehre und Privatrecht in Europa, in FS Mayer (2011) 827 (835).

31 Grundlegend die Rechtssachen EMGR 12. 11. 2008, 34503/97, *Demir und Bakaya/die Türkei;* EGMR 6. 11. 2009, 68959/01 *Enerji Yapi-Yol Sen/die Türkei.*

32 Nachweise bei *Kohlbacher,* Streikrecht 381 f; *Elisabeth Kohlbacher,* Grundrecht auf Streik – Rechtsgrundlagen und Rechtsfolgen, ecolex 2015, 690 (692); *Elisabeth Kohlbacher,* Vom „Collective Begging" zur Kampfmittelparität – praktische Auswirkungen der Anerkennung des Grundrechts auf Streik, in *Husemann/Wietfeld* (Hrsg), Zwischen Theorie und Praxis – Herausforderungen des Arbeitsrechts: Dokumentation der 5. Assistententagung im Arbeitsrecht vom 16.–17.07.2015 (2015) 49 (67 f).

33 Vgl *Ruth Dukes,* Constitutionalizing Employment Relations: Sinzheimer, Kahn-Freund, and the Role of Labour Law, Journal of Law and Society 2008, 341 (342).

von „kollektiven Mächten“ gesprochen werden. Bevor näher auf deren Bedeutung im Kontext des kollektiven Arbeitsrechts eingegangen wird, soll zunächst das Prinzip des einseitig zwingenden Charakters arbeitsrechtlicher Gewährleistungen näher beleuchtet werden.

Der einseitig zwingende Charakter des Arbeitsrechts

Die Notwendigkeit des einseitig zwingenden Charakters arbeitsrechtlicher Vorschriften erkannte vor rund 100 Jahren bereits der Gesetzgeber der III. TN: Zu § 1164 ABGB ist in den Materialien zu lesen, dass „das neue Recht des Dienstvertrages seinen sozialpolitischen Zwecken gemäß die Vertragsfreiheit notwendig mehr als bisher einschränken muss, dass daher viele seiner Bestimmungen zum Schutze der Dienstnehmer den Charakter ‚zwingenden Rechtes‘ haben müssen“[34].

Dieser einseitig zwingende Charakter der großen Mehrheit arbeitsrechtlicher Vorschriften macht im System des Privatrechts – gemeinsam mit anderen Prinzipien – auch die normative Spezifität[35] des Arbeitsrechts aus, es handelt sich um eine besondere „Rechtstechnik“.[36] In ihr kommt der Schutzcharakter des Arbeitsrechts klar zum Ausdruck.

Damit und durch das in vielen arbeitsrechtlichen Regelungen verankerte Günstigkeitsprinzip wird auch der Einfluss der Verbände im Arbeitsleben gestärkt: Nicht nur durch Einzel-, sondern auch durch Kollektivvertrag oder Betriebsvereinbarung kann nur zugunsten des Arbeitnehmers von der gesetzlichen Regelung abgewichen werden. Von Kollektivverträgen abweichende Regelungen per Betriebsvereinbarung oder Einzelvertrag sind ebenfalls wiederum (nur) dann möglich, wenn sie günstiger sind.[37]

Dass ein Aufgeben bzw Aufweichen des Günstigkeitsprinzips zu groben Verwerfungen führt, zeigt die europäische Rundschau: In Ungarn etwa kann seit 2012 durch tarifliche Regelungen sogar von gesetzlichen Mindeststandards auch zum Nachteil der Arbeitnehmer abgewichen werden. Hintergrund war (auch), Tarifverhandlungen zu stimulieren (eine mit der

34 HHB 78 BlgHH 21. Session 238 (zu § 1164 ABGB).

35 Vgl *F. Bydlinski,* System 429.

36 *F. Bydlinski,* System 542.

37 Anderes gilt, wenn sich der KollV selbst absolut zwingende Wirkung zuerkennt, ie vom sog Ordnungsprinzip Gebrauch macht; s § 3 Abs 1 S 2 ArbVG; insb zum Günstigkeitsvergleich nach § 3 ArbVG jüngst *Florian Mosing,* Das Günstigkeitsprinzip im Arbeitsrecht (2018).

Situation in Österreich vergleichbare Tradition existiert nicht) und zwar mit dem „Anreiz" der flexibleren, für Arbeitnehmer ungünstigeren Arbeitsbedingungen.[38] In Frankreich wiederum ist das Verhältnis zwischen branchenweiten Tarifverträgen und betrieblichen Regelungen seit der so genannten *Macron*-Reform 2017 derart ausgestaltet, dass mit Ausnahme bestimmter Regelungsmaterien stets, ohne Rücksicht auf Günstigkeitsüberlegungen, die betriebliche Regelung zur Anwendung kommt.[39]

Unter dem Deckmantel der Stimulation von Tarifverhandlungen wird daher das Günstigkeitsprinzip aufgeweicht. Fraglich ist jedoch, ob nach der Erosion der einen Grundfeste – Tarifverhandlungen – die in den vergangenen Jahren bzw Jahrzehnten in vielen Staaten zu gewärtigen ist, auch die Erosion der zweiten Grundfeste zielführend ist, oder ob dadurch nicht unwiederbringlich jahrzehntelang Gewachsenes verloren geht. In den Worten *Karls V.*[40]: „Ich wusste nicht, um was es sich hier handelte. Denn wenn ich es gewusst hätte, hätte ich nicht erlaubt, dass man Hand an das alte Gebäude legt. Ihr habt […] etwas erbaut, was es andernorts schon gibt, und dafür habt ihr etwas zerstört, was einmalig in der Welt war."

Differenzierung zwischen kollektivem und Individualarbeitsrecht – zur Bedeutung der Kollektiven Rechtsgestaltung im Arbeitsrecht

Das Günstigkeitsprinzip und die einseitig zwingende Wirkung der großen Mehrheit arbeitsrechtlicher Vorschriften prägen also Individual- und Kollektivarbeitsrecht. Dennoch ist die Differenzierung zwischen Individual- und Kollektivarbeitsrecht aus dogmatischer Sicht nach wie vor von Bedeu-

38 *Gyulavári/Menegatti*, Introduction, in *Gyulavári/Menegatti* (Hrsg), The Sources of Labour Law (2019) 1 (7).

39 Art L2253-3 Code du travail: „Dans les matières autres que celles mentionnées aux articles L. 2253-1 et L. 2253-2, les stipulations de la convention d'entreprise conclue antérieurement ou postérieurement à la date d'entrée en vigueur de la convention de branche ou de l'accord couvrant un champ territorial ou professionnel plus large prévalent sur celles ayant le même objet prévues par la convention de branche ou l'accord couvrant un champ territorial ou professionnel plus large. …"; krit etwa *Isabelle Daugareilh*, The Tremendous Upheaval in Sources of Labour Law in France, in *Gyulavári/Menegatti* (Hrsg), The Sources of Labour Law (2019) 213.

40 Dieser soll dies 1526 anlässlich des Umbaus der Moschee von Córdoba in eine Kathedrale gesagt haben, wiewohl der Stadtrat von Córdoba bis zuletzt energischen Widerstand gegen den Umbau geleistet hatte.

tung. Dies zeigt sich zunächst an den positivrechtlichen Regelungen: Anstatt „eines“ (Zahlwort) Arbeitsrechtsgesetzbuches finden wir allein in den gängigen Gesetzessammlungen an die 40 Gesetze mit einschlägigem arbeitsrechtlichem Inhalt. Die Kodifikationsbestrebungen in den 60er und 70er Jahren des vergangenen Jahrhunderts fruchteten (bloß) in der Schaffung des ArbVG in seiner Stammfassung aus 1974. Mag dies im Kontrast zu einer Kodifikation des gesamten Arbeitsrechts auch nur ein Teilelement sein, so ist dies insofern bemerkenswert, als darin sowohl die kollektiven Regelungsinstrumente, also vor allem Kollektivvertrag und dessen Substitutionsformen Satzung und Mindestlohntarif, wie auch Betriebsvereinbarung geregelt werden, als auch das Betriebsverfassungsrecht sowie der allgemeine Kündigungsschutz und jener der sich in der Belegschaftsvertretung engagierenden Arbeitnehmer. In Deutschland ist nicht einmal das gelungen, dort gibt es neben dem TVG[41] das BetrVG[42] und das KSchG[43].

Auf inhaltlicher Ebene soll zwar mit dem Arbeitsrecht im Allgemeinen (und hier sei eine notwendige Verallgemeinerung und Vereinfachung erlaubt) der inversen Reaktion begegnet werden: Letztendlich soll ein Ausgleich zwischen den Vertragsparteien geschaffen werden, mit dem Ziel gerechter Vertrags- und somit Arbeitsbedingungen auch für den Arbeitnehmer, der sich typischerweise in einer schwächeren Position befindet. Bei der Schaffung von Verhandlungsparität spielt jedoch vor allem die „Arbeitsverfassung“ und damit ein wesentlicher Teil[44] des kollektiven Arbeitsrechts eine bedeutende Rolle: Wie bereits *Sinzheimer*, einer der Gründerväter des modernen Arbeitsrechts, festhielt, stellt eine Wirtschafts- im Sinne einer Arbeitsverfassung den Schlüssel für soziale Demokratie dar.

41 Tarifvertragsgesetz idF 25. 8. 1969 BGBl I S 1323.

42 Betriebsverfassungsgesetz idF 25. 9. 2001 BGBl I S 2518.

43 Kündigungsschutzgesetz idF 25. 8. 1969 BGBl I S 1317.

44 Mit der Betriebsverfassung hingegen soll vor allem die Verfügungs- und Weisungsbefugnis des Arbeitgebers demokratisiert werden: Gerade durch Mitbestimmungsrechte kommt es zu einer Demokratisierung. Einer Enteignung des Arbeitgebers im ‚Sinne einer Beteiligung der Arbeitnehmerschaft an den Produktionsgütern bedarf es hierzu gerade nicht (siehe *Hugo Sinzheimer*, Das Rätesystem [1919], in *Kahn-Freud/Ramm* [Hrsg], Arbeitsrecht und Rechtssoziologie – Gesammelte Aufsätze und Reden I [1976] 325 [334]). Als Beispiele für die besonders starke Position der Belegschaft in der österreichischen Betriebsverfassung seien die Mitbestimmungsbefugnisse in § 96 ArbVG genannt – ohne Zustimmung des Betriebsrats darf der Betriebsinhaber die Maßnahme nicht setzen; tut er dies dennoch, sieht er sich Unterlassungs- und Beseitigungsansprüchen ausgesetzt. Weiteres wesentliches Element ist die Mitwirkung im Aufsichtsrat.

Die kollektiven Mächte sollen Verhandlungsparität herstellen können; zudem soll eine Arbeitsplatzdemokratie geschaffen werden.[45] Vieles davon spiegelt sich im österreichischen kollektiven Arbeitsrecht wider; in Deutschland hingegen steht bspw das überbetriebliche Tarifverhandlungssystem seit Jahren unter Druck, mit dem Ergebnis, dass es seit 2015 sogar einen gesetzlichen Mindestlohn[46] gibt.[47]

Vor allem im Kollektivvertragsrecht ist der Gesetzgeber nun aber davon ausgegangen, dass bereits präpositiv eine Situation des Gleichgewichtes, also Verhandlungsparität, herrscht. Eines wertenden Eingriffes des Gesetzgebers bedarf es daher nicht.[48] In den Worten *Kahn-Freunds* können die Vorschriften, die kollektive Arbeitsbeziehungen und vor allem Tarifverhandlungen regeln, auch als „auxiliary law" bezeichnet werden, jene, die – zumeist auf Ebene des Individualarbeitsrechts – (Mindest-)Standards festlegen oder direkt Rechte oder Pflichten gewähren bzw auferlegen, als „regulatory legislation".[49] Wiewohl daher dem Grunde nach auch das Kollektive Arbeitsrecht dem Schutz der typischerweise schwächeren Partei, des Arbeitnehmers, dient, so ist Mittel zur Erreichung des Ziels die Schaffung von Verhandlungsparität. Im Unterschied zum Individualarbeitsrecht kann daher nicht von einem generellen Schutzzweck zugunsten „des Arbeitnehmers" bzw „der Arbeitnehmerseite" im Recht der kollektiven Arbeitsbeziehungen ausgegangen werden, vielmehr ist es so, dass die Ergebnisse kollektiver Verhandlungen manchmal auch der Arbeitnehmerseite zum Nachteil gereichen können.[50] Da aber Verhandlungsparität bestanden hat, wird dies von der Arbeitsrechtsordnung akzeptiert.

Dennoch soll es auch im Kollektiven Arbeitsrecht in Ausnahmefällen zu einer Berücksichtigung „des Schutzzwecks" kommen können: Dies dort, wo so es sonst zu „offenbar unangemessene[n] Lösungen" käme.[51] Dass gerade dann

45 Vgl *Dukes,* Journal of Law and Society 2008, 341 (343).

46 Mindestlohngesetz idF 11. 8. 2014 BGBl I S 1348.

47 Vgl *Dukes,* Journal of Law and Society 2008, 341 (350) zur Erkenntnis, dass beides, Arbeits- und Betriebsverfassungsrecht unter den Konstitutionalisierungsgedanken subsumiert werden kann.

48 *Rudolf Strasser,* Juristische Methodologie und soziale Rechtsanwendung im Arbeitsrecht, DRdA 1979, 85 (95).

49 *Otto Kahn-Freund* in *Davies/Freedland* (Hrsg), Kahn-Freund's Labour and the Law (1983) 37 (60).

50 Vgl *Mayer-Maly,* DRdA 1964, 70 (74).

51 *Strasser,* DRdA 1979, 85 (95).

dogmatische Verwerfungen zutage treten, ist offensichtlich. Dies soll anhand eines stark vereinfachten und zugespitzten Beispiels veranschaulicht werden:

Ein Studentenheim wird im Juli und August als Hotel geführt; es handelt sich daher um einen Mischbetrieb. 90% des Umsatzes werden aus dem Studentenheim erzielt. Eine Gewerbeberechtigung wird nur für den Hotelbetrieb benötigt; folglich liegt Kollektivvertragsangehörigkeit kraft Mitgliedschaft beim Hotel- und Gastgewerbe-Kollektivvertrag vor (§ 8 Z 1 ArbVG).[52] Für Studentenheime gibt es keinen Kollektivvertrag. Gäbe es allerdings einen, käme nach den Regeln des ArbVG eben dieser zur Anwendung, da der Studentenheimbetrieb wirtschaftlich bedeutender ist (§ 9 Abs 3 ArbVG). Der geschilderte Fall ist aber gerade nicht gesetzlich geregelt; der Gesetzgeber des ArbVG hat solche Konstellationen nicht mitbedacht, er ging vielmehr davon aus, dass in allen Branchen Kollektivverträge existieren (sollten). Gute Argumente, darunter auch die Kartellfunktion des Kollektivvertrags,[53] sprechen daher dafür, § 9 Abs 3 ArbVG analog anzuwenden. Die Konsequenz wäre, dass ein so genannter kollektivvertragsfreier Raum bestünde, dass also gerade kein Kollektivvertrag auf die Arbeitsverhältnisse zum Studentenheim zur Anwendung käme und somit vor allem auch kein kollektivvertraglich geregeltes Mindestentgelt gezahlt werden müsste.

Der OGH und die wohl hL sehen dies jedoch anders: „Überlegung des Gesetzgebers" sei, dass nur durch Regelungen auf kollektiver Ebene dem Arbeitnehmer ein entsprechender sozialer Schutz gewährleistet werden könne; auf einzelvertraglicher Basis könne dies typischerweise nicht gelingen. Es existiere zwar auch ein Prinzip der fachlichen Adäquanz; letztlich komme „dem sozialen Schutzprinzip" und dem Grundsatz der Tarifeinheit hier jedoch Vorrang zu.[54] Selbst bei wirtschaftlich vollkommen untergeordneter Bedeutung kommt daher im gesamten Mischbetrieb ein Kollektivvertrag – im vorliegenden Fall jener für das Hotel- und Gastgewerbe – zur Anwendung, mag die vornehmliche wirtschaftliche Zielrichtung des Betriebs dem auch überhaupt nicht entsprechen.

52 Instruktiv *Marhold/Brameshuber/Friedrich,* Arbeitsrecht[4] 540.

53 Dazu etwa *Marhold/Brameshuber/Friedrich,* Arbeitsrecht[4] 558 ff.

54 OGH 9 ObA 139/05i ZAS-Judikatur 2006, 218 *(Risak)* = AsoK 2006, 234 *(Marhold-Weinmeier)* = ZAS 2007, 29 *(Friedrich)* = taxlex 2006, 419 *(Schrenk)* = DRdA 2007, 334 *(Kallab)* = JAP 2006/2007, 157 *(Herzeg)* = ASoK 2006, 233 *(Höfle)* = ASoK 2006, 402 *(Schwaighofer)* = taxlex 2006, 515 *(Schmeidl/Steinlechner)* = Arb 12.593 = taxlex 2006, 721 *(Schrenk).*

Man könnte nun zwar argumentieren, dass es einem Studentenheimbetreiber freistünde, eine freiwillige Berufsvereinigung zu gründen. Damit könnte im Ergebnis auch der Abschluss eines Kollektivvertrags in dem relevanten Wirtschaftsbereich herbeigeführt werden. Bis jedoch insb die soziale Mächtigkeit erlangt ist, derer es ua für die Zuerkennung der Kollektivvertragsfähigkeit bedarf, können oftmals Jahre vergehen. Zudem sind es de facto die gesetzlichen Interessenvertretungen, zu denen Pflichtmitgliedschaft besteht, die über Zu- und Aberkennung der Kollektivvertragsfähigkeit an freiwillige Berufsvereinigungen entscheiden.

Pflichtmitgliedschaft und Außenseiterwirkung werden im Übrigen im Hinblick auf die Vertragsfreiheit mitunter auch als „Teufelswerk"[55] bezeichnet. Beide Instrumente sind jedoch maßgeblich verantwortlich für die beinahe 100-prozentige Kollektivvertragsdichte in Österreich; damit wird der inversen Reaktion des Arbeitsrechts erfolgreich entgegengetreten. Die Einschränkungen der Privatautonomie, die schlussendlich aber zu Verhandlungsparität führen, werden daher als gerechtfertigt angesehen[56] (man bedenke zudem, dass eine alternative einseitig zwingende Regelung – Festlegung von Mindestlöhnen durch den Gesetzgeber – die Privatautonomie ebenfalls einschränkte).

Eine solche Verhandlungsparität soll „im Individualarbeitsrecht" nicht existieren. Es wird daher oft pauschal davon ausgegangen, dass es bzw (all) seine Regelungen vor dem Hintergrund der Schutzbedürftigkeit des Arbeitnehmers zu sehen seien.[57] Der Blick nach Europa hat jedoch gezeigt, dass oftmals auch mehrere Zwecke einer Regelung zugrunde liegen.[58] Dass der eigentliche Zweck einer Regelung zudem bisweilen überhaupt nicht eruiert werden kann, zeigt der Blick auf den persönlichen Anwendungsbereich des Arbeitsrechts.

Persönlicher Anwendungsbereich des Arbeitsrechts

Nur auf den abhängigen Arbeitnehmer kommen alle arbeitsrechtlichen Vorschriften zur Anwendung. Dieser regelmäßig in Lohnabhängigkeit

55 *Abbo Junker*, Europäische Grund- und Menschenrechte und das deutsche Arbeitsrecht (unter besonderer Berücksichtigung der Koalitionsfreiheit), ZfA 2013, 91 (134); vgl zur Ablehnung des Kammerprinzips in Deutschland auch *Schnorr*, RdA 1965, 41 (48).

56 *F. Bydlinski*, System 575 mwN und einer weitaus differenzierteren Begründung.

57 Vgl *Strasser*, DRdA 1979, 85 (96).

58 Supra „Zwei Vorbemerkungen".

arbeitende Typus eines Erwerbstätigen bedarf des größten Schutzes.[59] Primärer Anknüpfungspunkt für zentrale Vorschriften bzw Grundsätze ist die Fremdbestimmtheit der Arbeitsleistung.[60]

Der typische Arbeitnehmer wird zudem umfassend, und in dieser Intensität im Vergleich zu anderen vermögensrechtlichen Vertragsverhältnissen singulär, durch ein Rechtsverhältnis in Anspruch genommen. „Nicht selten [wird] der Lebensstil und manchmal sogar das Persönlichkeitsbild mitbestimmt."[61] Vor allem Fremdbestimmtheit und Eingliederung in die Organisation des Arbeitgebers bergen Gefahren möglicher Persönlichkeitsverletzungen. Die Bedeutung von § 16 ABGB im Arbeitsverhältnis ist daher offensichtlich. Ergänzt wird dieser va durch Vorschriften, die dem Gesundheitsschutz dienen. Dazu zählen auch das Arbeitszeitrecht und das Recht auf bezahlten Jahresurlaub;[62] nota bene allerdings, dass die sechste Urlaubswoche nach 25 Dienstjahren beim selben Arbeitgeber vor allem unter dem Aspekt der Betriebstreue zu bewerten ist.[63]

Komplex wird es mit Blick auf Arbeitnehmerähnliche. Dabei handelt es sich um keinen Vertragstypus; sie werden zumeist auf Basis eines freien Dienstvertrags oder eines Werkvertrags tätig. Einige wenige Gesetze, die (teilweise) auch auf Arbeitnehmerähnliche zur Anwendung kommen – etwa das DHG und das GlBG – beschreiben diese als Personen, die in einem Beschäftigungsverhältnis stehen und dabei im Auftrag und für Rechnung bestimmter Personen Arbeit leisten und wegen wirtschaftlicher Unselbständigkeit[64] als

59 Vgl *F. Bydlinski,* System 543, der darauf hinweist, dass eine Besonderheit, aufgrund derer das Arbeitsrecht innerhalb der Privatrechtsordnung besonderer Beachtung bedarf, darin liegt, dass die große Mehrzahl der Berufstätigen ihr Einkommen aus abhängiger bzw unselbständiger Erwerbsarbeit erzielt.

60 Vgl etwa OGH 8 ObA 240/95 DRdA 1996, 303 *(Mazal)* = ASoK 2000, 344 *(Gruber)* = Arb 11.434.

61 *F. Bydlinski,* System 563.

62 Vgl nur ErwGr 4 und 15 Arbeitszeit-RL 2003/88/EG.

63 Etwa EuGH C-437/17, *EurothermenResort Bad Schallerbach,* Rn 33.

64 Dazu insb *Robert Rebhahn* in *Neumayr/Reissner,* Zeller Kommentar zum Arbeitsrecht[3] (2015) § 1151 Rz 125; es kommt auf eine Gesamtbetrachtung mehrere Faktoren an: Ausrichtung der Tätigkeit nicht auf den Markt sondern auf einen oder wenige Vertragspartner, für die regelmäßig gearbeitet wird; der wirtschaftliche Erfolg kommt dem Empfänger zugute, kein eigenes Unternehmen und Leistung in wirtschaftlicher Unterordnung für Zwecke eines anderen; keine Pflicht zur persönlichen Leistung (sohin besteht auch ein Unterschied zu § 4 Abs 4 ASVG). Nach der Judikatur kommt es auf die Umstände des Einzelfalles an.

arbeitnehmerähnlich anzusehen sind.[65] Die Anwendung des GlBG auch auf Arbeitnehmerähnliche resultiert aus den entsprechenden RL-Vorgaben;[66] die Haftungserleichterungen des DHG sollen auch für Arbeitnehmerähnliche deshalb bzw dann greifen, weil bzw wenn ein entsprechendes betriebliches Risikopotenzial existiert und der Beschäftigte besonderen sozialen Schutzes bedarf.[67]

Diese zwei Beispiele scheinen noch gut begründet. Ist die „Arbeitnehmerähnlichkeit im Einzelfall besonders stark ausgeprägt", weil die Entschlussfähigkeit auf ein Mindestmaß eingeschränkt ist, die organisatorischen Umstände daher beinahe auf persönliche Abhängigkeit schließen lassen, sollen auch andere arbeitsrechtliche Vorschriften analog zur Anwendung gelangen können.[68] Bejaht wurde dies etwa für den arbeitsrechtlichen Gleichbehandlungsgrundsatz,[69] den Rückforderungsausschluss bei gutgläubigem Verbrauch des irrtümlich Geleisteten (Judikat 33 neu)[70] und das KautSchG[71]. Die Hintergründe sind jedoch unterschiedlich: Die analoge Anwendung des arbeitsrechtlichen Gleichbehandlungsgrundsatzes wurde in einem Fall bejaht, in dem eine besonders „intensive organisatorische Einbindung [...] in die Strukturen" des „Arbeitgebers" vorlag.[72] Grundgedanke des Rückforderungsausschlusses entsprechend dem Judikat 33 neu ist hingegen die Schutzwürdigkeit berechtigten Vertrauens auf den endgültigen Empfang,[73] mag auch letztlich erst spezifisch arbeitsgerichtliche Rechtsprechung und arbeitsrechtliche Legislativpolitik die Einschränkung der Rückforderbarkeit erzielt haben.[74] IZm dem KautSchG wird aufgrund der besonderen Verbindung mit dem DHG zu Recht auf die Vergleichbarkeit mit diesem hinge-

65 ZB § 1 Abs 3 Z 2 GlBG, § 1 Abs 1 DHG, § 51 Abs 3 Z 2 ASGG; ausführlich *Rebhahn* in *Neumayr/Reissner*, ZellKomm[3] § 1151 Rz 123.

66 *Hopf/Mayr/Eichinger/Erler*, GlBG[2] (2021) § 1 Rz 8 f; die RL-Vorgaben gebieten im Übrigen wohl auch eine Einbeziehung aller freien Dienstnehmer, mögen diese im Einzelfall auch nicht wirtschaftlich abhängig sein.

67 So, ohne weiter ins Detail zu gehen, *Kerschner*, DHG[3] (2019) § 1 Rz 12.

68 OGH 14. 9. 1995, 8 ObA 240/95, unter Verweis auf *Grillberger*, Begriff des freien Dienstvertrages, DRdA 1984, 138; dazu auch *Rebhahn* in *Neumayr/Reissner*, ZellKomm[3] § 1151 Rz 124/1 unter Verweis auf OGH 4 Ob 45/81 ZAS 1983, 29 (zust *Wachter*) = Arb 10055.

69 OGH 14. 9. 1995, 8 ObA 240/95.

70 OGH Präs 1025/28 SZ 11/86 = Judikat 33.

71 *Peter Jabornegg*, Anm zu OGH 14 ObA 10/87, DRdA 1990, 213.

72 OGH 14. 9. 1995, 8 ObA 240/95.

73 *Franz Bydlinski*, Arbeitsrechtskodifikation und allgemeines Zivilrecht (1969) 167.

74 *Mayer-Maly*, DRdA 1979, 197.

wiesen; wegen der Ausdehnung des Anwendungsbereiches des DHG auf arbeitnehmerähnliche Personen ist sohin auch das KautSchG auf diese wegen Vorliegens einer planwidrigen nachträglichen Lücke anzuwenden.[75] Das KautSchG ist aber auch insofern speziell, als bereits sein direkter Anwendungsbereich aufgrund von wirtschaftlicher Abhängigkeit auch auf Heimarbeiter und Zwischenmeister erstreckt wird.[76]

Nicht analog zur Anwendung kommt hingegen etwa das AZG (mit der Begründung, dass es sich um ein „Dienstnehmerschutzgesetz" handelt).[77] Auch zu den Kündigungsfristen und -terminen des AngG hat der OGH explizit festgehalten, dass diese auf freie Dienstverhältnisse nicht anzuwenden sind;[78] ohne nähere Begründung wird davon ausgegangen, dass die Bestimmungen des AngG von einem persönlichen Abhängigkeitsverhältnis ausgehen und sohin den sozial schwächeren Arbeitnehmer schützen. Wie jedoch bereits den Materialien zur III. Teilnovelle des ABGB zu entnehmen ist, korrelieren insb längere Kündigungsfristen ganz generell mit einer bereits verstrichenen Dienstzeit und basieren nicht auf (irgend-) einem Schutzgedanken.[79]

Die soeben vorgenommene Analyse der OGH-Judikate zur analogen Anwendung einiger weniger Grundsätze bzw gesetzlicher Vorschriften auf Arbeitnehmerähnliche zeigt, dass die einzelnen Materien durchwegs unterschiedliche Zwecke verfolgen. Maßgebend für die analoge Anwendung dürfte vor allem eine organisatorische Einbindung in den Betrieb des Vertragspartners sein.

All dies reflektiert, dass es keineswegs immer möglich ist, „nur" „den einen" arbeitsrechtlichen Schutzzweck einer Norm bzw eines Grundsatzes im Individualarbeitsrecht auszumachen. Methodisch könnte ein Rechtsvergleich helfen – man könnte ja meinen, dass andere Rechtsordnungen bei Arbeitnehmerähnlichen vergleichbaren Schutzbedarf orten, sodass auch die entsprechenden Lösungen übernommen werden könnten. Ein plakatives Beispiel gegen eine solche Vermutung ist der Anspruch auf bezahlten Jahresurlaub: Im Gegensatz zu Österreich, wo dieser Arbeitneh-

75 Vgl die eingehende Begründung mit weiteren Nachweisen bei *Jabornegg*, DRdA 1990, 213.

76 Vgl *Jabornegg*, DRdA 1990, 213.

77 OGH 26. 3. 1997, 9 ObA 54/97z.

78 OGH 26. 3. 1997, 9 ObA 54/97z; OGH 5. 4. 1989, 9 ObA 292/88.

79 Vgl HHB 78 BlgHH 21. Session 226 f (zu §§ 1159 f ABGB).

mern vorbehalten ist, haben in Deutschland – seit 1963 unstrittig[80] – auch wirtschaftlich unselbständige Arbeitnehmerähnliche[81] Anspruch auf bezahlten Jahresurlaub. Auch Kollektivverträge können für sie abgeschlossen werden;[82] in Österreich hingegen kommt der I. Teil des ArbVG auf Arbeitnehmerähnliche nach hA nicht zur Anwendung.[83]

Die Möglichkeit des Abschlusses von Kollektivverträgen für Arbeitnehmerähnliche existiert im Übrigen auch in anderen Mitgliedstaaten.[84] Bis dato war zwar unklar, ob solche Kollektivverträge gegen das Kartellverbot des Art 101 AEUV verstoßen. Im Dezember 2021 veröffentlichte die DG Competition der EU-Kommission jedoch so genannte Draft Guidelines,[85] die vor allem an die nationalen Wettbewerbsbehörden gerichtet sind: Bestimmte Solo-Selbständige, also nur Personen, die keine anderen Personen beschäftigen, die entweder wirtschaftlich abhängig sind oder sich in einer schwachen Verhandlungsposition gegenüber dem Vertragspartner befinden, sollen vom Kartellverbot ausgenommen sein.[86]

Es scheint, dass hier vor allem teleologische Überlegungen ausschlaggebend waren: Liegen ein dem Arbeitsverhältnis vergleichbares Ungleichgewicht in der Verhandlungsposition oder wirtschaftliche Abhängigkeit vor,

80 *Inken Gallner* in *Müller-Glöge/Preis/Schmidt,* Erfurter Kommentar zum Arbeitsrecht[22] (2022) § 2 BurlG Rz 1.

81 Siehe § 2 BUrlG (idF 20. 4. 2013, BGBl I 868): „[...] Als Arbeitnehmer gelten auch Personen, die wegen ihrer wirtschaftlichen Unselbständigkeit als arbeitnehmerähnliche Personen anzusehen sind; [...].“ Zur Begriffsbestimmung der Arbeitnehmerähnlichen kann *Gallner* zufolge auf die Definition in § 12a Abs 1 TVG rekurriert werden (*Gallner* in *Müller-Glöge/Preis/Schmidt,* ErfurterKommArbR[22] § 2 BurlG Rz 2).

82 Siehe insb § 12a Abs 1 TVG. Dieser stellt wiederum nach hA eine Ausgestaltung der Koalitionsfreiheit gem Art 9 Abs 3 GG dar; diese umfasst nach hA in Deutschland auch Arbeitnehmerähnliche; auch diese sollen zwecks Herstellung eines Verhandlungsgleichgewichts Koalitionen bilden können, um ihre Arbeits- und Wirtschaftsbedingungen zu wahren und zu fördern.

83 Statt aller *Rudolf Mosler,* Ist das ArbVG noch aktuell? – Kollektive Rechtsgestaltung, DRdA 2014, 511 (514), der dies aber durchaus kritisch sieht.

84 Ausführlich *Elisabeth Brameshuber,* (A Fundamental Right to) Collective Bargaining for Economically Dependent, Employee-Like Workers, in *Boto/Brameshuber* (Hrsg), Collective Bargaining and the Gig Economy (2022) 227.

85 Mitteilung der Kommission – Genehmigung des Inhalts des Entwurfs einer Mitteilung der Kommission – Leitlinien zur Anwendung des EU-Wettbewerbsrechts auf Tarifverträge über die Arbeitsbedingungen von Solo-Selbständigen, KOM (2021) 8838 endg.

86 Ausführl *Brameshuber* in *Boto/Brameshuber,* Collective Bargaining 227 (245 ff).

so bedarf es auch eines entsprechenden Schutzes; zumindest das Wettbewerbsrecht soll Regelungen der kollektiven Rechtsgestaltung nicht entgegenstehen. Jedenfalls mit Blick auf das Unionsrecht scheint eine Ausdehnung des Anwendungsbereiches des I. Teils des ArbVG auch de lege lata nun nicht mehr völlig ausgeschlossen.

Resümierend ist festzuhalten, dass daher offensichtlich in manchen Bereichen auch Personen, die nicht Arbeitnehmer sind, in den Genuss arbeitsrechtlichen Schutzes kommen sollen. Dort, wo dies über Analogieschlüsse erreicht wird, geschieht dies durch relativ schlecht begründete Einzelfallentscheidungen. Daraus resultiert fehlende Rechtssicherheit. Nur, wer an „das eine soziale Schutzprinzip" glaubt, kann mit dem Ergebnis zufrieden sein.

Die aufgrund der Besonderheit des Arbeitsrechts erforderliche Berücksichtigung eines „sozialen Schutzprinzips"?

Gibt es aber überhaupt „das" soziale Schutzprinzip? Hat eine so genannte „soziale Rechtsanwendung"[87] stattzufinden? Gibt es eine solche, die allgemeinen methodologischen Auslegungsregeln ergänzende oder abändernde Auslegungsmethode,[88] nach der die Lage bestimmter Personengruppen, die gegenüber anderen (in der Regel, Anm) benachteiligt sind, zu berücksichtigen ist, mit dem Ziel einer möglichst weitgehenden Milderung der Benachteiligung?[89]

Sehr verallgemeinert ist es natürlich richtig, dass das Arbeitsrecht als „Schutzrecht" bezeichnet wird. Es nimmt insofern eine besondere Stellung innerhalb der Privatrechtsordnung ein, als es umfassend eine, die Arbeitnehmerseite, begünstigt.[90] Dies ist jedoch vor allem dort der Fall,

87 Ausführlich zum Diskussionsstand um die „soziale Rechtsanwendung" als Figur im Sozialrecht, wohlgemerkt im Jahre 1979, *Strasser,* DRdA 1979, 85 (86 ff). Mag das Sozialrecht zwar aufgrund seines vorwiegend verwaltungsrechtlichen Charakters daher keiner eingehenden Untersuchung im Hinblick auf eine besondere Dogmatik lohnen, so zeigt die Befassung mit einem solchen speziellen Grundsatz der sozialen Rechtsanwendung doch, dass es auch in diesem Rechtsgebiet Auslegungsregeln gibt, die von den „klassischen" verwaltungsrechtlichen abweichen.

88 Zur Diskussion, ob es solche abändernden Regeln überhaupt gibt bzw geben darf, *Strasser,* DRdA 1979, 85 (92) mwN.

89 *Strasser,* DRdA 1979, 85 (93).

90 Vgl *F. Bydlinski,* System 543.

wo es um „regulatory legislation“ geht. Im Bereich der kollektiven Rechtsgestaltung hingegen können wir davon ausgehen, dass insb mit den Vorschriften des ArbVG bloß die bereits präpositiv bestehende Verhandlungsparität unterstützt werden soll.

Mit Blick auf die rechtliche Gleichwertigkeit aller Privatrechtssubjekte ist zu hinterfragen, worin nun tatsächlich die Begründung „des“ Schutzrechts liegt und wie weit der Schutz gehen kann bzw worin seine Grenzen liegen.[91] Entgegen § 33 des Entwurfes Martini aus dem Jahr 1779 hat der „Schutz des Schwächeren gegen den Stärkeren“ in dieser Allgemeinheit nicht Eingang in das ABGB gefunden.[92] An entsprechenden Belegen für die Arbeitsrechtsordnung fehlt es ebenfalls; „den einen“ „klar erkannten allgemeinen Schutzzweck“ gibt es daher auch nicht für das Arbeitsrecht. Ein Zweck bzw ein Gebot, wonach eine Vorschrift „im Zweifel zugunsten des Arbeitnehmers“ auszulegen ist, ist in dieser Allgemeinheit nicht im Gesetz grundgelegt, mag ein solcher Gedanke für manche auch „mythische Faszination“ entwickeln. Ein konkreter Schutzgedanke muss daher bei Gesetzesauslegung, soll er fruchtbar gemacht werden, auch entsprechend nachgewiesen werden; dem Gesetzgeber kann nicht unterstellt werden, arbeitsrechtliche Regelungen stets nur unter dem Aspekt des Arbeitnehmerschutzes zu erlassen.[93] Mag einen dieses Ergebnis vielleicht gerade wegen einer Faszination für das Schutzprinzip ärgern, so scheint ein Hinterfragen allzu einfacher Lösungen und die Suche nach den Hintergründen für spezielle Regelungen im Lichte eines besseren Verständnisses der und für die Rechtsordnung angebracht.

91 *F. Bydlinski*, System 543.

92 *F. Bydlinski*, System 541 FN 611.

93 *Jasmin Pacic*, Methoden der Rechtsfindung im Arbeitsrecht (2012) 295 ff mwN.

Teil III
Dogmatik im Öffentlichen Recht

Ewald Wiederin

Dogmatik im öffentlichen Recht: Thematische Grundlegung

Vorbemerkungen zum öffentlichen Recht und zur Dogmatik

Meine Aufgabe ist es, für die Behandlung der Dogmatik im öffentlichen Recht die Basis zu legen. Dem schicke ich zwei Vorbemerkungen definitorischer Natur voraus.

Erstens: Wenn ich in der Folge von öffentlichem Recht spreche, dann ist nach dem Konzept des vorliegenden Bandes das Strafrecht mitgemeint. Das ist ungewöhnlich, weil das Strafrecht in aller Regel dem Zivilrecht und dem öffentlichen Recht gegenübergestellt und als eigenständiges drittes Fach betrachtet wird;[1] es birgt aber auch Chancen. Außer Betracht bleiben hingegen das Völkerrecht und das Europarecht, weil sie als Querschnittsmaterien behandelt werden. Das Verwaltungsverfahrensrecht, das ebenfalls so verortet ist, beziehe ich jedoch am Rande mit ein, ebenso wie das verfassungsgerichtliche und das verwaltungsgerichtliche Verfahren, weil sich sonst kein komplettes Bild ergäbe.

Zweites Aperçu: Dogmatik ist als Begriff vielschichtig. Mehrere Bedeutungen gehen wüst durcheinander, im vorliegenden Band wie in meinem Beitrag. Ich hoffe, dass aus dem Kontext klar wird, was jeweils gemeint ist, und fächere vorab die wichtigsten Bedeutungen auf.

Mit Rechtsdogmatik ist erstens und meistens eine Teildisziplin der Rechtswissenschaften gemeint, die den sogenannten Grundlagenfächern –

1 Dazu *Matthias Jestaedt*, Die Dreiteilung der juridischen Welt – Plädoyer für ihre intradisziplinäre Relationierung und Relativierung, in FS Rolf Stürner I: Deutsches Recht (2013) 917 (917 ff).

Rechtsphilosophie und Rechtstheorie, Methodenlehre, Rechtsgeschichte, Rechtssoziologie und diverse andere Rechtsologien – gegenübersteht.[2] Diese Teildisziplin beschäftigt sich mit dem Inhalt des geltenden Rechts;[3] sie fragt also nicht danach, was Recht ist, woher es kommt und wie es wirkt – sie fragt, wie das Recht ist.

In einer verwandten zweiten Bedeutung meint Rechtsdogmatik nicht die Disziplin, sondern die von ihr produzierte Gesamtheit von Aussagen über den Inhalt einer konkreten Rechtsordnung.[4] Die Rechtsdogmatik produziert Rechtsdogmatik.

In einem dritten Sinn meint Dogmatik weder die Disziplin noch ihr Produkt, sondern eine Methode, einen Werkzeugkasten, der zur Gewinnung von Aussagen über das positive Recht zum Einsatz kommt.[5]

So weit, so breit, in allen drei Auffächerungen des Wortes.

---

2 *Larenz/Canaris,* Methodenlehre der Rechtwissenschaften[3] (1995) 11; *Michael Potacs,* Rechtsdogmatik als empirische Wissenschaft, Rechtstheorie 25 (1994) 191 (191).

3 *Christian Bumke,* Rechtsdogmatik: Überlegungen zur Entwicklung und zu den Formen einer Denk- und Arbeitsweise der deutschen Rechtswissenschaft, JZ 2014, 641 (641): „Die Rechtsdogmatik lässt sich als eine Disziplin beschreiben, die das positive Recht durchdringen und ordnen will und die zugleich das Ziel verfolgt, die rechtliche Arbeit anzuleiten und zur Lösung jener Fragen beizutragen, die die Rechtspraxis aufwirft."

4 *Okko Behrends,* Das Bündnis zwischen Gesetz und Dogmatik und die Frage der dogmatischen Rangstufen, in *Behrends/Henckel* (Hrsg), Gesetzgebung und Dogmatik. 3. Symposion der Kommission „Die Funktion des Gesetzes in Geschichte und Gegenwart" am 29. und 30. April 1988 (1989) 3, versteht unter Dogmatik die „von der Jurisprudenz als geltend angesehenen Regeln, Rechtseinrichtungen und Rechtsprinzipien" (5), den „Inbegriff dessen, was eine (richterliche und akademische) Jurisprudenz in einer positiven Rechtsordnung als gültige Sätze ansieht" (10). Ähnlich *Werner Heun,* Begriff, Eigenart, Methoden der Verfassungsdogmatik, in *Christian Starck* (Hrsg), Die Rolle der Verfassungsrechtswissenschaft im demokratischen Verfassungsstaat. Zweites deutsch-taiwanesisches Kolloquium vom 26. bis 28. September 2002 in Taipeh (2004) 35 (39): „Dogmatik ist […] ein das geltende Recht im Ganzen erfassendes Aussagensystem."

5 *Winfried Hassemer,* Dogmatik zwischen Wissenschaft und richterlicher Pragmatik. Einführende Bemerkungen, in *Kirchhof/Magen/Schneider* (Hrsg), Was weiß Dogmatik? Was leistet und wie steuert die Dogmatik des Öffentlichen Rechts? (2012) 3 (3): „spezifische[s] Instrument der Findung, der Ordnung oder auch der Setzung von Recht"; ferner *Jannis Lennartz,* Dogmatik als Methode (2017) 181: „Dogmatik liefert dem Juristen Instrumente für seine Arbeit, insofern ist ihre Verwendung Methode."

Spezifischer wird der Begriff verwendet, wenn er der Auslegung gegenübergestellt wird.[6] In dieser engen Bedeutung beginnt Dogmatik also erst dort, wo die Auslegung endet, und auf diese Dogmatik im engeren Sinn richte ich meine folgenden Bemerkungen aus. Es ist allerdings gar nicht so einfach anzugeben, was denn darunterfällt.

Nach einer verbreiteten Zuschreibung besteht Dogmatik in der Ordnung des Rechtsstoffs, in der Klassifizierung und Systematisierung seiner Elemente, in der begrifflichen Durchdringung und in der Freilegung der Strukturen.[7] Im Unterschied zur Auslegung ist Dogmatik also Lehre des Rechts. Sie will die Rechtsordnung verständlich aufbereiten, ihre Inhalte lernbar machen. Wie die theologische Dogmatik als Glaubenslehre, so hat auch die juristische eine pädagogische Funktion.

Das ist aber längst nicht alles, was wir tun, wenn wir Dogmatik treiben. Weit davon entfernt, den Rechtsstoff bloß in eine Ordnung zu bringen, richten wir ihn zu. Wir schleifen ab und füllen auf; wir richten aus und ziehen gleich; wir kürzen hier etwas weg und stückeln dort etwas an; wir rahmen ein und wir spachteln aus. Dogmatik ist nicht bloß Ordnungsarbeit, sie ist auch, um nicht zu sagen in erster Linie, Rahmungsarbeit und Einlegearbeit, die über Auslegung hinausgeht und über sie hinausgehen muss, weil die Auslegung der Paragraphen allein den Rechtsstoff noch nicht handhabbar macht. Dogmatik hat insoweit eine praktische Funktion: Nach erfolgter Auslegung bereitet sie das Recht weiter auf, und zwar so, dass es zur Entscheidung von Fällen taugt.[8]

Die pädagogische Funktion und den Anwendungsbezug hat die Rechtsdogmatik mit anderer Dogmatik gemeinsam. Es ist kein Zufall, dass sich

6 So *Winfried Brohm,* Die Dogmatik des Verwaltungsrechts vor den Gegenwartsaufgaben der Verwaltung, VVDStRL 30 (1972), 245 (246 f); *Uwe Volkmann,* Veränderungen der Grundrechtsdogmatik, JZ 2005, 261 (262); *Lennartz,* Dogmatik, passim; weiter *Martin Eifert,* Zum Verhältnis von Dogmatik und pluralisierter Rechtswissenschaft, in *Kirchhof/Magen/Schneider* (Hrsg), Dogmatik 79 (81): „eine kohärenzsichernde, operationalisierende Zwischenschicht zwischen den Rechtsnormen und der Rechtsanwendung im Einzelfall."

7 *Bumke,* JZ 2014, 641; *Robert Alexy,* Theorie der juristischen Argumentation. Die Theorie des rationalen Diskurses als Theorie der juristischen Begründung (1983) 307 f.

8 Den Anwendungsbezug betonen *Franz Bydlinski,* Juristische Methodenlehre und Rechtsbegriff[2] (2011) 9, und *Christian Waldhoff,* Kritik und Lob der Dogmatik. Rechtsdogmatik im Spannungsfeld von Gesetzesbindung und Funktionsorientierung, in *Kirchhof/Magen/Schneider* (Hrsg), Dogmatik 17 (26 f).

eine Dogmatik in allen drei höheren Fakultäten der Universität ausgebildet hat, aber auch nur in diesen. Medizin, Jurisprudenz und Theologie können als Wissenschaften die an sie herangetragenen Fragen nicht offen und ihre Zweifel nicht stehen lassen. Sie müssen im Hier und Jetzt Antworten geben, wie man gesund wird, wie man sich rechtskonform verhält und wie man in den Himmel kommt.

Spezifika der Dogmatik im öffentlichen Recht

Was nun ist für das öffentliche Recht spezifisch, was prägt dessen Dogmatik, was vermag die Unterschiede zur zivilrechtlichen Dogmatik zu erklären?

Zum einen wohl ein Machtgefälle. Den öffentlich-rechtlichen Teilgebieten ist gemeinsam, dass die Bürgerin einer kollektiven Gewalt gegenübersteht, der sie unterworfen und bis zu einem gewissen Grad auch ausgeliefert ist. Der Staat kann ihr befehlen, er kann sie zwingen. Das erklärt, und zwar jenseits aller verfassungsrechtlichen Unterschiede, eine höhere Zurückhaltung, im Zuge der Auslegung über den Wortlaut des Gesetzes hinauszugehen, und eine größere Bereitschaft, die ungerechte Behandlung der stärkeren Seite in Kauf zu nehmen. Die öffentliche Gewalt ist der Bürgerin überlegen, sie hat die Produktion des öffentlichen Rechts in der Hand, sie soll sich gefälligst klar ausdrücken, auftretende Lücken sind im Zweifel als beabsichtigt anzusehen.[9]

Ein zweiter Unterschied: Im öffentlichen Recht ist die Rechtskontrolle lückenhaft, noch immer. Bis ungefähr 1800 konnte man die öffentliche Gewalt vor den ordentlichen Gerichten verklagen und von den Herrschenden etwas einfordern.[10] Seither ist dies nicht mehr möglich, weil es sich im Umfang der Herrschaft um keine bürgerliche Rechtssache handelt.[11] Die Dezemberverfassung hat 1867 mit der Grundrechtsgerichtsbarkeit[12] und mit der Verwaltungsgerichtsbarkeit[13] einen Ausgleich geschaf-

9 VwGH 3. 11. 1978, 0970/75 = VwSlg 9677 A.

10 Eingehend *Friedrich Tezner,* Die landesfürstliche Verwaltungsrechtspflege in Österreich vom Ausgang des 15. bis zum Ausgang des 18. Jahrhunderts (1898, 1902).

11 *Thomas Olechowski,* Die Einführung der Verwaltungsgerichtsbarkeit in Österreich (1999) 25 f mwN.

12 Staatsgrundgesetz vom 21. December 1867, über die Einsetzung eines Reichsgerichtes, RGBl 1867/143, Art 3 lit b.

13 Staatsgrundgesetz vom 21. December 1867, über die richterliche Gewalt, RGBl 1867/144, Art 15 Abs 2.

fen, der aber Stückwerk war und es bis heute geblieben ist.[14] Nur das Handeln in bestimmten Rechtsformen ist anfechtbar, es gibt nur Beschwerden, ganz selten Klagen. Noch seltener können Organstreitigkeiten gerichtlich ausgetragen werden.[15] Im Strafrecht ist die Situation anders, gegen Verurteilungen gab es seit jeher Rechtsmittel. Gegen strafprozessuale Ermittlungen gab es sie lange nicht, und selbst heute sind Beschuldigte gegen sie rechtsschutzlos, wenn sie von der Kriminalpolizei ausgehen und ohne Befehl und Zwang auskommen.[16]

Für die rechtswissenschaftliche Dogmatik bedeutet dies, dass ihr auf vielen Feldern Gerichte als Widerpart fehlten. Was im Zivilrecht ein Zwiegespräch ist, war im öffentlichen Recht lange ein Monolog und ist es teilweise noch immer. Zwar hat es auch dort, wo keine Gerichte anrufbar sind, nicht an Akteuren gefehlt, die die relevanten Entscheidungen trafen. Im Verfassungsrecht waren es vor 1918 der Monarch oder graue Eminenzen aus der Lehre, und bis heute ist der Verfassungsdienst eine wichtige Instanz geblieben, der Organstreitigkeiten schlichtet. Öffentlich zugänglich waren und sind seine Entscheidungen nicht.

Dogmatik im öffentlichen Recht als Nachzügler

Dass nunmehr auch im Verfassungs- und Verwaltungsrecht am Ende die Gerichte das Sagen haben, ist mitunter als Kränkung empfunden und als Verlustgeschichte erzählt worden: *Bernhard Schlinks* berühmter Aufsatz über die Entthronung der Staatsrechtslehre durch das Bundesverfassungsgericht[17] sei als Meilenstein erwähnt. Seine Sichtweise mag für die 1980er-Jahre in der Bundesrepublik Deutschland eine gewisse Berechtigung haben. Aufs Ganze gesehen spricht indes mehr für die These, dass die Involvierung der Gerichte und die Entwicklung einer wissenschaftlichen

14 Zur Verwaltungsgerichtsbarkeit *Thomas Olechowski*, Verwaltungsgerichtsbarkeit in Österreich, in *von Bogdandy/Huber/Marcusson* (Hrsg), Handbuch Ius Publicum EuropaeumVIII: Verwaltungsgerichtsbarkeit in Europa: Institutionen und Verfahren (2019) § 133 Rz 3 f, 81 ff.

15 Vgl ursprünglich Art 138 B-VG und nunmehr Art 138b B-VG.

16 Das ist Folge der neuerlichen Aufhebung von Teilen des § 106 Abs 1 StPO durch VfSlg 19.991/2015. Kritik bei *Martin Lenzbauer*, Strafprozess und gesetzlicher Richter – Anmerkung zu VfGH 30.06.2015, G 233/2014 ua, JBl 2015, 808 (810).

17 *Bernhard Schlink*, Die Entthronung der Staatsrechtswissenschaft durch die Verfassungsgerichtsbarkeit, Der Staat 1989, 161 (164 ff).

Dogmatik an den Universitäten Hand in Hand gehen. Da die Gerichte im öffentlichen Recht vergleichsweise spät ins Spiel kamen, hinkte die öffentlich-rechtliche Dogmatik hinter der zivilrechtlichen lange Zeit nach. Das sei nunmehr exemplifiziert.

Wie das Zivilrecht, so kennt auch das Strafrecht schon im 19. Jahrhundert eine entwickelte Dogmatik, die im 20. Jahrhundert ihr Niveau zu halten vermochte. Ich nenne nur die Lehr- und Handbücher von *Herbst,*[18] *Glaser,*[19] *Janka*[20] und *Lammasch;*[21] ich verweise auf die Kommentare von *Mayer*[22] und von *Altmann/Jacob,*[23] schließlich auf die Lehrbücher von *Rittler*[24] und *Nowakowski,*[25] von *Triffterer*[26] und von *Fuchs.*[27]

Im Verfassungs- und Verwaltungsrecht verlief die Entwicklung wesentlich langsamer: Die wissenschaftliche Beschäftigung mit ihm setzte in Österreich erst gegen Ende des 19. Jahrhunderts ein. Im Verwaltungsrecht war es *Edmund Bernatzik,* der mit seiner Habilitationsschrift[28] und mit seinen kritischen Studien zur juristischen Person[29] das Fach begründete. Nach dem fulminanten Anfang kam jedoch wenig, weder von *Bernatzik* noch von anderen, weder im Verwaltungsrecht noch im Verfassungsrecht. Wer die führenden österreichischen Lehrbücher mit den deutschen Pendants vergleicht, sieht sofort, dass dazwischen Welten liegen. Neben den Werken von *Laband,*[30]

18 *Eduard Herbst,* Handbuch des allgemeinen österreichischen Strafrechtes I: Von den Verbrechen[7] (1882), II: Von den Vergehen und Übertretungen[7] (1883).

19 *Julius Glaser,* Handbuch des Strafprozesses I (1883), II (1885).

20 *Karl Janka,* Das österreichische Strafrecht[2] (1890).

21 *Heinrich Lammasch,* Grundriß des Strafrechts[4] (1911); *ders,* Auslieferungspflicht und Asylrecht. Eine Studie über Theorie und Praxis des internationalen Strafrechtes (1887).

22 *Salomon Mayer,* Handbuch des österreichischen Strafproceßrechtes I (1876), II (1881), III (1884), IV (1884).

23 *Altmann/Jacob* (Hrsg), Kommentar zum Österreichischen Strafrecht I (1928), II (1930).

24 *Theodor Rittler,* Lehrbuch des österreichischen Strafrechts I: Allgemeiner Teil[2] (1954), II: Besonderer Teil[2] (1962).

25 *Friedrich Nowakowski,* Das österreichische Strafrecht in seinen Grundzügen (1955).

26 *Otto Triffterer,* Österreichisches Strafrecht. Allgemeiner Teil (1986).

27 *Helmut Fuchs,* Strafrecht Allgemeiner Teil I. Grundlagen und Lehre von der Straftat[8] (2012).

28 *Edmund Bernatzik,* Rechtsprechung und materielle Rechtskraft. Verwaltungsrechtliche Studien (1886).

29 *Edmund Bernatzik,* Kritische Studien über den Begriff der juristischen Person und über die juristische Persönlichkeit der Behörden insbesondere, AöR 1890, 169.

30 *Paul Laband,* Das Staatsrecht des Deutschen Reiches I[5] (1911), II[5] (1911), III[5] (1913), IV[5] (1914).

Georg Meyer[31] und *Otto Mayer*[32] nehmen sich die Bücher von *Ulbrich,*[33] *Gumplowicz*[34] und *Hauke*[35] bieder und aus der Zeit gefallen aus.

In der Zwischenkriegszeit änderte sich wenig. Die Universitäten ließen im Verfassungs- und Verwaltungsrecht die Dogmatik weitgehend links liegen, weil sie alle Kräfte auf die Strukturanalyse verwandten. Die Lehrbücher, von *Kelsen*[36] über *Frisch*[37] bis zu *Adamovich,*[38] rekapitulierten den Verfassungstext, auf Probleme oder gar auf Streitfragen ließen sie sich nicht ein. Selbst der Kommentar von *Kelsen/Froehlich/Merkl,*[39] der ohne Frage Niveau hat, stellt ein Abfallprodukt der praktisch-legistischen Tätigkeit seiner Verfasser dar, das in Dichte, Präzision und Bearbeitungstiefe mit dem deutschen Referenzprodukt, dem Kommentar von *Anschütz,*[40] nicht mithalten kann.

Im Verwaltungsrecht sieht es mit den Grundlehren von *Herrnritt*[41] und mit den Schriften *Tezners*[42] etwas besser aus. Zur Falllösung befähigten sie freilich ebenso wenig wie das Allgemeine Verwaltungsrecht von *Merkl.*[43] Anderes gilt er erst für das 1954 erschienene Allgemeine Verwaltungsrecht von *Antoniolli.*[44] 1956 folgte mit der Habilitationsschrift von *Günther Winkler*[45]

31 *Georg Meyer,* Lehrbuch des Deutschen Staatsrechts[5] (1899); *ders,* Lehrbuch des deutschen Verwaltungsrechtes I[2] (1893), II[2] (1894).

32 *Otto Mayer,* Deutsches Verwaltungsrecht I[3] (1924), II[3] (1924).

33 *Joseph Ulbrich,* Das österreichische Staatsrecht[4] (1909); *ders,* Lehrbuch des österreichischen Verwaltungsrechtes (1904).

34 *Ludwig Gumplowicz,* Das österreichische Staatsrecht (Verfassungs- und Verwaltungsrecht)[2] (1902).

35 *Franz Hauke,* Grundriß des Verfassungsrechts (1905).

36 *Hans Kelsen,* Österreichisches Staatsrecht. Ein Grundriß entwicklungsgeschichtlich dargestellt (1923).

37 *Hans Frisch,* Lehrbuch des österreichischen Verfassungsrechtes (1932).

38 *Ludwig Adamovich,* Grundriß des österreichischen Staatsrechtes (Verfassungs- und Verwaltungsrechtes)[2] (1932).

39 *Kelsen/Froehlich/Merkl,* Die Bundesverfassung vom 1. Oktober 1920 (1922, Neudruck 2003).

40 *Gerhard Anschütz,* Die Verfassung des Deutschen Reiches vom 11. August 1919. Ein Kommentar für Wissenschaft und Praxis[14] (1933).

41 *Rudolf Herrmann Herrnritt,* Grundlehren des Verwaltungsrechtes (1921).

42 *Friedrich Tezner,* Zur Lehre von dem freien Ermessen der Verwaltungsbehörden als Grund für die Unzuständigkeit der Verwaltungsgerichte (1888); *ders,* Handbuch des österreichischen Administrativverfahrens (1896); *ders,* Die rechtsbildende Funktion der österr. verwaltungsgerichtlichen Rechtsprechung I–IV (1925).

43 *Adolf Merkl,* Allgemeines Verwaltungsrecht (1927, Neudruck 1999).

44 *Walter Antoniolli,* Allgemeines Verwaltungsrecht (1954).

45 *Günther Winkler,* Der Bescheid. Ein Beitrag zur Lehre vom Verwaltungsakt (1956).

eine Monografie, in der aus dem Nichts eine Bescheidkonzeption entwickelt ist, die sich dermaßen restlos durchgesetzt hat, dass wir kaum mehr nachvollziehen können, wie originell und innovativ diese Arbeit damals war. Das Verfassungsrecht hinkte hingegen weiter nach; dessen Dogmatik besorgte wie schon in der Zwischenkriegszeit alleine der VfGH.

Erst die 1960er- und 70er-Jahre brachten die Wende. Festmachen lässt sie sich nach meinem Dafürhalten in einer Person, die sich, und darin liegt nicht wenig Ironie, zur Reinen Rechtslehre bekannte, welcher die Interpretation ja dermaßen beliebig erschien, dass zu ihr wissenschaftlich nichts weiter zu sagen war. Diese Person, die Sie längst als *Robert Walter* identifiziert haben, war aber Richter von Profession, und sie war auch nach ihrem Wechsel an die Universität im Grund ihres Herzens Richter geblieben. *Walters* System des Bundesverfassungsrechts[46] stellte in der Literatur- und Judikaturverarbeitung, in der Konsistenz und in der Konsequenz alles in den Schatten, was zu diesem Zeitpunkt im deutschsprachigen Raum am Markt war. Die Arbeit war ein Quantensprung, weil sie erstmals eine geschlossene Verfassungsdogmatik brachte, die sich von jener des Verfassungsgerichtshofs signifikant unterschied, die auf einem benannten theoretischen Fundament aufbaute und dennoch weder mit Auslegungen noch mit Einlegungen geizte. 1976 folgte eine mit *Heinz Mayer* verfasste Kurzversion,[47] zwei Jahre später der ebenfalls gemeinsam besorgte Grundriss des Verwaltungsverfahrensrechts,[48] 1981 das Besondere Verwaltungsrecht.[49] Diese drei Bücher von gerade einmal zwei Leuten waren dem Rest dermaßen überlegen, dass wir bis heute erzählt bekommen, eine riesige Übermacht einer hegemonialen Reinen Rechtslehre habe alles andere platt gewalzt.[50] Das exakte Gegenteil ist wahr: Eine winzige Minderheit war einfach besser, so viel besser, dass niemand den Qualitätsunterschied übersehen konnte.

46 *Robert Walter,* Österreichisches Bundesverfassungsrecht. System (1972).
47 *Walter/Mayer,* Grundriß des österreichischen Bundesverfassungsrechts[1] (1976).
48 *Walter/Mayer,* Grundriß des österreichischen Verwaltungsverfahrensrechts[1] (1978).
49 *Walter/Mayer,* Grundriß des Besonderen Verwaltungsrechts[1] (1981).
50 *Bezemek/Somek,* Die Wiederentdeckung Weltösterreichs. Eine Denkschrift, Der Staat 2018, 135 (140 ff).

Im Aufbruch in Richtung Dogmatik waren die beiden aber nicht allein. Daneben muss namentlich *Peter Pernthaler* genannt werden, der seine imposanten drei Bände zu Raumplanung und Verfassung vorlegte,[51] und andere Autoren, deren Monographien in der damals jungen Reihe „Forschungen aus Staat und Recht" erschienen.

In den 1980ern ging die Dogmatik auch im öffentlichen Recht stärker in die Tiefe, mit den Lehrbüchern von *Adamovich/Funk*[52] und von *Koja*,[53] mit Spezialschrifttum und mit neuen Zeitschriften, von denen pars pro toto die 1976 von *Heinz Peter Rill* begründete Zeitschrift für Verwaltung genannt sei. Mit ein Grund war das rechtswissenschaftliche Studiengesetz von 1978, das schriftliche Klausuren vorsah, in denen man Fälle lösen muss, auch im öffentlichen Recht.[54] Folge war eine weitere Professionalisierung und Konsolidierung um die Jahrtausendwende, mit den neuen Lehrbüchern von *Öhlinger*,[55] *Raschauer*,[56] *Berka*,[57] *Hengstschläger*[58] und *Thienel*.[59] Damit hatte das öffentliche Recht zu den anderen Fächern aufgeschlossen.

Ich fasse zusammen: In der wissenschaftlichen Dogmatik ist hierzulande das öffentlichen Recht ein Nachzügler, sieht man vom Strafrecht einmal ab. Im Verwaltungsrecht ist qualitätsvolle Dogmatik keine hundert, im Finanzrecht und im Verfassungsrecht gerade einmal fünfzig Jahre alt.

---

51 *Peter Pernthaler*, Raumordnung und Verfassung I: Raumordnung als Funktion und Schranke der Gebietshoheit (1975), II: Raumordnung, demokratischer Prozess und Rechtsschutz (1978), III: Neuere Entwicklungen (1990).

52 *Adamovich/Funk*, Allgemeines Verwaltungsrecht[3] (1987); *dies*, Österreichisches Verfassungsrecht. Verfassungsrechtslehre unter Berücksichtigung von Staatslehre und Politikwissenschaft[3] (1985).

53 *Friedrich Koja*, Allgemeines Verwaltungsrecht. Lehr- und Handbuch für Studium und Praxis[3] (1996).

54 Bundesgesetz vom 2. März 1978 über das Studium der Rechtswissenschaften, BGBl 1978/140, § 5 Abs 2 Z 5 und 6, § 5 Abs 4.

55 *Theo Öhlinger*, Verfassungsrecht[1] (1993/94).

56 *Bernhard Raschauer*, Allgemeines Verwaltungsrecht[1] (1998).

57 *Walter Berka*, Verfassungsrecht. Grundzüge des österreichischen Verfassungsrechts für das juristische Studium[1] (2005).

58 *Johannes Hengstschläger*, Verwaltungsverfahrensrecht. Ein systematischer Grundriss[1] (2002).

59 *Rudolf Thienel*, Verwaltungsverfahrensrecht[1] (2000).

Probleme

Wo stehen wir heute, mit welchen Probleme kämpfen wir?

Eine Gefahr erscheint mir überwunden. Gesetzeskunde war früher im öffentlichen Recht weit verbreitet, heute steht sie zum Glück weit am Rand.[60] Mit Abdruck des Normentextes, mit Wiedergabe der Erläuterungen hiezu, mit dem Einflechten der einschlägigen Judikatur und der Garnierung durch die eine oder andere persönliche Bewertung konnte man in Österreich lange Zeit Kommentare machen. Diese Zeiten sind gottlob vorbei, auch im Lehrbuchsektor, wo die reine Gerichtshofberichterstattung ebenfalls auf dem Rückzug ist.[61]

Eine andere Entwicklung betrachte ich hingegen mit Sorge. Die Großkommentare schießen ins Kraut, im Strafrecht mit Wiener,[62] Salzburger,[63] Linzer,[64] Grazer[65] und Innsbrucker[66] Kommentaren, im Finanzrecht zur Bundesabgabenordnung[67] und zu vielen Steuergesetzen,[68] seit der Jahrtausendwende

60 Gegenteilig *Bezemek/Somek*, Der Staat 2018, 140 ff, nach deren Einschätzung eine unter der Bezeichnung „Dogmatik" zugleich akademisch nobilitierte und verbrämte Rechtskunde dominiert.

61 Ausnahme von der Regel: *Christoph Bezemek*, Grundrechte in der Rechtsprechung der Höchstgerichte (2016), euphorisch besprochen von *Alexander Somek*, Rezension, JRP 2018, 84, (85): „Wir ziehen bewundernd den Hut.".

62 *Höpfel/Ratz* (Hrsg), Wiener Kommentar zum Strafgesetzbuch (Stand 320. Lfg 2023); *Fuchs/Ratz* (Hrsg), Wiener Kommentar zur Strafprozessordnung (Stand 374. Lfg 2023).

63 *Triffterer/Rosbaud/Hinterhofer* (Hrsg), Salzburger Kommentar zum Strafgesetzbuch (Stand 41. Lfg 2019).

64 *Birklbauer/Haumer/Nimmervoll/Wess* (Hrsg), StPO – Linzer Kommentar zur Strafprozessordnung (2020); *Birklbauer/Dillinger/Keplinger* (Hrsg), Strafprozessordnung 1975. Polizeiausgabe[13] (2018).

65 *Schmölzer/Mühlbacher* (Hrsg), StPO Strafprozessordnung. Kommentar I[2]: Ermittlungsverfahren (2021), II: Haupt- und Rechtsmittelverfahren (2017).

66 *Bertel/Flora/Venier*, Strafprozessordnung. I[2] (2022); *Bertel/Venier*, Strafprozessordnung. II[2] (2020).

67 *Ritz/Koran* (Hrsg), BAO Bundesabgabenordnung[7] (2021); *Ellinger/Sutter/Urtz* (Hrsg), BAO Bundesabgabenordnung (Stand 17. Lfg 2020); *Rzeszut/Tanzer/Unger* (Hrsg), BAO Bundesabgabenordnung – Stoll Kommentar (2022).

68 *Doralt/Kirchmayr/Mayr/Zorn* (Hrsg), EstG-Einkommensteuergesetz (Stand 22. Lfg 2021); *Kanduth-Kristen/Marschner/Peyerl/Ebner/Ehgartner* (Hrsg), Jakom EStG – Einkommenssteuergesetz[15] (2022); *Berger/Bürgler/Kanduth-Kristen/Wakounig*, Kommentar zum Umsatzsteuergesetz 1994 (2018); *Melhart/Tumpel* (Hrsg), Umsatzsteuergesetz[3] (2021).

auch im Verfassungsrecht,[69] im Verwaltungsverfahren[70] und in der Verwaltungsgerichtsbarkeit.[71] Ursprünglich mag es Nachholbedarf gegeben haben. Heute ist der Bedarf überwiegend gestillt: In der Mitte der öffentlich-rechtlichen Fächer ist fast alles schon kommentiert, nur noch nicht von jedem. Der Versuchung, aus fünf Kommentaren zum B-VG mit minimalem Aufwand einen sechsten zu kondensieren, sollten wir besser widerstehen.

Ebenfalls für gefährlich halte ich eine seltsame Dogmatisierung, die von den ordentlichen Gerichten ausgeht. Im sogenannten RIS-Rechtssatz haben sie ein Medium erfunden, mit dem sie über den Einzelfall hinaus wirken, mit dem sie jenseits ihrer Urteile noch Dogmatik machen können.[72] Mit dem Rechtssatz werden Konkretisierungen einer Norm oder allgemeine Grundsätze aus dem Fallkontext gerissen, für den sie entwickelt wurden, sie werden von den sie tragenden Begründungen abgeschnitten und dem Publikum in anwendungstauglicher Form präsentiert, die wie eine Durchführungsverordnung daherkommt. Das Publikum steigt bereitwillig darauf ein, leider, denn für die Lektüre der ganzen Entscheidung fehlt die Zeit, und für ihre Kontextualisierung erst recht. Mittlerweile zitiert sogar schon der OGH statt der eigenen Entscheidungen die dazu gebildeten Rechtssätze, so,

69 *Korinek/Holoubek/Bezemek/Fuchs/Martin/Zellenberg* (Hrsg), Österreichisches Bundesverfassungsrecht (Stand 18. Lfg 2023); *Kneihs/Lienbacher* (Hrsg), Rill-Schäffer-Kommentar Bundesverfassungsrecht (Stand 29. Lfg 2022); *Gerhard Muzak*, Das österreichische Bundes-Verfassungsrecht^6 (2020); *Grabenwarter/Frank*, B-VG. Bundes-Verfassungsgesetz und Grundrechte (2020); *Kahl/Khakzadeh/Schmid* (Hrsg), Kommentar zum Bundesverfassungsrecht. B-VG und Grundrechte (2021).

70 *Walter/Thienel* (Hrsg), Die österreichischen Verwaltungsverfahrensgesetze I: EGVG, AVG, Zustellgesetz und einschlägige Rechtsvorschriften^2 (1998), II: VStG, VVG, AgrVG, DVG und einschlägige Rechtsvorschriften^2 (2000); *Hengstschläger/Leeb*, Allgemeines Verwaltungsverfahrensgesetz 1991 (AVG) (Stand 17. Lfg 2023); *Rosenkranz/Kahl* (Hrsg), AVG – Allgemeines Verwaltungsverfahrensgesetz (2021); *Raschauer/Wessely* (Hrsg), Kommentar zum Verwaltungsstrafgesetz^3 (2023); *Lewisch/Fister/Weilguni*, Verwaltungsstrafgesetz 1991 (VStG)^3 (2023).

71 *Götzl/Gruber/Reisner/Winkler*, Das neue Verfahrensrecht der Verwaltungsgerichte^2 (2017); *Fister/Fuchs/Sachs*, Verwaltungsgerichtsverfahren^2 (2018); *Eder/Martschin/Schmid*, Das Verfahrensrecht der Verwaltungsgerichte^2 (2019); *Raschauer/Wessely* (Hrsg), Kommentar zum Verwaltungsgerichtsverfahrensgesetz (2018); *Bumberger/Lampert/Larcher/Weber* (Hrsg), VwGVG Verwaltungsgerichtsverfahrensgesetz (2019); *Köhler/Brandtner/Schmelz* (Hrsg), VwGVG Kommentar zum Verwaltungsgerichtsverfahrensgesetz (2020).

72 Versuch einer Aufarbeitung dieses Phänomens bei *Ewald Wiederin*, Der Leitsatz als juristisches Kommunikationsformat, in FS Frank Höpfel (2018) 765 (765 ff). Vgl dazu auch den Beitrag von *Georg Kodek* in diesem Band.

als wolle er die Entscheidungen selbst vergessen machen.[73] Beim Verwaltungsgerichtshof ist es besser: Hier werden zu den Erkenntnissen und Beschlüssen zwar Rechtssätze gebildet, aber unter dem Datum und der Geschäftszahl der Entscheidung, und vom Gerichtshof zitiert werden nur den Entscheidungen selbst. Nicht hoch genug zu loben ist hingegen der VfGH, der auf Leitsatzprägung konsequent verzichtet. Nachdem Gerichte nun einmal nicht dazu berufen sind, auf Grund der Gesetze Rechtssätze zu erlassen, weil das nach Art 18 Abs 2 B-VG die Verwaltung in Verordnungsform zu besorgen hat, lade ich alle im Saal dazu ein, im wissenschaftlichen Kontext die nummerierten RIS-Rechtssätze konsequent zu schneiden.[74] Wenn das, was sie enthalten, in der Entscheidung steht, dann genügt es vollauf, die Entscheidung zu zitieren. Wenn dies nicht der Fall nicht, was durchaus vorkommt, dann ist es angezeigt, den Rechtssatz zu ignorieren.

Perspektiven

Damit, in aller Kürze, zu den Perspektiven. Sollen wir weitermachen wie bisher, oder sind Veränderungen an der Zeit?

Vereinzelte, aber prominente Stimmen empfehlen, uns von der Dogmatik zu verabschieden. Sie ist zweitklassig, praxisorientiert, plagiatsgeneigt, ein deutscher Sonderweg, keine echte Wissenschaft – dieses Geschäft können wir auch den Gerichten überlassen, die am Ende ohnehin das Sagen haben und die es allemal besser können.[75]

73 Daten bei *Matthias Neumayr,* Die Judikaturdokumentation RIS-Justiz im österreichischen Rechtsinformationssystem, ZZPInt 2015, 73 (97 f).

74 Kritik auch bei *Peter Bydlinski,* Die Regresskriterien bei der Schadenersatz-Gesamtschuld. Zugleich ein neuerliches Plädoyer gegen die Rechtssatz-Judikatur, RZ 2013, 57 (57 ff); *Georg Wilhelm,* Immission Tabakrauch, ecolex 2015, 525 (525), und *Peter G. Mayr,* Die komplizierte vereinfachte Zuständigkeitsübertragung nach § 111 JN. Zugleich eine Anmerkung zu 10 Ob 99/15d, EF-Z 2016, 85 (85 f).

75 *Oliver Lepsius,* Kritik der Dogmatik, in *Kirchhof/Magen/Schneider* (Hrsg), Dogmatik 39 (43 ff); *ders,* Problemzugänge und Denktraditionen im Öffentlichen Recht, in *Hilgendorf/Schulze-Fielitz* (Hrsg), Selbstreflexion der Rechtswissenschaft[2] (2021) 53 (81 ff). Empirisch angelegt *Jonas Plebuch,* Das dogmatisierende Jahrzehnt: Verfassungsrechtswissenschaft und Verfassungsgerichtsbarkeit in den 1980er Jahren, in *Martin Löhnig* (Hrsg), Beginn der Gegenwart. Studien zur juristischen Zeitgeschichte der 1980er Jahre (2021) 283, der eine um 1980 einsetzende Dogmatisierung ausmacht (299 ff) und für die Gegenwart einen Rangverlust der Dogmatik konstatiert (329 ff).

Das ist wahr und falsch zugleich. Den Einzelfall entscheiden können die Gerichte besser, denn auf ihn sind sie fokussiert. Das Rechtssystem ausleuchten, seine Bestandteile einrahmen und aus ihnen eine Ordnung bauen können wir an den Universitäten besser, und es braucht uns auch, um die Gerichte zur Ordnung, zur Rechtsordnung zu rufen.[76] Zudem erscheint mir der Appell, wir alle sollten uns auf die Grundlagen zurückziehen, in gewisser Weise paradox. Ohne wissenschaftliche Rechtsdogmatik fehlt auch für eine wissenschaftliche Metadogmatik der Bedarf. Es ist wie in der Theologie: Wo es keine Glaubenslehre mehr gibt, dort hat auch die Fundamentaltheologie ihre Berechtigung verloren.

Sinnvoll ist freilich, nicht ausschließlich Dogmatik zu betreiben, sondern auch über sie zu reflektieren, sich darüber Rechenschaft zu geben, was man tut und wie man es tut. Und wenn zutrifft, dass Dogmatik mehr als Auslegung ist, dann ist es mit einer Vergewisserung über die Auslegungsmethoden alleine nicht getan.

In die Gegenrichtung gilt das allerdings genauso: Ohne eigene Anschauung von Dogmatik geht es auch in den rechtlichen Grundlagenwissenschaften mehr schlecht als recht.

Brauchen wir mehr Rechtsvergleichung? Ja, unbedingt. Denn nur, wer den eigenen Standpunkt auch einmal verlässt, kann ihn unbefangen und distanziert betrachten. Rechtsvergleichung ist aber, *Peter Häberle* zuwider,[77] keine Auslegungsmethode, sondern eine Einlegungsmethode. Und so unvermeidlich Einlegung ist, so gut will sie überlegt sein. Nicht alles, was man aus dem Ausland zukaufen kann, hilft im Inland weiter.

Mehr Interdisziplinarität? Ich zögere – ja und nein, es hängt von der Fragestellung ab. Um Fälle zu entscheiden, muss man interdisziplinär arbeiten; jede Richterin tut es im Grunde, indem sie Sachverständige bestellt. Wo die Entscheidung von empirischen Prämissen abhängt, die nicht auf der Hand liegen, dort geht es nicht anders. Aber solche Entscheidungen sind

76 Eingehender *Horst Dreier,* Rechtswissenschaft als Beruf – zehn Thesen, in *ders* (Hrsg), Rechtswissenschaft als Beruf (2018) 1 (20 ff) *Friedrich Schoch,* Verwaltungsrechtswissenschaft zwischen Theorie und Praxis, in *Martin Burgi* (Hrsg), Zur Lage der Verwaltungsrechtswissenschaft (2017) 11 (20 ff); *Wolfgang Kahl,* Wissenschaft, Praxis und Dogmatik im Verwaltungsrecht (2020) 65 ff.

77 *Peter Häberle,* Grundrechtsgeltung und Grundrechtsinterpretation im Verfassungsstaat. Zugleich zur Rechtsvergleichung als „fünfter" Auslegungsmethode, JZ 1989, 913 (913 ff).

Subsumtionsfragen, die als solche keine sinnvollen dogmatischen Fragestellungen sind. Das gilt in meinen Augen selbst für die Frage, ob ein Gesetz verfassungswidrig ist. Denn die Antwort hängt erstens vom Inhalt der Verfassung, zweitens vom Inhalt des Gesetzes, drittens und darüber hinaus aber sehr oft auch von empirischen Annahmen ab. Zur Ermittlung der ersten beiden Parameter können Juristinnen viel beitragen, zu letzteren wenig. Deshalb sind Abhandlungen, die die Verhältnismäßigkeit von Grundrechtseingriffen prüfen, dogmatisch meistens fad und trist. Sie tragen weder zum Verständnis des Maßstabes noch zum Verständnis des geprüften Gesetzes bei, sondern beschränken sich auf empirische Tauglichkeitseinschätzungen und Mittelvergleiche. Dafür wäre Interdisziplinarität in der Tat zu wünschen, sie findet aber so gut wie nicht statt. Interdisziplinarität verlangt nach Auseinandersetzung mit dem Stand der Forschung einer anderen Wissenschaft, auf der Höhe der Zeit, mit ihren führenden Vertretern.[78] Mit dem juristentypischen Universaldilettantismus ist es nicht getan.

Eine letzte Perspektive: Dogmatik muss sich stärker in den Prozess der Gesetzgebung einbringen. Denn was Rechtstexte bedeuten, das weiß niemand besser als sie, und den Abgeordneten, denen die Implikationen von Vorlagen selten klar sind, ist geholfen, wenn sie erklärt bekommen, wo es sich spießt. Wir sollten es daher dem Strafrecht nachtun, das solche genuin dogmatischen Analysen regelmäßig liefert.

Fazit

Mein Fazit fällt also recht selbstgefällig aus: Machen wir so weiter, der Richtung nach wie bisher, mit mehr Dogmatik, die über nackte Auslegung hinausgeht, mit mehr Systematisierung und mit weniger Kommentierung. Und vergessen wir dabei nicht, dass gute Dogmatik reflektiert sein muss und damit auf Metadogmatik angewiesen ist.

78 *Thomas Gutmann,* Intra- und Interdisziplinarität: Chance oder Störfaktor? in *Hilgendorf/Schulze-Fielitz* (Hrsg), Selbstreflexion 93 (110 ff).

Joachim Lege

Verfassungsrechtsdogmatik

Die Architektur dieses Bandes ist wohldurchdacht.[1] Es nimmt daher nicht wunder, dass nach *Ewald Wiederins* „Grundlegung" zur Dogmatik im Öffentlichen Recht nun ich gleichsam im Dachgeschoss weitermachen darf: mit der Verfassungsrechtsdogmatik, die das einfache Recht, sagen wir einmal, überwölbt. Wie viel dann noch für das einfache öffentliche Recht übrig bleibt – genau das ist vielleicht das Problem.

Die Grundbegriffe

Ich will zunächst die vier Begriffe „Dogmatik", „Verfassung", „Recht" und „Verfassungsrecht" klären[2], um daran dann einige Folgerungen zu knüpfen.

Dogmatik

Der Begriff Dogmatik wird, wie nicht zuletzt dieser Band zeigt, unterschiedlich verwendet. Für mein Verständnis sind zwei Punkte wesentlich:

Erstens. Juristische Dogmatik ist die Lehre – oder die Gesamtheit der Lehren – von der rechtlichen Richtigkeit rechtlicher Entscheidungen.

Vorausgesetzt wird also zweierlei: Rechtliche Entscheidungen dürfen, ja sie müssen für sich in Anspruch nehmen, „richtig" zu sein – sonst gäbe es keine Abgrenzung zu Willkür. (Wie man diese Richtigkeit bestimmt, ist eine zweite Frage, dazu später.) Zudem müssen diese Entscheidungen „rechtlich" richtig sein – im Gegensatz zu einer politischen oder moralischen Richtigkeit. Auch darauf komme ich zurück.

1 Begleitstudie mit metadogmatischem Raster: *Christoph Bezemek*, Zu ebener Erde und erster Stock, ZöR 2021, 11 (12).

2 *Thomas Hobbes*, Leviathan (1651), dt Frankfurt a.M. 1984, 4. Kapitel, 28, 30: Im richtigen Definieren liegt der Anfang aller Wissenschaft; wo es nicht geschieht, bezeichnen „names" keine Begriffe, sie sind nichts als „insignificant sounds".

Zweitens. Dogmatik beginnt mit dem zweiten Fall (oder auch schon mit dem ersten, wenn man den zweiten bereits im Visier hat).

Dogmatik beginnt also nicht erst dort, wo es zu den Gesetzen und anderen autoritativen Texten[3] eine Menge von Kommentaren, Lehrbüchern, Aufsätzen, Fußnoten gibt.[4] Sie beginnt dort, wo wir die Prämissen[5], die wir im ersten Fall aufstellen und anwenden, auch im nächsten Fall anwenden wollen – mag er nun gleich liegen oder gerade nicht. (Letztlich ist dies eine Frage der Logik, denn Logik ist letztlich die Lehre von der Folgerichtigkeit des Handelns.)[6]

Daher gibt es auch in case law-Systemen Dogmatik (sie mag sich nicht so nennen, sondern reasoning from case to case), und es gibt in Gesetzesrechtssystemen, wie nicht zuletzt das Verfassungsrecht zeigt, Spielräume für Kasuistik. Schließlich: Dogmatik ist nicht etwa ein Privileg der „Wissenschaft", genauer: der akademischen Wissenschaft, wie sie an den juristischen Fakultäten betrieben wird. Dogmatik ist auch das, was „die Praxis" betreibt, wobei ich unter Praxis nicht nur die Gerichte und die Anwaltschaft verstehe, sondern auch die Gesetzgebung. Leider fabriziert gerade sie zunehmend schlechte Dogmatik (dazu später mehr), und vielleicht trägt das Verfassungsrecht daran eine Mitschuld.

Verfassung

Der Begriff „Verfassung" wird in der Rechtswissenschaft – und wohl auch ganz allgemein – doppeldeutig verwendet (sog Äquivokation[7], nach *Kelsen* die Wurzel jeder Ideologie[8]): Erstens versteht man unter „Verfassung" das Verfassungs*recht*, so wie es eben „in der Verfassung", dh dem Verfassungs-

3 Anspielung auf *Hobbes*' berühmte Formel auctoritas non veritas facit legem (26. Kapitel, lateinische Fassung). – Nebenbei: auctoritas (Urheberschaft), nicht etwa potestas (Macht).

4 Für wenig weiterführend halte ich daher die verbreitete Meinung, „Dogmatik" sei all das, was es außerhalb der autoritativen Rechtstexte, insbesondere der Gesetzestexte, zu deren Interpretation gibt. Denn es gibt keinen Text, dessen Sinn nicht schon Interpretation wäre (folglich wäre *alles* Dogmatik und niemandem geholfen).

5 Nämlich die Regel („Obersatz") und die Qualifizierung des Falls („Untersatz").

6 Dazu demnächst *Joachim Lege*, Neue Juristische Methodenlehre § 4. – Siehe auch *Christoph Bezemek*, Die Sprache der Bürokratie als Sprache der Folgerichtigkeit, JRP 2018, 165.

7 *Hannappel/Melenk*, Alltagssprache^2 (1984) Nachdruck München (1990) 227 ff.

8 *Hans Kelsen*, Reine Rechtslehre^2 (1960) Nachdruck Wien (2000) 345.

gesetz,[9] niedergelegt ist. Zweitens ist „Verfassung" aber auch das, was Gegenstand dieses Verfassungsrechts ist – so wie die öffentliche Verwaltung der Gegenstand des Verwaltungsrechts, die Gefahrenabwehr der Gegenstand des Polizeirechts, die privaten Lebens- und Wirtschaftsverhältnisse Gegenstand des Privatrechts.

Was aber ist dann diese „Verfassung" – die Verfassung vor dem Verfassungsrecht?[10] Um einen Vergleich mit der Ehe zu ziehen: Auch die Ehe ist ein Phänomen, das es ohne das Recht gar nicht gäbe – und ihm doch auch „voraus" ist. Deshalb kann man sehr darüber streiten, ob sie letztlich ein Vertrag ist (zum wechselseitigen Besitz der Geschlechtseigenschaften, so *Kant*) oder aber eine Institution, die „mehr als dies" ermöglicht: einen Freiheitsraum für die Liebe zweier Menschen (so *Hegel*). Das Gleiche gilt für den Staat: Beruht er auf einem Vertrag, sei es der Untertanen mit dem Herrscher (so *Locke*) oder der Bürger untereinander zu Gunsten des Souveräns (so *Hobbes*)? Oder ist der Staat „mehr als dies" (so *Hegel*): eine Institution, mit der man sich um der Freiheit willen identifizieren sollte (also auch eine Art Liebe)?[11] Vielleicht sind beide – Ehe und Staat – aber auch bloße Machtverhältnisse?

In gleicher Weise kann man nun auch nach dem „wahren Wesen" der Verfassung fragen. Dies ist dann Gegenstand der Verfassungs*theorie*, nicht der Verfassungsrechtsdogmatik. In Deutschland hat dieses Fach eine lange Tradition, geradezu legendär ist der Streit zwischen der „*Schmitt*-Schule" und der „*Smend*-Schule", der zur Zeit der Weimarer Reichsverfassung begann und in der Bundesrepublik lange fortgewirkt hat, nicht zuletzt durch den *Smend*-Schüler *Konrad Hesse*. Ganz grob kann man sagen: Die *Smend*-Schule wünscht sich eine „Integration" von Staat und Gesellschaft zu einem „Gemeinwesen", und zwar mit Hilfe des Verfassungsrechts und seiner Grundwerte.[12] Die *Schmitt*-Schule hingegen besteht auf einer Tren-

9 … und seiner Interpretation, versteht sich.

10 Aus weltösterreichischer Sicht *Christoph Bezemek*, Materielle Perspektiven eines formellen Verfassungsverständnisses, in FS Korinek (2010) 437.

11 In früheren Zeiten sprach man ganz zwanglos von Vaterlandsliebe; *Jürgen Habermas* hat immerhin den Begriff „Verfassungspatriotismus" salonfähig gemacht.

12 Klassisch *Konrad Hesse*, Grundzüge des Verfassungsrechts der Bundesrepublik Deutschland[20] (1995) Neudruck Heidelberg (1999) insb Rz 4, 16 ff; *Hesses* Definition, Verfassung sei die „rechtliche Grundordnung des Gemeinwesens", bringt dies gar nicht so klar zum Ausdruck. – Zu *Smend* siehe *Dominik Richers*, Die Verfassung der Verfassung: Rudolf Smend, in *Joachim Lege* (Hrsg), Greifswald – Spiegel der deutschen Rechtswissenschaft 1815–1945 (2009) 271.

nung von Staat und Gesellschaft[13] und wünscht insbesondere dem Staat mehr Raum für das Politische und weniger Einmischung von Seiten des (Verfassungs-)Rechts.[14] Es wäre erstaunlich, wenn sich diese Differenzen nicht auf die Verfassungsrechtsdogmatik auswirken würden.

Gerade deshalb soll nun noch eine dritte, bewusst wertfreie Hintergrundvorstellung vorgestellt werden: die soziologische Beobachtung der Verfassung aus Perspektive der *Luhmannschen* Systemtheorie. Aus dieser Perspektive ist die Verfassung eine sogenannte strukturelle Kopplung, und zwar die strukturelle Kopplung der beiden Funktionssysteme „Recht" und „Politik".[15] Dies bedarf einer etwas ausführlicheren Erläuterung:

Erstens. Unter den berühmten *Luhmannschen* „Funktionssystemen" darf man sich keineswegs Organisationen oder Institutionen vorstellen, und schon gar nicht bestehen sie aus den Menschen, die – zum Beispiel – beruflich Recht oder Politik betreiben. Die Funktionssysteme bestehen vielmehr aus allen – allen! – Kommunikationen,[16] die den jeweiligen (binären) „Code" des Systems verwenden.[17] Im Funktionssystem „Recht" ist dies der Code „Recht/Unrecht" (oder besser: rechtmäßig/rechtswidrig), im Funktionssystem „Wirtschaft" der Code „haben/nicht-haben", im Funktionssystem „Wissenschaft" der Code „wahr/falsch", im System „Politik" der Code: „Macht/keine Macht". Wenn A zu B sagt: „Sie haben an dem Unfall Schuld,

13 Klassisch *Ernst-Wolfgang Böckenförde,* Die Bedeutung der Unterscheidung von Staat und Gesellschaft im demokratischen Sozialstaat der Gegenwart (1972), in *ders,* Staat – Gesellschaft – Freiheit (1976) 185; *Ernst-Wolfgang Böckenförde,* Die verfassungstheoretische Unterscheidung von Staat und Gesellschaft als Bedingung der individuellen Freiheit (1973).

14 So insbesondere *Ernst Forsthoff,* Die Umbildung des Verfassungsgesetzes, in FS Schmitt (1959) 35. Eine Festschrift zu diesem Zeitpunkt war wegen *Schmitts* führender Rolle im Nationalsozialismus eine Provokation, und es bedurfte großen Mutes, ihr entgegenzutreten. Diesen Mut hatte damals nur *Alexander Hollerbach,* Auflösung der rechtsstaatlichen Verfassung? AöR 1960, 241, erneut abgedruckt in: *ders,* Ausgewählte Schriften, Gerhard Robbers (Hrsg) (2006) 107. Zu diesem Kontext demnächst *Anna-Bettina Kaiser,* Staatsrechtslehrer und Hesse-Schüler, in GedS Hollerbach.

15 Gut zum Einstieg: *Niklas Luhmann,* Verfassung als evolutionäre Errungenschaft, RJ 1990, 176; im Übrigen *Niklas Luhmann,* Das Recht der Gesellschaft (1993) 440 (468–481).

16 „... und aus deren Zurechnung als Handlung" (um genau zu sein); siehe *Niklas Luhmann,* Soziale Systeme (1984) 240.

17 *Luhmann* selbst hat leider keine endgültige Darstellung seiner Funktionssysteme hinterlassen; am übersichtlichsten wohl immer noch *Niklas Luhmann,* Ökologische Kommunikation (1986) 101 ff.

geben Sie mir 100 Euro", dann kommuniziert der erste Satz im Funktionssystem „Recht", der zweite im Funktionssystem „Wirtschaft".

Zweitens. Allerdings gibt es auch Kommunikationen, die notwendig immer in zwei Funktionssystemen zugleich stattfinden – dies sind die erwähnten „strukturellen Koppelungen". So sind etwa „Vertrag" und „Eigentum" die strukturellen Koppelungen von Recht und Wirtschaft – salopp formuliert: Sie sind die rechtliche Perspektive auf das Haben und die (privat-)wirtschaftliche Perspektive auf das Dürfen. Und wie erwähnt ist die Verfassung die strukturelle Kopplung der Systeme „Recht" und „Politik": Alles, was in ihrem Rahmen geschieht, ist zugleich Teil des Rechtslebens wie des politischen Lebens.

Drittens. Was darf man sich aber nun genau unter diesen beiden Funktionssystemen vorstellen? Man sollte dreierlei wissen: (1) Die Funktion des Systems „Recht" ist allein (!) die Stabilisierung normativer Verhaltenserwartungen durch Regulierung ihrer Generalisierung,[18] Funktion des Systems „Politik" allein die Herbeiführung allgemein verbindlicher Entscheidungen.[19] (2) Es gibt sogenannte Kontingenzformeln, an denen sich alle Funktionssysteme wie an einem Leitstern ausrichten (oder dies zumindest behaupten); im Funktionssystem „Recht" lautet diese Formel „Gerechtigkeit", im Funktionssystem „Politik" lautet sie „Gemeinwohl".[20] (3) Funktionssysteme (oder jedenfalls die meisten von ihnen) haben jeweils ein Zentrum, auf das hin sich die Kommunikationen der Peripherie konzentrieren; im Funktionssystem „Recht" sind dies die Gerichte (einschließlich, wenn vorhanden, des Verfassungsgerichts), im Funktionssystem „Politik" ist es der Staat.[21]

Und die „Verfassung" spielt dann eben immer auf diesen beiden Ebenen zugleich.

18 *Niklas Luhmann,* Recht 124 (131).

19 Vgl *Niklas Luhmann,* Die Politik der Gesellschaft (2002) (posthum) 84: „das Bereithalten der Kapazität zu kollektiv bindendem Entscheiden" (im Original kursiv).

20 *Luhmann,* Recht 214–238; *Luhmann,* Politik 120. – Im Funktionssystem „Religion" lautet sie übrigens „Gott" (*Niklas Luhmann,* Die Religion der Gesellschaft [2000] [posthum] 147); und im Funktionssystem „Wirtschaft": „Knappheit" (*Niklas Luhmann,* Die Wirtschaft der Gesellschaft [1988] 191).

21 *Luhmann,* Recht 321; *Luhmann,* Politik 244 f. – Im Funktionssystem „Wirtschaft" sind es übrigens die Banken, siehe *Luhmann,* Politik 250; im System „Wissenschaft" sollten es die Universitäten sein (mit „den Studenten" als struktureller Kopplung zur Gesamtgesellschaft).

Recht

Kommen wir damit zum dritten Bestandteil der „Verfassungsrechtsdogmatik": Recht. Was das Recht „ist", lässt sich bekanntlich schwer bestimmen, und wahrscheinlich wird man den Begriff nie abschließend definieren können. Stattdessen wird man immer nur, mit *Ludwig Wittgenstein*, „Familienähnlichkeiten"[22] feststellen können: Kennzeichen, die zu vielen Phänomenen gehören, die man als Recht bezeichnet, die aber nicht stets in allen diesen Phänomenen vorliegen müssen.[23] Deshalb wollen wir uns hier auf das Wichtigste konzentrieren und nur festhalten:

Recht ist jedenfalls etwas anderes als Politik.

Andernfalls könnte man schwerlich zu einer Aufgabenteilung, ja Gewaltenteilung und Machtaufteilung (balance of powers)[24] zwischen Judikative und Exekutive (insbesondere Regierung) kommen. Daher mutet es seltsam an, wenn auf einer Staatsrechtslehrertagung zu dem Thema „Wissenschaftliche Verfassungsrechtspolitik" ein ehemaliger Richter des BVerfG meint, es sei Rechtspolitik[25] (und nicht Dogmatik), wenn er als Hochschullehrer eine bestimmte Meinung zum, sagen wir, Eigentums-

22 *Ludwig Wittgenstein*, Philosophische Untersuchungen (1945, postum 1952), (1984) Nr 66, 67 (277 f.).

23 Insbesondere sind dies: Entscheidung eines Streits durch einen neutralen Dritten; Durchsetzbarkeit durch Zwang; Anspruch auf Richtigkeit (statt Willkür); Formulierung als Konditionalprogramm (Tatbestand – Rechtsfolge); Ausrichtung an der Gerechtigkeit (umstritten); Regelung äußeren Verhaltens (im Gegensatz zur „Moral"); Gewährleistung durch eine hierzu legitimierte Instanz (auctoritas non veritas …); Erfordernis einer Begründung (und sei es, wie in der Antike, als Gerichtsrede); etc.

24 Zu den ästhetischen Tiefendimensionen *Christoph Bezemek*, Theorie und Methoden des Öffentlichen Rechts, in *Eberhard/Holoubek/Kröll/Lienbacher/Storr* (Hrsg), 100 Jahre Republik Österreich (2021) 17 (36–39), insbesondere mit Hinweis auf *Lord Acton*: „power tends to corrupt, and absolute power corrupts absolutely".

25 Wahrscheinlich ist *Kelsen* daran schuld. Er hat ja gemeint, Gegenstand der Rechtswissenschaft sei allein die Erkenntnis des Inhalts der Rechtsnormen, genauer: des möglichen Inhalts, des Spielraums für die Auslegung. Die Auswahl unter diesen Varianten sei hingegen nicht mehr eine Sache wissenschaftlicher Erkenntnis (ich ergänze: „Dogmatik"), sondern eine politische Entscheidung. Dies verkennt das Wesen von Entscheidungen (man will „richtig" entscheiden), und es legitimiert geradezu, Richterposten nach Parteibuch zu besetzen. – Vielleicht verkennt diese Kritik aber auch die agnostische Heiterkeit und Ironie der Reinen Rechtslehre, siehe *Bezemek/Somek*, Die Wiederentdeckung Weltösterreichs, Der Staat 2018, 135 (140–142).

grundrecht aus Art 14 GG vertritt.[26] Getoppt wird dies nur dadurch, dass in derselben Veranstaltung ein ehemaliger Präsident dieses Gerichts meint, er könne mit dem Begriff „Politik“ überhaupt nichts anfangen; er verstehe es daher auch nicht, wenn man dem Gericht vorwürfe, diese oder jene sei eine „politische“ Entscheidung.[27]

Ich bleibe also dabei: Recht ist etwas anderes als Politik. Daher muss man es, wie man im Grund seit der antiken Gerichtsrhetorik weiß,[28] anders begründen – vor allem durch den Bezug auf bestimmte autoritative Texte[29] (Gesetz, Verordnung, Satzung, Befehl, Vertrag, Präjudiz).

Das gilt dann natürlich auch für das Verfassungsrecht und seine Dogmatik.

Verfassungsrecht

Was Verfassungsrecht „ist“, lässt sich nach diesen Vorklärungen relativ rasch, nämlich rein formal bestimmen: Der autoritative Text, an den das Verfassungsrecht anknüpft, findet sich typischerweise – England bleibt die Ausnahme – in einer besonderen Urkunde, die sich selbst als „constitution“ oder „Verfassung“ oder auch als „Grundgesetz“ bezeichnet. Typischerweise lässt sich der Text dieser Urkunde schwerer abändern als der Text der sogenannten einfachen Gesetze – aber auch dies ist wohl kein notwendiges Kennzeichen (denken wir also noch einmal an *Wittgenstein*).

Wesentlich für Verfassungsrecht, wie wir es verstehen, ist hingegen allein – und dies, obwohl man bei seiner Schaffung daran gar nicht gedacht hatte![30] –: Es hat Vorrang gegenüber allem anderen Recht, also dem schon erwähnten „einfachen Recht“. (Dass man beides unter Umständen schwer

26 Unschwer also zu erkennen: der von mir hochverehrte *Brun-Otto Bryde*. Tatort: der Arbeitskreis „Grundlagen des Öffentlichen Rechts“ auf der Bremer Staatsrechtlehrertagung 2022.

27 Ebenfalls unschwer zu erkennen: *Andreas Voßkuhle*.

28 Die antike Gerichtsrhetorik unterschied drei Arten von Rede: die Gerichtsrede, die politische („beratende“) Rede, die Lob- oder Tadelsrede; auch dazu demnächst *Lege*, Neue Methodenlehre.

29 Siehe FN 3.

30 In den berühmten Federalist Papers von 1787/88, das ist die umfangreiche Artikelserie, mit der im Staat New York für die Annahme der US-Verfassung geworben wurde, ist viel von Außenpolitik, Gewaltenteilung, Zöllen und Korruption die Rede – aber nirgends vom Vorrang der Verfassung. Deutsche Ausgabe: *Hamilton/Madison/Jay* in *Zehnpfennig* (Hrsg), Die Federalist Papers (2007).

voneinander abgrenzen kann, ist die Folge einer bestimmten Dogmatik).[31] Dieser Vorrang lässt sich rechtstheoretisch natürlich wunderbar mit der österreichischen Lehre vom Stufenbau der Rechtsordnung begründen (*Adolf Julius Merkl, Kelsen*) – dann schwebt über der Verfassung nur noch, als Bedingung ihrer Möglichkeit, die Grundnorm[32] (aber keine „Wertordnung"!). Erfunden haben den Vorrang aber wohl doch die Amerikaner in einem ganz konkreten Fall: *Marbury vs Madison.*[33]

Inhaltlich kann sich ein so verstandenes Verfassungsrecht übrigens auf alle Bereiche des Rechts beziehen. So gibt es neben dem Verfassungsrecht im „Staatsrecht I" (= Staatsorganisationsrecht; dessen einfaches Recht bilden zB das Parteiengesetz, das Bundeswahlgesetz, das Staatsangehörigkeitsgesetz) und dem „Staatsrecht II" (= die Grundrechte) auch ein Verwaltungsverfassungsrecht (= Verteilung der Verwaltungskompetenzen zwischen Bund und Ländern, Art 84 ff GG), ein Strafverfassungsrecht (= zB keine Strafe ohne Gesetz, Art 103 Abs 2 GG) und sogar ein Privatrechts- und Wirtschaftsverfassungsrecht[34] (= vor allem die Berufsfreiheit und die Gewährleistung des Privateigentums, Art 12 und 14 GG). Den größten Teil bilden allerdings in der Tat „Staatsrecht I" und „Staatsrecht II", und ich werde mich im Folgenden auf das Staatsorganisationsrecht konzentrieren, weil für die Grundrechte sogleich *Michael Holoubek* am Zug ist.

Resümee

Fassen wir zusammen: „Dogmatik" ist die Lehre von der Richtigkeit rechtlicher Entscheidungen, und sie beginnt schon mit dem zweiten Fall. „Verfassung" ist ein doppeldeutiger Begriff: Er bezeichnet zum einen das Verfassungs*recht*, zugleich aber auch dessen Gegenstand: die Grundorganisation des Staates, vielleicht sogar der Gesamtgesellschaft („Gemein-

31 … nämlich der Ausweitung des Schutzbereichs von Art 2 Abs 1 GG zur allgemeinen Handlungsfreiheit auf der einen Seite (und überhaupt der Schutzbereiche der Grundrechte, s auch bei FN 83), auf der anderen Seite der Ausdehnung der „verfassungsmäßigen Ordnung" zur gesamten verfassungsmäßigen Rechtsordnung. Klassiker: BVerfGE 6, 32 – Elfes (1957).

32 In Österreich eigentlich ein überflüssiger Nachweis: *Hans Kelsen,* Reine Rechtslehre (1934) (2008) 76 ff (orig 66 ff); *Kelsen,* Reine Rechtslehre[2] 200–208.

33 *Marbury v Madison,* 5 U.S. 137 (1803) – im Einzelnen überaus kompliziert; dazu etwa *Frotscher/Pieroth,* Verfassungsgeschichte[20] (2022) § 2 Rz 43–47.

34 Tu felix Austria pflegst es offenbar eigenständiger als wir in Deutschland: *Holoubek/Kahl/Schwarzer* (Hrsg), Wirtschaftsverfassungsrecht (2022).

wesen"). Soziologisch kann man die neuzeitlichen Verfassungen begreifen als die strukturelle Kopplung der beiden Funktionssysteme „Recht" und „Politik". Daraus folgt vor allem: „Recht", auch Verfassungsrecht, ist etwas anderes als „Politik" (und sollte dies auch sein). Schließlich: Die Besonderheit des „Verfassungsrechts" ist ganz allein sein Vorrang, genauer Geltungsvorrang, gegenüber allen rangniedrigeren Normen, also dem sogenannten „einfachen Recht".

Folgerungen

Was lässt sich aus alledem nun für die „Richtigkeit" verfassungsrechtlicher Entscheidungen folgern? Mit anderen Worten: für die Verfassungsrechtsdogmatik?

Rechtliche, nicht politische Richtigkeit

Die erste und wichtigste Folgerung liegt auf der Hand – es stellt sich aber zugleich die Frage, ob sie nicht Unmögliches verlangt. Die Folgerung lautet: Das Ziel von Verfassungsrechtsdogmatik ist die rechtliche, nicht die politische Richtigkeit verfassungsrechtlicher Entscheidungen. (Ganz ebenso ist Ziel der Privatrechtsdogmatik die rechtliche und nicht die wirtschaftliche Richtigkeit – man male sich aus, wie schwer sie zu bestimmen wäre!).

Lässt sich beides, Recht und Politik, aber wirklich voneinander abgrenzen? Der vielleicht schönste Hinweis, dass es möglich ist, findet sich in einem Sondervotum des damaligen Vizepräsidenten des BVerfG *Wolfgang Zeidler* zu der klassischen Entscheidung betreffend die erste Bundestagsauflösung im Jahr 1982.

Zur Erinnerung: Kanzler *Helmut Schmidt* wird im Weg eines konstruktiven Misstrauensvotums (Art 67 GG), gestellt von CDU/CSU und FDP, vom Kanzler *Helmut Kohl* abgelöst. Anschließend stellt der frisch gewählte Kanzler die Vertrauensfrage (Art 68 GG), bei der sich CDU/CSU und FDP der Stimme enthalten und die SPD gegen *Kohl* stimmt. Daraufhin wird, als „Kann"-Rechtsfolge des Art 68 GG, der Bundestag vom Bundespräsidenten aufgelöst.[35]

35 BVerfGE 62, 1 – Bundestagsauflösung I (1983).

Zu diesem Verfahren bemerkt *Zeidler* ganz klar:[36] Es war verfassungswidrig („unechte Vertrauensfrage"), weil das Grundgesetz kein Selbstauflösungsrecht des Bundestages kennt. Dennoch sei das Vorgehen aus politischen Gründen gerechtfertigt gewesen: Die Bundesrepublik habe sich zu einer „Kanzlerdemokratie" entwickelt („Verfassungswandel"), ein im Weg des Art 67 GG gewählter Kanzler dürfe sich daher „mit einem Glaubwürdigkeitsdefizit behaftet" fühlen – ja, und vor allem hatten die politischen Akteure der Öffentlichkeit voreilig versprochen, Neuwahlen durchzuführen. Der Bundespräsident habe daher das „geringere Übel" wählen dürfen: eine Verletzung der „verfassungsrechtlichen Lauterkeit" zu Gunsten der „politischen Sinnhaftigkeit des Verfahrens" im Einzelfall. Anders gewendet: Rechtlich falsch, politisch richtig.

Aber lassen sich Recht und Politik wirklich unterscheiden? Man wird hier in der Tat auf die idealtypische[37] Beschreibung von Recht und Politik in der Systemtheorie zurückgreifen können. Grob gesagt: Wenn es um Gewinn oder Verlust von Macht geht, dann handelt es sich um Politik. Wenn es um die Schaffung klarer Verhaltensregeln für die Zukunft geht, handelt es sich um Recht. Natürlich lässt sich beides nicht völlig voneinander trennen: „Verfassung" ist nun einmal die strukturelle Kopplung von Recht und Politik. Wohl aber kann man ausmachen, welcher Begründungszusammenhang sozusagen die Federführung hat: das Recht oder die Politik. Dass man dies verschleiern kann, ist eine andere Frage.

Und im Hinblick darauf hat das BVerfG geradezu eine Gratwanderung abgeliefert: Zunächst wurde in den Art 68 GG ein ungeschriebenes Tatbestandsmerkmal hineingelesen: Nur wenn eine „materielle Auflösungslage" vorliegt, im Klartext: eine echte Regierungskrise, darf der Bundeskanzler die Vertrauensfrage stellen. Ob eine solche Krise vorliegt, obliegt freilich der Einschätzung des Kanzlers und des Bundespräsidenten – und das BVerfG hat deren Einschätzung mit deutlichem Zähneknirschen hingenommen. Der Subtext dieser Begründung lautete für Juristen denn auch: Diesmal lassen wir es noch durchgehen. Die Politik hat verstanden: Wenn es hart auf hart kommt, werden sie erneut einknicken. So ist es denn auch bei der zweiten Bundestagsauflösung 2005 (Vertrauensfrage des Kanzlers *Gerhard Schröder*) gekommen.[38]

36 BVerfGE 62, 1 (64–70).

37 *Max Weber,* Wirtschaft und Gesellschaft[5] (1921) (1980) § 1 Abschnitte 3, 6, 11.

38 BVerfGE 114, 107 – Bundestagsauflösung II (2005).

Zurück zum Fall, zurück zum Text

Die nächste Folgerung knüpft zum einen an den Begriff „Richtigkeit" an, zum anderen an die Funktion des Rechts, Verhaltenserwartungen abzusichern – im Fall der Verfassung kann man von ihrer Klarstellungsfunktion[39] sprechen. Vor diesem Hintergrund ist in der deutschen Verfassungsrechtsdogmatik vor allem methodisch manches fragwürdig.

Richtigkeit und Gelungenheit

Zunächst muss ich an dieser Stelle etwas nachliefern, nämlich, was ich unter rechtlicher „Richtigkeit" verstehe – es dürfte so einige Kollegen geben, die glatt leugnen würden, dass es so etwas gibt. Allerdings dürfte dies auf einem Missverständnis beruhen. „Richtigkeit", so wie ich sie verstehe,[40] ist nämlich nur, aber immerhin eine regulative Idee im Sinne *Kants,* heute würde man wohl sagen: ein regulatives Ideal. Sie ist der Leitstern, dem man folgt, auch wenn man nie sicher sein kann, das Ideal im Konkreten wirklich verwirklicht zu haben. Das ist ganz ebenso wie beim Ideal der Wahrheit oder der Gerechtigkeit.

Für die tägliche Praxis ist dies natürlich zu wenig (wir wollen schließlich nicht alles aus dem Bauch heraus entscheiden). Deshalb gibt es unterhalb dieser höchsten Ebene in allen Sinn-Zusammmenhängen des Lebens[41] gewisse ästhetische[42] Regeln, zB wie man sich kleidet, wie man spricht, wie man sich verhält. Oder auch: wie man rechtlich-dogmatisch argumentiert. Auf allen diesen Ebenen ist der sozusagen letzte Halt, den man braucht, um sich zu einer Entscheidung durchzuringen (was soll ich beim Opernball anziehen?), etwas, das ich „Gelungenheit" nenne.[43]

39 *Joachim Lege,* Das Verfassungsrecht zwischen normativem Anspruch und politischer Wirklichkeit, DVBl 2007, 1053 (1058, 1061 f).

40 Ebenso *Bezemek* in *Eberhard/Holoubek/Kröll/Lienbacher/Storr* (Hrsg), 100 Jahre Republik.

41 Auch dazu demnächst *Lege,* Methodenlehre.

42 Hierzu kurz auch *Bezemek,* ZöR 2021, 13, mit Verweis auf *Benjamin Kneihs,* Die Schönheit der Verfassung, ZöR 2020, 209.

43 Auch dazu demnächst *Lege,* Neue Methodenlehre und schon *Lege,* Pragmatismus und Jurisprudenz (1999) 563 (582–606); s auch *Joachim Lege* (Hrsg), Gelingendes Recht (2019). – Bahnbrechend im Übrigen die beiden Rundfragen der Zeitschrift für öffentliches Recht unter den Professorinnen und Professoren des Öffentlichen Rechts erst in Österreich, dann in Deutschland nach der gelungensten (sic) und misslungensten (sic) Entscheidung des VfGH bzw des BVerfG: *Jakab/Schmid,* Die

Speziell im Bereich der Rechtsdogmatik besteht diese Gelungenheit (oder auch Misslungenheit) nun im Zusammenklang von Ergebnis und Begründung. Es ist, mit anderen Worten, eine Frage der Methode.

Das Elend der Patchwork-Dogmatik („Maßstab-Poesie")

Und was die Methode angeht, so verfügt die Verfassungsrechtsdogmatik über eine Spezialität, die zwar kein Alleinstellungsmerkmal ist (es gibt sie zB auch in der Rechtsprechung des Bundesverwaltungsgerichts zum Baurecht, Stichwort Abwägungsfehlerlehre[44]) und auch nicht nur von den Gerichten betrieben wird (sondern seit jeher auch von der akademischen Staatsrechtslehre und ihrer Juristenpolitologie). Wohl aber ist sie am stärksten ausgeprägt in der Rechtsprechung des BVerfG, und hier bei den Grundrechten, in zweiter Linie auch bei den beiden großen Staatsprinzipien „Demokratie" und „Rechtsstaat". Im Staatsorganisationsrecht „gelingt" sie seltener. Dies liegt zum einen daran, dass das Staatsorganisationsrecht relativ klare Regeln über Zuständigkeiten und Verfahren enthält, zum anderen daran, dass das Gericht sich für klare Kompetenzen wenig interessiert.[45]

Die Methode, die ich meine, kann man allgemein als intensionale Überdetermination[46] bezeichnen: Man schreibt in die Definition eines Begriffs so viel hinein, dass man in der Subsumtion freie Hand hat, was man als relevant herausgreift. Das BVerfG erleichtert sich dies schon formal dadurch, dass es die Entscheidungsgründe untergliedert in einen sogenannten Maßstabsteil (meist „C.I.") und einen Subsumtionsteil („C.II."). In diesen „Maßstäben" wird zunächst völlig abgehoben vom Fall ganz allgemein etwas gesagt zur Meinungsfreiheit *(Lüth)*,[47] zum Menschenbild des Grundgesetzes (im Kontext der Unternehmerfreiheit [!])[48] oder auch zur Demo-

Rundfrage über die gelungensten und misslungensten Entscheidungen des VfGH seit 1920, ZöR 2021, 1; *András Jakab*, Rundfrage zum 70. Jubiläum des Bundesverfassungsgerichts: Die gelungensten und die misslungensten Entscheidungen des BVerfG in seiner 70-jährigen Rechtsprechung, ZöR 2022, 467.

44 Dazu *Joachim Lege*, Abkehr von der „sog. Abwägungsfehlerlehre"? DÖV 2015, 361.

45 Zu allem und auch zum Folgenden die monographisch-gründliche Untersuchung von *Oliver Lepsius*, Die maßstabsetzende Gewalt, in *Jestaedt/Lepsius/Möllers/Schönberger*, Das entgrenzte Gericht. Eine kritische Bilanz nach sechzig Jahren Bundesverfassungsgericht (2011) 159; zum Nicht-Gelingen dieser Methode im Staatsorganisationsrecht und zum fehlenden Sinn des Gerichts für Kompetenzen ebd 219.

46 Die treffende Bezeichnung stammt von *Gertrude Lübbe-Wolff*.

47 BVerfGE 7, 198 – Lüth (1958).

48 BVerfGE 4, 7 (15 f) – Investitionshilfegesetz (1954).

kratie („Legitimationskette").[49] Dies wird im Subsumtionsteil auf den konkreten Fall übertragen und überzeugt auch meist: *Lüth* darf zum Boykott aufrufen, Ausländer dürfen bei den Kommunalwahlen nicht mitmachen.

Das Problem ist dann der zweite Fall. In ihm zieht das BVerfG – und zieht auch die akademische Verfassungsrechtsdogmatik („Staatsrechtslehre") – in aller Regel nur noch das heran, was ganz allgemein und eben ziemlich „abgehoben" in den Maßstabsteilen gedichtet wurde. Man greift sich aus deren kunstvollen Mosaiken die Steinchen heraus, die für das neue Gemälde passen, sagen wir: Man feiert[50] die Bedeutung des Eigentums für die Freiheit und als Lohn für Leistung, wenn man eigentlich nur darüber entscheiden muss, ob die Bemessungsgrundlage der Vermögensteuer gegen den Gleichheitssatz verstößt.[51] Kurz: Es ist mehr oder weniger willkürlich, welche Fragmente aus welchen Entscheidungen zusammengebastelt werden, und der Kontext, aus dem sie stammen – mit anderen Worten: der Fall, für den der Maßstab entwickelt wurde, wird im wahrsten Sinn des Wortes ausgeblendet. Das ist dann weder gutes case law (weil kein fallbezogenes distinguishing stattfindet) noch gute Gesetzesauslegung (weil all dies eben nicht im Gesetz steht). Es ist auch weder abstrakt-generelle Gesetzgebung noch konkret-individuelle Rechtsprechung (= Fallentscheidung). Es ist das Werk einer, wie *Lepsius* sagt, „maßstabsetzenden Gewalt",[52] die damit erstens nach Belieben ihre Kompetenz erweitert und zweitens aus dem Brei, den sie anrührt, oft selbst nicht mehr herauskommt.

Im Staatsorganisationsrecht ist das beste Beispiel hierfür das Wahlrecht zum deutschen Bundestag,[53] genauer: die Rechtsprechung zu den Überhangmandaten. Das Bundeswahlgesetz von 1956, dessen Gesetzgeber den Verfassunggeber noch recht gut gekannt haben dürfte, hatte sich für das System einer personalisierten Verhältniswahl entschieden: Grundsätzlich werden die Sitze im Bundestag nach Parteienproporz verteilt. Erringt eine Partei mehr Direktmandate, als ihr nach den Zweitstimmen zustehen, be-

49 BVerfGE 83, 60 – Ausländerwahlrecht/Bezirksversammlungen Hamburg (1990).

50 Ich gebe zu, die Formulierung ist ein wenig „cringe".

51 BVerfGE 93, 121 – Vermögensteuer (1995); dazu *Joachim Lege*, Was wir schon immer über das Eigentum sagen wollten: Nassauskiesung und Vermögensteuer, ZöR 2022, 661 (666 ff). – Im Ergebnis hat das BVerfG mit dieser Entscheidung die Vermögensteuer abgeschafft.

52 *Lepsius* in *Jestaedt/Lepsius/Möllers/Schönberger*, Gewalt.

53 Kritisch, knapp und treffend *Heinrich Lang*, Wahlrecht und Bundesverfassungsgericht (2014).

kommt sie diese als sogenannte Überhangmandate obendrauf. Dieses System hat das BVerfG sehr viel später, nämlich im Jahr 2012, für teilweise verfassungswidrig erachtet: Es verstoße gegen den Grundsatz der Wahlrechtsgleichheit (Art 38 Abs 1 Satz 1 GG).[54] Folglich müssten nunmehr, um dem Parteienproporz gerecht zu werden, Ausgleichsmandate geschaffen werden, von denen es allerdings auch nicht zu viele geben darf – die Aufblähung des Bundestages wird gern beklagt –, so dass nach aktuellem Stand drei ausgleichslose Überhangmandate dann doch geduldet werden (§ 6 Abs 5 Satz 4 BWahlG). Es ist ein elendes Gefeilsche…[55]

Erstaunlich an diesen Entscheidungen ist dreierlei: Erstens stellen sie die Verfassungswidrigkeit der Überhangmandate nach über 50 Jahren im sozusagen vierten Anlauf fest – nach zwei vergeblichen Versuchen 1988 und 1996.[56] Zweitens wird über Sinn und Zweck der Überhangmandate nicht vorurteilsfrei nachgedacht. Stattdessen müssen sie sich, drittens, von vornherein rechtfertigen[57] vor einem Grundsatz der Gleichheit der Wahl „im Sinne einer strengen und formalen Gleichheit", so wie ihn das Gericht in seinem Maßstäbe-Patchwork aus verschiedensten Vorentscheidungen (typisch dabei: Kettenzitate[58]) verabsolutiert und ausdifferenziert. „Nach diesen Maßstäben"[59] kommt dann das heraus, was ein geduldiges Bohren dicker Bretter *(Max Weber)*[60] gelegentlich erreicht: Kapitulation durch Zermürbung. (Methodisch besonders ärgerlich: Die vierte Entscheidung stützt sich gerade auch auf Maßstäbe der zweiten Entscheidung, die von den vier Richtern stammen, die damals die Entscheidung *nicht* getragen haben – die also im Grunde nicht mehr als ein Sondervotum sind. Das müsste zumindest gekennzeichnet werden.).

---

54 BVerfGE 131, 316 – Überhangmandate IV/negatives Stimmgewicht II (2012); siehe zuvor auch BVerfGE 121, 266 – Überhangmandate III/negatives Stimmgewicht I (2008).

55 Siehe schon die deutliche Kritik von *Lang*, Wahlrecht insb 70 ff („Politik statt Verfassungsrecht)", 77 („Reinheitsgebot statt Wahlsystemanalyse"); ferner *Grzeszick/Lang*, Wahlrecht als materielles Verfassungsrecht (2012).

56 BVerfGE 79, 169 – Überhangmandate I (1988); BVerfGE 95, 335 – Überhangmandate II (1996), dazu *Joachim Lege*, Überhangmandate und Grundmandatsklausel, JURA 1998, 462.

57 So die Originaldiktion in den Entscheidungen.

58 So auch *Lepsius* in *Jestaedt/Lepsius/Möllers/Schönberger*, Gewalt 201.

59 BVerfGE 121, 266 (298) Überhangmandate III (2008); BVerfGE 131, 316 (339) – Überhangmandate IV (2012).

60 Genaues Zitat: *Max Weber*, Politik als Beruf (1919) 82: „Politik bedeutet ein starkes langsames Bohren von harten Brettern mit Leidenschaft und Augenmaß zugleich."

Ein Aufruf zur Umkehr

All dies wäre halb so schlimm, wenn das BVerfG mit seiner Methode allein stünde und die akademische Rechtswissenschaft es deutlich besser machen würde. Das ist aber nicht der Fall, so dass ich nahezu der gesamten deutschen Verfassungsrechtsdogmatik zurufen muss: Kehrt um! Kehrt um aus dem Sumpf des Maßstäbe-Morastes, kehrt um und verlasst die dunkle Höhle[61] mit ihren Schatten von Abbildern der Gerechtigkeit!

Zum Glück bin ich nicht der Einzige, der zu solcher Umkehr rät. Namentlich *Oliver Lepsius,* schon einmal erwähnt, mahnt eine Kontextualisierung der Maßstäbe an.[62] Ich selbst habe dies schon ein paar Jahre vorher auf die schlichte Formel gebracht: Zurück zum Text, zurück zum Fall![63] Im Fall der Überhangmandate hieße dies zum Beispiel:

Der Text des Art 38 Abs 1 Satz 1 GG – „gleiche[.] … Wahl" – ist denkbar weit. Als Mindestinhalt vorgegeben ist lediglich: „one man (und auch one woman) one vote". Niemandes Stimme zählt mehr als die der anderen. Kein Klassenwahlrecht. Mehr steht im Grundgesetz ganz einfach nicht drin.[64]

Damit zum Fall, zu den Überhangmandaten: Man sollte ganz einfach einmal schauen, welches die Vorteile und welches die Nachteile dieser Kombination von Verhältniswahl und Mehrheitswahl sind – und dann prüfen, ob in diesem Gesamtbild die Nachteile derart überwiegen, dass man von einem „dicken Hund", von einer groben Ungerechtigkeit sprechen kann, in die das Verfassungsrecht hineingrätschen muss. Dies wäre bei den Überhangmandaten gewiss nicht der Fall.[65] Wollte man hingegen die „Gerechtigkeitslast" umkehren und ein vollkommen gerechtes, aus dem

61 Vgl *Platon,* Politeía Der Staat, 514a ff (Höhlengleichnis).

62 *Lepsius* in *Jestaedt/Lepsius/Möllers/Schönberger,* Gewalt 259; *Oliver Lepsius,* Kontextualisierung als Aufgabe der Rechtswissenschaft, JZ 2019, 793.

63 *Lege,* Verfassungsrecht, DVBl 2007, 1053 (1063).

64 Denn: Alles Weitere ist systemabhängig. Bei einer Mehrheitswahl entscheidet allein der Zählwert, erst bei einer Verhältniswahl kommt der Erfolgswert ins Spiel.

65 Vorteile: Belohnung guter Arbeit im Wahlkreis; ein „Grabensystem" (die Hälfte der Abgeordneten wird direkt, die andere per Liste gewählt) hätte entweder ein zu großes Parlament oder zu große Wahlkreise zur Folge; die kleine Ungerechtigkeit, dass Partei A im Land X einen Überhang mehr erwirbt, kann sich dadurch ausgleichen, dass Partei B im Land Y das Gleiche gelingt etc – Nachteil: die Bevorzugung großer Parteien (was freilich im Hinblick auf eine Regierungsbildung schon wieder ein Vorteil sein könnte; mathematische Paradoxien etc). – Wie hier deutlich *Lang* in *Grzeszick/Lang,* Wahlrecht 89 „Überhangmandate sind verfassungsgemäß."

Ideenhimmel der Maßstäbe deduziertes Wahlrecht verwirklichen – das BVerfG wäre nach eigenem Bekunden selbst nicht in der Lage,[66] insoweit etwas völlig Gerades zu zimmern.[67]

Gesellschaftsgestaltung oder Schiedsrichter?

Kommen wir zur dritten Folgerung. Rechtliche Richtigkeit, so hatten wir gesagt, ist ein Ideal. Juristische Dogmatik muss sich mit weniger begnügen, mit juristischer „Gelungenheit". Diese Gelungenheit besteht im Zusammenklang von Ergebnis und Begründung einer Entscheidung. Was die Verfassungsrechtsdogmatik betrifft, haben wir uns soeben mit Defiziten der Begründung beschäftigt. Jetzt wollen wir schauen, zu welchen Ergebnissen die Verfassungsrechtsdogmatik eigentlich kommen sollte.

Eine erste Antwort ist reichlich naiv: Sie sollte halt die Verfassung, genauer das Verfassungsgesetz, in Deutschland also das Grundgesetz, nach allen Regeln der juristischen Kunst auslegen. Das darf dann methodisch mehr oder weniger anspruchsvoll sein – im Fall der ersten Bundestagsauflösung etwa hat das BVerfG in den Art 68 GG ein ungeschriebenes Tatbestandsmerkmal hineininterpretiert. Das ist aber nicht Besonderes: Ungeschriebene Tatbestandsmerkmale gibt es auch sonst, am bekanntesten ist die Vermögensverfügung im Betrugstatbestand des § 263 StGB.

Die zweite Antwort ist ambitionierter: Ziel der Verfassungsrechtsdogmatik, schöner: der „Verfassungsinterpretation" ist die Gestaltung des Gemeinwesens (*Smend*-Schule), ist die Umsetzung der „Wertordnung des Grundgesetzes"[68] in allen Bereichen des Rechts und der Lebenswirklichkeit, ist die Verwirk-

66 Das BVerfG gibt im Hinblick auf die Begrenzung der Anzahl von Überhangmandaten auf „etwa eine halbe Fraktionsstärke" selbst zu: „Der Senat ist sich bewusst, dass die Zahl von 15 Überhangmandaten als Akt richterlicher Normkonkretisierung nicht vollständig begründet werden kann" (BVerfGE 131, 316 [370] – Überhangmandate IV [2012]). Man denkt an Goethes Zauberlehrling – der dann allerdings den Schwarzen Peter gleich wieder dem Gesetzgeber zuschiebt und ihm als „Handlungsflicht" auferlegt, wohlzubegründende Konsequenzen aus diesem nicht zu begründenden richterlichen Akt zu ziehen.

67 *Immanuel Kant*, Idee zu einer allgemeinen Geschichte in weltbürgerlicher Absicht (1784), Sechster Satz: „Aus so krummen Holze, als woraus der Mensch gemacht ist, kann nichts ganz Gerades gezimmert werden."

68 So schon BVerfGE 7, 198 (205, 215 und Leitsatz 1) – *Lüth* (1958); zum Kontext zB *Lepsius* in *Jestaedt/Lepsius/Möllers/Schönberger*, Gewalt 186.

lichung einer gerechten und immer gerechteren Gesellschaft – es liegt auf der Hand, dass sich bei diesem Verständnis in der Tat eine Grenze zwischen Verfassungsrechtsdogmatik und Politik nicht mehr erkennen lässt.

Die aktuellsten Beispiele für diese Gesellschaftsgestaltung durch Verfassungsrecht sind natürlich Klimaschutz und Geschlechtergerechtigkeit. Zunächst zur Geschlechtergerechtigkeit: Es erscheint mir durchaus fraglich, ob zB die „Ehe für alle", formell beschlossen als Parlamentsgesetz,[69] sich so schnell hätte realisieren lassen ohne die Vorarbeiten „aus Karlsruhe" zur eingetragenen Lebenspartnerschaft und deren ehegleichen Rechtsfolgen.[70] Ebenso werden die Vorarbeiten zum „dritten Geschlecht"[71] wohl bald dazu führen, dass die geschlechtergerechte Sprache, sprich das Gender*Sternchen bzw der Gender:Doppelpunkt, auch „in Karlsruhe"[72] justiziabel werden (vor den Arbeitsgerichten sind sie es schon).[73] Dass hinter diesen Sternchen oder Doppelpunkten ein gewaltiges gesellschaftliches Umgestaltungsprogramm steht, dürften gerade deren Protagonisten nicht leugnen. Derartige Umgestaltungen obliegen in einer Demokratie aber nicht der Verfassungsrechtsdogmatik, sondern dem parlamentarischen Gesetzgeber, der vielleicht nicht ganz so progressiv denkt. (Als ich diesen Text mit meinen Mitarbeitern besprach, wurde gefragt, wer eigentlich wen vor sich hertreibt: die Gesellschaft das Gericht oder das Gericht die Gesellschaft.)

Das zweite Beispiel ist der Klimaschutz. Hier lässt sich sogar etwas beobachten, das ich als Verfassungsrechtsdogmatik*politik* bezeichnen möchte.

69 Gesetz vom 20. 7. 2017 (BGBl I 2787).

70 *Claus Dieter Classen,* Staatsrecht II – Grundrechte (2018) § 17 Rz 28 mit den entsprechenden Nachweisen in FN 24. – Zur Problematik der „Ehe für alle" ebd § 14 Rz 6–9, zudem *Wilms/Lang,* Staatsrecht II – Grundrechte (2020) Rz 786–795.

71 BVerfGE 147, 1 – Drittes Geschlecht (2017).

72 Im Jahr 2020 hat das BVerfG die Verfassungsbeschwerde gegen ein Urteil, das den Anspruch einer Sparkassenkundin auf Verwendung geschlechtergerechter Formulare verneinte, wegen Begründungsmängeln nicht zur Entscheidung angenommen (Beschluss vom 26. 5. 2020, 1 BvR 1074/18).

73 Durch die Presse ging: Das LG Ingolstadt hat die Klage eines VW-Mitarbeiters, der sich durch gegenderte E-Mails von Audi-Kollegen in seinem Persönlichkeitsrecht verletzt sah, abgewiesen (<www.zeit.de/gesellschaft/zeitgeschehen/2022-07/gender-sprache-klage-audi-vw-ingolstadt?utm_referrer=https%3A%2F%2Fwww.google.com%2F> 31. 10. 2022). Nach Ansicht des LAG Schleswig-Holstein, NZA-RR 2021, 408, wurde ein zweigeschlechtlich geborener Mensch durch das Gender-Sternchen in einer Stellenausschreibung nicht diskriminiert.

Konkret: Ich hatte mich lange gefragt, warum das BVerfG einen relativ einfachen Fall, der dort seit 2017 anhängig war, nicht entscheidet. Der Fall, er verbindet übrigens sehr charmant Graz[74] mit Mecklenburg Vorpommern, betraf ein Gesetz betreffend die Errichtung und den Betrieb von Windenergieanlagen. Derartige Anlagen, so das mecklenburg-vorpommerische Gesetz, dürfen nur noch betrieben werden in der Rechtsform einer GmbH, und an dieser GmbH müssen die ortsansässigen Bürger und Gemeinden zu mindestens 20 Prozent beteiligt werden. Sinn dieser Regel: Die Leute vor Ort sollen am Gewinn beteiligt werden, und dies soll der politischen Akzeptanz dienen.

Lassen wir einmal außen vor, welches Grundrecht betroffen ist, und steuern wir gleich auf den Grundsatz der Verhältnismäßigkeit zu. Dann lautet die erste Frage: Ist die Schaffung politischer Akzeptanz ein „legitimes Ziel"? Offenbar war diese Frage, so klar gestellt, selbst dem BVerfG zu heikel. Deshalb hat es so lange gedauert, den Fall zu entscheiden: Das BVerfG musste zunächst einmal für seinen großen Klimaschutz-Beschluss[75] vom 24. März 2021 – Stichwort: Klimaschutz als Grundrecht auch künftiger Generationen – so viel Applaus einheimsen, dass ein Jahr später, am 23. März 2022, im Fall der Windkraft-GmbHs ohne großes Risiko judiziert werden konnte:[76] Der Klimaschutz als legitimes „Gemeinwohlziel" rechtfertigt jedes Zwischenziel – auch die Schaffung politischer Akzeptanz. Die Richterin des BVerfG *Gabriele Britz* hat dieser Verfassungsrechtsdogmatikpolitik dann sogar noch in einem NVwZ-Begleitaufsatz Flankenschutz gegeben.[77] Dass dieser Aufsatz ausschließlich (!) das BVerfG selbst zitiert und die zuvor im Schrifttum geäußerte Kritik am Gesetz nicht einmal nachweist, halte ich für schlechte Dogmatik (… und die von mir geäußerte Kritik übrigens für gutes, sich an Präjudizien abarbeitendes Fallrecht[78]).

74 Siehe die Veröffentlichungen von *Renate Pirstner-Ebner,* Förderungsmodelle für „grüne Kraftwerke", RFG 2014, 197; *dies,* Bürgerkraftwerke und Beteiligungspflicht, JRP 2017, 143.

75 BVerfGE 157, 30 – Klimaschutz (2021).

76 BVerfGE 161, 63 – Windenergie-Beteiligungsgesellschaften (2022).

77 *Gabriele Britz,* Klimaschutz in der Rechtsprechung des Bundesverfassungsgerichts, NVwZ 2022, 825.

78 *Joachim Lege,* Enteignung zwecks Beschaffung politischer Akzeptanz? Zur erzwungenen „Bürgerbeteiligung" an Windkraftanlagen, NVwZ 2019, 1000.

Ich muss gestehen, dass mir diese teils Oberaufsicht, teils Hilfestellung des BVerfG bei der Durchsetzung von „Gemeinwohlzielen“[79] – man erinnere sich, dies ist die Kontingenzklausel des Funktionssystems „Politik“ – zu weit geht. Ich würde es daher vorziehen, wenn sich das Gericht gegenüber dem politischen Prozess eher als Schiedsrichter verstünde, der sich auf die Einhaltung der Kompetenzordnung[80] statt auf die Verwirklichung einer Wertordnung konzentriert, auf die Einhaltung von fair play statt darauf, wer das Spiel gewinnt. (Nebenbei: Gerade kürzlich hat das BVerfG im Hinblick auf eine parteipolitische Äußerung der Bundeskanzlerin „eher kleinlich gepfiffen“.[81])

Mehr Respekt vor dem einfachen Recht!

Die vierte Folgerung ergibt sich aus dem Vorrang der Verfassung vor dem einfachen Recht. Ich muss dies an dieser Stelle präzisieren: aus dem Geltungsvorrang. Einfaches Recht darf dem Verfassungsrecht nicht widersprechen. Dies setzt freilich als ein Prius voraus, dass zunächst einmal das einfache Recht anzuwenden ist, dass es den Anwendungsvorrang[82] hat: Zunächst ist der Fall auf Grundlage des Gesetzes, der Verordnung, der Satzung zu entscheiden – erst danach kann man fragen, ob das Gesetz, die Verordnung, die Satzung – und/oder ihre Anwendung im Einzelfall – gegen die Verfassung verstoßen. Das Verfassungsrecht ist, horribile dictu, erst in zweiter Linie gefragt.[83]

Daraus folgt für die Verfassungsrechtsdogmatik: Habt bitte mehr Respekt, mehr Achtung vor dem einfachen Recht! Es kann manche Fälle ganz gut

79 Das Gericht spricht in seinen Gründen und in den Leitsätzen durchgehend von Gemeinwohl und Gemeinwohlzielen – dazu gehört dann neben dem Klimaschutz auch die Sicherung der Stromversorgung (vielleicht wegen des mittlerweile ausgebrochenen Ukraine-Kriegs?).

80 Ihrem Ursprung nach – USA! – sind moderne Verfassungen nun einmal primär Kompetenz- und Verfahrensordnungen – und man sollte dies gerade unter dem Aspekt der Gerechtigkeit nicht geringachten.

81 BVerfGE 162, 207 – *Merkel*-Äußerung zur AfD (2022).

82 Bitte nicht verwechseln mit dem „Anwendungsvorrang“ im europäischen Recht (dazu *Martin Mettesheim* in *Oppermann/Classen/Nettesheim,* Europarecht[9] (2021) § 10 Rz 31–35 – „Anwendungsvorrang“ ebenfalls in Anführungszeichen)! Dort bedeutet er eine Einzelfall-Durchbrechung der Geltung des nationalen Rechts zu Gunsten des europäischen Rechts, dh, er ist in Wahrheit ein Geltungsvorrang für den Einzelfall.

83 Klassisch das Sondervotum von *Dieter Grimm* in BVerfGE 80, 137 (164): „Das Reiten im Walde genießt keinen Grundrechtsschutz 1989.“

allein und besser lösen. Ist es, so jüngst der Bundesgerichtshof, wirklich ein Fall für die Grundrechtskeule des Art 5 Abs 1 GG, wenn ein ebay-Käufer dem Verkäufer in seiner Bewertung bescheinigt: „Ware gut, Versandkosten Wucher!!"?[84] Kann man das nicht lösen, indem man fragt, was nach welchem Empfängerhorizont noch als „sachlich"[85] anzusehen ist? Oder: Kann man die Frage, ob der Veranstalter von Bundesligaspielen für die Gefahr verantwortlich ist, die von der Menschenmenge ausgeht, die im öffentlichen Raum zum Spiel pilgert, nicht auf der Ebene des Sicherheits- und Ordnungsrechts lösen? Und ihn dort ganz wertfrei als Gefahrverursacher qualifizieren? Den man deshalb uU zu den Kosten der Polizeieinsätze heranziehen darf?[86] Muss das Bundesverwaltungsgericht[87] dies wirklich auf der Ebene des Verfassungsrechts klären (und immerhin bejahen), noch dazu mit dem notorisch unübersichtlichen Abgaben-Verfassungsrecht?[88]

Schließlich und zuvörderst bedeutet Respekt vor dem einfachen Recht natürlich: Respekt vor dem einfach-rechtlichen Gesetz. Dies gilt freilich nicht nur für dessen Kontrolle durch Verfassungsinterpreten aller Art – für das BVerfG mögen die Stichworte judicial self restraint und political questions doctrin genügen, ich selbst nenne es gern Dicker-Hund-Theorie.[89] Respekt vor dem einfachen Recht sollte aber auch für denjenigen gelten, der zuvörderst zu dessen Setzung autorisiert ist: den Gesetzgeber selbst. Es ist nachgerade eine Schande, wie leichtfertig mittlerweile Gesetze gemacht werden, insbesondere im Strafrecht.[90] Auf der anderen Seite: Warum soll „der Gesetzgeber" sich viel

84 BGHZ 234, 303 – Gelenkbolzenschellen; Gesamtwert der Bestellung übrigens 19,26 Euro, davon 4,90 Euro Versandkosten.

85 In den Allgemeinen Geschäftsbedingungen von ebay heißt es: „Die von Nutzern abgegebenen Bewertungen müssen sachlich gehalten sein und dürfen keine Schmähkritik enthalten."

86 So *Joachim Lege*, Polizeikosten bei Fußball-Bundesligaspielen, NdsVBl 2018, 353.

87 BVerwGE 165, 138-166 – Polizeikosten bei Bundesligaspielen (2019).

88 Wahrscheinlich hat man diesen Weg gewählt, um sich nicht einem shit storm auszusetzen, der auf die Qualifizierung der Deutschen Fußball-Liga (DFL) als „Störer" folgen würde.

89 *Lege*, DÖV 2015, 361 (364).

90 Stichwort: § 184j StGB – „Straftaten aus Gruppen" –; dazu *Joachim Renzikowski* in Münchener Kommentar StGB[4] (2021) Rz 2: „Der Tatbestand wurde gegen alle Bedenken aus reinem *Populismus* im Rechtsausschuss durchgedrückt" (nach der sog Kölner Silvesternacht 2015). – Aktuellstes Beispiel: Der neue § 130 Abs 5 StGB – Volksverhetzung –, er lautet: „Mit Freiheitsstrafe bis zu drei Jahren oder mit Geldstrafe wird bestraft, wer eine Handlung der in den §§ 6 bis 12 des Völkerstrafgesetzbuches bezeichneten Art gegen eine der in Absatz 1 Nummer 1 bezeichneten Personenmehrheiten

Mühe geben, wenn das BVerfG ihn danach so behandelt wie das Verwaltungsgericht den Landrat bei der Überprüfung von Ermessensentscheidungen?[91] Wie auch immer: Es ist schwer genug, gute Gesetze zu machen (während im Verfassungsrecht jeder mitreden kann).[92] Man sollte vom Gesetzgeber daher keine Perfektion erwarten und ihm nur das als „falsch" ankreiden, was beim besten Willen nicht mehr vertretbar[93] ist.[94] Das BVerfG hat diesen Maßstab[95] kürzlich in Sachen EuGH vorexerziert.[96]

Resümee

Nach allem – nicht „nach diesen Maßstäben"! – kann ich ein etwas grobschlächtiges Resümee ziehen. Das wichtigste Gebot für die Verfassungsrechtsdogmatik lautet: Verfassungsrecht muss Verfassungs*recht* bleiben und Verfassungspolitik Verfassungs*politik*. Das dürfte auch in Österreich[97] als „im Ergebnis richtig" durchgehen.

Was meine Begründungen angeht, ist natürlich nicht alles neu. Erwähnt habe ich schon den judicial self restraint und die political questions doctrine, zu ergänzen wäre dies durch das große Stichwort „Kontrolldichte".

Wobei dieses Stichwort auf etwas verweist, was ohnehin das Kerngeschäft der Verfassung sein sollte: eine Kompetenzordnung, einschließlich der

---

oder gegen einen Einzelnen wegen dessen Zugehörigkeit zu einer dieser Personenmehrheiten öffentlich oder in einer Versammlung in einer Weise billigt, leugnet oder gröblich verharmlost, die geeignet ist, zu Hass oder Gewalt gegen eine solche Person oder Personenmehrheit aufzustacheln und den öffentlichen Frieden zu stören." Alles klar? Auch dies wurde in einer Nacht- und Nebelaktion („Omnibusverfahren") durchgedrückt (*Hasso Suliak*, <www.lto.de> vom 21. 10. 2022).

91 Dies in Anlehnung an *Lepsius* in *Jestaedt/ Lepsius/ Möllers/ Schönberger,* Gewalt 208.

92 Selbst die Bundeskanzlerin *Angela Merkel,* die wenig Sinn für den Eigenwert des Rechts hatte, konnte den Verhältnismäßigkeitsgrundsatz herunterbeten.

93 Zur Kategorie der „Vertretbarkeit" demnächst *Lege*, Neue Methodenlehre und auch schon *Lege*, Pragmatismus 583.

94 Von „Fehlertoleranz" wie gegenüber dem EuGH zu reden – so BVerfGE 126, 286 (307) – Honeywell (2010) – erscheint mir hingegen gefährlich; optimistischer *Andrea Edenharter,* Wie argumentieren EuGH und BVerfG in Grundrechtsfragen? EuR 2022, 302 (307, 313).

95 Denken Sie sich hier einen Smiley …

96 BVerfGE 154, 17 – PSPP-Programm der EZB (2020): Dort wird dem EuGH „objektive Willkür" – und damit eine Kompetenzüberschreitung – bescheinigt.

97 Siehe auch *Bezemek/Somek*, Der Staat 2018, 147: „Wo öffentliche Gewalt verfassungsmäßig ausgeübt wird, dort ist Österreich."

Grundrechte als negativer Kompetenznormen (Herr *Holoubek,* übernehmen Sie!). Wie wichtig dieses Kerngeschäft ist, kann man übrigens schon bei *Platon* nachschlagen: Gerechtigkeit (dikaíosynē), so sagt er durch *Sokrates,* bedeutet „das Seine tun und sich nicht in vieles einmischen“[98] (tá h'autoú prátttein kai mḗ polypragmoneín).[99]

Das ist dann sozusagen das Wichtigste vom Wichtigsten. Man möge mir daher verzeihen, dass ich heute zu ganz vielen weiteren spannenden Fragen – Abwägung, Verhältnismäßigkeit, „Konkretisierung“, praktische Konkordanz, Abgrenzung von Verfassungsänderung und Verfassungsinterpretation, besonders dubios: Verfassungswandel – nichts weiter sagen will.

Zum Abschluss

Die Architektur dieses Bandes ist wohldurchdacht. Auf eine solide österreichische Grundlegung zur Dogmatik des öffentlichen Rechts folgte eine Inspektion des ziemlich vollgestopften Dachgeschosses deutscher Verfassungsrechtsdogmatik. Vermutlich habe ich insoweit *Ewald Wiederins* Wunsch nach einer Metadogmatik, die Ordnung schafft, nicht wirklich erfüllen können. Aber ich habe dort oben zumindest einmal durchgelüftet.

98 *Platon,* Politeía 433a.

99 Und nehmen wir noch *Luhmann* dazu: Die eigentliche Gewaltenteilung der modernen Gesellschaft ist nicht die langweilige Gliederung in Exekutive, Legislative und Judikative. Die eigentliche Gewaltenteilung (balance of the real powers!) ist die Gliederung der Gesellschaft in Funktionssysteme: Recht, Wirtschaft, Wissenschaft, Kunst, Politik, Religion etc. Wo deren Grenzen nicht respektiert werden, gibt es, nun auch noch mit *Montesquieu,* De l'esprit des lois (1748), dt Vom Geist der Gesetze, (1992) XI 6 passim keine Freiheit.

Michael Holoubek

Grundrechtsdogmatik

Als ich vor über 30 Jahren als Schriftführer am Verfassungsgerichtshof meinen Dienst angetreten habe, war das Erste ein Vorstellungsgespräch beim damaligen Präsidenten *Ludwig Adamovich*. Er hat mich leutselig gefragt, womit ich mich denn an der Uni bislang so beschäftigt hätte. Mit überzeugungsgeschwellter Brust kam die Antwort des jungen Assis: insbesondere mit grundrechtsdogmatischen Fragen. *Adamovich:* Den Begriff mag er gar nicht, er erinnere ihn an Kirche und glauben müssen.[1] Junger Assi: große Verunsicherung …

Diese Verunsicherung besteht nach wie vor, dennoch muss ich mich meiner Aufgabe im Rahmen dieses Projekts stellen und ein paar Beobachtungen zu Funktion und Wirkungsweise von „Grundrechtsdogmatik" beisteuern. Ich werde, wie durch das Format vorgegeben, meine Aufgabe stichwortartig angehen und versuchen, sie in sieben Thesen zu lösen. Dabei sollen – der Stellung dieses Beitrags im Gesamtkonzept des Bandes entsprechend – Umschreibungen der Aufgabe von Grundrechtsdogmatik wie „begrifflich-systematische Durchdringung eines Rechtsstoffes, der auf abstraktere Institute zurückgeführt wird, um die Rechtsanwendung zu erleichtern",[2] oder „Inbegriff der allgemeinen Regeln, welche die Auslegung und Anwendung der Grundrechte steuern",[3] genügen. Auf Differenzie-

1 Tatsächlich sind in gewisser Weise (nur) Rechtswissenschaft und Theologie diejenigen Wissenschaften, die Dogmatik als Methode verwenden, siehe mwN *Anna-Bettina Kaiser,* Juristische Methode, Dogmatik und System, in *Kahl/Ludwigs* (Hrsg), Handbuch des Verwaltungsrechts I (2021) 941 Rz 32.

2 So *Magdalena Pöschl,* Die Dogmatik des Staatsgrundgesetzes, in *Merli/Pöschl/Wiederin* (Hrsg), 150 Jahre Staatsgrundgesetz über die allgemeinen Rechte der Staatsbürger (2018) 33 (34) im Anschluss an *Uwe Volkmann,* Veränderungen der Grundrechtsdogmatik, JZ 2005, 261 (262).

3 *Dietrich Murswiek,* Grundrechtsdogmatik am Wendepunkt? Der Staat 2006, 473 (473).

rungen wird, wo erforderlich, im Kontext einzelner Fragestellungen dieses Beitrags eingegangen.[4] Damit zunächst zur

Ausgangslage:

Dass Grundrechte, wie immer man das im Einzelnen beschreiben oder erklären mag,[5] in dem Sinn „offene Normen" sind, als sie in qualifiziertem Maß auf Konkretisierung und Weiterentwicklung von Fall zu Fall und angesichts sich verändernder und insofern auch neuer Bedrohungssituationen angelegt sind, setze ich ebenso wie, dass die Rechtsetzung im Grundrechtsbereich damit wesentlich durch die Gerichte, insbesondere die Höchstgerichte erfolgt.[6] Wo sich in anderen Bereichen die Dogmatik zur

4 Allgemein zu Definition und Charakteristika von Dogmatik bzw Funktionen von Rechtsdogmatik zuletzt ausführlich und weiterführend *Kaiser*, Juristische Methode Rz 19 ff, 27 ff mwN.

5 Näher *Michael Holoubek*, Grundrechtsschutz vor neuen Herausforderungen, Gutachten 21. ÖJT I/1 (2022) 18 ff. Grundrechte sind gekennzeichnet durch „unbestimmte Rechtsbegriffe mit raum-zeitlich dynamischem Charakter": *Michael Potacs*, Auslegung im öffentlichen Recht (1994) 50. Daraus kann man den Schluss ziehen, dass die jeweiligen „Verfassungsgeber" mit der Verwendung entsprechender Grundrechtsformulierungen, die sich – freilich dem jeweiligen historischen Entwicklungskontext Rechnung tragend – dem Grunde nach nicht unterscheiden, wie ein Vergleich von StGG 1867, EMRK oder GRC zeigt (wenn man Konstruktionsunterschiede insbesondere im Hinblick auf die Regelung von Beschränkungsmöglichkeiten einmal dahin stehen lässt), eine Grundrechtsentwicklung durch dynamische Interpretation von vornherein miteingeschlossen haben (siehe *Michael Potacs*, Rechtstheorie[2] [2019] 67). Damit reicht die innovatorische Funktion von Grundrechtsdogmatik (dazu allgemein für Dogmatik, *Kaiser*, Juristische Methode Rz 27) im Falle der Grundrechtsdogmatik weit bzw ist von einer rechtspolitischen Funktion kaum trennscharf abgrenzbar, anders, als dies möglicherweise in anderen Anwendungsfällen von Dogmatik, etwa der Verwaltungsrechtsdogmatik oder auch der Verfassungsrechtsdogmatik in Bezug auf andere Regelungen der Verfassung, der Fall sein mag. Die Schwierigkeiten stecken in der Detailabgrenzung: Denn was grundsätzlich für „die Grundrechte" zutrifft, kann für einzelne Grundrechtsverbürgungen anders zu sehen sein, wie etwa das Wahlrecht (bzw bestimmte seiner Ausprägungen) zeigen mag.

6 Daher scheint es mir eine naheliegende Erklärung der Wirkungsweise von Grundrechten als „offene Normen" (siehe oben FN 5) zu sein, dass die jeweiligen Verfassungssysteme eine entsprechende Rechtssetzungsbefugnis (Grundrechtsentwicklung) durch insbesondere die Höchstgerichte vorsehen und dieser Rechtssetzung auch differenzierte Wirkungen, insbesondere was ihre Verbindlichkeit und, darin eingeschlossen, Abänderungsmöglichkeiten anlangt, zuweisen; insofern ist die Wirkungsweise von „Präjudizien" differenziert zum positiven Recht zu sehen, selbst wenn man für die Zwecke der Grundrechtsdogmatik höchstgerichtliche Entschei-

Erfüllung ihrer Aufgaben durch das Dickicht von Gesetzen im Mehrebenensystem kämpfen muss,[7] beschäftigt sich die Grundrechtsdogmatik, will sie ihre Funktion von begrifflicher und systematischer Anleitung für die Grundrechtsanwendung erfüllen, zentral mit dem Dickicht der Grundrechtsrechtsprechung und muss das auch tun.[8] Will sie ihren Anspruch als insoweit praktische, anwendungsorientierte Wissenschaft einlösen, bleibt ihr nichts anderes übrig.

Gehört also das „Richterrecht" zum Gegenstand der Grundrechtsdogmatik, weil Grundrechte und Grundrechtsrechtsprechung mit Blick auf das geltende Recht zusammengehören, dann geht es der Grundrechtsdogmatik – wie immer man allgemein das Verhältnis von Dogmatik zu Rechtsentwicklung sehen mag – wesentlich auch um Grundrechtsentwicklung. Daher die

These 1: In der Grundrechtsdogmatik lassen sich Beschreibung des geltenden Rechts und seine Konkretisierung und Weiterentwicklung durch die Höchstgerichte nicht trennen.

---

dungen zu den Rechtsquellen und nicht (bloß) zu den Rechtserkenntnisquellen rechnet, vgl grundsätzlich *Mehrdad Payandeh,* Judikative Rechtserzeugung (2017) insb 23 ff, 111 ff; für meine Position *Michael Holoubek,* Bedeutung und Funktion von höchstgerichtlichen Präjudizien – Einige Überlegungen aus österreichischer Perspektive, JöR 2020, 89 ff. Insofern wird im Text bewusst von „Rechtssetzung" im Grundrechtsbereich gesprochen (und damit mehr gemeint als die strukturelle Unterscheidung von autonomer und heteronomer Determinante bei der Rechtsanwendung).

7 Eine Beschreibung, die auf unterschiedliche Rechtsbereiche wohl in unterschiedlichem Maß und für die Verwaltungsrechtsdogmatik etwa in besonderem Maß zutrifft.

8 Die wesentliche Funktion von Dogmatik, Orientierung im geltenden Recht zu vermitteln (Explikations- und Transparenzfunktion, *Kaiser,* Juristische Methode Rz 27) kann Grundrechtsdogmatik nur erfüllen, wenn sie Grundrechtskonkretisierung und Grundrechtsentwicklung durch die (höchstgerichtliche) Rechtsprechung als ihren Gegenstand mit in den Blick nimmt; oder umgekehrt: Eine Grundrechtsdogmatik, die so täte, als ob die Grundrechtsauslegung durch die Rechtsprechung nur eine von mehreren bzw vielen, grundsätzlich für die Verbindlichkeit der Grundrechte als geltendes Recht gleichwertige Alternative darstellte, würde diese Orientierungsfunktion ebenso verfehlen wie eine Grundrechtsdogmatik, die bei der Aussage über die vielfältige Mehrdeutigkeit der Grundrechtsnormen stehen bliebe. Ebenso verfehlte freilich eine Grundrechtsdogmatik ihre Orientierungsfunktion, wenn sie die Grundrechtsauslegung durch die Rechtsprechung bloß als die (zutreffende) Rechterkenntnis qualifizierte und damit einem unkritischen „Rechtsprechungspositivismus" verfiele.

Was wäre, wenn es keine Grundrechtsdogmatik gäbe?

Um zu verstehen, was Grundrechtsdogmatik, wie wir sie aus den Lehrbüchern kennen, tut bzw bewirkt, kann es vielleicht hilfreich sein, sich die Frage zu stellen, was passieren würde, wenn es sie nicht gäbe. Meine Antwort: dann würde die Rechtsprechung eine solche entwickeln und sie tut es auch. Die sogenannten „Zwischenformeln"[9] sind nichts anderes als die Grundrechtsdogmatik, die sich die verfassungsgerichtliche Rechtsprechung selbst schreibt. Denkunmöglichkeit,[10] Verhältnismäßigkeit im engeren Sinn unter der Formulierung „[...] auch sonst sachlich gerechtfertigt"[11] oder die – über „wenn und insoweit" sie die typische Wirkung entfalten, differenzierte – Unterscheidung in objektive und subjektive Beschränkungen des Erwerbsantritts oder Erwerbsausübungsbeschränkungen:[12] Es geht um allgemeine Grundrechtsdogmatik bzw um grundrechtsspezifische Bereichsdogmatik. Ganz offensichtlich trägt die Ausbildung, die Richterinnen und Richter in einer bestimmten Rechtstradition erfahren, zu dem bei, was sie tun: Nicht in langen, kontextualisierten Fallketten sucht der VfGH Halt, sondern in allgemeinen Begrifflichkeiten und systematischen Regelhaftigkeiten. Das führt zu

These 2: In unserer Grundrechtstradition hat Grundrechtsdogmatik wesentlich auch die Funktion, die in Case Law Systemen der Präjudizienbindung zukommt.[13]

Es ist aus meiner Sicht interessant zu beobachten, wie sich im Wechselspiel das Verhältnis von wissenschaftlicher Grundrechtsdogmatik zu ge-

9 Siehe schon *Peter Lerche*, in *Vogel* (Hrsg), Grundrechtsverständnis und Normenkontrolle (1979) 104; *Karl Korinek*, Die Verfassungsgerichtsbarkeit im Gefüge der Staatsfunktionen, VVDStRL 1981, 7 (zitiert hier nach: *Korinek*, Grundrechte und Verfassungsgerichtsbarkeit [2000] 243 [271]).

10 Siehe *Karl Spielbüchler*, Grundrecht und Grundrechtsformel – Anmerkungen zur Praxis des Verfassungsgerichtshofes, in FS Floretta (1983) 289, der den strukturellen Gehalt des „Mittelglieds der Formel" herausarbeitet.

11 *Richard Novak*, Verhältnismäßigkeitsgebot und Grundrechtsschutz, in FS Winkler (1989) 39.

12 Siehe nur *Öhlinger/Eberhard*, Verfassungsrecht[13] (2022) Rz 887.

13 Siehe schon *Bernhard Schlink*, Abschied von der Dogmatik. Verfassungsrechtsprechung und Verfassungsrechtswissenschaft im Wandel, JZ 2007, 157 (160); die These im Text zielt auf die Funktion, nicht auf die spezifische Verbindlichkeit von Präjudizien im Sinne eines stare decisis in Case-law-Systemen, *Holoubek*, Grundrechtsschutz 21.

richtlichen Zwischenformeln entwickelt. Beim Verhältnismäßigkeitsgrundsatz etwa geht es erkennbar hin und her[14] – bis zu offensichtlich wissenschaftsorientiert ausdifferenzierten Umschreibungen, wenn es mit der Verhältnismäßigkeit schwierig wird, so etwa im ersten Erkenntnis zu den COVID-19-bedingten Ausgangsbeschränkungen, wenn dort eine vom Verordnungsgeber verlangte Verhältnismäßigkeitsprüfung dahingehend umschrieben wird, er habe zu beurteilen, „inwieweit in Aussicht genommene Betretungsverbote oder Betretungsbeschränkungen zur Verhinderung der Verbreitung von Covid-19 geeignete (der Zielerreichung dienliche), erforderliche (gegenläufige Interesse weniger beschränkend und zugleich weniger effektiv nicht mögliche) und insgesamt angemessene (nicht hinnehmbare Grundrechtseinschränkungen ausschließende) Maßnahmen darstellen".[15]

Vergleichbares lässt sich beobachten, wenn sich Art 12 StGG und Art 11 EMRK in der Rechtsprechung annähern.[16]

14 Das ist vielfach beschrieben, siehe rechtsprechungsbegleitend nur *Manfred Stelzer*, Das Wesensgehaltsargument und der Grundsatz der Verhältnismäßigkeit (1991) 104 ff; aus jüngerer, retrospektiver Perspektive *Christoph Grabenwarter*, Verhältnismäßig einheitlich: Die Gesetzesvorbehalte des StGG 1867 im Wandel, JBl 2018, 417 ff.

15 VfSlg 20.398/2020. Freilich: Der VfGH beschreibt hier nicht im engeren Sinn seinen Kontrollmaßstab bei der Prüfung gesetzlicher Bestimmungen am Maßstab eines Grundrechts (mit entsprechendem Gesetzesvorbehalt), sondern er interpretiert eine sehr allgemein gehaltene gesetzliche Ermächtigung, die darauf abstellt, dass Grundrechtsbeschränkungen zur Verhinderung der Verbreitung von COVID-19 „erforderlich" sein müssen, im Hinblick sowohl auf das Determinierungsgebot des Legalitätsprinzips des Art 18 B-VG, als auch insbesondere im Hinblick auf die durch Art 4 Abs 1 StGG gewährleistete Freizügigkeit der Person grundrechtskonform dahingehend, dass die durch den Verordnungsgeber erforderliche Prognoseentscheidung durch die oben im Text wiedergegebene elaborierte Verhältnismäßigkeitsprüfung determiniert und deshalb deren Ergebnis auch grundrechtlich gerechtfertigt ist. Insoweit ist der Schluss zulässig, dass der VfGH hier auch jene Verhältnismäßigkeitsprüfung umschreibt, die im konkreten Fall Art 4 StGG iVm Art 2 Abs 1 4. ZP EMRK verlangt. Der VfGH buchstabiert hier aus, was verlangt ist, wenn – ebenfalls Zitat aus dieser Entscheidung – „Einschränkungen der durch Art. 4 Abs. 1 StGG und Art. 2 Abs. 1 4. ZP EMRK gewährleisteten Freizügigkeit [...] verfassungsrechtlich nur zulässig [sind], wenn sie gesetzlich zum Zwecke eines legitimen öffentlichen Interesses vorgesehen und zur Zielerreichung geeignet, erforderlich sowie verhältnismäßig im engeren Sinn sind."

16 Vgl zur Rechtsprechungsentwicklung *Öhlinger/Eberhard*, Verfassungsrecht[13] Rz 903; zur wissenschaftlichen Begleitung der Rechtsprechung *Christoph Grabenwarter*, Kerne im öffentlichen Recht, in FS Kopetzki (2019) 153; *Johannes Hengstschläger*, Vereins- und Versammlungsfreiheit – Ausführungs- oder Eingriffsvorbehalt? in FS Holzinger (2017) 325. Die in der Judikatur erfolgte Annäherung der Auslegung

In anderen Fällen – etwa bei der Denkunmöglichkeit oder dem „verfassungswidrigen Gesetz" als Grund einer Grundrechtsverletzung durch die Vollziehung – bleibt es bei einer weitgehend rechtsprechungsgeprägten Begrifflichkeit, bis hin dazu, dass die wissenschaftliche allgemeine Grundrechtsdogmatik Differenzierungen wie zB die, dass beim Gleichheitsgrundsatz insoweit nur das gleichheitswidrige Gesetz, bei Eingriffen in die meisten Freiheitsrechte aber das verfassungswidrige Gesetz relevant ist,[17] tendenziell überspielt.[18]

Grundrechtsdogmatik

Was ist nun Gegenstand und Forschungsprogramm der grundrechtsdogmatisch arbeitenden Grundrechtswissenschaft, insbesondere – als ihr im vorliegenden, anwendungsorientierten Zusammenhang besonders sichtbares Produkt – der Lehrbücher? Dabei ist zunächst folgende Beobachtung interessant und aus meiner Sicht auch signifikant: Die heutigen

der Gesetzesvorbehalte von Art 12 StGG und Art 11 EMRK ist vom System her gesehen nicht zwingend naheliegend, behalten doch grundsätzlich nach der Rechtsprechung des VfGH besondere bzw eigenständige Grundrechtsverbürgungen des StGG im Verhältnis zur EMRK ihre spezifische Bedeutung, vgl zum Verbot eines Konzessionssystems für die Presse durch Art 13 Abs 2 StGG zuletzt VfGH 29. 6. 2022, E 1042/2021; allgemein *Franz Merli,* Die Zukunft des Staatsgrundgesetzes, in *Merli/Pöschl/Wiederin* (Hrsg), 150 Jahre Staatsgrundgesetz über die allgemeinen Rechte der Staatsbürger (2018) 95 (99 ff). Die Rechtsprechung dürfte bedeuten, dass – als Konsequenz der Einführung der umfassenden Verwaltungsgerichtsbarkeit – die Verwaltungsgerichte (und im Rahmen seiner Revisionszuständigkeit auch der VwGH) die Einhaltung des Versammlungsgesetzes (im Lichte seiner grundrechtlichen Grundlagen) vollumfänglich zu prüfen haben, sich der VfGH im Rahmen seiner Zuständigkeit nach Art 144 B-VG aber eine Feinprüfung (Kernbereich im Sinne des Art 12 StGG) von Versammlungsbegriff, Versammlungsuntersagung und Versammlungsauflösung vorbehält.

17 Aber auch hier nicht immer, bei Art 8 EMRK kommt es dem VfGH wieder auf das gegen Art 8 EMRK verstoßende Gesetz an, siehe zuletzt beispielsweise VfGH 7. 12. 2021, E 3149/2021, mit der ständigen „Formel": „Ein Eingriff in das durch Art. 8 EMRK verfassungsgesetzlich garantierte – unter Gesetzesvorbehalt stehende – Recht ist dann verfassungswidrig, wenn die ihn verfügende verwaltungsgerichtliche Entscheidung ohne jede Rechtsgrundlage ergangen ist, auf einer dem Art. 8 EMRK widersprechenden Rechtsvorschrift beruht oder wenn das Verwaltungsgericht bei Erlassung der Entscheidung eine verfassungsrechtlich unbedenkliche Rechtsgrundlage in denkunmöglicher Weise angewendet hat"; ebenso etwa VfSlg 11.638/1988, 15.051/1997, 15.400/1999, 16.657/2002.

18 Vgl etwa *Öhlinger/Eberhard,* Verfassungsrecht[13] Rz 729.

Lehrbücher nehmen – aus meiner Sicht zurecht – die positiven verfassungsgesetzlich gewährleisteten Rechte und die dazu ergangene Rechtsprechung als Gegenstand ihrer dogmatischen Bemühungen.[19] Das war nicht immer so ausgeprägt der Fall: Das *Ermacora'sche* Handbuch 1963[20] hat noch viel stärker „originär" am Grundrechtstext gearbeitet und sein dogmatisches System inhaltlich aus einer Menschenwürdegarantie, die es damals explizit gerade nicht gegeben hat, entwickelt.[21]

Die heutige Grundrechtsdogmatik unterscheidet regelmäßig zwischen allgemeiner Grundrechtsdogmatik („allgemeine Lehren") und grundrechtsspezifischer Bereichsdogmatik (besonderer Teil – die einzelnen Grundrechte). Ein wesentliches Betätigungsfeld der Grundrechtsdogmatik liegt dabei in der allgemeinen Grundrechtsdogmatik, also im Bemühen, allgemeine Begrifflichkeiten vor die Klammer zu ziehen und den Gegenstand, also insbesondere die Masse der Grundrechtsrechtsprechung, mit dem Ziel zu systematisieren, Gemeinsamkeiten herauszustellen und dabei auch Widersprüche zu überwinden – Klarheit und Kohärenz des Systems sind wesentliche Anliegen.

Damit muss die allgemeine Grundrechtsdogmatik notwendig, will sie auf diese Weise Komplexität reduzieren und damit Orientierung und Handlungsanleitung bieten, abstrahieren.[22] Das führt ebenso notwendig dazu,

19 Vgl nur *Walter Berka,* Verfassungsrecht[8] (2021), sowohl im Hinblick auf „allgemeine Grundrechtslehren" (Rz 1201 ff), als auch in der Folge bereichsspezifisch für die einzelnen Grundrechte; ebenso *Berka/Binder/Kneihs,* Die Grundrechte[2] (2019) 99 ff (allgemeine Grundrechtslehren) und 277 ff (die Grundrechte im Einzelnen); *Öhlinger/Eberhard,* Verfassungsrecht[13], allgemeine Grundrechtlehren (Rz 677 ff) und bereichsspezifisch für die einzelnen Grundrechte (Rz 745 ff).

20 *Felix Ermacora,* Handbuch der Grundfreiheiten und der Menschenrechte (1963); schon deutlich „rechtsprechungsgeprägter", aber am grundsätzlichen Ansatz festhaltend *Felix Ermacora,* Grundriss der Menschenrechte in Österreich (1988).

21 Insofern ist *Felix Ermacoras* Handbuch die wahrscheinlich elaborierteste wissenschaftliche Darstellung in Österreich, die den österreichischen Grundrechtskatalog auf Grundlage eines inneren Wertesystems versteht, erklärt und entwickelt; zur Unterscheidung unterschiedlicher „Systembegriffe", insbesondere zwischen „inneren" und „äußeren" Systemen, *Kaiser,* Juristische Methode Rz 50.

22 Näher *Holoubek,* Grundrechtsschutz vor neuen Herausforderungen 21 f; besonders prägnant *Christoph Bezemek,* Grundrechte (2016), der rechtsprechungsorientiert einen „homogenisierende[n] Ansatz" verfolgt, „ohne nach institutioneller Provenienz oder dem Ursprung einzelner Rechtsquellen zu separieren" (aaO 6) und damit „bewusst dem Idealbild einer kohärenten institutionen- und rechtsquellenübergreifenden Grundrechtsdogmatik" (aaO) folgt.

dass Differenzierungen und damit spezifische Bedeutungen verloren gehen.[23]

Der Verhältnismäßigkeitsgrundsatz ist wahrscheinlich das beste Beispiel dafür: Die wissenschaftliche allgemeine Grundrechtsdogmatik hat ihn zu „dem" allgemeinen grundrechtlichen Verhältnismäßigkeitsgrundsatz entwickelt, der sich grundrechtsübergreifend nach einem einheitlichen Schema begrifflich und funktionell fassen lässt. Ein Musterbeispiel für eine große dogmatische Leistung, anhand derer im Hörsaal das System hervorragend erklärt werden kann.

Der Verhältnismäßigkeitsgrundsatz stellt also gesichertes grundrechtsdogmatisches Wissen dar. Überraschenderweise bricht dann, wenn es bei der Verhältnismäßigkeitsabwägung schwierig wird, die Grundsatzdiskussion dennoch mit großer Vehemenz los. Von wegen Handlungsanleitung und Orientierung, in der grundrechtlichen Beurteilung der unterschiedlichen staatlichen Maßnahmen zur Covid-19 Bekämpfung werden fast alle Grundfragen der Verhältnismäßigkeit von Neuem diskutiert:[24] Von der

23 Dabei kann auch die Rechtsprechung unter den Druck allgemeiner Strukturen geraten, wie etwa das Beispiel der Rechtsprechung des VfGH zur – textlich zunächst einmal vorbehaltlos gewährleisteten – Liegenschaftsverkehrsfreiheit zeigt: Der VfGH folgte zunächst der Lehre (vgl *Ermacora,* Handbuch 188 ff) insoweit, als er die Liegenschaftsverkehrsfreiheit orientiert an historischen Bedrohungssituationen im Entstehungszeitpunkt des Staatsgrundgesetzes als Verbot der Errichtung bevorzugter Klassen von Grundbesitzern verstand (näher *Michael Holoubek,* Grundrechtsfragen, in *Funk* [Hrsg], Grundverkehrsrecht [1996] 37 [38 ff]); in der Folge differenziert die Rechtsprechung des VfGH zunächst beim vorbehaltlosen Grundrecht der Kunstfreiheit des Art 17a StGG gegenüber Grundrechten mit (formellen wie materiellen) Gesetzesvorbehalt, vgl VfSlg 11.567/1987, 11.737/1988 und überträgt dies auch auf die Wissenschaftsfreiheit (VfSlg 13.978/1994; näher *Michael Holoubek,* Die Struktur der grundrechtlichen Gesetzesvorbehalte [1997] 25 ff); bei der Liegenschaftsverkehrsfreiheit „kapituliert" der VfGH in der Folge vor dem Kohärenzgewinn eines einheitlichen Modells des Gesetzesvorbehalts und überträgt den Gesetzesvorbehalt des Art 5 StGG auf die Liegenschaftsverkehrsfreiheit des Art 6 StGG, siehe VfSlg 14.701/1996; in weiterer Folge verwendet der VfGH die allgemeine Formel zur Umschreibung der Schranken eines grundrechtlichen Eingriffsvorbehalts: Die Beschränkung der Liegenschaftsverkehrsfreiheit muss im öffentlichen Interesse liegen und darf nicht unverhältnismäßig sein (siehe etwa VfSlg 18.825/2009 mwN). Bei Art 17a StGG bleibt der VfGH demgegenüber bei seiner differenzierten Formel, siehe zuletzt VfGH 6. 10. 2021, V 86/2021.

24 Das lässt sich in unterschiedlichen „Krisensituationen" beobachten, in denen es im Rahmen der Verhältnismäßigkeitsprüfung zu grundsätzlichen Präferenzentscheidungen kommen muss, die – weil eine allgemein akzeptierte Struktur die notwendige in-

Frage, was spezifisch eigentlich das „öffentliche Interesse" bedeutet, über die Frage, welcher Prüfmaßstab auf den unterschiedlichen Stufen der Verhältnismäßigkeit eigentlich anzuwenden ist, und worauf es bei der letztlich unvermeidlichen Präferenzentscheidung beim Interessenausgleich im Zuge der Verhältnismäßigkeitsprüfung im engeren Sinn eigentlich ankommt. Von Gewissheit über die Handhabung einer anerkannten grundrechtsdogmatischen Figur und ihrer inhaltlichen Konkretisierung im Einzelfall ist da nicht allzuviel zu spüren. Damit bin ich bei

These 3: Die allgemeine Grundrechtsdogmatik vereinfacht – und führt dazu, dass in schwierigen Fällen die Bereichsdogmatik in den Vordergrund tritt, weil das allgemeine grundrechtsdogmatische Werkzeug für komplexe Problemlagen zu wenig differenziert ausgestaltet ist.

Das führt dann in schwierigen Fallkonstellationen manchmal auch dazu, dass sich die Rechtsprechung ihre Bereichsdogmatik wiederum selbst bildet. Bei der Entscheidung über den grundrechtlichen Umgang mit Schuldenschnitten im Zuge der Finanzkrise „bastelt" sich der VfGH eine Rechtfertigungsebene, die Eigentumsgrundrecht und Gleichheitsgrundsatz verschneidet.[25] In der Entscheidung zur Sterbehilfe entwickelt er aus einzelnen Grundrechten ein eigenes Persönlichkeitsrecht, das in seinem ganz spezifischen Verständnis den Maßstab für alles Weitere bildet.[26]

---

haltliche Maßstab- und Kriterienbildung zwar rationalisieren, nicht aber ersetzen kann – entsprechend theorieabhängig und damit voraussetzungsvoll sind, weil sie notwendig auch Aussagen über den Grad der Verwirklichung bestimmter moralisch-ethischer Prinzipien in Prinzipienkonflikten entscheiden müssen, siehe dazu *Uwe Volkmann,* Die Dogmatisierung des Verfassungsrechts, JZ 2020, 965 (974) unter Hinweis auf *Ronald Dworkin,* Freedom's Law (1986) 2; näher zur oben im Text angesprochenen Diskussion über die inhaltliche Konkretisierung der Verhältnismäßigkeitsprüfung *Holoubek,* Grundrechtsschutz vor neuen Herausforderungen 138 ff.

25 VfSlg 20.000/2015: Weil es sich beim „Schuldenschnitt" (also dem Erlöschen bestimmter Nachrangforderungen) nicht um eine Enteignung zur Deckung eines Sachbedarfs des Staates handelt, „sondern – angesichts der grundsätzlichen Möglichkeit, den staatlichen Finanzbedarf auch anderweitig, etwa durch Steuern, durch Kreditaufnahmen oder durch Einsparungen in anderen Bereichen zu decken – um eine gesetzliche Regelung der Verteilung öffentlicher Finanzlasten", muss die solcherart angeordnete Eigentumsbeschränkung „im öffentlichen Interesse liegen und darf nicht unverhältnismäßig und nicht unsachlich sein".

26 VfSlg 20.433/2020: Der VfGH entwickelt ein „durch mehrere grundrechtliche Gewährleistungen konkretisiert[es], nämlich insbesondere durch das Recht auf Privatleben gemäß Art 8 EMRK und das Recht auf Leben gemäß Art 2 EMRK sowie den Gleichheitsgrundsatz gemäß Art 2 StGG und Art 7 Abs 1 B-VG [...] verfas-

Das bringt mich zu einer weiteren Überlegung: Allgemeine Grundrechtsdogmatik abstrahiert nicht nur, sondern – konsequent ihrem Anspruch folgend – harmonisiert auch. Ihr Anliegen ist ein kohärentes, widerspruchsfreies System.

Nachdem nach wohl überwiegender Ansicht die wesentlichen Versuche, die Grundrechtsordnung als „einheitliches Wertesystem" zu begreifen,[27] gescheitert sind,[28] verlegt sich eine auf Widerspruchsfreiheit ausgerichtete Systembildung[29] in der allgemeinen Grundrechtsdogmatik verstärkt auf analytisch-strukturell orientierte Dogmatik. Als Beispiel seien wieder nur das Verfahren der Verhältnismäßigkeitsprüfung, die abwehrrechtliche oder gewährleistungsrechtliche Struktur von Grundrechten oder das Verständnis von Grundrechten als Prinzipien genannt – analytische Theorien sind die Erfolgsstory der allgemeinen Grundrechtsdogmatik. Daher

These 4: Die allgemeine Grundrechtsdogmatik befördert die Vorstellung von einem einheitlichen System – nicht, weil sie die inhaltlichen Normprogramme der einzelnen Grundrechte auf eine einheitliche inhaltliche Begründung (Theorie) zurückführt, sondern weil sie die inhaltlichen Fragen zu einem guten Stück ausblendet und auf analytische Strukturfragen fokussiert.

Das führt dazu, dass die Handlungsanleitung im Einzelfall am Ende nicht weiterhilft. Darüber, was im Einzelfall verhältnismäßig ist, sagt das Prinzip nichts[30] – mit dieser Einsicht zum Verhältnismäßigkeitsgrundsatz

sungsgesetzlich gewährleistete[s] Recht auf freie Selbstbestimmung", das er sowohl als „Recht auf die Gestaltung des Lebens als auch [... als] Recht auf ein menschenwürdiges Sterben" näher im Hinblick auf die genannten Grundrechtsverbürgungen konkretisiert.

27 Verstanden als (innere) Systembildung, die davon ausgeht, dass die Grundrechtsordnung ein solches System konstituiert (zum begrifflichen *Kaiser,* Juristische Methode Rz 50).

28 Näher *Holoubek,* Grundrechtsschutz 32 ff mwN.

29 Im Sinne einer (äußeren) Systembildung, die ein Ordnungsmuster an die Grundrechtsordnung heranträgt (zur Begrifflichkeit wiederum *Kaiser,* Juristische Methode Rz 50).

30 Das ist die Konsequenz des allgemeinen grundrechtsdogmatischen Verhältnismäßigkeitsgrundsatzes als strukturelles Verfahren zur Rationalisierung eines Abwägungsprozesses, das freilich grundrechtsspezifisch zu sehen ist, insofern geht es um den grundrechtlichen Verhältnismäßigkeitsgrundsatz und nicht „den" Verhältnismäßigkeitsgrundsatz schlechthin, siehe *Michael Holoubek,* Zur Begründung des Verhältnismäßigkeitsgrundsatzes, in FS Rill (1995) 97.

muss die Rechtsprechung ebenso leben wie damit, dass im Einzelfall gerade nicht den beteiligten Rechtsgütern zu größtmöglicher Wirksamkeit verholfen werden oder ein möglichst schonender Interessenausgleich gefunden werden kann.[31] Im Einzelfall bedarf es regelmäßig einer Präferenzentscheidung. Die trifft die Rechtsprechung dann – und zwar, wenn meine vorherigen Beobachtungen etwas für sich haben, weitgehend dezisionistisch aus den spezifischen Kontextbedingungen des Einzelfalls heraus. Die allgemeine Grundrechtsdogmatik hilft als inhaltliche Orientierung nicht und ein elaboriertes „distinguishing" in Case-Law-Tradition kennt die Rechtsprechung nicht.

Insoweit haben allgemeine Grundrechtsdogmatik und Rechtsprechung eines gemeinsam: Sie blenden das, was in ihr System nicht passt, gerne aus: Die wissenschaftliche Grundrechtsdogmatik die Rechtsprechung, die nicht „auf Linie" liegt und Differenzierungen vornimmt, die eine einheitliche Systembildung zu komplex machen;[32] und die Rechtsprechung beruft sich gerne auf Vorentscheidungen, ohne länger zu begründen, ob oder warum sie im konkreten Fall und in welcher Hinsicht sie dafür passen.[33]

Allgemeine und bereichsspezifische Grundrechtsdogmatik

Vor diesem Hintergrund in der Folge ein Blick auf das Verhältnis von allgemeiner zu bereichsspezifischer Grundrechtsdogmatik. Aus dem schon Gesagten folgt

31 So die klassischen Formulierungen zur Herstellung praktischer Konkordanz bzw eines schonenden Ausgleichs bei *Konrad Hesse,* Grundzüge des Verfassungsrechts der Bundesrepublik Deutschland[16] (1988) Rz 72; *Peter Lerche,* Übermaß und Verfassungsrecht (1961) 30.

32 Vgl zu Eigentumsbeschränkungen, die nicht auf den Sach- sondern den Geldwert des (entzogenen) Vermögenswerten Privatrechts abzielen, VfSlg 20.000/2015 (dazu schon oben in FN 25).

33 Plakatives Beispiel sind jene „Formeln" des VfGH, die Vorjudikatur deswegen zitieren, weil sich dort dieselbe textliche Umschreibung zB der Eingriffsschranken zu einem (formellen oder materiellen) Vorbehaltsgrundrecht findet, unabhängig davon, um welche Einzelfallkonstellation und damit auch um welche inhaltlichen Abwägungskriterien und -maßstäbe es im jeweiligen Einzelfall gegangen ist; wie schon oben im Text betont, arbeitet die Rechtsprechung insofern mit allgemeiner Grundrechtsdogmatik.

These 5: Die allgemeine Grundrechtsdogmatik ist ein didaktisches Konzept, das – bildlich gesprochen – den Werkzeugkoffer zur Verfügung stellt und die rationale („fachgerechte") Handhabung der Instrumente beschreibt. Die eigentliche inhaltliche, anwendungssteuerende Funktion, die wir herkömmlich der Dogmatik zuschreiben,[34] *erfüllt wenn überhaupt, dann eine bereichsspezifische Grundrechtsdogmatik.*

In einer bereichs- weil grundrechtsspezifischen Konkretisierung[35] kann die Grundrechtsdogmatik jenen Mittelweg zwischen erforderlicher Abstraktion und hinreichender Differenziertheit entwickeln, der für die Rechtsanwendung tatsächlich handlungsleitend wirken kann. Denn auf dieser Ebene ist es möglich, inhaltliche Aussagen mit strukturbezogenen Aussagen zu verknüpfen. Eine bereichsspezifische Grundrechtsdogmatik kann erklären, welche Wirkungsweise die einzelnen abstrakten strukturellen dogmatischen Figuren haben, wenn sie mit einer bestimmten einzelgrundrechtlichen Begründung (wenn man will: einem bestimmten theoretischen Zugang im Sinne der unterschiedlichen Erklärungen,[36] warum

34 Direkt angesprochen bei *Murswiek*, Der Staat 2006, 473 (siehe oben bei FN 3); näher spezifiziert etwa bei *Kaiser*, Juristische Methode Rz 27.

35 Es geht dabei, das ist zu betonen, um mehr als die Auslegung eines Grundrechts im Einzelfall; um was es geht ist, für einzelne Grundrechte, die in sich eine Reihe unterschiedlicher, aber doch zusammengehöriger Gewährleistungen vereinen (Gleichheitsgrundsatz oder das Recht auf Privat- und Familienleben als plakative Beispiele) oder die – wie Kommunikationsgrundrechte oder Freizügigkeitsrechte – Gemeinsames, aber auch Spezifisches aufweisen, die Erkenntnisse der allgemeinen Grundrechtsdogmatik eben bereichsspezifisch zu konkretisieren und entsprechend zu differenzieren. Das ist kein sinnloser Umweg mit der Gefahr von „Stille-Post-Effekten" (allgemeine Grundrechtsdogmatik als Ableitung und Entwicklung aus den Einzelgrundrechten und Anwendung der allgemeinen Grundrechtsdogmatik auf bereichsspezifisch zusammengehörige Grundrechtsgewährleistungen), sondern sichert einerseits die mit der Abstraktionsleistung der allgemeinen Grundrechtsdogmatik verbundenen Erklärungs-, Kohärenz- und Innovationsfunktionen, differenziert aber andererseits diese Erkenntnisgewinne inhaltlich bereichsspezifisch aus.

36 Siehe näher *Holoubek*, Grundrechtsschutz vor neuen Herausforderungen 20 ff (insb 22 f); anders als für die Grundrechtsordnung insgesamt ist es nicht ausgeschlossen, vielmehr im Einzelnen eher wahrscheinlich, dass sich für bereichsspezifisch zusammengehörige, in einem oder mehreren Grundrechten zusammengefassten Grundrechtsverbürgungen ein „inneres" System" (zur Unterscheidung schon oben in FN 27 und 29) herausarbeiten lässt, wenn man bereit ist zu akzeptieren, dass ein solches Deutungsunternehmen auch zu mehreren Systemvarianten führen kann. Das ist wesentlich, weil damit Dogmatik entscheidende Weichenstellungen für die Grundrechtsanwendung transparent machen und rationalisieren kann.

etwa Meinungsfreiheit geschützt wird,[37] wie ein „arbeitstheoretisches" oder ein „okkupationstheoretisches" Verständnis von Eigentum funktioniert[38] oder was ein personales Verständnis des Gleichheitsgrundsatzes bedeutet[39]) verknüpft werden. Erst durch diese Verknüpfung können die einzelnen allgemeinen grundrechtsdogmatischen Figuren in künftigen Anwendungskonstellationen auch inhaltlich maßstabbildend wirken. Damit ergibt sich

These 6: Weil die Grundrechtsanwendung allein mit dem allgemeinen System nicht auskommt und weil die Grundrechtsdogmatik allein als strukturelles System[40] ihre Funktionen nicht vollumfänglich erfüllen kann, müssen auf bereichsspezifischer Ebene inhaltliche Begründungen mit der strukturellen allgemeinen Grundrechtsdogmatik verknüpft werden.

Entscheidend ist dabei, dass die Grundrechtsdogmatik auf dieser bereichsspezifischen Ebene inhaltlich jene Theorien zur Erklärung des Normprogramms einzelner bzw mehrerer zusammengehöriger Grundrechte – auch in Alternativen – entwickelt, die das strukturelle Programm der allgemeinen Grundrechtsdogmatik mit Kriterien, Zuschreibungen und Leitlinien „füllen" können. Auf welchen Prämissen einzelne Theorieansätze beruhen und wie diese gegebenenfalls zusammenspielen, kann dann bei der Anwendung der strukturellen allgemein grundrechtsdogmatischen „Werkzeuge" handlungsleitend sein. Wesentlich ist dabei, dass es in aller Regel darum gehen wird, vor allem auch Alternativen bzw unterschiedliche Formen des Zusammenwirkens theoretischer Begründungsansätze in einem bestimmten Grundrechtsbereich aufzuzeigen und damit

37 Vgl für eine Zusammenfassung nur *Michael Holoubek*, Plattformregulierung aus grundrechtlicher Perspektive, in *Grabenwarter/Holoubek/Leitl-Staudinger* (Hrsg), Regulierung von Kommunikationsplattformen (2022) 29 (42 f).

38 Siehe nur *Lohmann/Mahler*, Schutz des materiellen und geistigen Eigentums, in *Pollmann/Lohmann* (Hrsg), Menschenrechte (2012) 277 (278); *Depenheuer*, Eigentum, in *Merten/Papier* (Hrsg), Handbuch der Grundrechte in Deutschland und Europa V (2013) Rz 53 ff, 61 ff.

39 Vgl dazu nur zusammenfassend *Magdalena Pöschl*, Gleichheitsrechte, in *Merten/Papier/Kucsko-Stadlmayer* (Hrsg), Handbuch der Grundrechte – Grundrechte in Österreich[2] (2014) Rz 10 ff; näher *dies*, Gleichheit vor dem Gesetz (2008) 371 ff, 459 ff, 537 ff; *Michael Holoubek*, Art 7 Abs 1 Sätze 1 und 2 B-VG, in *Korinek/Holoubek/Bezemek/Fuchs/Martin/Zellenberg* (Hrsg), Österreichisches Bundesverfassungsrecht (14. Lfg 2018) Rz 59 ff.

40 In der strukturellen, analytischen Dimension liegt aber aus den zuvor angeführten Gründen die wesentliche Stärke der allgemeinen Grundrechtsdogmatik.

Präferenzentscheidungen durch die Grundrechtsanwendung erstens zu rationalisieren, zweitens ihre Prämissen und Konsequenzen transparent zu machen und drittens über die Sichtbarmachung von Alternativen Innovationen in der Grundrechtsanwendung zu ermöglichen.

Grundrechtsdogmatik und Grundrechtsanwendung

Wenn es stimmt, dass der juristische Diskurs bei der Grundrechtsanwendung auf die Argumentationsregeln festgelegt ist, die durch Gesetz, Präjudiz und Dogmatik bestimmt werden,[41] Grundrechtsdogmatik also in diesem Sinne „Befolgung beansprucht",[42] dann meint das eine entsprechende allgemeine bzw bereichsspezifische wissenschaftliche grundrechtsdogmatische Arbeit aus einer erklärenden Beobachterperspektive, die insbesondere auch die (höchst-)gerichtliche Rechtsprechung entsprechend den Aufgaben der Dogmatik erklärt, in das allgemeine wie das bereichsspezifische System stellt und Konsequenzen und Alternativen aufzeigt, also insoweit vor allem auch eine kritische Funktion erfüllt. Wesentlich ist, dass die wissenschaftliche Grundrechtsdogmatik damit ein Stück weit das tut, was in einer grundrechtsdogmatisch geprägten Tradition die Rechtsprechung offensichtlich nicht tut, nämlich zunächst die eigene Rechtsprechung zu erklären.[43] Dann aber geht es darum, diese kritisch zu bewerten, Verständnisalternativen zu entwickeln und aufzuzeigen, von welchem inhaltlichen Grundsatzverständnis einzelner Grundrechte ausgehend die Rechtsprechung offensichtlich zu ihren Lösungen kommt und was es bedeuten würde, die Ausgangsannahme eines bestimmten Normprogramms eines Grundrechts zu verändern. Bildlich gesprochen, es ist die Aufgabe der wissenschaftlichen Grundrechtsdogmatik, der Rechtsprechung zu erklären, wo sie steht (und wo sie herkommt), was es bedeutet, wenn sie einen bestimmten Weg geht (und auch, dass das im Einzelfall kein geregelter Weg ist, sondern sich die Rechtsprechung in die Büsche schlägt) und was es bedeuten würde, wenn die Rechtsprechung bei veränderten Annahmen andere Wege einschlagen würde.

---

41 *Robert Alexy,* Theorie der Grundrechte (1985) 22 ff.

42 *Kaiser,* Juristische Methode Rz 19.

43 Vgl pointiert zugespitzt *Alexander Somek,* Wissen des Rechts (2018) 52: „Die Rechtsanwendung vermag ihr Wissen nur zu Wissen, indem sie sich von der wissenschaftlichen Erkenntnis sagen lässt, was sie eigentlich denkt."

Weil es in der Grundrechtsdogmatik – anders als etwa in der Verwaltungsrechtsdogmatik – nur selten den Verfassungsgesetzgeber gibt, der in die Entwicklung des Rechts aus Gesetz, Rechtsprechung und Dogmatik steuernd und damit auch korrigierend eingreift, und die Rechtsprechung, ist sie einmal festgelegt, deutlich erschwerten Abänderungsbedingungen unterliegt als etwa der Gesetzgeber, der in den Grenzen der (vertrauensschutzrechtlichen) Bewältigung von Übergangsproblemen seine Entscheidungen nach rechtspolitischem Dafürhalten ändern kann, kommt diesen Funktionen der wissenschaftlichen Grundrechtsdogmatik insbesondere die Bedeutung zu, die Rechtsprechung davor zu bewahren, sich vorschnell zu weit festzulegen. Es entspricht damit aber nicht nur einem Gebot richterlicher Klugheit, sondern auch der adäquaten Aufgabenteilung zwischen wissenschaftlicher Grundrechtsdogmatik und Rechtsanwendung durch die Rechtsprechung, wenn diese in einem dogmatisch geprägten Diskurs in ihren Begründungen einzelfallorientiert arbeitet.

Statt eines langen Schlusses daher eine kurze

These 7: Aufgabe der wissenschaftlichen Grundrechtsdogmatik ist es weniger, aus einer Richterperspektive zu sagen, wie entschieden werden hätte sollen bzw wie zu entscheiden ist, sondern in einer erklärenden Beobachterperspektive bestehende Entscheidungen kritisch in den dogmatischen Referenzrahmen zu stellen und bestehende Rechtsprechung entsprechend zu bewerten und damit künftiger Rechtsprechung Konsequenzen und Alternativen aufzuzeigen.

Denn bei aller Unsicherheit, die es in der Grundrechtsdogmatik geben mag, scheint mir eines sicher zu sein: In Grundrechtsfällen gibt es immer auch eine andere Lösung.

Claudia Fuchs

Verwaltungsrechtsdogmatik

Einleitung

Steht Rechtsdogmatik an der „Schnittstelle von akademischem Anspruch und rechtskundlicher Notwendigkeit“,[1] drängt das Verwaltungsrecht fast zwangsläufig nach vorne. So nahe an die praktisch unmittelbaren Notwendigkeiten der Rechtskunde kommen Verfassungsrecht und Grundrechte kaum;[2] so viel an Übersetzungs- und Überbrückungsbedarf[3] zwischen wissenschaftlicher Theorie und praktischer Rechtswendung wie im Verwaltungsrecht hat die Dogmatik nicht überall zu gewärtigen.

Debatten über seine wissenschaftliche und praktische Dimension ist das Verwaltungsrecht also durchaus gewohnt, was nicht heißt, dass klare Verhältnisse herrschten. Je nach Standort trachtet man nach Unterschiedlichem, will sich bald der Leistungsfähigkeit und Qualität,[4] bald der Herausforderungen, Problemlagen und Chancen,[5] bald des Eindrucks einer (Selbst-)Überschätzung der Verwaltungsrechtsdogmatik in ihrem wissenschaftlichen Anspruch[6] vergewissern.

---

1 So *Christoph Bezemeks* Klappentext zum vorliegenden Werk.

2 Siehe die weiteren Beiträge des Kapitels „Dogmatik im Öffentlichen Recht“ in diesem Band.

3 Zur Kommunikations- und Brückenfunktion der Dogmatik *Anna-Bettina Kaiser,* Juristische Methode, Dogmatik und System, in *Kahl/Ludwigs* (Hrsg), Handbuch des Verwaltungsrechts I (2022) § 24 Rz 28.

4 ZB *Wolfgang Kahl,* Verwaltungsrechtswissenschaft und Verwaltungsrechtspraxis – Einleitende Bemerkungen, in *Kahl/Mager* (Hrsg), Verwaltungsrechtswissenschaft und Verwaltungsrechtspraxis (2019) 19 (33 ff); lesenswert aus österreichischer Perspektive hierzu *Franz Merli,* Buchbesprechung, ZÖR 2021, 1467.

5 ZB *Franz Merli,* Die Zukunft der Verwaltung (2010) 12 ff.

6 Zur Debatte (Stichwort: „Fruchtsaftverwaltungsrecht“) *Bezemek/Somek,* Die Wiederentdeckung Weltösterreichs, Der Staat 2018, 135 (140).

Der herangetragenen Aufgabenstellung entsprechend[7] wird im Weiteren nach hervorgebrachten Entwicklungen und Ansprüchen gefragt, was in Form eines skizzenhaften Überblicks geschehen soll.

Angestammte Themenbereiche der verwaltungsrechtlichen Dogmatik

Drei Felder, die als angestammte Kernthemen die Verwaltungsrechtsdogmatik prägen, werden dafür ins Auge gefasst: Organisation, Handlungsformen, Rechtsschutz.[8] Als Kapitelüberschriften ziehen sie sich quer durch die Lehrbuchliteratur zum Allgemeinen Verwaltungsrecht.[9] Problemstellungen und Herangehensweise sind mehrheitlich deckungsgleich und lange verfestigt: Es geht um verfassungsrechtliche Grundlagen, Definitionen, Zuständigkeiten, Rechtsfolgen, dazu querliegend um europarechtliche, vereinzelt auch internationale Implikationen.

Organisation

Begonnen werden soll mit dem Organisationsrecht, das oft als sperrig gilt[10] und zunächst ein Bild der Fragmentierung zeichnet. Die kompetenzrechtliche Ausgangslage verschafft der österreichischen Verwaltung bekanntlich eine „mehrköpfige", in sich verschlungene Gestalt aus teils übereinander, teils nebeneinander tätigen Organen der Gebietskörperschaften.[11] Die drei Komplexe – Bundesverwaltung, Landesverwaltungen,

7 Vgl erneut den Klappentext.

8 Zu den klassischen Themenbereichen der verwaltungsrechtlichen Dogmatik vgl nur *Eberhard Schmidt-Aßmann,* Verwaltungsrechtliche Dogmatik (2013) 29 ff.

9 Etwa *Adamovich/Funk/Holzinger/Frank,* Österreichisches Staatsrecht IV: Allgemeine Lehren des Verwaltungsrechts[2] (2017); *Antoniolli/Koja,* Allgemeines Verwaltungsrecht[3] (1996); *Grabenwarter/Holoubek,* Verfassungsrecht. Allgemeines Verwaltungsrecht[5] (2022); *Kahl/Weber,* Allgemeines Verwaltungsrecht[7] (2019); etwas anders im Aufbau *Bernhard Raschauer,* Allgemeines Verwaltungsrecht[6] (2021), der nach Organisationsrecht, Funktionsrecht und Verwaltungsrechtlichen Rechten und Rechtsverhältnissen gliedert.

10 *Schmidt-Aßmann,* Dogmatik 137.

11 *Ewald Wiederin,* Staat, Verwaltung und Verwaltungsrecht: Österreich, in *von Bogdandy/Cassese/Huber* (Hrsg), Handbuch Ius Publicum Europaeum III (2010) § 46 (187 ff) Rz 79 ff; *Michael Holoubek,* Grundzüge des Verwaltungsrechts in gemeineuropäischer Perspektive: Österreich, in *von Bogdandy/Cassese/Huber* (Hrsg), Handbuch Ius Publicum Europaeum IV (2011) § 79 (435 ff) Rz 44 ff.

Gemeindeverwaltungen[12] – stehen einander organisatorisch ebenso gegenüber wie sie funktionell ineinander verwoben sind.[13]

Die Dogmatik des Verwaltungsorganisationsrechts entfaltet sich über Rechtsformen, gegliedert nach Verwaltungsträgern und binnenorganisatorischen Einheiten.[14] Organisationsrechtliche „Grundbegriffe"[15] – juristische Person des öffentlichen Rechts, Körperschaft, Anstalt, Fonds, Organ, Behörde, Hilfsorgan, Amt ua – sortieren anhand von Rechtsfragen (Rechtsfähigkeit, Handlungsfähigkeit, Kompetenz, Aufsicht ua) und legen Zurechnungszusammenhänge offen.

Klassisch dahinterliegendes Bild ist jenes des bürokratisch organisierten, staatlichen Verwaltungsapparats, in dem sich hierarchisch-lineare Entscheidungsstrukturen entfalten. Ein Blick auf die bunte Vielfalt „organisationsrechtlicher Phänomene und Relationen"[16] genügt, um zu erkennen, dass darin zugleich eine der zentralen Herausforderungen verwaltungsorganisationsrechtswissenschaftlicher Systembildung geborgen ist.

Bei näherer Betrachtung sind die zahlreich in Gebrauch stehenden Einteilungs- und Zuordnungsmomente nämlich nicht nur heterogen, teils konkurrieren sie auch miteinander, teils liegen sie quer und erlauben jeweils für sich genommen nicht immer aussagekräftige Rückschlüsse zur Beantwortung (auch verfassungs-)rechtlicher Anfragen.[17] Virulent wird diese Komplexität dort, wo – unter dem Eindruck veränderter politischer, gesellschaftlicher, ökonomischer Vorstellungen, unionaler oder internationaler Maßgaben – die „Erscheinungsformen von Staatlichkeit"[18] und mit ihnen die Organisationsformen der Verwaltung Veränderungsprozesse durchlaufen – noch viel mehr dann, wenn private Akteure Verwaltungsaufgaben wahrnehmen.

12 Ausgeklammert bleibt hier der Bereich der Selbstverwaltung.

13 *Holoubek*, in *von Bogdandy/Cassese/Huber*, Handbuch § 79 (435 ff) Rz 51.

14 So auch *Schmidt-Aßmann*, Dogmatik 138.

15 *Grabenwarter/Holoubek*, Verfassungsrecht[5] 363 f; *Kahl/Weber*, Verwaltungsrecht[7] 139; Zweifel an der Zuschreibung als „Grundbegriff" bei *Matthias Jestaedt*, Grundbegriff des Verwaltungsorganisationsrechts, in *Hoffmann-Riem/Schmidt-Aßmann/Voßkuhle* (Hrsg), Grundlagen des Verwaltungsrechts I § 14 Rz 18.

16 *Jestaedt* in *Hoffmann-Riem/Schmidt-Aßmann/Voßkuhle*, Grundlagen I § 14 Rz 12.

17 Siehe nur *Ewald Wiederin*, Die Beleihung, in *Fuchs/Merli/Pöschl/Sturn/Wiederin/Wimmer* (Hrsg), Staatliche Aufgaben, private Akteure II: Konzepte zur Ordnung der Vielfalt (2017) 31 (50 ff); eingehend *Jestaedt* in *Hoffmann-Riem/Schmidt-Aßmann/Voßkuhle*, Grundlagen I § 14 Rz 12.

18 *Schmidt-Aßmann*, Dogmatik 137.

Die Dogmatik hat sich diesen Herausforderungen umfangreich gestellt, als große Themencluster spiegeln Ausgliederungen und Beleihungen,[19] unabhängige Verwaltungsbehörden[20] oder Europäischer Verwaltungsverbund[21] nur einige der diesbezüglichen Schwerpunktgebiete organisationsrechtsdogmatischer Arbeit der letzten Jahrzehnte wider.

Die im Organisationsrecht stets ohnedies starke „Prägekraft"[22] der Verfassung scheint sich angesichts derartiger Dynamiken noch zu intensivieren. Prominentes Beispiel gibt das Institut der Beleihung Privater mit der Durchführung hoheitlicher Aufgaben. Methodisch wird die „Beleihungsverwaltung" vorwiegend über Kontrastierung zum verfassungsrechtlichen Regelkonzept der Ministerialverwaltung auf Bundesebene entwickelt. Selbst in verwaltungsrechtlichen Lehrbüchern wird eher nach verfassungsrechtlichen Grenzen denn nach Kompetenzen und Rechtsfolgen sortiert.[23]

War bei Beleihungen der Verfassungsgerichtshof wichtiger Pacemaker der Diskussion, sorgte andernorts der Verfassungsgesetzgeber für neue Verhältnisse; man denke insbesondere an die Neufassung von Art 20 B-VG zur Einrichtung weisungsfreier Verwaltungsorgane, nicht zuletzt um unionsrechtlichen Vorgaben besser entsprechen zu können.[24] Dass die Wissenschaft an diesem, 2008 etablierten Modell einfachgesetzlicher Weisungsfreistellung maßgeblichen Anteil hatte, soll dabei nicht unerwähnt bleiben: Zahlreiche Vertreter der Lehre lieferten zuerst im Österreich-Konvent,[25] später in einer eigens eingerichteten Expertengruppe neben Ideen auch umfangreiche Textvorschläge.[26]

19 *Kucsko-Stadlmayer,* Grenzen der Ausgliederung, GA 15. ÖJT 2003; *Wiederin* in *Fuchs/Merli/Pöschl/Sturn/Wiederin/Wimmer,* Aufgaben II 31.

20 *Michael Holoubek,* Wie unabhängig sind die „unabhängigen Verwaltungsbehörden"? in *ÖJK* (Hrsg), Rechtsstaat und Unabhängigkeit (2007) 115 ff.

21 *Michael Mayrhofer,* Von den nationalen Verwaltungen zum Europäischen Verwaltungsverbund, in *ÖVG* (Hrsg), Der Europäische Verwaltungsverbund (2011) 23.

22 *Luc Heuschling,* Verwaltungsrecht und Verfassungsrecht, in *von Bogdandy/Cassese/Huber* (Hrsg), Handbuch III § 54 Rz 53.

23 Vgl *Adamovich/Funk/Holzinger/Frank,* Staatsrecht IV^2; *Antoniolli/Koja,* Verwaltungsrecht^3; *Grabenwarter/Holoubek,* Verfassungsrecht^5; *Kahl/Weber,* Allgemeines Verwaltungsrecht^7.

24 Art 1 Z 9 2. Bundesverfassungsgesetz, mit dem das Bundes-Verfassungsgesetz geändert und ein erstes Bundesverfassungsrechtsbereinigungsgesetz erlassen wird, BGBl I 2008/2.

25 Einzusehen im Ausschussbericht zu einer „Reform der Verwaltung" vom 23. 3. 2004, /AUB-K 13 ff <http://www.konvent.gv.at/K/DE/AUB-K/AUB-K_00006/fname_017366.pdf>.

26 Expertengruppe für Staats- und Verwaltungsreform: Entwurf eines Bundesverfassungsgesetzes, mit dem das Bundes-Verfassungsgesetz geändert und ein Erstes Bundesverfassungsrechtsbereinigungsgesetz erlassen wird, 94/ME 23. GP.

Handlungsformen

Vergleichbar dem Bereich der Verwaltungsorganisation wird auch die Lehre von den Handlungsformen der Verwaltung zu einem Gutteil aus den Rechtsformen des Verwaltungshandelns heraus entwickelt.

Getragen von der rechtsstaatlich konzipierten Anforderung, „dass dem Staat zurechenbare Akte in rechtsstaatlicher Weise überprüfbar" sein müssen,[27] kreist die Handlungsformenlehre um die Vorstellung einer über und in typisierten Rechtsakten gebunden agierenden Hoheitsverwaltung, die in einem auf diese hoheitlichen Verwaltungsakte hin abgestimmten, öffentlich-rechtlichen Rechtsschutzsystem ihr kontrollierendes Gegenüber findet.[28]

Die maßgeblichen Handlungskategorien – Verordnungen als Akte genereller administrativer Rechtsetzung, Bescheide als prototypische hoheitliche Verwaltungsakte gegenüber einem individuellen Adressatenkreis, unmittelbare verwaltungsbehördliche Befehls- und Zwangsgewalt – sind verfassungsgesetzlich vorgegeben und rubrizieren begrifflich unter den Beschwerdegegenständen der Verwaltungsgerichtsbarkeit;[29] nur die Verordnungskontrolle fällt allein dem Verfassungsgerichtshof zu.

Gelingt die Zuordnung einer Verwaltungstätigkeit zu einer typisierten Rechtsform des hoheitlichen Verwaltungshandelns, lassen sich für ganze Fragenkomplexe (Rechtmäßigkeitsbedingungen, Verfahren, Fehlerfolgen, Rechtsschutz, Vollstreckbarkeit ua) Antwortpakete abholen; wo insbesondere das Europarecht Anpassungsanforderungen formuliert (zB bezüglich der Rechtskraftwirkung[30] oder des räumlichen Geltungsbereichs von Bescheiden[31]), werden diese in den betreffenden Einzelkomponenten dogmatisch verarbeitet.

---

27 ZB VfSlg 18.747/2009, 19.009/2010, 20.434/2020. Vgl *Claudia Fuchs,* Rechtsschutz, Rechtsstaat, Rechtsschutzstaat – Reflexionen zur Verfassungsinterpretation, in FS Korinek (2010) 83.

28 *Harald Eberhard,* Handlungsformen und Rechtsstaat, in FS Raschauer (2013) 65.

29 *Harald Eberhard* in *Korinek/Holoubek et al* (Hrsg), Österreichisches Bundesverfassungsrecht (2021) B-VG Art 130 Abs 1.

30 *Potacs/Wutscher,* Einwirkungen des Unionsrechts auf das Verwaltungsverfahren, in *Griller/Kahl/Kneihs/Obwexer* (Hrsg), 20 Jahre EU-Mitgliedschaft Österreichs (2015) 497.

31 *Michael Holoubek,* Kooperative Entscheidungen im europäischen Behördenverbund – von der Tatbestandswirkung zum kooperativen Verwaltungsakt? in *Holoubek/Lang* (Hrsg), Verfahren der Zusammenarbeit von Verwaltungsbehörden in Europa (2012) 349.

In der Sogwirkung des derart im Kanon der typisierten Rechtsakte der Hoheitsverwaltung geborgenen Anspruchs auf Geschlossenheit des Rechtsschutzsystems[32] verbleiben jene Handlungsformen, die – wie staatliche Warnungen oder Informationen – selbst nicht normativ sind, aber im Kontext hoheitlicher Verwaltung gesetzt (und, induziert durch das Unionsrecht, immer häufiger) werden, als problematische Restmenge. Den dogmatischen Zugriff auf diesen Bereich der sog schlichten Hoheitsverwaltung bestimmen dementsprechend Kategoriebildungen, die danach differenzieren, ob eine Zurechnung der erst noch als faktische Phänomene gedeuteten Handlungsformen zu einem nachfolgenden, förmlichen Hoheitsakt möglich ist oder ob effektiver Rechtsschutz anderweitig, insbesondere durch gesetzliche Eröffnung der sog typenfreien bzw Verhaltensbeschwerde an die Verwaltungsgerichte, zur Verfügung gestellt werden muss. Galt der strenge Typenzwang verwaltungsbehördlicher Handlungsformen längste Zeit als Aushängeschild der österreichischen Verwaltungsrechtsdogmatik, hat er sich unter dem Eindruck eines veränderten administrativen Handlungsformenspektrums zumindest in dieser Hinsicht also relativiert.

Der Hoheitsverwaltung gegenübergestellt sieht sich die Privatwirtschaftsverwaltung, für gewöhnlich umschrieben als Verwaltungshandeln in den Rechtsformen des Zivilrechts.[33] Als dogmatische Figur identifiziert sie sich im Grunde allein durch das eingesetzte rechtstechnische Mittel und begreift sich in und über Auseinandersetzung mit den Vollzugsformen des hoheitlichen Verwaltungshandelns. Die verfassungsrechtlichen Leitplanken (Problematik der Gesetzes- und Grundrechtsgebundenheit, der Effektivität des Rechtsschutzes) kanalisieren die dogmatische Durchdringung. Für manch grundlegende Frage, wie jene nach den Determinanten einer Wahlmöglichkeit zwischen hoheitlichen und privatrechtlichen Handlungsformen der Verwaltung, werden klare Linien noch gesucht.[34]

Nicht nur, aber gerade hier täte es gut, neben der Rechtsformendimension auch die instrumentelle Dimension der Formenlehre stärker in den Blick zu nehmen, um spezifische Leistungsfähigkeiten im Vergleich zueinander zu bestimmen.[35] Wenn die Rechtsformen des Privatrechts in wichtigen

32 *Eberhard* in FS Raschauer 65.

33 *Korinek/Holoubek*, Grundlagen staatlicher Privatwirtschaftsverwaltung (1993) 9 ff.

34 *Michael Holoubek*, Handlungsformen, Legalitätsprinzip und Verwaltungsgerichtsbarkeit, in FS Raschauer (2013) 181 (189 ff).

35 *Schmidt-Aßmann*, Verwaltungsrechtsdogmatik 67.

Bereichen der Verwaltung (Vergabe, Subvention, PPP) zum Standardrepertoire zählen, liegt der Ball bei der Verwaltungsrechtsdogmatik, öffentlich-rechtliche Voraussetzungen, Anforderungen und Überformungen systematisierend offenzulegen.

Rechtsschutz

Handlungsformen der Verwaltung und Rechtsschutz lassen sich, das hat sich schon gezeigt, kaum ernsthaft voneinander trennen – in ihrer Kombination sind sie sogar ein „besonders österreichfreundliches Thema".[36] Der „Rechtsschutz des Einzelnen gegenüber dem Staat" durchzieht als „tragende Idee" die Verwaltungsrechtsdogmatik; die Verwaltungsrechtswissenschaft ist, wie *Barbara Leitl-Staudinger* treffend bemerkt, „von einem starken individualrechtlichen Denken gekennzeichnet".[37]

Diese Rechtsschutzperspektive hat die dogmatische Erschließung der Rechtssatzformen des hoheitlichen Verwaltungshandelns entscheidend bestimmt.[38] Das hängt zu einem guten Teil am weiterhin zentral auf verfassungsrechtlich vorgesehene hoheitliche Handlungsformen hin ausgerichteten Rechtsschutzinstrumentarium und der in all dem veranlagten Bipolarität von hoheitlichem und nichthoheitlichem Verwaltungshandeln.[39] Der bundesverfassungsgesetzlich determinierte Bescheidbegriff – samt immer noch einflussreicher Charakterisierung als „rechtsschutzorientierte Zweckkonstruktion" (*Bernhard Raschauer*)[40] – bildet als Beschwerde-

36 So *Peter Oberndorfer*, Handlungsformen der Verwaltung und Rechtsschutz aus österreichischer Sicht, in *Ress* (Gesamtred), Entwicklungstendenzen im Verwaltungsverfahrensrecht und in der Verwaltungsgerichtsbarkeit (1990) 39 (39).

37 *Barbara Leitl-Staudinger*, Die Wissenschaft vom Verwaltungsrecht: Österreich, in *von Bogdandy/Cassese/Huber* (Hrsg), Handbuch Ius Publicum Europaeum IV (2011) § 62 Rz 23.

38 *Günther Winkler*, Der Bescheid (1956); *Walter Barfuß*, Die Weisung (1967); *Bernd-Christian Funk*, Der verfahrensfreie Verwaltungsakt (1975); *Heinz Mayer*, Die Verordnung (1977). Siehe auch *Arno Kahl*, Verwaltung und Verwaltungsrecht, in *Eberhard et al* (Hrsg), 100 Jahre Republik. Kontinuität – Brüche – Kompromisse (2021) 121 (142 ff).

39 *Michael Holoubek*, Kognitionsbefugnis, Beschwerdelegitimation und Beschwerdegegenstand der Verwaltungsgerichte, in *Holoubek/Lang* (Hrsg), Die Verwaltungsgerichtsbarkeit erster Instanz (2013) 127 (137 ff).

40 Siehe etwa auch *Lorenz Kern*, Der Bescheid als Vehikel zur dynamischen Entwicklung im Dienste des Rechtsschutzes, ZÖR 2021, 549.

gegenstand immer noch den „Mittelpunkt des verwaltungsgerichtlichen Rechtsschutzes".[41]

Aber auch sonst blitzt im Modell des verwaltungsgerichtlichen Rechtsschutzes das eine oder andere Austriacum hervor – verdichtet dort, wo es um die Verhältnisbestimmung zwischen kontrollierender und kontrollierter Staatsgewalt geht.

Obwohl die Verwaltungsgerichtsbarkeit zur Gerichtsbarkeit rechnet, sind es eher Verbindungslinien und Übergänge denn schroffe Gegensätze, die ihr Verhältnis zur Verwaltung kennzeichnen.[42] Die Parameter dieser Beziehung – man denke beispielsweise an die Reichweite des verwaltungsgerichtlichen Prüfungs- und Entscheidungsumfangs[43] – wirken dabei freilich in beide Richtungen. Dass es den Verwaltungsgerichten etwa zur Regelvorgabe gemacht ist, in der Sache selbst zu entscheiden und diesfalls auch das Verwaltungsermessen selbst zu üben, ist ebenso Thema der verwaltungsgerichtlichen Verfahrensdogmatik wie es bis in die tieferliegenden Schichten der administrativen Spielraumdogmatik einsickert und dort wiederum Anstoß gibt, hergebrachte Deutungsmodelle und Theorieangebote zur Verhältnisbestimmung von Verwaltung und Verwaltungsgerichtsbarkeit zu hinterfragen.

Aufgaben, Herausforderungen, Leistungsfähigkeit der Verwaltungsrechtsdogmatik

Was bis jetzt – im Bewusstsein aller Kürze und Lückenhaftigkeit – gesagt wurde, profitiert von einem lebhaft stattfindenden österreichischen Diskurs zu Gegenwart und Zukunft des Verwaltungsrechts und seiner Wissenschaft.

Ein echtes, umfängliches Reformprojekt der Wissenschaft – vergleichbar etwa dem in der deutschen Verwaltungsrechtslehre angestoßenen Perspektivenwandel nach dem Modell eines „steuerungswissenschaftlichen"

41 *Harald Eberhard* in *Korinek/Holoubek et al* (Hrsg), Österreichisches Bundesverfassungsrecht B-VG Art 130 Abs 1 Rz 7.

42 Ähnlich *Wiederin* in *von Bogdandy/Cassese/Huber*, Handbuch III 187 Rz 77 f.

43 Vgl *Katharina Pabel*, Das Verfahren vor den Verwaltungsgerichten, in *Fischer/Pabel/Raschauer* (Hrsg), Handbuch der Verwaltungsgerichtsbarkeit[2] (2019) 397 (420 ff).

Ansatzes – ist damit gleichwohl nicht verbunden. Die Ursachen mögen unterschiedliche sein, Expertengruppen im Österreich-Konvent und anderswo haben manch wissenschaftlichen Reformeifer vielleicht allzu gründlich abgeschöpft, und letzthin schwappt auch einiges aus der deutschen akademischen Debatte ins kleine Nachbarland herüber.[44]

Worin sich die Auseinandersetzungen gleichen, ist der Bedarf des Faches nach Selbstreflexion in einer nicht enden wollenden Phase der Komplexitätssteigerung, vorangetrieben durch das berühmte Quartett der Herausforderungen: Privatisierung, Ökonomisierung, Europäisierung, Internationalisierung.[45] Das schwierige Terrain der staatlichen Pandemiebekämpfung tut ihr Übriges.

Auch die mit all dem in Zusammenhang stehende Konstitutionalisierung des Verwaltungsrechts und damit seine weitgreifende Verfassungsabhängigkeit – von der Behördenorganisation über Rechtsquellen und Handlungsformen bis hin zum Rechtsschutz – setzt der genuinen Problemlösungskompetenz der Verwaltungsrechtsdogmatik zu. Das Allgemeine Verwaltungsrecht ist – in den Worten von *Ewald Wiederin* – auf fortwährender Sinnsuche.[46]

Dass bei aller Komplexitätssteigerung immerhin die Grundaufgaben der Verwaltungsrechtsdogmatik dieselben bleiben, ergänzt *Franz Merli* zum Trost: Das allgemeine Verwaltungsrecht sei eben ein „Kind der Vielfalt". Verwaltungsrechtswissenschaftliche Systembildung und die Arbeit am allgemeinen Verwaltungsrecht ist insofern nicht selbstzwecklich, sondern Voraussetzung einer verwaltungsrechtlichen Dogmatik, die ihrer wichtigsten Funktionen – Stabilisierung, Entlastung, Orientierung – nicht verlustig gehen möchte.[47]

Einen Abgesang auf das Allgemeine Verwaltungsrecht anzustimmen, hielte ich daher nicht für angezeigt – im Gegenteil. Praktikable Methoden, den

44 Vgl nur *Andreas Voßkuhle,* Neue Verwaltungsrechtswissenschaft, in *Hoffmann-Riem/Schmidt-Aßmann/Voßkuhle* (Hrsg), Grundlagen des Verwaltungsrechts I^2 (2012) § 1. Für die österreichische „steuerungswissenschaftliche" Perspektive und den Einfluss auf die Verwaltungsrechtswissenschaft siehe *Kahl* in *Eberhard et al,* 100 Jahre Republik 165 f.

45 *Merli,* Zukunft der Verwaltung 14 f.

46 *Ewald Wiederin,* Allgemeines Verwaltungsrecht: Auf der Suche nach dem Sinn, in *Ennöckl/Raschauer/Schulev-Steindl/Wessely* (Hrsg), Über Struktur und Vielfalt im Öffentlichen Recht (2008) 281.

47 *Schmidt-Aßmann,* Dogmatik 5.

Fliehkräften in Richtung „Verbesonderung" zu begegnen, offeriert die eng mit dem Namen *Eberhard Schmidt-Aßmann* verbundene Lehre von den Referenzgebieten. Gedacht als ein in der Vielfalt ihrer Strukturen – Aufgaben, Organisation, Handlungsformen, Verfahren, Rechtsschutz – repräsentatives, aber offenes Set an Schlüsselmaterien (vom Gewerberecht über das Sicherheitspolizeirecht bis hin zum Telekommunikationsrecht, Chemikalienrecht und Wasserrecht) soll es die vergleichende Betrachtung erlauben, Gemeinsamkeiten und Unterschiede in Problemstellungen und Lösungsansätzen zu identifizieren und so – ganz im Sinne eines wahrscheinlichen Satzes über beobachtete Regelmäßigkeiten – der Dogmenbildung dienen.[48]

Damit müssen dann aber auch Clusterbildung und Teilbereichsintegration (Wirtschaftsrecht, Umweltrecht, Regulierungsrecht ua) nicht notgedrungen als Krisenphänomene des Allgemeinen Verwaltungsrechts begriffen werden,[49] sondern können in ihrer Ausformung von Zwischenebenen bereicherndes Bindeglied sein.

In der Heterogenität ihrer Bezugspunkte machen sie bewusst, dass Teilbereichsintegration unter verschiedenartigen Gesichtspunkten stattfinden kann und sich etwa aufgabenbezogene (zB Verteilungsverwaltung,[50] Regulierungsverwaltung[51]) oder instrumentelle Querschnittsbetrachtungen (zB Genehmigungsverwaltung,[52] Subventionsverwaltung[53]) nicht schlecht dazu eignen, das Gesamt-Wirkungsgefüge von Akteuren, Organisation, Handlungsmaßstäben, Handlungsinstrumenten und Verfahren zu durchleuchten.

Gerade in Bereichen, in denen die überkommene Verwaltungsrechtsdogmatik an Leistungsgrenzen stößt, weil über Fixierung auf Rechtsformen kaum befriedigende Antworten gefunden werden können, erlauben es

48 *Eberhard Schmidt-Aßmann*, Das allgemeine Verwaltungsrecht als Ordnungsidee[2] (2006) 8 ff. Zur Herkunft des Dogmenbegriffs *Maximilian Herberger*, Dogmatik: Zur Geschichte von Begriff und Methode in Medizin und Jurisprudenz (1981) 14.

49 *Wiederin* in *Ennöckl/Raschauer/Schulev-Steindl/Wessely*, Struktur 281.

50 Vgl *Ferdinand Wollenschläger*, Verteilungsverfahren (2010).

51 *Michael Holoubek*, Vom Wirtschaftsaufsichtsrecht zum Regulierungsverwaltungsrecht? GA 17. ÖJT (2009).

52 Vgl *Meinhard Schröder*, Genehmigungsverwaltung (2016).

53 *Karl Wenger* (Hrsg), Förderungsverwaltung (1973).

derartige Systembildungen auf Zwischenebenen zugleich, sich der Verwobenheit der Dimensionen des Verwaltungsrechts (materielles Recht, Verfahrensrecht, Organisationsrecht)[54] wieder stärker bewusst zu werden.

54 Als drei Dimensionen bezeichnet bei *Christoph Möllers,* Materielles Recht – Verfahrensrecht – Organisationsrecht, in *Trute/Groß/Röhl/Möllers* (Hrsg), Allgemeines Verwaltungsrecht – zur Tragfähigkeit eines Konzepts (2008) 489.

Tina Ehrke-Rabel

Steuerrechtsdogmatik

Präludium

Die Frage, was die wissenschaftliche Befassung mit dem geltenden Steuerrecht ausmacht und nach welchen Regeln sie funktioniert, bedarf eines Vorverständnisses für das Steuerrecht. Das Steuerrecht ist in besonderem Maße wirtschaftswissenschaftlich geprägt und vielleicht im Verhältnis zu anderen Rechtsbereichen in besonderem Maße „konstruiert". Geordnetes menschliches Zusammenleben könnte nämlich auch ohne Steuern auskommen.

Steuern sind Geldleistungen des einzelnen (juristische Person, natürliche Person) an den Staat zur Deckung seines Finanzbedarfes. Sie werden kraft öffentlichen Rechts (also notfalls unter Einsatz von Befehl und Zwang) erhoben.[1] Ein Staat und damit eine Gesellschaft, der seinen Finanzbedarf anderweitig – etwa durch natürliche Ressourcen oder Hilfsleistungen anderer Staaten abdecken kann – kann auch ohne Steuern und damit ohne Steuerrecht funktionieren. Ein solcher Staat hat wahrscheinlich kein besonders ausgeprägtes Sozialsystem und ist tendenziell nicht demokratisch organisiert,[2] im Zustand der Anarchie befindet er sich jedoch nicht jedenfalls zwingend.

Weil Steuerrecht primär die Funktion hat, den Finanzbedarf eines Staates und damit seine Aufgaben zu finanzieren, koordiniert Steuerrecht nicht unmittelbar das Verhalten der Menschen untereinander. Es finanziert die Koordination des Verhaltens durch den Staat. Steuerrecht dient auch

1 VfSlg 1465/1932, 3670/1960, 17414/2004; s auch *Tina Ehrke-Rabel* in *Doralt/Ruppe* (Hrsg), Steuerrecht II^{8} (2019) Tz 2; *Hans Georg Ruppe* in *Korinek/Holoubek/Bezemek/Fuchs/Martin/Zellenberg* (Hrsg), Österreichische Bundesverfassung (12. Lfg 2016) § 5 F-VG Rz 6; *Georg Kofler* in *Kneihs/Lienbacher* (Hrsg), Rill-Schäfer-Kommentar (25. Lfg) § 5 F-VG Tz 4.

2 Zum Zusammenhang zwischen Demokratie und Steuern s *Martin Sumper*, Besteuerung als Grundlage für Demokratie und Rechtsstaat (2023).

nicht unmittelbar dem Schutz der Menschen vor wechselseitiger Schädigung. Es stellt die Finanzierung der Schutzaufgaben des Staates sicher. Steuerrecht schützt nicht unmittelbar sozial Schwächere. Es stellt sicher, dass der Staat die Unterstützung und den Schutz sozial Schwächerer gewährleisten kann.

Weil Steuern primär den Finanzbedarf des Staates stillen sollen, sind sie konzeptionell eng mit den Finanzwissenschaften verwoben. Der Steuertatbestand knüpft an das wirtschaftswissenschaftliche Konzept einer Gesellschaft an. Außerdem eignet sich das Steuerrecht seit jeher zur „sanften" Wirtschaftslenkung und seit geraumer Zeit zunehmend allgemein zur Verhaltenslenkung.[3]

Komplexität des Steuerrechts

Steuerrecht ist komplex. Es gibt eine Vielzahl von Steuerarten, die eigenen Gesetzmäßigkeiten folgen. Außerdem gibt es für die einzelnen Steuerarten unterschiedliche Normerzeuger und unterschiedliche internationale Einflüsse auf die nationalen Normerzeuger. So ist etwa das Zollrecht durch Unionsrecht vollharmonisiert[4] und unterliegt zudem dem WTO-Recht.[5] Die Umsatzsteuer und die Verbrauchsteuern sind unionsrechtlich durch Richtlinienrecht prädeterminiert.[6] Die Prädetermination reicht in der Umsatzsteuer so weit, dass den Mitgliedstaaten außerhalb der Festlegung der Steuersätze geringe Gestaltungsspielräume verbleiben. Das Ertragsteuerrecht ist nur partiell unionsrechtlich harmonisiert.[7] Die Besteuerung großer Unternehmen, insb von Konzernen, wird zunehmend durch Vorschläge der OECD, informelle Übereinkommen auf Ebene der G 20 und EU-Richtlinienrecht beeinflusst.[8] Auch das Abgabenverfahrensrecht passt sich zunehmend an auf OECD-Ebene erarbei-

3 *Tina Ehrke-Rabel,* Reflexionen zu theorie- und evidenzbasierter Steuergesetzgebung, in *Wendland/Eisenberger/Niemann* (Hrsg), Smart Regulation: Theorie- und evidenzbasierte Politik (2023) 99 ff.

4 Dazu *Walter Summersberger* in *Doralt/Ruppe* (Hrsg), Steuerrecht II[8] (2019) Tz 745 ff.

5 Dazu *Summersberger* in *Doralt/Ruppe,* Steuerrecht II[8] Tz 745 ff.

6 *Ehrke-Rabel* in *Doralt/Ruppe,* Steuerrecht II[8] Tz 202.

7 *Ehrke-Rabel* in *Doralt/Ruppe,* Steuerrecht II[8] Tz 78.

8 Dazu zB *Tina Ehrke-Rabel,* Digitalisierung und Steuerpolitik, in *Sturn/Klüh* (Hrsg), Normative und institutionelle Grundfragen der Ökonomik, Jahrbuch 18, Blockchained? Digitalisierung und Wirtschaftspolitik (2020) 141 ff.

tete Vorschläge an.[9] Zudem verändern die Maßnahmen auf EU-, OECD- und FATF-Ebene zur Bekämpfung von Geldwäsche und Terrorismusfinanzierung das Abgaben- und insb das Abgabenverfahrensrecht.[10]

Hinzu kommt, dass das Steuerrecht eine Vielzahl an komplexen Sachverhalten in gleichmäßiger, dh gerechter Art und Weise erfassen will und in einer demokratischen Ordnung, die auf den Grundwerten der Gleichheit beruht, auch erfassen muss.[11] Außerdem werden Steuergesetze laufend ergänzt, verändert, novelliert. Nicht jede Ergänzung fügt sich ohne weiteres in das bestehende System. Manche Ergänzungen verändern das bestehende System, ohne dass es auf den ersten Blick erkennbar ist.[12]

Das Verdienst der Rechtsdogmatik ist die Systematisierung des Normenmaterials und seine Auffüllung durch verallgemeinerungsfähige Rechtssätze, die die Gerichtshöfe des öffentlichen Rechts (einschließlich des EuGH) entwickeln.

Allein das erfordert hochkonzentriertes logisches Denken und enorme Abstrahierungsfähigkeit. Darin soll sich Steuerrechtsdogmatik jedoch nicht erschöpfen. Was ist dann überhaupt Steuerrechtsdogmatik?

Das „eine" Steuerrecht gibt es nicht

Es gibt nicht das eine Steuerrecht. Und daher fürchte ich, gibt es auch nicht die eine Steuerrechtsdogmatik. Und überhaupt zeigt der Blick auf die Realität der Steuerrechtsanwendung und der Steuerrechtswissenschaften so viele unterschiedliche Steuerarten, dass viele Steuerrechtsanwender

9 Als Beispiele seien „nur" die Instrumente digitaler Verwaltungsführung, risikoorientierte Fallauswahl und die Begleitende Kontrolle genannt.

10 *Jonathan Schindler*, Geldwäschegesetzgebung und Steuerrecht (2021); s a *Ehrke-Rabel* in *Doralt/Ruppe*, Steuerrecht II[8] Tz 1296.

11 In einer liberalen Demokratie, die sich als soziale Marktwirtschaft versteht, muss jeder – seiner persönlichen Leistungsfähigkeit entsprechend – gleichermaßen zur Finanzierung des Staatswesens beitragen. Dies gilt auch dann, wenn eine solche Verpflichtung (wie etwa in Österreich) weder verfassungs- noch grundrechtlich explizit verankert ist (dazu im Detail *Ehrke-Rabel/Anderwald*, Rechtfertigung von Abgaben [Teil 2], ÖStZ 2022, 515 [518 f]).

12 Ein Beispiel für eine solche Veränderung stellt die im Jahr 2012 eingeführte allgemeine Steuerbarkeit von Gewinnen aus der Veräußerung von privat gehaltenen Kapitalanlagen und privaten Grundstücken dar.

und -wissenschafter Spezialisten auf dem Gebiet eines Typus von Steuern sind und die anderen Typen nur rudimentär kennen. Wenn Steuerrechtsdogmatik die Anwendung, die Interpretation und die Systematisierung des geltenden Rechts unter Berücksichtigung mit staatlicher Autorität geschaffener Texte (Gesetze, Verordnungen, Judikatur) ist, dann fördert sie zumindest im Bereich des Steuerrechts die Herausbildung von hochspezialisierten Juristen, Juristen die auf dem Gebiet einer Steuerart die Klaviatur der vielen Einzelregelungen exzellent beherrschen, aber auf Grund der Befassung mit all den Details im Regelungsdschungel einer Steuerart, gefährdet sind, das Steuersystem als solches aus dem Blick zu verlieren. Das erzeugt Denksilos innerhalb der Disziplin und birgt die Gefahr in sich, das System als solches zu zersplittern und widersprüchlich zu machen. So ist etwa schwer verständlich, dass eine bestimmte zivilrechtliche Gestaltung, die nicht zu Liebhaberei führt, auf Seiten der gestaltenden Kapitalgesellschaft als „verdeckte Ausschüttung an der Wurzel" und gleichzeitig als außerbetriebliches Vermögen der Kapitalgesellschaft qualifiziert wird, beim Gesellschafter aber gleichzeitig nicht als Gewinnausschüttung zu behandeln ist, sondern steuerneutral bleibt.[13] Für die Praxis der Rechtsanwendung sind in einer spezifischen Steuerart spezialisierte Wissenschafter Goldes wert. Sie bereiten den Rechtsstoff strukturiert und systematisiert so auf, dass ein Großteil der praktischen Fälle auf eine Art gelöst werden kann, die die geringste Steuerbelastung im Einklang mit dem geltenden Recht nach sich zieht.

Die Befassung mit den Details einer spezifischen Bestimmung und ihre intellektuelle Durchdringung repräsentieren jedoch nur einen Teil der Steuerrechtsdogmatik. Steuerrechtsdogmatik hat aus meiner Sicht zwei Ebenen, die unterschiedlich operieren. Die eine Ebene sind die Subsysteme, die einzelnen Steuerarten, die jeweils eigenen Regeln und Prinzipien folgen. So sind etwa das Einkommen- und das Umsatzsteuerrecht ganz eigene Systeme innerhalb des Gesamtsystems, die voneinander losgelöst dieselben Lebenssachverhalte erfassen, aber nach völlig unterschiedlichen Regeln und meist sogar Prinzipien funktionieren.[14] Die rechtsdogmatische Befassung mit einer Steuerart vermag damit im Regelfall keine verallgemeinerungsfähigen Aussagen für die systematische Durchdringung

13 Dazu *Ehrke-Rabel/Wisiak*, Ein Lebenssachverhalt und zwei Unternehmenssteuern, in FS Zorn (2022).

14 Zur Veranschaulichung *Ehrke-Rabel/Wisiak* in FS Zorn.

einer anderen Steuerart zu vermitteln. Die andere Ebene ist das Gesamtsystem, die Gesamtheit der einzelnen Subsysteme, die das Steuerrecht ausmacht. Dieses Gesamtsystem ist die Klammer um die Subsysteme, die die Kohärenz der Subsysteme und damit die gerechte Ausgestaltung des Steuersystems bewahren soll. Obwohl sich bei dieser Sichtweise der Steuerrechtsdogmatik die von *Jhering* geprägte Figur der höheren und der niederen Jurisprudenz anböte,[15] kann aus meiner Sicht auch die dogmatische Durchdringung einer einzelnen Steuerart sowohl nach den Maßstäben der niederen als auch der höheren Jurisprudenz erfolgen. Der Blick auf das Gesamtsystem und dessen Einbettung in die Wirtschafts- und Gesellschaftsordnung ist damit aus meiner Sicht ein weiterer und zusätzlicher Schritt der dogmatischen Durchdringung.

Rechtsdogmatik in dem jeweiligen Subsystem kann losgelöst von den anderen Subsystemen und damit auch losgelöst vom Gesamtsystem funktionieren. Sie leistet sogar einen wertvollen Beitrag für die Praxis, sie ist aber, so behaupte ich, der Weiterentwicklung des gedeihlichen gesellschaftlichen Zusammenlebens abträglich und läuft langfristig Gefahr, im Gesamtsystem innere Widersprüche zu erzeugen. Die detailreiche Auseinandersetzung mit einem Subsystem vor dem Hintergrund komplexer Lebenssachverhalte ist intellektuell herausfordernd und verführerisch, gewiss auch rechtswissenschaftlich in unserem österreichischen und deutschen Verständnis, sie ist aber schwer abzugrenzen von der praktischen Rechtsanwendung. Die ausschließliche Konzentration auf diese Art der Befassung mit dem geltenden Recht birgt die Gefahr in sich, sich in den Netzen der Komplexität des geltenden Rechts in einem Subsystem zu verfangen. Die intensive Befassung mit zumindest einem Subsystem ist aber, so behaupte ich, ein tauglicher Ausgangspunkt für die Befassung mit dem Gesamtsystem.

Wer aus dem Subsystem heraustritt und das Gesamtsystem in den Blick nimmt, verzichtet notgedrungen auf die Befassung mit allen Details des geltenden Rechts und versucht die Zusammenhänge zwischen den einzelnen Subsystemen zu erkennen und zu beschreiben. Diese Form der Steuerrechtsdogmatik bereitet den Rechtsstoff anhand der Strukturprinzipien des Steuerrechts insgesamt auf. Sie identifiziert die dem geltenden Recht zugrundeliegenden Gesellschafts- und Wirtschaftskonzepte. Steuerrechts-

15 *Rudolf Jhering,* Jahrbücher für die Dogmatik des heutigen römischen und deutschen Privatrechts I (1857) 1 ff.

dogmatik, die die Ebene des Gesamtsystems zumindest miterfasst bei der Aufbereitung der jeweiligen Subsysteme, analysiert und bewertet vor dem Hintergrund der jeweiligen Funktion von Steuern und nimmt dabei ihren finanzwissenschaftlichen „Unterbau" in den Blick. Mit *Esser* ist das wohl als „Vorverständnis" zu qualifizieren.[16] Ohne Einbeziehung des Vorverständnisses bleibt Steuerrechtsdogmatik auf Ebene der Subsysteme, die der Praxis einen wertvollen Dienst leistet, aber als Wissenschaftsprodukt angesichts des sich laufend ändernden Rechtsstoffs nur von kurzweiliger Relevanz ist. Das ist im Übrigen der Vorwurf, der bisweilen auf dem internationalen Parkett den Steuerrechtsdoktorarbeiten österreichischen und manchmal deutschen Ursprungs gemacht wird.

Ich will erläutern, warum Steuerrechtsdogmatik ohne Einbeziehung des Vorverständnisse dem Anspruch einer Auseinandersetzung mit dem Recht in einer Form, die der gedeihlichen Weiterentwicklung der Gesellschaft dient, nicht gerecht wird. Und ich will erläutern, welches Vorverständnis aus meiner Sicht zu berücksichtigen ist. Ich will dies mit Beispielen untermauern.

Steuerrechtsdogmatik bedarf der Einbeziehung des Vorverständnisses

Wenn das ursprüngliche Ziel von Steuern in der Finanzierung des Staates lag, dann stellte sich immer die Frage nach der optimalen Finanzierungsform. Dabei ging es nicht um die Steuerung menschlichen Verhaltens. Insofern richtet sich das Ausmaß des Bedarfs an Steuern auch nach dem Finanzbedarf eines Staates, der sich seinerseits aus den von ihm übernommenen Aufgaben ergibt. Rechtsdogmatik, die eben mehr ist als bloße Rechtsanwendung, ist sich der Verbindung zwischen Steuern und Staatsaufgaben bewusst und erklärt Steuern auch vor dem Hintergrund des Einnahmenbedarfs des Staates. Sie vergisst nicht, dass ein Staat mit vielen Aufgaben auch höhere Steuereinnahmen braucht als ein sog „schlanker" Staat (der etwa auf Sozialleistungen verzichtet).

Dass moderne Demokratien nicht mit einer Steuer auskommen, sondern ihre Einnahmen aus einer Vielzahl unterschiedlicher Steuern generieren,

16 *Josef Esser,* Möglichkeiten und Grenzen des dogmatischen Denkens im modernen Zivilrecht, AcP 1972, 97.

hat einen Grund, der dem Normenmaterial als solchem nicht entnommen werden kann, in der rechtswissenschaftlichen Durchdringung aber berücksichtigt werden muss. Und so wird das geltende Recht zum Ausgangspunkt jeder rechtswissenschaftlichen Forschung, seine Erklärung und Weiterentwicklung ist aber nur möglich, wenn das außerrechtliche Vorverständnis mitberücksichtigt wird.

Die rechtsdogmatische Durchdringung des Steuersystems verlangt daher zunächst die Vergegenwärtigung der Wirtschafts- und Gesellschaftsordnung, auf der ein Steuersystem fußt. Ohne ihre Berücksichtigung läuft Steuerrechtsdogmatik Gefahr in der Art eines Tumors schädlich auf die Gesellschaftsordnung oder zumindest andere Rechtsbereiche auszustrahlen. Dazu ein Beispiel: Der Gründer einer bekannten NGO im Bereich des Steueraktivismus, der sich schriftstellerisch betätigt, stellt die These auf, dass Steuern weder einen Eingriff in das Privateigentum noch in die Erwerbsausübungsfreiheit darstellen und auch nicht wirklich einer sachlichen Rechtfertigung bedürften, weil der Einzelne mit seiner Geldleistungsverpflichtung an den Staat dem Staat nur zurückgeben würde, was ohnehin dem Staat gehöre.[17] Sehr wirtschaftsliberal geprägte Wissenschafter hingegen behaupten, Besteuerung sei gesetzlich gegründeter Diebstahl am Einzelnen.[18] Beide Positionen sind Extrempositionen, die bei der Befassung mit dem geltenden Recht völlig unterschiedliche Ergebnisse liefern. Inwieweit die eine oder die andere Position aber valide ist, hängt vom Vorverständnis ab. Die Betrachtung des Regelwerkes an sich, losgelöst von den verfassungsrechtlichen Rahmenbedingungen und den finanzwissenschaftlichen Grundlagen, lässt die eine wie die andere Position vertretbar erscheinen. Vergegenwärtigt man sich, dass unsere Gesellschaftsordnung auf dem Gedanken der grundsätzlichen Freiheit des Individuums beruht, die auch die Freiheit des Privateigentums impliziert,[19] wird deutlich, dass es sich bei den Geldleistungen, die als Steuern an den Staat zu entrichten sind, nicht um die Rückgabe treuhändig gehaltenen Vermögens handeln kann. Gleichzeitig wird deutlich, dass der Vermögenstransfer vom Einzelnen an den Staat zwar das staatliche Wegnehmen von Vermögen ist, dass dies aber nicht mit Diebstahl zu vergleichen ist, soweit die erhobenen Steuern auf

17 *Richard Murphy,* The Joy of Tax (2015) 41.
18 ZB *Robert W. McGee,* The Philosophy of Taxation and Public Finance (2004) 33 ff.
19 Dazu im Detail *Ehrke-Rabel/Anderwald,* Rechtfertigung von Abgaben (Teil 1), ÖStZ 2022, 329 (330 f).

einer gesetzlichen Grundlage beruhen, welche die grundrechtlichen Vorgaben für die Einschränkung der Freiheit des Eigentums und der Achtung des Privat- und Familienlebens respektiert. Derartige Steuern – und nur diese sind in einem Rechtsstaat legitim – werden durch den Willen des Volkes und damit mit dessen Zustimmung erhoben.

Die Finanzwissenschaften sind die Disziplin, die Steuern auf ein theoretisches Fundament gesetzt haben, das vor dem Hintergrund eines liberaldemokratischen Staatsverständnisses und einer Marktwirtschaft entwickelt wurde. Ihre Erkenntnisse prägen die Ausgestaltung des geltenden Rechts. Die Systematisierung, Dekontextualisierung und Abstrahierung des geltenden Rechts[20] müssen unter Beachtung dieser Theorien funktionieren. Die Finanzwissenschaften liefern erstens die theoretische Grundlage für den Besteuerungsgegenstand und eine finanzwissenschaftliche Begründung für die Auswahl eines bestimmten Steuergegenstandes. So können das Einkommen, der Konsum oder das Vermögen besteuert werden. Aus jedem Steuergegenstand ergeben sich unterschiedliche Anforderungen an die Ausgestaltung des Subsystems, die ihrerseits außerrechtlich und verfassungsrechtlich geprägt sind. So hängt die Ausgestaltung des geltenden Steuerrechts maßgeblich davon ab, welche Ziele das Steuerrecht verfolgt und wie diese Ziele effizient und nach dem allgemeinen Verständnis in gerechter Weise erreicht werden können.[21]

War die Finanzierung des Staates zunächst die einzige Funktion von Steuern, hat sich im Laufe der Zeit eine weitere Funktion entwickelt: Umverteilung.[22] Weil die europäischen Staaten soziale Marktwirtschaften sind, die dem Staat die Aufgabe überantwortet haben, sozial Schwache zu stützen, werden Steuern auch zur Erfüllung dieser Aufgaben verwendet. Umverteilung ist außerdem ein Ziel des Steuerrechts bzw der Verwendung des Steueraufkommens, die dann auch Bedeutung für die Ausgestaltung der einzelnen Steuerarten hat, weil die Stabilität einer Gesellschaft durch

20 Zur Definition von Rechtsdogmatik aus jüngerer Zeit vgl *Lassahn/Steenbreker,* Gedanken zur Rechtsdogmatik, JR 2015, 553 (554).

21 Dazu ausführlich wiederum *Ehrke-Rabel/Anderwald,* ÖStZ 2022, 329 ff; *Ehrke-Rabel/Anderwald,* ÖStZ 2022, 515 ff.

22 Dazu schon *Hans Georg Ruppe,* Verfassungsrechtliche Schranken der Gesetzgebung im Steuerrecht, in *Österr Juristenkommission* (Hrsg), Kritik und Fortschritt im Rechtsstaat (1998) 125; *Markus Achatz,* Die Auswahl von Besteuerungsgegenständen – verfassungsrechtliche Aspekte, ÖStZ 2002, 534; s a *Ehrke-Rabel/Anderwald,* ÖStZ 2022, 329 ff; *Ehrke-Rabel/Anderwald,* ÖStZ 2022, 515 ff.

zu hohe Unterschiede in der Vermögensverteilung ins Wanken geraten kann.[23] Hinzukommend hat außerrechtliche Forschung mit Hilfe ökonomischer Modelle nachgewiesen, dass der Grenznutzen von Geld mit steigendem Einkommen sinkt. Daher ist, wenn ein Steuersystem den Anspruch erhebt gerecht ausgestaltet zu sein, ein progressiver Tarif notwendig. Nur vor dem Hintergrund dieser außerrechtlichen Umstände kann etwa erklärt werden, warum der Einkommensteuertarif progressiv ist, warum mit steigendem Einkommen überproportional steigende Einkommensteuerbelastungen einhergehen.

Steuern sind auch wirtschafts- und gesellschaftspolitisches Lenkungsinstrument (und sie sind es zunehmend). Nur vor dem Hintergrund dieses Zieles könnten Regelungen erklärt werden, die die ertragsteuerrechtliche Abzugsfähigkeit von Gehältern auf EUR 500.000,– beschränken.[24] Wer seinem Dienstnehmer ein Jahresgehalt von mehr als EUR 500.000,– ausbezahlt, muss den übersteigenden Betrag aus seinem eigenen versteuerten Einkommen finanzieren.[25] Die bloße Analyse der Regel und ihres systematischen Kontextes führt zu dem Ergebnis, dass diese Abzugsbeschränkung eine systemfremde Ungleichbehandlung darstellt. Ähnliches gilt für den Vorsteuerabzug beim Erwerb von unternehmerisch genutzten Personenkraftwagen: Wer einen PKW erwirbt, der kein CO_2 ausstößt und ihn in seinem umsatzsteuerpflichtigen Unternehmen verwendet, kann die Umsatzsteuer auf den Einkaufspreis als Vorsteuer „zurückerhalten",[26] auf PKW, deren CO_2 Emissionswert 0g pro Kilometer übersteigt, steht hingegen grundsätzlich[27] der Vorsteuerabzug trotz unternehmerischer Verwendung nicht zu.[28] Die Beispiele ließen sich endlos fortsetzen.

23 Dazu ausführlich *Sumper*, Demokratie.

24 Der VfGH hat die fehlende Gleichheitswidrigkeit dieser Regelungen damit begründet, dass das Ziel die Einkommensschere zwischen Mitarbeitern in Führungspositionen und anderen Mitarbeitern eines Unternehmens zu verringern, durch eine solche Regelung im gesetzgeberischen Gestaltungsspielraum liege und keine gleichheitsrechtlichen Bedenken mit sich bringt (VfSlg 19.933/2014).

25 § 20 Abs 1 Z 7 EStG; § 12 Abs 1 Z 8 KStG iVm § 20 Abs 1 Z 7 EStG.

26 § 12 Abs 2 Z 2a UStG. Die Umsatzsteuer auf unternehmerisch motivierte Einkäufe wird gutgeschrieben und unter bestimmten Voraussetzungen zurückgezahlt (§ 12 UStG).

27 Dies gilt nicht für Fahrschulkraftfahrzeuge, Vorführkraftfahrzeuge, Kraftfahrzeuge, die ausschließlich der gewerblichen Weiterveräußerung bestimmt sind und Kraftfahrzeuge, die zu mindestens 80% dem Zweck der gewerblichen Personenbeförderung oder der gewerblichen Vermietung dienen (§ 12 Abs 2 Z 2 lit b UStG).

28 § 12 Abs 2 Z 2 lit b UStG.

Sie illustrieren, was Steuerrechtsdogmatik leisten sollte: Sie sollte zum einen das System, das eine einzelne Steuerart bildet, erfassen und intellektuell durchdringen, es sodann in den Kontext der Systeme anderer Steuerarten setzen und schließlich Interdependenzen zwischen den unterschiedlichen Steuerartensystemen identifizieren und darstellen, um schließlich einzelsystemübergreifend allgemeine Grundsätze für ein Gesamtsteuersystem zu entwickeln. Dies ist aber nur möglich, wenn das aus anderen Wissenschaftsdisziplinen stammende Vorverständnis mit in den Blick genommen wird.

Susanne Reindl-Krauskopf

Strafrechtsdogmatik – Stand und Perspektiven

Einführung

„Die moderne Strafrechtsdogmatik arbeitet die allgemeinen Grundlagen der Strafbarkeit heraus, bereitet die verschiedenen Rechtsinstitute auf und bildet einheitliche Begriffe.“ Das sagte *Herbert Steininger* 1981.[1] Und wie sieht das heute aus?

Will man Stand und Perspektiven der Strafrechtsdogmatik erfassen, empfiehlt es sich, sich zunächst den Zweck des Kriminalstrafrechts in Erinnerung zu rufen, um daraus die Aufgaben der Strafrechtsdogmatik abzuleiten. Kriminalstrafrecht setzen rechtsstaatlich orientierte demokratische Gesellschaften dort ein, wo mit anderen Mitteln auf sozialschädliches Verhalten nicht ausreichend reagiert werden kann. Damit stellen moderne Gesellschaften zwei fundamentale Fragen, die das Kriminalstrafrecht im Grunde seit der Aufklärung prägen: 1) Welches Verhalten ist derart sozialschädlich, dass es eine Reaktion rechtfertigt, die ihrerseits in Grundrechte des Täters eingreift? 2) Wann reichen andere rechtliche Sanktionen nicht mehr aus? Damit sind zugleich die wesentlichen Begrenzungen des Strafrechts abgesteckt, nämlich die Voraussetzung, dass Strafrecht dem Schutz von Rechtsgütern dienen muss, und das ultima ratio Prinzip, das das Strafrecht und die damit verknüpften Sanktionen auf ein notwendiges Maß begrenzt. Eine zusätzliche Schwelle zieht das Schuldprinzip ein, wonach nur bestraft werden darf, wem die Rechtsgutsverletzung auch persönlich vorgeworfen werden kann.[2] Ohne

---

1 *Herbert Steininger*, Die moderne Strafrechtsdogmatik und ihr Einfluß auf die Rechtsprechung, ÖJZ 1981, 365 (365).

2 *Fuchs/Zerbes*, Strafrecht Allgemeiner Teil I[11] (2021) 237 ff; *Kienapfel/Höpfel/Kert*, Strafrecht Allgemeiner Teil[16] (2020) 115 f; *Reinhard Moos* in *Triffterer/Rosbaud/Hinterhofer* (Hrsg), SbgK[10] (2004) § 4 Rz 1, 3; *Stefan Seiler*, StGB Praxiskommentar (2018) § 4 Rz 1, 7; *Stefan Seiler*, Strafrecht Allgemeiner Teil I[3] (2016) 25, 159 f; *Martin Stricker* in *Leukauf/Steininger* (Hrsg), StGB[4] (2017) § 4 Rz 2; *Alexander Tipold* in *Höpfel/Ratz* (Hrsg), WK[2] StGB (2015) § 4 Rz 3, 4.

diese Eckpfeiler würden so schwere Sanktionen gesellschaftlich wohl kaum akzeptiert werden und könnten damit auch nicht zum Frieden in einer Gesellschaft beitragen. Diesem Zweck kann nur ein Strafrecht dienen, das möglichst gerecht ist und den richtigen Täter mit den notwendigen, aber auch verhältnismäßigen Mitteln sanktioniert.[3]

Dogmatik des Allgemeinen Teils I

Vor diesem Hintergrund wird deutlich, dass Strafrechtsdogmatik abklären muss, mit welchen Mitteln dieses Ziel des Strafrechts erreicht werden kann. Die von *H. Steininger* skizzierten Funktionen sollen ein richtiges Problemverständnis ermöglichen und dadurch die Rechtsprechung bei der Subsumtion eines Sachverhalts im Einzelfall unterstützen. Diese Aufgabe spielt im Allgemeinen Teil I des Strafrechts eine herausragende Rolle, also in jenem Bereich, der sich mit den Voraussetzungen für die Verhängung der Rechtsfolge Kriminalstrafe beschäftigt. Wir sprechen dabei im Grunde von Problemen der Falllösung, beginnend bei der Definition tatbestandlichen Unrechts bis zu Fragen der Strafbarkeit wegen Beteiligung an einer Straftat.

Die wesentlichen Leistungen der Dogmatik im AT I wurden in der Zeit rund um die Kodifikation des StGB 1975 erbracht. Als Beispiel sei allen voran die Diskussion um den lange Zeit herrschenden objektiven Verbrechensbegriff[4] genannt. Zunächst bestimmte sich strafbares Unrecht näm-

3 *Wolfgang Frisch,* Zur Bedeutung der Rechtsdogmatik für die Entwicklung des Strafrechts, in *Stürner* (Hrsg), Die Bedeutung der Rechtsdogmatik für die Rechtsentwicklung – Ein japanisch-deutsches Symposium (2010) 169 (176 ff); *Bernd Schünemann,* Rechtsfindung im Rechtsstaat und Dogmatik als ihr Fundament (2020) 399 ff; *Bernd Schünemann,* Über Strafrecht im demokratischen Rechtsstaat, das unverzichtbare Rationalitätsniveau seiner Dogmatik und die vorgeblich progressive Rückschrittspropaganda, in *Rotsch* (Hrsg), Zehn Jahre ZIS – Zeitschrift für internationale Strafrechtsdogmatik (2018) 17 (23 f, 28 f).

4 Ua *Ernst von Beling,* Die Lehre vom Verbrechen (1906); *Manfred Burgstaller,* Über den Verbrechensversuch – Eine Konfrontation von Lehre und Rechtsprechung, JBl 1969, 521 (521 ff); *Karl Engisch,* Bemerkungen zu Theodor Rittlers Kritik der Lehre von den subjektiven Tatbestands- und Unrechtselementen, in FS Rittler (1957) 165 (165 ff); *Hans-Heinrich Jeschek,* Die Entwicklung des Verbrechensbegriffs in Deutschland seit Beling im Vergleich mit der österreichischen Lehre, ZStW 1961, 170 (182 ff); *Diethelm Kienapfel,* Zur gegenwärtigen Situation der Strafrechtsdogmatik in Österreich – Ein Beitrag zu einer analytischen Unrechtslehre, JZ 1972, 569 (569 ff); *Friedrich Nowakowski,* Probleme der Strafrechtsdogmatik – Zugleich eine

lich rein objektiv, wogegen der Vorsatz des Täters dafür keine Rolle spielte. Dann begann sich das Verständnis durchzusetzen, dass tatbestandliches Unrecht auch die subjektive Komponente, also die innere Einstellung des Täters, berücksichtigen muss. Dass solche Diskussionen nicht nur akademisch-theoretischen Wert haben, zeigt sich etwa an dem damals berühmt gewordenen „Maibaumfall". Die Täter hatten einen Maibaum dem Brauchtum entsprechend gestohlen, um die benachbarte Gemeinde zu ärgern. Diebstahlsvorsatz im technischen Sinn hatten sie nicht. Der OGH musste sich langwierig mit Fragen der Rechtfertigung durch Brauchtum auseinandersetzen, um zu einer gerechten Lösung zu gelangen, weil nach dem objektiven Verbrechensbegriff ein Vermögensdelikt verwirklicht war. Nach heutigem Verständnis, das den Vorsatz des Täters als subjektives Tatbestandsmerkmal zum Unrecht zählt, wäre diese Diskussion nicht erforderlich gewesen, weil die Täter bereits das Unrecht des Diebstahls auf Tatbestandsebene nicht verwirklicht hatten.

Als weiteres Beispiel für die dogmatischen Leistungen sei die strafrechtliche Erfolgszurechnung genannt. Ursprünglich als reine Kausalitätsfrage[5] behandelt, konnte sie kaum eine sachgerechte Filterfunktion erfüllen. Die Entwicklung der Lehre von der objektiven Zurechnung, die den Täter nur für jenen Erfolg verantwortlich macht, der von der übertretenen Norm verhindert werden soll, trägt ebenfalls dazu bei, die strafrechtliche Verantwortlichkeit auf ein sachgerechtes Maß zu beschränken. Vergleichbare Entwicklungen finden sich auch etwa für das Zurechnungskriterium der Risikoerhöhung gegenüber rechtmäßigem Alternativverhalten: Haften soll nicht jedermann, sondern nur, wer durch seine konkrete Handlung das Risiko des Eintritts des sozialschädlichen Taterfolges eindeutig gegenüber sorgfaltsgemäßem Verhalten erhöht hat.[6] Ua damit wird eine reine Erfolgshaftung ausgeschlossen.

Alle diese dogmatischen Errungenschaften dienen dazu, die strafrechtliche Haftung auf das für den Rechtsgüterschutz und den gesellschaftlichen Rechtsfrieden notwendige Maß zu beschränken und die Sanktion

---

Besprechung von Jescheks Lehrbuch des Strafrechts, JBl 1972, 19 (22 ff); *ders,* Bemerkungen zu Rittlers Strafrechtslehren – eine Buchbesprechung, ÖJZ 1955, 485 (485 ff); *Theodor Rittler,* Subjektivismus und Objektivismus im Strafrecht, JBl 1955, 549 (549 ff); *Steininger,* ÖJZ 1981, 365 (365 ff).

5 Statt vieler siehe nur *Steininger,* ÖJZ 1981, 365 (368 f).

6 *Steininger,* ÖJZ 1981, 365 (368 ff).

für den tatsächlichen Täter in verhältnismäßige Bahnen zu lenken. An diesen dogmatischen Weichenstellungen hat sich seither wenig verändert, wiewohl der Gesetzgeber des StGB 1975 kaum in einer der damals diskutierten Fragen eine ausdrückliche dogmatische Position bezogen, sondern lediglich Akzentuierungen vorgenommen hat. Das trifft etwa auf den absolut untauglichen Versuch zu, der wohl eher iSd objektiven Verbrechensbegriffs zu verstehen ist. Denn es kommt zur Straflosigkeit, wenn eine objektive Rechtsgutsverletzung unter keinen Umständen möglich ist.[7] Dogmatische (Weiter-)Entwicklungen im AT I sind seither die Ausnahme.[8] Manche Diskussion lebt auch schlicht wieder auf, wie etwa die Frage, ob auch Fahrlässigkeitsdelikte einen subjektiven Unrechtstatbestand haben.[9]

Eine rezentere Entwicklung in der Strafrechtsdogmatik des AT I betrifft die Verantwortlichkeit juristischer Personen, die – nicht zuletzt durch den Einfluss der europarechtlichen Vorgaben[10] – im Jahr 2006 ihren

---

7 *Frank Höpfel,* Zur Bedeutung von Entscheidungen verstärkter Senate des Obersten Gerichtshofs in Strafsachen, in FS Steiniger (2003) 139 (144); *Winfried Platzgummer,* Die „Allgemeinen Bestimmungen" des Strafgesetzentwurfes im Licht der neueren Strafrechtsdogmatik, JBl 1971, 236 (238); *Steininger,* ÖJZ 1981, 365 (368).

8 Vgl etwa die Entwicklungen in der Lehre zur Strafbarkeit der Beteiligung: *Helmut Fuchs,* Österreichisches Strafrecht Allgemeiner Teil – Grundlagen und Lehre von der Straftat (1995) 284 ff, 294, 297 f; *Diethelm Kienapfel,* Probleme der Einheitstäterschaft – Einige Bemerkungen zum gleichnamigen Beitrag von DDr. Peter Lewisch, JBl 1989, 407; *Diethelm Kienapfel,* Zum gegenwärtigen Stand der Lehre von der Einheitstäterschaft in der höchstrichterlichen Praxis, ÖJZ 1979, 90; *Peter Lewisch,* Probleme der Einheitstäterschaft, JBl 1989, 294; *Otto Triffterer,* Österreichisches Strafrecht Allgemeiner Teil[2] (1994) 386 ff; auch die Abgrenzung zwischen Erfolgs- und Tätigkeitsdelikt, die in Zusammenhang va mit Fragen der inländischen Gerichtsbarkeit zu verschwimmen scheint: *Alexander Tipold,* Anmerkung zu OGH 13 OS 105/18t JBl 2019, 189; *BMVRDJ,* Weisungsbericht 2018 III – 190 BlgNR 26. GP. 151 ff; *Nina Marlene Schallmoser,* „Zeit und Ort" bei Social-Media-Delikten – Straf- und Verfolgbarkeit wann, wo, wie lange? JSt 2018, 370 (375 ff); *Ingeborg Zerbes,* Tatort: Internet – Zuständigkeit bei virtuell begangenen Äußerungsdelikten, ÖJZ 2017, 856.

9 *Hans-Heinrich Jeschke,* Lehrbuch des Strafrechts – Allgemeiner Teil (1969) 374 f; *Platzgummer,* JBl 1971, 236 (238); *Kurt Schmoller,* Neues zu Vorsatz und Fahrlässigkeit, in *BMVRDJ* (Hrsg), 47. Ottensteiner Fortbildungsseminar aus Strafrecht und Kriminologie (2019) 5 ff; *ders,* Vorsatzdogmatik in Österreich, ZIS 2019, 387; *Triffterer,* AT[2] 87 f, 92, 302 ff.

10 Siehe dazu etwa Richtlinie 2003/6/EG vom 28. 1. 2003 über Insider-Geschäfte und Marktmanipulation (Marktmissbrauch), ABl L 2003/96, 16; Rahmenbeschluss des Rates 2004/757/JI vom 25. 10. 2004 zur Festlegung von Mindestvorschriften über die Tatbestandsmerkmale strafbarer Handlungen und die Strafen im Bereich des

gesetzlichen Niederschlag im VbVG[11] fand. Die dogmatische Herausforderung war die Entwicklung eines Systems, in dem juristische Personen für sozialschädliches Verhalten von Mitarbeitern strafrechtlich verantwortlich gemacht werden können, ohne dass die juristische Person selbst ein Schuldvorwurf im klassischen Verständnis treffen könnte. Nach dem traditionellen Schuldprinzip wird dem Täter ein persönlicher Schuldvorwurf für Fehlverhalten gemacht, und die Strafe soll durch Einwirkung auf das Individuum eine Einsicht in dieses Fehlverhalten und damit eine Verhaltensbesserung für die Zukunft erwirken. Dass ein solcher Vorwurf nicht unverändert auf die juristische Person als bloße rechtliche Fiktion übertragen werden kann, versteht sich von selbst und verlangte nach neuen Kriterien.[12] Die österreichische Strafrechtsdogmatik hat sich gegen eine Strafbarkeit der juristischen Person als solcher positioniert und Mechanismen herausgearbeitet, die in Weiterentwicklung des traditionellen Schuldprinzips am Fehlverhalten von Entscheidungsträgern und Mitarbeitern als natürlichen Personen anknüpfen, auch wenn der konkrete Täter im Unternehmen nicht identifiziert werden muss.[13]

Durch gesellschaftlichen Wandel und nicht zuletzt durch technischen Fortschritt können auch künftig neue Fragestellungen auftauchen, etwa wie strafrechtliche Erfolgszurechnung zu handhaben sein wird, falls intelligente Systeme tatsächlich eines Tages so selbstlernend sein werden, dass sie sich dem menschlichen Einfluss und damit der Anknüpfung an ein

illegalen Drogenhandels, ABl L 2004/335, 8; Rahmenbeschluss des Rates 2002/475/JI vom 13. 6. 2002 zur Terrorismusbekämpfung, ABl L 2002/164, 3; Rahmenbeschluss des Rates 2001/413/JI vom 28. 5. 2001 zur Bekämpfung von Betrug und Fälschung im Zusammenhang mit unbaren Zahlungsmitteln, ABl L 2001/149, 1; Rahmenbeschluss des Rates 2000/383/JI vom 29. 5. 2000 über die Verstärkung des mit strafrechtlichen und anderen Sanktionen bewehrten Schutzes gegen Geldfälschung im Hinblick auf die Einführung des Euro, ABl L 2000/140, 1.

11 BGBl I 2005/151.

12 Siehe dazu ua VfGH 2. 10. 2016 G 497/2015; *Herbst/Wess,* Das VbVG und die verfassungsrechtliche Zulässigkeit der strafrechtlichen Verantwortlichkeit juristischer Personen, ZWF 2015, 118; *Marianne Johanna Hilf,* Anmerkung zu VfGH 2.10.2016 G 497/2015, JBl 2017, 371; *Robert Kert,* Verbandsverantwortlichkeit und Schuldgrundsatz, ÖZW 2018, 16.

13 StRsp, siehe nur OGH 29. 9. 2021, 13 Os 9/21d; *Lehmkuhl/Zeder* in *Höpfel/Ratz* (Hrsg), WK² StGB (2020) § 3 VbVG Rz 1 ff, 22, 30 ff, 41, 44; *Rohregger/Wess,* Wirtschaftsstrafrecht (2018) § 3 VbVG Rz 1, 4, 12, 17, 27 ff.

mögliches Fehlverhalten einer natürlichen Person entziehen.[14] Doch empfiehlt sich auch für solche Fragen an der bestehenden Dogmatik anzuknüpfen. Eine stringente systemimmanente Weiterentwicklung gewährleistet, dass die Sachverhalts-Subsumtion und damit die Strafbarkeit weiterhin vorhersehbar bleibt und Strafsanktionen möglichst gleichförmig auf faktisch uU verschiedene, aber wertungsmäßig vergleichbare Konstellationen[15] Anwendung finden.

Dogmatik des Besonderen Teils: Befundaufnahme und Ausblick

Wie verhält es sich mit der Dogmatik des Besonderen Teils, also der Dogmatik betreffend die Deliktstatbestände? Entsprechend dem ultima ratio Prinzip gestaltete der Gesetzgeber das StGB 1975 im Sinn eines fragmentarischen Strafrechts.[16] Das bedeutet, dass er Tatbestände nur dort etablierte, wo es um für das Zusammenleben von Menschen fundamentale Güter geht, die mit außerstrafrechtlichen Mitteln nicht ausreichend geschützt werden können. Daher stehen beispielsweise Vermögensverletzungen nicht umfassend unter Strafe, sondern nur schwerere Eingriffe wie etwa Betrug,[17] nicht aber jegliche Besitzstörung.[18]

Ebenso war der Gedanke des Rechtsgüterschutzes für das StGB 1975 entscheidend, wie sich an den heute noch gültigen Tatbeständen zum Schutz von Individualrechtsgütern wie etwa Leib und Leben, Freiheit und Vermögen[19] zeigt. Aber auch bei den Delikten, die vordergründig dem Schutz

14 Näher etwa *Sabine Gless*, „Mein Auto fuhr zu schnell, nicht ich!" – Strafrechtliche Verantwortung für hochautomatisiertes Fahren, in *Gless/Seelmann* (Hrsg), Intelligente Agenten und das Recht (2016) 225; *Gless/Weigend*, Intelligente Agenten und das Strafrecht, ZStW 2014, 561 (564 ff); *Hötizsch/May*, Rechtliche Problemfelder beim Einsatz automatisierter Systeme im Straßenverkehr, in *Hilgendorf* (Hrsg), Robotik im Kontext von Recht und Moral (2014) 189; *Susanne Reindl-Krauskopf*, Cyber Crime – Der digitalisierte Täter, ALJ 2017, 110 (116 ff); *Michael Rohregger*, Autonome Fahrzeuge und strafrechtliche Verantwortlichkeit, JSt 2017, 196 ff.

15 Unfall verursacht durch Menschen versus Unfall verursacht durch Maschine.

16 *Birklbauer/Lehmkuhl/Tipold*, Strafrecht Besonderer Teil I^5 (2020) 287; *Fuchs/Zerbes*, AT I^{11} 1; *Höpfel* in FS Steiniger 139 (144).

17 §§ 146–148 StGB.

18 Bloßes Betreten eines fremden Grundstücks vs § 109 StGB; Fahren mit einem fremden Fahrrad vs § 136 StGB.

19 §§ 75 ff StGB.

von Allgemeingütern dienen,[20] folgt das StGB dieser dogmatischen Ausrichtung. Dies ist bei Delikten wie etwa der Feuersbrunst nach § 169 StGB evident. Denn ein ausgedehntes Schadensfeuer zu verursachen ist gefährlich für Leib und Leben wie Vermögen anderer. In diesem Fall leistet schon der Tatbestand selbst den Rückbezug auf die Rechtsgüter Leib und Leben sowie Vermögen.

Als weiteres Beispiel sei das Umweltstrafrecht genannt: Die Umwelt als unmittelbares Tatobjekt mag in gewisser Weise konturlos erscheinen. Doch schützen die §§ 180 ff StGB die Umwelt primär als Lebensgrundlage des Menschen.[21] Gerade als menschliche Lebensgrundlage ist der Umweltschutz wiederum rückführbar auf konkrete individuelle Rechtsgüter, allen voran die körperliche Unversehrtheit und Gesundheit, die in einer zerstörten Umwelt nicht gewährleistet ist. Schon deshalb kommt dem Umweltstrafrecht Legitimation zu.

Aber selbst Erweiterungen des Strafrechtsschutzes in Form von konkreten und abstrakten Gefährdungsdelikten können geboten sein. Denn wenn eine Gefahr typischerweise zur Verletzung eines Rechtsgutes führt, dann ist es sachlich gerechtfertigt, schon im Vorfeld einzugreifen. Die Herausforderung für die Strafrechtsdogmatik besteht darin, die Grenzen der vertretbaren Erweiterungen, mitunter sogar Vorverlagerungen,[22] auszuloten, damit nur jene Handlungen bei Strafe verboten werden, die möglicherweise und typischerweise sozialschädigend wirken. Als Beispiel mag wieder das Umweltstrafrecht dienen: Ablagern von Fässern mit Giftstoffen in der Natur führt typischerweise dazu, dass die Fässer irgendwann leck werden, die Giftstoffe Boden und möglicherweise auch Grundwasser kontaminieren und in weiterer Folge die Gesundheit von Menschen betroffen sein kann. Es ist daher legitim, die Strafbarkeit bereits an das gefährliche Lagern der Abfälle im Vorfeld anknüpfen zu lassen.[23]

Selbstverständlich hat auch der Besondere Teil eine Weiterentwicklung erfahren. Das Cyberstrafrecht sei als eindrückliches Beispiel genannt. Aber auch die modernen Cyberdelikte lassen sich auf den Schutz von Vermö-

20 §§ 169 ff StGB.

21 *Hinterhofer/Rosbaud*, Strafrecht Besonderer Teil II^{6} (2016) 63; *Manhart* in *Triffterer/Rosbaud/Hinterhofer* (Hrsg), SbgK^{20} (2009) § 180 Rz 6; *Reindl-Krauskopf/Salimi*, Umweltstrafrecht (2013) 8 f.

22 Etwa im Rahmen der Organisationsdelikte.

23 § 181b StGB.

gen und der Privatsphäre zurückführen und schließen Schutzlücken, die durch den technischen Fortschritt entstanden sind und von anderen rechtlichen Instrumenten nicht ausreichend abgedeckt wurden, etwa bei der Beschädigung von Daten oder beim Hackingtatbestand.[24] Problematisch mag allerdings in diesem Bereich die zunehmende Kasuistik der Regelungen erscheinen, die es erschwert, den Überblick über strafbare Verhaltensweisen zu bewahren. Umgekehrt ist dies allerdings dem fragmentarischen Charakter des Strafrechts geschuldet. ME lässt sich insgesamt in der Regel sehr gut mit den bewährten Grundsätzen und Instrumenten der Dogmatik arbeiten.

Allerdings wird in jüngerer Zeit immer wieder va mit Blick auf europarechtliche Vorgaben gefordert, den traditionellen dogmatischen Bezug zum Rechtsgüterschutz aufzugeben, weil diese strikte Anknüpfung außerhalb des deutschsprachigen Raumes nicht verstanden werde.[25] Gerade auch die EU rechtfertige Straftatbestände mit „wichtigen Gemeinwohlbelangen aller Art", wie etwa bei der sexuellen Ausbeutung von Kindern und der Kinderpornographie das Grundrecht des Kindes auf ein harmonisches Aufwachsen und eine harmonische Entwicklung.[26] Versteht man das Rechtsgut allerdings in dem Sinn, wie ich das hier tue, so widersprechen sich diese Zugänge nicht. Das Recht des Kindes ist nämlich nicht abstrakter Selbstzweck, sondern ist gleichsam ein Rechtsgut des Kindes als seine körperliche und seelische Unversehrtheit in der Entwicklung. Solche Rechte nur als Gemeinwohlbelange zu bezeichnen, scheint mir eher riskant, weil damit auch diffusen Interessenumschreibungen der Weg bereitet wird. Demgegenüber soll die Strafrechtsdogmatik gerade darauf achten, dass auch durch eine Anknüpfung bzw Rückführung der Strafbestimmungen auf konkret fassbare Rechtsgüter Regelungen bestimmt und vorhersehbar bleiben, um strafbares Verhalten eindeutig von nicht strafba-

24 §§ 126a, 118a StGB.

25 Ua *Kai Ambos,* Zur Zukunft der deutschen Strafrechtswissenschaft: Offenheit und diskursive Methodik statt selbstbewusster Provinzialität, GA 2016, 176 (178, 186 f); *Christos Mylonopoulos,* Strafrechtsdogmatik in Europa nach dem Vertrag von Lissabon – Zur materiellen Legitimation des Europäischen Strafrechts, ZStW 2011, 633 (649); *Helmut Satzger,* Das europarechtliche Verhältnismäßigkeitsprinzip als Maßstab für eine europäische Kriminalpolitik, NK 2007, 93 (93, 96); *Andreas Schaut,* Europäische Strafrechtsprinzipien (2012) 248, 252, 257 ff, 265; *Joachim Vogel,* Europäische Kriminalpolitik – europäische Strafrechtsdogmatik, GA 2002, 517 (529 f).

26 *Ambos,* GA 2016, 176 (185 f); *Vogel,* GA 2002, 517 (529 f).

rem abgrenzen zu können. Je kasuistischer die Bestimmungen und vager der Bezug zum Schutz unbestimmter Interessen, desto weniger wird vorhersehbar, wann eigentlich Strafe droht und zu welchem Zweck eigentlich bestraft wird. Dann geht auch die Möglichkeit verloren, Kriminalstrafrecht auf seine legitime Anwendung zu begrenzen. Die Strafrechtsdogmatik ist daher ganz besonders mit Blick auf die Etablierung von neuen Straftatbeständen aufgerufen, diese Begrenzungsfunktion wahrzunehmen und den legislativen Prozess kritisch zu begleiten – sowohl auf nationaler wie auch auf internationaler Ebene.[27]

Verhältnis der Strafrechtsdogmatik zur Rechtsprechung

Im eingangs zitierten Beitrag propagiert *Steininger* übrigens auch, dass es auch für die Praxis angezeigt sein kann, neue Wege zu beschreiten, falls ein Wandlungsprozess in der Dogmatik abgeschlossen ist, so dass „die Strafrechtspraxis daran füglich nicht mehr vorbeigehen kann".[28] Anekdotischen Beweisen zufolge sehen hohe Vertreter der Praxis ihre Aufgabe mitunter in der Schaffung dogmatischer Systeme und wollen der Wissenschaft lediglich deren Dokumentation und Beschreibung zukommen lassen. Dabei gerät allerdings der Umstand aus dem Blickfeld, dass die Strafrechtsdogmatik – betrieben von der akademischen Wissenschaft aus einer gewissen Distanz zum Einzelfall heraus – ordnen und analysieren, dabei die gesamte Strafrechtsordnung im Blick behalten und so Problemlösungen widerspruchsfrei entwickeln kann.[29] Die Rechtsprechung muss sich aber zwangsläufig aufgrund der ihr obliegenden Aufgabe, einzelne Rechtsstreitigkeiten zu behandeln, darauf konzentrieren, für den jeweiligen Einzelfall eine abschließende Entscheidung zu fällen.[30] Wie die Dogmatik das Instrumentarium für die Behandlung von Einzelfällen entwickelt und anbietet und solcherart auf die Praxis wirken kann, so kann

27 *Schünemann* in *Rotsch*, Zehn Jahre 17 (37 ff).

28 *Steininger*, ÖJZ 1981, 365 (365).

29 *Winfried Hassemer*, Strafrechtsdogmatik und Kriminalpolitik (1974) 177 f; *Lassahn/Steenbreker*, Gedanken zur Rechtsdogmatik, JR 2015, 553 (554, 556); *Schünemann* in *Rotsch*, Zehn Jahre 17 (39).

30 Das ist auch der Grund dafür, dass es eine wahre Flut an Entscheidungen braucht, bis ein neues System entstehen kann, vgl nur die Fülle an Entscheidungen zur Etablierung einer Erneuerung des Strafverfahrens nach § 363a StPO ohne vorangegangenes Urteil des EGMR ausgehend von OGH 1. 8. 2007, 13 Os 135/06m; OGH 13 Os 16/09s EvBl 2009/77.

freilich umgekehrt eine Einzelfallentscheidung auf die Dogmatik rückwirken und Impulse zu deren Weiterentwicklung bieten. Damit gewährleistet die Dogmatik zusätzlich eine unverzichtbare Kontrolle – wenngleich ohne verbindliche Macht – gegenüber der Rechtsprechung.[31] Manche sehen sogar eine Gefahr für das Gefüge im demokratischen Rechtsstaat, wenn diese Kontrolle nicht gegeben ist, weil nur die intellektuelle Kontrolle der Staatsgewalten die demokratisch nicht ausreichend legitimierte Macht der Justiz rechtfertige und erträglich mache.[32] Ob diese Befürchtung zutrifft, kann dahingestellt bleiben. Denn feststeht, dass es wechselseitige Anregungen braucht, um ein sachgerechtes und auf das notwendige Maß beschränktes Strafrecht zu gelangen, das seinem Zweck, zu einem friedlichen Zusammenleben von Menschen in der Gesellschaft unter Wahrung der Interessen aller beizutragen, wahrhaftig dient. Diese „Mammutaufgabe" des Kriminalstrafrechts können weder eine unkontrollierte bzw unbegleitete Rechtsprechung noch eine isoliert agierende Strafrechtsdogmatik erreichen.

31 Ua *Luis Greco,* Strafrechtsdogmatik, Strafrechtswissenschaft, Rescriptum 2014, 139 (140); *Schünemann* in *Rotsch,* Zehn Jahre 17 (40 f).

32 *Schünemann* in *Rotsch,* Zehn Jahre 17 (42).

Teil IV
Rechtsdogmatik im Querschnitt

Harald Eberhard

Dogmatik im Querschnitt: Thematische Grundlegung*

Einleitung

Fragen der Rechtsdogmatik sind immer grundlegende Fragen. Die vorhergehenden Beiträge haben mit ihrem Streifzug durch vergleichsweise große Blöcke deutlich gemacht, welches „Eigenleben" die einzelnen Gebiete entwickelt haben, aber auch, wo sie – ganz im Sinne des Grundsatzes der „Einheit der Rechtsordnung" – Querverbindungen besitzen. Einen Querschnitt der Dogmatik zu betrachten ist vor diesem Hintergrund eine grundlegende Angelegenheit, weil sie den Schnittstellen nachgeht.

In diesem Sinn sollen im Weiteren folgende Schnittstellen näher betrachtet werden: Zuerst sollen mit Hilfe einer Rückschau auf die vorherigen Blöcke die Schnittstellenfelder zwischen der Dogmatik des Privatrechts und jener des öffentlichen Rechts anhand einiger weniger Anschauungsbeispiele aufgearbeitet werden. Davon ausgehend sollen sodann die Schnittstellen von materiellem Recht und Verfahrensrecht in einer vergleichenden Perspektive im Vordergrund stehen. Schließlich werden in einem dritten Schritt mit Blick auf die Internationalisierung und vor allem Europäisierung Ableitungen aus der Mehrebenenbetrachtung getroffen und dabei die Figur des „Mehrebenensystems" in den Blick genommen werden. Den Schlusspunkt bildet der Versuch, folgende Fragestellung einer Antwort zuzuführen: Warum bedienen wir uns eigentlich der Querschnittsbetrachtung, und vor allem: was können wir daraus lernen?

---

* Die Vortragsform wurde im Wesentlichen beibehalten und um einige Anmerkungen ergänzt. Für seine engagierte und sachkundige Mitarbeit sei *Daniel Peter Schmidt* herzlich gedankt.

Bei alldem ist klar, dass im Querschnitt der Dogmatik auch Methodenfragen offenbart werden. So wie – in Anlehnung an *Immanuel Kant*[1] – Methoden ohne Dogmatik leer sind, Dogmatik ohne Methoden hingegen blind ist,[2] bedarf es der Vergewisserung, dass sich in einem Vergleich auch Gemeinsamkeiten und Unterschiede von Methoden zeigen können. Zusammen arbeiten Dogmatik und Methoden übergreifend an einer zentralen Aufgabe: der Entwicklung eines abstrakten, allgemein gültigen Begriffssystems, das im jeweiligen Kontext von den positiven Rechtsvorschriften ausgeht, aber aufgrund seiner Abstraktion zur Lösung zukünftiger Fälle beitragen kann.[3]

Querschnittfelder

Schnittstelle öffentliches Recht – Privatrecht

Zum ersten Anschauungsfeld, der Querschnittsbetrachtung von öffentlichem Recht und Privatrecht. Hier wurde zuvor bereits ein Leporello aus den jeweiligen Subbereichen geboten.

In beiden Feldern gibt es seit langem eine sehr ausdifferenzierte und entwickelte Dogmatik, bei der die Behandlung von Grundsätzlichem zuweilen fast redundant erscheint, weil diese Grundlinien fest verankert sind und heute auf Basis dessen nur mehr „feingerastert" wird, was zuweilen zu einer Fragmentierung führt. Das zeigt sich auch in der Abgrenzung dieser dogmatischen Blöcke besonders deutlich. Dass es keinen wesensmäßigen Unterschied zwischen diesen Bereichen gibt, versuchen wir unseren Studierenden am Beginn des Studiums seit Jahr und Tag zu vermitteln, und auch, dass sämtliche Theorien zur Abgrenzung mehr Schwächen als Stärken haben.[4] Das alles spricht bereits dafür, dass beide Bereiche viel stärker vernetzt sind, als es eine theoretische Annahme erscheinen lässt.

1 *Immanuel Kant*, Kritik der reinen Vernunft (1781/87), Der Transzendentalen Elementarlehre Zweiter Teil, Die Transzendentale Logik, Einleitung, Idee einer Transzendentalen Logik, I. Von der Logik überhaupt, AA 75: „Gedanken ohne Inhalt sind leer, Anschauungen ohne Begriffe sind blind."

2 Dazu *Franz Reimer*, Juristische Methodenlehre (2016) Rz 439.

3 *András Jakab* (Hrsg), Methoden und theoretische Grundfragen des österreichischen Verfassungsrechts (2021) 241 f.

4 Dazu anstatt vieler *Grabenwarter/Kodek/Eberhard/Spitzer*, Einführung in die Rechtswissenschaften[6] (2022) 24 f.

Selbstredend gibt es gewisse Grundprinzipien, die das eine vom anderen abkoppeln. Die Ratio des öffentlichen Rechts, welches das Handeln des Staates mit seinem Gewaltmonopol durch gesetzliche Grundlagen zu räsonieren intendiert und das Gesetz als Grund und Grenze jedenfalls des hoheitlichen Handelns statuiert – verwirklicht zentral im verfassungsrechtlichen Legalitätsprinzip[5] (Art 18 B-VG[6]) –, strahlt auf die Dogmatik des übrigen öffentlichen Rechts aus. Nicht umsonst spricht man beim Legalitätsprinzip von einem verfassungs- und verwaltungsrechtlichen Prinzip.[7] Dieser Zugang ist dem Privatrecht, das prinzipiell auf einen Ausgleich von in Rechtspositionen gefassten Interessen von Privatpersonen gerichtet ist, zunächst einmal fremd. Es geht in dieser Hinsicht vom Topos der Autonomie der Privatrechtssubjekte aus, in die die Rechtsordnung zum Ausgleich von faktischen, zumal wirtschaftlichen Ungleichheiten ausnahmsweise regulierend eingreift.[8] Das macht angesichts der Ausstrahlung auf die Interpretation der Bestimmungen des Privatrechts deutlich, dass eine grundsätzliche Differenzierung Sinn macht. Nur nebenbei sei bemerkt, dass die alte methodische Diskussion, ob die Interpretationsstile des öffentlichen Rechts und des Privatrechts unterschiedlich sind,[9] zu einem erheblichen Teil auf diese unterschiedliche Rationalität der Normkomplexe zurückgeht, wobei auch hier Annäherungen und Übergänge feststellbar sind.

Bewegt man sich freilich auf die konkrete Ebene im Querschnitt, dann wird die eingangs angesprochene Konnexität überaus deutlich. Im öffentlichen Recht, zumal im Verwaltungsrecht, ist die Übernahme privatrechtlicher Denkfiguren gang und gäbe. Keine Darstellung des Allgemeinen Verwaltungsrechts lässt die Behandlung der grundlegenden Frage aus, ob etwa die Grundsätze des privatrechtlichen Bereicherungsrechts[10] – namentlich va §§ 1435 und 1042 ABGB[11] – im öffentlichen Recht an-

5 *Öhlinger/Eberhard,* Verfassungsrecht[13] (2022) Rz 598 ff; *Grabenwarter/Holoubek,* Verfassungsrecht. Allgemeines Verwaltungsrecht[5] (2022) Rz 763 ff.

6 Bundes-Verfassungsgesetz – B-VG, BGBl 1930/1 idF BGBl I 2022/222.

7 Vgl für das Verwaltungsrecht etwa *Bernhard Raschauer,* Allgemeines Verwaltungsrecht[6] (2021) Rz 558 ff.

8 *Peter Bydlinski,* Bürgerliches Recht I[8] (2018) 111 ff; *Perner/Spitzer/Kodek,* Bürgerliches Recht[7] (2022) 41 ff; *Welser/Kletečka,* Bürgerliches Recht[15] (2018) 99 ff.

9 MwN *Öhlinger/Eberhard,* Verfassungsrecht[13] Rz 28 ff.

10 *Perner/Spitzer/Kodek,* Bürgerliches Recht[7] 398 ff, 402 ff.

11 Allgemeines Bürgerliches Gesetzbuch – ABGB, JGS 1811/946 idF BGBl I 2023/38.

wendbar sind.[12] Die ständige Rechtsprechung[13] bejaht diese Rechtsgrundsatzanalogie, wenn und soweit es keine spezielleren anderweitigen Bestimmungen im öffentlichen Recht gibt.[14] Auch gilt § 1295 Abs 2 ABGB[15] mit seinem „Schikaneverbot" als allgemeiner Rechtsgrundsatz. Die Übernahme stößt freilich dann an Grenzen, wenn es gewissermaßen eine Kollision mit bestimmten Prinzipien des öffentlichen Rechts gibt. So sind nach herrschender Sichtweise etwa die Verschweigung, Verjährung und Verwirkung keine allgemeinen Erlöschensgründe für öffentlich-rechtliche Rechte und Pflichten,[16] wobei wiederum – im Sinne eines Regel-Ausnahme-Verhältnisses – speziellere Regeln ebendies normieren können.[17]

Sichtbarer Ausdruck der Konnexität sind unmittelbare und explizite wechselseitige Verweise. § 867 ABGB[18] etwa verweist hinsichtlich des gültigen Zustandekommens von Verträgen in Vertretungskonstellationen auf die „politischen Gesetze". Dies bedeutet, dass für staatliche Organe die öffentlich-rechtlichen Vertretungsregelungen maßgeblich sind, was zur durchaus umstrittenen Folge hat, dass Mängel im Innenverhältnis – also das fehlende Vertretendürfen – anders als im „Normalfall" auf das Außenverhältnis durchbrechen.[19] In vielen anderen Fällen haben öffentlich-rechtliche Regelungen sprichwörtlich das Rad nicht neu erfunden. Wenn es etwa darum geht, die Rechts- und Handlungsfähigkeit von Beteiligten eines Verwaltungsverfahrens zu beurteilen, ist der Verweis des AVG[20] auf

12 Grundlegend hierzu *Ferdinand Kerschner,* Bereicherung im öffentlichen Recht (1983).

13 Vgl etwa VwSlg 4835 A/1958; VfSlg 16.036/2000, 16.599/2002.

14 Dazu näher *Raschauer,* Verwaltungsrecht[6] Rz 1318 ff.

15 *Perner/Spitzer/Kodek,* Bürgerliches Recht[7] 335.

16 Vgl etwa VfSlg 12.197/1989.

17 MwN *Raschauer,* Verwaltungsrecht[6] Rz 1161.

18 „Was zur Gültigkeit eines Vertrages mit einer unter der besondern Vorsorge der öffentlichen Verwaltung stehenden Gemeinde, (§ 27) oder ihren einzelnen Gliedern und Stellvertretern erfordert werde, ist aus der Verfassung derselben und den politischen Gesetzen zu entnehmen (§ 290)."

19 MwN *Perner/Spitzer/Kodek,* Bürgerliches Recht[7] 136 f; *René Renner,* Grundlegendes zur Vertretungsmacht des Bürgermeisters für Gemeindegeschäfte, ecolex 2020, 684; zur nachträglichen Genehmigung von Willenserklärungen des Bürgermeisters durch den Gemeinderat vgl zuletzt OGH 24. 10. 2019, 4 Ob 175/19t.

20 § 9 AVG: „Insoweit die persönliche Rechts- und Handlungsfähigkeit von Beteiligten in Frage kommt, ist sie von der Behörde, wenn in den Verwaltungsvorschriften nicht anderes bestimmt ist, nach den Vorschriften des bürgerlichen Rechts zu beurteilen." – Allgemeines Verwaltungsverfahrensgesetz 1991 – AVG, BGBl 1991/51 idF BGBl I 2023/88.

die „Bestimmungen des bürgerlichen Rechts“[21] plausibel, denn warum sollte diese Fähigkeit in einem öffentlich-rechtlichen Verfahren anders zu beurteilen sein als in einem solchen vor einem ordentlichen Gericht? Gleiches gilt, so das AVG,[22] bei Zweifeln über den Inhalt und Umfang der Vertretungsbefugnis bei Beteiligten. Der Grad an Vernetzung ist freilich noch viel weiter gehend, wenn man an das System der Verwaltungsvollstreckung denkt, das hinsichtlich der Eintreibung von Geldleistungen im Regelfall die Zuständigkeit der ordentlichen Gerichte nach den Regelungen der EO[23] normiert.[24] Um es aus aktuellen Entwicklungen noch zuzuspitzen: Der zu gering gehende Verweis auf die EO bei der Begrenzung der Beugehaft nach dem VVG[25] war einer der tragenden Gründe für die Aufhebung der einschlägigen Bestimmungen durch den VfGH[26] im Jahr 2020. Und schließlich: Der zentrale Bereich der Privatwirtschaftsverwaltung, also das Handeln von Verwaltungsorganen in den Formen des Privatrechts, lebt geradezu vom Privatrecht als „Grundprogramm“, und dieses wird lediglich dann, wenn öffentlich-rechtliche Spezialregelungen bestehen, entsprechend eingeschränkt. Dies gepaart mit der traditionellen Annahme der Rechtsprechung,[27] dass „im Zweifel vom Vorliegen von Privatwirtschaftsverwaltung auszugehen“ ist, verdichtet die Annahme der Maßgeblichkeit des Privatrechts für das Verwaltungsrecht und damit für das öffentliche Recht. Das Allgemeine Verwaltungsrecht als „Brückengebiet“ zwischen dem Verfassungsrecht und besonderem Verwaltungsrecht, also dem „Materienrecht“, nährt seine Dogmatik der Rechtsverhältnisse zu einem großen Teil aus dem Rückgriff auf und die Beschäftigung mit Institutionen des Privatrechts. MaW: „Verwaltungsprivatrecht“ ist eine wichtige „Lebensader“ des Verwaltungsrechts an sich.

Wie verhält es sich aber, wenn man die umgekehrte Perspektive einnimmt, also die Frage stellt, inwieweit die Dogmatik des Privatrechts vom öffentlichen Recht beeinflusst wird? Hier wird die Einwirkung auf anderen Wegen deutlich, denn sie besteht auf einer grundsätzlichen Ebene. Im Besonderen das Verfassungsrecht gibt schon im Lichte des Stufenbaus der

21 Dazu näherhin *Perner/Spitzer/Kodek*, Bürgerliches Recht[7] 18 ff.

22 § 10 Abs 2 AVG.

23 Exekutionsordnung – EO, BGBl 1896/79 idF BGBl I 2023/77.

24 § 3 VVG.

25 Verwaltungsvollstreckungsgesetz 1991 – VVG, BGBl 1991/53 idF BGBl I 2022/14.

26 VfSlg 20.408/2020.

27 Dazu mwN *Harald Eberhard*, Der verwaltungsrechtliche Vertrag (2005) 154 ff.

Rechtsordnung Vorgaben für die idR einfachgesetzlichen Regelungen des Privatrechts. Dies wird etwa bereits bei den Vorgaben für die Organisation[28] und die Verfahrensgarantien[29] vor den ordentlichen Gerichten deutlich. Das ist aber nur die eine Seite, denn in diesem Punkt unterscheiden sich die Dinge nur nuanciert von den Vorgaben, die das Verfassungsrecht etwa für das Verwaltungsrecht statuiert. Dort werden die Direktiven in der Wahrnehmung „kraft Nähe" nur sinnfälliger. Daneben wird etwa an anderen grundrechtlichen Garantien deutlich, wie sehr die Verfassung und wie sehr das öffentliche Recht an sich grundlegende Prinzipien des Privatrechts verstärken und sichern zu vermag. Dies wird etwa besonders sichtbar in der in ständiger Rechtsprechung des VfGH[30] gepflogenen Aussage, dass das Grundrecht auf Eigentum (Art 5 StGG[31], Art 1 1. ZP-EMRK[32]) die „Privatautonomie", also das Recht zum Abschluss privatrechtlicher Verträge, schlechthin schütze. Eingriffe in das sonst gewissermaßen bloß einfachgesetzliche Programm des Privatrechts werden damit auf den Prüfstand des verfassungsrechtlichen Verhältnismäßigkeitsprinzips gestellt.

Umgekehrt begrenzen andere Grundrechte, im Besonderen der Gleichheitssatz (Art 7 Abs 1 B-VG), Spielräume des Gesetzgebers im Bereich des Privatrechts, was möglicherweise auch Einschränkungen der Privatautonomie bewirken kann.[33] Man denke etwa an zwingende Vertragsinhalte zugunsten wirtschaftlich Schwächerer, an das Konsumentenschutzrecht[34], an Kontrahierungszwänge[35] oder auch an die jüngste Diskussion um die Probleme aus dem COVID-19-bedingten „Kreditmoratorium" und der

28 Art 82 ff B-VG.

29 Insb Art 6 EMRK.

30 Vgl etwa VfSlg 12.227/1989 uva. Dazu *Öhlinger/Eberhard,* Verfassungsrecht[13] Rz 868.

31 Staatsgrundgesetz vom 21. December 1867 – StGG, RGBl 1867/142 idF BGBl 1988/684.

32 1. Zusatzprotokoll der Europäischen Menschenrechtskonvention, BGBl 1958/210 idF BGBl III 1998/30.

33 *Öhlinger/Eberhard,* Verfassungsrecht[13] Rz 760 ff.

34 Vgl in diesem Zusammenhang insb die unzulässigen Vertragsbestandteile des § 6 Abs 1 KSchG (Konsumentenschutzgesetz – KSchG, BGBl 1979/140 idF BGBl I 2022/109).

35 „Kontrahierungszwang besteht überall dort, wo faktische Übermacht eines Beteiligten bei bloß formaler Parität ihm die Möglichkeit der ‚Fremdbestimmung' über andere gibt, also insbesondere bei Inhabung einer Monopolstellung." (OGH 16. 9. 1971, 1 Ob 227/71).

dabei in Frage stehenden Zinsenbefreiung.[36] Auch hier zeigt sich aber wiederum der Gleichklang mit Kernbestandteilen der Privatrechtsdogmatik: Wenn man die zentrale Norm des ABGB über die Nichtigkeit sittenwidriger Verträge (§ 879 ABGB)[37] heranzieht, verwirklicht diese das gleiche Ziel, welche das Grundrecht auf Eigentum, aber auch der Gleichheitssatz aus der Perspektive des öffentlichen Rechts verwirklichen.

Der Einfluss der Grundrechte auf das Privatrecht ist daher durchaus ambivalent, aber er ist vorhanden und er macht deutlich, dass ohne das einfache Gesetz Grundrechte vielfach nicht verwirklicht werden können. Die „Grundrechtsentfaltung im Gesetz“[38] hat das etwa *Matthias Jestaedt* genannt. Das Arsenal der Privatrechtsdogmatik steuert dabei diese Entfaltung, und sie gibt der in der Grundrechtsdogmatik beschriebenen „mittelbaren Drittwirkung der Grundrechte“[39] erst Ziel und Orientierung. Auch das nährt das Bild des stark vernetzten Miteinanders beider Zweige der Dogmatik.

Schnittstelle materielles Recht – Verfahrensrecht

Wesentliche Einsichten bieten auch die Überlegungen zur Rolle des Verfahrensrechts im Verhältnis zum materiellen Recht, der zweiten Querschnittsbetrachtung. Hier zeigt sich zum einen ein bedeutender Unterschied darin, dass etwa das Zivilprozessrecht früher und deutlicher einen „Selbststand“ gegenüber dem materiellen Zivilrecht entwickeln konnte. Gleiches gilt für das Strafprozessrecht im Verhältnis zum materiellen Strafrecht. Die „öffentlich-rechtlichen“ Verfahrensrechte ieS sind zum einen jünger und haben auch in inhaltlicher Hinsicht ab ovo nach dem Ideal der „Justizförmigkeit“, also nach dem bereits Vorhandenem, gestrebt.[40] Besonders deutlich wird dies in der Betrachtung des Verwaltungsverfahrensrechts in Österreich, das erst im Jahr 2014 ein völlig neues

36 Dazu näherhin mit Blick auf die jüngste Rsp des OGH (22. 12. 2021, 3 Ob 189/21x) und des VfGH (13. 12. 2022, G 174/2022) *Perner/Spitzer,* in diesem Band, und näherhin *Martin Spitzer,* Kreditmoratorium und Zinsenbefreiung, ZAK 2022, 44; *Martin Spitzer,* Nachlese zum Kreditmoratorium, ÖZW 2023, 28.

37 *Perner/Spitzer/Kodek,* Bürgerliches Recht[7] 92 f.

38 *Matthias Jestaedt,* Grundrechtsentfaltung im Gesetz. Studien zur Interdependenz von Grundrechtsdogmatik und Rechtsgewinnungstheorie (1999).

39 *Öhlinger/Eberhard,* Verfassungsrecht[13] Rz 741 ff.

40 Dazu am Beispiel des Verwaltungsverfahrensrechts *Eva Schulev-Steindl,* Verwaltungsverfahrensrecht[6] (2018) Rz 14 f.

Verfahrensrecht für die Verwaltungsgerichte entwickelt hat,[41] welches sich aber in den weitesten Zügen wiederum am administrativen Verfahrensrecht[42] orientiert.[43]

Das ist die erste – evolutionäre – Beobachtung. Die zweite liegt im Erkenntniswert der Vergleichung unterschiedlicher Verfahrenssysteme und ihrer Methoden. Zentraler Teil dieses Vergleiches sind die unterschiedlichen Rationalitäten und Funktionalitäten des Verfahrens.

Die hier versuchte Grundlegungs-Perspektive geht von Folgendem aus: Verfahren haben zwar prima facie eine „dienende" Funktion zum materiellen Recht, aber in der Praxis sind Verfahrensfragen zuweilen komplexer als die damit verbundenen Fragen des Materienrechts. Verfahren sind letztlich rechtsstaatlich und grundrechtlich geforderte Institutionen, die sichern sollen, dass staatliche Entscheidungen immer unter möglichst breiter Einbeziehung der davon Betroffenen zustande kommen sollen. Das ist in einem Strafverfahren in besonderer Weise grundrechtlich gefordert.[44] Aber auch in einem Zivilverfahren geht es etwa um die Frage, wie „Waffengleichheit" sichergestellt wird, gleichzeitig aber andere Parameter wie das Parteiengehör und die Verfahrenseffizienz realisiert werden können. Das Zivilverfahren setzt den aus dem materiellen Recht gebotenen Interessenausgleich zwischen Privaten in geordneten Bahnen um. Die Verfahren auf dem Gebiet des Verwaltungsrechts gehen vor allem im Lichte der rechtsstaatlich gebotenen Gesetzesbindung der Verwaltung weiter: Sie müssen einen Ausgleich von privaten und öffentlichen Interessen, Letztere aggregiert aus den maßgeblichen Bestimmungen des Materienrechts und im Anspruchsdenken verwirklicht im subjektiven öffentlichen Recht, schaffen. In dieser Hinsicht ist auch ein Verfahren vor einem Verwaltungsgericht mehr und anderes als ein Verfahren vor einem ordentlichen Gericht, jedenfalls soweit man das Zivilverfahren im Blick hat. Das erklärt auch, dass etwa das verwaltungsgerichtliche Verfahrensrecht, und zwar sowohl jenes der VwG als auch jenes des VwGH, einen Rückgriff auf das administrative Verfahrensrecht macht,[45] weil eben gerade je-

41 BGBl I 2013/33.

42 §§ 17 und 38 VwGVG.

43 Dazu mwN *Eberhard/Ranacher/Weinhandl,* Rechtsprechungsbericht: Landesverwaltungsgerichte, Bundesverwaltungsgericht und Verwaltungsgerichtshof, Administrativrechtlich relevante Judikatur, ZfV 2018/6.

44 Vgl im Einzelnen va Art 6 Abs 3 EMRK.

45 §§ 17 und 38 VwGVG bzw § 62 VwGG.

nes Verfahren die primäre Aufgabe hat, bei voller Gesetzesbindung einen größtmöglichen Ausgleich zwischen diesen und den privaten Interessen zu schaffen. In dieser Hinsicht ist es auch konsequent, dass die Verfassung zwei unterschiedliche gerichtliche Organisationsstrukturen – die VwG[46] und die ordentlichen Gerichte[47] – einsetzt.

Bleibt man bei der verfahrensrechtlichen Betrachtung, bricht die Differenzierung – besieht man den Querschnitt – in erheblichem Ausmaß sowohl auf die Grundsätze als auch auf das Feindesign der jeweiligen verfahrensrechtlichen Regelungen durch. Auf eine ganz grobe Betrachtung gebracht zeigt sich, dass Parteien in einem Zivilverfahren kraft des „Dispositionsgrundsatzes" das Verfahren selbst stärker in der Hand haben.[48] Sie können sich vergleichen und damit ein Verfahren auch jederzeit wieder beenden, sie sind gewissermaßen die „Herren" bzw „Damen" des Verfahrens. Anders sieht es typischerweise im Administrativverfahren aus: Hier gilt der Grundsatz der materiellen Wahrheit und die Offizialmaxime,[49] sodass die Verwaltungsbehörde Trägerin des Verfahrens ist, die Parteien hingegen berechtigt, aber auch verpflichtet sind, an der Ermittlung des Sachverhalts mitzuwirken.[50] Wohl kann ein Verfahren bloß nur auf Antrag eingeleitet werden, aber auch dann gelten die genannten Grundsätze und verbietet es letztlich gerade das Legalitätsprinzip, dass die Behörde sehenden Auges Entscheidungen trifft, die wohl den Konsens der beteiligten Parteien finden, aber im Ergebnis rechtswidrig sind. Das hindert indes nicht, dass die Verwaltungsbehörde – wie es im AVG[51] heißt – dann, wenn „einander zwei oder mehrere Parteien mit einander widersprechenden Ansprüchen gegenüber(stehen)", „auf das Zustandekommen eines Ausgleichs dieser Ansprüche mit den öffentlichen und den von anderen Beteiligten geltend gemachten Interessen hinzuwirken" hat. Auch dieser Ausgleich erscheint freilich im Gewand einer einseitigen bescheidmäßigen Erledigung. Etwas komplexer sind die Dinge im öffentlichrechtlichen Verfahrensrecht dadurch geworden, dass es seit 2014 die neue gerichtliche Ebene der Verwaltungsgerichte gibt, die in ihrem Wesen und

46 Art 129 ff B-VG.

47 Art 82 ff B-VG.

48 *Kodek/Mayr,* Zivilprozessrecht[5] (2021) 64 f.

49 Vgl insb § 39 Abs 2 AVG.

50 *Grabenwarter/Fister,* Verwaltungsverfahrensrecht und Verwaltungsgerichtsbarkeit[7] (2023) 89 ff.

51 § 43 Abs 5 AVG.

vor allem im verfahrensrechtlichen Instrumentarium viel vom bisherigen – in dieser Form seit 1925 bestehenden – Verwaltungsverfahren zeigen, aber doch angesichts der richterlichen Garantien – darunter zentral ihre Unabhängigkeit[52] – vom Status einer weisungsgebundenen Verwaltungsbehörde abgekoppelt sind. Behörde und private Partei sind in diesem Verfahren explizit gleichgestellt,[53] begegnen einander also auf gleicher Augenhöhe. Jedenfalls für das allfällige weitere Verfahren vor dem VfGH postuliert derselbe in einer wenngleich umstrittenen Rechtsprechung,[54] dass das Verwaltungsgericht selbst Parteistellung besitzen müsse, wenngleich dabei – das war und ist Kern der Kritik[55] daran – unklar bleibt, welche (eigenen) Interessen es dabei zu vertreten hätte, und ob ein „Rechtfertigen" eines Gerichts für seine Entscheidungen vor einem höherrangigen Gericht überhaupt systemkonform erscheint. Hier trifft sich die spezielle Betrachtung wieder mit der allgemeinen, inwiefern das Verfahrensrecht auf den unterschiedlichen Ebenen des Rechtsschutzsystems unterschiedliche Funktionen zu erfüllen hat. Das Verfahren ordnet damit in gewisser Weise auch den Standpunkt der entsprechenden Behörde bzw des Gerichts ein. Um dies am Beispiel der beiden Gerichtshöfe öffentlichen Rechts zu demonstrieren, kann darauf hingewiesen werden, dass sich das Verfahrensrecht des VwGH subsidiär am AVG orientiert,[56] jenes des VfGH hingegen am Zivilprozessrecht der ZPO.[57]

Zusammengefasst: Verfahren erfüllen bei Gesamtbetrachtung in unterschiedlichen Feldern der Dogmatik unterschiedliche Funktionen. Sie führen aber trotzdem kein „Eigenleben", sondern – und das zeigen auch die vorher erwähnten Beispiele – sie verweisen in jenen Zusammenhängen aufeinander, in denen es Gründe der Norm- und Prozessökonomie, aber auch der Grundsatz der Einheit der Rechtsordnung angezeigt erscheinen lassen, auf eine „eigene"

52 Art 134 Abs 7 B-VG.

53 § 18 VwGVG.

54 VfSlg 19.917/2014.

55 Vgl etwa *Ewald Wiederin,* JBl 2015, 175.

56 § 62 Abs 1 VwGG.

57 § 35 Abs 1 VfGG. Dies geschieht jedoch unter dem Vorbehalt, dass die sachlichen Voraussetzungen der verfahrensrechtlichen Institute für ihre Anwendung mit denen der ZPO parallel laufen (VfSlg 2614/1953; eine entsprechende Aufarbeitung von ausgewählten verfahrensrechtlichen Instituten findet sich bei *Martin Hiesel,* § 35 VfGG, in *Eberhard et al* [Hrsg], Kommentar zum Verfassungsgerichtshofgesetz [VfGG] [2019] Rz 3 ff). Folglich ist etwa eine Nebenintervention gem §§ 17 ff ZPO im verfassungsrechtlichen Verfahren nicht möglich (VfSlg 2614/1953; hierzu näher *Holzinger/Hiesel,* Verfahren vor den Gerichtshöfen des öffentlichen Rechts I^4 [2015] 344).

Regelung zu verzichten. Aber, und das zeigt sich, ihre bloß „dienende" Funktion gegenüber dem materiellen Recht ist sehr relativiert, ihr „Selbststand" hingegen unterstrichen. Dogmatische Zukunftsmusik bleibt – vor dem Hintergrund der Verwaltungsgerichte – die Entwicklung eines „genuinen" Verwaltungsprozessrechts. Dies würde freilich eine Emanzipation von Strukturen des administrativen Verwaltungsverfahrens erfordern.

Schnittstellen im Mehrebenensystem: Internationales Recht – nationales Recht

Zur dritten Querschnittsbetrachtung, jener von internationalem Recht und nationalem Recht: Sie ist die jüngste, trotzdem aber vielfach untersuchte Querschnittfläche. Denn mit dem Zusammenwirken von internationalem, zumal europäischem Recht und nationalem Recht kommt es zur Sichtbarkeit des Zusammenwirkens auch unterschiedlicher Rechtskulturen. Im Folgenden wird auf zwei Beobachtungsfelder fokussiert: zunächst auf jenes der Einwirkungen des Rechtsdenkens der EMRK auf das österreichische Recht, und sodann auf jenes betreffend den Querschnitt von Europarechtsdogmatik und innerstaatlicher Rechtsdogmatik.

Im Zusammenhang mit der EMRK zeigt sich mittlerweile eine reichhaltige und langjährige Entwicklung, die Unterschiedliches zu Tage gefördert hat. Zunächst eine österreichische Grundrechtsdogmatik, die erst „lernen" musste, dass Bestimmungen, in denen zu einem guten Teil „fremdes", nämlich anglo-sächsisches Rechtsdenken steckt, in Österreich Verfassungsrang haben, und zuweilen „günstiger"[58] waren als die altbewährten Bestimmungen aus dem monarchischen Verfassungsrecht, aber auch – man denke an die Verfahrensgarantien[59] – inhaltlich „neu" waren. Gerade die letztgenannten Verfahrensgarantien stehen exemplarisch für historische wie aktuelle Herausforderungen. Einerseits bedurfte schon ihre anfängliche Rechtsanwendung wegen ihres auf civil rights and obligations bzw criminal charges beschränkten sachlichen Anwendungsbereichs zahlreicher interpretativer Klarstellungen.[60] Überdies stellten sich im Gefolge

58 Art 53 EMRK.

59 Siehe va Art 6 EMRK, Art 4 7. ZP-EMRK.

60 *Christoph Grabenwarter,* European Convention on Human Rights (2014) 101 ff; *Christoph Grabenwarter,* Civil rights – Neuere Entwicklungen, in FS Ruppe (2007) 154; *Grabenwarter/Pabel,* Europäische Menschenrechtskonvention[7] (2021) 500 ff; *Stefan Werres,* Der Einfluss der Menschenrechtskonvention auf das Beamtenrecht, DÖV 2011, 873.

von Art 6 EMRK komplexe organisationsrechtliche Fragen rund um die Tribunalqualität innerstaatlicher Rechtsmittelinstanzen.[61]

Zusammengefasst musste der Umgang mit alldem in den ersten Jahren auch vom VfGH[62] als dem innerstaatlich dazu primär berufenen Gericht erst „gelernt" werden. Der Aufstieg, den die Grundrechte auch im Verband der Verfassungsdogmatik genommen haben, liegt zu einem erheblichen Teil in der Beeinflussung nicht nur der Verfassung, sondern – denkt man etwa an die Verfahrensgarantien (wie gesagt den eigentlich „neuen" Bestimmungen aus damaliger Sicht) – auch der Verwaltungsdogmatik durch die dynamische Rechtsprechung des EGMR. Diese hat ihrerseits mit dem aus österreichischer Sicht neuen „evolutiven" Interpretationsstil[63] mehr und mehr auch die „österreichische" Interpretation durch den VfGH und die anderen Gerichte beeinflusst. Man kann mit Fug und Recht sagen, dass die Einwirkungen sowohl die Bestimmungen des positiven Rechts selbst als auch deren Handhabung im Weg der Interpretation betroffen haben.[64] Die gesamte Weiterentwicklung des Rechtsschutzsystems mit dem vorläufigen Endpunkt der Einführung der (erstinstanzlichen) Verwaltungsgerichte war eine der Konsequenzen dieser Einwirkungen. Dass die Entwicklung nicht ohne Phasen der Krise in der Kommunikation zwischen VfGH und EGMR vonstatten gegangen ist, ist ebenso bekannt wie der Umstand, dass der VfGH im weitesten Sinn dem EGMR Gefolgschaft geleistet hat.[65]

---

61 Vgl hierzu die maßgebliche höchstgerichtliche Aufarbeitung in VfSlg 11.591/1987 (in Abkehr von VfSlg 5100/1965), welcher insbesondere vor In-Kraft-Treten der Verwaltungsgerichtsbarkeits-Novelle 2012 (BGBl I 2012/51) große Bedeutung im nationalen Rechtsschutzsystem zukam.

62 VfSlg 4049/1961. Siehe fortan zum Verfassungsrang der EMRK VfSlg 4924/1965, zur unmittelbaren Anwendbarkeit der Konventionsrechte siehe VfSlg 5102/1965.

63 Siehe erstmals EGMR 24. 4. 1978, 5856/72, *Tyrer vs The United Kingdom,* wonach die Konvention ein „living instrument" ist „which must be interpreted in the light of present-day conditions."

64 *Walter Berka,* Die Europäische Menschenrechtskonvention und die österreichische Grundrechtstradition, ÖJZ 1979, 365 (365). So warnte der VfGH etwa in Zusammenhang mit Art 6 EMRK vor die „österreichische Rechtsordnung geradezu umstürzende(n)" Folgen: VfSlg 5102/1965.

65 Zu alldem näherhin *Michael Holoubek,* Das Verhältnis zwischen europäischer Gerichtsbarkeit und Verfassungsgerichtshof, in *Grabenwarter/Vranes* (Hrsg), Kooperation der Gerichte im europäischen Verfassungsverbund – Grundfragen und neueste Entwicklungen. 12. Österreichischer Europarechtstag 2012 (2013) 157 (158 ff).

Noch deutlicher und differenzierter ist der Umstand, dass die Weiterentwicklung der Dogmatik aus einer Kommunikation zwischen Gerichten entsteht, im Hinblick auf das europäische Unionsrecht. Es wirkt kraft seiner Supranationalität per se stärker in das nationale Recht hinein. Zum einen besitzt es autonome Geltung in jedem Mitgliedstaat, zum anderen vermag es im Kollisionsfall entgegenstehendes nationales Recht zu verdrängen und macht in letzterer Hinsicht allenfalls vor den Grundprinzipien, nicht aber vor dem „einfachen" Verfassungsrecht Halt.[66]

Das Zusammenwirken von europäischem Unionsrecht und nationalem Recht insgesamt wurde oftmals auch als ein Beispiel eines „Mehrebenensystems" beschrieben, das letztlich mit vertikalen, aber auch horizontalen Querschnittsbetrachtungen operiert. In diesem Sinn dient die Sichtweise eines „europäischen Mehrebenensystems" zur Veranschaulichung des Grades, in dem die europäische und die nationale Ebene einander wechselseitig beeinflussen.[67] Dieser Kommunikationsprozess läuft auch über die sich im Rahmen der europäischen Integration öffnenden Verfassungsordnungen. Wesentliche verfassungsrechtliche Garantien entfalten sich daher heute im europäischen „Verfassungsverbund",[68] der aus der europäischen Verfassung und den nationalen Verfassungen der Mitgliedstaaten besteht.[69] In diesem Verbund besteht ein „System wechselseitiger Verfassungsbefruchtung und -stabilisierung",[70] und das nationale Verfassungsrecht stellt in diesem System das „wichtigste Rezeptionsreservoir für das unionale Verfassungsrecht"[71] dar.

66 *Öhlinger/Potacs*, EU-Recht und staatliches Recht[7] (2020) 59 ff, 89 ff.

67 Dazu allgemein und mwN *Eberhard/Konrath/Trattnigg/Zleptnig*, Governance – zur theoretischen und praktischen Verortung des Konzepts in Österreich, JRP 2006, 35 (45 f, 54).

68 Zum Begriff des „europäischen Verfassungsverbunds" siehe *Ingolf Pernice*, Europäisches und nationales Verfassungsrecht, VVDStRL 2001, 148 (163 ff).

69 Vgl zu dieser Dimension des Verfassungsverbunds *Christian Calliess*, Das Demokratieprinzip im europäischen Staaten- und Verfassungsverbund, in FS Ress (2005) 399 (401 ff); *Theo Öhlinger*, Gemeinschaftsverfassung und Staatsverfassung, in *Busek/Hummer* (Hrsg), Etappen auf dem Weg zu einer europäischen Verfassung (2004) 95 (109); *Christoph Grabenwarter*, Staatliches Unionsverfassungsrecht, in *von Bogdandy/Bast*, Europäisches Verfassungsrecht[2] (2009) 121 (173).

70 Vgl dazu etwa *Calliess/Ruffert*, Vom Vertrag zur EU-Verfassung? EuGRZ 2004, 542 (545): „In einem solchen Verfassungsverbund empfängt die europäische Ebene nicht nur Impulse aus dem mitgliedstaatlichen Verfassungsrecht […], sondern sendet ebensolche auch dorthin zurück."

71 IdS *Peter M. Huber*, Europäisches und nationales Verfassungsrecht, VVDStRL 2001, 194 (225).

Diese Vernetzung der Verfassungsebenen im europäischen Mehrebenensystem wird durch mehrere Akteure gestaltet: Dies sind neben den Schöpfern des Primärrechts und der nationalen Verfassungen heute vor allem die gerichtlichen Instanzen, und zwar sowohl auf europäischer Ebene als auch auf jener der Mitgliedstaaten der EU, die einander auch auf horizontaler Ebene[72] beeinflussen. Das europäische Unionsrecht kennt mit dem EuGH ein Gericht mit einem ebenso aktiven und evolutiven Judikaturstil und etablierte ein Rechtsschutzsystem, das aus sich heraus eine viel stärkere Vernetzung der mitgliedstaatlichen Gerichte und des EuGH bewirkt hat. Mit dem Vorabentscheidungsverfahren[73] wurde dieser Prozess von den Höchstgerichten emanzipiert, zugleich aber mit Blick auf diese verdichtet, was mit dem schon angesprochenen Bild des „Verfassungsverbundes" aus EuGH und nationalen Höchstgerichten auch sichtbaren begrifflichen Ausdruck gefunden hat.

Wieweit diese Vernetzung tatsächlich fortgeschritten ist, manifestiert sich eindrucksvoll am autonom zu interpretierenden mitgliedstaatlichen Gerichtsbegriff des Art 267 Abs 2 AEUV.[74] Das vom EuGH entwickelte bewegliche System basiert dabei auf den Parametern „gesetzliche Grundlage", „permanenter Charakter", „obligatorische rechtsprechende Zuständigkeit nach Gesetz", „Bindung an Rechtsnormen" sowie „Unabhängigkeit".[75] In einer Gesamtschau wird auf Basis dessen offenkundig, dass sich das hieraus konstituierende Begriffsverständnis eines mitgliedstaatlichen „Gerichts" auf nationaler Ebene nicht zwangsläufig in der jeweiligen dritten Staatsgewalt erschöpft. Unter Einbeziehung des österreichischen

72 Dazu mwN *Harald Eberhard,* Funktionalität und Bedeutung der Rechtsvergleichung in der Judikatur des VfGH, in *Gamper/Verschraegen* (Hrsg), Rechtsvergleichung als juristische Auslegungsmethode (2013) 141 (144 ff).

73 Art 267 AEUV. Dazu näherhin *Öhlinger/Potacs,* EU-Recht und staatliches Recht^{7} 199 ff.

74 Die einschlägige EuGH-Rsp nimmt ihren Ausgang in EuGH 30. 6. 1966, C-61/65, *Vaassen-Göbbels v Vorstand des Beambtenfonds.*

75 Die Bezeichnung der einzelnen Parameter wird weder in der Judikatur noch Literatur einheitlich durchgehalten. Vgl dazu Pkt 4 der vom EuGH veröffentlichten „Empfehlungen an die nationalen Gerichte bezüglich der Vorlage von Vorabentscheidungsersuchen" (2019/C/380/01). Die darin ebenfalls genannte kontradiktorische Natur des jeweiligen nationalen Verfahrens wird in der Rechtsprechungspraxis unter dem Parameter „obligatorische rechtsprechende Zuständigkeit nach Gesetz" abgehandelt (vgl dazu bereits EuGH 28. 6. 1978, C-70/77, *Simmenthal v Amministrazione delle finanze dello Stato,* Rn 10 f).

Verwaltungsorganisationsrechts bestätigte der EuGH vor diesem Hintergrund sogar stellenweise eine Antragslegitimation von Kollegialbehörden mit richterlichem Einschlag in Verfahren nach Art 267 AEUV.[76]

Doch auch abseits der staatlichen Gerichtsbarkeit steht außer Frage – und das hat in Österreich vor allem das Grundlagenwerk von *Öhlinger* und *Potacs*[77] deutlich gemacht –, dass das Unionsrecht zentrale Institutionen des Verfassungsrechts und damit der Verfassungsdogmatik beeinflusst hat. Genau aus diesem Grund war der österreichische EU-Beitritt auch eine Gesamtänderung der Bundesverfassung.[78] Mit den Worten von *Theo Öhlinger*[79] hat das europäische Unionsrecht auch zu einer „Transformation" der Verfassung geführt, womit deutlich wird, dass auch traditionelle nationalstaatlich-verfassungsrechtliche Elemente in ihrer Wirkung und damit in ihrer Normativität durch das Unionsrecht beeinflusst werden, ohne dass diese Veränderungen im Wortlaut der Verfassung zum Ausdruck kommen müssen.

Ein in der Praxis sehr sinnfälliges Beispiel dafür ist das Legalitätsprinzip des Art 18 B-VG,[80] welcher treffend als „rechtsstaatliche Zentralnorm"[81] angesehen wird. Dass nach dieser Bestimmung die „gesamte staatliche Verwaltung nur auf Grund der Gesetze" ausgeübt werden darf, impliziert nach der ständigen Rechtsprechung des VfGH, dass nicht nur die Vollziehung – also die Verwaltung und die Gerichtsbarkeit – daran gebunden ist, sondern auch der Gesetzgeber selbst in dem Sinn gebunden sein muss, weil diese ihm vorgibt, das Vollzugshandeln zu „determinieren". Dabei wird nach herrschender Auffassung ein „differenziertes Legalitätsprinzip"[82]

76 Zuletzt im Fall der Schienen-Control Kommission in EuGH 22. 11. 2012, C-136/11, *Westbahn Management GmbH v ÖBB-Infrastruktur AG;* vgl zur Übertragbarkeit der gerichtlichen Erwägungen auf die Rechtslage nach der Verwaltungsgerichtsbarkeits-Novelle 2012 *Daniel Peter Schmidt,* Nationale Behörden als Gerichte eines Mitgliedstaats iSd Art 267 Abs 2 AEUV, ZfRV 2022, 52 (56 f).

77 *Öhlinger/Potacs,* EU-Recht und staatliches Recht[7].

78 *Öhlinger/Eberhard,* Verfassungsrecht[13] Rz 135 ff.

79 *Theo Öhlinger,* Die Transformation der Verfassung, JBl 2002, 2.

80 *Öhlinger/Eberhard,* Verfassungsrecht[13] Rz 598 ff; *Grabenwarter/Holoubek,* Verfassungsrecht. Allgemeines Verwaltungsrecht[5] Rz 763 ff.

81 *Öhlinger,* JBl 2002, 3; *Rill,* Art 18 B-VG, in *Kneihs/Lienbacher* (Hrsg), Bundesverfassungsrecht Kommentar (1. Lfg 2001) Rz 1.

82 Dazu mwN *Öhlinger/Eberhard,* Verfassungsrecht[13] Rz 604 ff; *Richard Novak,* Das „differenzierte Legalitätsprinzip" in der verfassungsgerichtlichen Rechtsprechung, in FS Adamovich (1992) 491.

anerkannt, das nach unterschiedlichen Kriterien, im Besonderen der Eingriffsintensität der entsprechenden Regelungen, aber auch dem Rechtsschutzbedürfnis operiert. In dieses System ist seit 1995 freilich – ohne jede Änderung des Wortlauts des Art 18 B-VG – auch das europäische Unionsrecht implementiert, welches das Verhältnis zwischen Gesetzgebung und Vollziehung anders austariert und dabei der Verwaltung einen größeren Spielraum zuerkennt.[83] Das bedeutet auch: Das Gesamtausmaß an demokratischer Legitimation einer unionsrechtlich vorgeprägten Regelung ergibt sich – mit allen damit verbundenen Problemen[84] – heute aus einer Zusammenschau aus Unionsrecht und nationalem Recht.[85] Dies wird auch vom VfGH[86] akzeptiert, wenn er etwa ausführt, dass bestimmte Begriffe des Vergaberechts im Lichte der entsprechenden Bestimmungen des Unionsrechts und der dazu ergangenen Judikatur des EuGH ausgelegt werden können und insoweit ausreichend determiniert sind, was nahelegt, den Determinierungsmaßstab des Art 18 B-VG als verändert anzusehen.

Das Unionsrecht wirkt freilich darüber hinaus – anders als die EMRK – noch stärker in einfachgesetzliche Schichten des österreichischen Rechts ein[87] und

83 Näherhin *Harald Eberhard,* Die Bedeutung des Legalitätsprinzips im Wirtschaftsrecht, ZfV 2013, 727 (732 ff).

84 Va mit Blick auf „Leitlinien" von Agenturen *Bernhard Raschauer,* „Leitlinien" europäischer Agenturen, ÖZW 2013, 34 (37 ff, insb 43).

85 Siehe dazu eingehend *Michael Potacs,* Staatliches Legalitätsprinzip und Gemeinschaftsrecht, in FS Rill (2010) 161 (165 ff, 172 ff); *Harald Eberhard,* Das Legalitätsprinzip im Spannungsfeld von Gemeinschaftsrecht und nationalem Recht. Stand und Perspektiven eines „europäischen Legalitätsprinzips", ZÖR 2008, 49 (91 ff).

86 VfSlg 18.642/2008: „Das BVA führt zunächst aus, dass die in § 29 Abs 2 Z 2 BVergG 2006 verwendeten Begriffe unbestimmt seien. Offenbar geht das antragstellende BVA davon aus, dass der österreichische Gesetzgeber sie noch weiter präzisieren hätte können. Wie die Rechtsprechung des EuGH zeigt, sind diese in der Vergabe-RL und im BVergG 2006 verwendeten, gleichlautenden Begriffe durchaus auslegbar. Sie lassen – wie der EuGH aufzeigt – bei richtiger Auslegung gerade keinen weiten Beurteilungsspielraum zu. Nach der [...] Judikatur des EuGH ist die angefochtene Bestimmung eng auszulegen; bei der Auslegung ist auch das Diskriminierungsverbot zu beachten. Die Anwendung der angefochtenen Bestimmung kommt nur in Betracht, wenn die technischen Besonderheiten, die mit dem Auftrag verbunden sind, oder die Ausschließlichkeitsrechte es unbedingt erforderlich machen, den Auftrag an ein bestimmtes Unternehmen und nur an dieses zu vergeben. Die bloße Berufung auf einen Ausnahmetatbestand durch den öffentlichen Auftraggeber reicht nicht aus. Der öffentliche Auftraggeber hat vielmehr das Vorliegen von Ausnahmetatbeständen zu beweisen."

87 Instruktiv für die Ebene des Privatrechts *Perner/Spitzer/Kodek,* Bürgerliches Recht[7] 16.

beeinflusst mit den dazu ergangenen Judikaten des EuGH etwa zum Organisationsrecht[88] und zum Verfahrensrecht[89] auch die Handhabung des Rechts im Anwendungsbereich des Unionsrechts. Die „autonome Interpretation", die damit verbunden ist, hat das herkömmliche österreichische legalistische Verständnis zumal im Bereich des Verwaltungsrechts durchaus auf bemerkenswerte Proben gestellt, und es hat innerstaatlich die Gewichte sehr stark zur dritten Gewalt verschoben.[90] Das europäische Unionsrecht hat darüber hinaus sogar ein eigenes „Verwaltungsrecht" entwickelt, das sich einerseits aus Denkfiguren der nationalen Verwaltungsrechtstraditionen speist, andererseits auf diese auch zurückwirkt und diese damit partiell verändert. Ein besonderer Bereich dabei ist das Regulierungsverwaltungsrecht mit seinen massiven Einwirkungen auf das Verwaltungsorganisationsrecht, die Handlungsformen und das Rechtsschutzsystem.[91]

Wesen und Wert der Querschnittsbetrachtung

Am Ende der Grundlegung steht eine ebenso grundlegende Frage: die Frage nach dem Warum. Welchen Sinn hat die Querschnittsbetrachtung? Ich denke, einen mehrfachen.

Zum einen macht erst ein Querschnitt den Vergleich sicher. Er zeigt die wechselseitigen Beeinflussungen, die das Bild eines bloßen Nebeneinanders doch erheblich relativiert. Gleichzeitig ist es eine Ideenschau dafür, was die jeweiligen Bereiche der Dogmatik voneinander lernen können.

Auch trägt der Querschnitt zur Aktivierung der Methodenlehre bei: Denn immer stellt sich die Frage, was Grundsätze höherer Ordnung sind, die in den unterschiedlichen Zweigen ihre Berechtigung haben und daher „migrieren" oder anders formuliert: die im einzelnen Fall kraft Annahme einer Lücke Teil eines Analogieschlusses sein können. Generell haben sich

88 Vgl etwa EuGH 9. 9. 2021, C-546/18, *FN*, zur österr Übernahmekommission. Zur Einbettung der Übernahmekommission in das zivilprozessuale Rechtsschutzsystem BGBl I 2022/124.

89 Vgl etwa die Rsp zur Zulässigkeit der Präklusion im Verwaltungsverfahren: dazu mwN *Öhlinger/Potacs*, EU-Recht und staatliches Recht[7] 166 f.

90 Siehe etwa *Daniel Thürer*, Die Worte des Richters. Gedanken rund um die Verfassungsgerichtsbarkeit, in FS Öhlinger (2004) 272 (288 ff).

91 Dazu grundlegend *Michael Holoubek*, Vom Wirtschaftsaufsichtsrecht zum Regulierungsverwaltungsrecht? Gutachten 17. ÖJT I/1 (2009).

die Konnexitäten durch die Internationalisierung der Rechtsordnung bedeutend vergrößert, denn vor allem das europäische Unionsrecht wirkt heute unabhängig von Fach- und Rechtsdisziplingrenzen im Rahmen eines Mehrebenensystems auf die nationale Rechtsordnung und damit auch auf die einzelnen Felder der Dogmatik ein, was zuweilen auch eine Fragmentierung bewirkt. Im Vergleich dieser Einwirkungen, aber auch im Gesamtvergleich zeigt sich ein Streben nach einem Grundgedanken von Rechtsdogmatik an sich: das Schaffen stabiler allgemein gültiger Systeme. Dieses Ziel verdient gerade in Zeiten der Fragmentierung jedes Bekenntnis dazu.

Michael Mayrhofer/Bettina Nunner-Krautgasser

Rechtsdurchsetzung: Verfahrensrechtsdogmatik

Einleitung

Dieser Beitrag ist den Spezifika der Verfahrensrechtsdogmatik gewidmet, wobei sowohl ein Blick auf die Dogmatik des Zivilverfahrensrechts als auch auf diejenige des Verwaltungsverfahrensrechts geworfen werden soll. Dieser parallele Zugang von zwei verschiedenen Verfahrensrechtssystemen her ist schon deshalb reizvoll, weil es in unserer ausdifferenzierten und mehrschichtigen Rechtsordnung keine einheitliche Dogmatik gibt, denn eine solche würde ein Mindestmaß an Einigkeit über die Methode voraussetzen.[1] Da sich die jeweiligen Methoden aber nicht unerheblich voneinander unterscheiden, findet man in der Rechtsdogmatik auch „Variationen in den verschiedenen Rechtsgebieten" vor.[2] So wird die zivilverfahrensrechtliche Dogmatik namentlich von dem im Zivilrechtsstreit herrschenden Entscheidungszwang bestimmt: Der Gesetzgeber kann den Zivilrichter in bestimmten Konstellationen durchaus im Stich lassen, die Rechtsdogmatik hingegen muss ihm immer helfen.[3]

Das Verwaltungsverfahren charakterisieren hingegen vornehmlich die Grundsätze der Amtswegigkeit[4] und der materiellen Wahrheit.[5] Die im

1 *Karl Riesenhuber*, „Normative Dogmatik" des Europäischen Privatrechts, in FS Canaris (2017) 181 (183).

2 Vgl *Christian Waldhoff*, Kritik und Lob der Dogmatik: Rechtsdogmatik im Spannungsfeld von Gesetzesbindung und Funktionsorientierung, in *Kirchhof/Magen/Schneider* (Hrsg), Was weiß Dogmatik? (2012) 17 (32 ff).

3 *Peter A. Windel*, Ist das rechtsdogmatische Zeitalter vorbei? dAnwBl 2019, 447 (450).

4 *Hengstschläger/Leeb*, AVG § 39 Rz 3 (Stand 1. 4. 2021, rdb.at) mwN; aus der Rsp vgl zB VwSlg 1462 A/1950 mwN; VwGH 2. 5. 2019, Ro 2019/08/0009 mwN; 3. 7. 2020, Ra 2020/14/0065 mwN.

5 *Hengstschläger/Leeb*, AVG § 37 Rz 5; aus der Rsp vgl zB VwSlg 1462 A/1950 mwN; VwGH 30. 1. 2019, Ra 2018/03/0131; 18. 6. 2020, Ra 2020/07/0015.

Vergleich zum Zivilprozess unterschiedliche Rolle des Staates in einem Verwaltungsverfahren, der gleichsam mit eigenen (öffentlichen) Interessen dem Bürger gegenübertritt, stellt dessen rechtsstaatliche und allgemein verfassungsrechtliche[6] Relevanz des Verwaltungsverfahrens in den Vordergrund der verwaltungsverfahrensrechtlichen Dogmatik. Deren Leistungen sind schon aufgrund der von ihr vorbereiteten Kodifikation des Verwaltungsverfahrensrechts[7] vor knapp 100 Jahren beachtlich.[8] Zu tun gibt es heute gleichwohl (wieder) genug. So kann keine Rede mehr davon sein, dass die Verfahrensrechtsdogmatik im Unterschied zur Dogmatik des „partikularistisch zerklüfteten Verwaltungsrechts“[9] einen überschaubaren, homogenen Gegenstand aufweise. Vor allem das Unionsrecht hat eine erhebliche Unordnung in das Verwaltungsverfahrensrecht gebracht. Es sind einmal unionsrechtliche Prinzipien und Verfahrensgarantien[10] sowie die im Unionsrecht durchaus anders als im staatlichen Verwaltungsrecht angelegte Rolle des subjektiv öffentlichen Rechts,[11] die die Verfahrensrechtsdogmatik fordern.[12] Dazu kommt eine nahezu unüberschaubare Fülle von unionsrechtlich geprägten Verfahrenstypen, die von schlichten Formen punktueller Interaktion von zwei Verwaltungsbehörden bis hin zu Verfah-

6 Vgl nur *Rudolf Thienel*, Der mehrstufige Verwaltungsakt (1996) 39 ff.

7 Allgemeines Verwaltungsverfahrensgesetz – AVG, BGBl 1925/274.

8 Siehe vor allem die Werke *Friedrich Tezners* (Handbuch des österreichischen Administrativverfahrens [1896]; Das österreichische Administrativverfahren[2] [1925]).

9 *Bernhard Raschauer*, Allgemeines Verwaltungsrecht[1] (1998) Rz 27.

10 *Katharina Pabel*, Unionsrechtliche Einwirkungen auf das Verwaltungsverfahren, in *Kahl/Ludwigs* (Hrsg), Handbuch des Verwaltungsrechts IV (2022) § 115; vgl auch *Michael Mayrhofer* in *Mayrhofer/Parycek*, Digitalisierung des Rechts – Herausforderungen und Voraussetzungen, 21. ÖJT IV/1 (2022) 77 ff; eine umfassende Untersuchung – wenige Jahre nach dem EU-Beitritt Österreichs – legte *Stefan Frank* mit seiner Dissertationsschrift „Gemeinschaftsrecht und staatliche Verwaltung“ vor (2000, zum Verfahrensrecht insb 367 ff).

11 *Christoph Grabenwarter*, Subjektive Rechte und Verwaltungsrecht, 16. ÖJT I/1 (2006) 34; zuletzt insb *Potacs/Wutscher*, Einwirkungen des Unionsrechts auf das Verwaltungsverfahren, in *Griller/Kahl/Kneihs/Obwexer* (Hrsg), 20 Jahre EU-Mitgliedschaft Österreichs (2016) 497 (505 ff).

12 Vgl idZ den Beschluss des VfGH 5. 10. 2022, E 394/2021 Rz 58 ff zur Prüfung der – letztlich mit dem Erkenntnis VfGH 5. 12. 2022, V 220/2022 aufgehobenen – Nitrat-Aktionsprogramm-Verordnung, in dem der Gerichtshof die Durchsetzbarkeit von (im Unionsrecht wurzelnden) subjektiven Rechten auf bestimmte (Umweltschutz-) Maßnahmen, die in einer Verordnung nur unzureichend umgesetzt sind, in einem Verwaltungsverfahren erwägt; dazu allgemein *Herbst/Mayrhofer*, Zur Untätigkeit des Verordnungsgebers bei Umsetzung unionsrechtlicher Verpflichtungen, in *Wagner/Kerschner/Lux* (Hrsg), Liber Amicorum Wilhelm Bergthaler (2023) 25 (29 ff).

ren reichen, die vor zu Behördenverbünden verdichteten Strukturen stattfinden. Es wurden in den letzten Jahren erhebliche dogmatische Anstrengungen unternommen, um trotz der – euphemistisch formuliert – höchst kreativen Schöpfungsphase des Unionsgesetzgebers, die nun schon nahezu zwei Jahrzehnte anhält, Ordnung zu schaffen.[13] Gleichwohl ist nach wie vor eine gewisse dogmatische Zurückhaltung erkennbar, die über viele Jahre errichteten Gebäude aufgrund des mannigfaltigen unionsrechtlichen Transformationsdrucks auf das staatliche Verwaltungsverfahrensrecht[14] umzubauen. Wir neigen, um bei diesem Bild zu bleiben, nach wie vor eher dazu, neue, eigenständige Gebäude neben den etablierten zu errichten, womit der Verwobenheit von unionalem und staatlichem Verfahrensrecht jedoch nicht hinreichend Rechnung getragen wird.[15]

Auch die dargestellte unionsrechtliche Dimension bewirkt Unterschiede zwischen der zivilverfahrensrechtlichen und der verwaltungsverfahrensrechtlichen Dogmatik. Es fiele nicht allzu schwer, weitere Unterschiede zu benennen. Gleichwohl ist erkennbar, dass es im Bereich der Verfahrensrechtsdogmatik auch Gleichklang gibt: Strukturelle Übereinstimmung besteht zunächst ganz allgemein darin, dass die verschiedenen Verfahrensrechtsdogmatiken allesamt von den jeweiligen Verfahrensmaximen beherrscht werden.[16] Der Gleichklang geht aber weiter und betrifft nicht nur die Meta-Ebene; vielmehr lassen sich durchaus Charakteristika einer spezifischen Verfahrensrechtsdogmatik per se ausmachen, die mehr oder weniger für alle Verfahrenstypen gelten und die die Dogmatik des Verfahrensrechts von der Dogmatik des materiellen Rechts abheben. Diese Eigenheiten sollen ein wenig beleuchtet werden, wobei auf drei markante Besonderheiten einzugehen ist: erstens auf die dogmatische Erfassung von staatlichen (Rechtspflege-)Organen und dritten Personen, zweitens auf die Dynamik und zeitliche Dimension von Verfahren sowie drittens auf die Funktion von Verfahren, das Recht in die Wirklichkeit umzusetzen.

13 Grundlegende Systembildung bei *Gernot Sydow,* Verwaltungskooperation in der Europäischen Union (2004) 118 ff.

14 Dazu *Potacs/Wutscher* in *Griller/Kahl/Kneihs/Obwexer,* 20 Jahre 497 (497 ff).

15 Ausnahmen bestätigen die Regel, vgl etwa *Potacs/Wutscher* in *Griller/Kahl/Kneihs/Obwexer,* 20 Jahre 497 (497 ff).

16 *Windel,* dAnwBl 2019, 450.

Dogmatische Erfassung von staatlichen (Rechtspflege-)Organen und Beteiligten

Der erste Aspekt, der die verfahrensrechtliche Dogmatik kennzeichnet, ist die Herausforderung, die Beteiligung von Rechtspflegeorganen dogmatisch zu integrieren.[17] Dahinter steht, dass das Zivilverfahren keineswegs nur „Verfahren" im Sinn einer zielgerichteten Abfolge von Partei- und Gerichtshandlungen ist. Das Zusammenspiel von Gericht und Parteien im Zivilprozess ist erheblich mehr als das, denn es bringt das Gericht und die Parteien in rechtliche Beziehungen zueinander: Zwischen ihnen entsteht das Prozessrechtsverhältnis.[18] Dieses erfasst die Gesamtheit der Rechtsbeziehungen, die durch den Prozess zwischen dem Gericht und den Parteien einerseits und zwischen den Parteien andererseits entstehen.[19] Anders als nach früheren Auffassungen[20] ist heutzutage weitgehend unbestritten, dass es sich dabei um ein echtes Rechtsverhältnis handelt und gerade nicht bloß um die Abfolge von faktischen Situationen, den sog „Prozesslagen".[21] Freilich hat die Abfolge verschiedener Verfahrensstadien mit einer gewissen Finalität zur Konsequenz, dass das Prozessrechtsverhältnis notwendigerweise ein dynamisches Dauerrechtsverhältnis ist;[22] auch dies wirkt sich wiederum prägend auf die verfahrensrechtliche Dogmatik aus.

Das Prozessrechtsverhältnis wird als öffentlich-rechtliches Rechtsverhältnis qualifiziert.[23] Ganz allgemein weist das Verfahrensrecht im Hinblick auf die Beteiligung von Rechtspflegeorganen stets hoheitliche Elemente auf:[24] Schon der Antrag auf Verfahrensdurchführung, der den Prozess initiiert und das Prozessrechtsverhältnis begründet, ist nichts anderes als ein Gesuch auf staatliche Gewährung von Rechtsschutz. Und während des

17 Dazu *Rolf Stürner*, Die Rolle des dogmatischen Denkens im Zivilprozessrecht, ZZP 2014, 271 (277 f).

18 Dazu statt vieler *Andreas Konecny* in *Fasching/Konecny* (Hrsg), Kommentar zu den Zivilprozessgesetzen I^3 (2013) Einl Rz 133.

19 *Hans W. Fasching*, Lehrbuch des österreichischen Zivilprozessrechts^2 (1990) Rz 132; *Konecny* in *Fasching/Konecny*, Kommentar I^3 Einl Rz 136.

20 Siehe insb *James Goldschmidt*, Der Prozess als Rechtslage (1925) 146 ff.

21 *Konecny* in *Fasching/Konecny*, Kommentar I^3 Einl Rz 133.

22 *Fasching*, Zivilprozessrecht^2 Rz 132; *Konecny* in *Fasching/Konecny*, Kommentar I^3 Einl Rz 133.

23 Statt vieler *Fasching*, Zivilprozessrecht^2 Rz 132; *Konecny* in *Fasching/Konecny*, Kommentar I^3 Einl Rz 133.

24 *Stürner*, ZZP 127, 277 f.

Verfahrens kommen dem Gericht Befugnisse zu, die beträchtliche Eingriffe in die Freiheitsrechte der Parteien durch diverse Anordnungen und Sanktionen zulassen.[25] Vor diesem Hintergrund wird das Prozessrecht – jedenfalls in Österreich und auch in Deutschland – grundsätzlich dem öffentlichen Recht zugeordnet.[26] Das ist schon insofern konsequent, als nur wenige prozessuale Bestimmungen die zivilrechtlichen oder sonstigen materiellrechtlichen Beziehungen zwischen den Beteiligten als solche zum Gegenstand haben. Vielmehr geht es durchwegs um das Verfahren zur Erledigung einer in diesen Beziehungen entstandenen Streitigkeit vor einem mit Hoheitsgewalt ausgestatteten Gericht.[27] Aus der Eigenschaft des Zivilprozessrechts als öffentliches Recht ergeben sich gleichzeitig notwendige Konsequenzen für seine Anwendung: Insb folgt daraus, dass der Grundsatz der Privatautonomie, der das Zivilrecht dominiert, für das Zivilverfahrensrecht gerade nicht prägend ist.[28]

Allerdings hängen die eben genannten Eigenheiten des Verfahrensrechts – insb die eingreifende und gewährende Position des Gerichts – keineswegs von der tradierten Qualifikation des Verfahrensrechts als öffentliches Recht ab. Vielmehr müssen diese Besonderheiten auch in solchen Rechtskulturen dogmatisch bewältigt werden, die eine scharfe systematische Trennung zwischen öffentlichem Recht und Privatrecht in dieser Form nicht kennen: Stets ist ein Regelwerk zu entwickeln, das die Beziehungen der Parteien zum Gericht und die Beziehungen der Parteien untereinander gleichermaßen umfasst und ihnen gebührend Rechnung trägt.[29]

Doch damit nicht genug: Hinzu kommt noch das Erfordernis, auch die Mitwirkung weiterer Verfahrensorgane und Dritter dogmatisch zu erfassen. Dies gilt etwa für die Stellung der anwaltlichen Vertreter oder der Rechtsposition von Zeugen sowie von Sachverständigen.[30] In anderen zivilgerichtlichen Verfahren treten weitere Rechtspflegeorgane hinzu: Dies betrifft insb den Gerichtsvollzieher und den – erst seit der unlängst erfolgten Gesamtreform des Exekutionsrechts (GREx)[31] vorgesehenen – Verwal-

25 *Stürner*, ZZP 127, 277 f.
26 Statt vieler *Konecny* in *Fasching/Konecny*, Kommentar I³ Einl Rz 79/1.
27 *Konecny* in *Fasching/Konecny*, Kommentar I³ Einl Rz 79/1.
28 *Konecny* in *Fasching/Konecny*, Kommentar I³ Einl Rz 79/1 und 84.
29 *Stürner*, ZZP 127, 278.
30 *Stürner*, ZZP 127, 278.
31 BGBl I 2021/86.

ter in Exekutionssachen im Exekutionsverfahren, den Insolvenzverwalter oder einen allenfalls bestellten Treuhänder im Insolvenzverfahren sowie diverse Behörden im Außerstreitverfahren.

Das Zusammenwirken dieser zahlreichen Verfahrensbeteiligten von durchaus heterogener Zuordnung erfordert ein dermaßen hohes Maß an Bestimmtheit, Voraussehbarkeit und Klarheit, wie sie das materielle Recht so idR nicht verlangt. Es ist daher auch nicht verwunderlich, dass die verfahrensrechtliche Dogmatik den Kreis der Grundprinzipien und Grundregeln – verglichen mit dem materiellen Zivilrecht – erheblich erweitern muss und auch auf eine verstärkte Feinsystematik angewiesen ist.[32]

Der für das Zivilverfahrensrecht und seine Dogmatik erstellte Befund gilt im Grundsätzlichen auch für das Verwaltungsverfahrensrecht. Das kann zunächst nicht überraschen, ist das „Verwaltungsverfahrensrecht [doch bloß] ein Sonderfall des Verfahrensrechts", wie schon *Adolf Merkl* in seinem Allgemeinen Verwaltungsrecht festgestellt hat.[33]

Dennoch können die Unterschiede nicht übersehen werden. Das Verfahrensrechtsverhältnis ist ein bipolares. Es besteht zwischen der Verwaltungsbehörde und der Partei des Verfahrens, der die Behörde „kraft Hoheitsrecht in übergeordneter Stellung"[34] entgegentritt. Die Behörde entscheidet keinen Streit, sondern „in Durchsetzung öffentlicher Interessen gleichsam ‚in eigener Sache'".[35] Weitere Parteien, die als „Nebenparteien" zum Verfahren hinzutreten, stehen in keinem Prozessverhältnis zu der „Hauptpartei". Ihre Beteiligung am Verfahren dient der Durchsetzung ihrer subjektiv öffentlichen Rechte gegenüber der Behörde, nicht gegenüber der Hauptpartei, mag diese das im Einzelfall auch anders empfinden. Der Nachbar, der sein Recht auf Einhaltung des Mindestabstands eines Gebäudes von seiner Grundgrenze geltend macht, tut dies rechtlich gesehen gegenüber der Baubehörde, nicht gegenüber dem Bauwerber. Praktisch kommen freilich – ähnlich dem Außerstreitverfahren – sehr unterschiedliche Verfahrenssituationen zwischen den Parteien vor – von harmonisch bis höchst konfrontativ. Das ändert jedoch nichts daran, dass das Verfahrensrechtsverhältnis – vereinfacht gesprochen – zwischen dem Staat und dem Bürger besteht.

32 *Stürner*, ZZP 127, 278.

33 *Adolf J. Merkl*, Allgemeines Verwaltungsrecht[1] (1969) 213; weiterhin in *Adolf J. Merkl*, Allgemeines Verwaltungsrecht[2] (1999) 213.

34 *Peter Oberndorfer*, Die österreichische Verwaltungsgerichtsbarkeit (1983) 98.

35 *Oberndorfer*, Verwaltungsgerichtsbarkeit 98.

Bemerkenswerterweise ändert sich an dieser grundsätzlichen Ausrichtung auch dann nichts, wenn das zentrale Produkt des Verwaltungsverfahrens, der Bescheid, von einer Partei bei einem Verwaltungsgericht in Beschwerde gezogen wird. Rechtlich stehen sich im verwaltungsgerichtlichen Prozess zwar zwei prinzipiell gleichberechtigte Streitparteien gegenüber – der Beschwerdeführer und die belangte Behörde. Das Verwaltungsgericht kann dennoch nur schwerlich als diejenige Instanz angesehen werden, die – ähnlich einem Zivilgericht – einen Streit zwischen diesen Parteien entscheidet. Insbesondere seine reformatorische Entscheidungsbefugnis verpflichtet es in aller Regel dazu, über die eigentliche „Verwaltungssache" neuerlich zu entscheiden.[36] Die belangte Behörde tritt dabei in den Hintergrund, was durchaus auch faktisch bemerkbar ist. In nicht wenigen verwaltungsgerichtlichen Verfahren tritt die belangte Behörde nicht in Erscheinung – und zwar weder durch schriftliche Äußerungen, noch durch die Entsendung eines Vertreters in die mündliche Verhandlung.

Die zentrale Bedeutung des Staat-Bürger-Verhältnisses im Verwaltungsverfahren prägt die verfahrensrechtliche Dogmatik. Die dogmatische Erfassung weiterer Beteiligter, so insbesondere von Sachverständigen, verliert dabei an Bedeutung. Das Verfahrensrechtsverhältnis umfasst ein ganzes Bündel von in aller Regel niederschwellig durchsetzbaren Rechten und überdies auch gewissen Mitwirkungspflichten,[37] die für den Inhalt und Ablauf des Verwaltungsverfahrens wesentlich sind. Zu den Parteienrechten zählen insbesondere das Recht auf Parteiengehör und das damit eng verwobene Recht auf Akteneinsicht sowie das Recht auf eine fristgerechte Entscheidung und auf eine gehörige Begründung derselben. Die primär durch diese Rechte ausgezeichnete „Parteistellung" sowie der Bescheid, also die auf die Parteien fokussierte Erledigung des Verfahrens, sind wesentliche Gegenstände dogmatischer Bemühungen.[38]

Diese Bemühungen weisen typische Elemente der allgemeinen Verwaltungsrechtsdogmatik auf.[39] Sie kennzeichnet einmal die enge Verbindung

36 Vgl *Michael Mayrhofer*, Der Verfahrensgegenstand – Die „Sache" der Verwaltungsgerichtsbarkeit, in *Holoubek/Lang* (Hrsg), Grundfragen der Verwaltungs- und Finanzgerichtsbarkeit (2017) 59 (70).

37 *Bernhard Raschauer*, Allgemeines Verwaltungsrecht[6] (2021) Rz 1115 f u 1211.

38 Vgl *Hengstschläger/Leeb*, AVG § 8 und § 58 jeweils mwN.

39 Vgl zu diesen *Horst Dreier*, Merkls Verwaltungsrechtslehre und die heutige deutsche Dogmatik des Verwaltungsrechts, in *Walter* (Hrsg), *Adolf J. Merkl:* Werk und Wirksamkeit. Ergebnisse eines Internationalen Symposions in Wien (1990) 55 (58).

zwischen Verwaltungsrechtswissenschaft und Verwaltungsrechtsprechung.[40] Diese Verbindung ist in besonderer Weise der Verfahrensrechtsdogmatik gleichsam in die Wiege gelegt, zumal es der 1876 errichtete VwGH war, der in Ermangelung verfahrensrechtlicher Vorschriften selbst Prinzipien entwickelte, um seinem gesetzlichen Auftrag nach entscheiden zu können, wann „wesentliche Formen des Administrativverfahrens außer acht gelassen worden sind".[41] Es war in der Folge vor allem das Verdienst *Tezners*, aus dieser Judikatur ein System des Verwaltungsverfahrens herauszuarbeiten, das die Verwaltungsverfahrensgesetze 1925 entscheidend prägte.[42] Heute könnte vor allem die nähere Untersuchung der Frage lohnenswert sein, ob die Etablierung der erstinstanzlichen Verwaltungsgerichtsbarkeit und die neue Rolle des VwGH als „Revisionsgerichtshof" Auswirkungen auf das Zusammenspiel zwischen Verwaltungsrechtswissenschaft und Verwaltungsrechtsprechung haben.

Typisch ist zweitens die speziell der Stellung des Staates im Verwaltungsverfahren geschuldete „Sichtbarkeit" der Verfassungsbindung und -relevanz des Verwaltungsverfahrens.[43] Für das Verfahrensrecht – und damit führt der Weg zurück zur Parteistellung – sind hier in erster Linie das Rechtsstaatsprinzip und in zunehmendem Maß die Verfahrensgrundrechte als Quellen relevant. Die „verfassungsrelevante Bedeutungssteigerung des Verfahrensrechts"[44] betrifft sowohl den Prozess als solchen als auch sein Ziel und Produkt, den Bescheid. Beiden wird eine gewichtige rechtsstaatliche und grundrechtliche Funktion zugeschrieben, und zwar sowohl im Verwaltungsverfahren selbst, als auch im Hinblick auf den verfassungsrechtlich garantierten gerichtlichen Verwaltungsrechtsschutz.[45] Aus der Gemengelage verfassungsrechtlicher und unionsprimärrechtlicher Garantien lässt sich auch auf staatlicher Ebene ein „Recht auf eine gute Verwaltung" ableiten, das im Kern eine rechtsstaatliche Ausgestal-

40 So (auch) für Deutschland *Dreier*, in *Walter*, Adolf J. Merkl 61 ff; *Wolfgang Kahl*, Wissenschaft, Praxis und Dogmatik im Verwaltungsrecht (2020) 97.

41 Vgl *Adamovich/Funk/Holzinger/Frank*, Österreichisches Staatsrecht IV: Allgemeine Lehren des Verwaltungsrechts[2] (2017) Rz 61.002 unter Verweis auf § 6 des Gesetzes vom 22. 10. 1875, RGBl 1876/36, betreffend die Einrichtung eines Verwaltungsgerichtshofes.

42 *Friedrich Tezner*, Die rechtsbildende Funktion der österreichischen verwaltungsgerichtlichen Rechtsprechung: Das österreichische Administrativverfahren systematisch dargestellt auf Grund der verwaltungsgerichtlichen Praxis[2] (1925).

43 Vgl auch *Dreier* in *Walter*, Adolf J. Merkl 55 (63 f).

44 *Dreier* in *Walter*, Adolf J. Merkl 55 (64 f).

45 Vgl nur *Rudolf Thienel*, Der mehrstufige Verwaltungsakt (1996) 65 ff.

tung des Verfahrensrechtsverhältnisses zu Gunsten der Partei verlangt, hinter der auch Anliegen der Verfahrenseffizienz zurückstehen müssen.[46]

Die Verfahrensrechtsdogmatik prägen seit langem derartige Einwirkungen auf das einfachgesetzliche Verwaltungsverfahrensrecht. Speziell die im Unionsprimärrecht verbrieften oder vom EuGH im Sinne des Art 6 Abs 3 EUV etablierten Verfahrensgrundrechte verstärken diese Entwicklung.[47] Das Unionsrecht trägt überdies mit seinen eingangs erwähnten, schier unüberschaubaren Formen von Verfahren in der Europäischen Verwaltungszusammenarbeit zu dieser Entwicklung bei. Zur Orientierung in diesem „Dickicht"[48] aus Sonderverfahrensrecht und noch viel mehr zu einer kohärenten Systembildung[49] bietet sich ein Rückgriff auf die den Parteien in einzelnen Phasen eines Verfahrens garantierten fundamentalen Rechtspositionen – vom Anspruch auf rechtliches Gehör bis hin zur gehörigen Begründung einer Entscheidung – an.

Dynamik und zeitliche Dimension von Verfahren

Es wurde bereits angesprochen, dass Verfahren ganz allgemein durch eine Abfolge verschiedener Verfahrensstadien gekennzeichnet sind und dass das Prozessrechtsverhältnis daher notwendigerweise ein dynamisches Dauerrechtsverhältnis ist.[50] Außerdem sind Verfahren stets insoweit final ausgerichtet, als jedes Verfahren in angemessener Zeit zu einem bestandsfähigen Ergebnis führen soll.[51] Schon deshalb weist das Verfahrensrecht ein ganz anderes Verhältnis zur zeitlichen Dimension des Rechts auf als das materielle Recht:[52] Verfahren sind durchwegs durch eine überaus starke Dynamik und durch einen straffen zeitlichen Ablauf gekennzeichnet, der einer längeren Reflexion über die Konkretisierung von Verfahrens-

---

46 *Mayrhofer* in *Mayrhofer/Parycek,* Digitalisierung 78 f mwN.

47 Zu dieser zuletzt ausführlich *Pabel* in *Kahl/Ludwigs,* Handbuch IV § 115 mwN.

48 *Wolfgang Kahl,* Wissenschaft, Praxis und Dogmatik im Verwaltungsrecht (2020) 86.

49 Vgl *Kahl,* Wissenschaft 86, der idZ auf die zentrale Funktion der Rechtsdogmatik für die „Operationalisierbarkeit von Recht, insbesondere die Verringerung von Vollzugs- und Akzeptanzdefiziten" aufmerksam macht.

50 *Fasching,* Zivilprozessrecht^2 Rz 132; *Konecny* in *Fasching/Konecny,* Kommentar I^3 Einl Rz 133.

51 *Fasching,* Zivilprozessrecht^2 Rz 132; *Konecny* in *Fasching/Konecny,* Kommentar I^3 Einl Rz 133.

52 *Stürner,* ZZP 127, 279.

regeln typischerweise entgegensteht. Dieses Spezifikum des Verfahrensrechts wird allerdings oft nicht ausreichend gewürdigt.

Gerade in mündlichen Verhandlungen und in Beweisaufnahmen tritt die Dynamik des Verfahrensrechts besonders deutlich zutage: In diesen verfahrensrechtlichen Situationen benötigen die Verfahrensbeteiligten im Konfliktfall leicht handhabbare Regelungen; es sind also strikte rechtliche Vorgaben in einer detailliert strukturierten Feinsystematik erforderlich. Im Ergebnis sind es gerade diese Besonderheiten, die die Bedeutung der Gebrauchsdogmatik im Verfahrensrecht erheblich verstärken.[53]

Dieser Befund trifft für das Verwaltungsverfahren im Allgemeinen, jedoch nicht immer im Besonderen zu. Die Funktion und Relevanz der mündlichen Verhandlung im Verwaltungsverfahren ist nur bedingt mit jener der Verhandlung im Zivilprozess vergleichbar. Ihr Wert besteht gerade auch darin, den Parteien ein mehr oder weniger ungeregeltes Kommunikationsforum zur Verfügung zu stellen. Die zeitliche Dimension des Verfahrens fordert gleichwohl dort die Dogmatik, wo Parteienrechte und Verfahrenseffizienz in ein Spannungsverhältnis zueinander treten. Dieses Spannungsverhältnis wird besonders bei komplexen und damit langwierigen Verfahren offenbart, wie der Umweltverträglichkeitsprüfung.[54] Trotz der vielfachen Forderungen nach schnelleren Verfahren[55] darf eine Beschleunigung jedenfalls nicht zu Lasten der Verfahrens- und Entscheidungsqualität gehen.[56] Möglich wäre ein sowohl zeiteffizientes als auch rechtsstaatskonformes Verfahren, indem von einem streng chronologischen Verfahrensgang abgesehen würde. Beispielsweise würden (Vor-)Begutachtungen während der Projektplanung, digitale Lokalaugenscheine und eine (digitale) Bescheidkonsolidierung vermehrt synchron ablaufende Verfahrenshandlun-

53 *Stürner*, ZZP 127, 279.

54 Anstatt vieler *Hackl/Kühschelm*, Verfahrensbeschleunigung in der UVP, in *Ennöckl/Niederhuber* (Hrsg), Jahrbuch Umweltrecht 2019 (2019) 176 (176).

55 <https://richtervereinigung.at/reformvorschlaege-fuer-eine-funktionierende-justiz/> (Stand 14. 3. 2019); vgl zB *Dachverband der Verwaltungsrichter*, Agenda Verwaltungsgerichtsbarkeit 2022 11 <https://uvsvereinigung.files.wordpress.com/2017/10/agenda-vg-2022.pdf> (abgerufen am 17. 10. 2022).

56 Siehe beispielhaft die Diskussion zum Standort-Entwicklungsgesetz (StEntG, BGBl I 2018/110) bei *Storr/Mischensky*, Das Standort-Entwicklungsgesetz, in *Baumgartner* (Hrsg), Öffentliches Recht Jahrbuch 2019 (2019) 109 (109 ff); *Werner Hochreiter*, Standortentwicklungsgesetz die Zweite – mehr als Symbolik? RdU 2019, 52 (52 ff).

gen und damit ein agileres Verfahren erlauben.[57] Zu beachten ist gleichwohl auch, dass mit der Säumnisbeschwerde im Verwaltungsverfahren (Art 130 Abs 1 Z 3 B-VG) schon jetzt – und anders als im Zivilprozess – ein Säumnisschutz mit devolutiver Wirkung zur Verfügung steht.

Dazu kommt ein weiterer, gleichsam gegenläufiger Aspekt, der die verfahrensrechtliche Dogmatik zukünftig bestimmen kann: Der dem Verwaltungsverfahren überantwortete Entscheidungsvorgang wird durch den vermehrten Einsatz von maschinellen Entscheidungssystemen einer strenger geregelten zeitlichen Abfolge bedürfen.[58] Die Übertragung des gesamten oder von Teilen des Entscheidungsvorgangs auf Maschinen bedingt die Auflösung der sachlichen Komplexität des Entscheidungsvorgangs in eine zeitliche Folge einfacher Signale.[59] Eine weitgehend beliebige Abfolge von Verfahrens- und Erkenntnisschritten ist damit nicht vereinbar. Regelt das Verfahrensrecht bislang vielfach mehr die Darstellung des Entscheidungsvorgangs und nicht die eigentliche Herstellung der Entscheidung,[60] wird es im Interesse einer Automatisierung vermehrt den Prozess zur Herstellung einer rechtlichen Entscheidung selbst bestimmen müssen. Es wird außerdem in ein sichtbareres Verhältnis mit weiteren „prozessbezogenen" Vorschriften treten, die etwa aus Gründen des Datenschutzrechts die jeweilige Grundlage für die Erhebung und (Weiter-)Verarbeitung von Daten im Zuge eines Verwaltungsverfahrens schaffen (müssen).[61]

Verfahren als Umsetzung des Rechts in die Wirklichkeit

Die dritte Eigenheit hängt unmittelbar mit der Funktion des Verfahrens zusammen, abstrakte materielle Rechtspositionen konkret werden zu lassen und das Recht in die Wirklichkeit umzusetzen. Bekanntlich verhalten

57 *Bergthaler/Mayrhofer,* Digitale Transformation im Anlagenrecht, in *Felten/Kofler/Mayrhofer/Perner/Tumpel* (Hrsg), Digitale Transformation im Wirtschafts- & Steuerrecht (2019) 107 (118 f); diese und ähnliche Themen bereits aufgreifend *Merli/Rogatsch,* Verbesserungsmöglichkeiten bei Anlagengenehmigungsverfahren, JRP 2010, 60 (63 ff).

58 Vgl *Parycek* in *Mayrhofer/Parycek,* Digitalisierung 31.

59 *Niklas Luhmann,* Recht und Automation in der öffentlichen Verwaltung[2] (1997) 49.

60 *Luhmann,* Recht und Automation[2] 51.

61 Vgl zB § 10a iVm § 11 Abs 1 und § 46a Abs 2 Familienlastenausgleichsgesetz 1967 BGBl 1967/376 idF BGBl I 2023/82, der anlässlich einer Geburt die automationsunterstützte Auszahlung der Familienbeihilfe antragslos gewährt (No-Stop-Verfahren), wenn die Anspruchsvoraussetzungen für die Gewährung vorliegen und der Behörde bekannt sind.

sich das materielle Recht und das Verfahren zueinander wie der Gedanke zu seiner Ausführung: Materielles Recht verheißt Rechtspositionen, Verfahrensrecht verschafft sie.[62] Verfahren zielen also stets darauf ab, den vorhandenen Ist-Zustand an den rechtlichen Soll-Zustand anzugleichen.

Für die am Verfahren beteiligten Personen bedeutet dieser Vorgang unmittelbar erlebtes Recht: Denn Verfahren sind stets situative Erfahrungen, in denen Menschen mit unterschiedlichen, zT auch völlig gegenläufigen Positionen aufeinandertreffen.[63] Dabei ist keineswegs nur die jeweils anzuwendende Verfahrensordnung per se maßgebend; vielmehr haben auch regionale Besonderheiten und Traditionen einen nicht zu unterschätzenden Einfluss auf den Verfahrensablauf und auf die Entscheidungsfindung: Unter derselben Verfahrensordnung kann ein Verfahren distanziert-hoheitlich gestaltet sein, uU aber auch eher wie ein Gespräch in einem Arbeitskreis[64] ablaufen.[65] Dazu kommt der jeweilige persönliche Stil der handelnden Richterpersönlichkeit, der wiederum durch den jeweiligen Charakter und die jeweilige Sozialisation geprägt ist. Dieser Aspekt mag bei uns eine weniger zentrale Rolle spielen als insb im US-amerikanischen Recht; gleichwohl ist er auch hierorts existent. Mehr noch: Die eben angesprochene Verwobenheit des Verfahrens mit politischen und gesellschaftlichen Traditionen und persönlichen Präferenzen bestimmt nicht nur die richterliche Verfahrenskultur, sondern auch die Verfahrenskultur von Anwälten und von anderen Akteuren im Verfahren.

Diese Verwobenheit des Verfahrens mit faktischen Gegebenheiten ist einer rechtlichen Steuerung nur mittelbar zugänglich; gleichzeitig sind dadurch auch der Gestaltungsfähigkeit verfahrensrechtlicher Dogmatik gewisse Grenzen gesetzt. Diese Erkenntnis führt dazu, dass die Verfahrensrechtsdogmatik zur Einbruchstelle benachbarter Wissenschaften wird; dies gilt insb für die Soziologie und die Psychologie,[66] vermehrt aber auch für die Computerwissenschaften. Es soll nicht verschwiegen werden, dass diese Eigenheit zT auch dazu benutzt wird, den Geltungsanspruch und die Sinnhaftigkeit des staatlichen Zivilverfahrens generell in Frage zu stellen.[67]

62 So pointiert bereits *Gustav Walker*, Fünf Jahre Zivilprozeß, JBl 1903, 65.

63 *Stürner*, ZZP 127, 279.

64 Zur „Arbeitsgemeinschaft Zivilprozess" vgl statt vieler *Ballon/Nunner-Krautgasser/Schneider*, Einführung in das Zivilprozessrecht[13] (2018) Rz 21.

65 So treffend *Stürner*, ZZP 127, 279 f.

66 *Stürner*, ZZP 127, 280.

67 Ebenso für das deutsche Recht *Stürner*, ZZP 127, 280.

Das hängt nicht zuletzt mit dem Aufschwung von Parallelsystemen zur staatlichen Gerichtsbarkeit in Gestalt von alternativen Streitbeilegungsmechanismen zusammen, was wiederum mit andersartigen dogmatischen Herausforderungen – insb mit der Herausforderung einer entsprechenden Systematisierung und Ordnung von „alternativen" Verfahrensformen wie Mediation, Schlichtung oder Ombudsmann-Verfahren – einhergeht.[68] Hier empfiehlt sich eine Unterscheidung nach solchen Verfahren, die sich in ihrem Ausgangspunkt am Recht orientieren und eine Aufarbeitung der rechtserheblichen Tatsachen unter Gewährung von beiderseitigem rechtlichem Gehör zumindest zulassen, und anderen Verfahren, die eine solche Rechtsorientierung gerade vermeiden wollen und eher eine Interessenbefriedigung bzw eine Zusammenführung individueller Gerechtigkeitsvorstellungen erreichen wollen, ohne die geltende Rechtslage als Basis heranzuziehen; letztere Verfahrenstypen zeichnen sich naheliegender Weise durch eine nicht unerhebliche Dogmenferne aus.[69]

Pro futuro wird die gesellschaftliche und wirtschaftliche Bedeutung des (staatlichen) Verfahrensrechts in nicht unwesentlichem Ausmaß davon abhängen, welchen Stellenwert die Gesellschaft dem Recht überhaupt einzuräumen bereit ist.

Die angesprochene Dialogbedürftigkeit der Verfahrensrechtswissenschaft mit anderen Disziplinen – von der Psychologie über die Soziologie bis hin zu den Computerwissenschaften – wird auch für das Verwaltungsverfahren vermehrt wieder[70] erkannt. Aktuelle Fragestellungen, wie jene zum Einsatz von digitalen Technologien im Verwaltungsverfahren,[71] können

68 *Stürner,* ZZP 127, 318.

69 *Stürner,* ZZP 127, 318 ff.

70 Zur gedeihlichen Interaktion der Rechtswissenschaften mit den Sozialwissenschaften s nur die auf die Studien *Niklas Luhmanns* aufbauenden Arbeiten *Peter Oberndorfers* zur „finalen Programmierung" (*Peter Oberndorfer,* Strukturprobleme des Raumordnungsrechts, Die Verwaltung 1972, 257; *ders,* Plan und Planung, in *Ermacora et al* [Hrsg], Allgemeines Verwaltungsrecht [1979] 229; *Fröhler/Oberndorfer,* Österreichisches Raumordnungsrecht II: Verfahren, Planänderung, Rechtsschutz [1986]) sowie die von *Niklas Luhmann* (Legitimation durch Verfahren[1] [1983]) nachgewiesene und vom VfGH anerkannte „Legitimation durch Verfahren" (VfSlg 8280/1978; 8330/1978; 14.041/1995; aus der jüngeren Rsp vgl zB VfSlg 20.441/2021; 17.348/2004).

71 Siehe zB *Mayrhofer/Aschauer/Denk,* Algorithmen im Verwaltungsverfahren, in *Studiengesellschaft für Wirtschaft und Recht – WiR* (Hrsg), Algorithmen im Wirtschaftsrecht (2023) 45.

aus einer rechtswissenschaftlichen Perspektive allein nicht abschließend beantwortet werden. Vielmehr braucht es einen interdisziplinären Ansatz. An der Rechtswissenschaftlichen Fakultät der Johannes-Kepler-Universität Linz wurde zu diesem Zweck der Forschungsschwerpunkt Procedural Justice gesetzt. Dieser erlaubt die Untersuchung der fundamentalen Voraussetzungen für ein rechtstaatliches Verfahren aus einer interdisziplinären Perspektive. Die Forschungsthemen von Procedural Justice adressieren den Einfluss ua der Digitalisierung auf das faire Verfahren. Beispielsweise bringt der durch die Pandemie bewährte und prozessökonomische Einsatz von Videotechnologie die Befürchtung der Praxis und der Wissenschaft mit sich, wichtige Informationen für die Beweiswürdigung und Glaubhaftigkeitsbeurteilung bei der Videokommunikation schlichtweg verlieren zu können. Deshalb wurde im Forschungsprojekt „Verhandeln mit Videotechnologie" sowohl ein rechtsdogmatischer als auch ein rechtspsychologischer Forschungsschwerpunkt gesetzt, was sich auch im fachlich divers besetzten Forschungsteam widerspiegelt.[72]

Die in diesem und in anderen Forschungsvorhaben hervortretende „alte", gleichwohl neu „entdeckte" Dialogbedürftigkeit der Verfahrensrechtsdogmatik mit rechtswissenschaftlichen Teil- und Nachbardisziplinen kann, diese Prognose sei abschließend gestattet, die Arbeitsweise und (sogar auch) die Zusammensetzung rechtswissenschaftlicher Fakultäten zukünftig verändern.

72 *Rechtswissenschaftliche Fakultät,* Verhandeln mit Videotechnologie <https://www.jku.at/rechtswissenschaftliche-fakultaet/forschung/procedural-justice/verhandeln-mit-videotechnologie> (abgerufen am 12.10.2023).

Andreas Th. Müller

Unionsrechtsdogmatik*

Einleitung

Was Rechtsdogmatik ist, lässt sich weder begrifflich noch inhaltlich leicht fassen. Dieser Befund gilt umso mehr für das hier zu behandelnde Thema. Schon der erste Zugriff macht deutlich, dass wir es bei der Unionsrechtsdogmatik mit einem „Dazwischen" zu tun haben. Denn ihr Gegenstand, das Unionsrecht,[1] steht zwischen dem nationalen Recht und dem Völkerrecht. So ist die Unionsrechtsdogmatik auch im Rahmen des vorliegenden Bandes platziert: im Gefolge der Reflexion über die Dogmatik des nationalen Rechts und im Übergang zur Erörterung der Dogmatik des Völkerrechts.

In der Tat teilt das Unionsrecht zentrale Züge mit dem nationalen, dh dem vom Staat ausgehenden, Recht. Zugleich ähnelt es anderweitig dem Völkerrecht als einer von den Staaten gemeinsam geschaffenen Rechtsordnung.[2] Zugleich ist das Unionsrecht von beiden unterschieden, denn die Europäische Union ist kein Staat[3] und verkörpert zugleich eine vom

* Der Verfasser dankt *Lukas Baumgartner* für die Unterstützung bei der Dokumentation des vorliegenden Beitrages.

1 Anzusprechen, indes nicht zu vertiefen, ist an dieser Stelle die Verengung des Fokus, die durch die Konzentration des vorliegenden Beitrages auf die Dogmatik des Unionsrechts und nicht etwa des Europarechts erfolgt. Zur Unterscheidung von Europarecht im weiteren Sinne und im engeren Sinne (Unionsrecht) vgl etwa *Matthias Herdegen*, Europarecht[23] (2022) 1; *Werner Schroeder*, Grundkurs Europarecht[7] (2021) Rz 1; vgl in diesem Zusammenhang auch *Armin von Bogdandy*, Was ist Europarecht? JZ 2018, 589; *Jörg P. Terhechte*, Die Emergenz des Europarechts als Rechtsgebiet – Gründungsmythos und Konsolidierung, wissenschaftliche und curriculare Stabilisierung, politische Desillusionierung und Reformbemühungen – EuR 2018 Beiheft 2, 61 (81 f) mwN.

2 Vgl statt aller *Terhechte*, EuR 2018 Beiheft 2, 61 (67) mwN.

3 Vgl etwa BVerfGE 69, 155 (188) – Lissabon; vgl aber auch aus der Perspektive des Gerichtshofes der Europäischen Union, EuGH 18. 12. 2014, Gutachten 2/13 – EMRK II, Rn 49, 156.

Völkerrecht verschiedene Rechtsordnung.[4] Daher ist Unionsrechtsdogmatik weder „gleichsam Staatsrecht mit anderen Mitteln"[5] noch ist sie eine Unterspielart von Völkerrechtsdogmatik.[6]

Will man sich darüber Rechenschaft ablegen, wie Unionsrechtsdogmatik im Blick auf national- und völkerrechtliche Dogmatik zu verorten ist, gilt es jedenfalls zwei Punkte zu beachten. Erstens haben wir es auf beiden Seiten nicht mit Monolithen zu tun, sondern mit ihrerseits heterogenen und vielschichtigen Gebilden. Zweitens – und mindestens so wichtig – ist festzuhalten, dass beide Bezugspunkte nicht statisch sind. Europäisierung und Internationalisierung haben das nationale Recht in den letzten Jahren in weiten Bereichen und bis in seine Grundstrukturen hinein verändert.[7] Aber auch das Völkerrecht hat sich, vor allem seit 1945, angesichts des massiven Anwachsens seines Normenbestandes, seiner verstärkten Ausrichtung auf das Individuum und seiner Verdichtung und Institutionalisierung nachhaltig gewandelt.[8]

Eine Standortbestimmung der Unionsrechtsdogmatik ist ein anspruchsvolles Unterfangen, das im gegebenen Rahmen nur in skizzenhafter Form in Angriff genommen werden kann. Die im Folgenden angestellten fünf knappen Überlegungen wollen in erster Linie spezifische Rahmenbedingungen von Unionsrechtsdogmatik herausstellen, insbesondere in Vergleich und Kontrast zu den im vorliegenden Band dominierenden nationalrechtlichen Dogmatiken. Darauf aufbauend sollen drei Thesen zu Perspektiven der Unionsrechtsdogmatik formuliert werden.

4 Siehe dazu bereits den Kontrast zwischen EuGH 26/62, *Van Gend en Loos,* Slg 1963, 1, 25 („eine neue Rechtsordnung des Völkerrechts") und EuGH 6/64, *Costa/ENEL,* Slg 1964, 1253, 1269 („eine eigene Rechtsordnung"); vgl aus neuerer Zeit insb EuGH C-741/19, *Komstroy,* Rn 43 („Nach […] ständiger Rechtsprechung des Gerichtshofs wird die Autonomie des Unionsrechts sowohl gegenüber dem Recht der Mitgliedstaaten als auch gegenüber dem Völkerrecht durch die wesentlichen Merkmale der Union und ihres Rechts gerechtfertigt, die die Verfassungsstruktur der Union sowie das Wesen dieses Rechts selbst betreffen.").

5 In diesem Sinne bereits *Matthias Ruffert,* Eine Binnenperspektive auf die deutsche Europarechtswissenschaft – zehn Jahre nach der großen Erschütterung, JöR 2020, 515 (518).

6 Vgl dazu den Beitrag von *Erika de Wet* in diesem Band.

7 Vgl dazu insb die Beiträge von *Bydlinski, Perner/Spitzer, Brameshuber, Eberhard* und *Mayrhofer/Nunner-Krautgasser* in diesem Band.

8 Siehe dazu etwa *Andreas von Arnauld,* Völkerrecht[4] (2019) 8.

Rahmenbedingungen für die Unionsrechtsdogmatik

Die Unionsrechtsdogmatik operiert innerhalb von Rahmenbedingungen, die sich von jenen der nationalrechtlichen Dogmatiken (in Österreich) vielfach markant unterscheiden. Vor diesem Hintergrund sollen nachstehend folgende Gesichtspunkte angesprochen werden: Sprachenvielfalt, Vielfalt der Rechtstraditionen, Vielfalt der Rechtsgebiete, Europäisierung und Konstitutionalisierung.

Vielfalt der Sprachen

Gerade im Hinblick auf die Einsicht, dass das Recht, wie wir es kennen, ein intrinsisch sprachliches Phänomen ist, insofern das Recht seine Sollensanordnungen den Menschen gegenüber im Wege der (indes signifikant spezialisierten und modifizierten) Normalsprache niederlegt, muss sich die Unionsrechtsdogmatik der Herausforderung der Vielsprachigkeit stellen. In der EU gibt es gegenwärtig 24 Amtssprachen.[9] Das Unionsrecht ist mithin in ebenso vielen Sprachfassungen verbindlich – ein historisch und weltweit einzigartiger Befund.

Das Englische hat durch den Brexit zwar den größten Teil seiner Sprecher unter den Unionsbürgerinnen und Unionsbürgern verloren,[10] ist aber als Arbeitssprache der Unionsorgane und Wissenschaftssprache von ungebrochener Bedeutung.[11] Zugleich arbeitet und deliberiert der Gerichtshof der Europäischen Union (EuGH) in Französisch.[12] Dies verkörpert ein

9 VO (EWG) 1/1958 zur Regelung der Sprachenfrage für die Europäische Wirtschaftsgemeinschaft, ABl 1958/17, 385 idF ABl L 2013/158; die Amtssprachen der EU sind demgemäß gegenwärtig Bulgarisch, Dänisch, Deutsch, Englisch, Estnisch, Finnisch, Französisch, Griechisch, Irisch, Italienisch, Kroatisch, Lettisch, Litauisch, Maltesisch, Niederländisch, Polnisch, Portugiesisch, Rumänisch, Schwedisch, Slowakisch, Slowenisch, Spanisch, Tschechisch und Ungarisch.

10 Vgl <nzz.ch/international/brexit-die-briten-sind-weg-ihre-sprache-nicht-ld.1539723>. Vor dem Austritt des Vereinigten Königreichs war Englisch die Muttersprache von 13 % der Unionsbürger, wohingegen sie nunmehr die Muttersprache von lediglich 1 % der Unionsbürger ist.

11 Vgl *Ruffert*, JöR 2020, 515 (521 f); *Daniel Thym*, Zustand und Zukunft der Europarechtswissenschaft in Deutschland, EuR 2015, 671 (679 ff); *Terhechte*, EuR 2018 Beiheft 2, 61 (92 ff).

12 Zur bleibenden Bedeutung des Französischen in diesem Zusammenhang vgl *Thomas von Danwitz*, Funktionsbedingungen der Rechtsprechung des Europäischen Gerichtshofes, EuR 2008, 769 (779). Vgl zum Sprachenregime des EuGH *Karen McAuliffe*, Enlargement at the European Court of Justice: Law, Language and Translation, ELJ 2008, 806.

gewisses Gegengewicht zur Dominanz des Englischen ebenso wie die nach wie vor signifikante europarechtswissenschaftliche Produktion in den romanischen und slawischen Sprachen, aber auch im Deutschen.

Vielsprachigkeit ist der DNA des Unionsrechts mithin eingeschrieben.[13] Dies trifft freilich auch für die Rechtsordnungen einer Reihe von Staaten zu. Dort ist dann auch die nationale Rechtsdogmatik daran gewöhnt, die Implikationen mehrerer authentischer Fassungen desselben Normtextes zu verarbeiten, wie etwa in Belgien, Spanien oder der Schweiz. In Österreich und Deutschland erfolgt freilich eine andere Sozialisierung, gerade auch im Rahmen der juristischen Ausbildung, nämlich im Sinne der Einsprachigkeit des Rechts. Dies fördert Tendenzen der Unterschätzung oder gar Ausblendung der Implikationen vielsprachigen Rechts. Umso mehr ist in diesen Landen zu betonen, dass dogmatische Bemühungen im Bereich des Unionsrechts verlangen, der Vielsprachigkeit des Unionsrechts im (auch alltäglichen) dogmatischen Arbeiten Rechnung zu tragen.

Freilich ist es illusorisch, ja unmöglich – bereits in der Rechtsprechungstätigkeit des EuGH und erst recht für die einzelnen dogmatisch Arbeitenden –, alle 24 Amtssprachen zu verarbeiten. Ein wichtiger Beitrag zur Qualität der dogmatischen Arbeit und zur Förderung der dogmatischen Kultur im Unionsrechtsbereich ist indes schon geleistet, wenn es selbstverständlich wird, neben der deutschen Fassung der Verträge, eines Sekundärrechtsakts oder eines EuGH-Urteils auch die englische und jene anderen Sprachfassungen zu konsultieren, die mit vertretbarem Aufwand erschlossen werden können.[14]

So manche scheinbare Ungenauigkeit in der Argumentation, so mancher angebliche Judikaturwandel lässt sich bei sprachsensibler Lektüre der fraglichen Normtexte relativieren oder gar als übersetzungsinduzierte Falschmeldung entlarven.[15] Von daher ist auch nicht verwunderlich, dass

13 Vgl Art 55 EUV (iVm Art 358 AEUV), aber auch Art 3 Abs 3 EUV, Art 4 Abs 2 EUV, Art 167 AEUV sowie Art 22 GRC.

14 Diesbezüglich bereiten die im Bereich des Unionsrechts zur Verfügung stehenden Datenbanken wesentliche Hilfestellungen; vgl <eur-lex.europa.eu>, <curia.europa.eu/juris/recherche>, <prelex.europa.eu>, <europarl.europa.eu/oeil> aber auch <linguee.de>. Gerade auch durch den technischen Fortschritt und die Digitalisierung darf man sich für die kommenden Jahre wesentliche Erleichterungen in der Zugänglichkeit unterschiedlicher Sprachfassungen der Unionsrechtsvorschriften erwarten.

15 Vgl *Rudolf Streinz*, Die Auslegung des Gemeinschaftsrechts bzw Unionsrechts durch den EuGH, in *Griller/Rill* (Hrsg), Rechtstheorie (2011) 223 (243) FN 128 mwN für einschlägige Beispiele.

subtile Wortlautargumente im unionsrechtlichen Kontext regelmäßig nicht soweit tragen wie im nationalen Recht.[16]

Vielfalt der Rechtstraditionen

Unionsrechtsdogmatik wird zweitens betrieben nicht nur in Anforderung durch eine Vielfalt von Sprachen, sondern auch – und damit zusammenhängend[17] – durch eine Vielfalt von Rechtstraditionen.[18] Dabei geht es nicht bloß oder auch nur in erster Linie um die grobe Aufgleisung in Rechtsfamilien wie kontinentales Recht und common law, sondern um die Auseinandersetzung mit 27 ausdifferenzierten nationalen Rechtsordnungen in einem je spezifischen verfassungsrechtlichen Rahmen.[19]

Dies ist nicht lediglich eine Frage der Deskription, sondern der Präskription. Das europäische Motto „In Vielfalt geeint"[20] leitet uns an, dass die Vielfalt der Rechtstraditionen in der EU nicht allein zur Kenntnis zu nehmen, im dogmatischen Zugriff dann aber zu nivellieren ist.[21] Vielfalt soll von der Unionsrechtsdogmatik vielmehr als Auftrag und Chance ernst genommen werden.[22] Zugleich sind die nationalen Rechtsdogmatiken

16 Vgl *von Danwitz,* EuR 2008, 769 (781); *Streinz* in *Griller/Rill,* Rechtstheorie 223 (243); *Terhechte,* EuR 2018 Beiheft 2, 61 (87). Das ändert nichts daran, dass Wortlautargumente in der Rsp überaus häufig verwendet werden; vgl *Nikolaus Graf Vitzthum,* Methoden für das Europarecht, GPR 2009, 129 (FN 12) mwN. Nach der stRsp des EuGH sind unionsrechtliche Bestimmungen nicht nur nach ihrem Wortlaut, sondern auch im Zusammenhang und unter Berücksichtigung ihrer Ziele auszulegen; vgl etwa EuGH C-223/98, *Adidas,* Rn 23; EuGH C-191/99, *Kvaerner,* Rn 30; EuGH C-76/06, *Britannia Alloys & Chemicals/Kommission,* Rn 21; EuGH C-97/06, *Navicon,* Rn 24.

17 Zum Zusammenhang von Sprachen und Rechtstraditionen vgl etwa *Hatje/Mankowski,* „Nationale Unionsrechte" – Sprachgrenzen, Traditionsgrenzen, Systemgrenzen, Denkgrenzen, EuR 2014, 155 (157).

18 Vgl etwa *Kühling/Lieth,* Dogmatik und Pragmatik als leitende Parameter der Rechtsgewinnung im Gemeinschaftsrecht, EuR 2003, 371 (374).

19 Zu verfassungsrechtlichen Vorprägungen vgl *Hatje/Mankowski,* EuR 2014, 155 (163 f).

20 Präambel und Art I-8, Vertrag über eine Verfassung für Europa, ABl C 2004/310, 3; vgl dazu *Andreas Th. Müller,* Hat das Unionsrecht eine „Philosophie"? in FS Thaler (2019) 363; vgl auch die Nachweise in FN 13.

21 Vgl *Hatje/Mankowski,* EuR 2014, 155 (166f).

22 Art 67 Abs 1 und Art 82 Abs 2 AEUV normieren *expressis verbis,* dass die „Rechtsordnungen und -traditionen der Mitgliedstaaten" beim Aufbau des Raums der Freiheit, der Sicherheit und des Rechts, gerade auch in ihren Unterschieden, zu achten bzw zu berücksichtigen sind.

herausgefordert, die durch die Mitgliedschaft in der EU bewirkte Öffnung der Rechtsordnung für das Unionsrecht[23] auch auf Ebene der Rechtswissenschaft gelingen zu lassen.

Hier liegt indes noch ein großes Stück Weg vor uns. Schon vielfach wurde untersucht und gezeigt, dass und weshalb sich über all die Jahrzehnte intensiver rechtswissenschaftlicher Beschäftigung mit dem Unionsrecht keine gesamteuropäische Unionsrechtsdogmatik, die diesen Namen verdienen würde, herausgebildet hat. Das manifestiert sich insbesondere darin, dass es kaum echte gemeineuropäische wissenschaftliche Diskussionsräume in Gestalt von Zeitschriften[24] oder wissenschaftlichen Gesellschaften[25] gibt, sondern weiter nach Sprache und Rechtstradition separierte Partikularräume dominieren. Nicht zufällig hat sich die Rede von „nationalen Unionsrechten"[26] im europarechtswissenschaftlichen Diskurs fest etabliert.[27]

Dies schafft eine eigentümliche Asymmetrie zwischen der herausragenden Stellung und dem uniformierenden Potenzial des EuGH einerseits und andererseits der pluralistisch-inhomogenen Manier, in der Unionsrechtsdogmatik in den Mitgliedstaaten und darüber hinaus (etwa in den

23 Vgl RV 1546 BlgNR 18. GP, 4: „Des weiteren sollte es die Bestimmung leisten, die österreichische Rechtsordnung gegenüber der Rechtsordnung der EU in der Weise zu öffnen, wie sich dies aus deren besonderem Geltungsanspruch – der vor allem vom Vorrang und von der Durchgriffswirkung des Gemeinschaftsrechts bestimmt ist – ergibt."

24 Man kann natürlich mit einigem Recht auf die Common Market Law Review und andere (zumeist rein englischsprachige) Zeitschriften ähnlichen Kalibers verweisen. Bei genauerem Besehen zeigen sich aber in Hinblick auf die geographischen und sprachlichen Hintergründe, aber auch biographische Besonderheiten der Autorinnen und Autoren (zB fachliche Sozialisierung am Europäischen Hochschulinstitut in Florenz) signifikante Ungleichgewichte; vgl etwa *Thym,* EuR 2015, 671 (673 ff, 679 f).

25 Vgl etwa die FIDE, die Fédération internationale pour le droit européen/International Federation of European Law; hier sind aber ähnliche Überlegungen am Platz wie die zuvor zu den Zeitschriften angestellten. Die Bedeutung nationaler europarechtswissenschaftlicher Gesellschaften und Vereinigungen (wie zB in Österreich und der Schweiz), sofern überhaupt vorhanden (siehe zur Situation in Deutschland *Thym,* EuR 2015, 671 [701]) indiziert jedenfalls auch in diesem Bereich die bleibende Abgrenzung europarechtswissenschaftlicher Diskurse entlang von Sprach- und Rechtskulturgrenzen.

26 Vgl *Hatje/Mankowski,* EuR 2014, 155 f.

27 Vgl *Armin von Bogdandy,* Beobachtungen zur Wissenschaft vom Europarecht, Der Staat 2001, 3 (41); *Terhechte,* EuR 2018 Beiheft 2, 61 (91) sowie *Ruffert,* JöR 2020, 515 (520 f) zur „*deutschen* Europarechtswissenschaft" (Hervorhebung im Original).

EWR-Staaten Island, Liechtenstein und Norwegen, aber auch in der Schweiz[28] und den USA[29]) betrieben wird. Hier liegt einer der zentralen Gründe für die vielfach konstatierte „anwendungsorientierte" Dogmatik[30] des Unionsrechts, die sich stark an der Luxemburger Rechtsprechung orientiert und die immer wieder auch (und teils zu Recht) als übertriebener „EuGH-Positivismus"[31] kritisiert wurde.

Den Einfluss der Unionsrechtsdogmatik auf die Judikatur darf man von daher nicht überschätzen.[32] In jedem Falle wird dieser Einfluss nur sehr limitiert sichtbar, da der EuGH bekanntermaßen zwar besonders gerne sich selbst[33] und teilweise auch andere Gerichte[34], nicht aber die wissenschaftliche Literatur zitiert. Das bedeutet nicht, dass es keinerlei Rückkoppelung von der Wissenschaft zur Rechtsprechung gäbe. Relevante Transmissionsriemen sind hier insbesondere die Schlussanträge der Generalanwältinnen und General-

28 Vgl *Matthias Oesch*, Europarecht I^2: Grundlagen, Institutionen, Verhältnis Schweiz-EU (2019); *Jaag/Hänni*, Europarecht: Die europäischen Institutionen aus Schweizer Sicht^4 (2015); *Breitenmoser/Weyeneth*, Europarecht^4 (2020).

29 In diesem Zusammenhang ist auf das vielfältige Wirken mehrerer Generationen von US-Rechtswissenschaftlern wie etwa *Eric Stein, Joseph H. H. Weiler* und *Daniel H. Halberstam* zu verweisen.

30 Vgl *Thym*, EuR 2015, 671 (694 ff); zur Praxisgeneigtheit der (Europa)Rechtswissenschaft auch *von Bogdandy*, Der Staat 2001, 3 (4); *idem*, Grundprinzipien des Unionsrechts – eine verfassungstheoretische und –dogmatische Skizze, EuR 2009, 749 (755).

31 *Matthias Jestaedt*, Öffentliches Recht als wissenschaftliche Disziplin, in *Engel/Schön* (Hrsg), Das Proprium der Rechtswissenschaft (2007) 241 (250) („einen bisweilen recht krude anmutenden EuGH-Positivismus"; „die Zeiten eines deutschen ‚EuGH-Passivismus' sind passé"); vgl auch *Terhechte*, EuR 2018 Beiheft 2, 61 (84) zum Vorwurf der Distanzlosigkeit der Wissenschaft zum EuGH; dagegen *Ruffert*, JöR 2020, 515 (520).

32 Dazu kritisch auch *Ruffert*, JöR 2020, 515 (524); so auch *von Danwitz*, EuR 2008, 769 (780). Vgl auch *von Bogdandy*, Der Staat 2001, 3 (41): „Auch darf vermutet werden, dass erst ein europäisiertes Europarecht zu einem ernst zu nehmenden Widerlager der europäischen Rechtsproduktion wird."

33 Dies bei weitem am häufigsten; vgl *Graf Vitzthum*, GPR 2009, 129 (131) mwN.

34 Dies betrifft vor allem den Europäischen Gerichtshof für Menschenrechte (EGMR), teilweise – und mit der wachsenden Bedeutung der EU als internationaler Akteurin mit steigender Tendenz – den Internationalen Gerichtshof (IGH); vgl etwa EuGH C-37/00, *Weber*, Rn 34; EuGH C-104/16 P, *Rat/Front Polisario*, Rn 28f, 88, 91, 104 f; EuGH C-363/18, *Organisation juive européenne and Vignoble Psagot*, Rn 35, 48, 56. Weiterführend *Paul Gragl*, Customary International Law in the European Union Legal System: The Substantive Rules Invoked and Applied by the Court of Justice of the European Union, in *Bordin/Müller/Pascual-Vives* (Hrsg), The European Union and Customary International Law (2022) 240 (244, 271 ff).

anwälte,[35] die nicht selten auch biographisch einen europarechtswissenschaftlichen Hintergrund aufweisen. In ihrer Vielfalt bereichern die „nationalen“ Unionsrechte den Gesamtdiskurs, soweit sie nicht auf die Potenziale und Verdienste der jeweils anderen vergessen. Zu Recht wurde vor diesem Hintergrund angesichts der zunehmenden Unübersichtlichkeit des Europarechts ein erhöhter Bedarf nach systematischen Zugriffen in der deutschen Tradition identifiziert[36], ohne dabei aber auf die Gefahren einer unreflektierten „Kryptogermanisierung von Termini und Konzepten“[37] zu vergessen.

Vielfalt der Rechtsgebiete

Doch damit der Vielfalt noch nicht genug. Die Geschichte des Unionsrechts ist drittens auch eine Geschichte seiner fortschreitenden Ausdehnung in andere (und heute beinahe alle) Rechtsgebiete des nationalen Rechts. Anfangs im Wirtschaftsrecht und einer Art von Sonderverwaltungsrecht zu verorten, spricht man heute ohne Anführungszeichen von europäischem Strafrecht, Zivilrecht, Arbeitsrecht, Sozialrecht, Steuerrecht, Umweltrecht, Energierecht, europäischem Verwaltungsrecht und – ja – europäischem Verfassungsrecht.[38]

Dieses Ausgreifen in verschiedenste Rechtsgebiete bietet die Chance, der seit Langem artikulierten Kritik zu begegnen, das Unionsrecht sei von seiner Genese und Ausrichtung her zu einseitig auf Marktliberalisierung und Binnenmarktförderung fixiert. In der Verschränkung und Konkurrenz der Teilrechtsgebiete tritt uns das Unionsrecht zunehmend vergleichbar zum nationalen Recht entgegen, mit all den Wertungshäufungen, -konflikten und -widersprüchen, die damit einherzugehen pflegen.

Damit blüht – oder droht – dem Unionsrecht indes auch das Schicksal einer dogmatischen Spezialisierung nach Teildisziplinen, ja eines Zerfalls in Sonder- oder Spartendogmatiken.[39] Und in der Tat lässt sich beobach-

35 Dazu allg *Burrows/Greaves,* The Advocate General and EC Law (2007).

36 Vgl *Thym,* EuR 2015, 671 (698); vgl in diesem Zusammenhang auch *Kühling/Lieth,* EuR 2003, 371 (373) zu der „Präferenz der Dogmatik gegenüber der Pragmatik und dem Plädoyer für ein stärker dogmatisches Arbeiten im Gemeinschaftsrecht“.

37 *Ruffert,* JöR 2020, 515 (521).

38 So der Titel des Klassikers von *von Bogdandy/Bast* (Hrsg), Europäisches Verfassungsrecht. Theoretische und dogmatische Grundzüge^{2} (2009).

39 Vgl auch *Ruffert,* JöR 2020, 515 (519) („Sonderdogmatiken und voneinander separierte Diskurse“); vgl auch *Terhechte,* EuR 2018 Beiheft 2, 61 (84 f).

ten (was ja zunächst ein Indiz für den Erfolg des Unionsrechts ist), dass die einzelnen europäischen Rechtsfächer zunehmend in die jeweiligen nationalen Teildisziplinen eingereiht und vorrangig dort bearbeitet werden.[40] Diese vertikale Integration nach Rechtsgebieten, etwa in Gestalt der Mehrebenenzusammenschau von nationalem, europäischem und internationalem Umweltrecht, geht tendenziell auf Kosten der horizontalen Integration der unionsrechtlichen Teilgebiete im Gesamt des Unionsrechts.

Hier mag die Idee der Einheit des Unionsrechtssystems[41] regulierend eingreifen. Sie kann insbesondere auch davon zehren, dass das Unionsrecht, jedenfalls vom Prinzip her, jenseits des für viele mitgliedstaatliche Rechtsordnungen charakteristischen public/private law-divide operiert.[42] Darüber hinaus ist hervorzuheben, dass die Unionsgerichtsbarkeit keine (oder zumindest kaum[43]) fachliche Spezialisierung kennt. Dies kann man als eine „allgemeine" Unionsrechtsdogmatik begünstigende Faktoren festhalten.

Insgesamt überwiegen indes wohl die zentrifugalen Kräfte und drängen die Ambitionen unionrechtlicher Dogmatik weiter zurück. Vielfach begnügt man sich überhaupt mit einer reinen unionsrechtlichen Auslegungslehre. Dann droht der Unionsrechtsdogmatik tatsächlich die Reduktion zur Rumpfdisziplin.[44]

Europäisierung des Rechts

Die Unionsrechtsdogmatik entfaltet sich darüber hinaus unter dem Eindruck einer Europäisierung des Rechts im umfassenden Sinne. Damit ist nicht nur die fulminante quantitative Zunahme des Unionsrechts, des sog

40 Vgl *Ruffert,* JöR 2020, 515 (519).

41 Zur ordnenden Idee der Einheit der Rechtsordnung im Zusammenhang mit dem Unionsrecht vgl etwa *Werner Schroeder,* Das Gemeinschaftsrechtssystem (2002) 10 f, 37 f; vgl dazu auch *von Bogdandy,* EuR 2009, 749 (764 f) sowie zu dem damit zusammenhängenden Kohärenzprinzip: *Kirsten Siems,* Das Kohärenzgebot in der Europäischen Union und seine Justitiabilität (1999); *Eberhard Schmidt-Aßmann,* Der Kohärenzgedanke in den EU-Verträgen: Rechtssatz, Programmsatz oder Beschwörungsformel? in FS Wahl (2011) 819.

42 Vgl *Ruffert,* JöR 2020, 515 (518); *Hatje/Mankowski,* EuR 2014, 155 (164).

43 In diesem Zusammenhang lassen sich das frühere (Fach)gericht für den öffentlichen Dienst nennen; vgl Art 19 Abs 1 Satz 1 EUV. Dazu kommt die in Art 256 Abs 1 AEUV iVm Art 51 EuGH-Satzung angelegte Spezialisierung des Gerichts im Bereich des europäischen Wettbewerbsrechts.

44 Vgl *Neil Walker,* Legal Theory and the European Union, OJLS 2005, 581 (585) („respond[s] to data overload by trimming its theoretical ambitions").

Acquis, gemeint. Es geht auch nicht bloß um den massiven Kompetenzzuwachs der EU, sei es der „geschriebenen" Zuständigkeiten durch die wiederkehrenden Reformen der EU-Verträge, sei es der „ungeschriebenen" Zuständigkeiten durch die EuGH-Rechtsprechung.[45]

Prägend sind insbesondere nachhaltige strukturelle Veränderungen in Verhältnis und Wechselwirkung der europäischen und nationalen Rechtsordnungen.[46] In der Metapher des Mehrebenensystems wird das anschaulich, aber letztlich unzureichend ausgedrückt, insofern diese zu stark Trennung, Selbststand und Statik der Ebenen betont.

Wenn von „Europäisierung" die Rede ist, wird besser das stark dynamische Element greifbar, das der europäischen Rechtsordnung immer eigen war.[47] Gewiss ist uns die Unterscheidung zwischen Rechtsstatik und Rechtsdynamik schon lange vertraut, der Sache nach beileibe nicht erst seit der Reinen Rechtslehre.[48] Aber während, pointiert formuliert, das nationale Recht zunächst bei der Statik ansetzt und die Veränderung von dieser her denkt, manifestiert sich das dynamische Element im Unionsrecht in ungleich stärkerer Form.

Dies zeigen namentlich die oft allgemein gehaltenen und zielorientiert formulierten Bestimmungen der EU-Verträge. Sie haben den EuGH bekanntlich seit jeher zu einem finalen Blick auf das Gesamt des Unionsrechts angeregt. Dieser konzeptualisiert die Einzelvorschriften als Instrumente zum Erreichen gemeinsam gesetzter Ziele, anders gesagt: er sucht ihren *effet utile* für das Gesamtprojekt der europäischen Integration zu

45 Zum Phänomen des sog „competence creep" vgl etwa *Paul Craig,* Competence: Clarity, Conferral, Containment and Consideration, ELR 2004, 323; *Stephen Weatherill,* Competence Creep and Competence Control, YEL 2004, 1; *Sacha Garben,* Competence Creep Revisited, JCMS 2019, 205.

46 Vgl *von Bogdandy,* JZ 2018, 589 (592) („enge Verbindung, hohe Interdependenz und dichte Interaktion"; „Verzahnung verschiedener europäischer Rechtsordnungen").

47 Vgl *von Bogdandy,* Der Staat 2001, 3 (23; Hervorhebungen im Original): „Auch [die] Funktion [des Unionsrechts] ist einzigartig, ist es doch in einem für demokratische Gesellschaften gänzlich neuartigen Ausmaß *Instrument* politischer und gesellschaftlicher Transformation. Das europäische Recht sollte in zentralen Hinsichten nicht Machtverhältnisse, soziale Beziehungen und normative Erwartungen *stabilisieren,* sondern mit Blick auf eine gemeinsame europäische Zukunft *verändern.*"

48 Vgl *Hans Kelsen,* Reine Rechtslehre^2 (1960) 72; vgl auch *Rainer Lippold,* Recht und Ordnung: Statik und Dynamik der Rechtsordnung (2000).

aktivieren.[49] Dass sich dies in der unionsrechtlichen Auslegungslehre in einer besonderen Affinität zu teleologischen und dynamisch-evolutiven Argumentationsmustern niederschlägt[50], darf dann nicht überraschen. Das schließt selbstverständlich auch ein, was man in der deutschsprachigen Methodentradition in Abhebung von bloßer Auslegung Rechtsfortbildung zu nennen pflegt – eine Unterscheidung, die man anderswo in dieser Form gar nicht vornehmen kann.[51]

Diesem dynamisierenden Wesenszug nachzuspüren, ist eine bleibende Herausforderung für die Unionsrechtsdogmatik. Vor allem hat sie sich Rechenschaft abzulegen, ob diese Dynamik eine ganz bestimmte Zielrichtung oder „Integrationstendenz"[52] aufweist. Dafür spricht Art 1 Abs 2 EUV, demzufolge es um die „Verwirklichung einer immer engeren Union der Völker Europas" geht.[53] Diese prominente normative Vorgabe des Unionsrechts[54] ist indes vielfach angefragt, ja in Frage gestellt.[55] Dies manifestiert sich etwa im Scheitern der europäischen Verfassung, dem Brexit,[56] aber

49 Siehe dazu etwa EuGH 14.12.1991, Gutachten 1/91, *EWR I*, Rn 18, wonach die Vertragsvorschriften „keineswegs ein Selbstzweck, sondern nur ein Mittel zur Verwirklichung [der] Ziele [des EWGV] sind"; vgl weiterführend *Rudolf Streinz*, Der „effet utile" in der Rechtsprechung des Gerichtshofs der Europäischen Gemeinschaften, in FS Everling (1995) 1491.

50 Vgl *von Danwitz*, EuR 2008, 769 (782); *Streinz* in *Griller/Rill*, 223 (245); *Terhechte*, EuR 2018 Beiheft 2, 61 (87). *Jacques Ziller*, Das Verhältnis von nationalem Recht und Europarecht im Wandel der Zeit: „Relire Van Gend en Loos", in *Schwarze* (Hrsg), Das Verhältnis von nationalem Recht und Europarecht im Wandel der Zeit I (2012) 37 (44) zufolge ist die funktional-teleologische Auslegung „das wichtigste Auslegungsprinzip im EU-Recht".

51 Vgl (etwa im Blick auf das französische Recht) *von Bogdandy*, Der Staat 2001, 3 (19); *Graf Vitzthum*, GPR 2009, 129 f mwN; vgl auch *Jörg Neuner*, § 12: Die Rechtsfortbildung, in *Riesenhuber* (Hrsg), Europäische Methodenlehre[4] (2021) 351 (353) mwN.

52 Vgl *von Bogdandy*, JZ 2018, 589 (590); zu „Vorverständnissen" im Unionsrecht vgl auch *von Danwitz*, EuR 2008, 769 (771 ff).

53 Ähnlich auch Präambularsabsatz 13 EUV sowie Präambularsabsatz 1 GRC; dazu *von Bogdandy*, JZ 2018, 589 (593); vgl auch Gutachten 2/13, Rn 172 („Verwirklichung des Integrationsprozesses [...] die Daseinsberechtigung der Union selbst darstellt").

54 Dazu etwa *Müller* in FS Thaler 368.

55 Vgl *Terhechte*, EuR 2018 Beiheft 2, 61 (63 ff) zur „Mythosdebatte" im Unionsrecht.

56 Zum Zugeständnis an den damaligen britischen Premierminister *David Cameron*, das Ziel der „ever closer union" in Bezug auf das Vereinigte Königreich zu eliminieren, vgl Beschluss der im Europäischen Rat vereinigten Staats- und Regierungschefs, Anlage I zu Schlussfolgerungen des Europäischen Rates vom 18./19. 2. 2016, EUCO 1/16, 19. 2. 2016, 16 („Abschnitt C: Souveränität"); dazu weiterführend *Terhechte*, EuR 2018 Beiheft 2, 61 (70 f), 109 mwN.

auch in der Rechtsstaatlichkeitskrise in Bezug auf Polen, Ungarn und Rumänien mit dem Urteil des polnischen Verfassungsgerichts vom Oktober 2021 als traurigem Höhepunkt,[57] aber auch in der Europajudikatur des deutschen Bundesverfassungsgericht, und zwar nicht erst seit dem PSPP-Urteil von 2020,[58] sondern bereits seit seinem Maastricht-Entscheid.[59]

Bei der Erkundung des Zielekosmos des Unionsrechts darf man jedenfalls nicht außer Acht lassen, dass mit dem Vertrag von Lissabon in Art 4 Abs 2 EUV auch die Wahrung der nationalen Identität der Mitgliedstaaten ausdrücklich und an herausgehobener Stelle Eingang ins Primärrecht gefunden hat. Es ist noch nicht geklärt, inwieweit man aus dieser und verwandten Bestimmungen[60] ein Korrektiv zu einer echten oder vermeintlichen Einseitigkeit, einem proeuropäischen bias (mancher Erscheinungsformen) der Unionsrechtsdogmatik[61] gewinnen wird können.

Weiteren Auftrieb erhalten diese Tendenzen durch das normative Bekenntnis der Verträge zur Demokratie,[62] das dem EU-Recht nicht weniger prominent eingeschrieben ist als das Integrationsziel. Insofern darf man dieses nicht von vornherein dem demokratischen Diskussions- und Legitimationszusammenhang entziehen.[63] Das Unionsrecht ist schon lange nicht mehr das technische Spartenrecht der Anfangszeit. Vielmehr hat es eine massive Politisierung erfahren.[64] Dies lässt sich mit dem bloß abstrakten Rekurs auf eine Einbahnstraße der Integration[65] nicht (mehr) adäquat erfassen.

57 Polnischer VfGH 7. 10. 2021, K 3/21 <trybunal.gov.pl/en/hearings/judgments/art/11662-ocena-zgodnosci-z-konstytucja-rp-wybranych-przepisow-traktatu-o-unii-europejskiej>.

58 BVerfG 154, 17 – PSPP.

59 BVerfGE 89, 155 – Maastricht; BVerfGE 123, 267 – Lissabon.

60 Vgl den Vorbehalt zugunsten der öffentlichen Ordnung und inneren Sicherheit der Mitgliedstaaten (Art 72 AEUV), aber auch das Subsidiaritätsprinzip (Art 5 Abs 3 EUV) sowie die Austrittsklausel (Art 50 EUV).

61 Vgl *Ruffert,* JöR 2020, 515 (517); *von Bogdandy,* Der Staat 2001, 3 (24); EuR 2015, 671 (692); *Jo Shaw,* European Union Legal Studies in Crisis? OJLS 1996, 231 (234 f).

62 Vgl Art 1 Abs 2 EUV („möglichst bürgernah"); Art 2 EUV („Demokratie"), Art 9 ff EUV („Bestimmungen über die demokratischen Grundsätze").

63 In diesem Sinne bereits *von Bogdandy,* Der Staat 2001, 3 (5); pointierter *von Bogdandy,* JZ 2018, 589 (590, 592 f).

64 *von Bogdandy,* JZ 2018, 589 (593); vgl auch *Terhechte,* EuR 2018 Beiheft 2, 61 (74 ff) („Entdeckung des Politischen").

65 Vgl *Terhechte,* EuR 2018 Beiheft 2, 61 (104); *Frank Schorkopf,* Staatsrecht der internationalen Beziehungen (2017) 346 f.

Konstitutionalisierung

Als weitere zentrale Rahmenbedingung von Unionsrechtsdogmatik lässt sich die Konstitutionalisierung des Unionsrechts ansprechen.[66] Damit ist nicht so sehr die Unterscheidung zwischen Primärrecht und Sekundärrecht gemeint. *Dieter Grimm* hat diesbezüglich ja von einer „Überkonstitutionalisierung“ der Verträge gesprochen, insofern das Primärrecht zahlreiche Bestimmungen enthalte, die keinen materiellen Verfassungscharakter hätten, aber dennoch dem Zugriff des Unionsgesetzgebers entzogen seien.[67]

Ebenso wenig sind mit dem Verweis auf die Konstitutionalisierung jene schon alten Rechtsprechungslinien des EuGH aus den 1960er Jahren gemeint, in denen er gewisse Grund- und in diesem Sinne Verfassungsprinzipien des Unionsrechts wie die unmittelbare Wirkung, den Vorrang und die Unionsgrundrechte herausgearbeitet[68] und in deren Folge er die EU-Verträge als „Verfassungsurkunde einer Rechtsgemeinschaft“[69] bezeichnet hat.

Viel mehr interessiert in diesem Zusammenhang, dass der EuGH schon seit geraumer Zeit an einer normativen Ausdifferenzierung innerhalb des Primärrechts arbeitet.[70] Befeuert durch die Hebung der GRC in den Verfassungsrang und die Schaffung der Werteklausel des Art 2 EUV durch den Vertrag von Lissabon positioniert sich der EuGH zunehmend als europäisches Verfassungsgericht und entfaltet eine ordnungsstiftende Wirkung in Bezug auf das Unionsrecht insgesamt.[71] Die jüngere Judika-

66 Vgl etwa *von Bogdandy,* Der Staat 2001, 3 (11 ff) mwN.

67 Vgl *Dieter Grimm,* Europa ja – aber welches? Zur Verfassung der Europäischen Demokratie (2016) 27 ff.

68 Vgl EuGH 5. 2. 1963, 26/62, 1; EuGH 15. 7. 1964, 6/64, 1253; EuGH 29/69, *Stauder/Stadt Ulm,* Rn 425; vgl etwa EuGH C-284/16, *Slowakische Republik/Achmea BV,* Rn 33: „Das Unionsrecht ist nämlich dadurch gekennzeichnet, dass es einer autonomen Quelle, den Verträgen, entspringt und Vorrang vor dem Recht der Mitgliedstaaten hat, sowie durch die unmittelbare Wirkung einer ganzen Reihe für ihre Staatsangehörigen und für sie selbst geltender Bestimmungen. Solche Merkmale haben zu einem strukturierten Netz von miteinander verflochtenen Grundätzen, Regeln und Rechtsbeziehungen geführt, das die Union selbst und ihre Mitgliedstaaten wechselseitig sowie die Mitgliedstaaten untereinander bindet.“

69 EuGH 14. 12. 1991, Gutachten 1/91, Rn 21.

70 Vgl dazu etwa *Markus Heintzen,* Hierarchisierungsprozesse innerhalb des Primärrechts der Europäischen Gemeinschaft, EuR 1994, 35 ff; vgl auch EuGH 14. 12. 1991, Gutachten 1/91, Rn 71 f.

71 Zur Stabilisierungsfunktion vgl etwa *Terhechte,* EuR 2018 Beiheft 2, 61 (98).

tur, vor allem jene zur Rechtsstaatlichkeitskrise, hat vielfältige Äußerungen zu einer europäischen Wertedogmatik sowie zur Rolle von gegenseitigem Vertrauen und gegenseitiger Anerkennung als Kern des europäischen Projekts[72] angestoßen. Von daher sehen viele heute die privilegierte Aufgabe der Unionsrechtsdogmatik in der Begleitung dieser Rechtsprechungstendenzen in Gestalt einer europäischen Verfassungsprinzipienlehre.[73] Hier existiert ein reiches Betätigungsfeld für eine unionale Verfassungsrechtsdogmatik.

Thesen zu Perspektiven der Unionsrechtsdogmatik

Vor diesem Hintergrund kann mit drei zugespitzten Thesen zu Perspektiven der Unionrechtsdogmatik geschlossen werden:

Aufgrund der aufgezeigten Heterogenität der Rahmenbedingungen (Sprachenvielfalt, Vielfalt der Rechtstraditionen und Rechtsgebiete) ist eine „echte" gemeineuropäische Unionsrechtsdogmatik in absehbarer Zukunft nicht erreichbar. Aus den genannten Gründen wird man sich mit einer vorsichtigen Europäisierung der Unionsrechtsdogmatik zu bescheiden haben. Aus denselben Gründen wird die Unionsrechtsdogmatik „anwendungsorientiert" mit der EuGH-Rechtsprechung als ihrem zentralen Anknüpfungspunkt bleiben. Das steht der intensivierten Pflege kritischer Distanz zur Luxemburger Judikatur und damit einer Stärkung des Eigenstands der Unionsrechtsdogmatik nicht nur nicht entgegen, sondern ermöglicht sie erst.[74]

72 Vgl etwa EuGH C-791/19 *Europäische Kommission/Polen,* Rn 50, wonach „die Union aus Staaten besteht, die die in Art. 2 EUV genannten Werte von sich aus und freiwillig übernommen haben, diese achten und sich für deren Förderung einsetzen. Aus Art. 2 EUV geht insbesondere hervor, dass sich die Union auf Werte wie die Rechtsstaatlichkeit gründet, die allen Mitgliedstaaten in einer Gesellschaft, die sich u. a. durch Gerechtigkeit auszeichnet, gemeinsam sind. Das gegenseitige Vertrauen zwischen den Mitgliedstaaten und insbesondere ihren Gerichten beruht auf der grundlegenden Prämisse, dass die Mitgliedstaaten eine Reihe gemeinsamer Werte teilen, auf die sich, wie es in diesem Artikel heißt, die Union gründet."

73 Vgl *von Bogdandy/Bast* (Hrsg), Europäisches Verfassungsrecht[2] (2009); vgl auch *von Bogdandy,* EuR 2009, 749 (761 ff); idem, *von Bogdandy,* Der Staat 2001, 3 (34 ff).

74 Zur Funktion der Entwicklung von Maßstäben systemimmanenter Kritik, die zur Transparenz- und Systematisierungsfunktion hinzutritt, vgl *von Bogdandy,* EuR 2009, 749 (756 f); *von Bogdandy,* Der Staat 2001, 3 (40) mwN.

Die im Vergleich zum nationalen Recht stärker dynamische Prägung des Unionsrechts ernst zu nehmen, impliziert nicht auch schon ein Bekenntnis zur Integration als Einbahnstraße. Die Unionsrechtsdogmatik darf sich gegenüber der Debatte um das Integrationsziel nicht immunisieren, gerade was Fragen seiner demokratischen Legitimierung betrifft.

Spezifische Beiträge lassen sich von der Unionsrechtsdogmatik vor allem im Bereich einer unionalen Verfassungsrechtsdogmatik erwarten, die den Reichtum unionaler Verfassungsprinzipien ernst nimmt und zu explizieren sucht, auch und gerade in Wechselbeziehung zu den mitgliedstaatlichen Rechtsordnungen und zum Völkerrecht.

Erika de Wet/Christian Pippan

Angewandte Völkerrechtsdogmatik: Die Arbeit der Völkerrechtskommission der Vereinten Nationen zur Rechtsquelle „allgemeine Rechtsgrundsätze“

Einleitung

Folgt man jenem (Selbst-)Verständnis von Jurisprudenz, wie es vor allem im deutschsprachigen Raum spätestens seit *Savigny* gepflegt wird,[1] so stellt die Rechtsdogmatik gleichsam selbstredend auch auf dem Gebiet der Völkerrechtswissenschaft ein zentrales Element der insgesamt als „polydimensional“ begriffenen Fachdisziplin dar.[2] Neben der Völkerrechtstheorie wird die Völkerrechtsdogmatik häufig sogar als eine der beiden tragenden Säulen des Gesamtgebäudes der Völkerrechtswissenschaft betrachtet,[3] welches darüber hinaus freilich (um im Bild zu bleiben) durch weitere essentielle Bauelemente – wie insbesondere die Völkerrechtsgeschichte, die Völkerrechtssoziologie, die Völkerrechtsphilosophie und die Völkerrechtspolitik – verstärkt bzw „stabilisiert“ wird. Das Hauptanliegen der Völkerrechtsdogmatik kann dabei – in voller Kenntnis der vielfach bezeugten Unklarheiten, mit denen der schillernde Begriff der Rechtsdogmatik nach wie vor behaftet ist – grosso modo in der analytischen Durchdringung und systematisch geordneten Darstellung des geltenden Völkerrechts, der Beseitigung von Normwidersprüchen sowie der

1 *Christian Bumke,* Rechtsdogmatik. Eine Disziplin und ihre Arbeitsweise (2017) 16 ff.

2 *Panoz Terz,* Die Polydimensionalität der Völkerrechtswissenschaft oder Pro scientia lata iuris inter gentes, AVR 1992, 442.

3 So bereits *Konrad Ginther,* Systemwandel und Theoriendynamik im Völkerrecht, in FS Lipstein (1980) 31 (47); im Ergebnis ähnlich *Martti Koskenniemi,* International Legal Theory and Doctrine, in *Peters/Wolfrum* (Hrsg), Max Planck Encyclopedia of Public International Law (2007) Rz 1 <opil.ouplaw.com/home/mpil> (abgerufen am 30. 8. 2023).

(systemkonformen) Fortentwicklung des Völkerrechtsstoffes gesehen werden.[4]

Nicht zuletzt, um im Lichte der im vorliegenden Band versammelten Beiträge Redundanzen zu vermeiden, wird in diesem Beitrag jedoch allenfalls am Rande zu allgemeinen Aspekten der Rechtsdogmatik Stellung genommen. Stattdessen wird nachfolgend der Versuch der Annäherung an das Generalthema des Bandes anhand eines Beispiels unternommen, das in gewisser Weise als eine Manifestation angewandter Völkerrechtsdogmatik begriffen werden kann. Konkret geht es um die laufende Arbeit der Völkerrechtskommission der Vereinten Nationen (International Law Commission – im Folgenden: ILC) zu den allgemeinen Rechtsgrundsätzen als eine – neben den völkerrechtlichen Verträgen und dem Völkergewohnheitsrecht – eigenständige Quelle des Völkerrechts.

Getragen wird der hier gewählte Zugang dabei von der, soweit ersichtlich, weithin geteilten Überzeugung, wonach Rechtsdogmatik im Kern als eine Gemeinschaftsleistung aller am Rechtsdiskurs beteiligten Akteure aus Wissenschaft und Praxis zu verstehen ist.[5] Wiewohl die Rechtswissenschaft traditionell und mit einiger Berechtigung als zentraler Akteur der Rechtsdogmatik betrachtet wird, so tragen doch zweifellos auch die in der Rechtspraxis getroffenen Entscheidungen zur Fortentwicklung rechtsdogmatischer Systeme bei. Die juristische Dogmatik erweist sich in diesem Zusammenhang, wie *Stark* treffend anmerkt, als „die Grammatik, die beide Sphären verbindet und deren Dialog strukturiert".[6] Im Bereich des Völkerrechts nimmt die ILC vor diesem Hintergrund eine besonders interessante Stellung ein, ist sie doch, wie sogleich zu zeigen sein wird, in mancherlei Hinsicht an der Schnittstelle zwischen Völkerrechtswissenschaft und Völkerrechtspraxis positioniert.

4 In Anlehnung an *Terz,* AVR 1992, 464 f. Aus der jüngeren Literatur zu Begriff und Wesen der Rechtsdogmatik im Allgemeinen vgl zB *Rolf Stürner* (Hrsg), Die Bedeutung der Rechtsdogmatik für die Rechtsentwicklung (2010); *Kirchhof/Magen/Schneider* (Hrsg), Was weiß Dogmatik? Was leistet und wie steuert die Dogmatik des Öffentlichen Rechts? (2012); *Lassahn/Steenbreker,* Gedanken zur Rechtsdogmatik, JR 2015, 553; *Bumke,* Rechtsdogmatik; *Alexander Stark,* Interdisziplinarität der Rechtsdogmatik (2020).

5 *Stark,* Interdisziplinarität 141.

6 Ebd; ähnlich *Matthias Jestaedt,* Wissenschaftliches Recht. Rechtsdogmatik als gemeinsames Kommunikationsformat von Rechtswissenschaft und Rechtspraxis, in FS Mayer (2011) 169.

Aufgabe und Arbeitsweise der Völkerrechtskommission aus dem Blickwinkel der Völkerrechtsdogmatik

Zunächst ein paar Anmerkungen zur ILC als solches. Die zwei Jahre nach der Gründung der Vereinten Nationen im Jahr 1945 im November 1947 als Nebenorgan der UN-Generalversammlung geschaffene Kommission besteht heute aus 34 unabhängigen Experten (zumeist Universitätsprofessoren, Diplomaten, Vertreter nationaler Ministerien und leitende Mitarbeiter internationaler Organisationen), die für eine verlängerbare Amtszeit von jeweils fünf Jahren auf Vorschlag der UN-Mitgliedstaaten von der Generalversammlung gewählt werden. Die Kommission als Ganzes soll sich ihrem Statut zufolge aus „den großen Kulturkreisen und den hauptsächlichen Rechtssystemen der Welt" zusammensetzen.[7] Wie im institutionellen Gefüge der UN üblich, hat jede der fünf regionalen Gruppen Anspruch auf eine feste Anzahl an Sitzen in der ILC. Die entsprechende Sitzverteilung wurde im Jahr 1981 förmlich fixiert und seither nicht geändert.[8]

Das Mandat der Kommission, das bereits in Art 13 Abs 1 lit a der UN-Charta prospektiv vorgegeben war,[9] liegt gemäß Art 1 des ILC-Statuts in der „Förderung der fortschreitenden Entwicklung des Völkerrechts und seiner Kodifizierung".[10] In der Praxis der ILC ist eine Unterscheidung zwischen diesen beiden Aspekten ihres Mandats freilich kaum auszumachen, bedingen doch insbesondere Kodifizierungsvorhaben regelmäßig auch eine Fortentwicklung des Völkerrechts, indem etwa bestehende (gewohnheitsrechtliche) Regeln an neue Lebensverhältnisse angepasst, Regelungslücken geschlossen oder Widersprüche beseitigt werden.[11] Tatsächlich sind aus den Vorarbeiten und Konventionsentwürfen der Kommission im

7 UN Dok A/RES/174 (II), 21. 11. 1947, Art 8. Eine aktuelle Fassung des ILC-Statuts findet sich unter <legal.un.org/ilc/texts/instruments/english/statute/statute.pdf> (abgerufen am 30. 8. 2023).

8 UN Dok A/RES/36/39, 18. 11. 1981. Der Gruppe der afrikanischen Staaten fallen demnach acht Sitze zu, der asiatisch-pazifischen Gruppe sieben, der lateinamerikanisch-karibischen Gruppe sechs, der osteuropäischen Gruppe drei und der Gruppe der westeuropäischen und anderen Staaten acht; dazu kommen zwei weitere Sitze, die jeweils rotierend der afrikanischen oder osteuropäischen Gruppe sowie der asiatisch-pazifischen oder lateinamerikanisch-karibischen Gruppe zufallen.

9 Satzung der Vereinten Nationen vom 26. 6. 1945, BGBl 1956/120.

10 ILC-Statut Art 1 Abs 1.

11 *Christiane Ahlborn,* Frieden durch Recht – 70 Jahre Völkerrechtskommission, VN 2018, 173 (175).

Laufe der Jahre bedeutende völkerrechtliche Vertragswerke hervorgegangen, wie etwa die Wiener Übereinkommen über diplomatische und konsularische Beziehungen (aus den Jahren 1961 bzw 1963),[12] das Wiener Übereinkommen über das Recht der Verträge (1969)[13] oder das Römische Statut des Internationalen Strafgerichtshofs (1998).[14] In jüngerer Zeit hat die ILC jedoch von der Erstellung konkreter Entwürfe zu Kodifikationsprojekten Abstand genommen und ist vermehrt dazu übergegangen, sog „Entwurfsschlussfolgerungen" oder „Entwurfsrichtlinien" zu erarbeiten. Diese werden nicht in der Annahme verfasst, sie würden in absehbarer Zeit die Grundlage neuer Vertragswerke bilden; vielmehr sollen sie eine Orientierung hinsichtlich der Auslegung des Rechts liefern und so die Praxis der Staaten und internationaler Organisationen in rechtlich kohärente Bahnen lenken.[15]

Als Nebenorgan der UN-Generalversammlung ist die ILC selbstverständlich keine Einrichtung der Völkerrechtswissenschaft; sie ist aber zugleich auch keine Institution der rechterzeugenden oder rechtsanwendenden Völkerrechtspraxis im engeren Sinn. Vielmehr stellt sie als weisungsfreies Experten- und Beratungsgremium, dem sowohl Vertreter der Wissenschaft wie auch der Praxis angehören, eine Art Hybrid dar, dessen rechtsdogmatische Dimension vor allem durch ihre Aufgabenstellung und ihre Arbeitsweise bestimmt wird. Erblickt man, wie schon angedeutet,[16] die primäre Aufgabe der Völkerrechtsdogmatik darin, das geltende Völkerrecht systematisch zu erfassen und darzustellen, Widersprüche aufzulösen und aus dem auf unterschiedliche Quellen gestützten Normsystem des Völkerrechts neue (systemkonforme) Regeln abzuleiten, lassen sich damit über weite Strecken Telos und Methodik der ILC überraschend zielgenau festmachen.[17]

Auf die Einzelheiten des Arbeitsablaufs der ILC ist hier nicht näher einzugehen. Im Kern handelt es sich dabei um einen mehrstufigen Prozess der

12 BGBl 1966/66; BGBl 1969/318.

13 BGBl 1980/40.

14 BGBl III 2002/180.

15 *Ahlborn*, VN 2018, 173 (178).

16 Vgl FN 4.

17 Vgl idZ auch die Präzisierung des Kommissionsmandats in Art 15 ihres Statuts, in dem hinsichtlich der Mandatsschiene „Kodifizierung des Völkerrechts" explizit auf „the more precise formulation and systematization of rules of international law in fields where there already has been extensive State practice, precedent and doctrine" verwiesen wird; ILC-Statut Art 15.

systematischen Aufarbeitung einer spezifischen Völkerrechtsthematik, der in aller Regel mehrere Jahre, manchmal auch Jahrzehnte, in Anspruch nimmt und in einem fortgeschrittenen Stadium auch eine laufende Rückkoppelung der Arbeit der ILC mit der Generalversammlung (insbesondere dem sog „Sechsten Ausschuss") und den UN-Mitgliedstaaten gewährleistet.[18] In gewisser Weise ist damit der Arbeit der Kommission von Haus aus jene Brückenfunktion zur Verbindung von wissenschaftlicher Methodik und rechtlicher Praxis zu eigen, die, wie ebenfalls schon erwähnt, weithin als ein wesentliches Charakteristikum der Rechtsdogmatik betrachtet wird.[19] Wollte man diesen Gedanken weiter spinnen, könnte man an dieser Stelle auch auf jenen „triadischen Modus operandi" verweisen, den *Jestaedt* als methodologisches Zentrum der Rechtsdogmatik ausgemacht hat.[20] Auch die Arbeit der ILC ließe sich in diesem Sinne als ein kreativer Prozess verstehen, der darauf abzielt, normative Aussagen, die in der Praxis (im Falle des Völkerrechts vor allem der Staatenpraxis sowie der Praxis internationaler Einrichtungen und Organisationen) erzeugt wurden, zu abstrahieren und in ein auf Widerspruchsfreiheit ausgerichtetes System dogmatischer Sätze einzubetten, um diese anschließend wieder der Praxis zur Konkretisierung anzubieten.[21]

Allgemeine Rechtsgrundsätze als Gegenstand der laufenden Arbeit der Völkerrechtskommission

Die folgende Betrachtung wirft nun, wie eingangs versprochen, einen kurzen Blick auf ein rezentes Beispiel der Arbeit der ILC, namentlich ihre Bemühungen zur Klärung bestimmter Grundfragen zu den allgemeinen Rechtsgrundsätzen (im Folgenden: ARG) als Quelle des Völkerrechts. Das Vorhaben, das im Jahr 2018 erstmals in das Arbeitsprogramm der ILC aufgenommen wurde, ist erneut nicht auf die Erarbeitung eines konkreten Kodifizierungsentwurfs gerichtet. Angestrebt wird vielmehr eine Präzisierung, Aktualisierung und (idealerweise) Konsolidierung eines bestimmten Teilbereichs des Völkerrechts.

18 Vgl dazu *Maurice Kamto,* The Working Methods of the International Law Commission, in *United Nations* (Hrsg), 70 Years of the International Law Commission: Drawing a Balance for the Future (2021) 198.

19 Vgl FN 6; ebenso *Rolf Gröschner,* Rechtsdogmatik, in *Hilgendorf/Joerden* (Hrsg), Handbuch Rechtsphilosophie (2017) 61 (64 f).

20 *Jestaedt* in FS Mayer 169 (176 f).

21 *Lassahn/Steenbreker,* JR 2015, 553 (556).

In der ersten Debatte zum Thema, die 2019 auf der Grundlage des zum damaligen Zeitpunkt ebenfalls ersten Berichts des von der ILC eingesetzten Sonderberichterstatters *(Marcelo Vázquez-Bermúdez)* abgeführt wurde,[22] einigte sich die Kommission auf grundlegende Fragestellungen, welche die ARG als Quelle des Völkerrechts aufwerfen und demgemäß im Mittelpunkt ihrer Beschäftigung mit der Thematik stehen sollen:

- Was ist die Rechtsnatur der ARG als Quelle des Völkerrechts?
- Welche Funktion erfüllen ARG im Völkerrecht (worin besteht ihr Sinn und Zweck)?
- Wo liegt der Ursprung der ARG (werden sie nur aus den nationalen Rechtsordnungen oder auch aus dem Völkerrecht abgeleitet)?
- Wie gestaltet sich das Verhältnis der ARG zu anderen Völkerrechtsquellen (insbesondere zum Völkergewohnheitsrecht)?
- Wie sind die ARG zu identifizieren?[23]

Diese Fragen sind letztlich auch aus innerstaatlicher Sicht von Bedeutung. So gelten in Österreich nach Art 9 Abs 1 B-VG „die allgemein anerkannten Regeln des Völkerrechts" – womit sowohl das Völkergewohnheitsrecht als auch die allgemeinen Rechtsgrundsätze gemeint sind[24] – als Bestandteil des Bundesrechts. Gemäß Art 25 des Grundgesetzes gilt Ähnliches auch für Deutschland. Auch hier sind jedenfalls die „aus den nationalen Rechtsordnungen tradierten allgemeinen Rechtsgrundsätze" Bestandteil des deutschen Bundesrechts.[25]

22 *ILC,* First Report on General Principles of Law, 71st Session (2019) UN Dok A/CN.4/732. Inzwischen wurden vom Special Rapporteur zwei weitere Berichte zum Thema vorgelegt: *ILC,* Second Report on General Principles of Law, 72nd Session (2020) UN Dok A/CN.4/741; *ILC,* Third Report on General Principles of Law, 73rd Session (2022) UN Dok A/CN.4/753.

23 *ILC,* Report on the Work of the Seventy-First Session (2019) UN Dok A/74/10, Ziff 230.

24 *Christoph Grabenwarter,* Völkerrecht, Recht der Europäischen Union und nationales Recht, in *Reinisch* (Hrsg), Österreichisches Handbuch des Völkerrechts[6] (2021) 128 (136).

25 Vgl zB BVerfGE 8. 5. 2007, 118 (124). Nach dem Beschluss des BVerfGE in der Sache *Hold-Out-Gläubiger* handelt es sich bei den ARG um „allgemeine Rechtsprinzipien, die als leitende Grundentscheidungen übereinstimmend in den nationalen Rechtsordnungen anerkannt sind und diesen zugrunde liegen"; BVerfG 3. 7. 2019, 2 BvR 825/14 und 2 BvR 825/15 Rz 33.

Vor dem Hintergrund der bisherigen einschlägigen Arbeit der ILC beschränken sich die nachfolgenden Ausführungen vor allem auf den Zweck, die Herleitung und die Identifizierung der ARG. Dies nicht nur aus Platzgründen, sondern auch, weil den (bisher drei) Berichten des Sonderberichterstatters sowie den elf vorläufigen Schlussfolgerungen der ILC zu entnehmen ist, dass sich gerade diese Punkte als besonders brisant erweisen. Keinesfalls nämlich, soviel sei vorausgeschickt, darf vorschnell vom Vorliegen allgemeiner Rechtsgrundsätze ausgegangen werden, da dies vor allem den Gerichten (nationalen wie internationalen) ein zu hohes Ermessen hinsichtlich der dynamischen Weiterentwicklung des Völkerrechts einräumen würde.

Art 38 Abs 1 lit c IGH-Statut

Zentraler Ausgangspunkt für die Arbeit der ILC ist Art 38 Abs 1 lit c des Statuts des Internationalen Gerichtshofs (IGH).[26] Die in dieser Norm enthaltene völkervertragliche Bestätigung der maßgeblichen Quellen des Völkerrechts inspirierte in der Folge auch die Statuten anderer internationaler Gerichte, zuletzt etwa jenes des Internationalen Strafgerichtshofs (IStGH).[27]

Nach Art 38 Abs 1 seines Statuts ist der IGH gehalten, die ihm unterbreiteten Streitigkeiten „nach dem Völkerrecht“ zu entscheiden und sich dabei insbesondere auf (a) „die internationalen Abkommen allgemeiner oder besonderer Natur“, (b) „das internationale Gewohnheitsrecht“ sowie (c) „die von den zivilisierten Staaten anerkannten allgemeinen Rechtsgrundsätze“ zu stützen.[28]

26 Statut des Internationalen Gerichtshofes vom 26. 6. 1945, BGBl 1956/120.

27 Art 21 Abs 1 lit c des Statuts des IStGH spricht wörtlich von allgemeinen Rechtsgrundsätzen, „die der Gerichtshof aus einzelstaatlichen Rechtsvorschriften der Rechtsysteme der Welt … abgeleitet hat“. In ähnlicher Weise stützte sich auch das Internationale Straftribunal für das ehemalige Jugoslawien (International Criminal Tribunal for the former Yugoslavia/ICTY) im Einzelfall auf „general principles of criminal law common to the major legal systems of the world“; ICTY 14. 1. 2000, *Prosecutor/Zoran Kupreskić et al.*, Judgment, IT-95-16-T, Ziff 591.

28 IGH-Statut Art 38 Abs 1 lit a–c. Ergänzend zu den in lit a–c genannten Rechtsquellen verweist Art 38 Abs 1 lit d des Statuts auch auf „gerichtliche Entscheidungen und die Lehren der anerkanntesten Autoren der verschiedenen Völker“ als Hilfsmittel zur Feststellung der im Einzelfall anwendbaren Rechtsnormen. Neben der Judikatur nationaler und internationaler Gerichte findet somit im Rahmen der Streiterledigung vor dem IGH auch die Völkerrechtsdogmatik als Rechtserkenntnisquelle unmittelbar Berücksichtigung.

Der Begriff der „zivilisierten Staaten“ (bzw, nach anderer Deutung, der „Kulturvölker“) wird seit geraumer Zeit zu Recht sowohl in der Literatur als auch von staatlicher Seite als anachronistisch kritisiert, was auch von der ILC allgemein anerkannt wird.[29] Dem Vorschlag von Berichterstatter *Vázquez-Bermúdez* folgend, wird stattdessen auf den Begriff „Völkergemeinschaft“ (community of nations) abgestellt, wie er auch in Art 15 Abs 2 des Internationalen Paktes über bürgerliche und politische Rechte von 1966 Verwendung findet.[30] Schlussfolgerungsentwurf 2 des Sonderberichterstatters lautet insoweit: „Damit ein allgemeiner Rechtsgrundsatz besteht, muss er von der Völkergemeinschaft allgemein anerkannt sein.“[31]

Umstritten ist innerhalb der ILC (wie auch der Staatengemeinschaft insgesamt), ob die ARG im Sinne des Art 38 Abs 1 lit c IGH-Statut ausschließlich aus den nationalen Rechtsordnungen abgeleitet sind oder ob sie auch innerhalb der internationalen Rechtsordnung selbst entstehen können.[32] Während hinsichtlich der ersten Kategorie Einigkeit besteht, ist letztere – vor allem im Detail – seit jeher mit großen Unsicherheiten behaftet.[33] Gemäß Schlussfolgerungsentwurf 7 des Sonderberichterstatters handelt es sich um Rechtsgrundsätze die (a) in Verträgen und anderen internationalen Instrumenten breite Anerkennung finden, (b) allgemeinen Regeln des Vertragsrechts oder des Völkergewohnheitsrechts zugrunde liegen, oder (c) in sonstiger Hinsicht der Völkerrechtsordnung immanent sind (wie zB der Grundsatz uti possidetis juris).[34]

29 Vgl *ILC,* Second Report Ziff 2 lit d („[...] members of the Commission agreed that the term ‘civilized nations’ is anachronistic and should no longer be employed. In today’s world, all nations must be considered to be civilized“).

30 Internationaler Pakt über bürgerliche und politische Rechte vom 19. 12. 1966, BGBl 1978/591.

31 *ILC,* Second Report, Annex 58. Schlussfolgerungsentwurf 2 wurde von der ILC inzwischen in erster Lesung angenommen; vgl ILC, Report on the 74th Session (2023), Supplement No 10, UN Dok A/78/10, Ziff 40.

32 Schlussfolgerungsentwurf 3 des Sonderberichterstatters anerkennt beide Möglichkeiten (was an sich auch einer weithin geteilten Meinung innerhalb des Schrifttums entspricht); vgl *ILC,* Second Report, Annex 58.

33 *Xuan Shao,* What We Talk about When We Talk about General Principles of Law, Chinese JIL 2021, 219 (221).

34 *ILC,* Second Report, Annex 59. Die ILC hat im Zuge der inzwischen in erster Lesung erfolgten Annahme von Schlussfolgerungsentwurf 7 lediglich den letzten der oben genannten Punkte explizit aufgegriffen; vgl ILC, Report on the 74th Session, Ziff 40.

Auf die zahlreichen Fragen, die mit den in der Völkerrechtsordnung selbst auffindbaren ARG verbunden sind, kann hier nicht näher eingegangen werden.[35] Festgehalten sei jedoch, dass hinsichtlich der Herkunft der ARG beide der eben erwähnten Kategorien in Entscheidungen internationaler Gerichte und Tribunale anzutreffen sind. So betrachtete beispielsweise das Internationale Straftribunal für das ehemalige Jugoslawien (ICTY) in der *Furundzija*-Entscheidung von 1998 die Menschenwürde als einen allgemeinen Rechtsgrundsatz, der dem internationalen Menschenrechtsschutz und dem humanitären Völkerrecht insgesamt zu Grunde liege.[36] Der IGH wiederum bezeichnete etwa das res judicata-Prinzip als ARG, ohne zu präzisieren, ob dieser aus den nationalen Rechtsordnungen oder aus dem Völkerrecht selbst ableitbar ist.[37]

Sinn und Zweck der ARG

Der Grund für die Aufnahme der ARG in die Statuten des IGH und IStGH bestand darin, eine Lösung für Sachverhaltskonstellationen zu bieten, in denen Verträge und Völkergewohnheitsrecht keine eindeutigen Antworten zur Beurteilung eines konkreten Falles liefern. Sie sollten mithin als Lückenfüller dienen und ein non liquet verhindern.[38] Dies bedeutet, dass eine Anwendung von ARG entbehrlich erscheint ist, wenn die einschlägigen Rechte und Pflichten, die durch Verträge oder Völkergewohnheitsrecht geregelt sind, bereits einen hinreichend präzisen Norminhalt aufweisen.[39] Dies folgt im Übrigen auch aus dem Grundsatz lex specialis derogat lege generali, da es sich bei den ARG vielfach um ele-

35 So wird im Rahmen der ILC zB kontrovers diskutiert, ob und inwiefern ARG, die im Völkerrecht selbst zu finden sind, vom Völkergewohnheitsrecht zu unterscheiden sind; vgl *ILC,* Third Report Ziff 20.

36 ICTY 10. 12. 1998, *Prosecutor/Anto Furundzija,* Judgment, IT-95-17/1-T, Ziff 183 („indeed in modern times [human dignity] has become of such paramount importance as to permeate the whole body of international law").

37 IGH 17. 3. 2016, *Question of the Delimitation of the Continental Shelf between Nicaragua and Colombia (Nicaragua v Colombia),* ICJ Reports 2016, 100 (125).

38 *Bonafé/Palchetti,* Relying on General Principles in International Law, in *Brölmann/Radi* (Hrsg), Research Handbook on the Theory and Practice of International Lawmaking (2016) 160.

39 Im Einzelfall können ARG jedoch durchaus Einfluss auf die konkrete Anwendung anderer Völkerrechtsquellen haben; vgl *Giorgio Gaja,* General Principles of Law, in *Peters/Wolfrum* (Hrsg), Max Planck Encyclopedia of Public International Law (2020) Rz 22 <opil.ouplaw.com/home/mpil> (30. 6. 2022).

mentare Rechtsmaximen (zB bona fides, res judicata, pacta sunt servanda) handelt, die in aller Regel eher allgemeiner bzw abstrakter Natur sind.

Der IGH selbst hat bisher noch nie ausdrücklich ein non liquet im Völkerrecht festgestellt. Wenn er sich auf ARG beruft, dann zumeist, um seine eigene Argumentation zu untermauern.[40] In einigen Fällen verneinte er (im Sinne des eben Gesagten) ausdrücklich die Existenz eines ARG, da seiner Ansicht nach die einschlägigen vertraglichen oder völkergewohnheitsrechtlichen Pflichten über einen klaren Inhalt verfügten.[41] Die in den 1990er Jahren vom UN-Sicherheitsrat eingerichteten Ad-hoc-Straftribunale (ICTY, ICTR) griffen hingegen unter Heranziehung nationaler Strafverfahren (vor allem solcher aus anglo-amerikanischen und kontinental-europäischen Rechtssystemen) relativ häufig auf ARG zurück.[42] Zumindest teilweise ist dies freilich auch auf die nur rudimentäre Ausgestaltung der Statuten der betreffenden Tribunale zurückzuführen. Der ständige Internationale Strafgerichtshof ist in dieser Frage erneut deutlich zurückhaltender.[43]

Aus dem Zweck der Lückenschließung ergibt sich naturgemäß die Notwendigkeit, vorab zu klären, ob eine derartige Lücke im Völkerrecht überhaupt besteht. Schließlich ist es durchaus denkbar, dass sich die Staatengemeinschaft – bzw maßgebliche Teile derselben – bewusst dazu entschieden haben, bestimmte Sachfragen nicht oder eben nur eingeschränkt auf der völkerrechtlichen Ebene zu regeln.[44]

Identifizierung

Sollte tatsächlich eine Regelungslücke bestehen, wirft die Methodik zur Identifizierung der ARG und ihrer Übertragbarkeit auf die internationale

40 Ebd Rz 11; vgl auch *Giorgio Gaja*, General Principles in the Jurisprudence of the ICJ, in *Andenas/Fitzmaurice/Tanzi/Wouters* (Hrsg), General Principles and the Coherence of International Law (2019) 35.

41 Vgl zB IGH 12. 4. 1960, *Case Concerning Right of Passage over Indian Territory (Portugal v. India),* ICJ Reports 1960, 6 (43 f).

42 Vgl zB ICTY, *Kupreskić*, Ziff 669.

43 Vgl IStGH 20. 7. 2011, *Prosecutor/Francis K Muthaura et al*, ICC-01/09-02/11, Decision with Respect to the Question of Invalidating the Appointment of Counsel to the Defence (Pre-Trial Chamber II), Ziff 25–27; IStGH 30. 11. 2007, *Prosecutor/Thomas Lubanga Dyilo,* ICC-01/04-01/06, Decision Regarding the Practices Used to Prepare and Familiarise Witnesses for Giving Testimony at Trial (Trial Chamber I), Ziff 41.

44 So gibt es zB noch kein internationales Konkursrecht für Staaten, da bislang keine entsprechende Regelungsbereitschaft auf Seiten der Staatengemeinschaft erkennbar war.

Rechtsordnung schwierige Fragen auf. Folgt man dem von der ILC eingesetzten Sonderberichterstatter, setzt die Bestimmung des Inhalts eines ARG, der sich aus den nationalen Rechtsordnungen ableitet, die Feststellung des Vorhandenseins eines Grundsatzes voraus, „der den verschiedenen Rechtssystemen der Welt gemeinsam ist […]".[45] Dieser vergleichsweise progressive Ansatz verdeutlicht die dynamische Funktion von Art 38 Abs 1 lit c des IGH-Statuts und sein Potential, zur Fortentwicklung des Völkerrechts beizutragen. Ein ARG muss prinzipiell in den verschiedenen Rechtssystemen der Welt nachweisbar sein.[46] Entscheidend ist demnach, dass ein entsprechender Grundsatz in den maßgeblichen Rechtsordnungen verbreitet oder zumindest mit diesen vereinbar ist und nicht, ob er in der jeweiligen Rechtspraxis auch tatsächlich Anwendung findet.[47]

Erforderlich ist jedenfalls eine vergleichende Analyse staatlicher Rechtsakte und Entscheidungen, die breit angelegt und verschiedene Rechtsfamilien und Regionen der Welt umfassen muss.[48] Doch wie repräsentativ muss die Anerkennung durch die Staaten sein? Würde es im Einzelfall ausreichen, zB nur auf die Rechtslage in den kontinental-europäischen und anglo-amerikanischen Rechtsfamilien zurückzugreifen, da diese traditionell erheblichen Einfluss auch auf andere Regionen haben? Auf wie viele bzw welche Staaten aus den verschiedenen Rechtsfamilien ist jeweils Bedacht zu nehmen?[49] Und welches Gewicht soll einem abweichenden Grundsatz beigemessen werden, der nur in einem Rechtskreis existiert? All diese Problemlagen harren bis dato einer ausführlicheren Analyse durch die ILC.

45 *ILC,* Second Report, Entwurfsschlussfolgerung 4 lit a. Siehe nun auch ILC, Report on the 74th Session, Ziff 40.

46 *Marcelo Vázquez-Bermúdez* stützt sich idZ auf den aus der Rechtsvergleichung bekannten Begriff der „Rechtsfamilien" und verweist dabei namentlich auf die „angloamerikanischen, fernöstlichen, germanischen, hinduistischen, islamischen, nordischen und romanischen Rechtsfamilien"; *ILC,* Second Report, Ziff 52.

47 Va in der älteren Literatur wurde diesbezüglich häufig ein im Ergebnis strengerer Ansatz vertreten, vgl zB *Johan Lammers,* „General Principles of Law Recognized by Civilized Nations", in *Kalshoven/Kuyper/Lammers* (Hrsg), Essays on the Development of the International Legal Order (1980) 53 (59).

48 *ILC,* Second Report, Entwurfsschlussfolgerung 5; *ILC,* Report on the 74th Session, Ziff 40. Vgl zur Methodik auch *Shao,* Chinese JIL 2021, 219 (231).

49 So war etwa der Internationale Strafgerichtshof im *Kenyatta*-Fall der Ansicht, dass die Bezugnahme auf nur fünf nationale Jurisdiktionen zur Identifizierung eines AGR nicht ausreicht; IStGH, *Muthaura et al,* Ziff 27.

Auch der IGH hilft bei der Beantwortung dieser Fragen bislang kaum weiter. In seinen Mehrheitsentscheidungen zeichnet sich der Gerichtshof vielmehr durch einen weitestgehend konturlosen Umgang mit allgemeinen Rechtsgrundsätzen aus.[50] In jenen Fällen, in denen der IGH auf ARG zurückgriff, betrachtete er sie zumeist als selbstverständlich. Im *Korfu-Kanal-Fall* (1949) beispielsweise erklärte die Richtermehrheit lapidar, Indizienbeweise seien zulässig, da sie in allen Rechtssystemen erlaubt seien und ihre Verwendung auch von internationalen Gerichten gebilligt werde.[51] Im *Barcelona Traction-Fall* (1970) stützte sich der Gerichtshof in ähnlicher Weise ohne weitere Einlassung auf das aus dem innerstaatlichen Recht bekannte Konzept der Gesellschaft mit beschränkter Haftung (GmbH).[52] Angemerkt sei allerdings, dass einzelne Richter in ihren separaten oder abweichenden Stellungnahmen gelegentlich durchaus deutlicher zur rechtsvergleichenden Methodik Stellung nehmen.[53]

Übertragung

Um das Vorhandensein und den Inhalt eines ARG, der sich aus den nationalen Rechtsordnungen ableitet, für die Zwecke des Völkerrechts zu bestimmen, ist nicht nur der Nachweis eines Grundsatzes erforderlich, der den verschiedenen Rechtsordnungen der Welt als solches gemeinsam ist. Vielmehr muss auch seine Übertragung bzw Übertragbarkeit auf die

50 *Gaja* in *Andenas et al,* General Principles 35 (36 ff). Für eine umfassende Darstellung der Berücksichtigung allgemeiner Rechtsgrundsätze in der Rechtsprechung des IGH (und seines Vorläufers, dem Ständigen Internationalem Gerichtshof) vgl *Marija Dordeska,* General Principles of Law Recognized by Civilized Nations (1922-2018): The Evolution of the Third Source of International Law Through the Jurisprudence of the Permanent International Court of Justice and the International Court of Justice (2020).

51 IGH 9. 4. 1949, *Corfu Channel (United Kingdom of Great Britain and Northern Ireland/Albania),* Judgment, ICJ Reports 1949, 4 (18).

52 IGH 5. 2. 1970, *Barcelona Traction, Light and Power Company, Limited (Belgium/Spain),* Judgment, ICJ Reports 1970, 3 (39).

53 Dabei fällt auf, dass sowohl die Zahl als auch die regionale Vielfalt der für den Vergleich ausgewählten Rechtsordnungen häufig eher bescheiden ausfallen. So stützte etwa Richter *Simma* im *Bohrinsel*-Fall (2003) seine Ansicht, wonach das Deliktsprinzip der gesamtschuldnerischen Haftung einen ARG bildet, lediglich auf eine Betrachtung der Rechtsordnungen Kanadas, Kaliforniens, Frankeichs, Deutschlands und der Schweiz; IGH 6. 11. 2003, *Oil Platforms (Islamic Republic of Iran/USA),* Judgment, ICJ Reports 2003, 161 (dissenting opinion Judge *Simma*).

internationale Rechtsordnung nachgewiesen werden.[54] Anders ausgedrückt: Die bloße Anerkennung eines Rechtsgrundsatzes in den staatlichen Rechtsordnungen reicht allein nicht aus, um seine Rechtsgeltung auch im Völkerrecht zu begründen; er muss darüber hinaus mit der grundlegenden Struktur der internationalen Rechtsordnung, die in erster Linie dezentraler Natur ist, in Einklang gebracht werden. IdZ kann – wie insbesondere bestimmte Urteile des Jugoslawien-Tribunals nahelegen – die Übertragung eines ARG auf die internationale Rechtsordnung auch eine Modifizierung des fraglichen Grundsatzes erfordern, damit er für die Anwendung im Bereich des Völkerrechts tatsächlich in Betracht kommt.

In diesem Sinne stützte sich das Tribunal etwa in seiner *Furundzija*-Entscheidung von 1998 auf ARG, um den Tatbestand der Vergewaltigung für die Zwecke des Völkerstrafrechts zu konkretisieren.[55] Das Tribunal vertrat darüber hinaus die Ansicht, dass es nicht gegen den Rechtsgrundsatz nullum crimen sine lege verstoße, den im fraglichen Verfahren Angeklagten wegen Vergewaltigung zu belangen, selbst wenn er nach Maßgabe einzelner nationaler Strafrechtssysteme (jenes seines Heimatstaates eingeschlossen) nur wegen sexueller Nötigung zur Verantwortung gezogen werden könnte. Begründet wurde dies im Ergebnis damit, dass die in Rede stehenden Handlungen des Angeklagten jedenfalls als gerichtlich strafbar einzustufen seien, insoweit also keine Kriminalisierung einer Handlung erfolge, die zum Zeitpunkt ihrer Begehung straffrei gewesen sei.[56] Das ICTY vertrat damit offenkundig eine „flexible" Interpretation des Legalitätsprinzips.

Kurz darauf stellte sich das Tribunal in der *Delalic*-Entscheidung auf den Standpunkt, dass den ARG nullum crimen sine lege und nulla poena sine lege im Völkerrecht ein angepasster (flexiblerer) Gehalt zukomme, als in nationalen Rechtssystemen, da von internationalen Gerichten ein Gleich-

54 *ILC,* Second Report, Entwurfsschlussfolgerung 4 lit b; ILC, Report on the 74th Session, Ziff 40.

55 ICTY, *Furundzija*, Ziff 165 ff. In dieser Entscheidung berücksichtigte das Tribunal 18 Rechtssysteme aus überwiegend westlichen Staaten und räumte dabei ein, dass es zum Teil erhebliche Unterschiede bezüglich des Straftatbestandes der Vergewaltigung gibt (ebd, Ziff 181). Im Fall *Kunarac,* bei dem es um denselben Tatbestand ging, berücksichtigte das Tribunal dagegen mehr als 30 nationale Rechtsordnungen (vorwiegend aus den Rechtskreisen des common law und das civil law); ICTY 22. 2. 2001, *Prosecutor v Dragoljub Kunarac et al,* Judgment, IT-96-23-T, Ziff 436 ff. In keinem Fall hat das Tribunal seine Auswahl näher begründet.

56 ICTY, *Furundzija*, Ziff 184.

gewicht zwischen einem fairen Verfahren und der Wahrung der Weltordnung zu gewährleisten sei.[57] Das Tribunal zeigte sich dabei unbeeindruckt von der Tatsache, dass die erwähnten Rechtsgrundsätze im Statut des Internationalen Strafgerichtshofes – das im Juli 1998 und damit fünf Monate vor den Entscheidungen in den Fällen *Furundzija* und *Delalic* angenommen worden war – in einem durchaus traditionellem Verständnis Bestätigung fanden.[58]

Der Möglichkeit, einen Rechtsgrundsatz, der den verschiedenen Rechtsfamilien der Welt gemeinsam ist, im Zuge seiner Übertragung auf die Ebene des Völkerrechts für die Zwecke desselben zu modifizieren, sind freilich (richtigerweise enge) Grenzen gesetzt. An dieser Stelle sei erneut auf die Entscheidung des deutschen Bundesverfassungsgerichts im Fall *Hold-Out-Gläubiger* verwiesen. Darin stellte das BVerfGE klar, dass eine Regel des nationalen Rechts, die eine Institution oder ein Verfahren voraussetzt, welche/welches auf internationaler Ebene kein Äquivalent hat, nicht als AGR in Betracht kommt. Die von der Beschwerdeführerin angeführten insolvenzrechtlichen Ausprägungen des Grundsatzes von Treu und Glauben ließen sich daher nicht auf die völkerrechtliche Ebene übertragen, da es hier (noch) kein einheitliches Konkursrecht für Staaten und daher auch keine unabhängige Aufsichts- oder Kontrollinstanz gibt, welche die Einhaltung entsprechender Verfahrensregeln überwachen könnte.[59]

Fazit

In der wissenschaftstheoretischen Betrachtung der Rechtsdogmatik wird häufig auf ihren bi-dimensionalen Charakter Bezug genommen. Die Rechtsdogmatik (und damit auch die Völkerrechtsdogmatik) besitzt demnach sowohl eine analytische Dimension, in der das Normmaterial systematisiert und begrifflich geordnet wird, wie auch eine normative Dimension, in der das Recht weiterentwickelt wird.[60]

57 ICTY 16. 11. 1998, *Prosecutor/Zejnil Delalic et al*, Judgment, IT-96-21-T, Ziff 43.

58 IStGH-Statut Art 22–23. Art 22 Abs 2 des Statuts bestimmt explizit, dass die im Statut genannten Begriffsbestimmungen eines Verbrechens eng auszulegen sind und nicht durch Analogie ausgeweitet werden dürfen; im Zweifelsfall muss ein Begriff außerdem zugunsten des Angeklagten ausgelegt werden.

59 BVerfG 3. 7. 2019, 2 BvR 825/14 und 2 BvR 825/15, Rz 34 ff.

60 *Lassahn/Steenbreker*, JR 2015, 553 (556).

Die ILC der Vereinten Nationen, wiewohl selbst keine Erscheinung der Völkerrechtswissenschaft, entspricht hinsichtlich ihrer Aufgabenstellung und Arbeitsweise dieser Vorstellung in bemerkenswert treffsicherer Weise. Ob sie die damit verbundenen Erwartungen in Bezug auf ihre im Jahr 2019 begonnene Arbeit zu den ARG einlösen können wird, ob sie also auch und gerade auf dem Boden und mit den Mitteln der Rechtsdogmatik zu einer neuen Dogmatik der allgemeinen Rechtsgrundsätze beitragen können wird und, noch mehr, ob die Ergebnisse dieser Arbeit auf ausreichende Akzeptanz in der Staatenwelt stoßen werden, bleibt vorläufig noch offen.[61]

So täuscht etwa die Einigkeit innerhalb der ILC über die Anerkennung von ARG, die den nationalen Rechtssystemen gemeinsam sind, über die Herausforderungen und Risiken hinweg, die mit ihrer Identifizierung und Übertragung auf die Völkerrechtsordnung verbunden sind. Sollte die verstärkte Heranziehung allgemeiner Rechtsgrundsätze durch internationale Richter zum Zweck der Lückenschließung von den primären Akteuren des Völkerrechts als selektiv bzw willkürlich wahrgenommen werden oder gar als Versuch, die einschlägigen Regeln des Völkervertrags- oder Völkergewohnheitsrechts zu umgehen, wäre am Ende wohl eine schleichende Entfremdung der Staaten von internationalen Streitbeilegungsmechanismen die Folge.

Zudem lauert hier die Gefahr, Gerichten auf der Basis wirklichkeitsfremder „rechtsdogmatischer Konstruktionen" *(Tomuschat)* eine zu große Rolle bei der Fortentwicklung des Rechts einzuräumen, die grundsätzlich bei den Staaten als den Hauptakteuren des Völkerrechts bzw der internationalen Gemeinschaft als Ganzes liegen sollte. Sowohl der IGH als auch der Internationale Strafgerichtshof scheinen sich dieser Gefahr bewusst zu sein; jedenfalls ist der Umgang dieser Instanzen mit den ARG – im Gegensatz zur diesbezüglichen Haltung der Ad-hoc-Straftribunale in den 1990er Jahren – erkennbar von Zurückhaltung geprägt. Insgesamt bedürfen die methodologischen Herausforderungen, die mit den ARG verbunden sind, einer noch deutlich gründlicheren Analyse seitens der ILC, sofern dieses Projekt einen sinnvollen Beitrag zur Entwicklung des Völkerrechts leisten soll.

61 Schon *Christian Tomuschat* hatte – in seiner damaligen Eigenschaft als erstes deutsches ILC-Mitglied – auf die Gefahr hingewiesen, dass sich die ILC in ihrer Arbeit vermehrt in „allgemeine rechtsdogmatische Konstruktionen verlieren könnte, an deren Regelung die Staaten kein echtes Interesse haben"; *Christian Tomuschat,* Die Völkerrechtskommission der Vereinten Nationen, VN 1988, 180 (185).

Teil V
Rechtsdogmatik und Sozialwissenschaft
Rechtsdogmatik als Sozialwissenschaft

Anne van Aaken

Rechtsdogmatik als Sozialwissenschaft: Plädoyer für eine transparente Rechtslehre

Einleitung

Kelsens Reine Rechtslehre war ein Versuch, die Rechtswissenschaft von außerrechtlichen Einflüssen zu reinigen. Dahinter stand sein Anliegen, politische Einstellungen aus der Rechtswissenschaft zu entfernen: „Nicht um die Stellung der Jurisprudenz innerhalb der Wissenschaft geht in Wahrheit der Streit – wie es freilich den Anschein hat; sondern um das Verhältnis der Rechtswissenschaft zur Politik, um die saubere Trennung der einen von der anderen, um den Verzicht auf die eingewurzelte Gewohnheit, im Namen der Wissenschaft vom Recht, unter Berufung also auf eine objektive Instanz, politische Forderungen zu erheben, die einen höchst subjektive Charakter haben können, auch wenn sie, im besten Glauben, als Ideal einer Religion, Nation oder Klasse auftreten."[1] *Kelsen* ist damit den Weg gegangen, die Rechtswissenschaft von anderen Sozialwissenschaften zu trennen. Das ist meines Erachtens nicht der richtige Weg. Sein Grundanliegen, nämlich die versteckten politischen und subjektiven Einstellungen, die der Rechtsanwender, bewusst oder unbewusst, in die Auslegung der Gesetze „hineinschmuggelt", zu entlarven und offenzulegen, teile ich mit voller Überzeugung.[2] Damit aber die Rechtswissenschaft von anderen Wissenschaften zu

1 *Hans Kelsen,* Reine Rechtslehre[1] (1934) Vorwort XI.

2 Es sei betont, dass *Kelsen* auf die Reinheit der Theorie zielte, nicht auf die Reinheit der Dogmatik oder der rechtlichen Interpretation, vgl *Hans Kelsen,* Juristischer Formalismus und reine Rechtslehre, Juristische Wochenschrift (1929) 1723, insbesondere 1726. Siehe auch etwa *Brian Leiter,* Positivism, Formalism, Realism, Columbia Law Review 1999, 1138, 1150. „Positivism is a theory of law, while formalism is a theory of adjudication." sowie *Christoph Bezemek,* Pure Formalism? Kelsenian Interpretative Theory between Textualism and Realism in *Telman* (Hrsg), *Hans Kelsen* in America 249 (253 f): „Kelsen argues in favor of a formalistic theory of law, not a formalist theory of legal interpretation."

trennen, die Auslegung von außerrechtlichen wissenschaftlichen Erwägungen freizuhalten, bedeutet das Kind mit dem Bade auszuschütten. Wird Recht als gesellschaftliches Steuerungsmittel verstanden, so ist der Einbezug der Sozialwissenschaften als Referenzwissenschaften in die Rechtswissenschaft unerlässlich. Diese Wissenschaften sind notwendig für ein lebenswirkliches Verständnis des Rechts und finden über die Auslegung auch ihren Weg in die Dogmatik, die, wenn sie zeitgemäß und wirksam sein soll, wirklichkeitswissenschaftliche Erkenntnisse einbeziehen muss. Allerdings, und dies ist das Argument dieses Aufsatzes, muss dies auf transparente Art und Weise geschehen. Es muss klar sein, bei jedem Auslegungsschritt und bei jeder Auslegungsmethode, welche außerrechtlichen Erkenntnisse für die Auslegung verwendet werden und was ihr wissenschaftstheoretischer Status ist. Dies soll dazu dienen, aufgeklärte Diskussion von Dogmatik und Auslegungsmethoden zu verbessern und Kritik zu ermöglichen. Ich denke, dass eine solche transparente Rechtslehre dem Anliegen *Kelsens* gerecht würde, ohne die Rechtswissenschaft ihres Wirklichkeitsbezuges zu berauben.

Der Beitrag ist folgendermaßen gegliedert. Zuerst wird der erkenntnistheoretische Trialismus von *Hermann Kantorowicz* dargestellt, da sich anhand dessen die einzelnen Erkenntnisschritte verdeutlichen lassen. Hier wird insbesondere auf die Sozialwissenschaft und ihre Erkenntnismethoden eingegangen. Sodann werden die Auslegungsmethoden und ihr Einfluss auf Rechtsdogmatik und der Einbezug der Sozialwissenschaften dargestellt, um danach auf die externe Perspektive auf die Rechtsdogmatik als Sozialwissenschaft einzugehen. Zum Schluss wird Stand und Perspektiven von transparenzbasierten sozialwissenschaftlich informierten Auslegungsmethoden und damit Dogmatik aufgezeigt.

Die Rolle der Sozialwissenschaften im erkenntnistheoretischen Trialismus der Rechtswissenschaft

Die Beschäftigung mit Recht kann im Hinblick auf drei unterschiedliche Erkenntnisziele der Wert-, Norm- und Realwissenschaft erfolgen. Diese wiederum können zum einen auf einer generalisierenden Ebene, zum anderen auf einer individuellen Ebene behandelt werden.[3] Eine solche weitergehende

3 *Hermann Kantorowicz,* Rechtswissenschaft und Soziologie, in Verhandlungen des ersten deutschen Soziologentages vom 19. bis 22. Oktober 1910 in Frankfurt am Main (1969) 275, <https://nbn-resolving.org/urn:nbn:de:0168-ssoar-187924> (15. 7. 2022). Ihm folgend: *Max Weber.*

Unterscheidung ist sinnvoll, weil nur so die verschiedenen rechtswissenschaftlichen Ansätze eingeordnet werden können und der Platz der Relevanz der Sozialwissenschaften um einiges deutlicher wird. Zusammenfassend soll diese Kategorisierung in einer Abbildung veranschaulicht werden:

	Wertwissenschaft	Normwissenschaft/ Rechtsanwendungswissenschaft	Realwissenschaft
Generalisierende Erkenntnis	Rechtsphilosophie Geltungsgrund des Rechts Gerechtigkeit, ...	➢ Methodenlehre ➢ klassische Auslegungsmethoden ➢ Folgenorientierung ➢ Komparatives Argument ➢ Verhältnismäßigkeit	Rechtssoziologie Rechtsanthropologie Politikwissenschaft Ökonomische Analyse des Rechts - Rational Choice - Verhaltensökonomie
Individualisierende Erkenntnis	Rechtspolitik	Dogmatik	Empirische Forschung Rechtstatsachenforschung

Abbildung: Erkenntnistrialismus in der Rechtswissenschaft

Diese drei Säulen der Erkenntnis liegen nicht getrennt voneinander, sondern beeinflussen sich gegenseitig. Rechtsphilosophie (generalisierende Erkenntnis) und Rechtspolitik (individualisierende Erkenntnis) werden dem wertwissenschaftlichen Bereich zugeordnet, wenn es um die Frage geht, welche Ziele eine Rechtsordnung verfolgen sollte. Diese ist von höchster Bedeutung, aber nicht Gegenstand dieses Beitrags. Realwissenschaft meint die heutigen Sozialwissenschaften, die sich mit der Wirklichkeit beschäftigen. Zum einen wird die Realwissenschaft insbesondere bei der Rechtspolitik (Gesetzesfolgenabschätzung) gebraucht. Zum anderen, und vorliegend von Interesse, ist der Einfluss der Realwissenschaft auf die Norm- bzw Rechtsanwendungswissenschaft und ihre Interpretationsmethoden und damit auch auf die Dogmatik. Die Rechtsanwendungswissenschaft umfasst nach *Kantorowicz* als generalisierende Erkenntnis die Auslegungsmethoden und auf der individualisierenden Erkenntnis die Dogmatik. Hier wird allein auf die Bedeutung der Sozialwissenschaften für die generalisierende Ebene, dh auf die Auslegungsmethoden, eingegangen welche selbstredend Einfluss auf die Dogmatik hat.[4] Auch wenn Aus-

4 Vgl *Anna Bettina Kaiser* in diesem Band.

legung (nur) als die Vorstufe zur Dogmatik angesehen wird, konzentriere ich mich darauf.

Wichtig für die Transparenz ist insbesondere der erkenntnistheoretische Stellenwert der Sozialwissenschaften und somit damit auch ihre Grenzen. Wahrheit in den Sozialwissenschaften ist nicht Objektivität, sondern Intersubjektivität, die empirisch untermauert sein sollte. Ein absolutes, endgültiges Wissen gibt es nicht, sondern es ist historisch determiniert und wird in einem ständigen Prozess der Revision vorangetrieben. Folgt man diesem Ansatz des kritischen Rationalismus, dann liegt der eigentliche Wert wissenschaftlicher Theorien und des durch sie produzierten Wissens nicht in ihrer Allgemeingültigkeit und Überzeitlichkeit, sondern dass sie potentiell falsifizierbar, also widerlegbar, sein müssen.[5] Was Theorien leisten können, ist, dass sie „[...] vorläufige Formulierungen und Hypothesen liefern, die in kritischer Diskussion stetige Überprüfung und Verbesserung zulassen".[6] Um den genauen erkenntnistheoretischen Stellenwert der sozialwissenschaftlichen Aussagen in den Auslegungsmethoden zu verstehen, muss daher differenziert werden. Sozialwissenschaften können analytische und empirische Aussagen machen. Erstere sind theoriebasiert und können der generalisierenden Erkenntnis zugeordnet werden. Verschiedene Theorien der Soziologie, der Politikwissenschaft, der Sozialpsychologie, sowie der Wirtschaftswissenschaften mit unterschiedlichen Annahmen (die expliziert werden müssen), stehen zur Auswahl. Analytische Aussagen beantworten die Fragen der Erklärung und der Prognose. Weiterhin wird diese Art von Aussagen auch gebraucht, um Maßnahmenprobleme zu lösen, denn wenn gefragt wird, was getan werden muss, damit etwas der Fall sein wird, so muss zuvor erklärt werden, warum etwas der Fall ist oder sein wird. Es handelt sich mithin um Zweck-Mittel-Rationalität. Die analytischen Aussagen können – und sollten soweit wie möglich – anhand von empirischen Untersuchungen bestätigt oder verworfen werden (individualisierende Ebene). Analytische Aussagen bilden damit eine notwendige Vorstufe zu empiri-

5 *Karl Popper*, Logik der Forschung[10] (1994).

6 *Döring/Popper*, Einführung in Werk und Leben (1992) 9. Siehe auch *Hans Albert*, Varianten des kritischen Rationalismus in *Böhm/Holweg/Hoock* (Hrsg), Karl Poppers kritischer Rationalismus heute: zur Aktualität kritisch-rationaler Wissenschaftstheorie (2002) 3.

schen Untersuchungen.[7] Um es an *Kant* anzulehnen: Theorie ohne Empirie ist leer, Empirie ohne Theorie ist blind. Analytische Aussagen[8] setzen axiomatisch explizite Annahmen fest und arbeiten mittels logischer Analyse die darin enthaltenen impliziten Informationen heraus. Durch die Explizierung impliziter Informationen entsteht Transparenz und Kritisierbarkeit. Annahmen über Kausalzusammenhänge, die weder theoretisch, also analytisch, noch empirisch untermauert sind, sind häufig anzutreffen in Auslegungsvorgängen. Sie erlauben genau die von *Kelsen* kritisierte Politisierung, da die dort versteckten Werturteile oder einfach subjektiven Annahmen gesetzt und nicht geprüft werden. Diese Kausalannahmen beruhen häufig auf Intuition, die bewusst oder unbewusst durch den sozialen, ideologischen oder politischen Hintergrund des Rechtsanwenders gefärbt sind. Wenn diese Annahmen nicht hinterfragt und transparent gemacht werden, ist dies einer kritikfähigen Auslegungsargumentation nicht dienlich – und die friedensstiftende Funktion des Rechts wird vermindert, da die Divergenz der Auffassungen nicht durch realwissenschaftliche Argumente verkleinert werden kann.

Interne Perspektive auf Dogmatik als Sozialwissenschaft

Interne Perspektive beschreiben die Vorgänge der Rechtsanwendung, mithin Auslegung. Die klassischen Auslegungsmethoden sind seit *Savigny* Gegenstand vielerlei Diskussionen gewesen und geblieben; hier ist nicht der Ort, diese wieder aufzugreifen.[9] Angemerkt sei aber, dass die Sozialwissenschaften in der Rechtsauslegung die klassischen Canones nicht verdrängen, sondern sie ergänzen. Nach *Larenz*[10] gibt es fünf Auslegungskriterien, nämlich Wortsinn (Semantik), Bedeutungszusammenhang des

7 Eine solche Vorgehensweise ist insbesondere in der Soziologie, aber auch in der Rechtsvergleichung nicht unumstritten. So gibt es Rechtsvergleicher, die aufgrund der Geschichtlichkeit des Rechts und der kulturellen Eigenheiten eine systematische Rechtsvergleichung ablehnen. Bei den Soziologen findet man die Auffassung, dass menschliches Handeln nur durch hermeneutische Methoden zu erfassen sei. Siehe dazu *Karl-Dieter Opp*, Methodologie der Sozialwissenschaften, Einführung in Probleme ihrer Theorienbildung und praktischen Anwendung (1995) 98 ff.

8 Siehe dazu ausführlich ebd.

9 Siehe dazu *Robert Alexy*, Theorie der juristischen Argumentation (1996) sowie *Canaris/Larenz*, Methodenlehre der Rechtswissenschaft (1999).

10 *Karl Larenz*, Methodenlehre der Rechtswissenschaft (1979) 307 ff. Zur europarechtskonformen Auslegung, siehe *Peter Bydlinski* in diesem Band.

Gesetzes (Systematik), den Willen des historischen Gesetzgebers (subjektiv-teleologisch oder genetisch), objektiv-teleologische Kriterien sowie die verfassungskonforme Auslegung. Werden Auslegungsziel und Auslegungsmittel getrennt,[11] so können die teleologischen (subjektiv und objektiv) Auslegungselemente als Auslegungsziele betrachtet werden, die anderen Elemente als Mittel. Ein Problem der Auslegungsziele, insbesondere der subjektiven Auslegung, ist die Zielermittlung: Der Gesetzgeber sei „Fiktion" und sein Wille sei nicht einheitlich. Wenn zudem keine Zielvorstellung explizit formuliert wird, so muss auf den mutmaßlichen Willen des Gesetzgebers abgestellt werden.[12] Auch über eine Rangfolge der Auslegungselemente besteht keine Einigkeit, obwohl die objektiv-teleologische Auslegung letztlich als das entscheidende Kriterium angesehen wird.[13] Das Abstellen auf „Sinn und Zweck" des Gesetzes bzw auf die „Natur der Sache" beinhaltet denn auch die Bezugnahme auf die der Rechtsordnung immanenten Prinzipien, wie beispielsweise den Gleichheitssatz, die Grundsätze verfassungskonformer Auslegung, die Sachstrukturen des Normbereichs, Gerechtigkeitserwägungen. Letztlich kann damit der Rechtsanwender den materialen Zweck in den Grenzen der durch den Gesetzgeber gegebenen formalen Norm bestimmen.[14]

Ohne hier weiter auf normative Bewertungskriterien eingehen zu wollen, kann festgehalten werden, dass die objektiv-teleologische Auslegung bezüglich der Bewertung oft „methoden-unehrlich"[15] ist, da eine klare methodische Anleitung für sie bislang nicht existiert sowie eine klare Trennung der normativen und der realwissenschaftlichen Elemente der Argumente zumeist nicht ersichtlich ist. Insbesondere wenn Normen nicht nur einen Zweck enthalten (wie in aller Regel, da zudem andere Ziele und Werte, etwa

11 Dogmatik oder Präjudizien sind keine Auslegungskriterien, sondern verlagern die Argumentationslast des Rechtsanwenders, da ein dogmatischer Satz ohne erneute Begründung herangezogen werden kann. Auch Präjudizien sind primär eine „Argumentationslastregel", die der Notwendigkeit einer erneuten Begründung entheben. So *Alexy,* Theorie 335 ff.

12 *Martina R. Deckert,* Folgenorientierung in der Rechtsanwendung (1995) 44. Sie weist auch an dieser Stelle auf die Bedeutung dieser Problematik für die Effektivitätsforschung (iwS) hin. Für die Messung der Wirksamkeit bedarf es eines wohldefinierten Zieles. Ist dieses nicht vorhanden, so kann quasi keine Wirksamkeit definiert werden.

13 *Deckert,* Folgenorientierung 46 mwN und *Alexy,* Theorie 19 und 295 f.

14 *Deckert,* Folgenorientierung 46 mwN.

15 *Deckert,* Folgenorientierung 47.

Grundrechte beachtet werden müssen), sondern mehrere, wenn auch verschiedener Priorität, so ist dies – formal betrachtet – ein klassisches Problem der Optimierung von Prinzipien bzw Zielsystemen in der Entscheidungstheorie, die Zweck-Mittel-Rationalität fordert: welche Auslegungsalternativen führen zur Zielerfüllung bzw Zieloptimierung.[16] Welche Ziele zugrunde gelegt werden (sollen), ist dabei eine normative Fragestellung.

Die semantische Auslegung orientiert sich am Wortsinn (mit allen seinen Problemen der Vagheit und Mehrdeutigkeit von Sprache).[17] Ist dieser eindeutig, so bildet diese Wortlautgrenze auch die Grenze des Einbezuges von Sozialwissenschaften. Das systematische Argument berücksichtigt die Stellung der Norm im Gesetzestext oder die logische und teleologische Beziehung zu anderen Normen, Zwecken und Prinzipien. Für die semantische wie auch die systematische Auslegung gilt, dass, wenn der Wortlaut oder die Systematik auf sozialwissenschaftliche Sachverhalte Bezug nimmt, diese einbezogen werden müssen. Wie und auf welchen Theorien sich der Rechtsanwender verlässt, wäre offenzulegen. Schwieriger ist es, wenn der Wortlaut zwar nicht auf sozialwissenschaftliche Sachverhalte verweist, aber lebenswirkliche Verhaltensannahmen trifft, wie etwa bei der Frage der Fahrlässigkeit. Dürfen dann etwa Anreizwirkungen, kulturelle Hintergründe etc bei der Festlegung der Fahrlässigkeitsschwelle einbezogen werden?[18] Wenn dies bejaht wird, müssen die Annahmen offengelegt werden.

---

16 Es reicht daher nicht, mit *Deckert,* Folgenorientierung 47 darauf hinzuweisen, dass es um die Natur der Sache, um materiale Gerechtigkeit und/oder um vernünftige Gründe gehe. Vielmehr muss diesen materialen Erwägungen ein formales Entscheidungsraster an die Hand gegeben werden, wenn die Methodenunehrlichkeit vermieden werden soll.

17 Insofern liefert die Wortsinnauslegung keine natürlichen Grenzen, *Gertrude Lübbe-Wolff,* Rechtsfolgen und Realfolgen (1981) 115 ff. Dass Urteile nicht logisch aus den Rechtsnormen folgen, hat gemäß (und statt vieler) *Alexy,* Theorie 17 f mindestens folgende Gründe: 1) die Vagheit der Sprache, auch der Rechtssprache; 2) die Möglichkeit von Normenkonflikten; 3) die Tatsache, dass es Fälle gibt, die nicht geregelt sind; 4) die Möglichkeit, dass in besonderen Fällen gegen den Wortlaut einer Norm zu entscheiden ist. Oder wie *Hans M. Enzensberger* es humoristisch ausdrückt: „Gesetze sind aufgrund ihrer Lückenhaftigkeit und unbestimmter Rechtsbegriffe wie Schweizer Käse." *Hans M. Enzensberger,* Brunnenvergiftung. Eine ungehaltene Rede über das Wasserrecht und verwandte Gegenstände, in Enzensberger, Mittelmaß und Wahn (1989) 203.

18 Hierzu insbesondere die sogenannte „Learned-hand-Formel", die den Fahrlässigkeitsstandard in Bezug auf die Folgen definiert, vgl *Schäfer/Ott,* Lehrbuch der ökonomischen Analyse des Zivilrechts (2012) 182 ff, instruktiv *Guido Calabresi,* Ideale, Überzeugungen, Einstellungen und ihr Verhältnis zum Recht (1990).

Das historische Argument wird verwendet, wenn Tatsachen aus der Geschichte des diskutierten Rechtsproblems als Gründe für oder gegen eine Auslegung angeführt werden. Analog zum komparativen Argument wird dargelegt, warum eine historische Lösung zu einer bestimmten Konsequenz geführt hat (Folgenargument inzidenter), warum diese Lösung erwünscht oder unerwünscht ist und dass die jeweiligen historischen Situationen vergleichbar sind und warum. Es ist ein „Lernen aus der Geschichte",[19] während das komparative Argument ein „Lernen aus anderen Rechtsordnungen" ist. Beide aber bedürfen der Zweck-Mittel-Rationalität und der Folgenbetrachtung und es gilt das unten Gesagte zur Folgenermittlung.

Das teleologische Argument bedarf einer Analyse des Zweckes/Zieles (genetisch oder objektiv), des Mittels und ihres Zusammenhanges – und Letztere ist in aller Regel sozialwissenschaftlich zu analysieren, im besten Falle empirisch bekannt – „[t]eleologische Argumente damit verweisen auf empirische Argumentationen".[20] Wird dem gefolgt, so ergibt sich eine erhebliche Bedeutung für Sozialwissenschaften, da diese entweder im besten Falle empirische Zusammenhänge aufzeigen oder, falls keine empirischen Untersuchungen vorliegen, wissenschaftlich fundierte Hypothesen liefern können über empirische Zusammenhänge und damit die Alltagsintuition des Rechtsanwenders ersetzen kann. Das teleologische Argument kann verkürzt verwendet und nur auf die Rechtsfolgen der Auslegung angewendet werden oder auf die Realfolgen und damit im weiteren Sinne auf die Zwecke des Gesetzes bezogen werden. Dann erfolgt eine Realfolgenauslegung, die sogleich besprochen wird.

Die Rechtswissenschaft als Rechtsanwendungswissenschaft ist von einer methodischen Betrachtung der Wirkungen bzw Realfolgen des Rechts zumindest offiziell noch weiter entfernt, obwohl die juristische Methodenlehre die Folgenorientierung als Auslegungsmethode[21] mittlerweile (kri-

19 *Alexy,* Theorie 294.

20 *Alexy,* Theorie 298.

21 Auf eine umfassende Behandlung der Folgenorientierung in der Methodenlehre muss hier allein aus Platzgründen verzichtet werden, vgl grundlegend *Lübbe-Wolff,* Rechtsfolgen und *Deckert,* Folgenorientierung 3, die die Folgenorientierung folgendermaßen definiert: „Während die klassische juristische Dogmatik Entscheidungen durch Verarbeitung vergangener Tatsachen mit Hilfe vorgegebener Regeln steuert, lenkt die Folgenorientierung die Entscheidungen durch die Erwartung der von der Entscheidung beeinflussten Wirkungen."

tisch) rezipiert.[22] Das Forschungsprogramm der Folgenorientierung konzentriert sich auf den Nachweis, dass erstens Folgenerwägungen bereits eine Rolle spielen in der richterlichen Entscheidung,[23] zweitens, diese als wünschenswert auszuweisen,[24] und drittens auf die Erarbeitung einer Theorie der Folgenorientierung für die Praxis, um rationale und transparente Entscheidungsbegründungen liefern zu können. Wegen ihrer dezidiert konsequentialistischen Sichtweise weist sie die meisten Anknüpfungspunkte zu Sozialwissenschaften auf, die sich mit Zweck-Mittel-Relationen bzw Kausalzusammenhängen beschäftigen. Die Folgenorientierung in der Rechtsanwendung erlangte ihren Aufschwung mit der Erkenntnis, dass juristische Entscheidungen nie vollständig determiniert sind (Subsumtionsdogma)[25] und daher Wertungsspielräume bei der Rechtsanwendung entstehen, die durch eine Folgenorientierung ausgefüllt werden können. Anstatt also diese Wertungsspielräume auszuräumen, wird versucht, diese transparent und nachvollziehbar zu machen. Trotz immer noch vorhandener Ablehnung der Folgenorientierung in Teilen der Rechtswissenschaft darf aber davon ausgegangen werden, dass die Notwendigkeit der „normativen Beherrschung der Tatsachen"[26] in Rechtsanwendung und Gesetzgebungswissenschaft mittlerweile größtenteils anerkannt wird und sie einen festen Platz in der Methodendiskussion einnimmt. Sie ist ein Modus, um Entscheidungen anhand ihrer möglichen Auswirkungen zu tref-

22 Und auch bereits praktiziert, vgl *Thomas Sambuc,* Folgenerwägungen im Richterrecht (1977); *Christina Coles,* Folgenorientierung im richterlichen Entscheidungsprozeß: ein interdisziplinärer Ansatz (1991).

23 So *Sambuc,* Folgenerwägungen, *Deckert,* Folgenorientierung 5 ff. mwN sowie Anhang B. Dies betrifft insbesondere die Rechtsprechung des BVerfG und des EuGH („effet utile").

24 Für eine solche Verwendung der Folgenorientierung in der Rechtsanwendung plädieren *Martin Kriele,* Theorie der Rechtsgewinnung (1969), *Sambuc,* Folgenerwägungen, *Lübbe-Wolff,* Rechtsfolgen und *Deckert,* Folgenorientierung 5, bei ihr findet man auch eine Übersicht über das Meinungsspektrum, 10 ff. Gegen die Folgenorientierung opponieren *Niklas Luhmann,* Rechtssystem und Rechtsdogmatik (1974) 31 ff, *Larenz,* Methodenlehre 483 ff, für Verfassungsauslegung bedingt zustimmend *Canaris/Larenz,* Methodenlehre 184 ff. Der Austausch der Argumente ist bei *Deckert,* Folgenorientierung 9–21, *Lübbe-Wolff,* Rechtsfolgen 11–24.

25 Dabei müssen Gesetzesbindungspostulat und Deduktivitätspostulat unterschieden werden. Siehe dazu eingehend *Koch/Rüßmann,* Juristische Begründungslehre (1982).

26 Dieser Ausdruck stammt von *Peter Noll,* Gesetzgebungslehre (1973) 64. Er meint damit die Verbindung von Norm- und Realwissenschaft.

fen. Die Folgenorientierung ist ua ein Plädoyer für die Operationalisierung der juristischen Begriffe, um so begriffliche, empirische und normative Aspekte der Rechtsanwendung zwar konzeptionell auseinanderzuhalten, aber auch in der Auslegung zu verbinden.[27] Sie will ua dadurch Transparenz der Argumente schaffen.[28] Die Forderung, die Folgenorientierung als weiteren methodischen Canon neben den traditionellen[29] anzuerkennen, lässt sich daher auch folgendermaßen präzisieren: Wähle die mögliche Auslegungsalternative, die – zusammen mit der angeordneten Rechtsfolge – zu den (realwissenschaftlichen) Wirkungen führt, die den höchsten Grad von Erwünschtheit haben.[30]

27 Zu dieser Trennung der normativen, begrifflichen und empirischen Aspekte im Recht, mit der sich vornehmlich die analytische Rechtstheorie beschäftigt, siehe *Norbert Hoerster,* Grundthesen analytischer Rechtstheorie, in *Albert/Luhmann/Maihofer/Weinberger* (Hrsg), Rechtstheorie als Grundlagenwissenschaft der Rechtswissenschaft II (1972) 115.

28 Stellvertretend wird hier *Hans Albert,* Erkenntnis und Recht. Die Jurisprudenz im Lichte des Kritizismus, in *Albert/Luhmann/Maihofer/Weinberger* (Hrsg), Rechtstheorie als Grundlagenwissenschaft der Rechtswissenschaft II (1972) 80, 93 zitiert: „Gleichgültig ob man solche Zweck- oder Wertgesichtspunkte dem Gesetz selbst oder anderen Quellen entnehmen zu können glaubt, es ist jedenfalls nicht recht einzusehen, daß man diese Gesichtspunkte nicht explizit machen sollte, um sie allgemeiner Beurteilung zugänglich zu machen. Das gleiche gilt für die Überlegungen zu den Wirkungszusammenhängen, die für die Formulierung bestimmter Deutungszusammenhänge relevant sind, zum Beispiel über die Wirkungen angewandter Normen oder vorzuschlagender Auslegungen auf das soziale Leben [...]. Solche Überlegungen machen die Verwendung nomologischen Wissens notwendig, denn die Steuerungswirkungen von Gesetzen und Auslegungen sind nicht einfach logische Konsequenzen der betreffenden Aussagen."

29 Die folgenorientierte Auslegung (Rechtsanwendung!) unterscheidet sich in doppelter Hinsicht von der objektiv-teleologischen Auslegung. Zum Ersten ist die Folgenorientierung nicht (notwendigerweise) auf das Telos des Gesetzes bzw Gesetzeskomplexes als Ziel fixiert, vielmehr kann sie auch mit Prinzipien argumentieren, siehe *Deckert,* Folgenorientierung Teil 3 Kap 2. Zum Zweiten ist die teleologische Auslegung nicht notwendigerweise (real-)folgenorientiert, sondern kann rein rechtsfolgenorientiert argumentieren und tut dies auch zumeist. Dem wird hier gefolgt. Für *Alexy,* Theorie 353 ist die teleologische Argumentform eine Variante des allgemeinen Folgenkonzepts. Anders allerdings *Koch/Rüßmann,* Begründungslehre, die die Folgenorientierung mit der objektiv-teleologischen Auslegung gleichsetzen (227 ff) und den Anwendungsbereich auf „Non-liquet"-Situationen begrenzen.

30 Die Frage nach der „Erwünschtheit" ist eine normative Frage nach der Folgenbewertung. Dh, es bedarf sowohl normativer Kriterien als auch der sozialwissenschaftlichen Analyse der Wirkungen. Das eine ist ohne das andere nicht denkbar.

Im Vergleich mit der rechtlich geforderten Gesetzesfolgenabschätzung[31] ist die Bandbreite der Entscheidung und folgerichtig auch das Ausmaß der Folgenberücksichtigung in der Rechtsanwendung geringer. Der Richter oder Verwaltungsbeamte ist durch das Gesetz in viel höherem Maße gebunden. Er unterliegt somit einer „Reflexionsbegrenzung", jedoch keinem „Reflexionsverbot" bezüglich der Folgen.[32] Um Missverständnissen vorzubeugen, muss hier nochmals darauf hingewiesen werden, dass keiner der Verfechter einer folgenorientierten Rechtsanwendung vertritt, dass diese grundsätzlich zu einer Contra-legem-Auslegung ermächtigt. Nach den Qualitäten eines Gesetzes oder des verfolgten Zweckes kann daher nur in den von den Gesetzen gesteckten Grenzen gefragt werden.[33] Allerdings zeigt sich, dass der Unterschied zwischen regelvollziehender, regelbildender Folgenorientierung in der Rechtsanwendung und Gesetzgebung nur gradueller Natur ist und Rechtsprechung und Rechtssetzung oftmals dasselbe tun. Gesetze sind – gerade wegen ihrer Lückenhaftigkeit – „immer nur Rahmengesetze, die erst im Zuge ihrer häufigen Anwendung allmählich kasuistisch aufgefüllt werden".[34] Insbesondere die Folgenantizipation de lege lata ist methodisch mit der Folgenantizipation de lege ferenda identisch. Und genau diese Folgenantizipation ist es auch, die Sozialwissenschaften liefern können.

Es kann unterschieden werden zwischen regelvollziehender und regelbildender Folgenorientierung. Weitgehend Einigkeit besteht über den Wortlaut als Grenze der Auslegung gegenüber der Rechtsfortbildung (regelbildende Folgenorientierung). Betrachten wir zunächst die regelvollziehende Auslegung, bei der die Folgenorientierung die traditionelle Methodenlehre ergänzen soll. Im normwissenschaftlichen Verständnis ist ein Rechtssatz (Tatbestand und Rechtsfolge) auf normative Aspekte verengt. Es klammert dann die „sozialen Aspekte der entsprechenden Wirklichkeits- und Wirkungsbeziehungen einer juridischen Norm"[35] aus dem Gegenstandsbereich der Rechtswissenschaft aus. Die Folgenorientierung

31 Gefordert etwa in § 44 Gemeinsame Geschäftsordnung der Bundesministerien (GGO) Deutschland.

32 *Noll,* Gesetzgebungslehre 19.

33 So explizit *Noll,* Gesetzgebungslehre 48 ff, ebenso wiederholt *Deckert,* Folgenorientierung etwa 86.

34 *Noll,* Gesetzgebungslehre 48.

35 *Werner Maihofer,* Gesetzgebungswissenschaft, in *Winkler/Schilcher* (Hrsg), Gesetzgebung: kritische Überlegungen zur Gesetzgebungslehre und Gesetzgebungstechnik (1981) 3, 15.

begreift den Rechtssatz nicht mehr als ein hypothetisches Urteil auf normativer Ebene, sondern bezieht darüber hinaus den Wirkungsaspekt auf die betrachteten sozialen Komponenten mit ein. Folgenerwägungen können bei der Präzisierung auf Tatbestandsseite und/oder bei der Rechtsfolgenseite eingreifen. Auf der Tatbestandsseite geht es um die Präzisierung der Tatbestandselemente[36], hier sei auf die Ausführungen zum Wortsinn verwiesen. Auf Rechtsfolgenseite ist in Zweckprogrammen die Folgenberücksichtigung manchmal sogar vorgegeben. Ebenso erhält die Folgenorientierung einen Platz bei der Ermittlung des Willens des Gesetzgebers: Es wird nach den Folgen bezüglich der Zwecke, die der Gesetzgeber im Sinn hatte, gefragt. Die Notwendigkeit der empirischen Folgenprognosen wird dabei betont.[37] Bei der objektiv-teleologischen Auslegung kann die Folgenorientierung in derselben Weise die Erwägungen ergänzen.[38] Mittels folgenorientierter Begründung kann von Präjudizien abgewichen und Dogmatik geändert werden. Gemäß den Vertretern der Folgenorientierung können wegen des Gesetzbindungspostulats Folgenerwägungen im regelvollziehenden Bereich nur als empirische Argumente in Bezug auf die Zwecke eine Rolle spielen. Der Bereich der Folgenorientierung ist durch die vorgegebenen Zwecke des Gesetzgebers abgesteckt.[39] Mit anderen Worten: Sowohl die Folgenbewertung als auch der Bereich der zu ermittelnden relevanten Folgen sind vorgegeben.

Betrachten wir nun noch kurz die regelbildende Folgenorientierung, die *Kelsen* dezidiert abgelehnt hat.[40] Auch bei der „Rechtssetzung“ durch

36 Rechtsbegriffe sind nach *Lübbe-Wolff*, Rechtsfolgen 40 ff die Verbindung zwischen den Normvoraussetzungen und den Folgen der Anwendbarkeit der Norm. Warum auch der Tatbestand bedeutsam ist für die Folgenorientierung, wird aus folgendem Zitat von *Lübbe-Wolff*, Rechtsfolgen 125 deutlich: „Mit der Verpflanzung in den Kontext einer Rechtsnorm treten die aus der Alltags- oder Wissenschaftssprache übernommenen Begriffe unter ein anderes (Weiter-)Bildungsprinzip, nämlich unter das der normativ angemessenen Zuordnung der rechtlichen Voraussetzungen und Folgen ihrer Anwendbarkeit“. „Die inhaltliche Angemessenheit rechtlicher Regel- und Begriffsbildung hängt von ihren Realfolgen ab“.

37 So *Deckert*, Folgenorientierung 55.

38 *Deckert*, Folgenorientierung 56 spricht hier sogar von der Ersetzungsmöglichkeit der objektiv-teleologischen Auslegung durch die Folgenorientierung. Meines Erachtens kann die Folgenorientierung aber nur in dem Sinne ergänzen, als sie die sozialwissenschaftliche Folgenanalyse und -prognose liefert. Die Frage nach den Zwecken ist eine normative Frage, die gesondert behandelt werden muss.

39 *Deckert*, Folgenorientierung 87.

40 *Kelsen*, Rechtslehre 100–106.

Rechtsprechung bzw Rechtsfortbildung sind Grenzen zu beachten; es bedarf immer eines vorbestimmten Rahmens, den der Gesetzgeber liefert. Die Frage lautet hier, welche Begründungsmöglichkeiten die Folgenorientierung bei der Rechtsfortbildung liefert. Mit *Larenz*[41] können die gesetzesimmanente Rechtsfortbildung (Rechtsanwendung praeter legem), die Güterabwägung sowie die gesetzesübersteigende Rechtsfortbildung (Rechtsanwendung extra legem, sed intra ius) unterschieden werden. Die gesetzesimmanente Rechtsfortbildung erfolgt primär durch Analogiebildung, also nach dem Erst-Recht-Schluss, dem Umkehrschluss oder einer teleologischen Reduktion. Dabei wird auf die Teleologie des Gesetzes abgestellt. Die Güterabwägung erfolgt bei Prinzipien- und Normkollisionen anhand einer Interessenabwägung, wobei auch hier wieder die Folgen für die jeweiligen Interessen einbezogen werden können (und in der Rechtsprechung des BVerfG auch werden). Bei der gesetzesübersteigenden Rechtsfortbildung fehlt eine ratio legis völlig, weshalb eine Orientierung an allgemeinen rechtsimmanenten Prinzipien und der verfassungsmäßigen Werteordnung notwendig ist. Mangels der vom Gesetzgeber vorgegebenen Zwecke wird eine Orientierung an den „Bedürfnissen des Rechtsverkehrs", an der „Natur der Sache", an „rechtsethischen Prinzipien"[42] oder an „vernünftigen oder im Rahmen der geltenden Rechtsordnung objektiv gebotenen Zwecken"[43] vorgeschlagen.

Folgenargumente in der Rechtsprechung sind ein petitum für Transparenz und Methodenehrlichkeit – dies hat bereits *Kelsen* bewegt.[44] So auch *Deckert*:[45] „Zusammenfassend lässt sich sagen, dass Tatsachen- und Bewertungsargumente, deskriptive und normative Elemente, in fast allen Fällen der von *Larenz* vorgeschlagenen Begründungen vermischt sind, ohne dass dies explizit offengelegt würde. In vielen Fällen handelt es sich um Folgenargumente, nämlich um bewertete Folgen. Wenn man diese auch methodisch als solche erfasst und nicht hinter Scheinprinzipien (Natur der Sache) versteckt, hätte dies den Vorteil leichterer Kritisierbarkeit und der offenen Wertung sowie der Einbeziehung sozialwissenschaftlicher Erkenntnisse."

41 *Larenz,* Methodenlehre 350 ff für die gesetzesimmanente Rechtsfortbildung, 392 ff für die Güterabwägung, 402 ff für die gesetzesübersteigende Rechtsfortbildung.

42 So *Larenz,* Methodenlehre 402 ff.

43 So *Alexy,* Theorie 296.

44 *Kelsen,* Rechtslehre Vorrede.

45 *Deckert,* Folgenorientierung 60.

Auch die Verhältnismäßigkeit als Auslegungsfigur, wie sie von *Alexy* theoretisch erarbeitet wurde,[46] liefert für Sozialwissenschaften zahlreiche Anknüpfungspunkte. Demgemäß sind Prinzipien Normen,[47] die gebieten, dass etwas in einem möglichst hohen Maße realisiert wird. Sie sind demnach Optimierungsgebote, die dadurch charakterisiert sind, dass sie in unterschiedlichem Grade erfüllt sein können und dass das gebotene Maß ihrer Erfüllung sowohl von den tatsächlichen als auch von den rechtlichen Möglichkeiten abhängt. Der Bereich der rechtlichen Möglichkeiten wird durch gegenläufige Prinzipien bestimmt. Der Bereich der tatsächlichen Möglichkeiten bestimmt sich durch die faktischen Kausalbeziehungen der sozialen Wirklichkeit.[48] Die Prüfung der Geeignetheit erfordert eine Zweck-Mittel-Rationalität, die sozialwissenschaftliches Wissen erfordert über Kausalzusammenhänge. Selbiges gilt für die Erforderlichkeit, denn wenn ein milderes Mittel geprüft wird, müssen auch hier die Kausalzusammenhänge (nun mehrerer Mittel im Verhältnis zu dem Zweck) geprüft werden. Auch in der Verhältnismäßigkeit im engeren Sinne bleiben, folgt man *Alexy*, Kausalzusammenhänge wichtig. In der Gewichtsformel[49] werden Wahrscheinlichkeitszusammenhänge gebraucht, die auf vermuteten Kausalzusammenhängen beruhen. Bei allen diesen Operationen kann und sollten Sozialwissenschaften für die Ermittlung der Kausalzusammenhänge einbezogen werden.

Ich möchte meine vorgebrachten Argumente mit einem Fall aus dem Bundesverfassungsgericht verdeutlichen.[50] In diesem Fall ging es um erweiterte Offenlegungspflichten der Abgeordneten des Deutschen Bundestags.[51] Sowohl das Minderheitsvotum als auch das Mehrheitsvotum der Richter enthalten mannigfaltige Aussagen über Folgen der Neuregelung,

46 *Robert Alexy*, Theorie der Grundrechte (1996).

47 Bezüglich der Klassifikation von Regeln und Prinzipien als Normen wird hier ebd 72, 177 ff gefolgt.

48 *Alexy*, Grundrechte 100 betrachtet die tatsächlichen und rechtlichen Möglichkeiten innerhalb des Prinzips der Verhältnismäßigkeit: Der tatsächliche Bereich wird durch die Prüfung der Geeignetheit und Erforderlichkeit abgedeckt, der rechtliche Bereich durch die Verhältnismäßigkeit im engeren Sinne.

49 *Robert Alexy*, Die Gewichtsformel, in GedS Sonnenschein (2003) 771.

50 *Anne van Aaken*, Regulierung durch Transparenz: Verhaltensregeln für Parlamentarier und ihre Realfolgen, Der Staat 2010, 369 mwN zu anderen Besprechungsaufsätzen.

51 BVerfGE 118, 277; BVerfGE 2 BvE 1/06 – 4/06 NJW 2008, 49.

mit anderen Worten, Aussagen über Kausalzusammenhänge. Unklar bleibt in der Argumentation, ob sich die Richter des erkenntnistheoretischen Status ihrer Aussagen im Klaren waren, denn die vermuteten Folgen der Neuregelung wurden jeweils einfach behauptet (jeweils entgegengesetzt), aber nicht transparent begründet. Ich möchte aus Platzgründen nur ein Beispiel aus dem Urteil herausnehmen. Art 48 (2) (1) des Grundgesetzes stellt folgendes Verbot auf: „Niemand darf gehindert werden, das Amt eines Abgeordneten zu übernehmen und auszuüben." Die Antragsteller argumentierten, dass ein „gläserner Abgeordneter" in seinen tatsächlichen Auswirkungen einer partiellen Regelung zur verfassungsrechtlich unzulässigen wirtschaftlichen Inkompatibilität gleichkomme und eine faktische Zugangssperre für Unternehmer, Freiberufler und sonstige Selbstständige bewirke.[52] Wie unschwer zu erkennen ist, ist dies eine sozialwissenschaftliche Hypothese über Kausalzusammenhänge. Was hätte diskutiert werden müssen (aber nicht wurde), sind folgende Fragen: Die Argumentation der Antragsteller lautet in testbarer Hypothesenform etwa so: Je strenger die Transparenzpflichten, desto weniger Freiberufler werden im Parlament vertreten sein. Hier gibt es drei denkbare Wirkungsweisen: (1) Freiberufler kandidieren, werden aber nicht gewählt, etwa wegen des Neidfaktors;[53] (2) Freiberufler antizipieren, dass sie nicht gewählt werden und kandidieren erst gar nicht; (3) Freiberufler sind nicht willens, strengere Transparenzregeln und die damit verbundenen Nachteile für ihren Beruf auf sich zu nehmen und kandidieren deshalb nicht. Letzteres war die Vermutung der Antragsteller und des Minderheitsvotums vor dem Bundesverfassungsgericht. Offensichtlich ist die vorstehende Hypothese testbar und wurde auch getestet. Eine ländervergleichende empirische Untersuchung testete den Anteil der Freiberufler, insbesondere Rechtsanwälte als abhängige Variable und verschiedene Ausprägungen von Transparenzpflichten als erklärende Variable.[54] Ein systematischer und signifikanter Rückgang von Rechtsanwälten bzw Unternehmern als Folge der Einführung bzw Verschärfung von Transparenzpflichten kann ausgeschlossen werden. Damit können die Befürchtungen der Antragsteller, das verschärfte Transparenzregeln als faktische Zu-

52 BVerfGE 118, 277 (299).

53 So *Joachim Linck*, Verfestigung des Leitbilds vom Berufsabgeordneten durch das BVerfG, NJW 2008, 24, 26, der diese Neidkultur in Deutschland unterstellt.

54 *van Aaken/Voigt*, Der „gläserne" Abgeordnete? Transparenzregeln für Parlamentarier und ihre Folgen, JRP 2008, 169.

gangssperre wirken, als unbegründet gelten. Insbesondere das Argument, dass ein „gläserner Abgeordneter" ein funktionelles Äquivalent zu wirtschaftlichen Inkompatibilitäten und daher auch potentiell verfassungswidrig sei, ist damit nicht stichhaltig. Denn das Argument basiert auf einem unterstellten Kausalzusammenhang zwischen Verhaltenspflichten und dem Anteil der Freiberufler im Parlament. Dieser ist empirisch nicht feststellbar, da nicht einmal eine eindeutige Korrelation festgestellt werden kann. Eine Kausalität nachzuweisen ist daher erst recht unmöglich. Diese Hypothese ist damit widerlegt und folglich auch die Annahme, dass Freiberufler sich durch strengere Transparenzpflichten von einer Kandidatur abhalten lassen. Art 48 (2) (1) Grundgesetz kann damit nicht verletzt sein. Eine sozialwissenschaftlich transparente Offenlegung der Argumente anstatt intuitiver Kausalzusammenhänge, hätte die Diskussion, auch im Gericht selbst, verbessert und Differenzen schneller ausgeräumt. Es hätte das Urteil auch für alle Seiten legitimer machen können.

Externe Perspektive auf Dogmatik als Sozialwissenschaft

Es gibt zahlreiche externe sozialwissenschaftliche Perspektiven auf Dogmatik, richterliches Entscheidungsverhalten; das Feld ist so breit, dass hier nur prinzipiell das Potential aufgezeigt werden kann. Wozu kann diese Forschung dienen? Zum Beispiel zur Schulung, zum Verständnis von Dogmatik und zur kritischen Reflektion, ob die lebenswirklichen Folgen der Dogmatik die gesetzgeberischen Ziele erreichen und mit welchen potentiellen Neben-, Fern- und Folgewirkungen.

Dogmatik kommt zu Stande durch Rechtsprechung, durch Gesetzesanwendung. Es geht also primär um richterliches Entscheidungsverhalten als „input". Dazu haben Sozialwissenchaften immer mehr zu sagen – während es zu Beginn des Legal Realism ein call to research war, zu verstehen what the courts do in fact,[55] ist mittlerweile eine fast unübersichtliche Literatur entstanden über richterliches Entscheidungsverhalten. Beispielshaft seien genannt: Untersuchungen des Verhaltens in Hinblick auf institutionelle Faktoren, etwa die Position der Gerichte im Hinblick auf andere staatliche und überstaatliche Gewalten. Ebenso wird richterliche Unabhängigkeit untersucht. Wie wirken sich (kognitiv) psychologische sowie

55 *Oliver W. Holmes Jr.*, The Path of the Law, Harvard Law Review 1897, 457.

motivationale Faktoren (etwa Fairness, politische Ansichten, Gerechtigkeitsempfinden)[56] auf richterliches Entscheidungsverhalten aus?

Ein weiteres großes Feld ist die externe Perspektive auf die Realfolgen der Dogmatik, also der klassischen Analyse der Folgen von Recht. Etwa: werden die gesetzgeberischen Ziele erreicht? Dazu reicht nicht das Hin- und Herwandern des Blicks von Gesetz zu Gesetzesfolgen, sondern die Dogmatik (law in action) ist ein notwendiger Zwischenschritt. Das gilt auch für rechtsvergleichende Untersuchungen.[57]

Die gesamtgesellschaftliche Bedeutung der Dogmatik und ihrer Systematisierungsleistung für die Rechtssicherheit und damit der Rechtsstaatlichkeit und diese wiederum für andere Güter wie Wirtschaftswachstum und etwa Menschenrechte ist eine weitere wichtige sozialwissenschaftliche Perspektive auf Dogmatik, die allerdings noch weiterer Untersuchung bedürfte.

Stand und Perspektiven einer Transparenten Rechtslehre

Stellt man auf die Erkenntnismöglichkeiten der Sozialwissenschaften ab und ihr Potenzial, Lebenswirklichkeit zu ermitteln (analytisch oder empirisch), dann kann sie einen festen Platz einnehmen in dem Methodenkanon der Rechtswissenschaft. Die Gesetzesbindung des Rechtsanwenders bleibt bestehen, gleichzeitig befähigt sie denselben, evidenzbasiertes Recht zu sprechen, den wissenschaftstheoretischen Status der Argumente transparent zu machen und damit auch kritisierbar zu lassen sowie von subjektiven Intuitionen und Werturteilen möglichst freizuhalten. Dies ist ein wichtiges petitum für demokratisches Recht und das Vertrauen in einen funktionierenden Rechtsstaat und war nicht zuletzt das Anliegen *Hans Kelsens*. Dies wäre also die Forderung an die Wissenschaft: bei der Konstruktion der Dogmatik die Rolle der sozialwissenschaftlichen Erwägungen aufzuweisen und Intuition zu ersetzen.

Die Juristenausbildung in den deutschsprachigen Ländern bereitet mit wenigen Ausnahmen Juristen nicht auf den Einbezug von Sozialwissenschaften in die juristische Auslegung vor. Das geht so weit, dass nicht vermittelt wird, wie Sozialwissenschaften überhaupt arbeiten, geschweige

56 Siehe dazu *Carsten Bäcker* in diesem Band.
57 Siehe dazu *Brigitte Lurger*, *Klaus Poier* und *Andreas Glaser* in diesem Band.

denn, dass die erkenntnistheoretischen Grundlagen gelegt werden, um den Stellenwert der Sozialwissenschaften im juristischen Diskurs zu erkennen und (kritisch) einzuordnen. Aber empirical legal studies – wie der Name verrät – ist seit über 20 Jahren fest verankert mit Konferenzen und akademischen Zeitschriften. Auch wenn hier der Impuls aus den USA kam, so ist doch auch in Europa und deutschsprachigen Ländern eine Hinwendung zu empirischer Rechtsforschung sowohl in der Rechtswissenschaft also auch in den Gerichten zu beobachten. Es wäre wünschenswert, wenn die zukünftige Generation von Juristen dementsprechend geschult würde – es würde der transparenten juristischen Argumentation helfen. *Kelsen* hätte dies sicherlich nicht gestört.

Emanuel V. Towfigh

Dogmatik und Empirie
Relevanz und Resonanz: Ein Beitrag in drei Thesen*

Topf und Deckel, nicht Katz und Maus

Die Rechtswissenschaft liebt die Dogmatik, die Empirie hingegen nicht so sehr.[1] Dabei muss das gar nicht so sein. Die beiden verbindet mehr, als auf den ersten Blick scheinen mag.

Die deutschsprachige, insgesamt die kontinentaleuropäische Rechtswissenschaft ist stark von dem Selbstverständnis durchdrungen, Textwissenschaft zu sein. Ihren Fokus legt sie auf das Verständnis und die Auslegung von Normtexten, mit Hilfe hermeneutischer Methoden, mit dem Ziel normative Aussagen identifizieren und treffen zu können und Kohärenz zu schaffen.[2]

Rechtswissenschaft bedeutet dann vor allem Systembildung durch die Zusammenschau verschiedener Normen, durch das Studium ihrer Herkunft und ihrer Zwecke oder durch die systematische Sammlung und Auswertung von Rechtsprechung.[3] Auf diese Weise entwickeln sich die normati-

---

* Dem Beitrag liegt der bei der hier dokumentierten Tagung gehaltene Vortrag des Verfassers zugrunde; die Vortragsform wurde beibehalten.

1 *Niels Petersen*, Braucht die Rechtswissenschaft eine empirische Wende? Der Staat 2010, 435; *Emanuel V. Towfigh*, Empirical Arguments in Public Law Doctrine, Int J Const L 2014, 670.

2 Vgl *Johannes Lameyer*, Streitbare Demokratie (1987) 29; *Petersen*, Der Staat 2010, 435 (435 f); *Christian Bumke*, Rechtsdogmatik: Überlegungen zur Entwicklung und zu den Formen einer Denk- und Arbeitsweise der deutschen Rechtswissenschaft, JZ 2014, 641; *Gerd Roellecke*, Zur Unterscheidung von Rechtsdogmatik und Theorie, JZ 2011, 645 (645 f); *Martin Eifert*, Zum Verhältnis von Dogmatik und pluralisierter Rechtswissenschaft, in *Kirchhof/Magen/Schneider* (Hrsg), Was weiß Dogmatik? (2020) 79 (81).

3 Bereits dieser Zugang könnte mit Verzicht auf Methodenstrenge als „empirisch" bezeichnet werden, vgl dazu *Alexander Tischbirek*, Wessen empirische Wende? Interdisziplinarität zwischen Rechtswissenschaft und -praxis, RECHTS|EMPIRIE 2020 (21. 12. 2020, DOI: 10.25527/re.2020.10).

von Wertentscheidungen des Rechts, die über rein akademische Debatten hinaus für die Rechtsanwendung von großer Bedeutung sind. Sie füllen rechtliche „Schleusenbegriffe“[4] aus, wie etwa unbestimmte Rechtsbegriffe oder das Merkmal der Eignung in der Verhältnismäßigkeitsprüfung und liefern Begründungszusammenhänge und -topoi.

Bei alledem beeinflussen faktische Umstände die normativen Wertungen, der Blick in die „Wirklichkeit“ ist auch der Rechtsdogmatik nicht fremd. Sie verarbeitet außerrechtliche Begründungszusammenhänge und greift auf abgesicherte wissenschaftliche Einsichten über die Welt zurück.[5] Sie ist gerade nicht Mathematik oder Theologie, die sich vielleicht als erkenntnistheoretische Pole bezeichnen lassen mögen: reine Immanenz, Relativität, die begriffliche Tautologie am einen Ende; vollständige Transzendenz, Absolutheit und die prinzipielle Unüberprüfbarkeit am anderen. Dazwischen: eine unsortierte Wirklichkeit, der wir Sterblichen uns stellen müssen. Eine Wirklichkeit, die unter anderem Recht und Medizin beherrschen sollen; zwei Disziplinen, die vieles verbindet, wie etwa die großen Werke *Avicennas* aus dem 11. Jahrhundert zeigen: Jenes zur Heilkunde überschrieb er mit „Kanon“ (die aus dem Griechischen entlehnte, rückübersetzte arabische Übersetzung für „Gesetze“), das zu Philosophie und Recht betitelte er als „Buch der Heilung“. Rechtswissenschaft, Recht überhaupt, ist sinnlos, wenn nicht Norm und Sachverhalt zusammenfinden. Man mag theoretisch die Frage, was das Recht sei, im Himmelreich des Sollens ansiedeln[6] – ohne die Hölle des Seins bleibt es aber ein Glasperlenspiel: Wir können eine Norm nicht verstehen, ohne zumindest eine vage Vorstellung von den möglichen Sachverhalten zu haben, die sie regeln soll.[7] Trotz der Erschaffung des Rechts durch die Begegnung von Sachverhalt und Norm, wird an einer strikten Trennung von Sachverhalt und Norm, Sein und Sollen festgehalten.[8]

Für die juristische Praxis ist der Konnex von Norm und Wirklichkeit anerkannt (wenngleich bisweilen auch noch etwas unterbelichtet), etwa

4 Für den Hinweis auf diesen österreichischen Fachterminus danke ich *Claudia Fuchs.*

5 *Stephan Harbarth,* Empiriieprägung von Verfassungsrecht, JZ 2022, 157.

6 *Michael Potacs,* Rechtsdogmatik als empirische Wissenschaft, Rechtstheorie 1994, 191 (191 f).

7 *Wolfgang Hoffmann-Riem,* „Außerjuridisches“ Wissen, Alltagstheorien und Heuristiken im Verwaltungsrecht, Die Verwaltung 2016, 1 (3).

8 *Stephan Harbarth,* Empiriieprägung von Verfassungsrecht, JZ 2022, 157.

wenn es um die Erfassung oder den Import extrajuridischer Wissensbestände in der Rechtsprechung geht – man denke an Zeugen und Sachverständige – oder auch in der Kautelarjurisprudenz, exemplarisch die due diligence vor der Gestaltung eines Unternehmenskaufvertrags.[9] Die Rechtswissenschaft hingegen, die stets anderes sein sollte als besonders elaborierte Rechtsanwendung, tut sich mit dieser Einsicht schwerer. Das gilt etwa für die Frage, wie das Recht überhaupt wirkt, wie Verhalten durch Recht gesteuert wird, kurzum: wie das Recht die ihm zugedachte Aufgabe erfüllt.[10] Diese Frage erfordert nun zwingend ein Verständnis von kognitiven und sozialen Wirkmechanismen. Sie ist im deutschsprachigen Raum viel zu selten Gegenstand der Rechtswissenschaft; denn – sie ist nicht Teil der Rechtsdogmatik.

Dabei ist auch ein Verständnis darüber, wie diese Texte, die Grundlage unseres Rechts sind, ihre steuernde Wirkung tatsächlich entfalten, notwendig. Diese Fragen können sozialwissenschaftliche Methoden beantworten helfen, etwa die Rechtsempirie. Auch wenn die Praxis Gegenstand der Betrachtung der Wissenschaft wird, kann es sich um dogmatisch verbrämte, im Kern aber empirische Fragen handeln, deren Beantwortung die Anwendung entsprechender Methoden verlangt.[11] So könnten im Ergebnis auch der Kommentar oder die juristische Datenbank, als deskriptiv-empirische Datensammlung bezeichnet werden.

Ziel der empirischen Sozial- und Rechtsforschung ist zum einen im Rahmen deskriptiver Forschung die Beschreibung (sozialer) Zustände oder Probleme, ohne daraus bereits weitergehende Schlüsse zu ziehen oder Ursachenforschung zu betreiben.[12] Es geht darum, die Wirklichkeit begrifflich zu erfassen, zu begreifen, zu beschreiben. Aktuelle Forschungsfragen wie die des (gleichen?) Zugangs aller Menschen zum Recht, die Frage, ob unterschiedliche gesellschaftliche Gruppen gleichen Zugang zum Recht finden; oder wie Menschen mit Migrationshintergrund (oder mit geringerer sozio-ökonomischer Ausstattung oder Erstakademiker

9 *Hoffmann-Riem*, Die Verwaltung 2016, 1 (8).

10 *Hans Zeisel*, Empirische Rechtsforschung – ein natürlicher Zweig der Jurisprudenz, JZ 1974, 561; vgl *Emanuel V. Towfigh*, Komplexität und Normenklarheit, Der Staat 2009, 29.

11 *Emanuel V. Towfigh*, Int J Const L 2014, 670 (673); *Coupette/Fleckner*, Quantitative Rechtswissenschaft, JZ 2018, 379.

12 *Thomas Schäfer*, Methodenlehre und Statistik (2016) 48.

oder Frauen) im Rechtsapparat beschäftigt sind, stellen sich in diesem Zusammenhang.[13]

Im Gegensatz dazu versucht experimentelle Forschung Korrelationen und Kausalzusammenhänge zu identifizieren, die den (sozialen) Mechanismus erklären können, der den Zustandsbeschreibungen der deskriptiven Forschung zugrunde liegt.[14] Um beim Beispiel zu bleiben kann es etwa um die Antwort auf die Frage gehen, warum bestimmte Gruppen über- oder unterrepräsentiert sind oder auch welche sozialen Mechanismen exkludierend wirken können.

Mit Hilfe statistischer Methoden können wir uns den Antworten auf diese Fragen annähern. Ausgangspunkt ist dabei grundsätzlich eine Theorie, die die konkrete Fragestellung zwar noch nicht beantwortet, aber eine (eben: theoretische) Erklärung für den zu untersuchenden Zusammenhang gibt und eine vorläufige Antwort auf die Forschungsfrage vorschlägt. Die Annahmen dieser Theorie werden in einem Modell operationalisiert, damit sie einer empirischen Überprüfung zugänglich sind. Aus diesem Modell wiederum wird dann die Hypothese abgeleitet, die mit den vorhandenen oder noch zu erhebenden Daten empirisch überprüft werden soll. Diese Hypothese ist in der Regel frequentistisch-probabilistisch formuliert, es soll also bestimmt werden, wie wahrscheinlich es ist, dass der hypothetische Mechanismus das beobachtete Ergebnis hervorbringt.[15] Fehlt es an einer Theorie, weil ein zu untersuchender Bereich unbekannt oder die Phänomene neuartig sind, so kann empirische Forschung auch von den Daten ausgehen. Bei dieser so genannten explorativen Empirie werden erst aufgrund einer vorläufigen empirischen Analyse der Daten Theorie, Modell und Hypothese entwickelt; im Anschluss wird die so entwickelte Theorie mit neuen Daten getestet.[16]

Diese theoretisch-empirische Wissensspirale lässt bereits erkennen, dass empirische Forschung nicht ausschließlich zahlengeprägte, vom Inhalt

13 Vgl dazu und für einen Überblick über verschiedene empirische Ansätze und Methoden *Emanuel V. Towfigh*, § 18 – Der Umgang mit Empirie beim Nachweis von Diskriminierung, in *Mangold/Payandeh* (Hrsg), Handbuch Antidiskriminierungsrecht (2022) 755–798.

14 *Goerg/Petersen*, Empirische Methoden, in *Petersen/Towfigh* (Hrsg), Ökonomische Methoden im Recht[2] (2017) Rz 195 (394).

15 *Christoph Engel*, Empirical Methods for the Law, JITE 2018, 5 (8).

16 *Döring/Bortz*, Forschungsmethoden und Evaluation in den Sozial- und Humanwissenschaften (2016) 192.

losgelöste Statistik ist. Das „nackte" Datum allein ist so wenig aussagekräftig wie die „reine" Norm. Daten gewinnen erst durch einen normativen Kontext Bedeutung, den es zu berücksichtigen gilt. Jedes Forschungsdesign geht von Annahmen aus und hat normative Implikationen, keine Forschungsfrage ist voraussetzungslos, sie beinhaltet im Gegenteil immer Wertungen.[17] Dies ist jeder Wissenschaft immanent und kein Dilemma oder Defizit empirischer Forschung.[18] Man könnte sogar so weit gehen, dass im Recht die Auslegung einer Norm dann gegen die Auslegungsgrundsätze verstößt, wenn ihr Ergebnis nicht der Zielsetzung, mit der die rechtliche Regelung erlassen wurde, entspricht.[19] Werden Annahmen oder Wertungen nicht expliziert, dann ist das schlechte Empirie (dasselbe Problem existiert auch in der Dogmatik); aber es diskreditiert nicht die Empirie als solche.

Rechtsdogmatik und Empirie schließen einander mithin nicht nur nicht gegenseitig aus, sie sind einander auch gar nicht so fremd. Mit Hilfe der Empirie können etwa die normativen Konzepte der Rechtsdogmatik, die ja in der Regel auf faktischen, oft auf verhaltensbezogenen Annahmen beruhen, bekräftigt oder entkräftet werden. Wir können untersuchen, ob die zu Grunde gelegten faktischen Annahmen auch tatsächlich zutreffend sind. Etwa: Ist Glücksspiel, sind Lotterien oder Sportwetten im rechtlichen Sinne wirklich „gefährlich", wenn „gefährlich" zum Beispiel bedeutet, dass sie hohes Suchtpotenzial haben?[20] Eine normative Wertung, die sich mit einem empirischen Befund (also „evidenzbasiert") und nicht

17 *Coupette/Fleckner,* JZ 2018, 379 (383).

18 Pace: Diese grundsätzliche Vorbedingung empirischer Forschung missversteht *Ino Augsberg,* Verwaltung und Empirie, in *Kahl/Ludwigs* (Hrsg), Handbuch des Verwaltungsrechts I (2021) Rz 14, der diesen Bezug auf normative und theoretische Vorbedingungen als Zugeständnis einer Schwäche empirischer Forschung wertet. Diese Bewertung geht jedoch von einem verengten Verständnis empirischer Forschung aus und verkennt Charakter und Spezifikationen empirischer Rechtsforschung. Er stellt epistemische Anforderungen an die Rechtsempirie, die diese weder selbst einzulösen behauptet, noch überhaupt eine rechtswissenschaftliche Methode zu erfüllen in der Lage ist. *Augsberg* kämpft sich an einer Strohpuppe ab.

19 *Potacs,* Rechtstheorie 1994, 191 (201).

20 *Glöckner/Towfigh,* Geschicktes Glücksspiel, JZ 2010, 1027; „Gefährlich" kann daneben viele weitere Bedeutung haben: es mag unmittelbare Gesundheitsgefahren geben (zB Herzinfarkt), soziale (zB Verlust sozialer Stellung), individuelle (zB Eheprobleme), finanzielle Gefahren (zB Überschuldung) und viele weitere. Entscheidend ist, welche Gefahr(en) nach dem gesetzgeberischen Willen adressiert werden sollen.

bloß mit anekdotischer Evidenz oder mit einem diffusen „Rechtsgefühl" begründen lässt, ist überzeugender und kann zu höherer Akzeptanz beitragen.[21]

Auch die teleologische Auslegung von Gesetzen oder Abwägungs- und Ermessensentscheidungen sind im Kern faktisch motiviert, der hermeneutische Ansatz der Dogmatik kann sie im konkreten Einzelfall oft nur unzureichend erfassen; und nicht selten haben wir es mit unüberwindbarer Zweideutigkeit des Rechts zu tun. Eine sozialwissenschaftliche Argumentation, die methodenstreng arbeitet und etwa die Struktur des Gesetzes kennt oder die der Abwägungsentscheidung zu Grunde liegenden faktischen Umstände korrekt einordnen kann, vermag ein intersubjektiv vermittelbares, akzeptables und fundiertes Auslegungs- oder Abwägungsergebnis zu liefern, dem sich auch die Rechtswissenschaft nicht verschließen kann. Und sie kann schwerwiegende Missverständnisse vermeiden helfen, wie sie etwa zeitweise bei der Auslegung und Anwendung des deutschen Emissionshandelsrechts aufgetreten sind.[22]

Selbst der im Grundsatz feinsäuberlich zwischen dem normativen Maßstab und der Realität des Sachverhalts unterscheidende juristische Syllogismus ist insofern durchlässig, als es oftmals zur Maßstabsbildung der Einbeziehung empirischer Einsichten bedarf. Auch eine normative Beurteilung kann auf außerjuridisches Wissen angewiesen sein, um einen angemessenen Maßstab festlegen zu können.[23]

Das Bessere ist der Feind des Guten

Um Rechtsdogmatik und Empirie gewinnbringend miteinander zu verbinden und den spezifischen Bedürfnissen der Rechtsdogmatik gerecht werden zu können, muss die Empirie drei Voraussetzungen erfüllen: Erstens muss die Definition der Messgrößen und ihre Operationalisierung den normativen Entscheidungen des Rechts folgen; zweitens müssen die Ergebnisse im spezifisch rechtlichen Kontext verallgemeinerbar sein; und drittens müssen das eingesetzte Forschungsdesign und die Statistik

21 *Hanjo Hamann*, Evidenzbasierte Jurisprudenz (2014) 97; *Grechenig/Gelter*, Juristischer Diskurs und Rechtsökonomie, JRP 2007, 30 (40).

22 *Stefan Magen*, Rechtliche und ökonomische Rationalität im Emissionshandelsrecht, in *Towfigh et al* (Hrsg), Recht und Markt (2009) 9.

23 *Hoffmann-Riem*, Die Verwaltung 2016, 1 (8); *Harbarth*, JZ 2022, 157 (158).

methodischen Anforderungen (insbesondere Objektivität, Reliabilität und Validität) standhalten. Daraus folgen zwei Caveats:

Erstens: Eine unkritische Rezeption von Empirie aus Nachbarwissenschaften birgt das Risiko, an den besonderen Bedürfnissen der Rechtswissenschaft und der Rechtsdogmatik vorbeizugehen.[24] Spezifische Rechtsempirie ist vor allem deshalb erforderlich, weil nachbarwissenschaftliche Studien in der Regel anderen normativen Setzungen oder Rationalitäten folgen. Das Feld der empirischen Rechtsforschung ist jedenfalls im deutschsprachigen Rechtsraum bislang nur wenig bestellt.[25]

Zweitens: Empirische Forschung ist voraussetzungsvoll, aufwendig und fehleranfällig. Es bedarf in der Regel mehrerer Studien, die sich verschiedener Methoden und Perspektiven bedienen, damit – wie im alten Gleichnis von den blinden Männern und dem Elefanten – verlässliche und gut verstandene Einsichten zutage treten können. Erkenntnis ist ein Emergenz-Prozess.

Werden diese Kautelen beachtet, kann Dogmatik von Rechtsempirie profitieren. Mit Hilfe empirischer Methoden lässt sich etwa ermitteln, ob die der Auslegung zugrunde liegenden faktischen Annahmen zutreffen, oder welche Auslegung eines Gesetzes tatsächlich vorherrschend ist – ist es die in Kommentaren und Lehrbüchern als herrschend bezeichnete? Sind diese Einschätzungen nur Ausdruck subjektiver Erfahrungen und Kenntnisse oder rechtlich verbrämte politische Auffassungen der Autoren? Mit Hilfe der Empirie lässt sich auch erforschen, anhand welcher Parameter Gerichte tatsächlich entscheiden, welchen Ansatz sie verfolgen, und aus diesen Erkenntnissen lassen sich spiralartig dann wiederum rechtsdogmatische Schlussfolgerungen ziehen.[26] Dies setzt die Offenheit voraus, sich von der Evidenz und der mit ihr einhergehenden Rationalisierung be-

24 Insofern spricht *Petersen,* Der Staat 2010, 435 (455) auch von einem Bedarf an Wissenschaftlern, die eine „Brückenfunktion" ausüben und für relevante Themen aus Nachbarwissenschaften eine Übersetzungsleistung in die Rechtswissenschaft erbringen können.

25 *Petersen/Chatziathanasiou,* Empirische Verfassungsrechtswissenschaft – Zu Möglichkeiten und Grenzen quantitativer Verfassungsvergleichung und Richterforschung, AöR 2019, 501; *Johannes Jiang,* Die nächsten zehn Jahre. Zukunftsperspektiven interdisziplinärer Ausbildung, RECHTS|EMPIRIE 2021 (31. 3. 2021, DOI: 10.25527/re.2021.04).

26 *Towfigh,* Int J Const L 2014, 670 (672).

grenzen und in der eigenen Interpretation und in Argumenten einschränken zu lassen. Evidenzbasierte Dogmatik ist dann eine verbesserte Form der Dogmatik, weil sie durch einen weiteren Rationalisierungsprozess geschärft ist.

Auf diese Weise kann Empirie auch zur Versachlichung von Debatten beitragen – wenn juristische Argumente, wo sie auf die Wirklichkeit bezogen sind, zunehmend auch auf statistischer und nicht allein auf anekdotischer Evidenz basieren. Die so genannte „evidenzbasierte" Medizin macht uns das eindrucksvoll vor, und es gibt Anhaltspunkte dafür, dass sich auch die Rechtswissenschaft auf dem Weg zu einer evidenzbasierten Jurisprudenz bewegt. Jedenfalls ist zu beobachten, dass die Wirkung von Aussagen allein aufgrund professoraler oder sonstiger Autorität, oder „gefühlte Wahrheiten" einer weithin homogenen Gruppe von Juristen immer weniger verfangen, überzeugen, befrieden.[27] „Everything is Obvious (once you know the answer): How Common Sense Fails Us" – so der Titel eines Buches von *Duncan J. Watts,* in dem er ua einerseits zeigt, wie gut wir im ex post-Rationalisieren, im Geschichten-Erzählen sind; und andererseits betont, wie wichtig empirische Forschung ist (die mit manchem Vorurteil aufräumen oder manches Vorurteil in ein Urteil verwandeln kann), und die als fundierte Wissensbasis für gute Entscheidungen dient.[28]

Wer nicht wagt, der nicht gewinnt

Die menschliche Phantasie, das zeigt *Watts,* schafft viel Raum für unterschiedlichste Interpretationen der Wirklichkeit, und aus fehlerhaften oder widersprüchlichen Annahmen lässt sich bekanntlich alles folgern (ex falso quodlibet). Das Recht geht diese Herausforderung auch von der normativen Seite an, etwa indem es Akteuren mit Beweislastregeln, Rechtsvermutungen und Fiktionen Hilfsmittel an die Hand gibt, um zu erreichen, dass häufig unter Unsicherheit getroffene Entscheidungen der Gerichte mit einem hohen Grad an Wahrscheinlichkeit zutreffend sind. Aber die empi-

27 Vgl dazu: *Hamann,* Jurisprudenz 99.

28 *Duncan Watts,* Everything is Obvious: How Common Sense Fails Us (2012); *Guthrie/Rachlinski/Wistrich,* Inside the Judicial Mind, Cornell Law Review 2001, 777 (782); *Dickert et al,* The More the Better? Effects of Training, Experience and Information Amount in Legal Judgments, Appl Cogn Psychol 2012, 223.

rische Seite bleibt unterbeleuchtet. Es kann heute nicht mehr genügen, sich mit Alltagsplausibilisierungen zu behelfen; vielmehr ist ein solides Methodenverständnis erforderlich. Wenn die Rechtswissenschaft mehr Empirie wagen will (oder soll), muss sie das nötige Rüstzeug zur Verfügung haben. Dies betrifft einerseits die empirische Forschung an sich, also die Durchführung eigener Studien, aber auch die Rezeption empirischer Studien in der Rechtsanwendung, also die Fähigkeit, empirische Studien verständig lesen und verarbeiten zu können. Beides spielt im juristischen Studium bis heute aber so gut wie keine Rolle.[29]

Dabei darf die Bedeutung dieser Fertigkeiten für die Rechtspraxis nicht unterschätzt werden, es handelt sich nicht um eine akademische Debatte. In der Rechtsanwendung kann sozialwissenschaftliche Kompetenz etwa die Beurteilung der Qualität eines Sachverständigengutachtens erleichtern, vor Fehleinschätzungen bezüglich der Wahrscheinlichkeit einer Tatbegehung durch eine Beschuldigte schützen, und das Bewusstsein für bekannte Wahrnehmungsfehler, die etwa Zeugenaussagen beeinflussen können, stärken.[30] Um den Wert einer Zeugenaussage oder den Inhalt eines Sachverständigengutachtens beurteilen zu können, sind zumindest Grundkenntnisse sozialwissenschaftlicher und statistischer Methoden äußerst vorteilhaft – um nicht zu sagen notwendig. Dies ist insbesondere für Gerichte relevant, wenn sie ihrer Kernaufgabe, der Sachverhaltsermittlung, nachkommen. Aber auch in der Anwaltschaft und in der Verwaltung sind diese Fähigkeiten zunehmend gefragt: Prozesse gewinnt, wer den Sachverhalt am überzeugendsten darstellt;[31] und dabei spielt empirische Evidenz zunehmend eine wichtige Rolle. Die Digitalisierung der Welt, auf die das Recht trifft, tut ein Übriges: Die allgegenwärtigen Algorithmen beruhen auf vielfältiger Weise im Kern auf statistischen Modellen; Dogmatik ohne stochastische Grundlage vermag sie kaum angemessen zu regulieren.

29 *Towfigh*, Int J Const L 2014, 670 (674); *Kathryn Zeiler,* The Future of Empirical Legal Scholarship: Where Might We Go from Here? Journal of Legal Education 2016, 78.

30 *R v Clark* [2003 EWCA Crim 1020, 11 April 2003] – die Angeklagte *Sally Clark* wurde zunächst wegen Mordes an ihren zwei Säuglingen verurteilt, die beide am plötzlichen Kindstod verstarben, da der Gutachter die Wahrscheinlichkeit, zwei Kinder durch den plötzlichen Kindstod zu verlieren, falsch berechnet hatte; *Wolfgang Hamann,* „Iudex non calculat“ – Recht und Statistik, in FS Assenmacher (2012) 311; *Emanuel Towfigh* in *Mangold/Payandeh,* Antidiskriminierungsrecht 755 ff.

31 Vgl zum Einfluss subjektivierter Einflüsse auf Gerichtsentscheidungen *Tischbirek,* RECHTS|EMPIRIE 2020.

Die juristische Ausbildung vernachlässigt die Ausbildung dieser Fähigkeiten.[32] Nicht jeder Jurist muss Statistiker sein; alle sollten aber die Fähigkeit besitzen, mit Daten umzugehen und sie einzuordnen. Profitieren wird hiervon die Rechtswissenschaft in ihrer ganzen Breite, von der Rechtssetzung über die Rechtsanwendung bis hin zur Rechtswissenschaft und eben der rechtswissenschaftlichen Dogmatik. Gleichzeitig steht nicht zu befürchten, die Rechtsdogmatik werde durch eine Evidenzbasierung und einer weiteren Rationalisierung überrollt und verliere ihre Bedeutung.

Rechtsempirie und Rechtsdogmatik schließen sich gerade nicht gegenseitig aus, sie stehen nicht in Konkurrenz, sondern sie bedingen und stützen, stärken einander.

32 *Towfigh*, Int J Const L 2014, 670 (674).

Teil VI
Rechtsdogmatik und (Rechts-)Praxis
Rechtsdogmatik als (Rechts-)Praxis

Stephan Kirste

Rechtsdogmatik und Rechtspraxis – Freiheit und Bindung

Einleitung

Franz von Zeiller war ein herausragender Dogmatiker, bevor er aus seinen Erkenntnissen heraus das ABGB schaffen und kommentieren konnte.[1] *Bernhard Windscheid* hatte so hervorragende pandektistische Werke verfasst, dass sie für den ersten Entwurf des BGB nur noch in Paragraphen gegossen zu werden brauchten.[2] Dem Brasilianischen Kaiser schienen die Arbeiten von *Clovis Beviláqua* und *Teixeira de Freitas* nicht nur von so herausragender fachlicher, sondern auch stilistischer Qualität, dass er sie ohne weiteres zur Grundlage des Código Civil von 1916 machte.[3] Über

1 *Theo Mayer-Maly,* Zeiller, das ABGB und wir, in *Selb/Hofmeister* (Hrsg), Forschungsband Franz von Zeiller (1751–1828): Beiträge zur Gesetzgebungs- und Wissenschaftsgeschichte (1980) 1.

2 *Otto von Gierke,* Der Entwurf eines bürgerlichen Gesetzbuchs und das deutsche Recht (1889) 2 f schrieb über den Einfluss *Windscheids* auf den 1. Entwurf des BGB: „Was er uns bietet, das ist in seinem letzten Kern ein in Gesetzesparagraphen gegossenes Pandektenkompendium... Mit jedem seiner Sätze wendet dieses Gesetzbuch sich an den glehrten Juristen, aber zum deutschen Volke spricht es nicht – nicht zu seinen Ohren, geschweige denn zu seinem Herzen... Und arm, unbeschreiblich arm erweist es sich an schöpferischen Gedanken. In der Hauptsache begnügt es sich mit einer Kodifikation des usus modernus pandectarum", und setzt später (ebd 579) hinzu: „Ein schlechtes Pandektenkompendium interimistisches deutsches Gesetzbuch, bessere Pandektenlehrbücher und Pandektenvorlesungen die Schule, aus der das endgültige Gesetzbuch der Zukunft hervorgehen soll, – das sind in der That verlockende Aussichten!". Das Ganze enthalte: „Ein gekünsteltes und in sich widerspruchsvolles System, auf welches der Gesetzgeber schwerlich verfallen wäre, wenn es nicht von Windscheid als gemeines Pandektenrecht vorgetragen würde!" (ebd 174).

3 *Caio Mário da Silva Pereira,* A influência de Teixeira de Freitas na elaboração do novo Código Civil brasileiro, Estudos e Pareceres 1985, 149; *Otávio Luiz Rodrigues Júnior,* O Código Beviláqua no Cenário Internacional, Revista do Instituto Histórico e Geographico Brazileiro 2017, 207.

die verfassungstheoretischen Vorarbeiten *Hans Kelsens* zum B-VG muss hier nichts gesagt werden.[4]

Wenn *Christian Wolff* und *Immanuel Kant* meinen, die Philosophie sei die Magd der Wissenschaften, dann zeigen die Beispiele, dass dies auch für das Verhältnis zwischen wissenschaftlicher Rechtsdogmatik und Rechtspraxis gilt. Freilich entscheiden die Beispiele die von *Kant* zunächst unbeantwortet gelassene Frage, ob die Magd ihrer Herrin – der Rechtspraxis – die Fackel voran oder die Schleppe hinterherträgt,[5] eindeutig zugunsten des Ersteren: Die wissenschaftliche Rechtsdogmatik ist insoweit die Magd der Rechtspraxis, „in so weit die Frau im Finstern tappen müste und öfters fallen würde, wenn ihr die Magd nicht leuchtete".[6]

Mit der Kodifikation scheint sich freilich das Verhältnis zwischen Theorie und Praxis umzukehren. Nunmehr produziert die gerichtliche Entscheidungspraxis das Material und die Aufgabe der wissenschaftlichen Rechtsdogmatik tritt (zunächst) zurück.[7] „Richterrecht" scheint ihre Autorität zu verdrängen.[8]

4 *Georg Schmitz,* Die Vorentwürfe Hans Kelsens für die österreichische Bundesverfassung (1981); *Thomas Olechowski,* Hans Kelsen und die Österreichische Verfassung, ApuZ 2018, 1.

5 *Immanuel Kant,* Über den Gemeinspruch: Das mag in der Theorie richtig sein, taugt aber nicht für die Praxis: Zum ewigen Frieden. Hrsg v *Klemme* (1992) 227 f: „So heißt es z.B. von der Philosophie, sie sei die Magd der Theologie (und eben so lautetet es von den zwei anderen [Disziplinen, SK]). – Man sieht aber nicht recht, ‚ob sie ihrer gnädigen Frauen die Fackel vorträgt oder die Schleppe nachträgt'". Im Streit der Fakultäten schreibt er ähnlich: „Auch kann man allenfalls der theologischen Fakultät den stolzen Anspruch, daß die philosophische ihre Magd sei, einräumen (wobei doch noch immer die Frage bleibt: ob diese ihrer gnädigen Frau die Fackel vorträgt oder die Schleppe nachträgt)", siehe dazu *Immanuel Kant,* Der Streit der Fakultäten (2005). Hrsg v *Brandt/Giordanetti,* 27 f.

6 *Christian Wolff,* Ausführliche Nachricht von seinen eigenen Schriften, die er in deutscher Sprache herausgegeben hat. Mit einer Einleitung von *Hans Werner Arndt* (Gesammelte Werke, I Abt IX) 1973 I, 9, 536.

7 Zur – hier mit der Differenzierung von Dogmatik im formellen und im materiellen Sinn verneinten – Frage, ob dies nicht ein Widerspruch sei, weil die Rechtsdogmatik eine Lehre und keine Wissenschaft sei, siehe *Lassahn/Streenbreker,* Gedanken zur Rechtsdogmatik, Juristische Rundschau 2015, 553 (559 f).

8 Zur problematischen Geltung vgl *Friedrich Müller,* Richterrecht, rechtstheoretisch formuliert: Erscheinungsformen, Auftrag und Grenzen, in FS 600-Jahrfeier der Ruprecht-Karls-Universität Heidelberg (1986) 80: „In allen Fällen, in denen der Begriff sinnvoll verwendet werden kann, ist Richterrecht unzulässig, also keine verbindliche Rechtsquelle. Der verbleibende Rest der Debatte verschiebt sich auf Gewohnheitsrecht" und (84): „Was ‚Richterrecht' genannt wird, ist dort, wo es gerechtfertigt

Wissenschaftliche Rechtsdogmatik erschöpft sich dann offenbar darin, das durch die Praxis vorgelegte Material zu analysieren und zu systematisieren, so dass sie zu etwas wird, was *Bernhard Schlink* mit Rücksicht auf das öffentliche Recht „Bundesverfassungsgerichtspositivismus" genannt hat:[9] Sie beschreibt, analysiert, kritisiert und legitimiert die legislative und justizielle Praxis. Anlass genug, ein paar Aspekte des spannungsreichen Verhältnisses zwischen rechtswissenschaftlicher und rechtspraktischer Dogmatik zu beleuchten.

Rechtsdogmatik im Formellen und im Materiellen Sinn

„Was Theorie ist, kann schon begrifflich nicht Praxis sein", schreibt *Marietta Auer* zu Recht.[10] Doch dass deshalb Vorstellungen von Rechtsdogmatik als einem „hybriden Format"[11] abzulehnen sind, bedeutet nur, dass Theorie und Praxis der Rechtsdogmatik zu unterscheiden, nicht, dass sie verschieden sind. Wie so oft führt eine dualistische Sicht hier von der Wahrheit weg, statt zu ihr hin. Ich schlage deshalb vor, Rechtsdogmatik im formellen Sinn von der Rechtspraxis zu unterscheiden, um sie als Rechtsdogmatik im materiellen Sinn zueinander ins Verhältnis zu setzen. Was meine ich damit?

Die Praxis der wissenschaftlichen Rechtsdogmatik ist die wissenschaftliche Interpretation des geltenden Rechts mit juristischen Methoden,[12] wobei ein Methodenpluralismus möglich ist. Sie ist also ein Zusammenhang von wissenschaftlichen Tätigkeiten. Diese Tätigkeiten werden als Teil der Rechtswissenschaft an den Universitäten institutionalisiert, wo sie mit anderen Teildisziplinen der Rechtswissenschaft, insbesondere den Grundlagenfächern der Rechtsphilosophie, der Rechtsgeschichte und der Rechtssoziologie zusammenwirken.[13] Als Wissenschaft zielt sie auf Wahr-

---

werden kann, Bestandteil normaler Rechtsarbeit und nicht eigenständig. Wo es dagegen auf Normtexte des geltenden Rechts nicht vertretbar zurückgeführt werden kann, somit eigenständig auftritt, kann es nicht gerechtfertigt werden".

9 *Bernhard Schlink,* Die Entthronung der Staatsrechtswissenschaft durch die Verfassungsgerichtsbarkeit, Der Staat 1989, 161 (168); *Bernd Rüthers,* Rechtsdogmatik als Schranke des Richterrechts? JöR 2016, 309 (329) meint, es gebe eine „kritiklose Gläubigkeit gegenüber richterrechtlichen Neuschöpfungen der Bundesgerichte".

10 *Marietta Auer,* Zum Erkenntnisziel der Rechtstheorie. Philosophische Grundlagen multidisziplinärer Rechtswissenschaft (2018) 14.

11 *Matthias Jestaedt,* Rechtswissenschaft als normative Disziplin, in *Hilgendorf/Joerden* (Hrsg), Handbuch Rechtsphilosophie[2] (2017) 254 (260).

12 *Gustav Radbruch,* Rechtsphilosophie. Studienausgabe[2] (2003) hrsg v *Dreier/Paulson* 106; *Matthias Jestaedt,* Das mag in der Theorie richtig sein ... Vom Nutzen der Rechtstheorie für die Rechtspraxis (2006) 17 ff.

13 *Stephan Kirste,* Rechtsphilosophie: Einführung[2] (2020) 52 f.

heitserkenntnis über das Recht unter Einschluss der Rechtspraxis der Gerichte, Gesetzgebung, Verwaltungen.

Das Ergebnis dieser Rechtsdogmatik im formellen Sinn[14] und der Inhalt ihrer Tätigkeit sind die Lehrsätze der Rechtwissenschaft, die Dogmatik im materiellen Sinne. Die letztere stellt einen systematischen Zusammenhang von Sätzen, eben von Dogmen dar.[15]

Was wissenschaftliche Rechtsdogmatik und Dogmatik der Rechtspraxis verbindet, ist die Arbeit an und mit Rechtsinstituten, Rechtsprinzipien, Grundregeln, systematischen Strukturen, Typen, auch Theorien: die Rechtsdogmatik im materiellen Sinn. Entsprechend ihren Methoden der Interpretation und der Fortbildung hat sie einen rekonstruktiven und einen konstruktiven Teil.[16] Zunächst ist sie die „Reconstruction des dem Gesetze innewohnenden Gedankens“[17] Ziel der Erkenntnis der Rechtswissenschaft. Ein zweites Ziel aber ist die Konstruktion, die *Paul Laband* – und andere Vertreter der Begriffsjurisprudenz – treffend als Konstruktion beschreiben: Die Weiterentwicklung des Rechts aus seinen Grundbegriffen und Prinzipien.[18] Da das Recht nicht einfach nur ein Normengebilde ist, sondern in realen sozialen, historischen und anderen Zusammenhängen steht, gehören zur dogmatischen Erkenntnis seiner Unzulänglichkeit auch diese Bezüge. Die Dogmatik im materiellen Sinn ist zugleich die

14 *Robert Alexy,* Theorie der juristischen Argumentation (1991) 314 spricht von „institutionell betriebener Dogmatik“.

15 Zur Unterscheidung von Rechtsdogmatik als Tätigkeit und als Satz vgl *Werner Krawietz,* Was leistet Rechtsdogmatik in der richterlichen Entscheidungspraxis? ÖZöR 1972, 55.

16 *Alexy,* Argumentation 308 f unterscheidet drei Verfahrensweisen der Rechtsdogmatik: die deskriptiv-empirische, die logisch-analytische und die normativ-praktische. Die erste ermittelt den faktischen Willen des Gesetzgebers und beschreibt und prognostiziert die richterliche Spruchpraxis auf dieser Basis. Die logisch-analytische untersucht die logische Struktur von Rechtsbegriffen und rekonstruiert das logische Verhältnis zwischen Rechtsnormen und Prinzipien. Im Zentrum der normativ-praktischen Dimension steht schließlich die Rechtskritik und Rechtsinnovation.

17 *Friedrich Carl von Savigny,* System des heutigen Römischen Rechts I (1840) 213.

18 *Paul Laband,* Das Staatsrecht des Deutschen Reiches I^{3} (1895) X: „Die Dogmatik ist nicht die einzige Seite der Rechtswissenschaft, aber sie ist doch eine derselben. Die wissenschaftliche Aufgabe der Dogmatik eines bestimmten positiven Rechts liegt aber in der Construction der Rechtsinstitute, in der Zurückführung der einzelnen Rechtssätze auf allgemeinere Begriffe und andererseits in der Herleitung der aus diesen Begriffen sich ergebenden Folgerungen. Dies ist, abgesehen von der Erforschung der geltenden positiven Rechtssätze, d.h. der vollständigen Kenntnis und Beherrschung des zu bearbeitenden Stoffes, eine rein logische Denktätigkeit.“

Theorie der Rechtspraxis der Gesetzgebung (siehe die einleitenden Beispiele), der Rechtsprechung und Verwaltungen.

Dogmatik in Rechtswissenschaft und Rechtspraxis

Rechtswissenschaft und Rechtspraxis unterscheiden sich in der Form ihrer Tätigkeit. Rechtspraxis geht auf Entscheidungen über das Recht oder deren Vorbereitung. Natürlich zielt sie nicht auf Unwahrheit; aber ihr Wahrheitsanspruch ist doch durch die für die Wahrheitsfindung normierten Kompetenzen und Verfahren beschränkt. Die so gefundene Wahrheit dient der Entscheidung. Für die rechtswissenschaftliche Wahrheitserkenntnis besteht diese Beschränkung nicht. Deshalb verfügt sie prinzipiell auch über keine Zeitbeschränkungen – oder sollte es jedenfalls. Während die gerichtliche Rechtspraxis unter Entscheidungszwang steht, ist die wissenschaftliche Rechtsdogmatik frei in der Wahl ihrer Themen und in der Entscheidung, sie zu bearbeiten. Weil die Rechtspraxis Entscheidungen trifft, die in die Rechte der Bürger eingreift oder sie erweitert, unterliegt sie rechtlichen Legitimationsanforderungen. Die wissenschaftliche Rechtsdogmatik zielt auf praktische Relevanz, nicht auf normative Verbindlichkeit.[19] Praktisch wirksam ist die wissenschaftliche Rechtsdogmatik, wenn sie durch praktische Argumente überzeugen kann, während den Entscheidungen der Rechtspraxis formelle Wirksamkeit und damit grundsätzlich auch Durchsetzbarkeit zukommt.

Da die rechtswissenschaftliche Dogmatik zu Erkenntnissen führt, unterliegt sie den Legitimitätsanforderungen ihres Wahrheitsanspruchs. Sie hat fachliche Autorität, nicht wie die Rechtspraxis (auch) verfassungsrechtliche oder gesetzliche Autorität. Ihre Erkenntnisse sind daher auch keinen Rechtsbindungen unterworfen, wie die im Rahmen ihrer Kompetenzen verbindlichen Entscheidungen der Praxis. Für die rechtswissenschaftliche Dogmatik ist das Recht der Stoff und die Orientierung ihrer Untersuchung, aber nicht der normative Maßstab. Die Orientierung am Recht dient der Relevanz ihrer Ergebnisse und erfüllt keine rechtliche Verpflich-

19 Schon *Kant,* Streit 21: „Von dem Gesetzbuch, als dem Kanon, sind diejenigen Bücher, welche als (vermeintlich) vollständiger Auszug des Geistes des Gesetzbuchs zum faßlichern Begriff und sichererm Gebrauch des gemeinen Wesens (der Gelehrten und Ungelehrten) von den Fakultäten abgefaßt werden … gänzlich unterschieden. Sie können nur verlangen, als Organon, um den Zugang zu jenem zu erleichtern, angesehen zu werden und haben gar keine Auktorität".

tung. Entsprechend stehen die Begriffe der wissenschaftlichen Rechtsdogmatik nicht zur Disposition des Gesetzgebers.[20] Darin liegt ihre Freiheit. Das bedeutet nicht, dass sie Rechtsänderungen nicht berücksichtigen sollte; aber dies ist ihr Material und nicht das Ergebnis einer Rechtsbindung. Sie verliert ihren Sinn, wenn sie sich nicht auf das geltende Recht bezieht.

Auch die Rechtspraxis – besonders der Obergerichte und ohnehin des Gesetzgebers – tragen zur Dogmatik im materiellen Sinn bei. Denn auch sie arbeiten mit juristischen Lehrsätzen, Prinzipien, Rechtsinstituten usw und können diese weiterentwickeln. Jedenfalls produzieren sie Fallanschauung und Fallerkenntnisse, die wiederum in allgemeine Sätze integriert werden können und müssen.

In der Rechtsdogmatik im materiellen Sinn berühren sich also Rechtswissenschaft und Praxis und befruchten sich, auch wenn sie formell durch Wissenschaftlichkeit einerseits und Entscheidungsbezogenheit andererseits unterschieden bleiben.[21] Die Dogmatik im materiellen Sinn ist das Ziel der wissenschaftlichen Rechtsdogmatik und ein Mittel der Entscheidungsfindung der Rechtspraxis, zu dem sie aber selbst beitragen kann. Hierin liegt der Praxisbezug der Rechtswissenschaft und der Theoriebezug der Rechtspraxis.[22] Für diese Begegnung gibt es eigene Medien in Gestalt juristischer

20 *Uwe Diederichsen,* Auf dem Weg zur Rechtsdogmatik, in *Zimmermann* (Hrsg), Rechtsgeschichte und Privatrechtsdogmatik (1999) 65 (73).

21 *Matthias Jestaedt* spricht mit Rücksicht auf eine vormalige wissenschaftliche Dominanz vom „Praxiseinbezug" in die Rechtsdogmatik. In der Rechtsdogmatik im materiellen Sinn treffen sich aber Wissenschaft und Praxis auf Augenhöhe der rationalen Begründung von juristischen Denkfiguren; siehe dazu *Matthias Jestaedt,* Wissenschaftliches Recht: Rechtsdogmatik als gemeinsames Kommunikationsformat von Rechtswissenschaft und Rechtspraxis, in *Kirchhof/Magen/Schneider* (Hrsg), Was weiß Dogmatik? Was leistet und wie steuert die Dogmatik des Öffentlichen Rechts? (2012) 117 (119 f).

22 *Rolf Stürner,* Das Zivilrecht der Moderne und die Bedeutung der Rechtsdogmatik, JZ 2012, 10 (11 f) unterscheidet nach dem Allgemeinheitsgrad der Lehrsätze und Strukturen weiter zwischen einer Gebrauchs- und einer wissenschaftlichen Dogmatik. Doch ist dies eine Binnendifferenzierung der Dogmatik im materiellen Sinn, keine Abgrenzung der Form nach. *Michael Welker,* Juristische und theologische Dogmatik, in FS Krawietz (2013) 339 (346) spricht von der „Verwissenschaftlichung" des Rechts und der Religion durch die Dogmatik. Alleinstellungsmerkmal ist die Wissenschaftsorientierung der Obergerichte (*Matthias Jestaedt,* Wissenschaft im Recht: Rechtsdogmatik im Wissenschaftsvergleich, JZ 2014, 1 [3]) wohl nicht mehr; aber vielleicht hatte sie Vorbildfunktion, wie man mit einem Blick auf die Judikatur des Brasilianischen Tribunal Federal sagen könnte. Kritisch zum umgekehrten Effekt bereits *Schlink,* Der Staat 1989, 161.

Fachzeitschriften. Mit ihrem Richtigkeitsanspruch schränkt die Dogmatik im materiellen Sinn die verbliebene Entscheidungsfreiheit der Praxis weiter ein. Es bleibt aber dabei, dass sich die Sätze der Rechtsdogmatik im materiellen Sinn in der Form in Wissenschaft und Praxis unterscheiden: Rechtsnormen im Sinne von in normierten Verfahren erzeugte und in solchen durchsetzbaren Normen, kann nur die Praxis erzeugen, nicht die Rechtswissenschaft.[23] Die Rechtswissenschaft trifft Aussagen über Normen aber keine normativen Aussagen.[24] Der Preis für diese erhöhte Wirksamkeit der Rechtspraxis ist die rechtliche Legitimationsbedürftigkeit ihrer Entscheidungen, die sich in ihrer Rechtsbindung äußert.[25] Demgegenüber ist die wissenschaftliche Rechtsdogmatik frei und hat sich (nur) sachlich zu rechtfertigen. Systemtheoretisch könnte man darauf verweisen, dass die wissenschaftliche Rechtsdogmatik dem Wissenschaftssystem und die Praxis dem Rechtssystem angehört.[26] Doch hat die Systemtheorie für die Rechtsdogmatik im materiellen Sinn eigentlich nur den Begriff des Rauschens und des „Order from noise"-Principle übrig, was der Sinn-Transformation nicht gerecht wird. Sie erkauft die Freiheit der rechtswissenschaftlichen Dogmatik mit der Sinnlosigkeit ihrer Exporte in die Praxis.

In diesen Lehrsätzen der Rechtsdogmatik im materiellen Sinn verbindet sich also das Erfahrungswissen der Fallanschauung mit dem theoretischen Wissen von Strukturen.[27] Sie leistet durch klare Begriffe und Prinzipien eine Ordnungs- und Orientierung für die Entscheidungspraxis. Aufgrund dieser Orientierung können berechtigte von jedenfalls prima facie nicht berechtigten Argumenten abgegrenzt werden. Sie trägt damit auch zur Vereinfachung bei, in dem die juristische Argumentation nicht jedes Mal bei null anfangen, sondern sich auf diese dogmatischen Erkenntnisse stützen kann. In ihrer Allgemeinheit kann die Dogmatik im materiellen

23 Anders *Ludwig Raiser*, Rechtswissenschaft und Rechtspraxis, NJW 1964, 1201 (1208), der einen Konsens in der Rechtsdogmatik für solche Korrektur als legitimiert ansieht.

24 Vgl auch *Ota Weinberger*, Grundlagenprobleme des Institutionalistischen Rechtspositivismus und der Gerechtigkeitstheorie, Rechtstheorie-Beiheft 14 1994, 173 (198 f).

25 *Udo Di Fabio*, Systemtheorie und Rechtsdogmatik, in *Kirchhof/Magen/Schneider* (Hrsg), Was weiß Dogmatik? Was leistet und wie steuert die Dogmatik des Öffentlichen Rechts? (2012) 63 (66).

26 *Niklas Luhmann*, Rechtssystem und Rechtsdogmatik (1974) 13; zu den Verschränkungen dieser Systeme in Bezug auf die juristische und die theologische Dogmatik vgl *Welker* in FS Krawietz 345 f.

27 Zum Folgenden auch *Alexy*, Argumentation 307 f, 236 ff; *Kirste*, Rechtsphilosophie 44 f; *Rüthers*, JöR 2016, 309 (333 ff); *Stürner*, JZ 2012, 10 (10 f).

Sinn zur Stabilisierung der Entscheidungen der Gerichte beitragen und eine Gleichmäßigkeit der Entscheidungsprämissen gewährleisten. Da ihr nicht selbst Verbindlichkeit zukommt, kann sie zugleich zum Ausgangspunkt der Weiterentwicklung der Rechtsinterpretation werden und erfüllt so eine Kritik-[28] und Fortschrittsfunktion.

Zusammenfassend können wir also die Dialektik von wissenschaftlicher Rechtsdogmatik und Rechtspraxis so zusammenfassen: Die Praxis der Rechtwissenschaft ist die Rechtsdogmatik im formellen Sinn. Ihr Ergebnis ist die Rechtsdogmatik im materiellen Sinn. Diese stellt die Theorie der Rechtspraxis dar. Rechtswissenschaft und Rechtspraxis sind also der Form nach zu unterscheiden, über die Rechtsdogmatik im materiellen Sinn aber verbunden. Deshalb kann auch die Rechtspraxis mit ihren Mitteln an der Rechtsdogmatik im materiellen Sinn mitwirken.

Die Notwendigkeit von Interdisziplinarität der Rechtsdogmatik

Die Rechtspraxis verlangt nach Interdisziplinarität. Aus der Gesellschaft geht das Recht in normierten Verfahren hervor und wirkt in normierten Verfahren auf sie zurück. Daraus ergibt sich die Notwendigkeit der interdisziplinär orientierten konstruktiven Leistungen der wissenschaftlichen Rechtsdogmatik. Wegen dieses Zusammenhangs ist die Rechtsdogmatik nicht auf ein abgeschlossenes, vollständiges und statisches, sondern auf ein dynamisches und bewegliches System gerichtet.[29] Solange sie dies methodengeleitet erarbeitet, überschreitet sie nicht die Grenzen zur Rechtspolitik.[30] Wenn Wissenschaften nur von Fachgelehrten betrieben werden, können zusammenhängende soziale Phänomene nicht mehr zusammenhängend analysiert und bewertet werden. Recht ist aber ein solches übergreifendes Phänomen. Wenn jedoch umgekehrt jeder Wissenschaftler sich für alle sozialen Auswirkungen des Rechts für kompetent ansieht, dann herrscht Dilettantismus und subjektives Werten. Die Praxis hat es aber mit dem Recht als Sozialphänomen zu tun, vor dem sie die

28 *Rüthers*, JöR 2016, 309 (330 f).
29 *Raiser*, NJW 1964, 1201 (1204).
30 Kritisch zur Verengung der Rechtsdogmatik und zum expansiven Verständnis einer nicht mehr methodengeleiteten Rechtspolitik *Michael Grünberger*, Responsive Rechtsdogmatik: Eine Skizze, AcP 2019, 924 (925).

Augen nicht verschließen kann. Eine rechtswissenschaftliche Dogmatik muss also Methoden erarbeiten, wie sie ihrem Proprium treu und doch sachgerechte Erkenntnisse bilden kann. Hierfür ist eine Analyse der Bedingungen von Interdisziplinarität unverzichtbar.[31] Dieser Import von Erkenntnissen aus Nachbardisziplinen ist aber kein Abbild, sondern eine Transformation.[32] Diese Trans-Formation achtet die Eigengesetzlichkeit des Rechts der Form nach, ohne auf inhaltliche Erkenntnisse aus anderen Nachbarwissenschaften zu verzichten.[33] Freiheit und Bindung kommen hier zusammen: Die Autonomie des Rechtssystems ist bedingt durch die Selbstbindung der wissenschaftlichen Rechtsdogmatik und die Verpflichtung der Praxis auf das geltende Recht.

Wenn die Rechtsdogmatik ihre Aufgabe dahingehend missversteht, dass sie keine konstruktive, sondern nur eine kritische Funktion ex post habe, darf sie sich nicht wundern, dass die Praxis – um auf das Bild *Kants* zurückzukommen – mit ihrer Schleppe so viel Staub aufwirbelt, dass sie sich verwundert die Augen reiben muss, weil man sie nicht mehr sieht und weil sie selbst nichts mehr sieht. Eine Rechtsdogmatik also, die vor lauter Reinlichkeit ihres wissenschaftlichen Profils ihre Brückenfunktion für den interdisziplinären Import und dessen Verarbeitung zu eigenständigen juristischen Konstruktionen vergisst, macht sich selbst zur hinterherstiefelnden Magd der Praxis. Für diese Rechtsdogmatik gilt dann in der Tat der von *Kant* abgelehnte Satz: Das mag gut für die Theorie sein, taugt aber nicht für die Praxis. Wer alle konstruktive Arbeit de lege ferenda als Rechtspolitik abtut, verwechselt Form und Stoff von wissenschaftlicher Rechtsdogmatik und Rechtspraxis: Auch in ihrer konstruktiven Arbeit stellt die Rechtsdogmatik Rationalität in Gestalt von Argumenten für die Praxis bereit und überlässt die Entscheidung darüber der Praxis.[34] Auch dann trifft sie Aussagen über Normen und stellt nicht selbst verbindliche

31 *Stephan Kirste*, Voraussetzungen der Interdisziplinarität in den Rechtswissenschaften, in *Kirste* (Hrsg), Recht und Philosophie: Interdisziplinarität in den Rechtswissenschaften I (2016) 35 (35 ff); *Auer*, Erkenntnisziel 43 ff.

32 *Grünberger*, Responsive Rechtsdogmatik 929 meint das Gleiche, wenn er von „Übersetzung" spricht.

33 *Dieter Grimm*, Notwendigkeit und Bedingungen interdisziplinärer Forschung in der Rechtswissenschaft, in *Kirste* (Hrsg), Recht und Philosophie: Interdisziplinarität in den Rechtswissenschaften I (2016) 21.

34 *Carsten Bäcker*, Was bedeuten Begründungen für juristische Entscheidungen? Neun Thesen, in *Kirste* (Hrsg), Recht und Philosophie: Interdisziplinarität in den Rechtswissenschaften I (2016) 231 (245 f).

Normen auf. Eilt freilich die Magd ihrer Herrin, der Praxis, mit ihrer Kritik und ihren de lege ferenda Argumentationen so weit voraus, dass sie sich von den grundlegenden Wertungen der Rechtsordnung entfernt, darf sie sich nicht wundern, wenn diese aus dem Lichtkegel ihrer Erkenntnisse verschwindet und ihrer eigenen Wege geht.

Die befreite Rechtsdogmatik

Zu *Kants* Zeiten standen die drei „oberen Fakultäten", zu denen neben der Theologie und der Medizin auch die Rechtswissenschaft gehörte, wegen ihrer erwarteten großen praktischen Wirksamkeit unter der Kuratel des Staates.[35] Durch diese Kopplung an die Politik sollte sich der „schriftgelehrte Jurist" nicht anmaßen, die positiven Gesetze auf ihre Vernünftigkeit hin zu überprüfen.[36] Diese Kritik sollte nur dem Rechtsphilosophen zukommen. Die Wissenschaftsfreiheit hat hier zu einer Entkoppelung von der Politik aber auch der Rechtspraxis geführt. Dies dient zugleich ihrer Ausrichtung auf einen nicht durch praktische Nützlichkeitserwägungen beschränkten Wahrheitsanspruch. Die Freirechtsschule hatte in der konstitutionellen Demokratie zur freien Rechtsfindung der Justiz aufgerufen. Im demokratischen Rechtsstaat fehlt ihr dazu die Legitimation. Das gilt aber nicht für die Rechtsdogmatik als Wissenschaft. In diesem Sinne geht es nicht, wie *Nils Jansen* meint, um „eine praxisentlastete und zukunftsorientierte wissenschaftliche Rechtsdogmatik",[37] sondern darum, dass die wissenschaftliche Rechtsdogmatik ihre Freiräume nutzt, um die Rechtsdogmatik im materiellen Sinn auch durch die Transformation interdisziplinärer Anregungen weiterzuentwickeln.

Der Rechtspraxis steht neben der Waage der *Justitia* auch das Schwert zu; wollte die wissenschaftliche Rechtsdogmatik auch danach greifen, würde sie ihre Autorität und ihre Freiheit nicht vermehren, sondern vermindern.[38]

35 *Kant,* Streit 17.

36 *Kant,* Streit 24.

37 *Nils Jansen,* Rechtswissenschaft und Rechtssystem (2018) 58.

38 *Kant,* Gemeinspruch 82 f: Der Jurist, „der die Waage des Rechts und nebenbei auch das Schwert der Gerechtigkeit sich zum Symbol gemacht hat, bedient sich gemeiniglich des letzteren, nicht um etwa bloß alle fremden Einflüsse von dem ersteren abzuhalten, sondern, wenn die eine Schale nicht sinken will, das Schwert mit hineinzulegen *(vae victis):* wozu der Jurist, der nicht zugleich (auch der Moralität nach) Philosoph ist, die größte Versuchung hat, weil es seines Amts nur ist, vorhandene Gesetze anzuwenden, nicht aber, ob diese selbst nicht einer Verbesserung bedürfen, zu untersuchen".

Durch das Schwert der *Justitia* würde sie zwar nicht umkommen,[39] sich aber aufgrund des erzeugten Legitimationszwangs doch ihrer Freiheit berauben. Denn mangels Legitimation zur Aufstellung von Rechtsnormen, könnte sie dann der Praxis nur die Schleppe hinterhertragen.[40] Für diese höhere Freiheit zahlt die wissenschaftliche Rechtsdogmatik den Preis der Unverbindlichkeit.[41]

Und noch einmal eine Analogie zu *Kant:* Dass die Rechtspraxis Rechtsdogmatik im formellen Sinn betreibt oder dass die wissenschaftliche Rechtsdogmatik praktische Entscheidungen trifft, ist also „nicht zu erwarten, aber auch nicht zu wünschen, weil der Besitz der Gewalt das freie Urteil der Vernunft unvermeidlich verdirbt." Dass aber die Rechtspraktiker die wissenschaftliche Rechtsdogmatik „nicht schwinden oder verstummen, sondern öffentlich sprechen lassen, ist beiden zu Beleuchtung ihres Geschäftes unentbehrlich".[42] Diese Beleuchtung ihres Geschäfts geschieht aber durch eine konstruktive Rechtsdogmatik im materiellen Sinn, deren Leitsätze und Dogmen die Arbeit der Praxis beleuchten, strukturieren, aber auch kritisieren und fortentwickeln können.[43]

39 *Matthäus* 26, 52: „Steck dein Schwert in die Scheide; denn alle, die zum Schwert greifen, werden durch das Schwert umkommen".

40 *Kant,* Gemeinspruch 83, der das Bild der Magd verwendet, sieht freilich die Rechtswissenschaft insgesamt in enger Verbindung zur Macht und grenzt sie von der insofern mächtigen, weil ohne Schwert bewaffneten Philosophie ab.

41 *Luhmann,* Rechtssystem und Rechtsdogmatik 13.

42 *Kant* spricht auch hier vom Verhältnis zwischen Philosophie und Recht. Die Philosophie vertritt dabei den Wahrheitsanspruch, der aller Wissenschaft eigen ist. Deshalb kann dies auch auf die wissenschaftliche Rechtsdogmatik angewendet werden. Dennoch zum besseren Verständnis *Kants* hier das Zitat im Zusammenhang: „Daß Könige philosophieren oder Philosophen Könige würden, ist nicht zu erwarten, aber auch nicht zu wünschen, weil der Besitz der Gewalt das freie Urteil der Vernunft unvermeidlich verdirbt. Daß aber Könige oder königliche (sich selbst nach Gleichheitsgesetzen beherrschende) Völker die Klasse der Philosophen nicht schwinden oder verstummen, sondern öffentlich sprechen lassen, ist beiden zu Beleuchtung ihres Geschäftes unentbehrlich, und weil diese Klasse ihrer Natur nach der Rottierung und Klubbenverbündung unfähig ist, wegen der Nachrede einer Propaganda verdachtlos", *Kant,* Gemeinspruch 83.

43 *Savigny,* System I IX: Damit die Ehrerbietung gegenüber dem überlieferten positiven Recht und seinen Dogmatiken „nicht in Einseitigkeit ausarte, und so die Freyheit des Denkens gefährde, ist es nöthig, den Blick unverwandt auf das letzte Ziel der Wissenschaft zu richten... Um dieser Gefahr zu begegnen, müssen wir wünschen, daß von Zeit zu Zeit die ganze Masse des Überlieferten neu geprüft, in Zweifel gezogen, um seine Herkunft befragt werde... Die angemessene Stimmung für eine solche prüfende Arbeit ist die der geistigen Freyheit, der Unabhängigkeit von aller Autorität...".

Matthias Neumayr

Rechtsdogmatik und (Rechts-)Praxis/ Rechtsdogmatik als (Rechts-)Praxis

Persönliche Grundlegung

Das UG 2002 machte es möglich, dass ich – ebenso wie mein geschätzter Kollege *Georg Kodek* – neben meiner Tätigkeit am Höchstgericht der ordentlichen Gerichtsbarkeit auch eine „halbe" Professur an einer Universität innehaben kann. In diesem Sinn sind wir beide – um mit *Matthias Jestaedt* zu sprechen – personifizierte Kommunikationsräume zwischen Rechtswissenschaft und Rechtspraxis.[1] Oder – ebenfalls nach *Matthias Jestaedt:* Wir verschmelzen personifiziert im Wissenschaft-Praxis-Amalgam.[2] Und als Herausgeber von Kurzkommentaren können wir beide auch als Höchstgerichtspositivisten bezeichnet werden.[3]

Richterliche Tätigkeit als Kunst?

Bei der Analyse des Verhältnisses von Rechtswissenschaft und Rechtspraxis wird in mehreren Beiträgen dieses Bandes auch der EuGH ins Visier genommen. Er soll nun in der Person des – 2009 im Amt verstorbenen – Generalanwalts *Ruiz-Jarabo Colomer* zu Wort kommen. Dessen Schlussanträge in der Rs C-11/06, *Morgan* und C-12/06, *Bucher* starten mit einem Zitat des kolumbianischen Strafrichters und Schriftstellers *Andrés Nanclares Arango* aus dessen 2001 erschienenen Buch „*Los jueces de mármol*" – Die Marmorrichter:

1 *Matthias Jestaedt,* Wissenschaftliches Recht, in FS H. Mayer (2014) 169 (178).

2 *Matthias Jestaedt,* Wissenschaft im Recht. Rechtsdogmatik im Wissenschaftsvergleich, JZ 2014, 1 (7).

3 Zu dem Begriff s – neben *Bernhard Schlink* – zuletzt etwa *Bottega/Reich,* Kurzkommentare als „Bundesgerichtspositivismus" – Implikationen für die Rechtswissenschaften, in FS W. Stocker (2020) 273.

„Einem lateinamerikanischen Juristen zufolge gibt es drei Arten von Richtern: Die Handwerker, wahre Automaten, die mit bloßen Händen Urteile in Serie und in rauen Mengen produzieren, ohne in die Bereiche des Menschlichen oder der sozialen Ordnung hinabzusteigen, die Kunsthandwerker, die Hand und Hirn benutzen und sich dabei den traditionellen Auslegungsregeln unterwerfen, die sie unweigerlich dazu führen, den Willen des Gesetzgebers ohne weiteres umzusetzen, und die Künstler, die mithilfe der Hände, des Kopfes und des Herzens den Bürgen weitere Horizonte eröffnen, ohne der Realität und den konkreten Sachverhalten den Rücken zu kehren.“

Ich weiß nicht, ob *Andrés Nanclares Arango Rudolf von Jhering* gelesen hat und daher als Künstler diejenigen Richter versteht, denen es gelungen ist, in die Schicht der Kreativität und Produktivität vorzudringen. Gerade die Gebundenheit an das geltende positivierte Recht lässt einem Richter wenig Raum, über die Ebene des Kunsthandwerkers hinaus zu gelangen. Zweifellos: Anders als die – auch persönlich als Verfasser von Entscheidungen angesprochenen – Richter in Rechtssystemen des Common Law verstehen kontinentaleuropäische Richter ihre Tätigkeit nicht als genuin kreativ. Sie „erkennen“ zu Recht: Recht liegt sozusagen ausgebreitet da, es muss „gefunden“ werden, nicht gleichsam schöpferisch „erfunden“. Das Selbstverständnis der Richter ist von judicial restraint und Achtung vor dem parlamentarischen Gesetzgeber geprägt.[4] Verstehen sich Abgeordnete nationaler Parlamente aber mehr als Ermittlungsrichter denn als Gesetzgeber, öffnen sich Lücken, die notgedrungen von Richtern gefüllt werden müssen. Auch wenn es in der Öffentlichkeit oft anders kolportiert wird: Das Fehlen gesetzlicher Vorgaben ist für den Richter Last, nicht Lust.[5]

Kreativität beim OGH?

Ob meiner Hauptfunktion als Richter am Obersten Gerichtshof liegt es nahe, dass ich meine Grundlegung des Themas vor allem auf die Rechtspraxis an einem Höchstgericht beziehe. Ausdrücklich muss ich betonen: im Zivilrecht, nicht im Strafrecht. Von mir im Folgenden erwähnte Usancen

4 Anstatt vieler *Matthias Neumayr,* Richterliche Praxis der Zivilgerichtsbarkeit, in *Pilgermair* (Hrsg), Wandel in der Justiz (2013) 111 (122 f).

5 Ebenso *Günter Hirsch,* Auf dem Weg zum Richterstaat? JZ 2007, 853 (855); *Martin Kriele,* Richterrecht und Rechtspolitik, ZRP 2008, 51 (53).

beim Obersten Gerichtshof sind idealtypisch zu verstehen. Unzulässig wäre der Schluss, dass es weder Fehlentscheidungen noch Fehlentwicklungen gibt.[6]

Mein Ziel geht dahin, in wenigen Absätzen ausloten,

- wo es in der aktuellen Rolle des OGH Raum für eine produktive Dogmatik im *Jhering*schen Sinn gibt, also die kreative Fortentwicklung des Rechts,[7] und
- ob und wie ein solcher Raum ausgenützt wird.

Die dahinterstehende Frage lautet also: Gibt es innerhalb systemimmanenter Schranken auch in der Rechtspraxis Rechtsdogmatik im engeren Sinn? Dabei will ich nicht in subtiler Weise zwischen richterlicher Rechtsfortbildung und „Richterrecht" unterscheiden,[8] sondern beobachtend drei Phänomene herausgreifen, die ich in einen näheren Blick nehmen möchte:

- die Fortentwicklung des Rechts im Rahmen der Leitfunktion des Obersten Gerichtshofs,
- den Umgang des Obersten Gerichtshofs mit neuem Recht und
- die Herkunft der Richter, ihre Selbsteinschätzung und die Fremdeinschätzung.

Eine Verklammerung der drei Punkte werde ich in der Form versuchen, dass ich bei jedem Einzelpunkt in Form eines Beispiels der richterlichen Kreativität eine markante Grenze setze, die nicht zwingend aus den rechtlichen Vorgaben abzuleiten ist.

Leitfunktion des Obersten Gerichtshofs

Betrachtet man die seit dem Jahr 1983 in der ZPO grundgelegte Leitfunktion des Obersten Gerichtshofs, stehen drei Begriffe im Vordergrund, die in § 502 Abs 1 ZPO die Rechtsfrage von erheblicher Bedeutung umschreiben.

6 Wie *Martin Spitzer* in diesem Band zum Kreditmoratorium augenscheinlich aufzeigt.

7 Die Kritik an der Fortentwicklung des Rechts durch die Gerichte ist mir sehr wohl bewusst. Die Existenz des Phänomens der Rechtschaffung durch Gerichte ist aber kaum zu leugnen. Siehe etwa *Friedrich Harrer,* Entwicklungsstufen der Rechtsfindung (2018) 122 ff.

8 Siehe dazu etwa *Matthias Jestaedt,* Richterliche Rechtssetzung statt richterliche Rechtsfortbildung, in *Bumke* (Hrsg), Richterrecht zwischen Gesetzesrecht und Rechtsgestaltung (2012) 49 ff.

Allein eine Rechtsfrage dieser Qualität ermöglicht den Zugang zum Höchstgericht. Die drei Schlüsselbegriffe, für die der OGH Sorge trägt, sind:

- Rechtseinheit,
- Rechtssicherheit und
- Rechtsentwicklung.

Der letztangeführte Begriff zeigt, dass sich auch die durchaus konservative ZPO die kreative Fortentwicklung des Rechts – die Einleitung einer neuen Rechtsprechung oder die Modifikation der bisherigen – als eines der bedeutenden Elemente eines Rechtsstaates auf ihre Fahnen heftet.

So ganz im Fokus der Tätigkeit des OGH steht die Rechtsentwicklung allerdings nicht. Von seinem Selbstverständnis her ist der oberste Gerichtshof eher auf Rechtseinheit und Rechtssicherheit bedacht. Wir OGH-Richter sind keine „activist judges",[9] wie sie zB *Newt Gingrich* in den USA beklagt hat.[10] Dieser Befund dürfte vor allem mit der historischen Entwicklung unseres Gerichts zusammenhängen, das sich als politikabsente Institution versteht und daher auch keine Politik „machen" will. Auf dieser mentalen Grundlage ist es in einem (meist recht konstant zusammengesetzten) Senat aus fünf Richtern wahrscheinlicher, dass eine etablierte Rechtsprechung aufrechterhalten als geändert wird. Nicht zu vergessen die österreichische Mentalität: In unserem harmoniebedürftigen Land sucht man einhellige Entscheidungen, und seien sie kompromisshaft. Rechtsentwicklung vollzieht sich daher tendenziell in Nuancen.

Entwickelt der OGH Recht weiter, orientiert er sich regelmäßig an Gedanken, die in der Rechtswissenschaft entwickelt wurden: Die universitäre Dogmatik „zeichnet nach und zeichnet vor",[11] gleichsam in einer austau-

9 Siehe etwa *Beth Marlowe,* Newt Gingrich takes aim at 'activist judges,' concerning some in GOP, Washington Post vom 20. 12. 2011, <www.washingtonpost.com/politics/newt-gingrich-takes-aim-at-activist-judges-concerning-some-in-gop/2011/12/19/gIQAv5uD5O_story.html> (23. 9. 2023).

10 *Newt Gingrich* war bis 1999 Kongressabgeordneter des Bundesstaats Georgia (Republikanische Partei) und von 1995 bis 1999 Sprecher des Repräsentantenhauses. Die konservative Mehrheit im Supreme Court führt nun dazu, dass demokratische Abgeordnete wie etwa die vormalige Sprecherin des Repräsentantenhauses, die kalifornische Abgeordnete *Nancy Pelosi* ihrerseits dem Gericht in der Abtreibungsfrage einen negativ konnotierten „judicial activism" vorwerfen.

11 *Christian Bumke,* Rechtsdogmatik (2017) 2; *Christian Bumke,* Rechtsdogmatik: Überlegungen zur Entwicklung und zu den Formen einer Denk- und Arbeitsweise der deutschen Rechtswissenschaft, JZ 2014, 641 (insb 646).

schenden Spiralenlinie. *Christiane Wendehorst* weist in ihrem Beitrag[12] darauf hin, dass durchaus auch manche Idee aus Deutschland Eingang in die höchstgerichtliche Rechtsprechung findet, sei es durch unmittelbare Heranziehung, sei es im Wege der universitären (österreichischen) Dogmatik. Zweifellos steht in Deutschland einfach ein viel größerer Fundus an Fallmaterial für die rechtsdogmatische Aufarbeitung zur Verfügung; eine kleinere Rechtsordnung schaut regelmäßig auf eine größere, wie auch das Beispiel Slowenien zeigt.[13]

In den letzten vier Jahrzehnten, also in der Zeit, in der ich ungefähr als Richter tätig war und bin, ist die Auseinandersetzung der österreichischen Rechtsprechung mit dem deutschen Privatrecht um einiges selbstbewusster und kritischer geworden. Unbesehen übernommen wird nichts (mehr). Als Beispiele möchte ich die Leitjudikatur zum Angehörigenschmerzengeld[14] und die Frage der Ersatzfähigkeit der Stornokosten einer Reise nach einer Körperverletzung nennen. Zur letztgenannten Entscheidung[15] hat ein in Österreich ausgebildeter und in seinem Berufsleben weitgehend in Deutschland tätig gewordener Rechtslehrer angemerkt:[16]

„Dem OGH ist tiefer Respekt und uneingeschränkter Beifall dafür zu zollen, mit welcher Gründlichkeit er sich mit der österreichischen und deutschen Literatur auseinandergesetzt hat. Es ist ein Markenzeichen besonders hoher Rechtskultur, dass ein Höchstgericht nicht bloß – wie etwa typischerweise der deutsche BGH – seine eigene Rechtsprechung fortschreibt, sondern am Diskurs der wissenschaftlichen Diskussion teilnimmt und sachliche Argumente bei der konkreten Entscheidung berücksichtigt. Besonders hervorgehoben sei, dass deutsche Literatur nicht unbesehen übernommen wird, sondern dortige Literaturmeinungen darauf „abgeklopft“ werden, ob sie die Rechtsprechung korrekt wiedergeben. Bravo, bravissimo!“

12 In diesem Band.

13 *Miha Juhart,* Die Bedeutung des österreichischen Allgemeinen Bürgerlichen Gesetzbuchs (ABGB) für die Entwicklung des slowenischen bürgerlichen Rechts, in *Geistlinger/Harrer/Mosler/Rainer* (Hrsg), 200 Jahre ABGB – Ausstrahlungen (2011) 89 (100).

14 OGH 2 Ob 84/01v SZ 74/90 = ZVR 2001/73, 284 *(Karner)* = ecolex 2001/235, 668 *(Helmich);* RIS-Justiz RS0115189; zur Kritik am Kriterium der groben Fahrlässigkeit statt vieler *Rudolf Reischauer* in *Rummel,* ABGB^3 § 1325 Rz 5a.

15 OGH 2 Ob 113/09w EvBl 2010/119, 819 (830) *(Karner)* = SZ 2010/11 = ZVR 2010/157, 326 *(Chr. Huber).*

16 *Christian Huber,* EAnm zu 2 Ob 113/09w, ZVR 2010, 326.

Das Lob erfreut (auch wenn ich selbst nicht an der Entscheidung beteiligt war): Nicht wegen der Belobigung des Produkts, sondern wegen des Hinweises darauf, dass wir uns mit Standpunkten mit rationalen Argumenten und damit in nachvollziehbarer Weise auseinandersetzen.[17]

Trotz allem: Der OGH entscheidet Fälle. Er sieht sich daher nicht als Entscheider dogmatischer Streitigkeiten aus dem universitären Bereich. Auch wenn zuweilen in Entscheidungsanmerkungen zu lesen ist, dass es der OGH erneut unterlassen hat, endlich zu einem schwelenden Streit zwischen der Auslegungsvariante A und der Alternative B Stellung zu nehmen (oder dem EuGH Gelegenheit zu geben, in einem Streit dieser Qualität ein klärendes Wort zu sprechen): So weit geht die Leitfunktion nicht. Im Gegenteil: Die Zuständigkeit für die Entscheidungstätigkeit eines Gerichts findet ihre Grenze in der Fallrelevanz.[18]

Der Umgang mit neuem Recht

Das folgende Beispiel ist ein fiktives. Es ist auch nicht damit zu rechnen, dass die ordentlichen Gerichte überhaupt damit konfrontiert sein werden, jedenfalls nicht bald.

Es geht um die Sterbeverfügung. Bekanntlich hat der VfGH in seinem Erkenntnis vom 11. 12. 2020 die generelle Strafbarkeit der Hilfeleistung zur Selbsttötung aufgehoben.[19] In der Lit wurde das vom VfGH erzielte Ergebnis – es muss einem Recht auf selbstbestimmtes Sterben Raum gegeben werden – überwiegend positiv aufgenommen.[20] Die Ableitung aus mehre-

17 Siehe *Robert Rebhahn,* Zu den Rahmenbedingungen von Rechtsdogmatik, in FS Koziol (2010) 1461 (1468) zum Begründungsstil der meisten kontinentaleuropäischen Höchstgerichte: „weil die Gerichte sich ausführlich mit Argumenten befassen".

18 Anstatt vieler *Oliver Lepsius,* Kritik der Dogmatik, in *Kirchhof/Magen/Schneider* (Hrsg), Was weiß Dogmatik? (2012) 39 (43); *Lassahn/Steenbreker,* Gedanken zur Rechtsdomatik, JR 2015, 553 (556).

19 VfGH G 139/2019 VfSlg /2020 = EuGRZ 2021, 55 (*Pöschl* 12) = iFamZ 2021, 7 (*A. Kurz* 34, *Assfahani* 42) = JBl 2021, 164 (*Gamper* 137; *Schmoller* 147) = JSt 2021, 10 *(Birklbauer)* = MedR 2021, 538 (*Bernat* 529) = NLMR 2020, 522 (*Kneihs* 425) = ÖJZ 2021, 634 (*Burda* 220, *Lewisch* 978) = RdM 2021/174, 74 (*Khakzadeh* 48) = RZ 2021/3, 29 *(B. Simma).*

20 Siehe etwa *Erwin Bernat,* Recht auf Beihilfe zur Selbsttötung: Der österreichische VfGH setzt neue Maßstäbe, MedR 2021, 529; *Lamiss Khakzadeh,* Das Recht auf selbstbestimmtes Sterben, RdM 2021, 48; *Magdalena Pöschl,* Sterben mit Würde? EuGRZ 2021, 12 (16).

ren grundrechtlichen Gewährleistungen, insb aus dem Recht auf Privatleben, dem Recht auf Leben und dem Gleichheitsgrundsatz mit der einfallsreichen Kreation eines sich aus der Bundesverfassung insgesamt ergebenden (neuen) Rechts auf „freie Selbstbestimmung"[21] wurde allerdings als ungewiss und beliebig kritisiert.[22] Eben dieses originäre Recht umfasst nach dem VfGH auch das Recht auf ein menschenwürdiges Sterben.

Wegen der vom VfGH bestimmten Außerkrafttretensfrist war der Gesetzgeber bestrebt, bis 31. 12. 2021 eine Neuregelung zur Suizidassistenz zu schaffen. Als Vorlage für das neue Sterbeverfügungsgesetz wurde das Patientenverfügungsgesetz verwendet, wiewohl Letzteres auf die Unterlassung einer Behandlung eines Patienten (einer Patientin) ausgerichtet ist und das Sterbeverfügungsgesetz auf ein aktives Tun der sterbewilligen Person. Dem österreichischen Gesetzgeber war sehr daran gelegen, den Zugang zur Suizidassistenz einzuschränken, vor allem zum Zweck der Absicherung vor Missbrauch und dem Schutz von vulnerablen Personen. Der Kreis der Personen, die eine Sterbeverfügung errichten dürfen, wird durch § 6 Abs 3 StVfG massiv eingeschränkt, im Wesentlichen auf das Vorhandensein einer schweren Krankheit mit bestimmten Qualifikationen.

Während im Ministerialentwurf[23] die krankheitsmäßigen Voraussetzungen nur verbal umschrieben waren, wurde in die Regierungsvorlage,[24] die letztlich Gesetz geworden ist, ein ausdrücklicher Verweis auf § 120 Z 1 ASVG[25] aufgenommen, also diejenige Bestimmung, in der es um den Krankheitsbegriff des ASVG geht. Das ASVG definiert den Begriff der Krankheit als einen regelwidrigen Körper- oder Geisteszustand, der die Krankenbehand-

21 *Pöschl,* EuGRZ 2021, 12 (13 f). *Michael Fremuth,* Le temps qui reste – Eine rechtsvergleichende Betrachtung der verfassungsgerichtlichen Entscheidungen zur Suizidassistenz in Deutschland und Österreich, ZöR 2021, 841 (908) spricht von einer „Sakralisierung der Autonomie".

22 Siehe etwa *Anna Gamper,* Gibt es ein „Recht auf ein menschenwürdiges Sterben"? Zum Erkenntnis des VfGH vom 11.12.2020, JBl 2021, 137; *Khakzadeh,* RdM 2021, 48 (49 ff); *Benjamin Kneihs,* Verbot der Suizidhilfe verfassungswidrig. VfGH 11. 12. 2020, G 139/2019, Jahrbuch Öffentliches Recht 2021 (2021) 199 (212 ff); *Peter Lewisch,* Quo vadis „strafbare Suizidhilfe"? Vom VfGH-Erk zur Neuregelung, ÖJZ 2021, 978 (980 ff); *Pöschl,* EuGRZ 2021, 12 (13 ff).

23 150/ME 27. GP.

24 RV 1177 BlgNR 27. GP.

25 § 120 ASVG. Der Versicherungsfall gilt als eingetreten:
1. im Versicherungsfall der Krankheit mit dem Beginn der Krankheit, das ist ein regelwidriger Körper- oder Geisteszustand, der die Krankenbehandlung notwendig macht; …

lung notwendig macht. In diesem Sinn wird der Begriff der Krankheit mit zwei wesentlichen Elementen umrissen, nämlich dem regelwidrigen Körper- oder Geisteszustand und der Bedürftigkeit nach Krankenbehandlung. Die Dogmatik des Krankenversicherungsrechts unterscheidet daher drei Zustände des Menschen nämlich Krankheit, Gesundheit und Gebrechen.[26] Unter Gebrechen versteht man Beeinträchtigungen der Gesundheit, für die eine Behandlung nicht oder nicht mehr indiziert ist, sondern zB nur mehr Pflege, etwa in einem terminalen Stadium.

Warum verweist nun das Sterbeverfügungsgesetz explizit auf den Krankheitsbegriff des ASVG? Diese Frage liegt schon deshalb nahe, weil es durchaus eine relevante Anzahl von Fällen geben wird, in denen eine betroffene Person an einem sehr schlechten Gesundheitszustand leidet, aber gar keine Krankenbehandlung mehr möglich ist, weil nicht einmal mehr eine Schmerztherapie und keinerlei lebensverlängernde Maßnahme mehr vorgenommen wird. Nach dem Krankenversicherungsrecht liegt in diesem Fall eben keine Krankheit, sondern ein (bloßes) Gebrechen vor. Inhaltlich besteht wenig Zweifel, dass die Norm, die potentielle Errichter von Sterbeverfügungen regelt, auch diesen Personenkreis integriert haben wollte.

Was tut der gelernte Österreicher, der hier eine mögliche planwidrige Lücke ausmacht? Gerade bei einem neuen Gesetz blickt er als erstes in die Gesetzesmaterialien, die allerdings in Bezug auf den Verweis auf den Krankheitsbegriff des ASVG wenig Erhellung bringen. Offensichtlich dachten die Verfasser der Regierungsvorlage nicht daran, dass die Dogmatik zum ASVG zwischen Krankheit und Gebrechen unterscheidet; die verwendete Formulierung des Gesetzes ist vermutlich eine Reaktion auf Elemente des Erkenntnisses des Verfassungsgerichtshofes.

Wie würde der OGH entscheiden, wäre er mit der Auslegung des § 6 Abs 3 StVfG befasst? Ungeachtet der Eindeutigkeit des Verweises würde er – da bin ich mir sicher – einen Fehler des Gesetzgebers annehmen, sprich in Bezug auf die fehlende Erwähnung des Gebrechens eine planwidrige Lücke ausmachen, die mit einer Gleichstellung von Krankheit und Gebrechen ausgefüllt wird. Genauso bin ich mir sicher, dass dieses Ergebnis auch von der Rechtswissenschaft erzielt wird.[27]

26 *Theodor Tomandl,* Der Anspruch auf Krankenbehandlung, JAS 2021, 132.

27 *Jestaedt,* JZ 2014, 1 (3) charakterisiert den Zusammenhang zwischen Rechtswissenschaften und Rechtspraxis in Deutschland treffend in folgender Weise: „Die Praxisorientierung der Rechtswissenschaft korreliert … mit einer im internationalen Vergleich bemerkenswerten Wissenschaftsorientierung der obergerichtlichen Rechtspraxis“.

Auch wenn den Gerichten verfassungsmäßige Autorität und Verpflichtung eingeräumt ist, Entscheidungen zu treffen,[28] arbeiten sie in einem System, das (auch) fachliche Autorität ihrer Entscheidungen fordert.[29] Diese wird ihr (auch) von den rechtsdogmatischen Grundlagenarbeiten geliefert. So wie unser Nachbar im Norden ist das kleine und überschaubare Österreich also mit breiten Brücken zwischen Rechtswissenschaft und Rechtspraxis (in Gestalt vor allem der Höchstgerichte) gesegnet. Die handelnden Personen auf beiden Seiten der Brücken sehen einander durchaus auf Augenhöhe an und treffen sich obendrein immer wieder auf den Brücken. Schön, dass sie sich nicht anschreien!

Die Bearbeitung des Rechtsstoffs in einer gemeinsamen Sprache von Rechtswissenschaft und Rechtspraxis führt einer Vereinfachung der gerichtlichen Argumentation: Die der gerichtlichen Entscheidung vorangehende Erarbeitung von möglichen Lösungen durch die Rechtswissenschaft[30] entlastet die Gerichte: Nicht nur, indem deren Arbeit ökonomisch handhabbarer wird, sondern auch wegen eines schon hergestellten Unterbaus für die Diskussion, der in der Regel die Qualität der gerichtlichen Arbeit im Sinne von Konsistenz[31] und der Gleichbehandlung vor dem Gesetz[32] erhöht. Gleichzeitig wird die Vorhersehbarkeit gerichtlicher Entscheidungen gefördert, selbst bei Anwendung von neu geschaffenem Recht, ein zentraler Aspekt eines Rechtsstaats. Ohne Dogmatik gibt es also keine Rechtsstaatlichkeit.[33]

Ich gestehe, dass das Erzielen des beschriebenen Auslegungsergebnisses zu § 6 Abs 3 StVfG keiner besonderer Kreativität bedarf. *Rudolf von Jhering* hätte sich vermutlich auf die Schenkel geklopft, hätte sich jemand deswegen der Kreativität und Produktivität gerühmt. Auch Generalanwalt *Ruiz-Jarabo Colomer* hätte die Richter des OGH nicht von der Stufe der Kunsthandwer-

28 *Stephan Kirste* in diesem Band.

29 *Christian Bumke*, Einführung in das Forschungsgespräch über die richterliche Rechtsarbeit, in *Bumke* (Hrsg), Richterrecht zwischen Gesetzesrecht und Rechtsgestaltung (2012) 1 (7).

30 Das fiktive Beispiel ist ohne jeden Zweifel ein schlimmes Exempel für Höchstgerichtspositivismus, vertreten doch *Neumayr/Resch* in *Neumayr/Resch/Wallner* (Hrsg), Gmundner Kommentar zum Gesundheitsrecht[2] (2022) § 6 StVfG Rz 5 genau das hier als einleuchtend vorgestellte Ergebnis.

31 *Maya Hertig Randall* in diesem Band.

32 *Elisabeth Holzleithner* in diesem Band.

33 *Alexander Somek* in diesem Band; *Georg Kodek* in diesem Band.

ker auf die Stufe der Künstler hinaufgehoben. Mir ging es bei dem einfachen Beispiel darum zu zeigen, dass erstens der Gesetzgeber gezwungen ist, sich an einer etablierten Dogmatik zu orientieren.[34] Die zweite Beobachtung geht dahin, wie (auch) der Umgang der Rechtsprechung mit neuem Recht in koproduktiver Zusammenarbeit mit der „legal doctrine“ von statten geht. Und als drittes: Gerade die offene Formulierung der Normen des ABGB und die von der Dogmatik aufbereitete Abkehr vom Gesetzestext im Sinne einer höheren Teleologie, die der Gesetzgeber offensichtlich nicht erkannte,[35] erleichtert mental das Abgehen vom Gesetzestext. Pointiert möchte ich es so zusammenfassen: Aus dem Gesetz macht die Dogmatik Recht. Das System kann, muss eben klüger sein als der Systemgeber.[36]

Trotzdem: Aus dem schon erwähnten Selbstverständnis des OGH folgt eine Orientierung am judicial restraint. Die „Klugheit“ eines Gerichts birgt Gefahren. Wie die Wahrnehmung des EuGH in der Prae-Brexit-Diskussion im Vereinigten Königreich gezeigt hat, ist ein Gericht, sei es noch so gut besetzt, wenig geeignet, weitreichende politische Entscheidungen zu treffen, die nicht den typischen Interessenausgleich des Gesetzgebungsverfahrens auf dem Buckel haben.[37] Gerichte müssen sich bewusst sein, dass sie keine missionarische Aufgabe haben, das Rechtssystem oder gar die Gesellschaft fortzuentwickeln. Sie haben Entscheidungen im Einzelfall zu treffen, eingebettet in einen meist mehr, manchmal nur weniger vorgegebenen Rahmen.

Nun zum dritten Punkt, der zwar nicht abseits meines Interesses, wohl aber meiner Expertise liegt:

Die Herkunft der Richter, ihre Selbsteinschätzung und die Fremdeinschätzung

Bedauerlicherweise widmete sich die Rechtssoziologie lange weniger dem Phänomen, aufgrund welcher sachlicher Argumente eine Entscheidung zustande kommt, sondern vielmehr den – offenbar leichter durchzufüh-

34 In diesem Sinn etwa auch *Karsten Schmidt*, Zivilistische Rechtsfiguren zwischen Rechtsdogmatik und Rechtspolitik, in *Schmidt* (Hrsg), Rechtsdogmatik und Rechtspolitik (1990) 9 (15).

35 Siehe etwa *Walter Blocher*, Zu abstrakt? Beobachtung eines österreichisch-deutschen Grenzgängers, in FS Nowotny (2015) 35 (45 ff).

36 *Jestaedt*, JZ 2014, 1 (11).

37 Instruktiv bereits *Eduard Picker*, Richterrecht und Rechtsdogmatik, in *Bumke* (Hrsg), Richterrecht zwischen Gesetzesrecht und Rechtsgestaltung (2012) 85 (103 ff).

renden und spektakuläreren – Untersuchungen der Herkunft und Sozialisation von Richterinnen und Richtern.[38]

Das Institut für Konfliktforschung hat in den Jahren 1999–2000 unter der Leitung von *Anton Pelinka* eine vom BMJ und vom Jubiläumsfonds der OeNB geförderte Untersuchung über die Sozialisation und das Berufsbild von Richterinnen und Richtern durchgeführt,[39] auf die ich nicht näher eingehen möchte, sondern lediglich auf einen Hinweis: Befragte Richterinnen und Richter aus der ordentlichen Gerichtsbarkeit, also nicht nur vom OGH, haben häufig auf die ausgesprochene Individualität von Richtern hingewiesen. In der Untersuchung erwies sich die Richterschaft dagegen als ausgesprochen uniform.

Ich lege dieses Ergebnis nun auf die Kreation von Entscheidungen um. Gerade unter dem für die Stabilität eines Rechtsstaats wesentlichen Aspekt der Vorhersehbarkeit von Entscheidungen wäre es kontraproduktiv, übertriebenen Drang zu Individualität zuzulassen,[40] von der damit verbundenen Arbeitsbelastung einmal abgesehen. So wie angehende Juristinnen und Juristen in ihrer Ausbildung ein bestimmter Argumentationsstil antrainiert wird, insbesondere auch dahin, welche Argumente „zählen" und welche nicht, werden auch Richterinnen und Richter – durchaus nicht negativ gemeint – auf einen strictly legal point of view „eingenordet". Familiäre oder soziale Herkunft werden in der beruflichen Sozialisierung eingeebnet.[41]

---

38 *Ingo Schulz-Schaeffer,* Rechtsdogmatik als Gegenstand der Rechtssoziologie: für eine Rechtssoziologie „mit noch mehr Recht", ZfRSoz 25 (2004) 141 ff.

39 Siehe *Birgitt Haller,* Richterinnen und Richter in Österreich, RZ 2000, 174; *B. Haller/Dimmel,* Wie man Richter wird – wie man Richter macht, JRP 2000, 255; *Birgitt Haller,* RichterInnen in Österreich, juridikum 2002, 176; siehe auch *Siller/Voithofer/Hochleitner,* RichterInnenstudie im OLG-Sprengel Innsbruck, in *Barta/Ganner/Voithofer* (Hrsg), Rechtstatsachenforschung – heute: Tagungsband 2013 (2014) 139 und *Wigbert Zimmermann,* Richterinnenstudie im OLG-Sprengel Innsbruck – aus Sicht der Justiz, im selben Tagungsband 151 ff.

40 Will man es anders haben, findet man auch dafür Argumente, wie vor nicht allzu langer Zeit bei der Bestellung eines bestimmten Richters in Polen: „Der Umstand, dass eine hohe Zahl von Urteilen des Kandidaten von der zweiten Instanz aufgehoben wurde, beweist seine unabhängige Denkweise".

41 Ein Beispiel: Die Präsidentin des OGH und ich (beide 1958 geboren) entstammen völlig unterschiedlichen Herkunftsmilieus. Wir sind auch in verschiedenen OLG-Sprengeln groß geworden. Dennoch sind unser Diskussionsverhalten, unsere Argumentationsmuster und unser Entscheidungsstil beim OGH durchaus ähnlich.

Zweifellos kann man in diesem Kontext einen Verlust an Kreativität beklagen. Kreativität ist wunderbar, auch positiv konnotiert, aber nicht immer seligmachend.

Georg Kodek

Rechtsprechung und Dogmatik

Eine Anekdote zum Einstieg

Meine Aufgabe ist es, in knappen Worten das Verhältnis zwischen Dogmatik und Rechtsprechung zu skizzieren.[1] Dabei werde ich mich aus naheliegenden Gründen auf die Ziviljustiz beschränken. Im Strafrecht sind die Problemstellungen – und, wie hinzuzufügen ist, auch der Begründungsstil – durchaus anders.

Lassen Sie mich zum Einstieg mit einer kurzen Anekdote beginnen: Als *Georg Eckert* an die WU berufen wurde, trafen wir uns zu einem ausführlichen Gespräch, das – nicht zuletzt coronabedingt – im Freien stattfand. Auf unserem Spaziergang durch den Prater (bei zunächst ganz leichtem, am Ende leider sehr intensivem Regen) kamen wir auch auf eine rezente Entscheidung des 6. Senats, dem ich damals angehörte, zu sprechen. *Georg Eckert* äußerte einige Einwände, wies aber vor allem auf mögliche Folgefragen hin. Allerdings räumte er gleich selbst ein, es sei ja nicht Aufgabe der Rechtsprechung, ein Lehrbuch zu schreiben. Ich ergänzte: „und auch kein System“. *Georg Eckert* lächelte hintergründig.[2]

1 Die Vortragsform wurde im Wesentlichen beibehalten und um einige Anmerkungen ergänzt. Zum Folgenden auch bereits *Georg Kodek,* Die Rolle der Rechtswissenschaft: Katalysator der Rechtsentwicklung oder antiker Tragödienchor? Gedankensplitter aus Anlass des 200-jährigen Jubiläums des ABGB, in *Fenyves/Kerschner/Vonkilch* (Hrsg), 200 Jahre ABGB – Evolution einer Kodifikation (2012) 161; vgl auch *ders,* Richterliche Rechtsfortbildung – Möglichkeiten und Grenzen, in *Torggler* (Hrsg), Richterliche Rechtsfortbildung und ihre Grenzen (2019) 1.

2 Als Kenner blieb ihm der Doppelsinn des Worts „System“ iSd griechischen Worts sýstēma („aus mehreren Einzelteilen zusammengesetztes Ganzes“) als (möglichst widerspruchsfreies) gedankliches Gesamtgebäude einerseits und als umfassende, wissenschaftliche Gesamtdarstellung andererseits natürlich nicht verborgen.

Unterschiede zwischen Lehre und Rechtsprechung

Damit ist ein wesentlicher Unterschied zwischen wissenschaftlicher Lehre und Rechtsprechung angesprochen. Der Unterschied betrifft die grundsätzliche Aufgabenstellung ebenso wie – damit zusammenhängend – die Arbeitsweise: Dogmatik produziert keine Rechtsakte, sondern denkt über sie nach.[3] Nach dem sehr selbstbewussten Selbstbild *Stürners* erfasst nur die wissenschaftliche Dogmatik den vollen gedanklichen Haushalt des dogmatischen Gebäudes und verbindet die Stimmigkeit des Details mit der stimmigen Verortung in der Gesamtrechtsordnung.[4]

Doch wodurch unterscheidet sich eigentlich die rechtswissenschaftliche Auseinandersetzung mit einer Rechtsfrage oder einem Rechtsfall von der Arbeit eines Richters? *Bumke* nennt als Unterschied die Sorgfalt im Umgang mit Rechtsquellen und vorhandenem rechtlichen Material, die Art und Weise der Aufarbeitung, die Art und Weise der An- und Einbindung in das rechtsdogmatische Lehrgebäude sowie die Erklärungsmächtigkeit des Lösungsansatzes.[5] Die gerichtliche Alltagsarbeit ist demgegenüber idR von „Gebrauchs-“[6] oder „Alltagsdogmatik“ dominiert.[7] Die Grenzen sind jedoch – vor allem bei sorgfältig begründeten Grundsatzentscheidungen – durchaus fließend.[8] So hat *Karollus* in einem Vortrag einmal Entscheidungen des 6. Senats[9] als „beinahe wissenschaftlich begründet“ bezeichnet.

Die Aufgabe der Gerichte ist freilich vorrangig stets die Entscheidung eines Einzelfalls. Hervorbringung und Fortentwicklung von Dogmatik sind nur zu einem – geringeren – Teil Aufgabe der Rechtsprechung.[10] Der OGH muss (wie jedes andere Gericht) einen konkreten Fall entscheiden. Der Richterspruch darf natürlich nicht willkürlich, sondern muss rational und nachvollziehbar sein. Die grundlegende Herausforderung lag und liegt darin, durch und in Einzelfallentscheidungen ein möglichst wider-

3 *Christian Bumke,* Rechtsdogmatik. Eine Disziplin und ihre Arbeitsweise (2017) 51.

4 *Rolf Stürner,* Das Zivilrecht der Moderne und die Bedeutung der Rechtsdogmatik, JZ 2012, 10 (12).

5 *Bumke,* Rechtsdogmatik 52.

6 *Stürner,* JZ 2012, 10 (11).

7 Zu deren Speicher- und Entlastungsfunktion sowie zur Funktion als Plausibilitätskontrolle *Stürner,* JZ 2012, 10 (12).

8 Vgl auch *Peter Huber,* Rechtsprechung und Rechtswissenschaft, JZ 2022, 1 (4).

9 Gleiches träfe mit Sicherheit auch für andere Senate zu.

10 *Huber,* JZ 2022, 1 (3).

spruchsfreies System zu schaffen.[11] Wenn das nicht immer gelungen ist, kann – wie *Musger* so schön formuliert – mangelndes Nachdenken der Grund gewesen sein, manchmal lag es aber auch schlicht am Gesetz.[12] Zudem ist der OGH an die Feststellungen der Vorinstanzen gebunden.[13] Weitere Beschränkungen ergeben sich aus dem Vorbringen und der rechtlichen Argumentation der Parteien[14] sowie aus der prozessualen Ausgangssituation.[15] Da kann dann schon manches ungesagt bleiben, was Lehre und Praxis gerne hören würden.[16] „Entscheiden" ist eben doch etwas anderes als das umfassende Erwägen in der Wissenschaft, die interessengeleitete Rechtsbehauptung bei der Vertretung von Parteien oder die auf Streitvermeidung bedachte Information im Notariat.[17]

Bedeutung der Dogmatik für die Rechtsprechung

Beschäftigungsgegenstand, Bezugspunkt und Legitimationsquelle der Rechtsprechung ist das Recht.[18] Dies ergibt sich unmittelbar aus dem in Art 18 B-VG statuierten Legalitätsprinzip, das sich aus historischer Sicht ursprünglich primär an die Gerichtsbarkeit richtete; die Verwaltung war demgegenüber stärker durch Ermessensspielräume gekennzeichnet.[19] Allerdings haften jedem sprachlichen Ausdruck notwendig Unschärfen und Mehrdeutigkeiten an, weil es unmöglich ist, die ganze Vielfalt des Lebens vorherzusehen.[20] Die Vorstellung, der Richter sei bloßer „Mund des Gesetzes" ist daher nicht realistisch. Schon *Hans Kelsen* hat richterliche Rechtsfindung aus diesem Grund als eine Art Konkretisierung der im konkreten Fall geltenden, dabei aber lediglich den „Rahmen" der Ent-

11 *Gottfried Musger,* Fünf Jahre neues Erbrecht, NZ 2022, 1.

12 *Musger,* NZ 2022, 1.

13 *Musger,* NZ 2022, 1.

14 Trotz der grundsätzlich allseitigen Nachprüfung im Rahmen der Behandlung einer Rechtsrüge werden „abschließend erledigte Streitpunkte" und „selbständige Teilbereiche" vom OGH nicht mehr aufgegriffen (zu diesen Fallgruppen *Elisabeth Lovrek* in *Fasching/Konecny,* Zivilprozessgesetze IV/1[3] § 503 ZPO Rz 186 ff, 188 ff).

15 Dies wird in der Würdigung von Entscheidungen oft nicht ausreichend beachtet. Dazu *Georg Kodek* in *Rummel/Lukas,* ABGB[4] § 12 Rz 55.

16 *Musger,* NZ 2022, 1.

17 *Musger,* NZ 2022, 1.

18 *Huber,* JZ 2022, 1 (2).

19 *Clemens Jabloner,* Bewährungsfelder der richterlichen Unabhängigkeit, RZ 2022, 13 (13 f).

20 *Huber,* JZ 2022, 1 (3).

scheidung bildenden Rechtsnormen verstanden, die sich strukturell nicht von dem unterscheidet, was auch der Gesetzgeber oder die Exekutive tun, deren Entscheidungen – Gesetze, Verwaltungsakte – sich gleichermaßen als (politische) Konkretisierung der auf die jeweilige Entscheidung anwendbaren abstrakten Rechtsnormen verstehen lassen.[21]

Sieht man die Aufgabe der Rechtsdogmatik (ua) in der Rechtsanwendung[22] und insbesondere darin, „schwierige Rechtsfragen zu beantworten",[23] so liegt ihre Bedeutung für die Rechtsprechung auf der Hand. Dogmatik sorgt für Berechenbarkeit, Rationalität und Kohärenz der Rechtsprechung und reduziert so die Möglichkeiten persönlicher Präferenzentscheidungen eines einzelnen Richters.[24] Sie sichert die Objektivität der Entscheidungsfindung, trägt dazu bei, die Stimmigkeit der Rechts- bzw Verfassungsordnung zu erhalten oder wiederherzustellen und Wertungswidersprüche zu vermeiden oder doch zu vermindern.[25] Erst die Dogmatik – verstanden als die Gesamtheit der Lehren von der rechtlichen Richtigkeit juristischer Entscheidungen[26] – ermöglicht die Fällung einer methodengerechten Entscheidung sowie deren rationale Überprüfung und Kritik.[27]

Damit bildet die Rechtsdogmatik die Verbindung zwischen dem notwendig abstrakten Gesetz und der konkreten Einzelfallentscheidung. Dabei stellt die Dogmatik das wichtigste Instrument zur Reduzierung richterlicher Entscheidungsspielräume dar.[28] Sie zwingt Richterinnen und Richter, das Recht methodengerecht unter Heranziehung der traditionell anerkannten Parameter wie Wortlaut, Systematik, Zweck und Entstehungsgeschichte zu interpretieren, Chancen einer verfassungs- oder unionsrechts-

21 *Hans Kelsen,* Reine Rechtslehre 1934: *Jestaedt* (Hrsg) (2008) 101 ff; *ders,* Reine Rechtslehre[2] 1960: *Jestaedt* (Hrsg) (2017) 423 ff, 597 ff.

22 *Bumke,* Rechtsdogmatik 45, der daneben die Aufgaben der Ordnungsbildung, Rechtsanwendung und Erzeugung, Erlernbarkeit und Handhabbarkeit des Rechtsstoffes sowie Erschließung und Bewahrung normativen Wissens nennt.

23 *Bumke,* Rechtsdogmatik 48 f.

24 *Huber,* JZ 2022, 1 (6). Vgl auch *Rolf Stürner,* Die Bedeutung der Rechtsdogmatik für die Rechtsentwicklung (2010).

25 *Huber,* JZ 2022, 1 (6).

26 *Joachim Lege,* Einführung: Von der Wahrnehmung über die Methode zum Gelingen, in *Lege* (Hrsg), Gelingendes Recht (2019) 1 (2).

27 Zur „Kritikfunktion" der Dogmatik *Stürner,* Die Zivilrechtswissenschaft und ihre Methodik – zu rechtsanwendungsbezogen und zu wenig grundlagenorientiert? AcP 2014, 7 (14, 27 ff).

28 *Huber,* JZ 2022, 1 (4).

konformen Auslegung auszuloten und die Rechtsprechung übergeordneter, europäischer und ausländischer Gerichte zu berücksichtigen sowie das so gewonnene Ergebnis methodengerechter Rechtsfindung mit dem Ziel einer kohärenten und widerspruchsfreien Systembildung zu verarbeiten.[29] Dadurch erfolgt die erforderliche Rückbindung gerichtlicher Entscheidungen an den Willen des Gesetzes bzw der Verfassung, was den auf dieser Grundlage ergehenden Entscheidungen damit eine sachlich-inhaltliche demokratische Legitimation verschafft.[30]

Institutionelle Rahmenbedingungen

Fragt man nach dem Verhältnis von Dogmatik und Rechtsprechung, so kommt der Entscheidungsbegründung und der Zugänglichkeit von Entscheidungen zentrale Bedeutung zu.[31] Interessanterweise ist die Begründungspflicht eine relativ junge Erscheinung: Eine allgemeine Begründungspflicht brachte erst § 192 Abs 2 der Gerichtsinstruktion 1853.[32]

In diesem Zusammenhang auch ein Wort zu obiter dicta:[33] Diese werden – in Anlehnung an die Praxis im Common Law – mitunter als bedeutungslos[34] dargestellt. Dem ist nicht zu folgen. Natürlich sind in der Begründung der konkreten (!) Entscheidung die Ausführungen zur ratio decidendi (uzw nach dem Argumentationsaufbau des OGH, nicht nach der Ansicht des Betrachters!) tendenziell bedeutsamer als diejenigen in einem obiter

29 *Huber,* JZ 2022, 1 (4) mwN; zur Bedeutung der Entwicklung von Fallgruppen und Katalogen durch die Rsp vgl *Hansjörg Sailer,* 200 Jahre § 12 ABGB: Rechtssicherheit ohne stabile Entscheidungspraxis? in *Fenyves/Kerschner/Vonkilch* (Hrsg), 200 Jahre ABGB – Evolution einer Kodifikation (2012) 175 (186 ff).

30 *Huber,* JZ 2022, 1 (5).

31 Zu weiteren Kriterien, insb den Fallzahlen und damit der richterlichen Arbeitsbelastung instruktiv *Robert Rebhahn,* Der Urteilsstil des OGH im Vergleich mit den Höchstgerichten Deutschlands, Frankreichs und Englands, in FS 200 Jahre ABGB II (2011) 1539; dazu auch *Georg Kodek,* Precedents in Private Law – A Civil Law Perspective, in *Frese/Schumann* (Hrsg), Precedents as Rules and Practice (2021) 195.

32 RGBl 1853/81; Vorher hatte bereits § 305 der Provisorischen CPO für Ungarn vorgesehen, dass den Parteien auch ohne besonderes Ansuchen die Entscheidungsgründe mitzuteilen seien.

33 Dazu *Wilfried Schlüter,* Das obiter dictum (1973); *Georg Kodek,* Funktion und Arbeitsweise des OGH – die Binnensicht, in *Kodek* (Hrsg), Zugang zum OGH (2012) 99 (116 ff).

34 Vgl *Franz Bydlinski* in *Rummel,* ABGB^3 § 12 Rz 8: „wenig bedeutsam".

dictum. Auf die Bedeutung dieser Ausführungen für künftige Fälle lässt sich dies aber nicht zwingend übertragen. So bietet ein obiter dictum Gelegenheit, auf einen bestimmten Meinungs- bzw Streitstand hinzuweisen,[35] mag dieser auch nicht unmittelbar entscheidungserheblich sein; auch besteht darin Gelegenheit, sich vorsichtig von der bisherigen Jud zu distanzieren und damit das Spannungsverhältnis zwischen Rechtsprechungsänderung und Vertrauen auf die Kontinuität der Rsp zu mildern. So hat der OGH etwa in 1 Ob 134/12f darauf hingewiesen, dass die herrschende Jud zum Ersatz von Detektivkosten möglicherweise überprüfungsbedürftig ist.[36] Zu Recht betont *Birk*[37] die Bedeutung der „informativen Redundanz" von Entscheidungen.

Erst in der zweiten Hälfte des 19. Jahrhunderts beginnt dann die Veröffentlichung ausgewählter Entscheidungen in verschiedenen Zeitschriften und später in der amtlichen Sammlung. Die Veröffentlichung der Entscheidungen war auch mit der Hoffnung verbunden, dass damit eine Verminderung der Zahl der Prozesse und insb der außerordentlichen Revisionen einhergehen würde, weil gewissenhafte Advokaten in einer weit größeren Zahl von Fällen den Ausgang mit Sicherheit voraussehen könnten.[38]

Früher bestand eine Kartei, die jedoch nur Richtern und Wissenschaftlern zugänglich war. Noch früher waren Vorentscheidungen des OGH nicht einmal den Richtern zugänglich. Ursprünglich kannte kein Senat die Entscheidungen der anderen Senate.[39] Erst 1854 wurde eingeführt, dass die Referenten (!) Einsicht in das – zur Herstellung einer einheitlichen Spruchpraxis eingerichtete – Judikatenbuch erhielten.[40] Das Spruchrepertorium und das Judikatenbuch waren zunächst rein interne Arbeitsbehelfe des OGH. Eine Veröffentlichung von Entscheidungen war ursprünglich nicht vorgesehen.

Heute sind die Entscheidungen des OGH (nahezu) vollständig im RIS zugänglich. Sie sind dort auch redaktionell aufbereitet und insb durch Leitsätze und Angaben über Veröffentlichungen erschlossen.[41] Die Leitsätze wer-

35 Insoweit zutr *Fucik/Neumayr*, Einander recht verstehen, RZ 2013, 154 (163).

36 Ähnl schon OGH 18. 1. 2012, 3 Ob 232/11f.

37 *Rolf Birk*, Die Ankündigung von Rechtsprechungsänderungen, JZ 1974, 735 (739).

38 So ein Vortrag von Justizminister *Julius Glaser* aus dem Jahr 1872, zit nach *Karl Wahle*, Vorwort in *Redaktionsausschuß des Obersten Gerichtshofes* (Hrsg), Die Judikate und Sprüche des Obersten Gerichtshofes seit seinem Bestande (1950) XXXV.

39 *Wahle*, Judikate XXXIII.

40 *Wahle*, Judikate VII; *Kodek* in *Kodek*, Zugang 99 (104).

41 Vgl *Sailer* in *Fenyves/Kerschner/Vonkilch*, 200 Jahre ABGB 175.

den vom Evidenzbüro üblicherweise in Eigenverantwortung erstellt und sodann vom Senatsvorsitzenden kontrolliert; sie stammen also idR nicht vom Senat selbst. In den letzten Jahren hat sich in einzelnen Senaten aber die Gepflogenheit herausgebildet, die Kernaussagen der Entscheidung am Ende der Entscheidung selbst zusammenzufassen.[42] Diese (einfache) Zugänglichkeit von Entscheidungen ist Grundvoraussetzung für einen Dialog zwischen Rechtsprechung und Lehre, birgt indes aber auch Gefahren.[43]

Berücksichtigung der Lehre durch die Rechtsprechung

Allgemeines

Der Rechtswissenschaft kommt bei der Anwendung und Fortbildung des Rechts zentrale Bedeutung zu.[44] Rechtsdogmatik ist das Produkt eines über Jahrzehnte, wenn nicht Jahrhunderte andauernden dialektischen Prozesses zwischen Gesetzgeber, Verwaltung und Rechtsprechung auf der einen und Rechtswissenschaft und Medien auf der anderen Seite.[45] Die Rechtswissenschaft kann – wenn sie ihre Aufgabe ernst nimmt – stellvertretend für die demokratische Öffentlichkeit eine methodisch valide Oberaufsicht des Publikums gewährleisten.[46]

Die fortwährende Aufbereitung und kritische Überprüfung des Richterspruchs durch rechtswissenschaftliche Dogmatik ist Voraussetzung einer fallübergreifenden Wirkung.[47] Dadurch können Entscheidungen auf ihre Übereinstimmung mit Regeln und Prinzipien, nicht zuletzt auch solchen der Rechtsgewinnung, überprüft werden; Fehlentwicklungen können aufgezeigt (und in der Folge korrigiert) werden. Dadurch wird verhindert,

42 *Kodek* in *Kodek,* Zugang 99 (103); vgl zB OGH 31. 8. 2010, 4 Ob 124/10d; OGH 23. 2. 2011, 3 Ob 227/10v.

43 Siehe dazu unten.

44 Vgl schon *Kodek* in *Fenyves/Kerschner/Vonkilch,* 200 Jahre ABGB 161.

45 *Huber,* JZ 2022, 1 (6).

46 *Huber,* JZ 2022, 1 (7). Nach diesem verfehlt eine Rechtswissenschaft, die sich dieser Aufgabe verweigert und in der Abfassung abgehobener Essays erschöpft oder sich, umgekehrt, auf eine subalterne Form des unkritischen „distinguishing" beschränkt, die Verfassungserwartung ebenso wie ihre Gemeinwohlorientierung und ihre soziale Relevanz.

47 *Eduard Picker,* Richterrecht und Rechtsdogmatik, in *Bumke* (Hrsg), Richterrecht zwischen Gesetzesrecht und Rechtsgestaltung (2012) 85 (107); *Kerschner/Kehrer* in *Klang*[3] § 12 Rz 19; *Kodek* in *Rummel/Lukas,* ABGB[4] § 12 Rz 45.

dass falsches Richterrecht den „Unterbau" der Rechtsordnung verändert und dadurch verfehlte Neben- und Subsysteme entstehen.[48] Dabei vermag die Lehre auf vielerlei Art Einfluss auf die Entwicklung der Rsp zu nehmen.[49] In erster Linie denkt man dabei wohl an einschlägige Veröffentlichungen. Andere Möglichkeiten der Einflussnahme sind der akademische Unterricht und – nicht zu unterschätzen – persönlicher Kontakt sowie die Mitwirkung in der justizinternen Aus- und Fortbildung.[50]

Im preußischen ALR von 1794 war noch ausdrücklich vorgesehen, dass bei der Fällung von Entscheidungen auf die Meinung von Rechtsgelehrten nicht Bedacht zu nehmen sei.[51] Diese Bestimmung wurde mit gutem Grund nicht in das ABGB übernommen. Vielmehr steht die Rsp mit der Lehre in einem ständigen – wechselseitig befruchtenden – Dialog.[52] Diese Auseinandersetzung und das gegenseitige Verständnis wird durch die – ebenfalls in langer Tradition stehende – literarische und/oder lehrende Tätigkeit von Richtern maßgeblich gefördert.[53]

Eine andere Frage ist freilich, inwieweit die Lehre auch inhaltlich die betreffenden Entscheidungen beeinflusst hat. Hier ist nicht ohne detaillierte Untersuchung im Einzelnen zu unterscheiden, ob die Zitate nur als bequeme Zusammenfassung des Meinungsstandes oder gar nur zu „Verzierungszwecken" angeführt werden, oder ob dabei grundlegende Weichenstellungen in der Lehre vorgenommen und von der Rsp aufgegriffen wurden. Auch ist nicht immer klar, ob die zitierte Lehrmeinung eine eigene Auffassung des Autors ist oder ihrerseits nur den bisherigen Meinungsstand und insbesondere die Rechtsprechung zusammenfasst. Sogenannte „Zitierkartelle" finden sich nicht nur innerhalb der Lehre, sondern auch zwischen Lehre und Rechtsprechung. Tendenziell dürfte der Einfluss der Lehre in eher „technischen" Materien eher geringer sein; hier sind etwa

48 *Picker* in *Bumke,* Richterrecht 85 (107); zust *Kerschner/Kehrer* in *Klang*[3] § 12 Rz 19; *Kodek* in *Rummel/Lukas,* ABGB[4] § 12 Rz 45.

49 Zum Folgenden schon *Kodek* in *Fenyves/Kerschner/Vonkilch,* 200 Jahre ABGB 161 (165 f).

50 *Kodek* in *Fenyves/Kerschner/Vonkilch,* 200 Jahre ABGB 161 (165).

51 ALR Einl 1 § 6; Wie ein Gesetz, wie eine Präambel.

52 Instruktiv *Karl Larenz,* Methodenlehre[6] (1991) 235; vgl auch *Kodek* in *Rummel/Lukas,* ABGB[4] § 12 Rz 44. Die Diktion in OGH 1 Ob 599/93 SZ 67/54 („unqualifizierte Äußerungen eines Universitätsassistenten") blieb glücklicherweise vereinzelt.

53 Dazu auch unten; vgl auch *Kodek* in *Kodek,* Zugang zum OGH 99 (104 f). Im Bereich des Unionsrechts fehlt ein vergleichbarer Dialog (*Rebhahn* in *Klang*[3] Nach §§ 6, 7 Rz 41).

das Verfahrensrecht, aber auch Fragen des Unterhaltsvorschussrechts und Ähnliches zu nennen.

Einige ausgewählte Beispiele

Der Einfluss der Lehre auf die Rsp sei zunächst anhand einiger zentraler Grundfragen skizziert: So wurde der Ansatz *Koziols* zur Beeinträchtigung fremder Forderungsrechte von der Rsp aufgegriffen.[54] Auch die von *Koziol* zum Grundsatz erhobene abstrakte Schadensberechnung[55] hat die Rsp übernommen. Hier dürfte sich allerdings in neuerer Zeit ein Wandel abzeichnen.[56]

Welser konnte sich etwa mit dem Konzept der culpa in contrahendo[57] und später mit seiner These, wonach Schadenersatz mit Gewährleistung konkurriert,[58] durchsetzen. Das Revolutionäre dieser These seinerzeit lässt sich heute kaum mehr ermessen. Ich erinnere mich noch daran, dass ich als junger Student in einer Handelsrechtsübung bereits diese Auffassung vertreten habe. Damals wurde dies freilich als grober Fehler gewertet.

Ein anderes Beispiel, in dem der Einfluss der Lehre in neuerer Zeit sehr stark war, ist die Rückforderung überhöhter Zinsen.[59] In diesem Zinsenstreit hat der OGH eine Art „Autorencount" vorgenommen, womit er letztlich zu einer Praxis der Spätantike zurückkehrte. Nach dem vom oströmischen Kaiser Theodosius II erlassenen und von Valentinian III auch in Westrom eingeführten Zitiergesetz aus dem Jahr 426 hatten die Gerichte den Rechtsmeinungen der fünf klassischen Juristen *Gaius, Papinian, Ulpian, Iulius Paulus* und *Herennius Modestinus* zu folgen.[60] Vertraten diese unterschiedliche Auffassungen, so war jener Auffassung zu folgen, die von der Mehrheit der Genannten vertreten wurde; bei Stimmengleichheit

54 *Helmut Koziol,* Die Beeinträchtigung fremder Forderungsrechte (1967) 152 ff; aus der Rsp vgl OGH 4 Ob 562/82 SZ 55/170.

55 *Helmut Koziol,* Haftpflichtrecht I^3 (1997) Rz 2/56 ff; *ders,* Grundfragen des Schadenersatzrechts (2010) Rz 3/8 f; vgl bereits *Franz Bydlinski,* System und Prinzipien des Privatrechts (1996) 190 ff.

56 Ablehnend nunmehr OGH 21. 6. 2001, 1 Ob 46/11p; vgl dazu *Johannes Zollner,* Aktuelle Judikatur zur Schadensberechnung: Keine abstrakte Berechnung bei volatilen Vermögenswerten, Zak 2011, 423.

57 *Rudolf Welser,* Vertretung ohne Vollmacht (1970) 81 ff.

58 *Rudolf Welser,* Gewährleistung und Schadenersatz, JBl 1976, 127; *ders,* Schadenersatz statt Gewährleistung (1994).

59 OGH 4 Ob 73/03v SZ 2003/73.

60 Vgl auch *Gottfried Teipel,* Zitiergesetze in der romanistischen Tradition (1954).

war *Papinians* Ansicht entscheidend. Im Zinsenstreit schloss sich der OGH bekanntlich der Auffassung *Vonkilchs* an, der im Wesentlichen unter Berufung auf die im Kleingartengesetz zum Ausdruck kommende Wertung für eine Anwendung der kurzen Verjährungsfrist eingetreten ist.[61]

Wenngleich der OGH diese Auffassung in einer ganzen Reihe von weiteren Entscheidungen fortgeschrieben hat,[62] hat er sich in Wahrheit vom Ergebnis dieser Auffassung schon längst verabschiedet. Demnach tritt eine Bereicherung des Darlehensgebers wegen dem Darlehensnehmer überhöht verrechneter und von diesem geleisteter Darlehenszinsen bei Pauschalraten (Zinsen und Kapital) nämlich erst mit der Tilgung aller Rückzahlungsansprüche des Darlehensgebers ein, weshalb die Verjährung von bereicherungsrechtlichen Rückforderungsansprüchen des Darlehensnehmers nicht vor der Tilgung der Raten beginnt.[63] Allfällige Rückforderungsansprüche wegen zu hoch berechneter Zinsen entstehen bei Zahlung von Annuitäten demnach nicht schon mit Zahlung der monatlichen Raten, sondern erst ab „Überzahlung".

Gleiches gilt für Schadenersatzansprüche. Nach neuerer Rsp entsteht ein Schaden erst am Ende des Kreditverhältnisses, wenn eine Überzahlung erfolgt ist, sodass erst ab diesem Zeitpunkt die Verjährungsfrist zu laufen beginnt.[64] Damit steht dem Kreditnehmer aber faktisch durch die Möglichkeit der Berufung auf den Titel des Schadenersatzes ohnedies eine wesentlich längere Zeit zur Rechtsverfolgung zur Verfügung. In Wahrheit hat sich der OGH damit auch bereits von den Prämissen seiner damaligen Argumentation verabschiedet, nimmt er doch nicht mehr einen regelmäßig sofort im Zeitpunkt jeder Zahlung entstehenden Rückforderungsanspruch an, sodass ein entscheidendes Argument für die kurze Verjährungsfrist, nämlich die angebliche „Symmetrie" zwischen der kurzen Verjährungsfrist für Zinsen und der Verjährungsfrist für die Rückforderung überhöhter Zinsen[65] weggefallen ist.

61 OGH 4 Ob 73/03v SZ 2003/73.

62 RIS-Justiz RS0117773.

63 OGH 26. 1. 2005, 3 Ob 234/04i; RIS-Justiz RS0119813.

64 OGH 10 Ob 23/04m SZ 2005/46.

65 Vgl dazu *Raimund Madl,* Die Verjährung des Anspruchs des Kreditnehmers auf Rückerstattung rechtsgrundlos bezahlter Zinsen, ÖBA 2001, 513; *Claus-Wilhelm Canaris,* Der Bereicherungsausgleich bei sittenwidrigen Teilzahlungskrediten, WM 1981, 978 (989); *ders,* Die Verjährung des Rückzahlungsanspruchs des Kreditnehmers bei sittenwidrigen Ratenkrediten, ZIP 1986, 273 (276 ff).

Verstärkte Senate

Wenngleich der Einfluss der Lehre auf die Rsp unbestreitbar ist, bereitet doch eine Quantifizierung dieses Einflusses schon aufgrund der Fülle des vorliegenden Materials Schwierigkeiten. Selbst die Entscheidungen von verstärkten Senaten beruhen zwar häufig, aber keineswegs generell auf Lehrmeinungen. Bei der großen Zahl von „Alltagsentscheidungen" dürfte der Einfluss der Lehre tendenziell wohl sogar eher noch geringer sein. Blickt man auf die Entscheidungen der verstärkten Senate in Zivilsachen aus den letzten 25 Jahren,[66] so zeigt sich ein sehr heterogenes Bild: Seit 1985 sind 27 Entscheidungen verstärkter Senate in Zivilsachen ergangen, also im Schnitt etwa eine Entscheidung pro Jahr. Selbstverständlich enthalten alle diese Entscheidungen eine besonders sorgfältige Aufarbeitung des Diskussionsstandes. In einigen Entscheidungen ist der Einfluss der Lehre besonders stark, führte diese doch in diesen Fällen zu einem Abgehen von der ständigen Rechtsprechung. Hier ist etwa die Bejahung von Unterhaltsansprüchen für die Vergangenheit,[67] die bereits erwähnte Bejahung der vollen Konkurrenz von Gewährleistung und Schadenersatz[68] und die Zulässigkeit von Höchstbetragshypotheken auch für künftige Forderungen[69] zu nennen. In neuerer Zeit kehrte ein verstärkter Senat bei der Frage der Auswirkungen der Insolvenz des Unterhaltsschuldners auf die Unterhaltsbemessung unter dem Einfluss der Lehre zur früheren Rsp zurück.[70]

Andererseits finden sich unter diesen Entscheidungen auch einige, in denen der OGH sich nicht oder nur in geringerem Umfang auf Lehrmeinungen stützte. Bekanntestes Beispiel ist wahrscheinlich die Bindungswirkung der strafgerichtlichen Verurteilung auf Zivilverfahren und damit im Ergebnis die „Wiedereinführung" des § 268 ZPO aF durch die Rsp.[71] Andere Beispiele sind die Erstreckung der Rechtskraft einer Entscheidung auf den Nebenintervenienten[72] und die eigene Rechtsmittelfrist des Nebenintervenienten[73] sowie die Nichtigkeitsklage bei Zustellung an geschäftsunfähige

66 Vgl dazu *Karl-Heinz Danzl*, „Erhebliche Rechtsfrage" und „Rechtsfrage von grundsätzlicher Bedeutung", in FS Griss (2011) 95.

67 OGH 6 Ob 544/87 SZ 61/143.

68 OGH 1 Ob 536/90 SZ 63/37.

69 OGH 3 Ob 2360/96x SZ 69/224.

70 OGH 5. 5. 2010, 1 Ob 160/09z.

71 OGH 17. 10. 1995, 1 Ob 612/95.

72 OGH 1 Ob 2123/96d SZ 70/60; RIS-Justiz RS0107338; RIS-Justiz RS0038096.

73 OGH 1 Ob 145/02h SZ 2002/168.

Parteien.[74] Gerade im letzteren Fall fehlten aber inländische einschlägige Lehrmeinungen weitestgehend; dass der OGH – wenn auch etwas kursorisch – nach Deutschland blickte, sagt daher über den Einfluss der deutschen Rechtswissenschaft auf die Rsp im Allgemeinen noch nichts aus.

Selbstkorrektur der Rechtsprechung unter dem Einfluss der Lehre

Der OGH scheut sich nicht, einmal eingenommene Positionen im Lichte von Äußerungen der Lehre neuerlich zu überdenken. Einige Beispiele aus den Entscheidungen verstärkter Senate wurden bereits genannt. Beispiele für eine derartige „Selbstkorrektur" der Rechtsprechung finden sich aber auch in zahlreichen Entscheidungen einfacher Senate. So hat der OGH etwa seine Rsp zur Behandlung vinkulierter Lebensversicherungen im Konkurs des Versicherungsnehmers unter dem Eindruck der von mehreren Autoren geäußerten Kritik wieder aufgegeben.[75] Ein anderes Beispiel ist die Behandlung strittiger Absonderungsrechte am Einkommen des Schuldners in der Insolvenz: Ursprünglich hatte der OGH entschieden, dass darüber vom Insolvenzgericht mit Beschluss abzusprechen sei.[76] Daran war von der Lehre kritisiert worden, dass diese Entscheidung nicht zum System des Rechtsschutzes im Insolvenzrecht passe, weil – verkürzt ausgedrückt – alle „heiklen" Fragen in das Streitverfahren „ausgelagert" sind.[77] Unter dem Eindruck dieser Kritik ging der OGH von seiner Rsp wieder ab.[78]

Gefahren

Gefahr droht der engen Verbindung zwischen Lehre und Rsp jedoch auf mehreren Ebenen:[79] Viele Entscheidungen beschränken sich in der Begründung auf den Verweis auf Vorjudikatur, oft in Form des Verweises auf Leitsatzketten, allenfalls angereichert durch Zitierungen aus Kurzkommentierungen stark beschreibender Natur. In der Praxis hat die zunehmende und laufend verbesserte Aufbereitung von Entscheidungen im RIS

74 OGH 1 Ob 6/01s SZ 2002/168.

75 *Georg Kodek,* Die Wirkung von Versicherungsforderungen im Konkurs, ZIK 2005, 150; *Patrick Ladon,* Die petitio principii zur Vinkulierung von Versicherungsforderungen – nun salonfähig? Zak 2008, 23.

76 OGH 8 Ob 4/04b ZIK 2004/123 = ecolex 2004/369.

77 Vgl vor allem *Andreas Konecny,* Keine Entscheidung über Aus- und Absonderungsrechte im Konkursverfahren, ZIK 2004, 74.

78 OGH 8 Ob 107/06b EvBl 2007, 455 = ZIK 2007/161.

79 *Kodek* in *Rummel/Lukas,* ABGB[4] § 12 Rz 47.

zu einer häufigen, mitunter sogar ausschließlichen Bezugnahme auf RIS-Rechtssätze in den Entscheidungsbegründungen geführt.[80] Dies bringt die Gefahr der Verkürzung und zu starker Orientierung an den Leitsätzen mit sich; dieser Effekt wird noch gefördert, wenn dann als Literatur überwiegend deskriptive Kurzkommentierungen herangezogen werden. Zu Recht mahnen *Kerschner/Kehrer* vor der Gefahr eines „Leitsatzrechts"[81] oder – wie der *Verf* dies in Vorträgen auszudrücken pflegt – einer „RIS-isierung des Denkens". Dies hängt natürlich auch mit der Arbeitsbelastung des OGH zusammen.[82] Wenig problematisch ist dies bei Routinefällen, insb der Zurückweisung außerordentlicher Revisionen, bedenklich hingegen, je grundsätzlicher die Bedeutung der zu entscheidenden Frage ist.[83]

Auch darf nicht übersehen werden, dass Entscheidungen Bestandteil des allgemeinen juristischen Diskurses sind, sodass dessen allfällige Mängel unmittelbar auch auf die Begründungsqualität der Entscheidungen durchschlagen.[84] Die Fülle der publizierten Arbeiten ist teilweise nicht mit entsprechendem Erkenntnisgewinn verbunden; dadurch kann der Eindruck entstehen, dass sich die Mühe der Befassung mit Literatur nicht „lohne". Hier sind etwa weitgehend selbstreferentielles Arbeiten, (Eigen-)Plagiate oder „Zitierkartelle", unsachliche oder polemische Kritik, bloße narrative Judikaturzusammenfassungen etc zu nennen. Ein anderes Problem ist schlicht die kaum mehr überblickbare Menge der Publikationen; darunter leidet vor allem die Berücksichtigung von Monographien, die zudem in Datenbanken nur unzureichend erschlossen sind.[85] Hieß es im römischen Recht: Graeca non leguntur,[86] so ist man heute fast versucht zu

80 Dazu *Kerschner/Kehrer* in *Klang*³ § 12 Rz 13; *Rebhahn* in FS 200 Jahre ABGB II 1539 (1553).

81 *Kerschner/Kehrer* in *Klang*³ § 12 Rz 13. Vgl dazu aus der Perspektive des öffentlichen Rechts auch den Beitrag von *Wiederin* im vorliegenden Band.

82 Instruktiv die vergleichenden Angaben bei *Rebhahn* in FS 200 Jahre ABGB II 1539 (1541).

83 *Kodek* in *Rummel/Lukas*, ABGB⁴ § 12 Rz 47; zur Kritik an der punktuellen Literaturauswertung in OGH 9 ObA 113/14d (Unanwendbarkeit des § 28 KSchG im Arbeitsrecht) *Kodek*, EAnm zu OGH 9 ObA 113/14d, ZAS 2015, 220.

84 *Kodek* in *Rummel/Lukas*, ABGB⁴ § 12 Rz 48.

85 Dazu auch *Rebhahn* in FS 200 Jahre ABGB II 1539 (1559).

86 Vgl dazu – freilich jeweils die Parömie negierend – *Cicero*, Pro Archia § 23 („Graeca leguntur"); *Hans E. Troje*, Graeca leguntur (1971); *Hans E. Troje*, Europa und griechisches Recht (1971); *Heinz Barta*, „Graeca non leguntur"? Zu den Ursprüngen des europäischen Rechts im antiken Griechenland I (2010).

sagen: Libri non leguntur. Bücher oder deren Lektüre scheinen nicht mehr in unsere schnelllebige Zeit zu passen. Hinzu kommt die besorgniserregende Tendenz, dass in „gutachtensaffinen“ Materien wie etwa Gesellschafts- und Stiftungsrecht zahlreiche Publikationen nur mehr Gutachten oder ähnliche Auftragswerke darstellen,[87] denen die Rsp mit Skepsis gegenübersteht.[88] Dies führt in der Praxis in manchen Bereichen teilweise zu einer Art – in dieser Allgemeinheit sicherlich unberechtigtem – „Generalverdacht“ gegenüber der Literatur.[89] Maßgebend sollte jedoch die inhaltliche Qualität, nicht der Anlass für die Verfassung einer Schrift sein.

Eine weitere Gefahr sehe ich in der zunehmenden Spezialisierung. Die an sich wohl notwendige und zu begrüßende Einrichtung einer Reihe von Fachzuständigkeiten beim OGH könnte auf längere Sicht auch dazu beitragen, dass in einzelnen Gebieten der Einfluss der Lehre nicht zu-, sondern sogar abnimmt. Dadurch, dass nur mehr ein Senat für die betreffende Materie zuständig ist, könnte sich auch in Einzelfällen eine „wir sind wir“-Mentalität herausbilden.

Richter als Wissenschaftler

Ein Kapitel des Buches „How Judges Think“ des berühmten amerikanischen Richters und Rechtsgelehrten *Posner* trägt den Titel: „Judges are not Law Professors“.[90] Damit soll zum Ausdruck gebracht werden, dass Professoren vielfach ein relativ enges, überschaubares Arbeitsgebiet haben und hochgradig spezialisiert sind. Demgegenüber ist der Richter zwangsläufig Generalist. Dies gilt in den USA, wo Richter meistens sowohl Zivil- als auch Strafsachen, teilweise in unserer Terminologie auch Verwaltungssachen entschei-

87 Vgl dazu etwa *Hans P. Lehhofer*, „Das sind meine Prinzipien. Ich habe auch andere.“ Das professorale Rechtsgutachten als juristische Allzweckwaffe, JRP 2012, 351. Differenzierend zum Wert von Privatgutachten *Kodek* in *Fenyves/Kerschner/Vonkilch*, 200 Jahre ABGB 165; *Heinz Krejci*, Über den Wert von Rechtsgutachten, RdW 2006, 12.

88 Zu „interessengeleiteten“ Publikationen vgl OGH 21. 6. 2016, 1 Ob 93/16g. Insofern verfolgt die Arbeit *Thomas Bachners*, Über das sonderbare umgründungsgeborene Sonderkündigungsrecht zum Nachteil der Inhaber von Sonderrechten. Zugleich ein Beitrag zur Qualitätssicherung in der Rechtswissenschaft, ÖJZ 2018, 197, trotz der aus Sicht des *Verf* unerfreulichen Personalisierung der Diskussion der Sache nach zweifellos ein berechtigtes Anliegen.

89 Differenzierend zum Wert von Privatgutachten *Kodek* in *Fenyves/Kerschner/Vonkilch*, 200 Jahre ABGB 161 (165); *Krejci*, RdW 2006, 12.

90 *Richard A. Posner*, How Judges Think (2008) Chapter 8.

den, sogar noch mehr als in Österreich. Dieser Hinweis auf den unterschiedlichen Grad der Spezialisierung und die damit zwangsläufig zusammenhängende unterschiedliche Herangehensweise ist sicherlich wertvoll.

Hervorzuheben ist allerdings, dass wir in Österreich eine lange ehrenvolle Tradition von auch wissenschaftlich arbeitenden Richtern haben. Ich kann hier schon aus Zeitgründen nur einige Fälle herausgreifen: An erster Stelle ist hier natürlich *Franz von Zeiller* zu nennen, der nicht nur Universitätsprofessor, sondern auch Mitglied der obersten Justizstelle war. Ein anderes Beispiel aus dem 19. Jahrhundert ist etwa *Füger*, der neben seiner Tätigkeit als Richter auch zum „adeligen Richteramt", also in heutiger Terminologie dem Außerstreitverfahren publizierte.[91] Ein anderer Richter des OGH, *Haimberger*, war auch Professor in Lemberg und verfasste ein „Reines römisches Privatrecht". Aus neuerer Zeit sind etwa *Wahle, Klang* und *Steininger* zu nennen. Auch heute wirkt eine Reihe von Mitgliedern des OGH auch in der universitären Lehre mit, sei es als Lehrbeauftragte oder Honorarprofessoren. Zwei Mitglieder des OGH sind derzeit auch Universitätsprofessoren. Dabei ist im internationalen Vergleich nicht so sehr bemerkenswert, dass sie dies können, sondern vor allem, dass sie eine derartige Tätigkeit überhaupt anstreben. Dies ist ein schöner Beleg dafür, dass die Universität sich in Österreich auch bei der Rechtsprechung hohen Ansehens erfreut, was Voraussetzung für einen fruchtbaren Dialog darstellt.

Eine Gesamtwürdigung des literarischen Schaffens von Angehörigen der österreichischen Justiz würde den Rahmen dieses Beitrags sprengen. Allerdings sei die Feststellung gestattet, dass in vielen Rechtsgebieten, insbesondere bei Sondergesetzen, von Richtern verfassten Werken eine ganz herausragende, teilweise sogar Monopolstellung zukommt.[92] Schon diese Beobachtung zeigt, dass gelegentlich angedachte „Zitierverbote" nicht nur zu einem Mangel an Transparenz, sondern vor allem auch zu einer Verarmung der Diskussion führen würden.

Daher begründet auch die Tatsache, dass ein Richter eine bestimmte Rechtsmeinung vertritt, für sich allein ebenso wenig den Anschein einer

91 Zu diesem auch *Georg Kodek*, Angehörigenbürgschaften im Salzburger Partikularrecht – Maximilian Gandolph und das SC Velleianum, in Liber Amicorum Gitschthaler (2020) 127.

92 Diesem Umstand trägt die an sich berechtigte Kritik an Selbstzitaten und Zitierkartellen durch *Georg Wilhelm*, Von der Kunst, im Recht Recht zu behalten, ecolex 2005, 585, nicht ausreichend Rechnung.

Befangenheit wie die Veröffentlichung einer bestimmten Rechtsmeinung in Form einer wissenschaftlichen Abhandlung.[93] Der OGH betont in ständiger Rsp, dass der Umstand, dass Richter sich auch literarisch betätigen, durchaus üblich (vgl § 63 Abs 2 RStDG) und der Öffentlichkeit bekannt ist.[94] Zur vergleichbaren Frage der möglichen Befangenheit eines Sachverständigen wegen Aussagen in wissenschaftlichen Publikationen hat der OGH pointiert ausgesprochen, derartige Veröffentlichungen seien von vornherein unbedenklich; sie indizierten Befähigung, nicht Befangenheit.[95]

Rechtssicherheit vs dogmatische „Richtigkeit"

Die Kontinuität der Rsp verbessert die Prognostizierbarkeit und trägt damit zur Rechtssicherheit bei.[96] Dies wurde schon von *Zeiller* klar gesehen[97] und war historisch Grund für die Veröffentlichung von Entscheidungen.[98] Die Förderung von Rechtssicherheit bzw -einheitlichkeit lässt sich als allgemeiner, aus der gesamten positiven Rechtsordnung ableitbarer Grundsatz begreifen, der die Richter dazu verpflichtet, bereits bestehende Rsp zwar nicht unbedingt, aber tunlichst fortzuführen bzw sich damit eingehend auseinanderzusetzen.[99] Auch aus verschiedenen verfahrensrechtlichen Einrichtungen, insb aus § 8 OGHG, aber auch aus der Ausgestaltung des Revisionsrechts, ergibt sich, dass der Gesetzgeber Vorentscheidungen nicht als belanglos ansieht.[100]

93 OGH 3. 11. 2005, 6 Ob 235/05k; OGH 15. 12. 2005, 6 Ob 236/05g; OGH 15. 12. 2005, 6 Ob 232/05v; ebenso schon zuvor OGH 19. 5. 2005, 6 Ob 89/05i; OGH 19. 5. 2005, 6 Ob 112/05x ua mwN.

94 OGH 6 Ob 90/05m ecolex 2005, 615.

95 OGH 25. 9. 2001, 14 Os 73/01.

96 *Martin Schauer* in *Kletečka/Schauer,* ABGB-ON[1.02] § 12 Rz 1 aE.

97 *Franz* v. *Zeiller,* Commentar I 85, äußerte den Wunsch, die Gerichte mögen „um nicht den Schein einer wandelbaren Gerechtigkeit zu veranlassen, in ihren Entscheidungen stets gleichförmig bleiben".

98 Dazu bereits oben.

99 Vgl *Franz Bydlinski,* Juristische Methodenlehre und Rechtsbegriff[2] (2011) 506 ff; *Kerschner/Kehrer* in *Klang*[3] § 12 Rz 25; *Arthur Meier-Hayoz,* Der Richter und das richterliche Gewohnheitsrecht, ÖJZ 1954, 440; *Sailer* in *Fenyves/Kerschner/Vonkilch,* 200 Jahre ABGB 175 (183 f); *Andreas Vonkilch,* Intertemporales Privatrecht (1999) 336 ff. Zur subsidiären Bindung an „Richterrecht" vgl *Kodek* in *Rummel/Lukas,* ABGB[4] § 12 Rz 21 ff.

100 Vgl OGH 4 Ob 46/49 Arb 8.631*; Willibald Posch* in *Schwimann/Kodek,* ABGB[5] § 12 Rz 12; *Kodek* in *Rummel/Lukas,* ABGB[4] § 12 Rz 17; *Kodek* in *Frese/Schumann,* Precedents 195 (221).

Will ein Richter eine bestehende Rechtsprechung ändern, muss er gewichtige Argumente vorbringen, was eine intensive Vorbereitung und differenzierte Auseinandersetzung mit der bisherigen Rechtsprechung erfordert.[101] Der gerichtliche Deliberationsprozess erweist sich insoweit als strukturell konservativ.[102] Dies ist jedoch nicht negativ zu sehen: Die Orientierung an der eigenen Rechtsprechung leistet einen Beitrag zur Objektivität der Entscheidungsfindung und beschränkt den Spielraum des Gerichts bei der Auslegung.[103] Darüber hinaus trägt sie dazu bei, die berechtigten Erwartungen der Beteiligten, der Politik wie auch der Öffentlichkeit zu schützen.[104]

Die Bedeutung der Kontinuität für die Rechtssicherheit ist der Rsp durchaus bewusst. Hier gilt es, zwischen dogmatischer „Richtigkeit“ und Vorhersehbarkeit abzuwägen.[105] Teilweise wird Kontinuität bewusst (?) über dogmatische Konsistenz gestellt.[106] Dafür sprechen (manchmal) gute Gründe; eine gewisse vorsichtig-beharrende Grundeinstellung, die nicht jeden Schwenk publizierter Meinungen sofort mitmacht, fördert die Rechtssicherheit. Insoweit kann im Einzelfall je nach Gewicht der vorgetragenen Argumente die Beibehaltung der bisherigen Rsp auch bei neu vorgetragenen Bedenken gegen deren Richtigkeit beibehalten werden, solange nicht ihre Unrichtigkeit erwiesen ist bzw sich eine entsprechende abw hM gebildet hat. Der Vorrang der Kriterien von Kontinuität oder dogmatischer „Richtigkeit“ kann freilich nicht allgemein beantwortet werden; noch viel weniger ist eine „Rechtsentwicklung“ um ihrer selbst willen anzustreben.[107]

101 *Huber,* JZ 2022, 1 (6).

102 *Huber,* JZ 2022, 1 (6), der darin ein kleines Äquivalent zu einer Stare-decisis-Doktrin erblickt. Zur Senatsgerichtsbarkeit auch *Georg Kodek,* Decision-Making in Appellate Courts: An Austrian Experience, in *Häcker/Ernst* (Hrsg), Collective Judging in Comparative Perspective – Counting Votes and Weighing Opinions (2020) 195 (201 ff).

103 So *Huber,* JZ 2022, 1 (6) zum BVerfG; diese Überlegungen gelten jedoch in gleicher Weise für andere Gerichte.

104 *Huber,* JZ 2022, 1 (6); zur Problematik der „Ankündigungspflicht“ bei Rsp-Änderungen *Kodek* in *Rummel/Lukas,* ABGB[4] § 12 Rz 40 ff.

105 *Musger,* NZ 2022, 1.

106 Vgl zur E des verstSen OGH 11. 9. 2012, 6 Ob 24/11i zum Abmahnverfahren nach § 28 Abs 2 KSchG *Kodek/Leupold* in *Wiebe/Kodek,* UWG[2] § 14 Rz 186.

107 Unzutr daher die Kritik von *Christian Nowotny,* Privatstiftungen „in troubles“, RdW 2009, 834, dass die Einrichtung von Fachsenaten unter dem Aspekt der Rechtsentwicklung problematisch sei.

Nach § 8 OGHG[108] ist ein einfacher Senat durch sechs weitere Mitglieder zu verstärken, wenn er durch Beschluss ausspricht, dass die Entscheidung einer Rechtsfrage von grundsätzlicher Bedeutung ein Abgehen von der ständigen Rsp des OGH oder von der zuletzt ergangenen Entscheidung eines verstärkten Senats bedeuten würde oder dass eine Rechtsfrage von grundsätzlicher Bedeutung in der Rsp des OGH nicht einheitlich beantwortet worden ist.[109] Die Bestimmung zeigt den hohen Wert, den der Gesetzgeber der Rechtssicherheit beimisst.[110] Darin liegt eine gewisse Formalisierung der Bindung an die ständige Rsp ohne Rücksicht auf die Grenzen des „non liquet“ und zugleich der Versuch, Widersprüche in der Judikatur zu beheben.[111] Tendenziell wird damit ein Abgehen von (gefestigter) Vorjudikatur erschwert; manchmal kann sich auch überzeugende Kritik der Lehre nicht durchsetzen. Beispiele sind etwa die Entscheidungen zur absoluten Wirkung von Zessionsverboten[112] und in neuerer Zeit zur Wiederholungsgefahr bei teilweiser Unterlassungserklärung im Abmahnverfahren nach §§ 28 f KSchG.[113]

Entscheidungen verstärkter Senate sind jedoch sehr selten. Dies wird in der Lit teilweise kritisiert, etwa bei Erweiterung des Schriftformerfordernisses des § 1346 Abs 2 ABGB auf alle Fälle einer Interzession[114] oder bei den Entscheidungen zur „wrongful birth“.[115] Richtigerweise lagen im letzteren Fall jedoch die Voraussetzungen für die Anrufung eines verstärkten Senats nicht vor.[116] Durch die Zurückhaltung bei der Einschaltung eines verstärkten Senats wird eine frühzeitige Erstarrung der Diskussion und ein „Einzementieren“ von Rechtssätzen verhindert.[117] Zunächst soll eine Meinungsbildung im Wechselspiel von Lehre und Rsp erfolgen. Erst wenn

108 Ähnliches bestimmt § 13 VwGG.

109 Näher *Alfons Zechner* in *Fasching/Konecny*^{2} Vor §§ 502 ff Rz 103 ff; *Elisabeth Lovrek* in *Fasching/Konecny*^{3} Vor § 502 Rz 57 ff.

110 *Peter Bydlinski* in *Bydlinski/Perner/Spitzer* (Hrsg), ABGB^7 (2023) § 12 Rz 3.

111 Vgl dazu *Hans Hoyer*, Die Selbstbindung des österreichischen Obersten Gerichtshofes, ÖJZ 1974, 141; eine Bestandsaufnahme der E der verstSen bietet *Birgit Feldner*, Verstärkte Senate beim Obersten Gerichtshof (2001).

112 OGH 16. 1. 1984, 5 Ob 609/81.

113 OGH 11. 9. 2012, 6 Ob 24/11i.

114 OGH 4 Ob 205/09i JBl 2010, 509 (krit *Lukas*); krit auch *Schauer* in *Kletečka/Schauer*, ABGB-ON$^{1.02}$ § 12 Rz 5.

115 Vgl OGH 6 Ob 101/06f JBl 2007, 171 (gesundes Kind) einerseits und OGH 5 Ob 148/07m JBl 2008, 521 (behindertes Kind) andererseits; krit hierzu etwa *Schauer* in *Kletečka/Schauer*, ABGB-ON$^{1.02}$ § 12 Rz 5.

116 Ausf *Kodek* in *Kodek*, Zugang 99 (101); vgl auch OGH 7. 8. 2008, 6 Ob 148/08w.

117 *Kodek* in *Kodek*, Zugang 99 (102).

dann sich die Rsp soweit verdichtet hat, dass von einer „ständigen Rechtsprechung“ die Rede ist und von dieser abgegangen werden soll oder tatsächlich einmal die Rsp des OGH zu einer bestimmten Frage nicht einheitlich sein sollte, wird der verstärkte Senat tätig. Die wirkliche Rechtsentwicklung vollzieht sich meist in kleinen Schritten durch die „Alltagsarbeit“ der einfachen Senate. Beispiele sind die Änderung der Rsp zum Beginn der Verjährungsfrist des § 1489 Satz 2 ABGB,[118] ebenso die Rsp-Änderung zum Trauerschmerzengeld[119] oder zum Trennungstrauma.[120]

Judikative Rechtserzeugung

Nach § 12 ABGB haben „die in einzelnen Fällen ergangenen Verfügungen und die von Richterstühlen in besonderen Rechtsstreitigkeiten gefällten Urtheile [...] nie die Kraft eines Gesetzes, sie können auf andere Fälle oder auf andere Personen nicht ausgedehnet werden.“ Aus heutiger Sicht stellt § 12 ABGB, wenngleich auf einfachgesetzlicher Stufe stehend, einen Ausdruck des Prinzips der Gewaltenteilung dar,[121] das seine Grundlage freilich unmittelbar im B-VG hat.[122] Gleichwohl sind Gerichtsentscheidungen stets Rechtsanwendung und Rechtsschöpfung zugleich. Sie stellen einen bedeutenden Beitrag zur Auslegung, Konkretisierung und Entwicklung des gesatzten Rechts dar.[123] In Anbetracht der notwendig bei Auslegung und Anwendung des Gesetzesrechts bestehenden Freiräume dienen Gerichtsentscheidungen der Reduktion von Unsicherheit und erfüllen insofern auch eine wichtige kompensatorische Funktion. Entscheidungen früherer Fälle tragen daher zur Rechtssicherheit entscheidend bei.[124]

118 OGH 1 Ob 601/93 JBl 1994, 753 *(Riedler)*.

119 OGH 2 Ob 84/01v JBl 2001, 660 = ecolex 2001, 668 *(Helmich)* = ZVR 2001, 284 *(Karner)*.

120 OGH 2 Ob 45/93 ZVR 1995/43.

121 *P. Bydlinski* in KBB[7] § 12 Rz 1; *Kodek* in *Rummel/Lukas*, ABGB[4] § 12 Rz 3; *Posch* in *Schwimann/Kodek*, ABGB[5] § 12 Rz 1; *Schauer* in *Kletečka/Schauer*, ABGB-ON[1.02] § 12 Rz 1.

122 *Schauer* in *Kletečka/Schauer*, ABGB-ON[1.02] § 12 Rz 1.

123 *Mehrdad Payandeh*, Judikative Rechtserzeugung (2017) 111 ff.

124 *Payandeh*, Rechtserzeugung 151 ff, 497 ff. Die Unterscheidung zwischen ratio decidendi und obiter dictum spielt im Common Law eine größere Rolle als in kontinentaleuropäischen Rechtsordnungen. Allerdings kann die Frage, wie wichtig die rechtlichen Erwägungen eines Gerichts für seine Entscheidung waren, durchaus einen Einfluss auf die Autorität dieses Teils der Entscheidung haben. Siehe dazu oben. Vgl auch *Payandeh*, Rechtserzeugung 463 ff.

In gewissem Sinn kann man von einer „Arbeitsteilung" zwischen Gesetzgeber und Gerichten sprechen. Die Bezugnahme auf den konkreten Fall ist der „Mehrwert", der sich aus der Normenkonkretisierung durch Gerichtsentscheidungen im Vergleich zum notwendig abstrakten Gesetzesrecht ergibt.[125]

Es wurde bereits darauf hingewiesen, dass sich nicht zuletzt aus verschiedenen verfahrensrechtlichen Einrichtungen, insb aus § 8 OGHG, aber auch aus der Ausgestaltung des Revisionsrechts, ergibt, dass der Gesetzgeber Vorentscheidungen nicht als belanglos ansieht.[126] Letztlich stellt die Entwicklung von „Fallrecht" einen vielschichtigen Prozess dar. Hierzu trägt eine Reihe von Faktoren bei: rationale Entscheidungen, die Entscheidungsbegründung und die Veröffentlichung bzw Dokumentation der Entscheidungen. Auch institutionelle Aspekte wie der hierarchische Aufbau der Gerichtsorganisation und die Begründungspflicht spielen hier eine wesentliche Rolle.[127] Dabei ist die Entwicklung von „Fallrecht" immer Ergebnis des Zusammenwirkens mehrerer „Akteure": Entscheidungen werden von einem Instanzgericht gefällt, aber in der Folge von den Vorinstanzen, aber auch vom Gesetzgeber, der Praxis und der Lehre aufgegriffen.[128] In diesem Sinne findet ein Dialog mit anderen Gerichten und mit der Gesetzgebung statt.[129] Gerichtsentscheidungen zeigen, wie sich eine vom Gesetzgeber getroffene Regelung in der Praxis bewährt und dienen insofern der Information des Gesetzgebers. Der Gesetzgeber wiederum kann in mehrfacher Weise auf Gerichtsentscheidungen reagieren. Er kann zunächst die von der Rechtsprechung gefundenen Ergebnisse einfach im Gesetz festschreiben,[130] er kann in Gesetzesmaterialien eine Entscheidung zustimmend zitieren, er kann schweigen und nicht tätig

125 Dieser Aspekt hat auch Bedeutung für die Auslegung von Gerichtsentscheidungen: Dabei muss stets der tatsächliche wie der verfahrensrechtliche Kontext im Auge behalten werden. Dazu *Kodek* in *Rummel/Lukas,* ABGB[4] § 12 Rz 55.

126 Siehe dazu oben.

127 *Payandeh,* Rechtserzeugung 57 ff, 495.

128 *Payandeh,* Rechtserzeugung 11 ff, 493.

129 Dazu *Kodek* in *Rummel/Lukas,* ABGB[4] § 12 Rz 5; *Georg Kodek,* Gedankensplitter zur corporate governance der Privatstiftung, in FS Reich-Rohrwig (2014) 101 (103).

130 Ein Beispiel dafür ist das AußStrG 2003, das als „kodifiziertes Richterrecht" bezeichnet wurde. Auch die Diskussion um die Reform des Schadenersatzrechts betrifft in weiten Teilen die Kodifikation von Prinzipien, die durch die Gerichte entwickelt wurden.

werden,[131] oder er kann im Gesetz eine „Klarstellung“ vornehmen oder die Rsp durch ein Gesetz „korrigieren“.[132] Schließlich werden Entscheidungen der Instanzgerichte von den Vorinstanzen aufgegriffen und weiterentwickelt, sei es, dass diese auf weitere Fallkonstellationen ausgedehnt oder durch Entwicklung von Differenzierungsmöglichkeiten („distinguishing“) und Ausnahmen eingeschränkt werden.

In diesem Zusammenhang kommt dem Dialog zwischen Wissenschaft und Rechtsprechung zentrale Bedeutung zu: Die Verfestigung von Judikatur hängt stark von ihrer Akzeptanz durch andere Gerichte, den Gesetzgeber und andere Akteure und davon ab, ob und inwieweit diese ihre Entscheidungen auf vorliegende Judikatur stützen. Dabei wird die Wirkung von Vorentscheidungen verstärkt und stabilisiert, wenn sich Instanzgerichte wiederholt darauf berufen und sie auf diese Weise bekräftigen und gegen allfällige Kritik verteidigen und weiterentwickeln können.[133] Die Akzeptanz von Vorentscheidungen hängt auch davon ab, inwieweit diese von der Fachwelt als überzeugend angesehen werden.[134] So kann überzeugende literarische Kritik zu einer Änderung der Rsp führen;[135] umgekehrt hat schon das Vorliegen einer einzigen, im Schrifttum nicht auf beachtliche Kritik gestoßenen Entscheidung zur Folge, dass die Revision unzulässig ist.[136] In all diesen Fällen ist die Überzeugungskraft (und damit die „Qualität“) der dogmatischen (!) Begründung der Entscheidung ein wesentlicher Faktor.

Schluss

Zusammenfassend ist der Befund wohl durchaus positiv. Die Rechtsprechung bemüht sich weitgehend, die von der Dogmatik erzielten Ergebnisse für ihre Tätigkeit fruchtbar zu machen. Hier findet ein – beide Sei-

131 Zur methodischen Frage nach der Bedeutung des „Schweigens des Gesetzgebers“ *Georg Kodek* in *Rummel/Lukas,* ABGB[4] § 6 Rz 109; dagegen wurde eingewendet, der Gesetzgeber sei keine „Judikaturpolizei“ (*Raimund Bollenberger,* Drittpfandbestellung und Verbraucherschutz nach §§ 25c und 25d KSchG, ÖBA 2008, 650 [652]).

132 *Kodek* in FS Reich-Rohrwig 101 (103).

133 *Payandeh,* Rechtserzeugung 287 ff.

134 *Payandeh,* Rechtserzeugung 287 ff.

135 Vgl die Beispiele oben.

136 RIS-Justiz RS0103384; *Lovrek* in *Fasching/Konecny*[3] § 502 ZPO Rz 37 FN 57, betont zutr, dass dies besonders dann gilt, wenn die E vom nach der Geschäftsverteilung zuständigen Fachsenat stammt.

ten befruchtender – Dialog statt.[137] Rechtsprechung im Elfenbeinturm darf es nicht geben.[138]

Lege hat zuletzt das schöne Bild von der „internen Ästhetik der juristischen Dogmatik“ gebraucht:[139] Wenn Argumente als „passend“ bzw „stimmig“ beschrieben werden, tritt zugleich die ästhetische Dimension des kohärenztheoretischen Ansatzes unverkennbar zutage.[140] „Stimmigkeit“ folgt dabei idR nicht aus einem allein eindeutigen und durchschlagenden Grund, sondern aus einer Reihe von Gründen, die sich gegenseitig stützen, ineinander greifen und im Zusammenwirken das Begründungsmuster bilden.[141] Nur wenn es gelingt, in einem solchen Begründungsmuster widerstreitende Werte und Interessen so zum Ausgleich zu bringen, dass es als überzeugende und passende Antwort auf die Problemlage einleuchtet, wird auch die richterliche Entscheidung, die daraus abgeleitet wird, als gerecht wahrgenommen werden können.[142] Gelingt dies, kann man – wiederum mit *Lege* – im besten Sinn des Wortes von „gelingendem Recht“ sprechen. Die Dogmatik hat daran ganz wesentlichen Anteil.

137 *Kodek* in *Rummel/Lukas,* ABGB^{4} § 12 Rz 44; die Wichtigkeit des Kontakts zwischen OGH, Wissenschaft und Praxis betont auch *Musger,* NZ 2022, 1.

138 *Musger,* NZ 2022, 1.

139 *Lege* in *Lege,* Gelingendes Recht 1 (3). Vgl auch *Daniel Damler,* Rechtsästhetik. Sinnliche Analogien im juristischen Denken (2016).

140 *Lege* in *Lege,* Gelingendes Recht 1 (22).

141 *Lege* in *Lege,* Gelingendes Recht 1 (22).

142 *Lege* in *Lege,* Gelingendes Recht 1 (22).

Mathis Fister

Dogmatik und Rechtsanwaltschaft

Aufgaben, Erwartungen, Ansprüche

Derselbe *Rudolf von Jhering*, der als eine prägende Kraft der Entwicklung der Dogmatik genannt wird,[1] sagt über Rechtsanwälte: „Es ist unpassend, schlechthin gegenüber Rechtsanwälten zu dozieren oder gar zu räsonieren, denn sie stehen als Rechtskundige im realen Rechtsleben in freiem Einsatz für reale Menschen mit realen Folgen in vorderster Linie des immerwährend offenen Kampfes ums Recht."[2] Rechtsanwälte vertreten Interessen, keine dogmatischen Lehrsätze. Sie werden herbeigerufen (advocatus) zur Rechtsberatung, Rechtsdurchsetzung und Rechtsverteidigung,[3] als Rechtsbeistand, und nicht, um den Rechtsschutzsuchenden rechtsdogmatische Ansichten darzulegen, an denen diese auch selten interessiert sind. In § 9 Abs 1 RAO heißt es: „Der Rechtsanwalt ist verpflichtet, die übernommenen Vertretungen dem Gesetz gemäß zu führen und die Rechte seiner Partei gegen jedermann mit Eifer, Treue und Gewissenhaftigkeit zu vertreten. Er ist befugt, alles, was er nach dem Gesetz zur Vertretung seiner Partei für dienlich erachtet, unumwunden vorzubringen, ihre Angriffs- und Verteidi-

1 Siehe insb den Beitrag von *Anna-Bettina Kaiser* in diesem Band.

2 *Rudolf von Jhering*, zitiert nach *Klecatsky*, Weltstunde des Rechtsanwalts – Rechtssentenzen zu „Rechtsstaat und Rechtsanwalt", in *Tiroler Rechtsanwaltskammer* (Hrsg), Rubriken – Anwaltliche Bestandsaufnahmen (2005) 13 (13).

3 So die Worte in § 20 RAPG, die mit dem Berufsrechts-Änderungsgesetz (BRÄG) 2008, BGBl I 2007/111 in das Gesetz eingegangen sind, wobei dazu in den Mat festgehalten wird, dass „die bisherige Aufzählung der Prüfungsgegenstände der mündlichen Rechtsanwaltsprüfung in § 20 RAPG den Eindruck [erweckt], dass hier im Ergebnis nur neuerlich die bereits im Rahmen des Universitätsstudiums erworbenen Kenntnisse abgefragt werden sollen. Entsprechend der ohnedies bisher immer so gehandhabten Praxis soll mit der vorgeschlagenen Änderung des § 20 RAPG daher klargestellt werden, dass auch im Rahmen der mündlichen Rechtsanwaltsprüfung die Rechtskenntnisse des Prüfungsbewerbers insbesondere im Bereich des österreichischen Rechts praxisorientiert im Hinblick auf ihre Anwendung zur Falllösung, zur Vertragsgestaltung und zur Vertretung vor Gerichten und Behörden zu überprüfen sind [...]" (vgl ErläutRV 303 BlgNR 23. GP 43).

gungsmittel in jeder Weise zu gebrauchen, welche seinem Auftrag, seinem Gewissen und den Gesetzen nicht widerstreiten."[4] Der Blick des Rechtsanwalts ist also erstrangig auf seine Partei, ihren Fall und ihr Rechtsschutzziel gerichtet,[5] erst zweitrangig auf die Pflege der Rechtsdogmatik.

Anhand mancher Stellen der Rechtsordnung mag man sogar vermuten, dass der Gesetzgeber gar keine allzu großen Erwartungen an die rechtlichen, geschweige denn rechtsdogmatischen Beiträge von Rechtsanwälten stellt. Zwei Beispiele nur: Bis zur Zivilverfahrens-Novelle 1983 – man staune! – waren Rechtsausführungen in vorbereitenden Schriftsätzen gänzlich unzulässig;[6] seither sind immerhin noch solche vorbereitenden Schriftsätze unzulässig, die nur Rechtsausführungen enthalten.[7] Und in § 17 VfGG heißt es, dass die Schriftsätze auch Rechtsausführungen enthalten „können"; sie müssen es also nicht. Vom Rechtsanwalt wird also offenbar vor allem erwartet, den Fall vorzutragen, das Recht aber kennt und spricht das Gericht (iura novit curia).

Diese vordergründig bescheidenen Erwartungen werden dem Auftrag und dem Anspruch der Rechtsanwälte lange nicht gerecht. Die Handhabung der lex lata gehört geradezu zu den Kernaufgaben der Rechtsanwälte, die folglich auch der Rechtsdogmatik nicht fernstehen können. Zwei Kernthesen der Beiträge der Rechtsanwaltschaft zur Rechtsdogmatik sollen im Folgenden aufgestellt werden.

Der Beitrag der Rechtsanwaltschaft zur Rechtsdogmatik in zwei Thesen

These 1: Rechtsanwälte brauchen und betreiben Rechtsdogmatik

Die Rechtsanwälte brauchen die Rechtsdogmatik, weil sie genauso mit dem positiven Recht zu arbeiten haben wie alle anderen Akteure des Rechtslebens. Die Rechtskenntnis ist die unerlässliche Grundausstattung sorgsamer rechtsanwaltlicher Beratung und Vertretung; gewiss nicht nur, notwendig kommen Fallkenntnis, Aktenkenntnis und nicht zuletzt auch Menschenkenntnis hinzu. Aber zuvörderst ist es doch die Rechtskenntnis,

4 Siehe auch § 1009 ABGB.

5 Der OGH bezeichnet die Pflicht zur Interessenswahrung und zur Rechtsbetreuung als „Kardinalspflicht" des Rechtsanwalts, vgl RIS-Justiz RS0112203.

6 Vgl § 78 Abs 3 ZPO idF vor BGBl 1983/135.

7 Vgl § 78 Abs 3 ZPO idF BGBl 1983/135.

mit der die Rechtsanwälte den Rechtssuchenden beistehen. So liegt es auch auf der Hand, welchen Stellenwert profundes rechtliches Wissen für die Rechtsanwälte hat; eine Rechtsberatung lege artis ist anders gar nicht vorstellbar.[8] Aber auch im Rechtsstreit, in der Verfahrensführung, zählt die Kraft des Arguments und es sind gerade jene Argumente kräftig, die auf sicherem rechtlichem, auch rechtsdogmatischem Boden stehen.

Rechtskenntnis beruht auf Rechtserkenntnis. Und Rechtserkenntnis beruht auf rechtsdogmatischer Arbeit. Rechtsanwälte greifen in ihrer Beratungs- und Vertretungstätigkeit auf die Erkenntnisgewinne der Rechtsdogmatik zu. Nicht zu verschweigen ist gewiss, dass für die rechtsanwaltliche Tätigkeit in erster Linie die Judikatur und erst in zweiter Linie die Lehre maßstäblich ist. Das liegt in der Natur der Sache, findet doch die Rechtsdurchsetzung, die den Rechtsanwälten aufgegeben ist, vor Behörden und Gerichten statt, weshalb es eben darauf ankommt, wie die Behörden und Gerichte das Recht verstehen, zumal ein Rechtsstandpunkt dann eher Aussicht auf Durchsetzbarkeit hat, wenn er der Auffassung der Judikatur entspricht oder daran zumindest anschlussfähig ist. Daraus lässt sich schließen, dass die Rechtsanwälte der Rechtsdogmatik jedenfalls in der Weise und in dem Ausmaß aufgeschlossen sind und sein müssen, in dem sich auch Behörden und Gerichte darauf einlassen.

Die Rechtsanwälte müssen rechtsdogmatische Arbeit aber sehr häufig auch selbst leisten. Denn es gibt eben viele Fälle, mit denen sich Judikatur und Rechtswissenschaft noch nicht oder noch nicht genügend befasst haben. Gerade diese Fälle sind es häufig auch, die strittig werden, weil eben noch keine klaren rechtlichen Maßstäbe vorhanden sind, die den Parteien unmittelbar einsichtig sind. In solchen Situationen liegt es an den Rechtsanwälten, den Inhalt des Rechts zu ermitteln und den Parteien zu vermitteln. Ihre rechtsdogmatische Arbeit ist aber nicht darauf gerichtet, den Rechtsstoff großflächig systematisch aufzubereiten und in ein Lehrgebäude einzupassen, sondern sie leisten punktuelle Detailarbeit, gleichsam eine Mikrodogmatik des den konkreten Fall umgebenden Rechts. Aber auch das ist Rechtsdogmatik; auch viele kleine dogmatische Mosaiksteine ergeben ein Bild.

An dieser Abgrenzung wird zugleich die bedeutsame Rolle der Rechtwissenschaft für die Entwicklung der Dogmatik sichtbar: Es ist zwar durchaus

8 Auch haftet der Rechtsanwalt seiner Partei gegenüber für Unkenntnis der Gesetze sowie einhelliger Lehre und Rechtsprechung (siehe zB RIS-Justiz RS0038663).

richtig, dass die Rechtsanwendung und insb die Gerichte die Dogmatik erheblich beeinflussen und nicht selten richtungsweisend prägen,[9] doch darf sich die Rechtswissenschaft aus der Rechtsdogmatik aus zwei Gründen nicht zurückziehen. Erstens ist von Gerichten kaum eine Makrodogmatik für ganze Rechtsgebiete zu erwarten; in der Rechtspraxis geht es um die Lösung von Fällen, nicht um den Aufbau von Lehrgebäuden. Die Grundrechtsdogmatik mag hier vielleicht eine Ausnahme sein,[10] aber wo bitte hätten Gerichte jemals eine geschlossene Dogmatik des gesamten Zivil-, Straf- oder Verwaltungsrechts entwickelt? Eher doch beschränken sich Gerichte auf die für die Entscheidung des jeweiligen Falls notwendigen Rechtsausführungen und legen sie sich selten endgültig auf eine bestimmte Dogmatik fest, um für zukünftige Fälle flexibel zu bleiben.

Zweitens, und dies ist noch wichtiger, brauchen die Rechtssuchenden eine Orientierung im Recht auch dann, wenn die Gerichte noch nicht dazu gesprochen haben. Wenn solche Rechtsfragen dann aber rechtswissenschaftlich aufgearbeitet sind, nämlich so, dass die Rechtslage für die Rechtssuchenden inhaltlich nachvollziehbar (und akzeptabel) ist, hat dies ein erhebliches streitvermeidendes Potenzial.[11] Gerade deshalb ist an die rechtswissenschaftliche Rechtsdogmatik zu appellieren, unermüdlich weiterzuarbeiten und den Rechtssuchenden besonders dort Orientierung zu geben, wo die Gerichte dies noch nicht getan haben.

These 2: Rechtsanwälte fordern und fördern Rechtsdogmatik

Hinter vorgehaltener Hand ist bisweilen zu hören, eher geringschätzend, die Rechtsanwälte würden die Rechtsdogmatik mitunter vernachlässigen oder gar strapazieren. In Wahrheit muss es aber positiv formuliert werden: Die Rechtsanwälte fordern die Rechtsdogmatik heraus, inspirieren sie und tragen so zu ihrer Weiterentwicklung bei.

Die Herausforderung für die Rechtsdogmatik besteht darin, dass Rechtsanwälte zuweilen – um es wieder positiv auszudrücken – innovative und expeditive Rechtsdeutungen an die Behörden und Gerichte herantragen[12] und

9 Siehe etwa den Beitrag von *Ewald Wiederin* in diesem Band.

10 Siehe insb den Beitrag von *Michael Holoubek* in diesem Band.

11 Gerade auch für Rechtsanwälte ist es enorm hilfreich, die eigene Rechtsmeinung anhand einschlägiger, sorgfältig gearbeiteter Literatur bilden und den Rechtssuchenden vermitteln zu können.

12 Nochmals in den Worten des § 9 RAO: Der Rechtsanwalt hat „unumwunden vorzubringen".

damit eine Handhabung des Rechts einfordern, die für den konkreten Fall zu billigen, behaupteterweise gerechten Ergebnissen führt. Immer dann wird die Leistungsfähigkeit der Dogmatik einem Test unterzogen, ob sie sich bewähren kann, ob sie den Bedürfnissen der Rechtspraxis nach der Sicherung der Rechtsakzeptanz, der Billigkeit und des Rechtsfriedens genügen kann.[13]

Es waren doch auch immer wieder Impulse aus der Rechtspraxis, die zu einem Überdenken und Anpassen tradierter rechtsdogmatischer Lehrsätze geführt haben. Im Recht gibt es keine ewig gültigen, unumstößlichen Dogmen, allein schon, weil das positive Recht als Anschauungsobjekt einem ständigen Wandel durch Normsetzung und Normvernichtung ausgesetzt ist. Die Rechtsdogmatik versucht, einigermaßen stabile Ankerpunkte inmitten einer tosend wogenden Rechtsordnung zu setzen. Manche dieser Ankerpunkte sind aber – wie Bojen – ein wenig beweglich, manchmal reißen einzelne auch aus. Wie das Recht, so die Dogmatik. Wie lebendig das Recht, so lebendig die Dogmatik.

Die Rechtsanwälte verhelfen der Rechtsdogmatik auch in weiterer Hinsicht zu neuer Inspiration und neuen Impulsen: Allein der vorliegende Band belegt durchaus unterschiedliche Ansätze und Zugänge zur Dogmatik in unterschiedlichen Rechtsbereichen. Einzelne Gerichte und Zweige der Rechtswissenschaft sind in ihren jeweiligen Rechtsbereichen mit der ihr jeweils eigenen Dogmatik tätig. Fremde Dogmatik wird weniger beachtet und es wird auch wenig, zu wenig an den dogmatischen Schnittstellen der Rechtsgebiete gearbeitet. Hier können Rechtsanwälte gleichsam ein „dogmatikverbindendes" Potenzial entfalten. Sie agieren typischerweise in der gesamten Rechtsordnung,[14] sie nehmen allerorts dogmatische Argumentationsmuster auf und streuen sie in andere Rechtsbereiche, wie die fleißigen Bienen, die den Blütenstaub von Blume zu Blume tragen.[15] Vor allem allge-

13 Die Rechtsanwälte können sich immer dann sicher sein, einen wunden Punkt der Dogmatik getroffen zu haben, wenn ihrem Rechtsstandpunkt nichts weiter entgegengehalten werden kann als etwa die Bemerkung, er treffe „offensichtlich" nicht zu (was übrigens regelmäßig als ungenügende Scheinbegründung zu werten ist, vgl etwa RIS-Justiz RS0099496).

14 Das Gesetz gibt kein Fachanwaltssystem vor, sondern das Universalsystem; vgl OGH 19. 4. 2010, 11 Bkd 2/09.

15 So mag bspw mit dem in der Zivilrechtsdogmatik entwickelten Grundsatz, dass sich niemand zur Erlangung von Rechtsvorteilen auf die eigene Unredlichkeit berufen kann (vgl RIS-Justiz RS0016433), auch in verwaltungsrechtlichen Streitigkeiten argumentiert zu werden.

meine Rechtsgrundsätze, die pionierartig in einem Rechtsgebiet entwickelt werden, aber der Rechtsordnung insgesamt zugrunde liegen, können in andere Rechtsbereiche exportfähig sein. Ein konkretes Beispiel ist das in § 1295 Abs 2 ABGB zum Ausdruck kommende Rechtsmissbrauchs- und Schikaneverbot, das mittlerweile als Bestandteil der gesamten Rechtsordnung anerkannt ist und somit insbesondere auch im öffentlichen Recht gilt.[16] Es mag durchaus sein, dass der Export einzelner dogmatischer Eigenheiten in andere Rechtsbereiche nicht immer anschlussfähig ist und dann nicht fruchtet. Aber stets trägt er dazu bei, vor dogmatischer Starrheit zu bewahren. *Hans R. Klecatsky* hat es folgend formuliert: „Der österreichische Rechtsanwalt hat sich aber auch als Stimulator einer zeitgemäßen Rechtsprechung bewährt. Er ist es, der die Gesetzesvollziehung durch behördliche Organe vor der Erstarrung bewahrt, der dafür sorgt, dass das Leben, durch seinen Rechtsverstand gefiltert, immer wieder neu in die behördliche Rechtsanwendung einfließt.“[17]

Abschließende Betrachtungen

Im Titel des Abschnitts hieß es „Rechtsdogmatik und (Rechts-)Praxis“ und „Rechtsdogmatik als (Rechts-)Praxis“. Es ließe sich ergänzen: „(Rechts-)Praxis als Rechtsdogmatik“. Die Rechtspraxis – und damit eben auch die Rechtsanwälte – leisten gute Beiträge zur Dogmatik, aber sie können der Rechtswissenschaft diese Aufgabe nicht zur Gänze abnehmen. Während die Rechtspraxis am punktuellen Fall und somit tendenziell auf der mikrodogmatischen Ebene arbeitet, beweist die Arbeit der Rechtswissenschaft gerade im Bereich der Makrodogmatik ihren unersetzbaren Wert; die Rechtssuchenden profitieren von Rechtsklarheit, Orientierungssicherheit und Rechtsfrieden. Wo es aber doch zu Streitfällen kommt, übernehmen (wieder) die Rechtsanwälte und die Gerichte.

16 *Georg Kodek* in *Kletečka/Schauer* (Hrsg), ABGB-ON$^{1.03}$ § 1295 Rz 86 (Stand 1. 1. 2018, rdb.at). Aber auch sonst lassen sich durchaus zahlreiche Beispiele dafür finden, wie insb Figuren des Privatrechts in das Verwaltungsrecht, va in die Handhabung von Verwaltungsrechtsverhältnissen eingehen; siehe dazu *Bernhard Raschauer*, Allgemeines Verwaltungsrecht^{6} (2021) Rz 1183 ff; zu den Einflüssen auf die Verfassungsrechtsprechung vgl *Christoph Grabenwarter*, Das Zivilrecht in der Judikatur des Verfassungsgerichtshofs, in FS 200 Jahre ABGB (2011) 1507.

17 *Klecatsky* in *Tiroler Rechtsanwaltskammer*, Rubriken 14.

Erich Pürgy

Rechtsdogmatik und Verwaltung

Einleitung

Die (hoheitliche) Verwaltung – ein weites Feld …

Will man der Frage nachgehen, wie es denn die Verwaltungspraxis mit der Rechtsdogmatik hält, bedarf es zunächst gewisser Abgrenzungen und Festlegungen, aber auch einer Strukturierung dessen, was mit Verwaltung im konkreten Zusammenhang gemeint ist. Dass man es mit einem weiten Feld zu tun hat, liegt auf der Hand.

Der Fokus soll im Folgenden auf der Hoheitsverwaltung liegen. In einem engeren Sinn ist damit das klassische Verwaltungsverfahren angesprochen, also insbesondere die bescheiderlassende Behörde, deren Akte von der Verwaltungsgerichtsbarkeit überprüft werden. Ist nämlich Verwaltung im funktionellen Sinn gemeint – was die Aufteilung der Beiträge in diesem Themenblock nahelegt – sind auch die Verwaltungsgerichte einzubeziehen.

Der Verfassungsdienst als Verfassungsinterpret

Abseits des klassischen Verwaltungsverfahrens, auf das ich mich im Folgenden konzentrieren möchte und das regelmäßig auf der unteren Verwaltungsebene stattfindet, gibt es freilich auch noch andere Stellen in der Verwaltung, die mit der Interpretation von Rechtsvorschriften befasst sind und demnach mit Rechtsdogmatik in Verbindung gebracht werden können. Das trifft etwa auf die in den Zentralstellen, also in den Ministerien und in den Ämtern der Landesregierungen, angesiedelten Rechtsdienste zu. Besonders hervorzuheben gilt es an dieser Stelle vor allem den Verfassungsdienst im Bundeskanzleramt (BKA-VD) und die Landesverfassungsdienste. Gerade ersterem wird eine besondere Rolle in der Verfassungsinterpretation zugeschrieben. *Ewald Wiederin* hat den Verfassungsdienst im Bundeskanzleramt zum erlauchten Kreis der Verfassungsinterpreten gezählt und ihn dort an zweiter Stelle – gleich nach dem Verfassungsgerichtshof – gereiht.[1] Der Verfassungsdienst im Bundeskanzleramt erfüllt – ähnlich wie die Verfassungsdienste in den Ländern – die Rolle eines klassischen Gesetzgebungsdienstes, also einer Dienststelle innerhalb der Verwaltung, zu deren Hauptaufgabe die Mitwirkung an Gesetzgebungsverfahren gehört, ohne selbst initial oder politisch verantwortlich für Gesetzesvorhaben tätig zu sein.[2] Neben seinen zahlreichen anderen Aufgaben erstellt der Verfassungsdienst auch Gutachten zu drängenden verfassungsrechtlichen Fragen. Er verstand sich von Anfang an als wissenschaftlicher Dienst und gilt bis heute als das verfassungsrechtliche Gewissen, das die Staatspraxis leitet. Dass die subjektiv-historische Auslegung in Österreich so stark ist, hängt damit zusammen, dass der Verfassungsdienst ihr großen Stellenwert zumisst. Und das wiederum hat vielleicht damit zu tun, dass es seinen eigenen Standpunkt stärkt.[3] Sein beträchtlicher Einfluss auf die Verfassungsinterpretation in methodischer Hinsicht ist damit jedenfalls belegt.

Der Bescheid als zentrales Entscheidungsmodell der Verwaltung

Nach diesem einleitenden Exkurs nun zum Verwaltungsverfahren und zu den mit der Vollziehung von Gesetzen berufenen Verwaltungsbehörden:

Von den verschiedenen, der Verwaltungsbehörde zur Verfügung stehenden Handlungsformen ist im vorliegenden Zusammenhang klarerweise der Bescheid von besonderem Interesse. Als zentrales Entscheidungsmodell der Verwaltung ist das Verwaltungsverfahrensrecht und das verfassungsrechtlich grundgelegte Rechtsschutzsystem auf ihn zugeschnitten.[4] Das Verwaltungsverfahrensrecht ist von vornherein nicht bloß als kursorisches oder vereinfachtes, sondern als vollwertig rechtsstaatliches Verfahren konzipiert, das in dieser Hinsicht einem gerichtlichen Verfahren nicht nachstehen soll.[5]

1 Siehe *Ewald Wiederin,* Verfassungsinterpretation in Österreich, in *Lienbacher* (Hrsg), Verfassungsinterpretation in Europa (2011) 81 (96 f).

2 *Erich Pürgy,* Verwaltung und parlamentarische Rechtsetzung (2020) 214 mwN.

3 Vgl zu alldem *Wiederin,* Verfassungsinterpretation 81 (97) mwN.

4 *Harald Eberhard,* Handlungsformen und Rechtsstaat, in FS Raschauer (2013) 65 (75).

5 Vgl *Michael Holoubek,* Das Verwaltungsverfahren – Juristische Erstversorgung oder „endgültiges" Verwaltungsverfahren? in *Holoubek/Lang* (Hrsg), Korrektur fehlerhafter Entscheidungen durch die Verwaltungs- und Abgabenbehörden (2017) 1 (5).

Anforderungen an die Begründung von Bescheiden

Insofern passt es ins Bild, dass das Verwaltungsverfahrensrecht auch konkrete Vorgaben für die Begründung von Bescheiden enthält. § 58 Abs 2 AVG verlangt eine Bescheidbegründung, wenn dem Standpunkt der Partei nicht vollinhaltlich Rechnung getragen oder über Einwendungen oder Anträge von Beteiligten abgesprochen wird. § 60 AVG ergänzt, dass in der Begründung die Ergebnisse des Ermittlungsverfahrens, die bei der Beweiswürdigung maßgebenden Erwägungen und die darauf gestützte Beurteilung der Rechtsfrage klar und übersichtlich zusammenzufassen sind.

Nach der ständigen, noch vor der Verwaltungsgerichtsbarkeits-Novelle 2012 ergangenen Rechtsprechung des VwGH erfordert dies in einem ersten Schritt die eindeutige, eine Rechtsverfolgung durch die Partei ermöglichende und einer nachprüfenden Kontrolle durch die Gerichtshöfe des öffentlichen Rechts zugängliche, konkrete Feststellung des der Entscheidung zugrunde gelegten Sachverhalts, in einem zweiten Schritt die Angabe jener Gründe, die die Behörde im Fall des Vorliegens widerstreitender Beweisergebnisse in Ausübung der freien Beweiswürdigung dazu bewogen haben, gerade jenen Sachverhalt festzustellen,[6] und in einem dritten Schritt die Darstellung der rechtlichen Erwägungen, deren Ergebnisse zum Spruch des Bescheides geführt haben. Die drei logisch aufeinander aufbauenden und formal zu trennenden Elemente eines ordnungsgemäß begründeten Bescheides bestehen damit erstens in einer im Indikativ gehaltenen Tatsachenfeststellung, zweitens in der Beweiswürdigung und drittens in der rechtlichen Beurteilung.[7]

Während die Ermittlung der maßgeblichen Tatsachen einen logisch-empirischen Vorgang bildet, ist die rechtliche Beurteilung, also die Bestim-

6 Die Beweiswürdigung wird kurz ausfallen können, wenn keine einander widersprechenden Ergebnisse des Ermittlungsverfahrens vorliegen. Bei Widersprüchen allerdings zwischen den Behauptungen und den Angaben der Verfahrenspartei und sonstigen Ermittlungsergebnissen bedarf es aber einer klaren und übersichtlichen Zusammenfassung der maßgeblichen, bei der Beweiswürdigung angestellten Erwägungen, damit der Verwaltungsgerichtshof die Entscheidung der Behörde auf ihre inhaltliche Rechtmäßigkeit überprüfen kann.

7 Vgl etwa VwGH 26. 1. 2012, 2009/09/0143; lässt ein Bescheid die Trennung dieser Begründungselemente in einer Weise vermissen, dass die Rechtsverfolgung durch die Partei oder die nachprüfende Kontrolle durch die Gerichtshöfe des öffentlichen Rechts maßgeblich beeinträchtigt wird, dann führt ein solcher Begründungsmangel zur Aufhebung des angefochtenen Bescheides schon aus diesem Grund (vgl VwGH 4. 9. 2013, 2013/08/0113).

mung des rechtlichen Rahmens für Tatbestand und Rechtsfolge, eine normativ-dogmatische Aufgabe.[8]

Bedeutung und Umsetzung der methodischen Vorgaben in der Verwaltungspraxis

Inwieweit diese methodischen Vorgaben in der Verwaltungspraxis tatsächlich eine Rolle spielen und ihnen vor allem entsprochen wird, lässt sich pauschal schwer beantworten, zumal hier klarerweise nach Verwaltungsmaterie und Behördentyp differenziert werden muss. Das gilt nicht nur in Bezug auf die Sachverhaltsermittlung,[9] sondern auch für die – im vorliegenden Zusammenhang besonders im Blick stehende – rechtliche Beurteilung.

Allgemein kann gesagt werden, dass sich viele (erstinstanzliche) Verwaltungsverfahren als deutlich – wenn auch auf ganz unterschiedliche Weise – „sachverhaltslastig" erweisen und dieser Umstand die Bedeutung der Rechtsdogmatik auf dieser Ebene in den Hintergrund treten lässt.

Man denke etwa an das Anlagenverfahren, in dem regelmäßig mehrere Genehmigungsregime für ein Vorhaben zur Anwendung kommen. Das Anlagenrecht ist zum einen als Ordnungsrecht und typisches Mehrparteienverfahren von seinem traditionellen Ansatz her rechtsstaatlich hochentwickelt.[10] Zum anderen kommt den Sachverständigen in diesen Verfahren eine herausragende Rolle zu. Die Herausforderung für die in solchen Verfahren häufig zuständige Bezirksverwaltungsbehörde besteht nicht zuletzt darin, die verschiedenen, auf ein Vorhaben anzuwenden Verwaltungsmaterien zu überblicken und diese koordiniert – unter Berücksichtigung der vom Vorhaben tangierten subjektiv-öffentlichen Interessen aber auch mit Blick auf die Verfahrensdauer – zu vollziehen. Auch wenn sich dabei mitunter schwierigere verfahrensrechtliche Fragen stellen kön-

8 *Clemens Jabloner*, Der Sachverhalt im Recht, ZÖR 2016, 199 (200 f).

9 In der Verwaltung wird die Vorgabe, den maßgeblichen Sachverhalt (nach einer schlüssigen Beweiswürdigung) festzustellen, eher großzügig gehandhabt. Nicht selten begnügt man damit, den Verfahrensgang wiederzugeben, ohne jedoch explizit festzustellen, von welchem Sachverhalt die Behörde ausgeht (was insbesondere dann nachteilig ins Gewicht fällt, wenn im dargestellten Verfahrensgang widersprüchliche Aussagen enthalten sind).

10 *Erich Pürgy*, Die Rolle der Bezirkshauptmannschaft im Anlagenrecht, in FS 150 Jahre Bezirkshauptmannschaften (2018) 381 (387) mwN.

nen, ist die Verwaltungsbehörde hier mehr im „Verfahrensmanagement“ gefordert. Ebenso ist das Ergebnis eines solchen Verfahrens zwar nicht selten ein mehrere Hundert Seiten dicker Genehmigungsbescheid. In der umfassenden Begründung wird aber in erster Linie der Verfahrensgang mit den zahlreichen und umfassenden Gutachten sowie den Einwendungen der Verfahrensparteien wiedergegeben. Kurz sind in diesen Bescheidbegründungen zumeist nicht nur die beweiswürdigenden, sondern auch die rechtlichen Erwägungen der Behörde. Die substantiellen und entscheidenden Aussagen finden sich bereits in den von der Behörde wiedergegebenen Gutachten der Sachverständigen. Die rechtliche Beurteilung der Behörde beschränkt sich in der Folge nicht selten auf die Wiedergabe der rechtlichen Grundlagen und die formelhafte Aussage, dass ausgehend vom Ermittlungsergebnis „spruchgemäß“ zu entscheiden war. Die Abhandlung von Rechtsfragen – allenfalls unter Heranziehung von Kommentarliteratur, Gesetzesmaterialien und höchstgerichtlicher Rechtsprechung – stellt die Ausnahme dar. Der normativ-dogmatische Vorgang steht in solchen Fällen – im Verhältnis zum logisch-empirischen Teil der Sachverhaltsermittlung – somit deutlich im Hintergrund. Verstärkt wird dieser Effekt womöglich noch dadurch, dass derartige Verfahren – vor allem in kleineren Bezirkshauptmannschaften – regelmäßig auch von Nichtjuristen (teils von B-Bediensteten) geführt werden.

Dass die Rechtsdogmatik in der Begründung von Bescheiden zumeist nur eine Nebenrolle spielt, lässt sich aber nicht nur in Anlagengenehmigungsbescheiden der (allzuständigen) Bezirksverwaltungsbehörde feststellen. Auch Bescheide sogenannter Spezialbehörden, die an sich eingerichtet werden, um besonders komplexe Rechtsmaterien zu vollziehen,[11] können sich als sehr tatsachenlastig erweisen. Als Beispiel sei hier das Energierecht genannt. Bescheide der E-Control nach dem ElWOG und dem GWG zur Festlegung der Systemnutzungsentgelte[12] sind zwar tatsächlich hochkomplex, allerdings in erster Linie in Bezug auf die dem Bescheidspruch zu Grunde liegenden Untersuchungen und Berechnungen. Diese erfordern besonderen (nichtjuristischen) Sachverstand und nehmen breiten Raum

11 Vgl *Magdalena Pöschl*, Behörden und Personal im Asylvollzug, in *Merli/Pöschl* (Hrsg), Das Asylrecht als Experimentierfeld (2017) 41 (43).

12 Konkret gemeint: Bescheide des Vorstands der Energie-Control Austria für die Regulierung der Elektrizitäts- und Gaswirtschaft zur Festsetzung der Kosten, der Zielvorgaben und des Mengengerüsts als Grundlage für die Festlegung der Systemnutzungsentgelte.

in der Bescheidbegründung ein. Die rechtlichen Erwägungen sind dagegen auch hier meist kurz und von untergeordneter Bedeutung.[13]

Ähnliches trifft – wenn auch etwas anders gelagert – auf die Bescheide des Bundesamtes für Fremdenwesen und Asyl (BFA), einer weiteren Spezialbehörde, zu, deren Einrichtung vor allem mit den hohen Fallzahlen in dieser Verwaltungsmaterie begründet wurde. In der Begründung der Bescheide des BFA nimmt zum einen die Frage der Glaubwürdigkeit der Fluchtgeschichte erheblichen Raum ein, zum anderen werden stets die umfassenden Länderberichte des Herkunftsstaates wiedergegeben. Die rechtliche Beurteilung fällt auch hier – wenn sich nicht spezielle verfahrensrechtliche Frage stellen – vergleichsweise knapp aus. Neben der Wiedergabe der maßgeblichen Rechtsgrundlagen wird noch am ehesten auf einschlägige Rechtsprechung der Höchstgerichte Bezug genommen. Diese bietet der Behörde vor allem Orientierung bei den im Fremden- und Asylrecht regelmäßig vorzunehmenden Abwägungsentscheidungen (etwa im Rahmen der Rückkehrentscheidung).

Etwas anders stellt sich der Befund freilich in jenen Verwaltungsbereichen dar, die – im Unterschied zu den bereits angeführten Beispielen – weniger tatsachenlastig sind. Das gilt etwa für das Datenschutzrecht, das sich zudem auch – schon angesichts des Zusammenspiels von unmittelbar anwendbarer Datenschutz-Grundverordnung und nationalem Datenschutzgesetz (DSG), aber auch in Hinblick auf die bekannten grundrechtlichen Implikationen – als rechtlich anspruchsvoll erweist. Die hier mit der Vollziehung betraute Datenschutzbehörde ist aktuell mit einer Reihe komplexer und vor allem höchstgerichtlich noch nicht geklärter Rechtsfragen konfrontiert.[14] Dementsprechend findet auch bereits in den erstinstanzlichen Verfahren eine vergleichsweise intensive rechtliche Auseinandersetzung statt. Dies ist zum einen durch die Bescheide der Datenschutzbehörde belegt. In deren Begründung werden sowohl verfahrensrechtliche als auch materielle Fragestellungen abgehandelt und kommt dabei durchwegs das in der Spezialbehörde vorhandene juristische Expertenwissen zum Ausdruck. In methodischer Hinsicht fällt auf, dass hier auf das einschlägige Schrifttum verwiesen, aber auch auf die Gesetzesmaterialien zurückgegriffen wird.

13 Dabei wird nicht übersehen, dass sich in solchen Verfahren auch schwierige Rechtsfragen stellen können, siehe zB aus jüngerer Zeit VwGH 18. 3. 2022, Ro 2018/04/0021.

14 Vgl zuletzt etwa zu Verfahren gemäß Art 58 DSGVO: VwGH 14. 1. 2021, Ro 2021/04/0007 und VwGH 8. 2. 2022, Ro 2021/04/0021.

Dass hier durch die Behörde eine dogmatische Durchdringung der Verwaltungsmaterie erfolgt, wird zum anderen auch dadurch ersichtlich, wie diese ihre Rolle als „belangte Behörde" in der zweistufigen Verwaltungsgerichtsbarkeit wahrnimmt. Darauf wird gleich noch zurückzukommen sein.

Verschiebungen durch die Verwaltungsgerichtsbarkeits-Novelle 2012

Die Einführung der zweistufigen Verwaltungsgerichtsbarkeit mit 1. Jänner 2014 hat auch die Rolle der Verwaltung und damit die Tätigkeit der Verwaltungsbehörden neu definiert.[15] Die Verwaltung soll nach der umfassenden Reform des öffentlich-rechtlichen Rechtsschutzes nur mehr so etwas wie eine „rechtliche Grundversorgung" bzw eine „Erstversorgung mit Recht" leisten.[16] Was ihr abhandenkam, ist die Funktion als Kontrollinstanz. Der ausdifferenzierte Verwaltungsrechtsweg, der dem ordentlichen Rechtsweg nachempfunden war und für den es ein eigenes Verfahrensgesetz gab,[17] ist Geschichte. Anstelle der administrativen Instanzenzüge tritt die Kontrolle durch Verwaltungsgerichte, also durch Organe einer anderen Staatsgewalt.[18]

Im vorliegenden Zusammenhang geht es aber weniger um die mit der Reform einhergegangene Machtverschiebung bzw den Machtverlust, den die Verwaltung in ihrer politisch dominierten und hierarchisch gesteuerten Funktion erlitten hat.[19] Vielmehr ist danach zu fragen, ob den Verwal-

15 Das trifft freilich nicht alle Felder der Verwaltung im gleichen Maße. Während Bereiche wie die Privatwirtschaftsverwaltung, die Kompetenz zur Verordnungserlassung oder die Aufgabe der Gesetzesinitiative unberührt blieben, hat sich die Funktion der Verwaltung auf dem Gebiet des individuellen hoheitlichen Staatshandelns gravierend verändert.

16 Vgl zu alldem und zu diesen Bezeichnungen *Öhlinger/Eberhard*, Die Verwaltungsgerichte im System der österreichischen Bundesverfassung, in *Fischer/Pabel/Raschauer* (Hrsg), Verwaltungsgerichtsbarkeit² (2019) Rz 19 ff sowie *Ewald Wiederin*, Grundfragen der Neuorganisation der Verwaltungsgerichtsbarkeit, in *Walter/Zeleny* (Hrsg), Reflexionen über Demokratie und Recht (2009) 33 (42).

17 Vgl *Wiederin* in *Walter/Zeleny*, Reflexionen 41.

18 *Harald Eberhard*, Änderungen des Rechtsschutzsystems durch die Verwaltungsgerichtsbarkeits-Novelle 2012, in *Baumgartner* (Hrsg), Jahrbuch Öffentliches Recht 2013 (2013) 157 (161).

19 *Franz Merli*, Vom Verwaltungsstaat und Justizstaat – und wieder zurück? in *Holoubek/Lang* (Hrsg), Grundfragen der Verwaltungs- und Finanzgerichtsbarkeit (2017) 355 (356).

tungsbehörden durch den Verlust des administrativen Instanzenzuges tatsächlich nur mehr eine Art „rechtliche Grundversorgung" verblieben ist. Zutreffen dürfte dies nach den schon erwähnten Beispielen jedenfalls in jenen Verwaltungsmaterien, die sehr sachverhaltslastig sind und bei denen die rechtliche Beurteilung von vornherein eher formelhaft erfolgt. Dementsprechend erweist sich auf dieser Ebene auch die Rolle der Rechtsdogmatik als bescheiden.

Eine zweite Frage ist, wie es die neuen Verwaltungsgerichte mit der Rechtsdogmatik halten. § 29 Abs 1 VwGVG trägt den Verwaltungsgerichten auf, ihre Erkenntnisse zu begründen.[20] Struktur und Tiefe der Begründungspflicht entsprechen dabei grundsätzlich jenen Anforderungen, die nach der schon erwähnten Rechtsprechung des VwGH zu den §§ 58 und 60 AVG entwickelt wurden.[21] Auch wenn sich damit die Vorgaben gegenüber jenen im administrativen Instanzenzug nicht verändert haben, darf in Hinblick auf die Arbeitsweise nicht übersehen werden, dass ein Gericht anders arbeitet als die Verwaltungsbehörde. Das Gericht geht nicht arbeitsteilig vor, wie dies in der Verwaltung erfolgt. Vielmehr müssen die Richter den Fall selbst erledigen, das heißt die Richter haben Beweise aufzunehmen und müssen selbst verhandeln und selbst die Entscheidung treffen.[22] Damit durchläuft auch die rechtliche Beurteilung – anders als dies in der Verwaltung der Fall ist – keine, der hierarchischen Behördenstruktur entsprechende „Genehmigungskette".[23] Von einer arbeitsteiligen Erledigung (allerdings nicht in einer hierarchischen Abfolge) kann bei Verwaltungsgerichten allenfalls dann gesprochen werden, wenn keine Einzelrichter-, sondern eine Senatszuständigkeit vorgesehen ist.

Inhaltlich fällt auf, dass die Verwaltungsgerichte in ihren rechtlichen Erwägungen in erster Linie auf die höchstgerichtliche Rechtsprechung, vor allem jene des VwGH, Bezug nehmen. Das hat wohl auch damit zu tun, dass die Verwaltungsgerichte nach § 25 Abs 1 VwGG verpflichtet sind, ih-

20 Gemäß § 31 Abs 3 VwGVG gilt dies auch für Beschlüsse, sofern sie nicht verfahrensleitend sind.

21 Vgl etwa VwGH 21. 10. 2014, Ro 2014/03/0076, sowie die weiteren Nachweise bei *Fister/Fuchs/Sachs*, Verwaltungsgerichtsverfahren^2 (2018) § 29 VwGVG Anm 6.

22 Siehe dazu *Merli* in *Holoubek/Lang*, Grundfragen 355 (362) und *Michael Holoubek*, Demokratie, Rechtsstaat und Verwaltungsgerichtsbarkeit, ZfV 2015, 164 (169).

23 „Genehmigungskette" in dem Sinn, dass der Referent einen Erledigungsentwurf erstellt, der in der Folge vom Vorgesetzten und letztlich vom Behördenleiter (jeweils mit der Maßgabe von Änderungen) genehmigt wird.

ren Ausspruch über die Zulässigkeit der Revision gemäß Art 133 Abs 4 B-VG zu begründen. Dazu müssen sie sich zwangsläufig mit der im konkreten Fall einschlägigen Rechtsprechung des VwGH auseinandersetzen.

Amtsrevision durch die belangte Behörde

Die Rolle der Rechtsdogmatik in der Verwaltungspraxis lässt sich freilich nicht allein anhand der bescheidmäßigen Erledigungen der Verwaltung beurteilen. Mit in den Blick zu nehmen sind etwa auch Amtsrevisionen.

Eine solche kann unter anderem von der belangten Behörde erhoben werden,[24] wenn diese mit der Entscheidung des Verwaltungsgerichts nicht einverstanden ist. Die Behörde tritt in diesem Fall an den VwGH heran, um eine Klärung der umstrittenen Angelegenheit herbeizuführen. Zweck der Amtsrevision ist es, das Interesse an der Rechtmäßigkeit des Verwaltungshandelns in einem verfassungsrechtlich abgesteckten Interessenbereich durchzusetzen.[25]

Zwar mag die Erhebung einer Amtsrevision vereinzelt auch politische Implikationen aufweisen (etwa im Bereich des Fremden- und Asylrechts), im Regelfall geht es aber um die verbindliche Klärung von Rechtsfragen, die zwischen dem Verwaltungsgericht und der Behörde umstritten sind. In der Amtsrevision muss die Behörde daher rechtlich argumentieren, warum ihre und nicht die vom Verwaltungsgericht in der angefochtenen Entscheidung vertretene Rechtsauffassung zutreffend ist. Die Behörde hat dabei auch die Zulässigkeit der Revision, also das Vorliegen einer Rechtsfrage von grundsätzlicher Bedeutung (Art 133 Abs 4 B-VG), aufzuzeigen.

Auch wenn die erhobenen Amtsrevisionen klarerweise von unterschiedlicher Qualität sind (schon in Hinblick auf das Zulässigkeitsvorbringen), gelingt es den Amtsrevisionen immer wieder, mit ihren Argumenten durchzudringen und die Aufhebung der verwaltungsgerichtlichen Entscheidung zu erreichen. Dabei wird teilweise auch die in der Verwaltung vorhandene juristische Expertise ersichtlich. Dieses, oft auf langjähriger

24 Die Möglichkeit der Revisionserhebung durch die belangte Behörde gemäß Art 133 Abs 6 Z 2 B-VG stellt nur eine Variante der Amtsrevision dar.

25 Vgl zu alldem bereits *Erich Pürgy*, Verantwortungsverteilung zwischen Verwaltungsbehörde und Verwaltungsgericht für die Richtigkeitsgewähr von Verwaltungsakten, in *Holoubek/Lang* (Hrsg), Korrektur fehlerhafter Entscheidungen durch die Verwaltungs- und Abgabenbehörde (2017) 319 (332 f).

Erfahrung beruhende und durch Spezialisierung generierte Wissen ermöglicht es der Behörde, auch mit subjektiv-historischen und systematischen Argumenten der Rechtsauffassung des Verwaltungsgerichts inhaltlich[26] entgegenzutreten.

Schlussbemerkungen

Auch wenn man die Frage, wie es denn die Verwaltungspraxis mit der Rechtsdogmatik hält, bereits deutlich auf den Bereich des klassischen Verwaltungsverfahrens eingeschränkt hat, fällt ein allgemeiner Befund schwer. Auf erstinstanzlicher Ebene steht häufig die Sachverhaltsermittlung im Vordergrund und die plakative Bezeichnung „rechtliche Grundversorgung" scheint zutreffend. Die rechtliche Beurteilung beschränkt sich in dieser Phase häufig auf Formelhaftes, wodurch auch der Rechtsdogmatik wenig Bedeutung zukommt.

Die in der Verwaltung aber zweifellos vorhandene rechtliche Expertise kommt hingegen deutlicher in den Amtsrevisionen zum Ausdruck. Dort ist die (belangte) Behörde gezwungen, in den rechtlichen Diskurs einzutreten und ihre dogmatischen Argumente gegen die Rechtsauffassung des Verwaltungsgerichts überzeugend vorzutragen. Dies gelingt auch immer wieder und nicht nur dann, wenn dem Verwaltungsgericht ein offensichtlicher Fehler unterlaufen ist und die Behörde dies in ihrer Revision aufzeigt.

26 Es darf an dieser Stelle übersehen werden, dass Amtsrevisionen häufig auch deshalb erfolgreich sind, weil dem Verwaltungsgericht ein offensichtlicher Fehler unterlaufen ist. In diesen Fällen ist der rechtliche Begründungsaufwand der revisionswerbenden Behörde für eine Aufhebung der verwaltungsgerichtlichen Entscheidung natürlich geringer, zumal hier nur der Fehler des Verwaltungsgerichts aufgezeigt werden muss.

Teil VII
Jenseits der Rechtsdogmatik

Nikolaus Forgó

Jenseits der Rechtsdogmatik*

Diesseits und Jenseits

Diese Veranstaltung über Rechtsdogmatik, aus der der vorliegende Band hervorgehen sollte, war, wie jede andere Veranstaltung, selbst dogmatisch. Sie folgte, wie jede andere Veranstaltung, einer Dramaturgie, die von irgendjemandem, hier dem *spiritus rector* des gesamten Projekts, *Christoph Bezemek*, festgesetzt wurde. Zu dieser Dramaturgie zählen auch manche ausgesprochene und manche unausgesprochene, vorausgesetzte, Auf- und Anforderung, etwa, Vorträge einer bestimmten Länge zu halten, auf Fragen, wie es sich geziemt, fachbezogen und kurz und in der richtigen Reihenfolge zu antworten, usw.

Es gehört zur Dramatik der Dogmatik auch eine Reihenfolge, in der gesprochen wird – und diese ist hier Sinnbild ihres Gegenstands. Es begann in dieser Veranstaltung (und es beginnt deshalb im vorliegenden Band) mit den rechtswissenschaftlichen Grundlagen, dann ging es, in gewohnter Reihenfolge, um die Dogmatik im Privatrecht, im Öffentlichen Recht, im Strafrecht, in den „Nebengebieten" (Europarecht, Arbeitsrecht usw), bevor die Nachbarfächer aus den Sozialwissenschaften Einzug hielten und nun also, endlich, unter anderem, knapp vor dem Ende, ich sprechen soll, zu dem, was noch übrig ist: das „Jenseits der Rechtsdogmatik".

Diese Reihenfolge ist eine Form der Selbstvergewisserung der Dogmatik ob der Thematisierung ihrer selbst, weil sie, zwischen Grundlagen und dem Jenseits eingerahmt, da steht, im Zentrum und scheinbar (oder anscheinend?) unverrückbar. Sie wirkt systematisierend und disziplininhärent konservativ. Da es ein, am Ende, unter anderem von mir vorgetragenes „Jenseits" der

* Ich danke *Christoph Bezemek* für die ebenso anregende wie gelungene Konzeption und Durchführung der Tagung, deren Referate dem vorliegenden Band zu Grunde liegen, aufs Herzlichste. Die Vortragsform wurde beibehalten, allerdings das eine oder andere Argument leicht variiert. Der Vortrag, wie er „tatsächlich" gehalten wurde, kann hier nachgesehen werden: <https://www.youtube.com/watch?v=fa_rtX76Wbg>.

Dogmatik gibt, muss es, man könnte sagen: erst recht, ein „Diesseits“ geben, und dieses Diesseits ist das, was vom Jenseits, aus der Peripherie, oder jenseits der Peripherie gesehen, besonders erstrebenswert ist, zumal es im Zentrum, im Kern, in der Mitte liegt. Es ist das Das, was man bereits versäumt oder verfehlt hat, wenn man vom und zum Jenseits spricht.

Dieser Kern wird aber erst dadurch, dass er sich zum Zentrum macht, zu eben diesem. Die Tagung und der Band, der aus ihr hervorgeht, sind daher auf der einen Seite, natürlich, meisterhaft und vielfach vorgetragene und mustergültig orchestrierte Kritik an der Dogmatik, sie sind aber sogleich und vielleicht auch vor allem, auch das Andere, das vielleicht Wichtigere: ein Element einer disziplinären Selbstvergewisserung. Dazu passt, vielleicht, auch der Umstand, dass, wenn ich nichts übersehen habe, Veranstaltung und Band vor allem eine Innenperspektive einnehmen, also vor allem dogmatisch arbeitende Juristinnen eingeladen wurden, um zu dogmatisch arbeitenden Juristinnen zu sprechen. Das ist schon deshalb kein Zufall, weil auch und gerade in den Rechtswissenschaften universitär akademische Karrieren und Diskurse vor allem monodisziplinär gemacht oder verloren werden. Eine Veranstaltung über Rechtsdogmatik, gehalten von (zu vielen) Nichtdogmatikerinnen, oder, noch schlimmer, von Nichtjuristinnen, würde Rechtsdogmatikerinnen nicht interessieren. Für die Jungen wäre sie verlorene Zeit, für die Arrivierten irrelevant. Es wäre daher heute hier niemand (mehr) da und würde hier zuhören.

Mit dieser disziplinären Selbstvergewisserung häufig einher gehen weitere Festsetzungen, wie zum Beispiel jene, hier zufällig herausgegriffene, Bitte des Veranstalters, dass bei der Tagung keine Präsentationsfolien zu verwenden sein sollen, sondern frei zu sprechen sei, die regelmäßig zwei Ursachen haben können:

Zunächst kann es sein, und diese Vermutung mag hier nahe liegen, dass der Veranstalter technische Probleme befürchtet, also das uns alle vereinende, ermüdende Erlebnis vorhersieht, dass man nicht sieht oder hört, was man sehen oder hören soll, dass ein Beamer nicht funktioniert oder eine Folie lückenhaft ist, ein Tonsignal nicht ankommt oder ein Echo entsteht. Das ist eine sehr realistische Befürchtung, denn seit Jahrzehnten sind hier kaum Fortschritte zu erkennen, wie schon in den 90ern liefern wir alle uns ständig, auch in der Lehre, einer von anderen bereitgestellten und bestimmten Technik und ihren Defiziten aus, als gäbe es keine Alternative. Auch in den rechtswissenschaftlichen Vorträgen, und erst recht in der Lehre, hat das Vortragen oder gar Vorlesen von Powerpointfolien eine hegemoniale Bedeutung bekommen, die durch nichts – nicht einmal durch didaktische Großkrisen wie den Corona-Lockdown oder wissenschaftsorganisatorische Anstöße wie ein bestimmtes Tagungsformat – zu erschüttern sind. Da braucht es dann schon ein explizites Folienverbot, um etwas zu bewirken, was selbst dann nicht immer zuverlässig eintritt.

Zweitens kann das Verbot der Foliennutzung aber auch Ausdruck einer weiteren dogmatischen Selbstzuschreibung sein, nämlich der, dass im dogmatischen Diskurs, bitte, nur die Kraft des sprachlich verfassten Arguments wirken möge, ohne Ablenkung, ohne Behübschung, ohne Ansehen der Sprecherin oder des Sprechers. So, als wäre Dogmatik das Instrument und sogleich das Ergebnis einer Rechenoperation. Dogmatik legitimiert sich ja, wir haben dies auch hier mehrfach gehört (und können es hier mehrfach nachlesen), regelmäßig als Instrument der Rationalitätsgarantie in Rechtsprechung und Rechtswissenschaften, als Element der Zurückdrängung individueller Besonderheiten.

Diese Selbstzuschreibung abstrahiert vom Kontext, von der performativen Handlung, in der der individuelle Sprechakt – also zum Beispiel meiner – stattfindet und erzeugt die Vorstellung von einem objektiviert ablaufenden Subsumtionsautomaten. Bis zur Kenntlichkeit verzerrt ist dieses Bild – ausgerechnet – in einer der jüngeren Stellungnahmen zur Reform des (deutschen) juristischen Studiums, in der es, als Argument gegen eine juristische Bachelorausbildung, wörtlich heißt: „Zumal die Möglichkeit, einen Bachelor irgendwie zu ergattern, auch Studenten in den juristischen Fakultäten verbleiben lassen wird, die heute im dritten oder vierten Semester zu ihrem eigenen Glück realisieren, dass Jura in Worte gekleidete Mathematik ist, und sich daher anderen Fächer zuwenden (Politikwissenschaft, Soziologie). Diese für Jura ungeeigneten Studenten werden dann bei Jura bleiben, nach dem Motto: Mindestens mache ich den Bachelor. Somit wird in wenigen Jahren die Legion derjenigen, die einen Loser-Bachelor haben, größer; sie wird dann gerade in die Rechtsberatung drängen. Dies kann dazu führen, dass die Voraussetzungen in diesem Bereich aufgeweicht werden, mit der Konsequenz von weniger qualifizierten Absolventen in der Anwaltschaft.“[1]

1 *Tiziana Chiusi,* Der Bachelor ist ein Loser-Abschluss, FAZ 29. 6. 2022, hier zitiert nach <https://zeitung.faz.net/faz/politik/2022-06-30/f393333d112d41db9915e37de6872053/?GEPC=s3>.

Wer Jura als in Worte gekleidete Mathematik begreift, braucht als Erkenntnisgegenstand nichts jenseits der Worte – keine Töne, keine Bilder, keine Not und kein Elend und auch keinen zu thematisierenden individuellen Willen samt sozialem Hintergrund seiner Entstehung; man verbannt all dies in den Zoo der juristischen Grundlagenwissenschaften oder gar in die anderen Felder jenseits des wissenschaftlich gedachten Rechts, mit gar vielen exotischen Tieren in den umzäunten Gehegen, die man aus der Ferne, in einer halb gelangweilten, halb faszinierten Stimmung betrachtet.

Sein und Sollen

Juristinnen erleben Informatik – und andere Sozial- und Technikwissenschaften – nicht selten, das zeigt dieses Beispiel der verbotenen Foliennutzung, als etwas sie zugleich potentiell Über- (weil die Maschinen eben nicht tun, was sie sollen) wie auch Unterforderndes (weil man sich auf den alten Spruch von „da mihi factum, dabo tibi ius“ und also darauf beruft, dass irgendjemand, in der Ausbildung meist ein von der Prüferin „objektiv“ formulierter „Sachverhalt“, schon erklären würde, wie die Welt denn letztlich „wirklich“ aussehe, damit man diese unter einen Obersatz subsumieren könne, dessen Herstellung die, wenn schon nicht einzige, so wenigstens befriedigendste juristische Aufgabe wäre).

Diese „Verdrängung“ des Sachverhalts und seiner Herstellung auch und gerade schon in der Ausbildung hat nun, wenn es um mein Fachgebiet, die Digitalisierung und ihr Recht, geht, dazu geführt, dass trotz all der Umwerfungen und Umbrüche, die mit ihr kamen, im Grundsatz die juristischen Fächer in ihrer Selbstbeschreibung von ihr weitgehend unberührt geblieben sind. Weiterhin ist es bei so gut wie jedem (technischen) Phänomen, das juristisch zu bewerten ist, zunächst so, dass es in ein Rechtsgebiet einzuordnen und dann vor allem von den dortigen Fachvertretern „dogmatisch“ zu beurteilen ist, dies obwohl zunehmend evident (geworden) ist, dass „Datum“ oder „Lizenz“ oder „Information“ nicht privat- oder straf- oder prozessrechtlich einzuhegen sind.[2]

Ebenso ist es weiterhin so, dass die zugrundeliegenden technischen und sozialen Vorgänge von Juristinnen nur im Vorübergehen und an der Oberfläche zur Kenntnis genommen werden, mit dem immer wieder aufs

2 Vgl zu dieser Diskussion bekanntlich bereits *Lawrence Lessig*, The Law of the Horse, Harvard Law Review 2000, 501.

Neue zu hörenden Argument, man sei schließlich kein Techniker, habe aber trotzdem zu allem Relevanten – von Blockchain über Smart Contracts bis zu Plattformregulierung – eine (technisch) valide Meinung, so, wie man eben darauf wartet, dass irgendjemand kaum Sichtbarer, Stummer, Gewissenhafter, bald den Beamer repariert oder, endlich, das Internet zum Laufen bringt, wenn es hier ein (stets grundsätzlich als lösbar angesehenes) Problem gibt.

Nicht beantwortet wird mit einem derartigen Selbstverständnis allerdings schon eine sehr einfache Frage: Warum gibt es dann Tagungen wie jene, die dem vorliegenden Band zu Grunde liegen, und warum liest man nicht einfach nur den Tagungsband (wie dies jene, die diesen Text zu Gesicht bekommen, ja gerade tun), statt etwa hybrid, wie es neuerdings heißt, teilzunehmen und Zeit zu verlieren, weil, wir hatten es schon, der Beamer nicht funktioniert oder die Kaffeepause zu lang ist oder die sozialen Kosten, die aufzubringen wären, um einen langweiligen Vortrag zu verlassen, einfach zu hoch sind? Die einfache, oftmals gehörte Antwort auf diese Frage ist: Weil es ja, eigentlich, auf das soziale Zusammenkommen, die Kaffeepause, das Networking, das gemeinsame Denken in einer solchen Veranstaltung ankomme, auf all jenes also, das gerade nicht in den in Worte gegossenen Rechenoperationen abgebildet wird, also gerade auf all jenes jenseits der algorithmisch gedachten Rechtsdogmatik.

Sagen (oder zu sagen versuchen), was (in) der Dogmatik ist

Ich vermute, und es wurde im Rahmen der Tagung ja auch mehrfach angesprochen (und es wurde in diesem Band mehrfach aufgeschrieben), es ist vor allem eine sehr deutsch(sprachige) und sehr starre Tradition der juristischen Ausbildung und der Rekonstruktion des juristischen Wissens in der akademischen Ausbildung, die hier zu Tage tritt. Sie hat Tradition.

In der inzwischen schon viel zu langen Zeitspanne, die ich persönlich überblicken kann, seit ich an der Universität Wien zu studieren begonnen habe, 1986, herrschen an den Universitäten in Forschung und Lehre Bedingungen der Knappheit. Aus studentischer Perspektive bedeutet diese vor allem zu wenig Raum, zu wenig Zeit, zu wenig Betreuung und Interaktion, bei immer nur noch mehr Prüfungen und zu lernenden Seiten. Studierende sitzen, auch nach Corona, in Hörsälen ohne Steckdosen und ohne ausreichende Belüftung, massenhaft am Boden und hören Monologen zu, ächzen über den Prüfungsstoff und sehen die Prüfer vor allem bei der Prüfung. Die Suche nach dem Fragenkatalog in Sozialen Netzwerken, aus dem man die typischen Prüferfragen entnehmen und vorbereiten kann, ersetzt zunehmend die angeblich systematisch-dogmatische Aufbereitung des – viel zu umfangreichen und immer noch wachsenden – Prüfungsstoffs.

Dabei sind schon die Lehrveranstaltungen (erst recht: im Rechtskurs) und Lehrbücher (erst recht: in der grauen Skriptenliteratur) selbst, damals wie vielleicht noch mehr heute, kaum je Übungen in Methodenlehre und, wichtig, auch nicht in Dogmatik, sie handeln also nicht von der Systematisierung, oder Kontextualisierung der Argumente, sondern, vielmehr, im Wesentlichen von vereinfachenden *Berichten* von Dogmatikbemühungen anderer, der Autorinnen und der Gerichte. Gelernt wird nicht Dogmatik, sondern das, wovon berichtet wird, dass es dogmatisch entwickelt worden wäre. „Frau Müllers Theorie zum Vorsatz lautet", „der BGH hingegen meint", usw.

Damit werden, wir sprachen schon davon, nicht nur die Bedingungen der Entstehung von Dogmatik isoliert, ein Neutrum, ein Nullum, sondern auch die eigentliche Arbeit, die höhere Jurisprudenz, das (Er-)Finden und Systematisieren des Arguments mithilfe eines im besten Sinne sehr beschränkten Methodenkanons, zu etwas, was an den Universitäten kaum gelehrt wird. Wir erwarten, wenigstens im massenhaft durchlaufenen Grundstudium, von unseren Studierenden gerade keine Dogmatik, sondern brav aufgesagte Dogmatikberichte zum Denken anderer.

Es lernen die Studierenden, unter COVID-Bedingungen und auch ohne, diese Berichte von Dogmatikbemühungen in Lehrveranstaltungsformaten, die sich ihrerseits so gut wie nicht verändert haben. Sie werden geprüft, wie schon immer und es wird, wie schon immer, nicht selten und auch in den schriftlichen Prüfungen, vor allem das Reproduzieren von Dogmatikberichten anhand simplifizierter Sachverhalte verlangt, die, neben der Gewissheit, dass tatsächlich geschehen ist, was beschrieben wurde, nicht mehr und nicht weniger, vor allem die Eigenschaft haben, nicht rechtsgebietsübergreifend betrachtet werden zu dürfen, weil ja eben gerade Zivilrecht, Unternehmensrecht oder Strafrecht geprüft wird und nicht ein realer, ein echter, ein noch zu erstreitender Sachverhalt, in einer fremder und bedrohlicher gewordenen Welt.

Selbst auf das handschriftliche Schreiben wird dabei, Corona hin oder her, nicht verzichtet und es wird so getan, als gäbe es, Corona hin oder her, den Kommentar und sonstige Literatur nicht. Sogar die Frage, welche Verweise in Gesetzesausgaben prüfungsrechtlich zulässig sein sollen, wird (streng) geregelt. In Deutschland (und zT auch in Österreich) kommt dann noch eine abstrus strenge Notenkultur dazu, 18 Punkte, oder auch 17, manchmal 16 beim Staatsexamen kennt man nur aus mythischen Erzählungen und wer vier von 18 Punkte schafft, ist schon ausreichend und mit einem Notenschnitt von 2.7 winkt am Juridicum ein Leistungsstipendium.

Im Juridikum, mit k, einer, wie sie feststellte und zum Motto erhob, „Zeitschrift im Rechtsstaat" – ich bin nicht sicher, ob die Redaktion diesen Claim in den Verhältnissen des heutigen Österreich zwischen Chatprotokollen und Untersuchungsausschüssen, zwischen, es gilt die Unschuldsvermutung, Ministerinnen in Untersuchungshaft und Ibiza-Videos, noch aufrecht erhalten würde wollen – in einer „Zeitschrift im Rechtsstaat" also erschien dazu schon 1991 eine Nummer zum Thema „Juristen – ein (Zu)Stand".[3] In diesem Heft haben ua *Nikolaus Dimmel, Franz Merli, Alfred Noll, Alexander Somek* publiziert und es erschien dort, vor über 30 Jahren, ein Text von *Brigitte Scherbler* zur Überschrift „Über die ambivalente gesellschaftliche Funktion der JuristInnen. Gratwanderung zwischen Macht und Ohnmacht"[4], in dem man Folgendes lesen kann:

„JuristInnen bauen sich eine Imagination des abgeschlossenen Rechtssystems (Rechtsdogmatik) auf und versuchen, bestehende soziale Realitäten dieser Scheinwelt zu subsumieren. Man/frau könnte das als den Versuch sehen, sich in eine Eremitage aus Paragraphen zurückzuziehen, ja sich darin zu begraben. Das führt zu einer Verzerrung der Wirklichkeit, zu einer Nichtwahrnehmung des Eingebundenseins in ein gesellschaftliches Gesamtsystem."

Sagen (oder zu sagen versuchen), was im Jenseits der Dogmatik ist

Damals wie heute gelten die Ausblendung der gesellschaftlichen Gesetztheit des Rechts und damit auch der Variabilität der Parameter der dogmatischen Auslegung, wie auch das selbstbewusste Akzeptieren des Nichtwis-

3 Online via <www.juridikum.at/fileadmin/user_upload/ausgaben/juridikum%203-1991.pdf>.

4 <www.juridikum.at/fileadmin/user_upload/ausgaben/juridikum%203-1991.pdf> 29.

sens über die sich ändernden gesellschaftlichen und technischen Verhältnisse als Voraussetzung der dogmatischen Analyse und des Eintritts in das Zentrum der Rechtswissenschaften. Da mihi factum, dabo tibi ius. Damals, wie heute, geht damit eine erhebliche Selbstreferentialität des dogmatischen Diskurses und wenig Zusammenarbeit mit allem daneben, darunter und darüber einher. Juristen, heißt es dann in Wissensbilanzen oder sonstigen Dokumenten akademischer Selbstvergewisserung, seien traditionell drittmittelschwach und forschten eben nur zum nationalen Recht.

Während sich die Dogmatik in ihrer Selbstverfasstheit seit 1991 also wohl kaum verändert hat, hat sich allerdings in der Umwelt, im buchstäblichen wie auch im *Luhmannschen* Sinne, freilich viel verändert, nämlich, zum Beispiel, und (für mich), vor allem,

- die schon in den 70er Jahren eingesetzt habende, seither explodierte, Digitalisierung, die sich der Einhegung in vertikal organisierte Rechtsgebiete widersetzt;
- das Entstehen und das Bleiben gesellschaftlicher Großprobleme wie die Klimakatastrophe, die COVID-Pandemie oder der Krieg in der Ukraine, die man, für jeden sichtbar, nicht rein juristisch und schon gar nicht mit vertikal organisierten Rechtszugängen – hier Strafrecht, da Zivilrecht, usw – „lösen" oder auch nur gesellschaftlich sinnstiftend bearbeiten kann;
- damit einhergehend, die Zurückdrängung von Studienabsolventinnen der Rechtswissenschaften aus vielen ihnen bisher angestammten Tätigkeitsbereichen, insb in Unternehmen, aber auch in der Politik;
- die immer größere Vernetztheit und Teamorganisiertheit von Spitzenforschung zu Großthemen („Brain", „AI", „Klima"), in der Juristen kaum eine Rolle spielen und daher auch selten etwas beizutragen haben;
- der zunehmende Bedeutungsverlust von Hochschullehrerinnen bei der (auch juristischen) Bewältigung der auftretenden Probleme; an ihre Stelle treten immer mehr Praktikerinnen, vermutlich, weil sie die Manuskripte pünktlicher abgeben und mit Nichtjuristinnen zu sprechen mehr gewohnt sind;
- eine ungeheure Literaturinflation, die schon lange nicht mehr (nur) dogmatisch orientiert ist, sondern an ihren Rändern extreme Phäno-

mene wie eine „Zeitschrift für Covidrecht“[5] oder eine Online-Zeitschrift zu „Ukraine-Krieg und Recht“[6] hervorbringt;

- ein, gerade in der Regulierungsdogmatik, atemlos gewordener Normgeber, dessen Produkte aber, das ist wichtig, kaum mehr irgendeinen Einfluss auf die gesellschaftliche und technologische Entwicklung im Lichte der Großprobleme haben – wer kennt denn schon nur all die Entwürfe von DSGVO, AI Act, DSA, DMA, Data Governance Act, Data Act, usw –, und wer hat sie rechtzeitig gelesen;
- das buchstäbliche Nicht-mehr-lesen-Können dogmatischer Ergebnisse, weil diese weiterhin regelmäßig auf Deutsch geschrieben und in einer englischsprachigen rechtspolitischen Landschaft nicht mehr verstanden werden, was gerade junge Wissenschaftlerinnen in einen weiteren Konflikt zwischen deutschsprachig angelegten Karriereoptionen und englischsprachig verlaufenden Großdiskursen bringt;
- ein immer größer werdendes Problem, kluge Rechtswissenschafterinnen für akademische Karrieren zu gewinnen;
- und schließlich, alles hängt mit allem zusammen, die Ersetzung von Goethezitaten in Vorträgen rechtswissenschaftlicher Akademikerinnen durch, wie in der gegenständlichen Veranstaltung, *Meatloaf*- und *David Bowie*-Zitate und also eine Veränderung der Währungen, in denen soziales Kapital gehandelt wird.[7]

Was folgt?

Man kann eine optimistische Antwort suchen und geben, wie sie *Christiane Wendehorst* (in meiner Lektüre) oben gegeben hat, mit ihrer Hoffnung auf eine Dogmatik als kreative Vordenkerin der digitalen Zukunft, die de lege ferenda Einfluss auf technisch/gesellschaftliche Entwicklungen nehmen

5 COVuR – COVID-19 und Recht, <https://rsw.beck.de/zeitschriften/covur#:~:text=Die%20COVuR%20greift%20monatlich%20die,Hintergr%C3%BCnde%20in%20informativen%20Aufs%C3%A4tzen%20dar>.

6 <https://beck-online.beck.de/?bcid=Y-300-Z-UKuR&opusTitle=UKuR>.

7 Vgl immer noch und statt vieler *Pierre Bourdieu,* Die feinen Unterschiede. Kritik der gesellschaftlichen Urteilskraft (1987). Dem dazugehörigen Wikipedia-Artikel, <https://de.wikipedia.org/wiki/Die_feinen_Unterschiede>, verdanke ich den Hinweis, dass das Buch auf Platz 6 in der Hitparade der wichtigsten soziologischen Bücher des 20. Jahrhunderts der International Sociological Association gelandet sei, vgl <www.isa-sociology.org/en/about-isa/history-of-isa/books-of-the-xx-century/>.

kann und damit so beschäftigt ist, die Bedingungen ihres eigenen Tuns nicht auch noch mitreflektieren zu können.

Man kann aber auch einen pessimistischeren Befund erheben, vielleicht einen mit *Perner* und *Spitzer* vom Niedergang ohne notwendige Auferstehung, und man kann diesen vielleicht auch in der Literatur als Allegorie[8] finden und diesen Weg möchte ich hier gehen, indem ich ein Stück *Paul Nizon,* im Bauch des Wals, erschienen 1989, zitiere, der hier, sage ich, meisterhaft gleichzeitig die Bedingungen meiner eigenen Existenz mit und in diesem Beitrag wie auch seinen Gegenstand, die Dogmatik von jenseits aus gesehen, beschreibt:

„Soldaten. Jüngst hörte ich mich auf die Frage, ob ich arbeite, zu meiner Verwunderung folgendermaßen herausreden: Arbeiten? Ich bin schon am Arbeiten, sagte ich und fügte hinzu: Stell es Dir so vor – ein einzelner Soldat an einer stillen Front, Grenze zur Mandschurei, der Horizont eine Ewigkeit von Leere, nichts geschieht, absolut nichts, nicht einmal eine Fliege oder Wespe, nichts in der Luft und von Krieg schon gar nichts, keine Spur. Der Soldat ist da hinkommandiert und vergessen worden, er schanzt an einem Schanzgraben, in der sengenden Sonne, dann wieder im Regen oder Monsun, Tag für Tag, mutterseelenallein, weiß längst nicht mehr wozu, fragt nicht danach, macht weiter –“

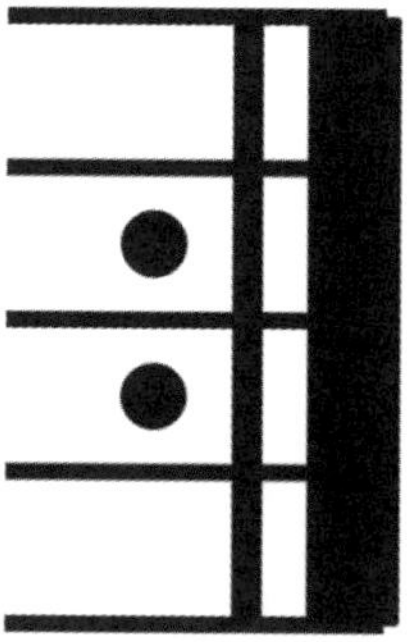[9]

8 Die Geschichte fußt auf einer „wahren“ Begebenheit. Der japanische Soldat *Onoda Hirō* wähnte sich bis 1974 auf einer philippinischen Insel im Zweiten Weltkrieg, vgl <https://de.wikipedia.org/wiki/Onoda_Hir%C5%8D>.

9 Dies ist ein Wiederholungszeichen. Quelle: Von Traced by Stannered – A repeat sign taken from a typesetting of the 2nd movement to Bach's 1st solo cello suite (http://www.mutopiaproject.org/) as typeset with Lillypond (http://www.mutopiaproject.org/), Gemeinfrei, https://commons.wikimedia.org/w/index.php?curid=2267275 @

Iris Eisenberger

Rechtsdogmatik und Innovation des Rechts*

Von der Innovationsrechtswissenschaft

„Jenseits der Rechtsdogmatik." So stellen sich so manche die Innovationsrechtswissenschaft vor. Was sich da nicht alles machen ließe, mit und im Innovationsrecht: Forschung und Innovationen je nach Ideologie verbieten; ein Wahlrecht für Roboter einführen; autonome Fahrzeuge zulassen, die im Konfliktfall immer die Unverheirateten oder die Kinderlosen töten; Abschiebungen per Algorithmus durchführen; oder rechtliche Experimentierräume immer und überall implementieren. Das könnten Vorschläge zur Rechtsgestaltung sein; wohlgemerkt, losgelöst von der bestehenden Rechtslage und der dazugehörigen Rechtsdogmatik. Rechtswissenschaftlich ist daran nichts.

Das bedeutet selbstverständlich nicht, dass es ergänzend zur Rechtsdogmatik keinen anderen rechtswissenschaftlichen Zugriff auf das Innovationsrecht gäbe.[1] Und gewiss soll das auch nicht heißen, dass es außerhalb der Rechtswissenschaften keine wissenschaftlichen Untersuchungen zu Innovationen im Recht und dem Recht der Innovationen gäbe, etwa wenn Techniksoziologinnen erforschen, wie Wissen in den Expertinnengremien zur Unterstützung der Corona-Maßnahmen generiert wird.[2]

---

* Die Vortragsform wurde beibehalten und um einige wenige Fußnoten ergänzt. Ich danke *Franz Merli* und *Sebastian Scholz* für wertvolle Gespräche und *Sophia Witz* für die Unterstützung bei der Erstellung des Fußnotenapparats.

1 Umfassend zur Breite der Innovationsrechtsforschung siehe *Wolfgang Hoffmann-Riem,* Innovation und Recht – Recht und Innovation (2016).

2 ZB *Pöchhacker/König,* Krise der Expertise? Eine institutionelle Perspektive auf wissenschaftliche Expert*innengremien der österreichischen Bundesregierung während der Coronakrise; <www.conftool.pro/soziologie-kongress-2021/index.php?page=browseSessions&form_session=79#paperID575> (abgerufen am 26. 8. 2022).

Keine Rechtsgestaltung ohne Rechtsdogmatik

Eine Innovationsrechtswissenschaft, die sich geradezu notwendigerweise mit komplexen und zum Teil globalen Phänomenen und insbesondere mit der Zukunft und damit auch mit konkreter Rechtsgestaltung beschäftigt, kann nicht ohne Rechtsdogmatik funktionieren, und zwar letztlich unabhängig vom eigenen Verständnis von Rechtsdogmatik. Das kann ein enges Verständnis sein, wonach sich die Rechtsdogmatik primär auf die Auslegung des geltenden Rechts fokussiert oder (gewissermaßen am anderen Ende der Skala) ein besonders weites, wonach die Rechtsdogmatik weit mehr zu leisten vermag (etwa aus einem geordneten Ganzen schöpfen oder ein solches Ganzes überhaupt erst erschaffen, Prinzipien aus diesem Ganzen heraus – oder in dieses hineinarbeiten, Begriffe bilden, Rechtsinstitute herausdestillieren, allgemeine Lehren aus dem Besonderen ableiten oder in dieses hineininterpretieren).[3]

Wie *Christiane Wendehorst* betont,[4] ist es bei so unterschiedlichen Begriffsinhalten mitunter schwierig, zwischen Dogmatik, Theorie und Methode zu differenzieren. Eine Innovationsrechtswissenschaft, die sich oftmals in Ermangelung einfachgesetzlicher Normen mit dem höherrangigen Verfassungs- oder Unionsrecht und insbesondere deren Prinzipien auseinanderzusetzen hat und darüber hinaus rechtsgestaltungsorientiert arbeitet,[5] tut vieles, wenn nicht alles vom zuvor Beschriebenen; und zwar unabhängig davon, auf welches Begriffsverständnis man sich einigen oder eben nicht einigen kann.

Wie wirkt sich das konkret auf die Innovationsrechtswissenschaft und auf Innovationen im Recht aus? Als gelernte Österreicherin gehe ich mit *Merkl* davon aus, dass „[d]er Mensch von Rechts wegen alles [darf], was ihm nicht ausdrücklich rechtlich verboten ist; das Organ, letztlich der

3 Siehe idZ anstelle vieler *Christian Bumke,* Rechtsdogmatik: Eine Disziplin und ihre Arbeitsweise (2017); *Wolfgang Kahl,* Wissenschaft, Praxis und Dogmatik im Verwaltungsrecht (2020); *Franz Merli,* Buchbesprechung Wolfgang Kahl, Wissenschaft, Praxis und Dogmatik im Verwaltungsrecht, ZöR 2021, 1467; *Michael Potacs,* Rechtsdogmatik als empirische Wissenschaft, Rechtstheorie 1994, 191; *Florian Werni,* Die Rechtsnorm als Wille und sprachlicher Ausdruck – Überlegungen zum Forschungsgegenstand der Rechtsdogmatik, in *Burger/Palmstorfer/Prickartz/Staudinger/Weber/Weiser/Weismann* (Hrsg), Recht und Sprache (2019) 43; ferner die Beiträge in diesem Band.

4 *Christiane Wendehorst* in diesem Band.

5 Zu den Aufgaben einer interdisziplinären Innovationsrechtswissenschaft siehe schon *Iris Eisenberger,* Zwischen Rechtswissenschaften und Life Sciences, JRP 2020, 139.

Staat nur das [kann], was ihm rechtlich ausdrücklich ermöglicht, was in seine Kompetenz gestellt ist".[6]

Wie bereits an anderer Stelle ausgeführt,[7] dient dieses Theorem der herrschenden österreichischen Lehre dazu, die rechtliche Zulässigkeit technologischer Innovationstätigkeit außer Streit zu stellen; so beispielsweise, wenn es zu argumentieren gilt, ob ein Verbot der Präimplantationsdiagnostik besteht bzw wie weit ein solches reicht. Forschung und Entwicklung neuer – auch ethisch umstrittener – Innovationen, wie etwa die synthetische Biologie, Human-Enhancement-Technologien oder der Einsatz künstlicher Intelligenz, sind demnach zunächst erlaubt, und zwar so lange, bis der Staat sie rechtlich untersagt (sofern sich ein Verbot nicht schon aus der bestehenden Rechtsordnung ableiten lässt). Verbietet der Staat oder in diesem Fall die Europäische Union den Einsatz einer neuen Technologie, wie beispielsweise bestimmter KI-Technologien, so ist er begründungspflichtig und nicht diejenige, die forschen bzw entwickeln will. Es ließe sich darüber diskutieren, ob das in der Theorie entwickelte Prinzip das dogmatische Ergebnis lückenlos zu begründen vermag; am Inhalt der Aussage würde sich allerdings nichts ändern. Wie bei rechtsstaatlichen Demokratien allgemein üblich, liegt auch der österreichischen Rechtsordnung eine Freiheitsvermutung zugrunde; selbst wenn sich während der Corona-Pandemie eine schleichende Umkehrung dieses Prinzips beobachten ließ.

Das bedeutet jedoch nicht, dass die Einzelne uneingeschränkt forschen und entwickeln darf und umgekehrt alle anderen dazu gezwungen wären, Eingriffe durch die Forschung in ihre Freiheitssphäre zu dulden. Die Freiheit der Forschenden oder der Entwicklerin findet im liberalen Rechtsstaat in den Freiheiten der jeweils anderen ihre Grenzen. Für die an sich nicht explizit verbotenen Innovationen gelten selbstverständlich auch die zivil- und strafrechtlichen Normen. Insofern mag Innovation aus öffentlich-rechtlicher Perspektive zwar erlaubt, aus zivilrechtlicher Perspektive aber untersagbar sein.

Für die Innovationsrechtswissenschaft bedeutet dies, dass es in einem ersten Schritt zu untersuchen gilt, ob eine techno-soziale Innovation, wie beispielsweise genomeditierte Pflanzen, unter das aktuelle Recht, im kon-

6 *Adolf Merkl*, Allgemeines Verwaltungsrecht (1927) 160.

7 Die folgenden beiden Absätze finden sich in Teilen bereits wörtlich in *Iris Eisenberger*, Innovation im Recht (2016) 37 ff.

kreten Fall etwa unter das Gentechnikrecht fallen oder nicht.[8] Dafür bedarf es neben naturwissenschaftlichen Grundlagenkenntnissen einer profunden Kenntnis des Gentechnikrechts und der dazugehörigen Bereichsdogmatik. Gegenstand sind hier also das geltende Recht und die Ermittlung des Inhalts des geltenden Rechts.

Rechtsdogmatik braucht es aber auch, wenn sich die Frage stellt, ob das Internet Transportmittel und/oder Medium ist und damit beispielsweise die Frage, ob es nach infrastrukturrechtlichen oder rundfunkrechtlichen Gesichtspunkten zu behandeln ist.

Weisen anwendbare Rechtsvorschriften, wie etwa das Lebensmittelrecht oder das Medizinprodukterecht Lücken auf, wie beispielsweise beim Einsatz von Nanomaterialien,[9] so ist es Aufgabe des Innovationsrechts, bei der Bewältigung der entstehenden Herausforderungen zu unterstützen, etwa durch Beobachtungs-,[10] Transparenz-,[11] und Nachbesserungspflichten,[12] unter Umständen auch durch eine Sonderhaftung.[13] Für eine sinnvolle rechtswissenschaftliche Begleitung von Risikotechnologien bedarf es umfassender Einblicke in das Risikoverwaltungsrecht[14] und bereichsspezifischer Dogmatik.

Gibt es hingegen keine spezifischen einfachgesetzlichen Regelungen, wie beispielsweise beim rechtlichen Umgang mit dem sog Trolley-Problem[15] im Zusammenhang mit der potentiell nicht vermeidbaren Tötung von

8 Siehe idZ zB *Iris Eisenberger,* Genomeditieren in der Pflanzenzüchtung – Auswirkungen europäischer Vogel-Strauß-Politik, ÖZW 2019, 98.

9 Siehe idZ zB *Miernicki/Hofmann/I. Eisenberger/von der Kammer/Praetorius,* Legal and practical challenges in classifying nanomaterials according to regulatory definitions, Nature Nanotechnology 2019, 208.

10 ZB Art 61 Vorschlag für eine Verordnung des Europäischen Parlaments und des Rates zur Festlegung harmonisierter Vorschriften für künstliche Intelligenz (Gesetz über künstliche Intelligenz) und zur Änderung bestimmter Rechtsakte der Union, COM(2021) 206 final.

11 ZB Art 52 Vorschlag Gesetz über künstliche Intelligenz.

12 ZB § 79 Gewerbeordnung 1994 (GewO 1994) BGBl 1994/194.

13 ZB § 24j Abs 3 Bundesgesetz vom 2. Dezember 1957 über die Luftfahrt (Luftfahrtgesetz – LFG) BGBl 1957/253.

14 Siehe *Udo Di Fabio,* Risikoentscheidungen im Rechtsstaat: Zum Wandel der Dogmatik im öffentlichen Recht, insbesondere am Beispiel der Arzneimittelüberwachung (1994).

15 Siehe dazu *Philippa Foot,* The Problem of Abortion and the Doctrine of the Double Effect, Oxford Review 1967, 5; *Judith J. Thomson,* The Trolley Problem, The Yale Law Journal 1985, 1395.

Menschen durch selbstfahrende Autos,[16] ist es Aufgabe einer Innovationsrechtswissenschaft, rechtlich vertretbare Lösungsansätze zu entwickeln bzw klarzustellen, ob es auf Seiten des Staates Regelungspflichten gibt; etwa abgeleitet aus grundrechtlichen Schutzpflichten oder Prinzipien wie dem Vorsorgeprinzip und in weiterer Konsequenz, wie diese konkret umsetzbar wären.[17] Auch das braucht Dogmatik; in diesem Sinn auch *Susanne Reindl-Krauskopf* zur Funktion der Strafrechtsdogmatik.[18]

Und wenn der Staat Innovationen, etwa durch die Einführung rechtlicher Experimentierräume oder sog Regulatory Sandboxes[19] fördern will, so können diese Innovationen im Recht ohne rechtsdogmatische Arbeit weder einfachgesetzlich noch verfassungs- bzw unionsrechtskonform sinnvoll in die Rechtsordnung integriert werden. Ob in Einzelfällen von bestehenden Regeln abgewichen werden kann, wann solche Ausnahmen zulässig sind, was die Grenzen des Einsatzes von Experimentierräumen sind und wie solche ausgestaltet werden können, muss sich an der Dogmatik, etwa jener des Gleichheitssatzes, orientieren.[20]

Als Zwischenresümee kann daher gesagt werden: Eine an der Rechtsgestaltung orientierte Innovationsrechtswissenschaft benötigt Rechtsdogmatik, um festzustellen, ob neue sozio-technologische Phänomene bereits geregelt

16 Siehe zB *Iris Eisenberger,* Das Trolley-Problem im Spannungsfeld autonomer Fahrzeuge: Lösungsstrategien grundrechtlich betrachtet, in *I. Eisenberger/Lachmayer/G. Eisenberger* (Hrsg), Autonomes Fahren und Recht (2017) 91; *Bruckmüller/Schumann,* Automatisiertes und autonomes Fahren: Strafrechtliche Rahmenbedingungen in Österreich, in *I. Eisenberger/Lachmayer/G. Eisenberger* (Hrsg), Autonomes Fahren und Recht (2017) 123; *Lando Kirchmair,* Artikel 2 EMRK und die Notwendigkeit moralische Dilemmata verursacht durch selbstfahrende Autos (europaweit) zu regulieren, JRP 2022, 50; *Eric Hilgendorf,* Automatisiertes Fahren als Herausforderung für Ethik und Rechtswissenschaft, in *Bendel* (Hrsg), Handbuch Maschinenethik (2019) 355; *Eric Hilgendorf,* Recht und autonome Maschinen, in *Hilgendorf/Hötitzsch* (Hrsg), Das Recht vor den Herausforderungen der modernen Technik (2015) 11; *Stender-Vorwachs/Steege,* Öffentliches Recht, in *Oppermann/Stender-Vorwachs* (Hrsg), Autonomes Fahren^2 (2020) 371.

17 Siehe *I. Eisenberger* in *I. Eisenberger/Lachmayer/G. Eisenberger,* Autonomes Fahren 91.

18 *Susanne Reindl-Krauskopf* in diesem Band.

19 Siehe idZ zB *Iris Eisenberger,* Sharing Economy: Motor für die Modernisierung des Öffentlichen Wirtschaftsrechts? ÖZW 2020, 102; *Christoph Krönke,* Regulatory Sandboxes aus der Perspektive des Allgemeinen Verwaltungsrechts: Zugleich eine dogmatische Einordnung des neuen § 23a FMABG, ÖZW 2020, 108; *Potacs/Kircher,* „Regulatory Sandbox" in der Finanzmarktaufsicht, RdW 2021, 8.

20 Siehe idZ zB *Krönke,* ÖZW 2020, 108; *Potacs/Kircher,* RdW 2021, 8; *Sofie Schock,* Die Regulatory Sandbox und das Verfassungsrecht, ecolex 2021, 367.

sind oder nicht; wenn ja, ob allenfalls Lücken bestehen; und schließlich, wie diese, orientiert an den Regeln und Prinzipien des Verfassungs- und Unionsrechts, mitunter auch dem Völkerrecht, zu schließen wären.[21] Innovationen im Recht bewegen sich also insoweit viel mehr im Diesseits als im Jenseits und die damit befasste Innovationsrechtswissenschaft ist eher als multidisziplinär denn als trans- oder interdisziplinär zu beschreiben. Wie *Emanuel Towfigh* anschaulich zeigt, ließen sich Innovationen im Recht aber selbstverständlich auch wirkungsorientiert betrachten.[22]

Mehr als Rechtsdogmatik

Dass die Rechtsdogmatik allein für die Erarbeitung von sinnvollen Innovationen im Recht nicht immer ausreicht, zeigt beispielsweise ein Blick in § 1 Abs 2 Automatisiertes Fahren Verordnung.[23] Gemäß dieser Bestimmung müssen Assistenzsysteme oder automatisierte Fahrsysteme „so ausgeführt sein, dass die Einhaltung der Bestimmungen der Straßenverkehrsordnung [...] bei der Verwendung dieser Systeme, jedenfalls gewährleistet ist."[24]

Wer jemals mit einem Assistenzsystem in den Baustellenbereich einer Autobahnstrecke gefahren ist, der weiß, dass diese Systeme schon einfachste Sondermarkierungen nicht verarbeiten können. Dies ist noch viel herausfordernder, wenn es sich um voraussetzungsvolle und auslegungsbedürftige Grundsätze, wie beispielsweise den Vertrauensgrundsatz gem § 3 StVO,[25] handelt. Die genannte Bestimmung legt fest, dass „jeder Straßenbenützer vertrauen [darf], dass andere Personen die für die Benützung der Straße maßgeblichen Rechtsvorschriften befolgen, außer er müsste annehmen, dass es sich um Kinder, Menschen mit Sehbehinderung mit weißem Stock oder gel-

21 So schon *I. Eisenberger*, JRP 2020, 139.

22 *Emanuel Towfigh* in diesem Band.

23 Verordnung des Bundesministers für Klimaschutz, Umwelt, Energie, Mobilität, Innovation und Technologie über Rahmenbedingungen für automatisiertes Fahren (Automatisiertes Fahren Verordnung – AutomatFahrV) BGBl II 2016/402.

24 Derartige Bestimmungen finden sich etwa auch in Deutschland und der Schweiz; siehe dazu *Gstöttner/Lachmayer,* Digitalisierung des Straßenverkehrsrechts im Zusammenhang mit automatisiertem Fahren. Über die Notwendigkeit eines eigenen Regelungsregimes, ZVR 2021, 478 (479); *Uhlmann/Lachmayer/Gstöttner,* Verkehrs- und Rechtssicherheit bei Fahrzeugen mit einem Automatisierungssystem, Strassenverkehr/Circulation routière 2022, 4 (9 f).

25 Bundesgesetz vom 6. Juli 1960, mit dem Vorschriften über die Straßenpolizei erlassen werden (Straßenverkehrsordnung 1960 – StVO 1960) BGBl 1960/159.

ber Armbinde, Menschen mit offensichtlicher körperlicher Beeinträchtigung oder um Personen handelt, aus deren augenfälligem Gehaben geschlossen werden muss, dass sie unfähig sind, die Gefahren des Straßenverkehrs einzusehen oder sich dieser Einsicht gemäß zu verhalten". Diesbezüglich wird deutlich, dass die automatisierte Umsetzung des Vertrauensgrundsatzes nach dem derzeitigen Stand der Technik schlicht nicht möglich ist.[26] Hier braucht es mehr als Rechtsdogmatik, jedenfalls Transdisziplinarität, im Sinn eines gemeinsamen Kommunikationsraums.[27] An diesen Stellen hat die Rechtsdogmatik immer auch Erläuterungsfunktion. Außerdem wird hier die Rechtsvergleichung benötigt, um Begriffe und Institute anderer Rechtsordnungen für die eigene fruchtbar machen zu können und, wie *Klaus Poier* im vorliegenden Band erörtert, auch eine rechtsdogmatisch orientierte Rechtspolitik.

Fazit

Zusammenfassend und abschließend lässt sich also festhalten: Die Innovationsrechtswissenschaft und auch Innovationen im Recht sind keine Phänomene, die sich nur im Jenseits bewegen. Sie sind selbstredend auch nicht ausschließlich im rechtsdogmatischen Diesseits angesiedelt. Innovationsrechtswissenschaft, betrieben als auf das geltende Recht bezogene Disziplin mit einem Rechtsgestaltungsfokus, ist ohne Rechtsdogmatik nicht machbar. Wie es *Anna-Bettina Kaiser* mit Verweis auf *Christoph Bezemek* formulierte: Wir alle arbeiten dogmatisch.[28] Da wir es aber, wie eingangs schon erwähnt, im Bereich sozio-technologischer Innovationen in den meisten Fällen mit neuen, komplexen und mitunter globalen Phänomenen zu tun haben, arbeiten wir in Ermangelung spezifischer einfachgesetzlicher Regelungen oftmals unter Heranziehung der allgemeinen Lehren des Verwaltungsrechts, orientiert am höherrangigen Verfassungs- und Unionsrecht und dabei weniger regel-, sondern vielmehr prinzipienfokussiert. Häufig forschen wir auch transdisziplinär und rechtsvergleichend. Letztlich behalten damit diejenigen recht, die meinen, dass Innovationsrechtswissenschaft mehr als nur Rechtsdogmatik ist.

26 Generell zur Einhaltung des Rechts durch automatisierte Fahrsysteme siehe *Gstöttner/Jessen/Lachmayer/Uhlmann*, Dürfen automatisierte Fahrzeuge Recht brechen? Zur rechtlichen Konzeption von Vorgaben für automatisierte Fahrzeuge, Neue Zeitschrift für Verkehrsrecht 2021, 593 (597 ff).

27 In diesem Sinn schon *I. Eisenberger*, JRP 2020, 139.

28 *Anna-Bettina Kaiser* in diesem Band.

Klaus Poier

Rechtsdogmatik und Rechtspolitik*

Einleitung

Ich setze auftragsgemäß mit dem Jenseitigen fort. Dass die Rechtspolitik dort hingehöre, sagt uns *Hans Kelsen* schon im zweiten Absatz seiner Reinen Rechtslehre: Die Reine Rechtslehre versuche, so *Hans Kelsen*, „die Frage zu beantworten, was und wie das Recht ist, nicht aber die Frage, wie es sein oder gemacht werden soll. Sie ist Rechtswissenschaft, nicht aber Rechtspolitik."[1]

Nach dieser Auffassung gibt es damit eine scharfe Trennlinie: in *Christoph Bezemeks* Semantik, *Hans Kelsens* Verständnis der Rechtsdogmatik beiseitelassend, diesseits die Rechtswissenschaft mit der Rechtsdogmatik, jenseits der Styx die Rechtspolitik. Ich kann da freilich nahtlos an *Iris Eisenberger*[2] anknüpfen: Eine solche strikte Trennung ist – wie ich versuchen werde darzulegen – in vielerlei Hinsicht nicht einzuhalten.[3] Das mag vielleicht auch *Christoph Bezemek* so sehen, hat er doch Rechtsdogmatik und Rechtspolitik in dem mir zugewiesenen Beitragstitel mit einem „und" und keinem „versus" verknüpft.

Was verbindet nun Rechtsdogmatik und Rechtspolitik, inwiefern bedingen sie einander, steckt das eine allenfalls auch in dem jeweils anderen, auch wenn dies in der Regel bestritten wird? Freilich ist alles immer auch eine Frage der Definitionen. Den weiteren Versuch einer Definition der Rechtsdogmatik[4] werde ich hier am Ende des Bandes nicht anstellen, Definitions-

---

* Der Vortragsstil wurde beibehalten. Für die Unterstützung bei der Materialsuche sowie der Erstellung des Anmerkungsapparates danke ich *Sebastian Scholz, Lisa Metzler* und *Lorenz Tripp*.

1 *Hans Kelsen*, Reine Rechtslehre² (1960) 1.

2 Vgl den Beitrag von *Iris Eisenberger* in diesem Band.

3 Vgl etwa *Karsten Schmidt*, Zivilistische Rechtsfiguren zwischen Rechtsdogmatik und Rechtspolitik, in *Schmidt* (Hrsg), Rechtsdogmatik und Rechtspolitik (1990) 9 (30).

4 Vgl etwa *Bernd Rüthers*, Rechtsdogmatik und Rechtspolitik unter dem Einfluss des Richterrechts, in *Hoffmann/Robbers* (Hrsg), Rechtspolitisches Forum (2003) 5 ff.

aspekte werden sich freilich dennoch einstellen, und auf die Frage, was Rechtspolitik[5] und zwar insbesondere eine allenfalls rechtswissenschaftliche Rechtspolitik[6] ausmacht, werde ich jedenfalls noch dezidiert zurückkehren.

Im Wesentlichen will ich in meinem Beitrag dem Rechtspolitischen in der Rechtsdogmatik und dem Rechtsdogmatischen in der Rechtspolitik nachgehen.

Zum Rechtspolitischen in der Rechtsdogmatik

Offenkundig ist – jedenfalls aus einer rechtspositivistischen Sicht –, dass Rechtsdogmatik Rechtspolitik existenziell bedingt. Ohne rechtspolitisches Handeln würde der Rechtsdogmatik ihr Gegenstand fehlen: das geltende Recht.[7]

In weiterer Folge müsste eine rechtswissenschaftliche Rechtsdogmatik nach dem *Kelsenschen* Postulat frei von Rechtspolitik bleiben. Sie hätte nur der Frage nachzugehen, was und wie das Recht ist und die diesbezüglichen Erkenntnisse aufzuzeigen.[8] Mit diesem Anspruch hieße das bekanntlich, dass die Wissenschaft nicht selten mehrere Lösungsvarianten aufzeigen müsste. Eine Auswahl unter den mehreren vertretbaren Hypothesen sei in weiterer Folge rechtswissenschaftlich aber nicht möglich, sondern nur rechtspolitisch.

Machen wir den Blick in die Praxis: Wie viele Kommentare und Aufsätze haben wir gelesen und Vorträge gehört, in denen mehrere Normhypothesen aufgezeigt wurden und die Auswahl, was davon Recht und was davon nicht Recht ist, am Ende nicht vorgenommen oder auf Erkenntnisse mittels Methoden jenseits der Rechtsdogmatik gestützt wurde? In aller Regel bezieht sich ein expliziter Hinweis in wissenschaftlichen Werken, es handle sich um rechtspolitische Ausführungen, allein auf Überlegungen de lege ferenda, nicht jedoch de lege lata.[9]

---

5 Vgl etwa *Michael Potacs,* Rechtstheorie[2] (2019) 21; *Rüthers* in *Hoffmann/Robbers,* Rechtspolitisches Forum 30; *Eike von Hippel,* Rechtspolitik (1993) 20 ff.

6 Vgl *Michael Holoubek,* Rechtswissenschaftliche Rechtspolitik? in *Holoubek/Lienbacher* (Hrsg), Rechtspolitik der Zukunft – Zukunft der Rechtspolitik III (1999) 9 (18 ff).

7 Vgl *Rüthers* in *Hoffmann/Robbers,* Rechtspolitisches Forum 30 ff.

8 Vgl *Kelsen,* Reine Rechtslehre[2] 1.

9 Vgl genau in dieser Form der Verfasser selbst in *Klaus Poier,* Minderheitenfreundliches Mehrheitswahlrecht (2001) 271 ff.

Kaum jemand arbeitet wissenschaftlich daher nach einem solchen engen Konzept der Rechtsdogmatik und fasst Rechtsdogmatik derart eng auf. Nicht stichhaltig wäre dabei jedenfalls auch der Einwand, dass der Fall mehrerer vertretbarer Varianten eine seltene Ausnahme wäre und in der Regel ohnedies nur eine Hypothese die einzig richtige, aus dem reinen Recht logisch erschließbare Auslegungsvariante wäre. Vielmehr sind tatsächlich häufig mehrere Interpretationen mit denselben Auslegungsmethoden begründbar – das Schrifttum ist voller Belege dafür –, dennoch wird in der Rechtswissenschaft in der Regel begründet, weshalb bei einer Rechtsfrage gerade eine der möglichen Varianten die richtige ist und die übrigen die falschen und daher nicht Recht sind.

Ob man dies nun Rechtspolitik und außerhalb der Rechtsdogmatik stehend ansehen mag oder ob man – heute wohl weitgehend so gesehen – das Konzept der Rechtsdogmatik weiter versteht und diese Auswahl auch als rechtsdogmatisch begründbar ansieht, in jedem Fall ähneln der Zweck und das Ergebnis einer solchen Auswahl doch dem Zweck und dem Ergebnis der Rechtspolitik: Hinter der Feststellung, was Recht ist, steckt eben oft die – wenn auch in der Regel nicht offen gestellte, häufig versteckte oder bestrittene, vielleicht von der Wissenschaftlerin bzw dem Wissenschaftler gar nicht bewusst wahrgenommene – Frage, wie das Recht unter mehreren Varianten sein soll. Die ergebnissuchende Person, ob sie es will oder nicht, nähert sich dieser Frage mit einer Reihe von sprachlichen, gesellschaftlichen etc Prämissen, die sie mehr oder weniger stark reflektiert oder überhaupt zu reflektieren in der Lage ist.[10] *Alexander Stark* spricht in diesem Zusammenhang von „normativer Rechtsdogmatik“[11] in Abgrenzung zu einer „deskriptiven Rechtsdogmatik“.[12] Er weist aber dabei auch schon darauf hin, dass es weniger um eine „terminologische Auseinandersetzung“[13] geht als um die – unten noch aufzugreifende – Frage, ob normative und evaluative Aussagen „einen sinnvollen und rationaler Deliberation zugänglichen (…) Untersuchungsgegenstand“[14] der – dogmatischen – Rechtswissenschaft darstellen können.

10 Vgl *Susanne Baer,* Rechtssoziologie: Eine Einführung in die interdisziplinäre Rechtsforschung[4] (2021) 19 ff; *Axel Görlitz,* Politische Funktionen des Rechts (1976) 7; *Peter Koller,* Theorie des Rechts[2] (1997) 45 ff.

11 *Alexander Stark,* Interdisziplinarität der Rechtsdogmatik (2020) 95.

12 *Stark,* Rechtsdogmatik 92.

13 *Stark,* Rechtsdogmatik 97.

14 *Stark,* Rechtsdogmatik 97.

In der Literatur – und besonders auch in der öffentlichen Diskussion – wird vor allem höchstgerichtlichen Entscheidungen der Vorwurf der Rechtspolitik als Grenzüberschreitung gemacht.[15] *Bernd Rüthers* kritisierte diesbezüglich: „Die letzten Instanzen setzen heute mit ihren Fallnormen gesetzgebungsähnliche rechtspolitische Akte. Sie ändern geltendes und schaffen neues Recht."[16] Aber schon unabhängig von einem tatsächlichen oder bloß vermeintlichen Verlassen der durch Gesetzesrecht gesteckten dogmatischen Grenzen, bleibt den Gerichten (wie freilich auch Verwaltungsbehörden) jedenfalls keine Wahl, als aus mehreren vertretbaren Auslegungshypothesen eine als die einzig richtige zu erklären.[17] Ob man das – wie schon vorhin thematisiert – als rechtspolitisch bezeichnen mag oder nicht, Ähnlichkeiten in Zweck und Wirkung sind nicht zu übersehen.

Zu beachten sind in diesem Zusammenhang auch entscheidende Folge- und Wechselwirkungen mit der rechtswissenschaftlichen Dogmatik. Auch wenn immer wieder beklagt wird, dass die Rechtsdogmatik vorwiegend und immer stärker durch die höchstgerichtliche Judikatur geprägt ist – indem auch die Rechtswissenschaft das, was Höchstgerichte für Recht erkennen, deshalb als Recht erkennt, oder indem sie prognostizierend das, was Gerichte wohl für Recht halten werden, deshalb als Recht annimmt –, ist dies in der überwiegenden Praxis genau so. Und damit prägt die der Rechtspolitik oft zumindest ähnelnde höchstgerichtliche Urteilsfindung den rechtsdogmatischen Erkenntnisprozess entscheidend.[18]

Rechtspolitisches lässt sich daher in der Rechtsdogmatik finden. Eine strikte Trennung wird zumindest der Realität nicht gerecht.[19] Dies zu leugnen, wenn auch aus hehren theoretischen oder auch aus politischen

15 Vgl *Matthias Jestaedt*, Wissenschaftliches Recht, in FS Mayer (2011) 169 (189); *Müller/Schulev-Steindl*, Wenn Gerichte Rechtspolitik machen <www.diepresse.com/5166637/wenn-gerichte-rechtspolitik-machen> (23. 6. 2022); *Jürgen Pirker*, Rechtspolitik durch Gerichte und Wahlen vor dem Verfassungsgerichtshof 2 ff <www.juwiss.de/5-2017/> (23. 6. 2022).

16 *Rüthers* in *Hoffmann/Robbers*, Rechtspolitisches Forum 19.

17 Vgl *Joachim Lege*, Was Juristen wirklich tun, in *Brugger/Neumann/Kirste* (Hrsg), Rechtsphilosophie im 21. Jahrhundert (2008) 207 (230); *Rüthers* in *Hoffmann/Robbers*, Rechtspolitisches Forum 28.

18 Vgl *Müller/Schulev-Steindl*, Rechtspolitik <www.diepresse.com/5166637/wenn-gerichte-rechtspolitik-machen>; *Rüthers* in *Hoffmann/Robbers*, Rechtspolitisches Forum 32 ff.

19 Vgl etwa *Schmidt* in *Schmidt*, Rechtsdogmatik und Rechtspolitik 9 (30).

Gründen, führt zur Verschleierung wesentlicher Einflussfaktoren der Entwicklung des Rechts. Transparenz erscheint auch in diesem Zusammenhang die bessere Hygienemaßnahme. Rechtsdogmatische Arbeit über die Frage, was und wie das Recht ist, sollte daher auch immer in kritischer Reflexion bedenken und offenlegen, in welchem Maße und mit welchen – allenfalls irreführenden – Prämissen man dabei eigentlich der Frage nachgeht, wie das Recht sein soll.

Zum Rechtsdogmatischen in der Rechtspolitik

Einfacher erscheint die zweite Frage, nämlich die nach dem Rechtsdogmatischen in der Rechtspolitik.

Bisher haben wir Rechtspolitik vor allem verstanden als Politik, die das Recht zu gestalten intendiert. Man kann und muss Rechtspolitik freilich auch unter dem Gesichtspunkt sehen, dass Rechtspolitik Politik meint, die eben mit den Mitteln des Rechts die Gesellschaft gestalten will.[20] (*Joachim Lege* weist darauf hin, dass Politik durch Recht weniger attraktiv erscheint als anderes und anspruchsvoller sei: „Politik ist wie Sex, Recht ist wie Liebe“;[21] im Sinne unseres „Law and Politics“-Zugangs[22] kann man da nur hinzufügen: Was ist schon das eine ohne das andere?)

Bei diesem Blickwinkel – Gestaltung der Gesellschaft mit Mitteln des Rechts – ist die Gestaltung des Rechts jedenfalls nur Instrument und nicht der primäre Fokus. Was und wie das Recht ist, bleibt zwar Ausgangsbasis, zumindest in manchen Aspekten von den Akteuren aber als unbefriedigend empfundene Ausgangsbasis, bei der die politischen Ziele eben nicht erreicht werden konnten: Daher solle und müsse das Recht geändert werden.

Diesen Zugang erleben wissenschaftliche Expertinnen und Experten sehr häufig bei politischen Verhandlungen.[23] Das politische Ziel steht im

20 Vgl *Christine Landfried*, Rechtspolitik, in *Beyme/Schmidt* (Hrsg), Politik in der Bundesrepublik Deutschland (1990) 76.

21 *Lege* in *Brugger/Neumann/Kirste*, Rechtsphilosophie 207.

22 Vgl zuletzt FS Joseph Marko (2022).

23 Zur unterschiedlichen Rolle von Expertinnen und Experten in Verfassungsreformprozessen vgl *Klaus Poier*, Verschwommene Rollen – Expertenbeteiligung im „Symbolprojekt“ Österreich-Konvent, in *Benz* (Hrsg), Politikberatung in Verfassungsreformen. Erträge des Symposions des Dimitris-Tsatsos-Instituts für Europäische Verfassungswissenschaften an der FernUniversität in Hagen am 24. September 2010 (2012).

Mittelpunkt, politische Folge- und Begleiterscheinungen werden überlegt und abgewogen. Die Entwicklung der Rechtsordnung, dogmatische Überlegungen interessieren hingegen üblicherweise nur Personen im politischen Umfeld, die – in der Regel aufgrund ihrer Biographie – die Rechtswissenschaft im Herzen tragen. Im Laufe der Corona-Pandemie scheint sich dies sogar nochmals verschärft zu haben: Hinweise auf Gesetzeswidrigkeiten von Verordnungen oder Verfassungswidrigkeiten von Gesetzen haben spürbar an Relevanz verloren.[24] Das politische Ziel kann auch erreicht werden, wenn rechtswidrige Normen im richtigen Zeitpunkt in Kraft waren, und der – sei hinzugefügt – gegenüber dem Recht noch wesentlicheren politischen Kommunikation[25] gedient haben. Für diese Art der Rechtspolitik – eine fast rein politische Rechtspolitik – spielt die Rechtsdogmatik daher eine nur untergeordnete Rolle.

Daneben gibt es andere Spielarten der Rechtspolitik, die uns hier mehr interessieren, stärker rechtsdogmatisch orientiert, bis hin zu einer – noch zu begründenden – rechtswissenschaftlichen Rechtspolitik.[26]

So kann es rechtspolitische Vorschläge geben, die allein auf rechtsdogmatischen Überlegungen gründen, sofern man etwa Ziele wie Widerspruchsfreiheit als system- und wesensimmanente Kriterien akzeptiert. Wenn etwa die Forderung erhoben wird, der Gesetzgeber solle ein – nach aus rechtsdogmatischen Überlegungen gewonnener Erkenntnis – verfassungswidriges Gesetz aufheben oder ändern, so müssen damit grundsätzlich keine anderen – politischen – Ziele verbunden sein, als die Rechtsordnung widerspruchsfreier und konsistenter zu machen. Auch die Bemühungen um Rechtsbereinigung oder Neukodifikationen haben in der Regel ihre überwiegende Basis in der Rechtsdogmatik.[27]

---

24 Vgl *Peter Lewisch*, Law and PandEconomics: Rechtspolitik und Gesetzgebung, JRP 2021, 30 (32 ff).

25 Zur Krisenkommunikation vgl etwa *Magdalena Nemeth*, FAQs in Krisensituationen. Eine verwaltungsrechtliche Einordnung, in *Bajlicz et al* (Hrsg), Recht im Umbruch – Umbruch im Recht. Tagung der Österreichischen Assistentinnen und Assistenten Öffentliches Recht XI (2021) 245 ff.

26 Vgl *Holoubek* in *Holoubek/Lienbacher*, Rechtspolitik der Zukunft 9 (17).

27 Vgl etwa *Gerhart Holzinger*, Rechtsbereinigung als ständiger Auftrag, in *Schäffer* (Hrsg), Gesetzgebung und Rechtskultur (1986) 175 (178 ff); *Ewald Wiederin*, Verfassungsbereinigung, in *Lienbacher/Wielinger* (Hrsg), Öffentliches Recht. Jahrbuch 2008 (2008) 45 ff; *Bernd Wieser*, Zur Neukodifikation des österreichischen Landesverfassungsrechts (2008).

Wesentlich ist bei rechtspolitischen Vorschlägen aus der Rechtwissenschaft daher jedenfalls auch Transparenz dahingehend, mit welchen Methoden diese entwickelt wurden und welche Ziele dahinterstecken. Der Blick in die Praxis, in die Literatur, zeigt, dass die Auseinandersetzung mit Zielen und noch mehr mit Methoden im Bereich der Rechtspolitik kaum stattfindet. In der Regel werden bei einer mit den Methoden der Rechtsdogmatik durchgeführten Untersuchung rechtspolitische Ausführungen als Schlussfolgerungen angekündigt, worauf diese fußen, wird zumeist nicht weiter erläutert. Mitschwingen tut in der Regel, dass hier Rechtspolitik anstatt Rechtsdogmatik die Methode sei. (Bei meinen eigenen Arbeiten ist dies im Übrigen bislang nicht anders, dieser Beitrag wird daher eine vielleicht unangenehme Herausforderung für meine zukünftigen Publikationen. Aber es ist am Ende einfacher zu begradigen, als es klingt, wie ich gleich ausführen werde.[28])

Denn was ist nun eigentlich die Methode der Rechtspolitik? Meine These hier soll sein: Wenn Rechtspolitik rechtswissenschaftlich betrieben wird, dann kann ihre Methode nur rechtsdogmatischer Natur sein. Nur mithilfe der rechtswissenschaftlichen Auslegungsregeln und mit rechtsdogmatischen Systemüberlegungen lässt sich ein Fundament bilden, auf dem begründete und objektiv nachvollziehbare, überprüfbare rechtspolitische Schlussfolgerungen gezogen werden können. Rechtspolitik kann auch rechtsvergleichende[29] oder interdisziplinäre Überlegungen – etwa aus „Law and Politics“, worauf *Joseph Marko* und *Meinrad Handstanger* in einem Beitrag hinweisen – einbeziehen,[30] der Methodenkern einer rechtswissenschaftlichen Rechtspolitik muss aus meiner Sicht aber ohne Wenn und Aber jedenfalls die Rechtsdogmatik sein.

Rechtspolitische Vorschläge können, wie schon ausgeführt, aus quasi rein rechtsdogmatischen systemimmanenten Überlegungen abgeleitet werden, sie können sich etwa auch auf Widersprüche zwischen den erklärten Zielen des Gesetzgebers und dem Recht gründen: Wenn man wollte, dass dies und jenes Recht ist, dann müsste man, anders als getan, Normen so und so setzen.

28 Vgl nochmals *Poier,* Mehrheitswahlrecht 271 ff.

29 Vgl *Martin Morlok,* Rechtsvergleichung auf dem Gebiet der politischen Parteien, in *Tsatsos/Schefold/Schneider* (Hrsg), Parteienrecht im europäischen Vergleich I (1989) 695 (701).

30 Vgl *Marko/Handstanger,* The interdependence of law and political science: About the „essence and value“ of a „Juristenpolitologie“-approach, ICL Journal 2009, III Heft 2 66 ff.

Wenn rechtspolitische Schlussfolgerungen zur Erreichung politischer Ziele in der Zukunft rechtswissenschaftlich gezogen werden sollen, dann müssen zu dieser rechtsdogmatischen Ausgangsbasis noch weitere rechtsdogmatische Überlegungen stoßen, nämlich es muss – eine Formulierung *Michael Holoubeks* aufgreifend – eine „antizipierende"[31] Rechtsdogmatik betrieben werden. Es müssen nach den juristischen Methoden verschiedene Varianten der Rechtssetzung vorausschauend untersucht und vor allem auch in den potenziellen rechtsdogmatischen Zusammenhang gestellt werden. Das Recht muss systematisch „zu Ende gedacht werden",[32] wie das *Karsten Schmidt* formuliert. Es muss antizipiert werden, was nach einer Gesetzesänderung Recht sein wird und ob damit das gewollte Ziel erreicht werden kann (gemeint hier das Ziel in der Rechtsordnung, nicht in der Wirkung des Rechts in der Gesellschaft, das auch wichtig, allenfalls noch wichtiger, aber das zu untersuchen, nicht Gegenstand der Rechtswissenschaft ist).

Wenn Rechtsdogmatik als Methode aufgefasst wird, dann ist dies dieselbe Methode, mit der rechtspolitische Vorschläge rechtswissenschaftlich zu untersuchen sind; blickt man auf den Gegenstand, dann bezieht sich Rechtspolitik wie Rechtsdogmatik auf das geltende Recht, zusätzlich jedoch auch auf mögliches zukünftiges Recht.

Wesentlich sind auch hier Bewusstsein und Reflexion nach innen sowie Transparenz nach außen. Rechtsdogmatische Überlegungen und allenfalls außerrechtliche politische Ziele sind, so gut es geht, zu trennen, vorausgesetzten Prämissen ist nachzuspüren. Vollständig wird dies in der Praxis nicht immer möglich sein, sind doch Menschen mit ihren komplexen kognitiven Voraussetzungen am Werk.

Bei anlassbezogenem Einbringen rechtswissenschaftlicher Expertise gilt ein besonderes Maß an Sorgfalt. *Michael Holoubek* ist hier skeptisch und sieht deshalb eine rechtswissenschaftliche Rechtspolitik vorwiegend „auf akademischem Boden"[33] und in Gefahr, interessengeleitet zu werden, bei zu großer Nähe am politischen Entscheidungsprozess.[34] Jedenfalls müsse eine „Rechtsgestaltungsberatung"[35] akzeptieren, so *Michael Holoubek*, dass

31 *Holoubek* in *Holoubek/Lienbacher*, Rechtspolitik der Zukunft 9 (17).
32 *Schmidt* in *Schmidt*, Rechtsdogmatik und Rechtspolitik 9 (31).
33 *Holoubek* in *Holoubek/Lienbacher*, Rechtspolitik der Zukunft 9 (20).
34 Vgl *Holoubek* in *Holoubek/Lienbacher*, Rechtspolitik der Zukunft 9 (19).
35 *Holoubek* in *Holoubek/Lienbacher*, Rechtspolitik der Zukunft 9 (19).

„die inhaltliche Sachentscheidung Sache der Politik bleibt.“[36] *Christoph Engel* formuliert: „Die Wissenschaft von der Rechtspolitik kann Rechtspolitik besser machen. Sie kann sie aber nicht ersetzen.“[37]

Rechtwissenschaftliche Rechtspolitik, erst recht anlassbezogene, erfordert jedenfalls ein hohes Maß an Zurückhaltung, innerer Obacht und äußerer Transparenz. Dennoch wäre es wenig zielführend, wegen dieser möglichen Verschwommenheit und der Gefährdungen in Graubereichen der Rechtspolitik insgesamt die Möglichkeit abzusprechen, rechtswissenschaftlich betrieben zu werden.[38] „Sollten die Rechtswissenschaftler also wieder dorthin zurückkehren, wo sie hergekommen sind: zur geduldigen Arbeit am Weinberg des Rechts?“,[39] fragt *Christoph Engel*, und verneint die Frage nicht zuletzt mit dem Hinweis, dass „ein Vakuum“[40] hinterlassen würde.

Karsten Schmidt formuliert dazu: „Wer Rechtsdogmatik als ein vornehmes Refugium begreift, in dem wir uns vor rechtspolitischen Herausforderungen verschanzen können, kann m.E. kein überzeugender Wissenschaftler und auch kein guter Rechtslehrer sein.“[41]

Es ist daher auch bedauerlich, dass – wenn die Suchmaschinen korrekt angezeigt haben – in keinem einzigen der rechtswissenschaftlichen Studienpläne in Österreich „Rechtspolitik“ explizit vorkommt – leider auch nicht im neuen Grazer Studienplan. Es ist zu wünschen, dass Aspekte der notwendigen Fortentwicklung der Rechtsordnung aus rechtsdogmatischem Blickwinkel immer auch mitgemeint und mitgelehrt werden. *Hans Klecatsky* formulierte mit einem Plädoyer für die Rechtspolitik dazu pointiert, dass das Recht nicht „Mumifizierung dogmatisch längst Abgelebten sein“ dürfe, solle es „dem Menschen wirksam Frieden, Ordnung, Sicherheit, Gleichheit, freiheitliche Entfaltung verbürgen“.[42]

Dass Rechtspolitik für die Gesellschaft, für Demokratie, Rechts- und Sozialstaat tatsächlich immens wichtig ist, braucht nicht weiter betont werden. Diese Einsicht ist jedenfalls auch Auftrag für die Rechtswissenschaft, in der auch eine rechtswissenschaftliche Rechtspolitik ihren Platz haben muss.

---

36 *Holoubek* in *Holoubek/Lienbacher,* Rechtspolitik der Zukunft 9 (19).
37 *Christoph Engel,* Rationale Rechtspolitik und ihre Grenzen, JZ 2005, 581 (590).
38 Vgl nochmals *Poier* in *Benz,* Politikberatung in Verfassungsreformen.
39 *Engel,* JZ 2005, 581 (589).
40 *Engel,* JZ 2005, 581 (589).
41 *Schmidt* in *Schmidt,* Rechtsdogmatik und Rechtspolitik 9 (30).
42 *Hans Klecatsky,* Was kann (muß) eine wissenschaftliche Rechtspolitik leisten? in *Pichler* (Hrsg), Was kann eine wissenschaftliche Rechtspolitik leisten? (1989) 21 (21).

Resümee

Rechtsdogmatik und Rechtspolitik haben sicherlich unterschiedliche theoretische Ausrichtungen. Die Metapher von Diesseits und Jenseits ist allerdings zu schwarz/weiß und wird ihrem Verhältnis nicht gerecht, zu viele Berührungen haben Rechtsdogmatik und Rechtspolitik, zu viele Wechselwirkungen, zu sehr ist das eine Voraussetzung für das andere, zu sehr ähneln sich immer wieder Ziele und Wirkungen. Wie es *Alexander Somek* treffend formuliert: „Das Rechtsdenken und die Rechtspolitik leben nicht in verschiedenen Welten. Sie sind oft von denselben geistigen Strömungen geprägt."[43]

43 *Alexander Somek*, Über die Subjektivität des Rechts, JZ 2021, 1 (7).

Andreas Glaser

Rechtsdogmatik und Gesetzgebung

Rechtsdogmatik und Gesetzgebung: Beziehungsstatus ungeklärt

Im Hinblick auf die Öffnung der Ehe für gleichgeschlechtliche Paare im Zivilgesetzbuch[1] wurde im Parlament die Frage diskutiert, ob zu diesem Zweck zunächst eine Verfassungsänderung erforderlich sei. Art 14 BV[2] lautet: „Das Recht auf Ehe und Familie ist gewährleistet". Unter Berufung auf die Materialien zu dieser Verfassungsnorm gingen zahlreiche Stimmen in der Literatur davon aus, dass der Ehebegriff auf die Verbindung von Mann und Frau begrenzt sei, nach geltendem Verfassungsrecht mithin nicht zwei Personen gleichen Geschlechts eine Ehe bilden könnten. Der Zürcher Ständerat *Daniel Jositsch,* Inhaber eines Lehrstuhls für Strafrecht und Strafprozessrecht an der Universität Zürich, äußerte sich in der Parlamentssitzung vom 1. Dezember 2020 mit Blick auf diese verfassungsrechtliche Kontroverse folgendermaßen:

„In der Kommission haben wir eine ganze Reihe von Staatsrechtlern und [...] Verfassungsrechtlerinnen angehört. Sie haben auch jetzt die juristischen Argumente, die Verfassungsauslegung nach allen Regeln der Kunst gehört. Die Frage ist: Wie gehen wir als Gesetzgeber nun vor? Ist für uns massgebend, dass sich Rechtsprofessoren einheitlich in eine Reihe stellen und sagen, was wir zu tun haben? Meine Antwort ist: nein. Warum? Wir sind nicht Studierende, die einen Fall an der Universität lösen, für den es ein Richtig oder Falsch gibt. Wir sind Gesetzgeber, und unsere Verfassung sieht im Unterschied zu anderen Ländern eine besondere Verantwortung im Rahmen der Gesetzgebung vor, weil wir in der Schweiz kein Verfassungsgericht haben. Wir sind verantwortlich für die Auslegung der Verfassung. Jetzt sind wir in einer Situation, in der uns die Rechtsgelehrten nicht

1 Vgl Art 94 Schweizerisches Zivilgesetzbuch (ZGB), SR 210 (SR = Systematische Sammlung des Bundesrechts).

2 Bundesverfassung der Schweizerischen Eidgenossenschaft, SR 101.

sagen können, was wir tun müssen. Das finde ich natürlich als Professor der Rechte schade, das ist aber so, das ist die Verantwortung als Gesetzgeber. Warum ist das so? Weil das Institut der Ehe respektive Artikel 14 der Bundesverfassung in seiner ursprünglichen Form in die Verfassung von 1874 hineingekommen ist, also aus dem 19. Jahrhundert stammt. Was damals gedacht worden ist, spielt letztlich heute keine Rolle mehr. Auch was 1999 gedacht wurde, spielt keine Rolle mehr. Es ist unsere Aufgabe als Gesetzgeber im Jahr 2020, die Verfassung für das Jahr 2020 auszulegen".[3]

Dieses Votum deutet darauf hin, dass der Beziehungsstatus von Rechtsdogmatik und Gesetzgebung ungeklärt ist. Als Ausgangsthese kann vor diesem Hintergrund auf einen Titel von *Oliver Lepsius* im Verfassungsblog verwiesen werden: „Warum Rechtswissenschaft und Politik wechselseitig so wenig miteinander anfangen können"[4]. Die Bundesebene in der Schweiz ist für die nähere Beleuchtung der Beziehung von Rechtswissenschaft und Gesetzgebung besonders reizvoll. Akte der Bundesversammlung, also in erster Linie Gesetze, können beim Bundesgericht nicht angefochten werden (Art 189 Abs 4 BV). Es existiert somit keine abstrakte Normenkontrolle gegen Bundesgesetze. Art 190 BV bestimmt zudem, dass Bundesgesetze für das Bundesgericht und die anderen rechtsanwendenden Behörden maßgebend sind. Dadurch wird die konkrete oder inzidente Normenkontrolle gegen Bundesgesetze ausgeschlossen. Mangels Verfassungsgerichtsbarkeit in Bezug auf Bundesgesetze besteht somit kein privilegierter Monopolist für rechtsdogmatische Argumente mit Blick auf die Gesetzgebung. Es hat hier keine „Entthronung der Staatsrechtswissenschaft durch die Verfassungsgerichtsbarkeit" im Sinne von *Bernhard Schlink*[5] stattgefunden. Wie *Giovanni Biaggini* treffend beschreibt, erfolgt die Disziplinierung der Staatspraxis vielmehr im Wesentlichen „über die blosse Kraft des guten Arguments".[6]

Nach kurzen Annäherungen an die Begriffe der (Verfassungs-)Rechtsdogmatik, der Gesetzgebung und der Rechtspolitik werden die bestehenden

3 *Daniel Jositsch*, AB 2020 S 1102 (AB S = Amtliches Bulletin Ständerat).

4 *Oliver Lepsius*, Dogmatiker als Experten: Warum Rechtswissenschaft und Politik wechselseitig so wenig miteinander anfangen können, VerfBlog, 30. 3. 2021, <www.verfassungsblog.de/dogmatiker-als-experten/> (3. 6. 2022).

5 So *Bernhard Schlink*, Die Entthronung der Staatsrechtswissenschaft durch die Verfassungsgerichtsbarkeit, Der Staat 1989, 161.

6 *Giovanni Biaggini*, Die Staatsrechtswissenschaft und ihr Gegenstand: Wechselseitige Bedingtheiten am Beispiel der Schweiz, Die Verwaltung – Beiheft 7 2007, 267 (273).

Kommunikationskanäle zwischen Rechtsdogmatik und Gesetzgebung vorgestellt. Vor dem Hintergrund der Ausgangsthese einer unklaren Beziehung folgt eine Auseinandersetzung mit der Frage, wie rechtsdogmatische Argumentationen funktionsadäquat auf die Bedarfe der Gesetzgebung ausgerichtet und hieraus konkrete Leitlinien für das methodische Vorgehen entwickelt werden könnten. Abgerundet wird der Beitrag durch einen Ausblick auf die künftige Entwicklung der Beziehung von Rechtsdogmatik und Gesetzgebung.

Begriffliche Annäherungen

(Verfassungs-)Rechtsdogmatik

(Verfassungs-)Rechtsdogmatik wird der klassischen Umschreibung folgend als ein aus der Gesamtheit der Rechtsordnung zu erarbeitendes und erarbeitetes Gefüge juristischer Begriffe, Institutionen, Grundsätze und Regeln verstanden, die, die einzelnen gesetzlichen Regeln übergreifend, unabhängig von einer gesetzlichen Regelung allgemein Anerkennung und Befolgung beanspruchen.[7] Rechtsdogmatik ist demnach die Summe der aus der Rechtsordnung als geordnetes Ganzes unter Orientierung an deren Prinzipien entwickelten Argumentationsfiguren mittlerer Abstraktionshöhe, die als Schicht zwischen den Rechtsnormen und deren Anwendung unabhängig von diesen Geltung beanspruchen.[8] Ein Charakteristikum von Rechtsdogmatik besteht darin, dass sie aufgrund ihrer Anwendungsorientierung als Gemeinschaftsleistung von der Rechtswissenschaft und der Rechtsprechung betrieben wird.[9] Als Akteure der Rechtsdogmatik wirken somit die Rechtswissenschafterinnen und Rechtswissenschafter einerseits und die Gerichte andererseits zusammen. Die Wissenschaft äußert sich mit systematisierenden Beiträgen, die Rechtsprechung mit konkreten Entscheidungen.[10]

7 *Winfried Brohm,* Die Dogmatik des Verwaltungsrechts vor den Gegenwartsaufgaben der Verwaltung, VVDStRL 1972, 245 (246). Zu Besonderheiten der Verfassungsrechtsdogmatik *Peter M. Huber,* Rechtsprechung und Rechtswissenschaft, JZ 2022, 1.

8 *Wolfgang Kahl,* Wissenschaft, Praxis und Dogmatik im Verwaltungsrecht (2020) 66.

9 *Kahl,* Wissenschaft 97; *Anna-Bettina Kaiser,* Juristische Methode, Dogmatik und System, in *Kahl/Ludwigs* (Hrsg), Handbuch des Verwaltungsrechts I (2021) § 24 Rz 26; *Markus Müller,* Rechtsdogmatik als Staatsaufgabe? Eine (vielleicht) ungewohnte Fragestellung, in FS Hänni (2015) 575 (582). Umgekehrt erschöpft sich Rechtswissenschaft nicht in Rechtsdogmatik. Vgl dazu *Christian Waldhoff,* Kritik und Lob der Dogmatik, in *Kirchhof/Magen/Schneider* (Hrsg), Was weiß Dogmatik? (2012) 30.

10 *Eberhard Schmidt-Aßmann,* Verwaltungsrechtliche Dogmatik (2013) 3 f.

Aufgrund des Praxisbezugs der Rechtsdogmatik liegt ihr Zweck zum einen darin, die Rechtsanwendung durch Verwaltung und Rechtsprechung zu unterstützen, zum anderen leitet sie die Gesetzgebung mit Vorschlägen an.[11] Die Rechtsdogmatik spielt demnach auch bei der Fortentwicklung des geltenden Rechts eine wichtige Vermittlerrolle.[12] Rechtsdogmatik in ihrer am weitesten reichenden Ausprägung erfüllt somit eine rechtspolitische beziehungsweise innovative Funktion, indem sie auf ungelöste Rechtsfragen, Lücken und Normwidersprüche aufmerksam macht und Lösungsvorschläge unterbreitet, wobei die Praxis regelmäßig auf Vorarbeiten der Wissenschaft zurückgreifen kann.[13] Rechtsdogmatische Beiträge sind also wichtig für die Rechtsgestaltung, die Rechtskritik und die Rechtsfortbildung, indem sie Regelungsmodelle vergleichen und Regelungsoptionen für künftige Rechtsentwicklungen aufzeigen.[14] Die Methode der Rechtsdogmatik in ihrer rechtspolitischen Funktion und die (Teil-)Disziplin der Rechtspolitik stehen folglich in einer engen Wechselbeziehung.

Gesetzgebung

Unter Gesetzgebung wird unter Bezugnahme auf Art 163 Abs 1 BV der Erlass rechtsetzender Bestimmungen in der Form des Bundesgesetzes durch die Bundesversammlung verstanden.[15] Rechtsetzend sind Bestimmungen, wenn sie generell-abstrakter Natur sind.[16] Der Begriff des Gesetzes impliziert, dass alle wichtigen rechtsetzenden Bestimmungen in dieser Form erlassen werden müssen (vgl Art 164 Abs 1 Satz 1 BV). Exemplarisch müssen schwerwiegende Einschränkungen von Grundrechten im Gesetz selbst vorgesehen sein (Art 36 Abs 1 Satz 2 BV). Charakteristisch für die Gesetzgebung in der Schweiz in Bund und Kantonen ist die Mitwirkung der Stimmberechtigten. Auf Bundesebene unterstehen die durch das Parlament erlassenen Gesetze dem fakultativen Referendum (Art 141 Abs 1 lit a BV). 50.000 Stimmberechtigte können innerhalb von 100 Tagen seit der amt-

11 *Kahl,* Wissenschaft 71.

12 *M. Müller* in FS Hänni 575 (580).

13 *Kaiser* in *Kahl/Ludwigs,* Handbuch I § 24 Rz 27.

14 *Schmidt-Aßmann,* Dogmatik 5.

15 Siehe zur begrifflichen Eingrenzung der Bundesgesetzgebung nur *Thomas Gächter,* Rechtsetzung, in *Biaggini/Gächter/Kiener* (Hrsg), Staatsrecht[3] (2021) § 23 Rz 7 f.

16 Vgl Art 22 Abs 4 Bundesgesetz über die Bundesversammlung (Parlamentsgesetz, ParlG), SR 171.10: „Als rechtsetzend gelten Bestimmungen, die in unmittelbar verbindlicher und generell-abstrakter Weise Pflichten auferlegen, Rechte verleihen oder Zuständigkeiten festlegen".

lichen Veröffentlichung des Erlasses verlangen, dass ein Gesetz dem Volk zur Abstimmung vorgelegt wird. Das Gesetz ist angenommen, wenn die Mehrheit der Stimmenden sich dafür ausspricht (vgl Art 142 Abs 1 BV).

Gesetzgebung = Rechtspolitik?

Lässt sich die Gesetzgebung als generell-abstrakte Regelung verstehen und finden sich in der Literatur zahlreiche Umschreibungen der Rechtsdogmatik und ihrer Funktion, bleibt deren jeweiliges Verhältnis zur Rechtspolitik undeutlich. Offen ist insbesondere, ob Gesetzgebung und Rechtspolitik deckungsgleich sind, sodass Rechtspolitik nichts anderes als praktische Politik durch Gesetzgebung wäre. Der Unterschied von Rechtspolitik und Politik läge einzig im weiteren Anwendungsbereich von Politik, die nicht nur durch Gesetzgebung, sondern auch durch Kommunikation oder den Einsatz von Finanzmitteln gestaltet werden kann.[17] Im Folgenden soll jedoch ein spezifischeres Verständnis von Rechtspolitik zugrunde gelegt werden. Rechtspolitik setzt danach die wissenschaftlich motivierte und fundierte Auseinandersetzung mit der Gesetzgebung voraus. Sie erschöpft sich nicht im Erlass von Gesetzen durch Parlament und Stimmberechtigte. Gesetzgebung und Rechtspolitik sind nicht deckungsgleich.

Im Sinne der Zielsetzung der 1968 begründeten Zeitschrift für Rechtspolitik (ZRP) besteht das wissenschaftliche Interesse von Rechtspolitik darin, „Anregungen an den Gesetzgeber heranzutragen und den brachliegenden Reichtum an unausgeschöpften rechtspolitischen Einsichten, Ideen und Argumenten fruchtbar zu machen, aber auch, [...] politische Implikationen von Verwaltungs- und Gerichtsentscheidungen offenzulegen".[18] Ein Kern der Rechtspolitik ist wiederum das „gute Argument". Bereits 1968 wurde festgestellt, dass Darlegungen de lege ferenda oftmals ungehört bleiben, „weil das Ohr des Gesetzgebers so schwer zu erreichen ist". Recht beschäftigt die Rechtswissenschaft nicht erst, wenn es „fertig" ist, sondern auch dessen künftige Gestaltung ist ein wichtiger Forschungsgegenstand. Wissenschaftlich fundierte Rechtspolitik fungiert danach als Prüfstein für die „Transformierbarkeit [politischer Ideen] in Gestaltungsvorschläge, die auch im Kontext der vielschichtigen Wirklichkeit möglicherweise praktikabel sind und die sich dem Abwägen des Für und

17 Zur Eigengesetzlichkeit des Rechts aber *Christoph Engel,* Rationale Rechtspolitik und ihre Grenzen, JZ 2005, 581 (588 f).

18 Dazu und zum Folgenden *Martin Kriele,* Warum diese Zeitschrift, ZRP 1968, 2.

Wider auch der ferneren voraussehbaren Konsequenzen zu stellen vermögen". Die einschlägigen Prüfungsmaßstäbe bestehen dabei gerade auch aus rechtsdogmatischen Argumenten. Auf diese Weise kommt die rechtspolitische Funktion der Rechtsdogmatik zur Geltung.

Bestehende Kommunikationskanäle zwischen Rechtsdogmatik und Gesetzgebung

Unmittelbare Kommunikation durch Expertinnen und Experten

Interaktive Beziehungen zwischen Rechtswissenschaft und Gesetzgebung finden im Rahmen eines institutionalisierten Austauschs statt, wenn Rechtswissenschafterinnen und Rechtswissenschafter als Expertinnen und Experten Äußerungsmöglichkeiten in laufenden Gesetzgebungsverfahren eingeräumt werden.[19] Die Kommissionen des Parlaments, also von Nationalrat und Ständerat, können zur Erfüllung ihrer Aufgaben außenstehende Sachverständige beiziehen (Art 45 Abs 1 lit b ParlG). Die bedeutsamste unmittelbare Beeinflussung der Gesetzgebung durch wissenschaftliche Akteurinnen und Akteure mittels rechtsdogmatischer Argumente erfolgt somit im Rahmen von Expertenanhörungen der zuständigen Sachbereichskommissionen beider Räte. Aufgrund der inhaltlichen Sachnähe dürften rechtsdogmatische Erörterungen am ehesten in den Staatspolitischen Kommissionen (SPK) und in den Rechtskommissionen (RK) Platz finden. Die Äußerungen der Expertinnen und Experten sind in den Kommissionsberichten dokumentiert und damit Gegenstand der Gesetzgebungsmaterialien.

Über die Anhörung in Kommissionssitzungen hinaus vergeben Parlament und Bundesversammlung gerade auch bei größeren Rechtsetzungsvorhaben Beratungsmandate an Rechtswissenschafterinnen und Rechtswissenschafter.[20] Eine wichtige Schnittstelle für den Austausch von Parlament und Wissenschaft bildet die Parlamentarische Verwaltungskontrolle (PVK). Sie führt im Auftrag der Geschäftsprüfungskommissionen von Nationalrat und Ständerat unter anderem Evaluationen im Rahmen der parlamentarischen Oberaufsicht durch und weist die betreffende Geschäftsprüfungskommission auf abklärungsbedürftige Themen hin (Art 10 Abs 1 lit a ParlVV).[21] Die PVK

19 *Kahl*, Wissenschaft 46.

20 Vgl *Andreas Kley*, Geschichte des öffentlichen Rechts der Schweiz[2] (2015) 386.

21 Verordnung der Bundesversammlung zum Parlamentsgesetz und über die Parlamentsverwaltung (Parlamentsverwaltungsverordnung, ParlVV), SR 171.115.

kann hierzu externe Sachverständige beiziehen (Art 10 Abs 3 Satz 2 ParlVV). In der Praxis beauftragt sie regelmäßig externe Expertinnen und Experten, nicht selten aus der Rechtswissenschaft, um mithilfe von deren Studien die Rechtmäßigkeit, Zweckmäßigkeit und Wirksamkeit der Tätigkeiten der Bundesbehörden zu untersuchen.[22]

Mittelbare Kommunikation über intermediäre Akteure

Rezeption und Transfer dogmatischer Erkenntnisse durch die Verwaltung

Rechtsdogmatische Erkenntnisse der Wissenschaft werden vor allem mittelbar über die Rezeption und den Transfer durch die Verwaltung in die Gesetzgebung eingespeist. So erfolgt im Rahmen der verwaltungsinternen Erlassvorbereitung in Form der begleitenden Rechtsetzung eine präventive Rechtskontrolle.[23] Die auf diese Weise verarbeiteten Erkenntnisse fließen in die Botschaft des Bundesrates an das Parlament ein. Der Bundesrat unterbreitet der Bundesversammlung seine Erlassentwürfe zusammen mit einer Botschaft (Art 141 Abs 1 ParlG). In der Botschaft begründet er den Erlassentwurf und kommentiert soweit nötig die einzelnen Bestimmungen (Art 141 Abs 2 Satz 1 ParlG). Er erläutert dabei insbesondere die Rechtsgrundlage, die Auswirkungen auf die Grundrechte, die Vereinbarkeit mit übergeordnetem Recht und das Verhältnis zum europäischen Recht (Art 141 Abs 2 Satz 2 lit a ParlG).

Die wichtigste Rolle für die Aufarbeitung und Vermittlung rechtsdogmatischen Wissens in der Bundesverwaltung spielt das Bundesamt für Justiz (BJ). Das BJ ist die Fachbehörde und das Dienstleistungszentrum des Bundes für Rechtsfragen (Art 6 Abs 1 Satz 1 OV-EJPD).[24] Es verfolgt insbesondere die Ziele der Erarbeitung bundesrechtlicher Regelungen, die verständlich und widerspruchsfrei sind und mit dem übergeordneten Recht im Einklang stehen, sowie der Erhaltung und Sicherung des juristischen Fachwissens in der Bundesverwaltung und der Förderung des Verständnisses für das Recht (Art 6 Abs 1 Satz 2 lit c und e OV-EJPD). Das BJ

22 Die Evaluationsberichte einschließlich der externen Gutachten sind im Internet verfügbar: <parlament.ch/de/organe/kommissionen/parlamentarische-verwaltungskontrolle-pvk/publikationen-pvk/evaluationsberichte-pvk> (3. 6. 2022).

23 Ausführlich *Giovanni Biaggini*, „Präventive Rechtskontrolle" – Hintergrund, Inhalt, Folgerungen, LeGes 2010, 309.

24 Organisationsverordnung für das Eidgenössische Justiz- und Polizeidepartement (OV-EJPD), SR 172.213.1.

wirkt hin auf die Rechtmäßigkeit von Erlassen der Bundesversammlung, namentlich auf die Wahrung der Grundrechte sowie die Einhaltung der Grundsätze rechtsstaatlichen Handelns, der bundesstaatlichen Kompetenzordnung und anderer verfassungsrechtlicher Vorgaben (Art 6 Abs 2 lit a OV-EJPD).

Das BJ erteilt unter anderem Rechtsauskünfte zum Verfassungsrecht und erstellt Rechtsgutachten zuhanden der Bundesversammlung, des Bundesrates und der Bundesverwaltung (Art 7 Abs 2 OV-EJPD). Es überprüft sämtliche Entwürfe für rechtsetzende Erlasse auf ihre Verfassungs- und Gesetzmäßigkeit, auf ihre Übereinstimmung und Vereinbarkeit mit dem geltenden nationalen und internationalen Recht, auf ihre inhaltliche Richtigkeit sowie, in Zusammenarbeit mit der Bundeskanzlei (BK), auf ihre gesetzestechnische und sprachlich-redaktionelle Angemessenheit (Art 7 Abs 3 OV-EJPD).

Interventionen der Gerichte

Bundesgesetze müssen vom Bundesgericht angewendet werden, selbst wenn dieses im Rahmen einer konkreten Normenkontrolle zum Schluss gelangt, dass das Gesetz gegen die Bundesverfassung verstößt (Art 190 BV). Die in anderen Rechtsordnungen bestehende Möglichkeit der Aufhebung eines Gesetzes durch ein Gericht besteht demnach in der Schweiz auf Bundesebene nicht, sondern nur hinsichtlich kantonaler Gesetze. Dennoch kann das Bundesgericht an das Parlament appellieren, eine seiner Ansicht nach verfassungskonforme Rechtslage zu schaffen.[25] In den Worten des Bundesgerichts stellt sich die Konstellation wie folgt dar: „Zwar handelt es sich dabei [bei der Vorschrift in Art 190 BV] um ein Anwendungsgebot und kein Prüfungsverbot, und es kann sich rechtfertigen, vorfrageweise die Verfassungswidrigkeit eines Bundesgesetzes zu prüfen. Wird eine solche festgestellt, muss das Gesetz dennoch angewendet werden, und das Bundesgericht kann lediglich den Gesetzgeber einladen, die fragliche Bestimmung zu ändern“.[26]

25 Siehe zu dem anders gelagerten, praktisch wenig bedeutsamen Einbezug des Bundesgerichts in Gesetzgebungsverfahren mit justizspezifischen Gegenständen kritisch *Paul Tschümperlin,* Die Rolle des Bundesgerichts im Gesetzgebungsprozess, LeGes 2016, 441.

26 BGE 140 I 305 E 5; BGE 144 I 126 E 3.

Da es nur äußerst selten zu solchen Appellentscheiden kam,[27] lässt sich deren Effektivität nicht bemessen. Eine gewisse Beeinflussung der politischen Agenda lässt sich wohl nicht leugnen, im Ergebnis ist aber fraglich, inwieweit das Parlament entsprechenden Forderungen tatsächlich nachkommt, zumal keine Pflicht zu einem Monitoring oder einer Evaluation besteht. Einzelne Reaktionen des Parlaments auf Anregungen des Bundesgerichts lassen sich zumindest anekdotisch nachweisen.[28] Mitunter werden rechtsdogmatische Argumente, die das Bundesgericht im Rahmen der Prüfung der Bundesrechtskonformität kantonaler Erlasse geäußert hat, in Anbetracht einer analogen oder vergleichbaren Rechtslage auf die Bundesebene übertragen.[29] Auch insoweit lässt sich indes kein durchgängiger „spill-over"-Effekt feststellen.

Noch schwerer fassbar ist die Wirkungsweise von obiter dicta des Bundesgerichts, da diese gerade keinen Fall konkret festgestellter Verfassungswidrigkeit betreffen, sondern sich allenfalls auf laufende oder künftige Gesetzgebungsverfahren beziehen. Immerhin sind zwei prominente Fälle bekannt, in denen Andeutungen des Bundesgerichts die Gesetzgebung wohl in Richtung einer stärkeren Berücksichtigung der Vereinbarkeit mit internationalem Recht beeinflusst haben. Beide Male ging es um den Erlass der Umsetzungsgesetzgebung zu Volksinitiativen. Es handelte sich somit um atypische Konstellationen, in denen das Eigeninteresse des Parlaments an einer bestimmten gesetzlichen Ausgestaltung eher schwach ausgeprägt war.

Der erste Fall betraf die Umsetzung des Ausschaffungsartikels (Art 121 Abs 3 bis 5 BV). Das Bundesgericht stellte mit Blick auf die Ausführungsgesetzgebung in Aussicht, dass es die Vorgaben der EMRK im Einzelfall stets zur Geltung bringen werde.[30] Mit für den konkreten Fall unerheblichen Erwägungen richtete sich das Bundesgericht funktional an das Parlament.[31] Dort führten die Parlamentarierinnen und Parlamentarier

27 Näher zur Praxis *Martin E. Looser*, Verfassungsgerichtliche Rechtskontrolle gegenüber schweizerischen Bundesgesetzen (2011) § 8 Rz 282 f, § 16 Rz 62 f.

28 Zu verschiedenen gesetzlichen Anpassungen im Einzelnen *Andrea Caroni*, Reaktionen des Gesetzgebers auf Impulse der Rechtsprechung, LeGes 2016, 413 (414 f).

29 Vgl *Looser*, Rechtskontrolle § 16 Rz 102 f.

30 BGE 139 I 16 E 5.3.

31 Siehe dazu *Giovanni Biaggini*, Über die Auslegung der Bundesverfassung und ihr Verhältnis zur EMRK, ZBl 2013, 316 (317 f); *Yvo Hangartner*, Bundesgerichtlicher Positionsbezug zum Verhältnis von Bundesverfassung und Völkerrecht, AJP 2013, 698 (701).

unterdessen intensive Diskussionen über die Frage, ob ein schematischer Ausschaffungsmechanismus bei Vorliegen einer Katalogtat verankert oder die Ausschaffungsregelung durch eine Härtefallklausel flankiert werden sollte. Das Parlament beschloss letztlich, wohl im Sinne des Bundesgerichts, eine Härtefallklausel.[32] Ob diese indes allen Anforderungen der EMRK genügt, ist mangels konkreter Kollision bis heute rechtlich ungeklärt.

Im zweiten Fall ging es um die Umsetzung des Masseneinwanderungsartikels (Art 121a BV). Das Bundesgericht erwog in einem Urteil, ohne dass dies für die Entscheidung des konkreten Falls erheblich gewesen wäre, dass das Freizügigkeitsabkommen[33] zwischen der Schweiz und der EU entgegenstehendem Gesetzesrecht im Zweifel vorginge.[34] Ein Konflikt mit völkerrechtlichen Verträgen – so das Bundesgericht – könnte entstehen, wenn eine Verhandlungslösung mit der EU nicht möglich wäre, innerstaatliche Rechtsänderungen vom FZA abweichen sollten und diese nicht durch völkerrechtskonforme Auslegung in Übereinstimmung mit dem FZA angewendet werden könnten.[35] Im Falle eines tatsächlichen Normkonflikts ginge in der Rechtsanwendung gemäß den dargelegten Grundsätzen das FZA vor. Die als obiter dictum einzustufenden Äußerungen richteten sich nicht an das Justizsystem, sondern waren als Warnung an das Parlament zu verstehen.[36] Ob das Parlament wegen dieser Warnung des Bundesgerichts oder aus anderen (politischen) Gründen eine mit dem FZA vereinbare Umsetzungsgesetzgebung erlassen hat, ist offen. Die Ausführungen des Bundesgerichts waren bei der politischen Willensbildung der Parlamentarierinnen und Parlamentarier aber mutmaßlich von einiger Bedeutung.

32 Vgl Art 66a Abs 2 Schweizerisches Strafgesetzbuch (StGB), SR 311.0.

33 Abkommen zwischen der Schweizerischen Eidgenossenschaft einerseits und der Europäischen Gemeinschaft und ihren Mitgliedstaaten andererseits über die Freizügigkeit vom 21. Juni 1999 (FZA), SR 0.142.112.681.

34 BGE 142 II 35 E 3.2.

35 Dazu und zum Folgenden BGE 142 II 35 E 3.3.

36 So *Giovanni Biaggini,* Die „Immerhin liesse sich erwägen"-Erwägung im Urteil 2C-716/2014: über ein problematisches höchstrichterliches obiter dictum, ZBl 2016, 169 (170); kritisch zur Vorgehensweise des Bundesgerichts *Giovanni Biaggini,* Zur Umsetzung von Art 121a BV durch die Bundesversammlung: Wo liegt und welcher Art ist das Problem (verfassungsrechtlich gesehen)? ZBl 2016, 588 (594).

Perspektivenerweiterung seitens der wissenschaftlichen Rechtsdogmatik

Auf der Grundlage einer Analyse des Respekts von Parlament und Regierung gegenüber den Bindungen der Verfassung während der Covid-19-Pandemie gelangte *Giovanni Biaggini* zu folgendem Schluss, der jedenfalls in abgeschwächter Form auch für die Normallage gelten dürfte: „In der Krisensituation ist die Gefahr besonders gross, dass sich ein opportunistisches Verfassungsverständnis breitmacht: Man beruft sich auf die Verfassung, wenn sie nützt, und schiebt sie weg, wenn sie stört und der erwünschten Lösung im Weg steht – ohne Rücksicht darauf, dass damit Präzedenzfälle geschaffen werden. Was aber nützt das beste verfassungsrechtliche Schutzdispositiv, was nützen Rechtsschutz und präventive Rechtskontrolle, wenn politische Imperative die juristische Logik und insbesondere die Verfassungsauslegung nach anerkannten methodischen Grundsätzen verdrängen? Eine Lehre aus der Coronavirus-Pandemie sollte sein, dass das Verfassungsbewusstsein geschärft und gestärkt werden muss, nicht zuletzt bei den politischen Akteuren“.[37]

Das rechtsdogmatische Argument steht letztlich stets in der Gefahr, als politisches Argument eingesetzt zu werden beziehungsweise nur dann Gehör zu finden, wenn es der eigenen Position einer Parlamentarierin oder eines Parlamentariers nützt. Diese Wirkungsweise ist jedoch nicht als Mangel des institutionellen Gefüges aufzufassen oder gar den Parlamentarierinnen und Parlamentariern als mangelnde Sensibilität gegenüber der Verfassung anzukreiden. Gesetzgebung ist vielmehr rein politisch. Rechtsdogmatische Erkenntnisse spielen dabei grundsätzlich keine Rolle. Missverständnisse im Verhältnis von Rechtsdogmatik und Gesetzgebung gehen daher stets zulasten der rechtsdogmatischen Akteure, also in erster Linie der Rechtswissenschaft.

Vor dem Hintergrund der Bringschuld der Rechtswissenschaft ist daher zu fragen, wie auf bedarfs- und adressatengerechte Weise dogmatische Erkenntnisse im Rahmen der Gesetzgebung eingebracht werden können. Anhaltspunkte für eine auf die Bedürfnisse der Gesetzgebung ausgerichtete Rechtsdogmatik ergeben sich aus dem folgenden Votum *Andrea Caronis* im Ständerat im Zusammenhang mit der Verfassungsgrundlage für ein dringlich erklärtes Gesetz: „Nur ganz kurz, einfach deshalb, falls die Nachwelt sich je fragen sollte, ob das, was wir hier beschliessen, verfas-

37 *Giovanni Biaggini,* Das Verfassungsgefüge im Stresstest der Pandemie, ZBl 2022, 59 (91).

sungswidrig sei. Es könnte nämlich auf den ersten Blick so sein. […] So gesehen und so die Verfassung ausgelegt, haben wir uns im September in der SPK überlegt, könnte man das doch unter dem Titel ‚verfassungskonformes dringliches Gesetz' bringen. Hätte man das ursprünglich so gemacht, hätte man es auch verlängern dürfen. Es ist aber ein wenig ein Murks, man hat es im September dann ja auch fallengelassen. Jetzt kommt es zu meiner Überraschung wieder. Aber unter diesem Titel könnte man es in extremis vielleicht auch vor den Leuten rechtfertigen, die sich diese Frage einmal stellen werden".[38]

Es besteht demnach durchaus ein Bedürfnis der Parlamentarierinnen und Parlamentarier, die Verfassung mit Blick auf vorangegangene Entscheidungen konsistent, ohne offensichtliche Widersprüche auszulegen und keine unbeabsichtigten Präzedenzfälle zu schaffen. Dies gilt insbesondere bei Verfahrensfragen. Im konkreten Fall hätte die Rechtswissenschaft auf der Grundlage der – für Laien nicht leicht zu verstehenden – Dogmatik der dringlichen Gesetzgebung einschließlich des daran anknüpfenden Referendumsrechts alternative Vorgehensweisen aufzeigen können. In Kenntnis dieser verfassungsrechtlichen Ausgangslage hätten sich die Parlamentarierinnen und Parlamentarier dazu entschließen können, die beabsichtigte Regelung entweder als dringliches Gesetz ohne Verfassungsgrundlage oder als solches mit Verfassungsgrundlage zu erlassen. Das Parlament hätte möglicherweise vor dem offensichtlich verfassungswidrigen Vorgehen bewahrt werden können, wenn die Wissenschaft zeitgerecht auf dessen Folgewirkungen hingewiesen hätte.

In Anbetracht zahlreicher methodischer Fallstricke erweist es sich als anspruchsvoll, über den anekdotischen Einzelfall hinaus verallgemeinerungsfähige Leitlinien für eine gesetzgebungsadäquate Rechtsdogmatik zu entwickeln. Die im Folgenden zu erarbeitenden Leitlinien dienen der Stärkung der regulativen Kraft des wissenschaftlichen Diskurses, nicht als Vorlage für die Entwicklung rechtspolitischer Vorschläge für eine normative Regulierung.[39] Mit einer derart ausgerichteten Öffnung der Perspektive ist die Absicht verbunden, dass eine reformierte Rolle der Dogmatik für die Gesetzgebung „interessant" gemacht wird.[40]

38 *Andrea Caroni,* AB 2021 S 1224.

39 Dafür bereits *Andreas Voßkuhle,* Die politischen Dimensionen der Staatsrechtslehre, Die Verwaltung – Beiheft 7 2007, 135 (157).

40 Zu diesem Ziel auch *Nils Jansen,* Rechtsdogmatik, Rechtswissenschaft und juristische Praxis, AöR 2018, 623 (658).

Leitlinien für eine gesetzgebungsadressierte wissenschaftliche Rechtsdogmatik

Entklammerung von der politischen Argumentation

Die „methodische Schwäche" der Rechtswissenschaft – so *Andreas Kley* – ist bedingt durch ihre politische Stärke, denn die Rechtswissenschaft hat eine wichtige Aufgabe im Rahmen der Legitimation der rechtsstaatlichen Machtausübung.[41] Die wissenschaftliche Komponente von Rechtsdogmatik[42] in Abgrenzung von der politischen Komponente sichtbarer zu machen, könnte die Rechtsdogmatik methodisch als Ganzes stärken. Dies würde dabei helfen, Missverständnisse in der Beziehung von Rechtsdogmatik und Gesetzgebung zu vermeiden. Die Parlamentarierinnen und Parlamentarier und die Öffentlichkeit – oder zumindest die Rechtswissenschafterinnen und Rechtswissenschafter selbst – sollten erkennen können, ob ein rechtsdogmatisches Argument wissenschaftlich fundiert ist oder aus politischen Gründen eingesetzt wird. Nötig hierzu ist – im Sinne einer ersten Leitlinie – eine Entklammerung von der politischen Argumentation.

Die Problematik zeigt sich beispielsweise anhand von kollektiven Aufrufen der Professorenschaft an die Stimmberechtigten im Vorfeld von Volksabstimmungen, wie sie in jüngerer Vergangenheit vorgekommen sind, in denen ein mehr oder weniger umfangreiches Kollektiv von Professorinnen und Professoren unterschiedlicher Funktionsgrade zu einem Ja, oder häufiger einem Nein, in der Volksabstimmung aufrufen.[43] Dabei wird ein als rechtsdogmatisch ausgewiesenes Argument in einer Abstimmungskampagne wie ein politisches Argument eingesetzt und ist von diesem nicht zu unterscheiden. Professorenaufrufe entfalten dadurch ein erhebliches Schädigungspotenzial für die Reputation der Disziplin der wissenschaftlich betriebenen Rechtsdogmatik.

Öffnung für die demokratische Gestaltungsperspektive

Die Etablierung einer fruchtbaren Beziehung von Rechtsdogmatik und Gesetzgebung bedingt zwecks Verbesserung der Anschlussfähigkeit – im Sinne einer zweiten Leitlinie – einen Perspektivenwechsel weg von der materiell-

41 *Kley*, Geschichte² 449.
42 Zum Wissenschaftscharakter der Dogmatik *Lassahn/Steenbreker*, Gedanken zur Rechtsdogmatik, JZ 2015, 553 (559 f).
43 Siehe zu einer kritischen Beschreibung des Phänomens *Kley*, Geschichte² 450.

rechtlichen Kontrollperspektive gegenüber Verwaltung und Rechtsprechung hin zu einer Öffnung für die politischen Rahmenbedingungen von Gesetzgebung.[44] Die rechtsstaatlich-retrospektive Kontrollperspektive ist folglich durch eine demokratisch-prospektive Entscheidungsperspektive zu ergänzen.[45] Rechtsdogmatik wird im Sinne von *Giovanni Biaggini* als Entscheidungswissenschaft betrieben, die Entscheidungen vorbereitet, analysiert und kritisiert sowie Rahmenbedingungen, Prämissen und Beschränkungen aufzeigt.[46] Die Entscheidungsträger rücken in den Mittelpunkt.

Das eingangs zitierte Votum verdeutlicht, dass es dem politischen Charakter von Gesetzgebung nicht gerecht wird, mit vermeintlicher rechtswissenschaftlicher Autorität[47] schlicht in den binären Kategorien von verfassungswidrig und verfassungskonform zu argumentieren. Dies gilt, zumal sich regelmäßig Vertreterinnen und Vertreter in der Wissenschaft für beide Positionen finden werden. Die Parlamentarierinnen und Parlamentarier sehen sich leicht in die Position zur Falllösung verpflichteter Studierender versetzt. Der Eindruck einer Rollenkonfusion, wonach Rechtswissenschafterinnen und Rechtswissenschafter den Mitgliedern des Parlaments vorschreiben, welche politische Lösung sie zu wählen haben, sollte in jedem Fall vermieden werden. Zur – wenn auch mitunter polemischen – Diskreditierung genügt bereits der Anschein, das rechtsdogmatische Argument werde aus politischen Gründen geführt.

Innovativer Gehalt des Beitrages

Die gestalterische Ausrichtung hat zur Folge, dass die von Seiten der Wissenschaft einzuspeisenden dogmatischen Erkenntnisse über die von der Verwaltung und Rechtsprechung bereits aufgearbeiteten und mittelbar kommunizierten Inhalte hinausgehen. Daraus könnte man die Leitlinie gewinnen, dass sich Wissenschafterinnen und Wissenschafter mit rechtsdogmatischen Ausführungen mit Blick auf die Gesetzgebung nur dann einbringen sollten, wenn sie innovative Befunde, also ein neues Argument, liefern können.[48]

44 *Oliver Lepsius,* Gesetz und Gesetzgebung, in *Herdegen/Masing/Poscher/Gärditz* (Hrsg), Handbuch des Verfassungsrechts (2021) § 12 Rz 100.

45 *Lepsius,* Dogmatiker Rz 17.

46 *Biaggini,* Die Verwaltung 2007, 267 (272); *Voßkuhle,* Die Verwaltung 2007, 135 (139).

47 Kritisch zur Bedeutung von „Autorität" in der Rezeption staatsrechtlicher Literatur *Kley,* Geschichte[2] 445.

48 Für die Fokussierung der Rechtswissenschaft auf neue juristische Erkenntnisse *Nils Jansen,* Rechtsdogmatik, Rechtswissenschaft und juristische Praxis, AöR 2018, 623 (652).

Geht es hingegen nur um die mit der vermeintlichen Autorität der Wissenschaft unterlegte Entkräftung oder Bekräftigung einer bestimmten politischen Haltung mit bereits bekannten, da in der Literatur – möglicherweise unter dem Titel der „herrschenden Meinung" – dokumentierten Argumenten, ist ein (nochmaliger) Beitrag der Wissenschaft unter Verwendung rechtsdogmatischer Überlegungen entbehrlich.

Lösung von der Symbiose mit der Rechtsprechung

Das Eingehen einer symbiotischen Beziehung von Rechtswissenschaft und Gerichtspraxis zwecks angeblicher Selbstermächtigung[49] erweist sich für die Beziehung der Wissenschaft zur Gesetzgebung als Selbstentmachtung. Toxisch für die Beziehung von wissenschaftlicher Rechtsdogmatik und Gesetzgebung wirkt das aus einer Kontrollperspektive formulierte Argument der Verfassungswidrigkeit, zumal dieses von jeder Person behauptet und somit stets als politisches Argument verwendet werden kann.[50] Als vierte Leitlinie ließe sich also formulieren, dass symbiotische Beziehungen mit der Rechtsprechung zu unterlassen und daraus abgeleitet auf eine binäre Argumentation in den Kategorien von Verfassungskonformität und Verfassungswidrigkeit zu verzichten ist.

Der Bedeutungsverlust des von Seiten der Wissenschaft, regelmäßig unter Berufung auf die Rechtsprechung, geäußerten rechtsdogmatischen Arguments der Verfassungswidrigkeit wird besonders deutlich, wenn zwei oder mehrere Wissenschafterinnen und Wissenschafter zu unterschiedlichen Auslegungsergebnissen gelangen. Dies bleibt bei den Abgeordneten nicht unbemerkt. Zur Illustration dient folgendes Zitat von Nationalrat *Christian Lüscher*: „Le projet est contraire à la Constitution principalement sous l'angle de la liberté économique, de la garantie de la propriété et de l'égalité de traitement. A mes yeux, je le précise, cet argument n'est pas décisif parce que les experts étaient extrêmement partagés sur cette question et que, en fin de compte, le Parlement a le droit (...) de violer la Constitution s'il le fait de manière volontaire".[51]

Methodische Öffnung gegenüber der Rechtspolitik

Vielversprechend ist die aus dem Problembefund des gegenseitigen Missverständnisses von Rechtsdogmatik und Gesetzgebung zu entwickelnde

49 So *Lepsius* in *Kirchhof/Magen/Schneider*, Was weiß Dogmatik? 39 (43).
50 Vgl auch *Lepsius*, Dogmatiker Rz 6, 9.
51 *Christian Lüscher*, AB 2020 N 1982 (AB N = Amtliches Bulletin Nationalrat).

Leitlinie einer methodischen Öffnung der Rechtsdogmatik hin zur Rechtspolitik. Gemäß einer auf wissenschaftliche Standards verpflichteten Rechtspolitik weisen einschlägige Veröffentlichungen einen Bezug zur Rechtsgestaltung durch Gesetzgebung auf und enthalten Gestaltungsvorschläge, deren Adressat der Gesetzgeber ist.[52] Zentrales Qualitätsmerkmal ist demnach die breite wissenschaftliche Fundierung der Vorschläge bei gleichzeitiger Offenheit im Ergebnis für mehrere Gestaltungsalternativen. Das Ziel bestünde somit darin, „der Praxis Panoramen von Konstruktions- und Denkmöglichkeiten und damit von Entscheidungsoptionen zur Verfügung [zu] stellen".[53] Ein Ansatzpunkt für die konstruktive Rolle der Rechtsdogmatik könnte dabei das traditionelle Engagement der schweizerischen Staatsrechtslehre für Vernachlässigtes sein.[54] Beispiele auf dem Gebiet des öffentlichen Rechts sind die Einführung der Verwaltungsgerichtsbarkeit, das Verfahren der dringlichen Gesetzgebung sowie das Verhältnis von Volksinitiative und Gegenentwurf.[55] Als aktuelles Beispiel kann die Einführung der Gesetzesinitiative im Bund genannt werden.

Transparenz und finanzielle Unabhängigkeit

Flankiert wird die auf die Gesetzgebung ausgerichtete Rechtsdogmatik – als sechste und letzte Leitlinie – zwingend durch absolute Transparenz über Kontext und Finanzierung eines Beitrages sowie den Zugang zu allen Dokumenten.[56] Dahinter steht das Interesse an wirtschaftlicher Unabhängigkeit von politischen Interessen, die für die Wissenschaftlichkeit von Rechtsdogmatik konstitutiv ist.[57] Die Beiträge sollten in wissenschaftlich anerkannten Formaten publiziert sein. Bezahlte Auftragsgutachten im Zusammenhang mit der Gesetzgebung erweisen sich vor diesem Hintergrund als dysfunktional.[58] Rechtspolitisch motivierte Forschung sollte

52 Dazu und zum Folgenden *Winfried Kluth,* Aufgaben und Perspektiven der Rechtspolitik, ZRP 2017, 194.

53 *Jansen,* AöR 2018, 623 (654).

54 *Biaggini,* Die Verwaltung 2007, 267 (288).

55 *Kley,* Geschichte² 388; zur Verwaltungsgerichtsbarkeit *Biaggini,* Die Verwaltung 2007, 267 (283 f).

56 Für Transparenz und Publizität in allen Belangen auch *Voßkuhle,* Die Verwaltung 2007, 135 (154).

57 Ausführlich dazu *Müller* in FS Hänni 575 (584 f).

58 Kritisch zu den diffusen Grenzen zwischen „Lobbyexperten und Expertenlobby" *Martin Wyss,* Einführung in das Tagungsthema: Lobbyismus – die unbekannte Seite der Rechtsetzung, LeGes 2013, 571 (574 f).

stets durch die staatliche Grundausstattung der Universitäten oder die von den Forschungsförderungsinstitutionen gesprochenen Drittmittel finanziert werden. Die hieraus hervorgehenden Argumente können von den Parlamentarierinnen und Parlamentariern nämlich nicht mehr ohne Weiteres als politische Äußerung vom Tisch gewischt werden.

Ausblick: Bedeutungszuwachs rechtsdogmatischer Argumente in der Politik?

Die Beziehung von Rechtsdogmatik und Gesetzgebung dürfte inskünftig nicht an Relevanz verlieren. Rechtliche Fragen der Politikgestaltung durch Gesetzgebung werden aufgrund des dichten Geflechts bestehender Regelungen, des Ineinandergreifens von Regelungen auf mehreren Ebenen von den Erlassen einer Gemeinde über kantonale Gesetze bis zu den bilateralen Verträgen zwischen der Schweiz und der EU sowie der Juridifizierung der Politik infolge des tatsächlichen Gebrauchs vorhandener Rechtsmittel eher an Bedeutung gewinnen als verlieren. Diese Entwicklungen sollte die wissenschaftlich betriebene Rechtsdogmatik bei der Auswahl ihrer Gegenstände und Methoden berücksichtigen, sofern sie von der Gesetzgebung mit ihren Beiträgen als konstruktiv wahrgenommen werden will.

Die Verwendung rechtsdogmatischer Argumente durch die politischen Akteure in Abstimmungskämpfen löst insbesondere bei den Stimmberechtigten Informationsbedarf aus.[59] So behaupteten die Referendumskomitees in den offiziellen Erläuterungen zur Volksabstimmung vom 26. September 2021 über die eingangs bereits geschilderte politische Frage der Öffnung der Ehe für gleichgeschlechtliche Paare: „Die „Ehe für alle“ mit einer blossen Gesetzesänderung einzuführen, ist klar verfassungswidrig“.[60] Bundesrat und Parlament erwiderten unter dem Randtitel „Verfassung erlaubt Ehe für alle“: „Für die Öffnung der Ehe braucht es keine Verfassungsänderung. Die Verfassung definiert die Ehe nicht als Verbindung zwischen Frau und Mann“.[61] Eine adäquate Rolle der Rechtswissenschaft

59 Zur Aufhebung einer kantonalen Volksabstimmung durch das Bundesgericht wegen der Verwendung unzutreffender rechtlicher Argumente in den offiziellen Abstimmungserläuterungen BGE 147 I 297.

60 *Bundesrat*, Erläuterungen zur Volksabstimmung vom 26. 9. 2021 <www.admin.ch/dam/gov/de/Dokumentation/Abstimmungen/September2021/DE_B%C3%BCchlein_sept21.pdf.download.pdf/DE_B%C3%BCchlein_sept21.pdf> (3. 6. 2022) 26.

61 *Bundesrat*, Erläuterungen zur Volksabstimmung vom 26.09.2021, 29.

könnte in diesem Zusammenhang darin bestehen, „stellvertretend für die demokratische Öffentlichkeit eine methodisch valide Oberaufsicht des Publikums" wahrzunehmen.[62]

Die großen Herausforderungen für eine wissenschaftlich betriebene Rechtsdogmatik mit einem Mehrwert für die Gesetzgebung liegen in der frühzeitigen, politische Entwicklungen antizipierenden Identifizierung rechtlich relevanter Fragen, in der methodisch verlässlichen und im Ergebnis innovativen Analyse des relevanten Forschungsgegenstandes sowie in der nach Format und Zeitpunkt adäquaten Einspeisung derart wissenschaftlich fundierter rechtsdogmatischer Argumente in den politischen Prozess. Die Beziehung von Rechtsdogmatik und Gesetzgebung bleibt stets anfällig für Missverständnisse infolge falscher gegenseitiger Erwartungen.

Ein wichtiges Zwischenziel für eine gelingende Wechselbezüglichkeit von Rechtsdogmatik und Gesetzgebung besteht daher nur schon in der Reflexion über die jeweiligen Ausgangsbedingungen und Eigengesetzlichkeiten.

62 *P. Huber*, JZ 2022, 1 (7).